PONS Standardwörterbuch Englisch

Bearbeitet von: Veronika Schnorr, Peter Terrell, Sean McLaughlin,
Ute Nicol, Anne Dickinson
Kurzgrammatik: Bruce Pye

Neubearbeitung 1994:
Bearbeitet von: Hugh Keith, Gudrun Küper
unter Mitwirkung und Leitung der Redaktion PONS Wörterbücher

Die Deutsche Bibliothek · CIP · Einheitsaufnahme

PONS Standardwörterbuch. - Stuttgart ; Dresden : Klett-Verlag
für Wissen und Bildung
NE: Standardwörterbuch
Englisch-Deutsch, Deutsch Englisch / [bearb. von Veronika
Schnorr ...]. - Neubearb., 2., vollst.neubearb. Aufl. / Bearb.
von Hugh Keith ; Gudrun Küper. - 1994
ISBN 3-12-517252
NE; Schnorr, Veronika

Gedruckt auf Papier, das aus chlorfrei gebleichtem Zellstoff hergestellt wurde.

2. vollständig neubearbeitete Auflage 1994

Redaktion: Edgar Braun, Andrea Ender
Sprachdatenverarbeitung: Andreas Lang, conTEXT AG
für Informatik und Kommunikation, Zürich
Einbandgestaltung: Erwin Poell, Heidelberg
Fotosatz: Fotosatz Kaufmann, Stuttgart
Druck: Clausen und Bosse, Leck
Printed in Germany
ISBN 3-12-517252-7

---

met [met] *pt, pp of* **meet**.

fetus [ˈfiːtəs] *n (US)* Fötus *m*.

clerk [klɑːk, klɜːk *US*] *n (in office)* Büroange-stellte(r) *mf; (US: salesperson)* Verkäufe-r(in) *m(f)*.

fix [fɪks] **1.** *vt* befestigen; *(settle)* festsetzen; *(repair)* richten, reparieren; *(drink)* zu-rechtmachen; **2.** *n:* **in a ~** in der Klemme; **fixed** *adj* repariert; *(time)* abgemacht; **it was ~** *(dishonest)* das war Schiebung; **fixer** *n (drug addict)* Fixer(in) *m(f);* **fixture** [ˈfɪkstʃə*] *n* Installationsteil *m; (SPORT)* Spiel *nt*.

serve [sɜːv] **1.** *vt* dienen *+dat; (guest, custom-er)* bedienen; *(food)* servieren; *(writ)* zu-stellen *(on sb* jdm); **2.** *vi* dienen, nützen; *(at table)* servieren; *(TENNIS)* aufschlagen; **it ~s him right** das geschieht ihm recht; **that'll ~ the purpose** das reicht; **that'll ~ as a table** das geht als Tisch; **serve out** *vt (also: ~ up) (food)* auftragen, servieren.

print [prɪnt] **1.** *n* Druck *m; (made by feet, fin-gers)* Abdruck *m; (FOT)* Abzug *m;* **2.** *vt* drucken; *(COMPUT)* ausdrucken; *(name)* in Druckbuchstaben schreiben; *(photo)* abzie-hen; **is the book still in ~?** ist das Buch noch erhältlich?; **out of ~** vergriffen; **prin-ted matter** *n* Drucksache *f;* **printer** *n* Drucker *m;* **printing** *n* Drucken *nt; (of photos)* Abziehen *nt; ~* **press** Druckerpres-se *f;* **printout** *n (COMPUT)* Ausdruck *m*.

knackered [ˈnækəd] *adj (Brit fam)* ausge-bufft.

refer [rɪˈfɜː*] **1.** *vt:* **to ~ sb to sb/sth** jdn an jdn/etw verweisen; **2.** *vi:* **to ~ to** hinweisen auf *+akk; (to book)* nachschlagen in *+dat; (mention)* sich beziehen auf *+akk*.

Auf abweichende **amerikanische Schreibwei-sen** und **amerikanische Bedeutungsvarianten** wird hingewiesen.

Es werden zahlreiche Hinweise für die Ver-wendung des Stichworts und seiner Überset-zungen im Satzzusammenhang gegeben, z. B. durch

● **Erklärungen** zur Unterscheidung mehre-rer Übersetzungen,

● **typische Kollokationen** (Verbindungen),

● Angabe des **Fachgebiets** bei fachsprachli-chen Begriffen,

● Kennzeichnung von **Stilschichten**, die von der Schriftsprache abweichen *(fam, old)*,

● Angabe der zugehörigen **Präpositionen**.

Standardwörterbuch

Englisch - Deutsch
Deutsch - Englisch

Neubearbeitung 1994

Ernst Klett Verlag für Wissen und Bildu
Stuttgart · Dresden

Inhalt

Hinweise zur Benutzung des Wörterbuchs

Sie werden dieses Wörterbuch benutzen, entweder weil Sie die Bedeutung eines englischen Wortes wissen wollen oder aber die englische Entsprechung für ein deutsches Wort suchen. Das sind zwei ganz verschiedene Vorgänge, und entsprechend verschieden sind die Probleme bei der Benutzung der beiden Teile des Wörterbuchs. Um Ihnen dabei zu helfen, Ihr Wörterbuch richtig zu nutzen, werden die Hauptmerkmale dieses Buches im folgenden erläutert.

Die „Wortliste" ist eine alphabetisch angeordnete Auflistung aller fettgedruckten Wörter, nämlich der „Stichwörter". Das Stichwort steht am Anfang eines „Eintrags": Ein Eintrag kann weitere Untereinträge, wie z.B. Wendungen und zusammengesetzte Wörter in halbfettem Druck und Ableitungen in Fettdruck enthalten. In Absatz 1. wird beschrieben, wie diese Untereinträge angeordnet sind.

Im ganzen Wörterbuch stehen wahlweise mögliche Buchstaben oder Wortteile in eckigen Klammern. Beim Stichwort **öd[e]** bedeutet das, daß man sowohl öde als auch öd sagen kann, ohne den Sinn zu verändern. Beim Stichwort **abridge** steht die Übersetzung [ab]kürzen. Das heißt, daß man abridge sowohl mit abkürzen als auch mit kürzen übersetzen kann.

Vier verschiedene Schriftarten werden verwendet, um die verschiedenen Arten von Text im Wörterbuch zu unterscheiden. Alle **fett** und **halbfett** gedruckten Wörter gehören der „Ausgangssprache" an. Sie haben eine Entsprechung in der anderen Sprache, der „Zielsprache". Diese Übersetzungen in der Zielsprache sind mager gedruckt. *Kursiv* Gedrucktes gibt nähere Auskunft über das zu übersetzende Wort in Form einer Abkürzung, eines „Wegweisers" zur richtigen Übersetzung, einer Erklärung.

1. Wo findet man das gesuchte Wort?

1.1 Ableitungen

Aus Platzersparnisgründen wurden einige Ableitungen eines Stichworts im selben Eintrag abgehandelt, soweit sie in der alphabetischen Reihenfolge direkt im Anschluß an das Stichwort kommen. So finden sich in der englischen Wortliste die Wörter **failing, failure** im Eintrag des Stichworts **fail**. In der deutschen Wortliste findet man die Wörter **entschlußfreudig** und **Entschlußkraft** unter dem Stichwort **Entschluß**. Die Ableitungen sind im Anschluß an den Artikel des (Haupt)stichworts aufgeführt und erscheinen in fettem Druck.

1.2 Homographe

Homographe sind zwei verschiedene Wörter, die genau gleich geschrieben werden, wie z.B. die englischen Wörter **fine** (fein) und **fine** (Geldstrafe) oder die deutschen Wörter **Bau** (das Bauen) und **Bau** (von Tier). Im allgemeinen sind diese Wörter in einem Eintrag unter einem einzigen Stichwort abgehandelt und mit arabischen Ziffern voneinander unterschieden.

1.3 Beispiele und Wendungen

In einem Wörterbuch der vorliegenden Größe kann aus Platzgründen nur eine begrenzte Anzahl idiomatischer Wendungen gegeben werden. Besonderes Gewicht wurde bei der Auswahl auf verbale Wendungen wie **to go to sleep, to feel at ease, to make an effort, to turn nasty** etc. gelegt und auf Anwendungsbeispiele, die Aufschluß über die Konstruktion geben (siehe Einträge für **berufen, greifen, agree, assortment**).
Verbale Wendungen für die etwa zehn elementaren Verben wie *set, do, get, take, put, make* etc. sind im Eintrag des Substantivs abgehandelt. Alle anderen Beispielsätze und idiomatischen Wendungen sind unter dem ersten bedeutungtragenden Element aufgeführt (z.B. nicht unter einer Präposition). So ist also die Wendung **to take advantage of** unter **advantage** zu finden, der Ausdruck **on edge** unter **edge**.

In Beispielsätzen und Wendungen steht die Tilde (~) für das unveränderte Stichwort.

1.4 Abkürzungen und Eigennamen

Um das Auffinden zu erleichtern, wurden Abkürzungen, Kurzwörter und Eigennamen an der entsprechenden alphabetischen Stelle in der Wortliste aufgeführt und nicht in einer gesonderten Liste im Anhang abgehandelt. Der **TÜV** wird im Deutschen genauso als Wort gebraucht wie der **Führerschein** oder die **Zulassung**, im Englischen **TV** genauso wie **television**, und daher werden diese Wörter entsprechend abgehandelt.

1.5 Zusammengesetzte Wörter

Großeltern, Liebesbrief, liebgewinnen, housewife, high-pitched, holiday maker sind zusammengesetzte Wörter. Im Deutschen werden die meisten davon zusammengeschrieben und stellen daher bei der Suche weniger Probleme dar, da sie an der entsprechenden Stelle in der alphabetischen Reihenfolge zu finden sind. In anderen Sprachen jedoch bestehen zusammengesetzte Wörter oft aus einzelnen Elementen, die nicht oder mit einem Bindestrich verbunden sind. Sie sind schwieriger zu finden.

1.5.1 Zusammengesetzte Wörter im Englischen

Es gibt viele zusammengesetzte Wörter , die aus zwei oder mehreren Elementen bestehen, wobei es nicht leicht vorherzusehen ist, ob sie zusammen, mit einem Bindestrich oder auseinadner geschrieben werden. Um das Auffinden zu erleichtern wurden alle zusammengesetzten Wörter an ihrer entsprechenden alphabetischen Stelle in der Wortliste aufgeführt. So finden Sie z. B. **car wash** zwischen den Stichwörtern **carving knife** und **cascade**. Aus Platzgründen wurden diejenigen zusammengesetzten Wörter, die alphabetisch direkt im Anschluß an das erste Element kommen, in einem fortlaufenden Block abgehandelt.

1.5.2 Englische „phrasal verbs"

Unter „phrasal verbs" versteht man zusammengesetzte Verben wie **go off, blow up, cut down** etc. Man kann sie mit zusammengesetzten Verben im Deutschen vergleichen wie z. B. **losrennen, mitsingen, weggehen**. Sie sind als eingenständige Verben zu betrachten, da sie oft eine vom Grundverb abweichende Bedeutung haben. Sie sind unmittelbar im Anschluß an das Stichwort des Verbs (z. B. go, blow, cut) forlaufend im Eintrag abgehandelt, wobei sie alphabetisch nach den Partikeln (z. B. **back, down, up** etc.) angeordnet sind. Sie stehen als Einheit vor den zusammengesetzten Substantiven und Ableitungen (siehe den Eintrag **hold**).

1.5.3 Zusammengesetzte Wörter im Deutschen

Alle zusammengesetzten Wörter befinden sich an ihrer entsprechenden alphabetischen Stelle in der deutschen Wortliste. Sie sind in den Fällen in einem fortlaufenden Block angeordnet, wo die alphabetische Reihenfolge es zuläßt. Vergleichen Sie die Wörter **Schlafanzug, Schlafgelegenheit, schlafwandeln**.

1.6 Unregelmäßige Formen

Unregelmäßige Formen von Verben und Substantiven sind als eigene Stichwörter aufgeführt, wenn sie in der alphabetischen Reihenfolge nicht unmittelbar vor oder nach der Grundform kommen. Sie werden auf die Grundform verwiesen. Elementare grammatische Grundkenntnisse über Verb- und Pluralformen werden allerdings vorausgesetzt. Es wird also vorausgesetzt, daß Sie wissen, daß „tries" eine Form des Verbs **try**, „babies" der Plural von **baby** usw. ist.
Beim Partizip Perfekt kann es vorkommen, daß dieses auch als Adjektiv gebraucht wird, wie z. B. **said** oder **spent**. Diese Adjektive werden als eigenständige Stichwörter in einem vollständigen Eintrag behandelt.

2. Wie sind die Einträge aufgebaut?

Alle Einträge, egal wie lang oder komplex sie sind, sind äußerst systematisch aufgebaut. Verschiedene Wortarten sind mit arabischen Ziffern numeriert. Die Beispielsätze zu allen Wortarten folgen im Anschluß. Zu Anfang mag es wohl etwas schwierig sein, sich in langen Einträgen wie **back, round, run, richten** oder **können** zurechtzufinden, weil Homographen zusammen behandelt werden (siehe 1.2) und zusammengesetzte Wörter und Ableitungen oft fortlaufend im gleichen Abschnitt aufgeführt sind (siehe 1.5). Mit der Zeit wird Ihnen jedoch Ihr Wörterbuch vertraut werden. Die folgenden Informationen werden Ihnen helfen, das jedem Eintrag zugrundeliegende System zu verstehen.

2.1 „Wegweiser" zur richtigen Übersetzung

Wenn Sie ein englisches Wort nachschlagen und eine Reihe sehr unterschiedlicher deutscher Übersetzungen vorfinden, wird es Ihnen nicht schwerfallen, diejenige auszusuchen, die für Ihren Sinnzusammenhang die passende ist, denn Sie wissen ja, was die deutschen Wörter bedeuten, und in dem gegebenen Zusammenhang werden sich die unpassenden automatisch ausschließen.

Anders jedoch, wenn Sie das passende englische Wort für z.B. **Bahn** in dem Zusammenhang „auf Bahn 5 läuft das Pferd mit Namen Sternschnuppe" suchen und einen Eintrag vorfinden, der Ihnen folgendes anbietet: „**Bahn** railway, railroad (*US*); road, way; lane; track; orbit; length". Natürlich könnten Sie jetzt im anderen Teil des Wörterbuchs nachschlagen um herauszufinden, was jedes dieser englischen Wörter bedeutet. Das braucht jedoch viel Zeit und gibt außerdem nicht immer den gewünschten Aufschluß. Aus diesem Grunde finden Sie in diesem Wörterbuch „Wegweiser", die zur richtigen Übersetzung führen. Im Falle von **Bahn** finden Sie dann folgenden Eintrag: railway, railroad (*US*); (*Weg*) road, way; (*Spur*) lane; (*Renn~*) track; (*ASTR*) orbit; (*Stoff~*) length.

„Wegweiser", die auf ein bestimmtes Sachgebiet hinweisen, stehen in kleinen Großbuchstaben (KAPITÄLCHEN). Sie sind zusammen mit anderen im Wörterbuch benutzten Abkürzungen in einer alphabetisch angeordneten Liste vorn im Wörterbuch erläutert.

In dem von Ihnen gesuchten Zusammenhang handelt es sich um eine Rennbahn, und daher wissen Sie daß „track" die richtige Übersetzung ist. Bei diesen erklärenden Zusätzen steht für das Stichwort eine Tilde.

2.2 Grammatische Kategorisierung und Bedeutungs- unterscheidung

Komplexe Einträge werden zuallerest in grammatische Kategorien unterteilt, z.B. **richten 1.** *vt*, **2.** *vr*. Zur Unterteilung werden arabische Ziffern benutzt. Lesen Sie den ganzen Eintrag für Wörter wie **halten** oder **gehen** durch, und Sie werden feststellen, wie nützlich die „Wegweiser" sind. Jede einzelne grammatische Kategorie ist, wo nötig, in verschiedene Bedeutungen unterteilt:

richten 1. *vt* direct (*an* +*akk* at); (*Waffe*) aim (*auf* +*akk* at); (*einstellen*) adjust; (*instand setzen*) repair; (*zurechtmachen*) prepare; (*bestrafen*) pass judgement on; **2.** *vr*: **sich ~ nach** go by.

Die „Wegweiser" führen Sie direkt zur richtigen Übersetzung von Zusammenhängen wie „er hat die Waffe auf das Tier gerichtet" (he aimed the weapon at the animal) oder „der Mechaniker kam, um die Maschine zu richten" (the mechanic came in order to repair the machine).

3. Wie wird die Übersetzung im Satz verwendet?

3.1 Das Geschlecht

Da es im Englischen meist nur eine Form gibt, die eine männliche oder weibliche Person bezeichnet, sind im englisch-deutschen Teil alle Femininformen von Substantiven aufgeführt, um den Benutzer darauf hinzuweisen, daß z. B. **teacher** nicht nur „der Lehrer", sondern auch die „die Lehrerin" sein kann. Wenn Sie im Englischen darauf hinweisen wollen, daß es sich um eine Lehrerin und nicht um einen Lehrer handelt, müssen sie ein "female" oder "woman" oder "lady" einfügen. Also z. B. "I prefer female teachers to male ones".

3.2 Der Plural

Die Kenntnis der regelmäßigen Pluralbildung von englischen Substantiven wird vorausgesetzt (vgl. Kurzgrammatik im Anhang). In den Fallen, in denen Unregelmäßigkeiten auftreten, wird beim Stichwort darauf hingewiesen, wie z. B. **woman** *n*, *pl* **women**. Diese unregelmäßigen Plurale sind auch an ihrer alphabetischen Stelle in der Wortliste aufgeführt und auf ihre Singularform verwiesen.

3.3 Das Verb

Im deutsch-englischen Teil werden unregelmäßige englische Verben nicht besonders gekennzeichnet, im englisch-deutschen Teil sind die unregelmäßigen Formen von past tense und past participle bei der Grundform mit angegeben. Wo sie nicht unmittelbar vor oder nach der Grundform kommen, sind sie an der entsprechenden alphabetischen Stelle aufgeführt und zur Grundform verwiesen. Bei zusammengesetzten unregelmäßigen Verben steht *irr*, vgl. **foretell** *irr vt*. Dies bedeutet, daß foretell dieselben unregelmäßigen Formen aufweist wie **tell**. Im Anhang befindet sich außerdem eine Liste der unregelmäßigen Verben, die der Benutzer im Zweifelsfall konsultieren kann.

3.4 Umgangssprachliche Wörter

Grundsätzlich sollten Sie beim Benutzen von umgangssprachlichen englischen Wörtern sehr vorsichtig sein. Wenn ein deutsches Wort oder ein deutscher Beispielsatz mit (*umg*), d. h.

umgangssprachlich, gekennzeichnet ist, können Sie davon ausgehen, daß die englische Übersetzung ebenso umgangssprachlich ist, und daher in manchen Situationen genauso unangebracht wäre wie das Deutsche.

3.5 „Grammatische Wörter"

Es ist äußerst schwierig, in einem so kleinen Wörterbuch Wörter wie **für, weg, der, wer** oder **for, away, whose, which** etc. ausführlich genug zu behandeln. Es wurde versucht, möglichst viel nützliche Informationen über die häufigsten Anwendungsfälle zu geben. In vielen Fällen ist es jedoch empfehlenswert, ein gutes einsprachiges Wörterbuch, vor allem eines, das für den ausländischen Benutzer erstellt wurde, und eine gute englische Grammatik hinzuzuziehen.

3.6 „Ungefähre" Übersetzungen und kulturell bedingte Unterschiede

Es ist nicht immer möglich, eine genaue Entsprechung in der anderen Sprache anzugeben, wenn z. B. ein deutsches Wort einen Gegenstand oder eine Einrichtung bezeichnet, die es in Großbritannien oder Amerika in der Form nicht gibt. Hier kann nur eine ungefähre Übersetzung oder aber eine Erklärung gegeben werden. Siehe z. B. die Einträge für **Abitur, Polterabend**, oder im englisch-deutschen Teil **muffin, graduate**.

3.7 Mehrere Übersetzungen

Übersetzungen, die durch ein Komma getrennt nebeneinanderstehen, können im allgemeinen austauschbar verwendet werden. Durch Strichpunkte getrennte Übersetzungen können nicht gegeneinander ausgetauscht werden, da ein Bedeutungsunterschied zwischen den beiden besteht. Sollte dieser Bedeutungsunterschied nicht hinlänglich klar sein, sollten Sie sich in einem einsprachigen Wörterbuch oder einem größeren zweisprachigen oder im anderen Teil Ihres Wörterbuchs vergewissern. Bei Ableitungen, z. B. der Substantivierung eines Adjektivs oder Verbs, können Sie sich an den „Wegweisern" des Adjektivs bzw. des Verbs orientieren. Sie werden allerdings äußerst selten Fälle finden, in denen ein Strichpunkt steht, dem nicht ein „Wegweiser" folgt und so den Bedeutungsunterschied deutlich macht.

In den Wendungen bedeutet ein Schrägstrich, daß es sich um parallele, aber nicht gleichbedeutende Aussagen handelt. Vgl. im Eintrag **gelten: jdm viel/wenig gelten** mean a lot/not mean much to sb. Hier sind zwei gegensätzliche Aussagen zusammengefaßt, nämlich **jdm viel gelten** mean a lot to sb und **jdm wenig gelten** not mean much to sb.

Ein in Klammern stehender, mit *o* eingeleiteter Ausdruck in den Wendungen gibt eine teilweise austauschbare Alternative an. Vgl. im Eintrag **gelten: jdm gelten** (*gemünzt sein auf*) to be meant for (*o* aimed at) sb. Die beiden Übersetzungsmöglichkeiten heißen also: be meant for sb und be aimed at sb.

Im Text verwendete Abkürzungen

auch	*a.*	also
Abkürzung	*abk, abbr*	abbreviation
Akronym	*acr*	acronym
Adjektiv	*adj*	adjective
Adverb	*adv*	adverb
Landwirtschaft	*AGR*	agriculture
Akkusativ	*akk*	accusative
Akronym	*akr*	acronym
Anatomie	*ANAT*	anatomy
Architektur	*ARCHIT*	architecture
Artikel	*art*	article
Astronomie, Astrologie	*ASTR*	astronomy, astrology
Auto, Verkehr	*AUTO*	automobiles, traffic
Luftfahrt	*AVIAT*	aviation
besonders	*bes.*	especially
Biologie	*BIO*	biology
Botanik	*BOT*	botany
Britisch	*Brit*	British
Chemie	*CHEM*	chemistry
Film	*CINE*	cinema
Handel	*COMM*	commerce
Komparativ	*comp*	comparative
Informatik, Computer	*COMPUT*	computing
Konjunktion	*conj*	conjunction
Dativ	*dat*	dative
Wirtschaft	*ECON*	économie
Eisenbahn	*EISENB*	railways
Elektrizität	*ELEK, ELEC*	electricity
besonders	*esp*	especially
und so weiter	*etc*	et cetera
etwas	*etw*	
Femininum	*f*	feminine
umgangssprachlich	*fam*	familiar, informal
derb	*fam!*	vulgar

übertragen	*fig*	figurative
Finanzen, Börse	*FIN*	finance
Luftfahrt	*FLUG*	aviation
Fotografie	*FOTO*	photography
Gastronomie	*GASTR*	cooking, gastronomy
Genitiv	*gen*	genitive
Geographie, Geologie	*GEO*	geography, geology
Geschichte	*HIST*	history
Imperativ	*imp*	imperative
Imperfekt	*imperf*	past tense
unpersönlich	*impers*	impersonal
Informatik und Computer	*INFORM*	computing
Interjektion, Ausruf	*interj*	interjection
unveränderlich	*inv*	invariable
unregelmäßig	*irr*	irregular
jemand, jemandem, jemanden, jemandes	*jd, jdm, jdn, jds*	
Rechtsprechung	*JUR*	law
Komparativ	*komp*	comparative
Konjunktion	*konj*	conjunction
Sprachwissenschaft, Grammatik	*LING*	linguistics, grammar
Literatur	*LIT*	of literature
Maskulinum	*m*	masculine
Mathematik	*MATH*	mathematics
Medizin	*MED*	medicine
Meteorologie	*METEO*	meteorology
Maskulinum und Femininum	*mf*	masculine and feminine
Militär	*MIL*	military
Bergbau	*MIN*	mining
Musik	*MUS*	music
Substantiv	*n*	noun
Seefahrt	*NAUT*	nautical, naval
Neutrum	*nt*	neuter

Zahlwort	*num*	numeral
oder	*o*	or
pejorativ, abwertend	*pej*	pejorative
Fotografie	*PHOT*	photography
Physik	*PHYS*	physics
Plural	*pl*	plural
Politik	*POL*	politics
Partizip Perfekt	*pp*	past participle
Präfix	*präf, pref*	prefix
Präposition	*präp, prep*	preposition
Pronomen	*pron*	pronoun
Psychologie	*PSYCH*	psychology
1. Vergangenheit	*pt*	past tense
Warenzeichen	®	registered trademark
Radio	*RADIO*	radio
Eisenbahn	*RAIL*	railways
Religion	*REL*	religion
siehe	*s.*	voir
	sb	someone, somebody
Schule, Universität	*SCH*	school, university
schottisch	*Scot*	Scottish
Singular	*sing*	singular
Skisport	*SKI*	skiing
	sth	something
Superlativ	*superl*	superlative
Technik	*TECH*	technology
Nachrichtentechnik	*TEL*	telecommunications
Theater	*THEAT*	theatre
Fernsehen	*TV*	television
Typographie, Buchdruck	*TYP*	printing
umgangssprachlich	*umg*	familiar, informal
derb	*umg!*	vulgar
unpersönlich	*unpers*	impersonal
(nord)amerikanisch	*US*	(North) American
meist	*usu*	usually
Verb	*vb*	verb

intransitives Verb	*vi*	intransitive verb
reflexives Verb	*vr*	reflexive verb
transitives Verb	*vt*	transitive verb
Wirtschaft	WIRTS	commerce
Zoologie	ZOOL	zoology
zwischen zwei Sprechern	—	change of speaker
ungefähre Entsprechung	≈	cultural equivalent

Regelmäßige deutsche Substantivendungen

Nominativ		Genitiv	Plural	Nominativ		Genitiv	Plural
-ade	*f*	-ade	-aden	-ion	*f*	-ion	-ionen
-ant	*m*	-anten	-anten	-ist	*m*	-isten	-isten
-anz	*f*	-anz	-anzen	-ium	*nt*	-iums	-ien
-ar	*m*	-ars	-are	-ius	*m*	-ius	-iusse
-är	*m*	-ärs	-äre	-ive	*f*	-ive	-iven
-at	*nt*	-at[e]s	-ate	-keit	*f*	-keit	-keiten
-atte	*f*	-atte	-atten	-lein	*nt*	-leins	-lein
-chen	*nt*	-chens	-chen	-ling	*m*	-lings	-linge
-ei	*f*	-ei	-eien	-ment	*nt*	-ments	-mente
-elle	*f*	-elle	-ellen	-mus	*m*	-mus	-men
-ent	*m*	-enten	-enten	-nis	*f*	-nis	-nisse
-enz	*f*	-enz	-enzen	-nis	*nt*	-nisses	-nisse
-ette	*f*	-ette	-etten	-nom	*m*	-nomen	-nomen
-eur	*m*	-eurs	-eure	-rich	*m*	-richs	-riche
-eurin	*f*	-eurin	-eurinnen	-schaft	*f*	-schaft	-schaften
-euse	*f*	-euse	-eusen	-sel	*nt*	-sels	-sel
-heit	*f*	-heit	-heiten	-tät	*f*	-tät	-täten
-ie	*f*	-ie	-ien	-tiv	*nt,m*	-tivs	-tive
-ik	*f*	-ik	-iken	-tor	*m*	-tors	-toren
-in	*f*	-in	-innen	-ung	*f*	-ung	-ungen
-ine	*f*	-ine	-inen	-ur	*f*	-ur	-uren

Substantive, die mit einem geklammerten ‚r' oder ‚s' enden (z. B. **Angestellte(r)** *mf*, **Beamte(r)** *m*, **Gute(s)** *nt*) werden wie Adjektive dekliniert:

der Angestellte *m*	**die Angestellte** *f*	**die Angestellten** *pl*
ein Angestellter *m*	**eine Angestellte** *f*	**Angestellte** *pl*
der Beamte *m*	**die Beamten** *pl*	
ein Beamter *m*	**Beamte** *pl*	
das Gute *nt*		
ein Gutes *nt*		

Lautschrift

[:] *Längezeichen*   ['] *Betonung*   [*] *Bindungs-R*

alle Vokallaute sind nur ungefähre Entsprechungen

Vokale und Diphthonge

plant, **arm**, father	[ɑː]	**Bahn**
avant (garde)	[ɑ̃ː]	**En**semble
life	[aɪ]	weit
house	[aʊ]	**Haut**
man, sad	[æ]	
but, son	[ʌ]	**Butler**
get, bed	[e]	**Metall**
name, lame	[eɪ]	
ago, better	[ə]	bitte
bird, her	[ɜː]	
cortège	[ɛː]	
there, care	[ɛə]	mehr
it, wish	[ɪ]	**Bischof**
bee, me, beat, belief	[iː]	viel
here	[ɪə]	**Bier**
no, low	[əʊ]	
not, long	[ɒ]	**Post**
law, all	[ɔː]	**Mond**
restaurant	[ɔ̃ː]	Champign**on**
boy, oil	[ɔɪ]	**Heu**
push, look	[ʊ]	**Pult**
you, do	[uː]	**Hut**
poor, sure	[ʊə]	

Konsonanten

been, blind	[b]	**Ball**
do, had	[d]	**dann**
jam, object	[dʒ]	
father, wolf	[f]	**Faß**
go, beg	[g]	**Gast**
house	[h]	**Herr**
youth, Indian	[j]	**ja**
keep, milk	[k]	**kalt**
lamp, oil, ill	[l]	**Last**
man, am	[m]	**Mast**
no, manner	[n]	**Nuß**
long, sing	[ŋ]	lang
paper, happy	[p]	**Pakt**
red, dry	[r]	**rot**
stand, sand, yes	[s]	**Rasse**
ship, station	[ʃ]	**Schal**
tell, fat	[t]	**Tal**
thank, death	[θ]	
this, father	[ð]	
church, catch	[tʃ]	Rutsch
voice, live	[v]	**was**
water, we, which	[w]	
loch	[x]	Ba**ch**
zeal, these, gaze	[z]	Ha**se**
pleasure	[ʒ]	**Genie**

Englisch – Deutsch

A

A, a [eɪ] *n* A *nt*, a *nt*.

a, an [eɪ, ə; æn, ən] *art* ein/eine/ein; **£1 a metre** £1 pro [*o das*] Meter.

aback [əˈbæk] *adv*: **to be taken ~** verblüfft sein.

abandon [əˈbændən] **1.** *vt* (*give up*) aufgeben; (*desert*) verlassen; **2.** *n* Hingabe *f*.

abashed [əˈbæʃt] *adj* verlegen.

abate [əˈbeɪt] *vi* nachlassen, sich legen.

abattoir [ˈæbətwɑː*] *n* Schlachthaus *nt*.

abbey [ˈæbɪ] *n* Abtei *f*.

abbreviate [əˈbriːvɪeɪt] *vt* abkürzen; **abbreviation** [əbriːvɪˈeɪʃən] *n* Abkürzung *f*.

ABC [ˈeɪbiːˈsiː] *n* (*a. fig*) Abc *nt*.

abdicate [ˈæbdɪkeɪt] **1.** *vt* aufgeben; **2.** *vi* abdanken; **abdication** [æbdɪˈkeɪʃən] *n* Abdankung *f*, [Amts]niederlegung *f*.

abdomen [ˈæbdəmən] *n* Unterleib *m*; **abdominal** [æbˈdɒmɪnl] *adj* Unterleibs-.

abduct [əbˈdʌkt] *vt* entführen; **abduction** *n* Entführung *f*.

aberration [æbəˈreɪʃən] *n* (geistige) Verwirrung *f*.

abet [əˈbet] *vt*: **aid and ~ sb** (*JUR*) jdm Beihilfe leisten.

abeyance [əˈbeɪəns] *n*: **in ~** in der Schwebe; (*in disuse*) außer Kraft.

abhor [əbˈhɔː*] *vt* verabscheuen.

abide [əˈbaɪd] ⟨abode *o* abided, abode *o* abided⟩ *vt* ausstehen, leiden; **abide by** *vt* sich halten an +*akk*.

ability [əˈbɪlɪtɪ] *n* (*power*) Fähigkeit *f*; (*skill*) Geschicklichkeit *f*.

abject [ˈæbdʒekt] *adj* (*liar*) übel; (*poverty*) bitter; (*person*) demütig.

ablaze [əˈbleɪz] *adj* in Flammen; **~ with lights** hell erleuchtet.

able [ˈeɪbl] *adj* geschickt, fähig; **to be ~ to do sth** etw tun können; **able-bodied** *adj* kräftig; (*seaman*) Voll-; (*MIL*) tauglich; **ably** *adv* geschickt.

abnormal [æbˈnɔːml] *adj* anormal, abnorm; **abnormality** [æbnɔːˈmælɪtɪ] *n* Regelwidrigkeit *f*, (*MED*) Abnormität *f*.

aboard [əˈbɔːd] *adv, prep* an Bord +*gen*.

abode [əˈbəʊd] **1.** *pt, pp of* **abide**; **2.** *n*: **of no fixed ~** ohne festen Wohnsitz.

abolish [əˈbɒlɪʃ] *vt* abschaffen; **abolition** [æbəˈlɪʃən] *n* Abschaffung *f*.

abominable *adj*, **abominably** *adv* [əˈbɒmɪnəbl, -blɪ] scheußlich.

aborigine [æbəˈrɪdʒɪniː] *n* Ureinwohner(in) *m(f)* [Australiens].

abort [əˈbɔːt] **1.** *vt* abtreiben; **2.** *vi* eine Fehlgeburt haben; **abortion** [əˈbɔːʃən] *n* Abtreibung *f*; (*miscarriage*) Fehlgeburt *f*; **abortive** *adj* mißlungen.

abound [əˈbaʊnd] *vi* im Überfluß vorhanden sein; **to ~ in** Überfluß haben an +*dat*.

about [əˈbaʊt] **1.** *adv* (*nearby*) in der Nähe; (*roughly*) ungefähr; (*around*) umher, herum; **2.** *prep* (*topic*) über +*akk*; (*place*) um, um … herum; **to be ~** im Begriff sein zu; **I was ~ to go out** ich wollte gerade weggehen.

above [əˈbʌv] **1.** *adv* oben; **2.** *prep* über; **3.** *adj* obig; **~ all** vor allem; **aboveboard** *adj* offen, ehrlich.

abrasion [əˈbreɪʒən] *n* Abschürfung *f*.

abrasive [əˈbreɪsɪv] **1.** *n* Schleifmittel *nt*; **2.** *adj* Schleif-; (*personality*) aggressiv.

abreast [əˈbrest] *adv* nebeneinander; **to keep ~ of** Schritt halten mit.

abridge [əˈbrɪdʒ] *vt* [ab]kürzen.

abroad [əˈbrɔːd] *adv* (*be*) im Ausland; (*go*) ins Ausland.

abrupt [əˈbrʌpt] *adj* (*sudden*) abrupt, jäh; (*curt*) schroff.

ABS *n abbr of* **anti-lock brake system** ABS *nt*.

abscess [ˈæbsɪs] *n* Geschwür *nt*.

abscond [əbˈskɒnd] *vi* flüchten, sich davonmachen.

abseil [ˈæbsaɪl] *vi* sich abseilen.

absence [ˈæbsəns] *n* Abwesenheit *f*.

absent [ˈæbsənt] *adj* abwesend, nicht da; (*lost in thought*) geistesabwesend; **absentee** [æbsənˈtiː] *n* Abwesende(r) *mf*; **absenteeism** [æbsənˈtiːɪzəm] *n* Fehlen *nt* [am Arbeitsplatz/in der Schule]; **absent-minded** *adj* zerstreut.

absolute [ˈæbsəluːt] *adj* absolut; (*power*) unumschränkt; (*rubbish*) vollkommen; **absolutely** *adv* absolut, vollkommen; **~!** ganz bestimmt!

absolve [əbˈzɒlv] *vt* entbinden; (*from blame*) freisprechen.

absorb [əbˈzɔːb] *vt* aufsaugen, absorbieren; (*fig*) ganz in Anspruch nehmen, fesseln; **absorbent** *adj* absorbierend; **~ cotton** (*US*) [Verbands]watte *f*; **absorbing** *adj* aufsaugend; (*fig*) packend.

abstain [əbˈsteɪn] *vi* sich enthalten (*from gen*).

abstemious [əbˈstiːmɪəs] *adj* mäßig, enthaltsam.

abstention [əbˈstenʃən] *n* (*in vote*) [Stimm]enthaltung *f*.

abstinence [ˈæbstɪnəns] *n* Enthaltsamkeit *f*.

abstract [ˈæbstrækt] **1.** *adj* abstrakt; **2.** *n* Abriß *m*, Zusammenfassung *f*; **3.** [æbˈstrækt] *vt* abstrahieren; (*information*) entnehmen (*from* aus).

abstruse [æb'stru:s] *adj* verworren, abstrus.

absurd [əb'sɜːd] *adj* absurd; **absurdity** *n* Unsinnigkeit *f*, Absurdität *f*.

abundance [ə'bʌndəns] *n* Überfluß *m* (*of* an +*dat*); **abundant** *adj* reichlich.

abuse [ə'bju:s] **1.** *n* (*rude language*) Beschimpfung *f*; (*ill usage*) Mißbrauch *m*; (*bad practice*) [Amts]mißbrauch *m*; **2.** [ə'bju:z] *vt* (*misuse*) mißbrauchen; **abusive** [ə'bju:sɪv] *adj* beleidigend.

abysmal [ə'bɪzməl] *adj* scheußlich; (*ignorance*) bodenlos.

abyss [ə'bɪs] *n* Abgrund *m*.

AC *n abbr of* **alternating current** Wechselstrom *m*.

academic [ækə'demɪk] **1.** *adj* akademisch; (*theoretical*) theoretisch; **2.** *n* Akademiker(in) *m(f)*.

academy [ə'kædəmɪ] *n* (*school*) Hochschule *f*; (*society*) Akademie *f*.

accede [æk'si:d] *vi:* to ~ to (*office*) antreten; (*throne*) besteigen; (*request*) zustimmen +*dat*.

accelerate [æk'seləreɪt] **1.** *vi* schneller werden; (*AUTO*) Gas geben; **2.** *vt* beschleunigen; **acceleration** [ækselə'reɪʃən] *n* Beschleunigung *f*; **accelerator** [æk'seləreɪtə*] *n* Gas[pedal] *nt*.

accent ['æksent] *n* Akzent *m*; (*stress*) Betonung *f*; **accentuate** [æk'sentjʊeɪt] *vt* betonen.

accept [ək'sept] *vt* (*take*) annehmen; (*agree to*) akzeptieren; **acceptable** *adj* annehmbar; **acceptance** *n* Annahme *f*.

access ['ækses] **1.** *n* Zugang *m*; (*COMPUT*) Zugriff *m*; **2.** *vt* zugreifen auf +*akk*; **access code** *n* (*COMPUT*) Zugangscode *m*; **accessible** [æk'sesɪbl] *adj* (*easy to approach*) zugänglich; (*within reach*) [leicht] erreichbar.

accessory [æk'sesərɪ] *n* Zubehörteil *nt*; **accessories** *pl* Zubehör *nt*; **toilet accessories** *pl* Toilettenartikel *pl*.

access time *n* (*COMPUT*) Zugriffszeit *f*.

accident ['æksɪdənt] *n* Unfall *m*; (*coincidence*) Zufall *m*; **by** ~ zufällig; **accidental** [æksɪ'dentl] *adj* unbeabsichtigt; **accidentally** *adv* zufällig; (*unintentionally*) versehentlich; **accident-prone** *adj:* **to be** ~ vom Pech verfolgt sein.

acclaim [ə'kleɪm] **1.** *vt* zujubeln +*dat*; **2.** *n* Beifall *m*.

acclimatize [ə'klaɪmətaɪz] *vt:* **to become** ~**d** sich gewöhnen (*to* an +*akk*), sich akklimatisieren.

accommodate [ə'kɒmədeɪt] *vt* unterbringen; (*hold*) Platz haben für; (*oblige*) [aus]helfen +*dat*; **accommodating** *adj* entgegenkommend; **accommodation** [əkɒmə'deɪʃən] *n* Unterkunft *f*.

accompaniment [ə'kʌmpənɪmənt] *n* Begleitung *f*.

accompanist [ə'kʌmpənɪst] *n* Begleiter(in) *m(f)*.

accompany [ə'kʌmpənɪ] *vt* begleiten.

accomplice [ə'kʌmplɪs] *n* Helfershelfer(in) *m(f)*, Komplize *m*, Komplizin *f*.

accomplish [ə'kʌmplɪʃ] *vt* (*fulfil*) durchführen; (*finish*) vollenden; (*aim*) erreichen; **accomplished** *adj* vollendet, ausgezeichnet; **accomplishment** *n* (*skill*) Fähigkeit *f*; (*completion*) Vollendung *f*; (*feat*) Leistung *f*.

accord [ə'kɔ:d] **1.** *n* Übereinstimmung *f*; **2.** *vt* gewähren; **of one's own** ~ freiwillig; **accordance** *n:* **in** ~ **with** in Übereinstimmung mit; **accordingly** *adv* danach, dementsprechend; **according to** *prep* nach, laut +*gen*.

accordion [ə'kɔ:dɪən] *n* Ziehharmonika *f*, Akkordeon *nt*; **accordionist** *n* Akkordeonspieler(in) *m(f)*.

accost [ə'kɒst] *vt* ansprechen.

account [ə'kaʊnt] *n* (*bill*) Rechnung *f*; (*narrative*) Bericht *m*; (*report*) Rechenschaftsbericht *m*; (*in bank*) Konto *nt*; (*importance*) Geltung *f*; **on** ~ auf Rechnung; **of no** ~ ohne Bedeutung; **on no** ~ keinesfalls; **on** ~ **of** wegen; **to take into** ~ berücksichtigen; **account for** *vt* (*expenditure*) Rechenschaft ablegen für; **how do you** ~ **that?** wie erklären Sie [sich] das?; **accountable** *adj* verantwortlich; **accountancy** *n* Buchhaltung *f*; **accountant** *n* Wirtschaftsprüfer(in) *m(f)*; (*tax* ~) Steuerberater(in) *m(f)*; **account number** *n* Kontonummer *f*.

accoutrements [ə'ku:trəmənts] *n pl* Ausrüstung *f*.

accredit *vt* [ə'kredɪt] (*approve*) genehmigen; (*attribute*) zuschreiben.

accumulate [ə'kju:mjʊleɪt] **1.** *vt* ansammeln; **2.** *vi* sich ansammeln; **accumulation** [əkju:mjʊ'leɪʃən] *n* Ansammlung *f*.

accuracy ['ækjʊrəsɪ] *n* Genauigkeit *f*; **accurate** ['ækjʊrɪt] *adj* genau; **accurately** *adv* genau, richtig.

accusation [ækjʊ'zeɪʃən] *n* Anklage *f*, Beschuldigung *f*.

accusative [ə'kju:zətɪv] *n* Akkusativ *m*, vierter Fall.

accusatory *adj* vorwurfsvoll; **accuse** [ə'kju:z] *vt* anklagen, beschuldigen; **accused** *n* Angeklagte(r) *mf*.

accustom [ə'kʌstəm] *vt* gewöhnen (*to* an +*akk*); **accustomed** *adj* gewohnt.

ace [eɪs] *n* As *nt*; (*fam: person*) As *nt*, Kanone *f*.

ache [eɪk] **1.** n Schmerz m; **2.** vi (be sore) schmerzen, weh tun; **I ~ all over** mir tut es überall weh.

achieve [əˈtʃiːv] vt zustande bringen; (aim) erreichen; **achievement** n Leistung f.

acid [ˈæsɪd] **1.** n Säure f; **2.** adj sauer, scharf; **~ rain** saurer Regen; **acidity** [əˈsɪdɪtɪ] n Säuregehalt m; **acid test** n (fig) Feuerprobe f.

acknowledge [əkˈnɒlɪdʒ] vt (receipt) bestätigen; (admit) zugeben; **acknowledgement** n Anerkennung f; (letter) Empfangsbestätigung f.

acne [ˈæknɪ] n Akne f.

acorn [ˈeɪkɔːn] n Eichel f.

acoustic [əˈkuːstɪk] adj akustisch; **acoustics** n pl Akustik f.

acquaint [əˈkweɪnt] vt vertraut machen; **acquaintance** n (person) Bekannte(r) mf; (knowledge) Kenntnis f.

acquiesce [ækwɪˈes] vi sich abfinden (in mit).

acquire [əˈkwaɪə*] vt erwerben; **acquisition** [ækwɪˈzɪʃən] n Errungenschaft f; (act) Erwerb m; **acquisitive** [əˈkwɪzɪtɪv] adj gewinnsüchtig.

acquit [əˈkwɪt] **1.** vt (free) freisprechen; **2.** vr: **~ oneself** sich bewähren; **acquittal** n Freispruch m.

acre [ˈeɪkə*] n Morgen m; **acreage** n Fläche f.

acrid adj (taste) bitter; (smoke, comment) beißend.

acrimonious [ækrɪˈməʊnɪəs] adj bitter.

acrobat [ˈækrəbæt] n Akrobat(in) m(f); **acrobatics** [ækrəˈbætɪks] n pl akrobatische Kunststücke pl.

acronym [ˈækrənɪm] n Akronym nt (aus den Anfangsbuchstaben mehrerer Wörter gebildetes Wort).

across [əˈkrɒs] **1.** prep über +akk; **2.** adv hinüber, herüber; **ten metres ~** zehn Meter breit; **he lives ~ the river** er wohnt auf der anderen Seite des Flusses; **he lives ~ from us** er wohnt uns gegenüber; **across-the-board** adj pauschal.

act [ækt] **1.** n (deed) Tat f; (JUR) Gesetz nt; (THEAT) Akt m; (THEAT: turn) Nummer f; **2.** vi (take action) handeln; (behave) sich verhalten; (pretend) vorgeben; (THEAT) spielen; **3.** vt (in play) spielen; **to get one's ~ together** die Sache geregelt kriegen; **acting 1.** adj stellvertretend; **2.** n Schauspielkunst f; (performance) Aufführung f.

action [ˈækʃən] n Handlung f; (deed) Tat f; (motion) Bewegung f; (way of working) Funktionieren nt; (battle) Einsatz m, Gefecht nt; (lawsuit) Klage f, Prozeß m; **to take ~** etwas unternehmen; **action replay** n Wiederholung f.

activate [ˈæktɪveɪt] vt in Betrieb setzen, aktivieren.

active [ˈæktɪv] adj (brisk) rege, tatkräftig; (working) aktiv; (LING) aktiv, Tätigkeits-; **actively** adv aktiv, tätig.

activist [ˈæktɪvɪst] n Aktivist(in) m(f).

activity [ækˈtɪvɪtɪ] n Aktivität f; (doings) Unternehmungen pl; (occupation) Tätigkeit f.

actor [ˈæktə*] n Schauspieler m; **actress** [ˈæktrɪs] n Schauspielerin f.

actual [ˈæktjʊəl] adj wirklich; **actually** adv tatsächlich; **~ no** eigentlich nicht.

acumen [ˈækjʊmen] n Scharfsinn m.

acupressure [ˈækjʊpreʃə*] n Akupressur f.

acupuncture [ˈækjʊpʌŋktʃə*] n Akupunktur f.

acute [əˈkjuːt] adj (severe) heftig, akut; (keen) scharfsinnig; **acutely** adv akut.

ad [æd] n abbr of **advertisement**.

AD abbr of **Anno Domini** nach Christi, n. Chr.

Adam [ˈædəm] n Adam m; **~'s apple** Adamsapfel m.

adamant [ˈædəmənt] adj eisern; (stubborn) hartnäckig.

adapt [əˈdæpt] **1.** vt anpassen; **2.** vi sich anpassen (to an +akk); **adaptable** adj anpassungsfähig; **adaptation** [ædæpˈteɪʃən] n (THEAT) Bearbeitung f; (adjustment) Anpassung f; **adapter** (ELEC) Zwischenstecker m, Adapter m.

add [æd] vt (join) hinzufügen; (numbers) addieren; **add up** vi (make sense) stimmen; **add up to** vt ausmachen.

addendum [əˈdendəm] n ⟨addenda⟩ Zusatz m.

adder [ˈædə*] n Kreuzotter f, Natter f.

addict [ˈædɪkt] n Süchtige(r) mf, Suchtkranke(r) mf; **addicted** [əˈdɪktɪd] adj: **~ to** -süchtig; **addiction** [əˈdɪkʃən] n Sucht f.

adding machine [ˈædɪŋməʃiːn] n Addiermaschine f.

addition [əˈdɪʃən] n Zusatz m; (to list) Ergänzung f; (to bill) Aufschlag m; (MATH) Addition f, Zusammenzählen nt; **in ~** zusätzlich, außerdem; **additional** adj zusätzlich, weiter.

additive [ˈædɪtɪv] n Zusatz m.

addled [ˈædld] adj faul, schlecht; (fig) verwirrt.

add-on [ˈædɒn] n (US) Zusatzgerät nt.

address [əˈdres] **1.** n (a. COMPUT) Adresse f; (speech) Ansprache f; **2.** vt (letter) adressieren; (speak to) ansprechen; (make speech to) eine Ansprache halten an +akk; **form of ~** Anredeform f; **addressee** [ædreˈsiː] n Empfänger(in) m(f), Adressat(in) m(f).

adenoids [ˈædɪnɔɪdz] n pl Polypen pl.

adept [ˈædept] adj geschickt; **to be ~ at** gut

sein in +dat.

adequacy ['ædɪkwəsɪ] n Angemessenheit f; **adequate** ['ædɪkwɪt] adj angemessen; **adequately** adv hinreichend.

adhere [əd'hɪə*] vi: **to ~ to** haften an +dat; (fig) festhalten an +dat.

adhesion [əd'hiːʒən] n Festhaften nt; (PHYS) Adhäsion f.

adhesive [əd'hiːsɪv] **1.** adj klebend, Kleb[e]-; **2.** n Klebstoff m.

adjacent [ə'dʒeɪsənt] adj benachbart.

adjective ['ædʒɪktɪv] n Adjektiv nt, Eigenschaftswort nt.

adjoining [ə'dʒɔɪnɪŋ] adj benachbart, Neben-.

adjourn [ə'dʒɜːn] **1.** vt vertagen; **2.** vi abbrechen.

adjudicate [ə'dʒuːdɪkeɪt] vi entscheiden, urteilen.

adjust [ə'dʒʌst] vt (alter) anpassen; (put right) regulieren, richtig stellen; **adjustable** adj verstellbar; **adjustment** n (rearrangement) Anpassung f; (settlement) Schlichtung f.

ad-lib [æd'lɪb] **1.** vi improvisieren; **2.** n Improvisation f; **3.** adj, adv improvisiert.

administer [əd'mɪnɪstə*] vt (manage) verwalten; (dispense) ausüben; (justice) sprechen; (medicine) geben.

administration [ədmɪnɪs'treɪʃən] n Verwaltung f; (POL) Regierung f; **administrative** [əd'mɪnɪstrətɪv] adj Verwaltungs-; **administrator** [əd'mɪnɪstreɪtə*] n Verwaltungsbeamte(r) m, -beamtin f.

admirable ['ædmərəbl] adj bewundernswert.

admiral ['ædmərəl] n Admiral m.

admiration [ædmə'reɪʃən] n Bewunderung f.

admire [əd'maɪə*] vt bewundern; **admirer** n Bewunderer m, Bewund[e]rerin f.

admissible [əd'mɪsəbl] adj zulässig; **admission** [əd'mɪʃən] n (entrance) Einlaß m; (fee) Eintritt[spreis] m; (confession) Geständnis nt.

admit [əd'mɪt] vt (let in) einlassen; (confess) gestehen; (agree) anerkennen; **admittance** n Zulassung f; **admittedly** adv zugegebenermaßen.

ado [ə'duː] n: **without more** [o **further**] ~ ohne weitere Umstände.

adolescence [ædə'lesns] n Jugend[zeit] f; **adolescent** [ædə'lesnt] **1.** adj Jugend-; **2.** n Jugendliche(r) mf.

adopt [ə'dɒpt] vt (child) adoptieren; (idea) übernehmen; **adoption** [ə'dɒpʃən] n (of child) Adoption f; (of idea) Übernahme f.

adorable [ə'dɔːrəbl] adj entzückend; **adoration** [ædə'reɪʃən] n Anbetung f; (for person) Verehrung f; **adore** [ə'dɔː*] vt anbeten; (person) verehren; **adoring** adj

bewundernd.

adorn [ə'dɔːn] vt schmücken; **adornment** n Schmuck m, Verzierung f.

adrenalin [ə'drenəlɪn] n Adrenalin nt.

adrift [ə'drɪft] adj: **to be ~** treiben.

adroit [ə'drɔɪt] adj gewandt.

adulation [ædjʊ'leɪʃən] n (pej) Lobhudelei f, Verherrlichung f.

adult ['ædʌlt] **1.** adj erwachsen; **2.** n Erwachsene(r) mf.

adulterate [ə'dʌltəreɪt] vt verfälschen, mischen.

adultery [ə'dʌltərɪ] n Ehebruch m.

advance [əd'vɑːns] **1.** n (progress) Vorrücken nt; (money) Vorschuß m; **2.** vt (move forward) vorrücken; (money) vorschießen; (argument) vorbringen; **3.** vi vorwärtsgehen, vorankommen; **in ~** im voraus; **in ~ of** vor +dat; **advance booking** n Reservierung f; (THEAT) Vorverkauf m; **advanced** adj (ahead) vorgerückt; (modern) fortschrittlich; (study) für Fortgeschrittene; **advancement** n Förderung f; (promotion) Beförderung f.

advantage [əd'vɑːntɪdʒ] n Vorteil m; **to have an ~ over sb** jdm gegenüber im Vorteil sein; **to be of ~** von Nutzen sein; **to take ~ of** (misuse) ausnutzen; (profit from) Nutzen ziehen aus; **advantageous** [ædvən'teɪdʒəs] adj vorteilhaft.

advent ['ædvent] n Ankunft f; **Advent** Advent m.

adventure [əd'ventʃə*] n Abenteuer nt; **adventurer** [əd'ventʃərə*] n Abenteurer(in) m(f); (pej) Windhund m; **adventurous** [əd'ventʃərəs] adj abenteuerlich, waghalsig.

adverb ['ædvɜːb] n Adverb nt, Umstandswort nt.

adversary ['ædvəsərɪ] n Gegner(in) m(f).

adverse ['ædvɜːs] adj widrig; **adversity** [əd'vɜːsɪtɪ] n Widrigkeit f, Mißgeschick nt.

advert ['ædvɜːt] n Anzeige f; **advertise** ['ædvətaɪz] **1.** vt werben für; (in newspaper) inserieren; (job) ausschreiben; **2.** vi annoncieren; **advertisement** [əd'vɜːtɪsmənt] n Werbung f; (announcement) Anzeige f, Annonce f, Inserat nt; **advertising** n Werbung f; ~ **campaign** Werbekampagne f.

advice [əd'vaɪs] n Rat[schlag] m.

advisable [əd'vaɪzəbl] adj ratsam.

advise [əd'vaɪz] vt raten +dat; **adviser** n Berater(in) m(f); **advisory** [əd'vaɪzərɪ] adj beratend, Beratungs-.

advocate 1. [ædvə'keɪt] vt vertreten; **2.** ['ædvəkət] n (Scotland) Rechtsanwalt m, -anwältin f.

aegis ['iːdʒɪs] n: **under the ~ of** unter der Schirmherrschaft von ~.

aerial [´ɛərɪəl] **1.** n Antenne f; **2.** adj Luft-.
aero- [´ɛərəu] pref Luft-.
aerobatics [´ɛərəuˈbætɪks] n pl Kunstfliegen m.
aerobics [ɛəˈrəubɪks] n sing Aerobic nt.
aerodynamic [´ɛərəudaɪˈnæmɪk] adj aerodynamisch.
aeroplane [´ɛərəpleɪn] n Flugzeug nt.
aerosol [´ɛərəsɒl] n Sprühdose f.
aesthetic [ɪsˈθetɪk] adj ästhetisch; **aesthetics** [ɪsˈθetɪks] n sing Ästhetik f.
afar [əˈfɑː*] adv: **from ~** aus der Ferne.
affable [´æfəbl] adj umgänglich.
affair [əˈfɛə*] n (concern) Angelegenheit f; (event) Ereignis nt; (scandal) Affäre f; (love ~) Verhältnis f.
affect [əˈfekt] vt (influence) [ein]wirken auf +akk; (move deeply) bewegen; **this change doesn't ~ us** diese Änderung betrifft uns nicht; **affectation** [æfekˈteɪʃən] n Affektiertheit f; **affected** adj affektiert, gekünstelt.
affection [əˈfekʃən] n Zuneigung f; **affectionate** [əˈfekʃənɪt] adj liebevoll, lieb; **affectionately** adv liebevoll; **~ yours** herzlichst Dein/Deine.
affiliated [əˈfɪlɪeɪtɪd] adj angeschlossen (to dat).
affinity [əˈfɪnɪtɪ] n (attraction) gegenseitige Anziehung; (relationship) Verwandtschaft f.
affirm [əˈfɜːm] **1.** vt (innocence) beteuern; (ratify) bestätigen; **2.** vi (JUR) eidesstattlich erklären.
affirmation [æfəˈmeɪʃən] n Behauptung f; **affirmative** [əˈfɜːmətɪv] **1.** adj bestätigend; **2.** n: **in the ~** (LING) nicht verneint, bejaht; **to answer in the ~** mit Ja antworten.
affix [əˈfɪks] vt anbringen.
afflict [əˈflɪkt] vt quälen, heimsuchen; **affliction** [əˈflɪkʃən] n Kummer m; (illness) Leiden nt.
affluence [´æfluəns] n (wealth) Wohlstand m, Reichtum m; **affluent** adj wohlhabend, Wohlstands-; **the ~ society** die Wohlstandsgesellschaft.
afford [əˈfɔːd] vt sich leisten; (yield) bieten, einbringen.
affront [əˈfrʌnt] n Beleidigung f; **affronted** adj beleidigt.
Afghanistan [æfˈgænɪstæn] n Afghanistan nt.
afloat [əˈfləut] adj: **to be ~** schwimmen.
afoot [əˈfut] adj im Gang.
aforesaid [əˈfɔːsed] adj obengenannt.
afraid [əˈfreɪd] adj ängstlich; **to be ~ of** Angst haben vor +dat; **to be ~ to** sich scheuen; **I am ~ I have ...** ich habe leider ...; **I'm ~ so/not** leider/leider nicht.

afresh [əˈfreʃ] adv von neuem.
Africa [´æfrɪkə] n Afrika nt; **African 1.** adj afrikanisch; **2.** n Afrikaner(in) m(f).
aft [ɑːft] adv achtern.
after [´ɑːftə*] **1.** prep nach; (following, seeking) hinter +dat ... her; (in imitation) nach, im Stil von; **2.** adv: **soon ~** bald danach; **~ all** letzten Endes; **after-effects** n pl Nachwirkungen pl; **afterlife** n Leben nt nach dem Tode; **aftermath** n Auswirkungen pl; **afternoon** n Nachmittag m; **good ~!** guten Tag!; **after-sales service** n Kundendienst m; **after-shave [lotion]** n Rasierwasser nt; **aftershock** n Nachbeben nt; **afterthought** n nachträglicher Einfall; **afterwards** adv danach, nachher.
again [əˈgen] adv wieder, noch einmal; (besides) außerdem, ferner; **~ and ~** immer wieder.
against [əˈgenst] prep gegen.
age [eɪdʒ] **1.** n (of person) Alter nt; (in history) Zeitalter nt; **2.** vi altern, alt werden; **3.** vt älter machen; **to come of ~** mündig werden; **aged 1.** adj ... Jahre alt, -jährig; **2.** [´eɪdʒɪd] adj (elderly) betagt; **the ~** pl ältere Menschen pl; **age group** n Altersgruppe f, Jahrgang m; **ageism** n Diskriminierung f einer Altersgruppe; **ageless** adj zeitlos; **age limit** n Altersgrenze f.
agency [´eɪdʒənsɪ] n Agentur f, Vermittlung f; (CHEM) Wirkung f.
agenda [əˈdʒendə] n Tagesordnung f.
agent [´eɪdʒənt] n (COMM) Vertreter(in) m(f); (spy) Agent(in) m(f).
aggravate [´ægrəveɪt] vt (make worse) verschlimmern; (irritate) reizen; **aggravating** adj ärgerlich; **aggravation** [ægrəˈveɪʃən] n Verschlimmerung f; (irritation) Verärgerung f.
aggregate [´ægrɪgɪt] n Summe f.
aggression [əˈgreʃən] n Aggression f; **aggressive** adj, **aggressively** adv [əˈgresɪv, -lɪ] aggressiv; **aggressiveness** n Aggressivität f; **aggressor** n [əˈgresə*] Angreifer(in) m(f).
aghast [əˈgɑːst] adj entsetzt.
agile [´ædʒaɪl] adj beweglich; (animal) flink.
agitate [´ædʒɪteɪt] **1.** vt rütteln; (bottle) schütteln; **2.** vi agitieren; **agitated** adj aufgeregt.
agitator [´ædʒɪteɪtə*] n Agitator(in) m(f); (pej) Hetzer(in) m(f).
agnostic [ægˈnɒstɪk] n Agnostiker(in) m(f).
ago [əˈgəu] adv: **two days ~** vor zwei Tagen; **not long ~** vor kurzem; **it's so long ~** es ist schon so lange her.
agonize [´ægənaɪz] vi: **~ over sth** sich dat den Kopf über etwas zerbrechen.
agonizing [´ægənaɪzɪŋ] adj qualvoll;

agony [ˈægənɪ] *n* Qual *f*.

agree [əˈgriː] **1.** *vt* (*date*) vereinbaren; **2.** *vi* (*have same opinion, correspond*) übereinstimmen (*with* mit); (*consent*) zustimmen; (*be in harmony*) sich vertragen; **to ~ to do sth** sich bereit erklären, etw zu tun; **garlic doesn't ~ with me** Knoblauch vertrage ich nicht; **I ~** einverstanden, ich stimme zu; **to ~ on sth** sich auf etw *akk* einigen; **agreeable** *adj* (*pleasing*) liebenswürdig; (*willing to consent*) einverstanden; **agreeably** *adv* angenehm; **agreed** *adj* vereinbart; **~! **einverstanden!; **agreement** *n* (*agreeing*) Übereinstimmung *f*; (*contract*) Vereinbarung *f*, Vertrag *m*.

agricultural [ægrɪˈkʌltʃərəl] *adj* landwirtschaftlich, Landwirtschafts-; **agriculture** [ˈægrɪkʌltʃə*] *n* Landwirtschaft *f*.

aground [əˈgraʊnd] *adj, adv* auf Grund.

ahead [əˈhed] *adv* vorwärts; **to be ~** voraus sein.

AI *n abbr of* **artificial intelligence** KI *f*.

aid [eɪd] **1.** *n* (*assistance*) Hilfe *f*, Unterstützung *f*; (*person*) Hilfe *f*; (*thing*) Hilfsmittel *nt*; **2.** *vt* unterstützen, helfen +*dat*; **~ and abet** Beihilfe leisten (*sb* jdm).

AIDS [eɪdz] *acr of* **acquired immune deficiency syndrom** Aids *nt*, Immunschwächekrankheit *f*; **AIDS-infected** *adj* aidskrank.

aid worker *n* Entwicklungshelfer(in) *m(f)*.

ailing [ˈeɪlɪŋ] *adj* kränkelnd; **ailment** [ˈeɪlmənt] *n* Leiden *nt*.

aim [eɪm] **1.** *vt* (*gun, camera*) richten auf +*akk*; **2.** *vi* (*with gun*) zielen; (*intend*) beabsichtigen; **3.** *n* (*intention*) Absicht *f*, Ziel *nt*; (*pointing*) Zielen *nt*, Richten *nt*; **that was ~ed at you** das war auf dich gemünzt; **to ~ at sth** etw anstreben; **to take ~** zielen; **aimless** *adj*, **aimlessly** *adv* ziellos.

air [εə*] **1.** *n* Luft *f*; (*manner*) Auftreten *nt*; (*MUS*) Melodie *f*; **2.** *vt* lüften; (*fig*) an die Öffentlichkeit bringen; **to be on the ~** (*programme*) gesendet werden; **airbag** *n* (*AUTO*) Luftsack *m*, Airbag *m*; **airbed** *n* (*Brit*) Luftmatratze *f*; **airbrush** *n* Spritzpistole *f*; **air-conditioned** *adj* mit Klimaanlage; **air-conditioning** *n* Klimaanlage *f*; **aircraft** *n* Flugzeug *nt*, Maschine *f*; **~ carrier** Flugzeugträger *m*; **air force** *n* Luftwaffe *f*; **airgun** *n* Luftgewehr *nt*; **air hostess** *n* Stewardeß *f*; **airily** *adv* leichtfertig; **air letter** *n* Luftpostbrief *m*; **airline** *n* Fluggesellschaft *f*; **airliner** *n* Verkehrsflugzeug *nt*; **airlock** *n* Luftblase *f*; **airmail** *n*: **by ~** mit Luftpost; **air pollution** *n* Luftverschmutzung *f*; **airport** *n* Flughafen *m*, Flugplatz *m*; **air raid** *n* Luftangriff *m*; **air rescue service** *n* Luftrettungsdienst *m*; **airsick** *adj* luftkrank; **airstrip** *n* Start-

und Lande-Bahn *f*; **air terminal** *n* Terminal *m* o *nt*; **airtight** *adj* luftdicht; **air-traffic controller** *n* Fluglotse *m*, Fluglotsin *f*; **airway** *n* (*route*) Flugroute *f*; **airy** *adj* luftig; (*manner*) leichtfertig.

aisle [aɪl] *n* Gang *m*.

ajar [əˈdʒɑː*] *adj* angelehnt, einen Spalt offen stehend.

akin [əˈkɪn] *adj* ähnlich (*to* +*dat*).

alabaster [ˈæləbɑːstə*] *n* Alabaster *m*.

à la carte [ælæˈkɑːt] *adj* nach der [Speise]karte, à la carte.

alacrity [əˈlækrɪtɪ] *n* Bereitwilligkeit *f*; **accept sth with ~** etwas ohne zu zögern annehmen.

alarm [əˈlɑːm] **1.** *n* (*warning*) Alarm *m*; (*bell etc*) Alarmanlage *f*; **2.** *vt* beunruhigen; **alarm clock** *n* Wecker *m*; **alarming** *adj* beängstigend, beunruhigend; **alarmist** *n* Bangemacher(in) *m(f)*.

alas [əˈlæs] *interj* ach, leider.

Albania [ælˈbeɪnjə] *n* Albanien *nt*.

albeit [ɔːlˈbiːɪt] *conj* obgleich.

album [ˈælbəm] *n* Album *nt*.

alcohol [ˈælkəhɒl] *n* Alkohol *m*; **alcohol-free** *adj* alkoholfrei; **alcoholic** [ælkəˈhɒlɪk] **1.** *adj* (*drink*) alkoholisch; **2.** *n* Alkoholiker(in) *m(f)*; **alcoholism** *n* Alkoholismus *m*.

alcove [ˈælkəʊv] *n* Alkoven *m*.

alderman [ˈɔːldəmən] *n* ⟨aldermen⟩ Stadtrat *m*.

ale [eɪl] *n* Ale *nt* (*dunkles englisches Bier*).

alert [əˈlɜːt] **1.** *adj* wachsam; **2.** *n* Alarm *m*; **alertness** *n* Wachsamkeit *f*.

algebra [ˈældʒɪbrə] *n* Algebra *f*.

Algeria [ælˈdʒɪərɪə] *n* Algerien *nt*.

algorithm [ˈælgərɪθm] *n* Algorithmus *m*; **algorithmic** [ælgəˈrɪθmɪk] *adj* algorithmisch.

alias [ˈeɪlɪəs] **1.** *adv* alias; **2.** *n* Deckname *m*.

alibi [ˈælɪbaɪ] *n* Alibi *nt*.

alien [ˈeɪlɪən] **1.** *n* Ausländer(in) *m(f)*; **2.** *adj* (*foreign*) ausländisch; (*strange*) fremd; **alienate** *vt* entfremden; **alienation** [eɪlɪəˈneɪʃən] *n* Entfremdung *f*.

alight [əˈlaɪt] **1.** *adj, adv* brennend; (*of building*) in Flammen; **2.** *vi* (*descend*) aussteigen; (*bird*) sich setzen.

align [əˈlaɪn] *vt* (*AUTO*) ausrichten; **alignment** *n* Ausrichtung *f*.

alike [əˈlaɪk] **1.** *adj* gleich, ähnlich; **2.** *adv* gleich, ebenso.

alimony [ˈælɪmənɪ] *n* Unterhalt *m*, Alimente *pl*.

alive [əˈlaɪv] *adj* (*living*) lebend; (*lively*) lebendig, aufgeweckt; (*full of*) voll (*with* von), wimmelnd (*with* von).

alkali [ˈælkəlaɪ] *n* ⟨-[e]s⟩ Alkali *nt*.

all [ɔːl] **1.** *adj* (*every one of*) alle; **2.** *pron* (*everything*) alles; (*everybody*) alle; **3.** *n* alles; **4.** *adv* (*completely*) vollkommen, ganz; ~ **of the books** alle Bücher; **it's ~ mine** das gehört alles mir; **it's ~ over** es ist ganz aus; ~ **around the edge** rund um den Rand; ~ **at once** auf einmal; ~ **but** alles außer; (*almost*) fast; ~ **in** ~ alles in allem; ~ **over town** in der ganzen Stadt; **not at** ~ ganz und gar nicht; (*don't mention it*) bitte.

allay [ə'leɪ] *vt* (*fears*) zerstreuen.

allegation [ælɪ'geɪʃən] *n* Behauptung *f*.

allege [ə'ledʒ] *vt* (*declare*) behaupten; (*falsely*) vorgeben; **allegedly** [ə'ledʒɪdlɪ] *adv* angeblich.

allegiance [ə'li:dʒəns] *n* Treue *f*.

allegory ['ælɪgərɪ] *n* Allegorie *f*.

all-embracing ['ɔ:lɪm'breɪsɪŋ] *adj* allumfassend.

allergic [ə'lɜ:dʒɪk] *adj* allergisch (*to* gegen); **allergy** ['ælədʒɪ] *n* Allergie *f*.

alleviate [ə'li:vɪeɪt] *vt* erleichtern, lindern.

alley ['ælɪ] *n* Gasse *f*, Durchgang *m*.

alliance [ə'laɪəns] *n* Bund *m*, Allianz *f*; **allied** ['ælaɪd] *adj* vereinigt; (*powers*) alliiert; (*BIO, fig*) verwandt (*to* mit).

alligator ['ælɪgeɪtə*] *n* Alligator *m*.

all-important ['ɔ:lɪm'pɔ:tənt] *adj* äußerst wichtig.

all-in ['ɔ:lɪn] *adj, adv* (*charge*) alles inbegriffen, Gesamt-; (*exhausted*) erledigt, kaputt.

alliteration [əlɪtə'reɪʃən] *n* Alliteration *f*, Stabreim *m*.

all-night [ɔ:l'naɪt] *adj* (*café, cinema*) die ganze Nacht geöffnet, Nacht-.

allocate ['æləkeɪt] *vt* zuweisen, zuteilen; **allocation** [ælə'keɪʃən] *n* Zuteilung *f*.

allot [ə'lɒt] *vt* zuteilen; **allotment** *n* (*share*) Anteil *m*; (*plot*) Schrebergarten *m*.

allow [ə'laʊ] *vt* (*permit*) erlauben, gestatten (*sb* jdm); (*grant*) bewilligen; (*deduct*) abziehen; **allow for** *vt* berücksichtigen, einplanen; **allowance** *n* Beihilfe *f*; **to make ~s for sth** etw berücksichtigen.

alloy ['ælɔɪ] *n* Metallegierung *f*.

all right ['ɔ:l'raɪt] **1.** *adj* okay, in Ordnung; **2.** *adv* (*satisfactorily*) ganz gut; (*certainly*) schon; **3.** *interj* okay); **all-round** *adj* (*athlete*) Allround-; **all-rounder** *n* (*SPORT*) Allroundsportler(in) *m(f)*; (*general*) Allerweltskerl *m*; **all-time** *adj* (*record, high*) aller Zeiten, Höchst-.

allude [ə'lu:d] *vi* hinweisen, anspielen (*to* auf *+akk*).

alluring [ə'ljʊərɪŋ] *adj* verlockend.

allusion [ə'lu:ʒn] *n* Anspielung *f*, Andeutung *f*.

alluvium [ə'lu:vɪəm] *n* Schwemmland *nt*.

all-wheel drive ['ɔ:lwi:l'draɪv] *n* Allradantrieb *m*.

ally ['ælaɪ] *n* Verbündete(r) *mf*; (*POL*) Alliier-

te(r) *mf*.

almanac ['ɔ:lmənæk] *n* Kalender *m*.

almighty [ɔ:l'maɪtɪ] *adj* allmächtig; **the Almighty** der Allmächtige.

almond ['ɑ:mənd] *n* Mandel *f*.

almost ['ɔ:lməʊst] *adv* fast, beinahe.

alms [ɑ:mz] *n pl* Almosen *nt*.

alone [ə'ləʊn] *adj, adv* allein.

along [ə'lɒŋ] **1.** *prep* entlang; **2.** *adv* (*onward*) vorwärts, weiter; ~ **with** zusammen mit; ~ **the river** den Fluß entlang; **I knew all ~ that …** ich wußte schon die ganze Zeit, daß …; **alongside 1.** *adv* (*walk*) nebenher; (*come*) nebendran; (*be*) daneben; **2.** *prep* (*walk, compared with*) neben *+dat*; (*come*) neben *+akk*; (*be*) entlang, neben *+dat*; (*of ship*) längsseits *+gen*.

aloof [ə'lu:f] **1.** *adj* zurückhaltend; **2.** *adv* abseits; **aloofness** *n* Zurückhaltung *f*.

aloud [ə'laʊd] *adv* laut.

alphabet ['ælfəbet] *n* Alphabet *nt*; **alphabetical** [ælfə'betɪkl] *adj* alphabetisch.

alpine ['ælpaɪn] *adj* alpin, Alpen-; **Alps** [ælps] *n pl* Alpen *pl*.

already [ɔ:l'redɪ] *adv* schon, bereits.

Alsace [æl'sæs] *n* Elsaß *nt*.

Alsatian [æl'seɪʃən] **1.** *adj* elsässisch, Elsässer; **2.** *n* Elsässer(in) *m(f)*; (*Brit: dog*) Schäferhund *m*.

also ['ɔ:lsəʊ] *adv* auch, außerdem.

altar ['ɔ:ltə*] *n* Altar *m*.

alter ['ɔ:ltə*] **1.** *vt* ändern; (*dress*) umändern; **2.** *vi* sich ändern; **alteration** [ɒltə'reɪʃən] *n* Änderung *f*; (*to building*) Umbau *m*.

altercation [ɒltə'keɪʃən] *n* Auseinandersetzung *f*.

alternate [ɔ:l'tɜ:nət] **1.** *adj* abwechselnd; **2.** ['ɔ:ltəneɪt] *vi* abwechseln (*with* mit); **alternately** *adv* abwechselnd, wechselweise.

alternating current ['ɔ:ltɜ:neɪtɪŋ'kʌrənt] *n* Wechselstrom *m*.

alternative [ɔ:l'tɜ:nətɪv] **1.** *adj* andere(r, s); **2.** *n* [Aus]wahl *f*, Alternative *f*; **what's the ~?** welche Alternative gibt es?; **we have no ~** uns bleibt keine andere Wahl; **alternatively** *adv* andererseits.

although [ɔ:l'ðəʊ] *conj* obwohl, wenn auch.

altitude ['æltɪtju:d] *n* Höhe *f*.

alto ['æltəʊ] *n* ⟨-s⟩ (*MUS*) Alt *m*.

altogether [ɔ:ltə'geðə*] *adv* (*on the whole*) im ganzen genommen; (*entirely*) ganz und gar.

altruistic [æltrʊ'ɪstɪk] *adj* uneigennützig, altruistisch.

aluminium, **aluminum** (*US*) [æljʊ'mɪnɪəm, ə'lu:mɪnəm] *n* Aluminium *nt*.

always ['ɔ:lweɪz] *adv* immer; **it was ~ that**

way es war schon immer so.
Alzheimer's disease [ˈæltshaɪməzdɪziːz]
n Alzheimer-Krankheit *f.*
am *abbr of* **ante meridiem** vormittags, vorm.
amalgam [əˈmælgəm] *n* Amalgam *nt; (fig)*
Mischung *f.*
amalgamate [əˈmælgəmeɪt] *vi, vt (combine)* fusionieren; *(mix)* amalgamieren;
amalgamation [əmælgəˈmeɪʃən] *n (of companies)* Fusion *f.*
amass [əˈmæs] *vt* anhäufen.
amateur [ˈæmətə*] 1. *n* Amateur(in) *m(f); (pej)* Stümper(in) *m(f);* 2. *adj* Hobby-;
amateurish *adj (pej)* dilettantisch, stümperhaft.
amaze [əˈmeɪz] *vt* erstaunen, in Staunen versetzen; **amazement** *n* höchstes Erstaunen; **amazing** *adj* erstaunlich.
Amazon [ˈæməzən] *n (also: ~ river)* Amazonas *m.*
ambassador [æmˈbæsədə*] *n* Botschafter *m;* **ambassadress** *n* Botschafterin *f.*
amber [ˈæmbə*] 1. *n* Bernstein *m;* 2. *adj* bernsteinfarben.
ambidextrous [æmbɪˈdekstrəs] *adj* beidhändig.
ambiguity [æmbɪˈgjuːɪtɪ] *n* Zweideutigkeit *f,* Unklarheit *f;* **ambiguous** [æmˈbɪgjʊəs] *adj* zweideutig; *(not clear)* unklar.
ambition [æmˈbɪʃən] *n* Ehrgeiz *m;* **ambitious** [æmˈbɪʃəs] *adj* ehrgeizig.
ambivalent [æmˈbɪvələnt] *adj (attitude)* zwiespältig.
amble [ˈæmbl] *vi* schlendern.
ambulance [ˈæmbjʊləns] *n* Krankenwagen *m.*
ambush [ˈæmbʊʃ] 1. *n* Hinterhalt *m;* 2. *vt* aus dem Hinterhalt angreifen, überfallen.
ameliorate [əˈmiːlɪəreɪt] *vt* verbessern; **amelioration** [əmiːlɪəˈreɪʃən] *n* Verbesserung *f.*
amen [ˈɑːˈmen] *interj* amen.
amenable [əˈmiːnəbl] *adj* gefügig; *(to reason)* zugänglich *(to dat); (to flattery)* empfänglich *(to für); (to law)* unterworfen *(to dat).*
amend [əˈmend] 1. *vt (law etc)* abändern; 2. *n:* **to make ~s** etw wiedergutmachen; **amendment** *n* Änderung *f.*
amenity [əˈmiːnɪtɪ] *n [moderne]* Einrichtung *f.*
America [əˈmerɪkə] *n* Amerika *nt;* **in ~** in Amerika; **to go to ~** nach Amerika fahren; **American 1.** *adj* amerikanisch; 2. *n* Amerikaner(in) *m(f);* **americanize** [əˈmerɪkənaɪz] *vt* amerikanisieren.
amethyst [ˈæmɪθɪst] *n* Amethyst *m.*
amiable [ˈeɪmɪəbl] *adj* liebenswürdig, sympathisch.

amicable [ˈæmɪkəbl] *adj* freundschaftlich; *(JUR settlement)* gütlich.
amid[st] [əˈmɪd[st]] *prep* mitten in [*o* unter] +*dat.*
amiss [əˈmɪs] *adj* verkehrt, nicht richtig; **to take sth ~** etw übelnehmen.
ammeter [ˈæmɪtə*] *n* Amperemeter *nt.*
ammunition [æmjʊˈnɪʃən] *n* Munition *f.*
amnesia [æmˈniːzjə] *n* Gedächtnisverlust *m.*
amnesty [ˈæmnɪstɪ] *n* Amnestie *f.*
amock [əˈmɒk] *adv s.* **amuck.**
amoeba [əˈmiːbə] *n* Amöbe *f.*
among[st] [əˈmʌŋ[st]] *prep* unter.
amoral [æˈmɒrəl] *adj* unmoralisch.
amorous [ˈæmərəs] *adj* verliebt.
amorphous [əˈmɔːfəs] *adj* formlos, gestaltlos.
amount [əˈmaʊnt] 1. *n (of money)* Betrag *m; (of time, energy)* Aufwand *m (of an* +*dat); (of water, sand)* Menge *f;* 2. *vi:* **to ~ to** *(total)* sich belaufen auf +*akk;* **this ~s to treachery** das kommt Verrat gleich; **it ~s to the same** es läuft aufs gleiche hinaus; **he won't ~ to much** aus ihm wird nie was; **no ~ of ...** kein(e) ...
amp, ampere [æmp, ˈæmpɛə*] *n* Ampere *nt.*
amphibian [æmˈfɪbɪən] *n* Amphibie *f.*
amphibious [æmˈfɪbɪəs] *adj* amphibisch, Amphibien-.
amphitheatre [ˈæmfɪθɪətə*] *n* Amphitheater *nt.*
ample [ˈæmpl] *adj (portion)* reichlich; *(dress)* weit, groß; **~ time** genügend Zeit.
amplifier [ˈæmplɪfaɪə*] *n* Verstärker *m.*
amply [ˈæmplɪ] *adv* reichlich.
amputate [ˈæmpjʊteɪt] *vt* amputieren, abnehmen.
amuck [əˈmʌk] *adv:* **to run ~** Amok laufen.
amuse [əˈmjuːz] *vt (entertain)* unterhalten; *(make smile)* belustigen; *(occupy)* unterhalten; **I'm not ~d** das finde ich gar nicht so lustig; **if that ~s you** wenn es dir Spaß macht; **amusement** *n (feeling)* Unterhaltung *f; (recreation)* Zeitvertreib *m;* **amusement hall** *n* Spielhalle *f;* **amusing** *adj* amüsant, unterhaltend.
an [æn, ən] *art* ein[e].
anabolic steroid [ænəˈbɒlɪkˈsterɔɪd] *n* Anabolikum *nt.*
anaemia [əˈniːmɪə] *n* Anämie *f;* **anaemic** [əˈniːmɪk] *adj* blutarm.
anaesthetic [ænɪsˈθetɪk] *n* Betäubungsmittel *nt;* **to be under an ~** in Narkose liegen.
anagram [ˈænəgræm] *n* Anagramm *nt.*
analgesic [ænælˈdʒiːsɪk] *n* schmerzstillendes Mittel.
analog [ˈænəlɒg] *adj (watch, computer)* Analog-; **~ computer** Analogrechner *m;*

analogous [ə'næləgəs] *adj* analog; **analogy** [ə'nælədʒɪ] *n* Analogie *f*.

analyse ['ænəlaɪz] *vt* analysieren; **analysis** [ə'næljsɪs] *n* Analyse *f*; **analyst** *n* Analytiker(in) *m(f)*; **analytic** [ænə'lɪtɪk] *adj* analytisch.

anarchist ['ænəkɪst] *n* Anarchist(in) *m(f)*; **anarchy** ['ænəkɪ] *n* Anarchie *f*.

anathema [ə'næθɪmə] *n* (*fig*) Greuel *nt*.

anatomical [ænə'tɒmɪkəl] *adj* anatomisch; **anatomy** [ə'nætəmɪ] *n* (*structure*) anatomischer Aufbau; (*study*) Anatomie *f*.

ANC *n abbr of* **African National Congress** ANC *m*.

ancestor ['ænsestə*] *n* Vorfahr *m*; **ancestral** [æn'sestrəl] *adj* Ahnen-; **ancestry** ['ænsɪstrɪ] *n* Abstammung *f*; (*forefathers*) Vorfahren *pl*.

anchor ['æŋkə*] 1. *n* Anker *m*; 2. *vi* ankern, vor Anker liegen; 3. *vt* verankern; **anchorage** *n* Ankerplatz *m*.

anchovy ['æntʃəvɪ] *n* Sardelle *f*.

ancient ['eɪnʃənt] *adj* alt; (*fam*) uralt; **in ~ times** im Altertum.

ancillary [æn'sɪlərɪ] *adj* (*roads*) Neben-; (*troops*) Hilfs-; **~ industries** Zulieferindustrien.

and [ænd, ənd] *conj* und.

Andorra [æn'dɔ:rə] *n* Andorra *nt*.

anecdote ['ænɪkdəʊt] *n* Anekdote *f*.

anemia *n* (*US*) s. **anaemia**.

anemone [ə'nemənɪ] *n* Anemone *f*.

anesthetic *n* (*US*) s. **anaesthetic**.

anew [ə'nju:] *adv* von neuem.

angel ['eɪndʒəl] *n* Engel *m*; **angelic** [æn'dʒelɪk] *adj* engelhaft.

anger ['æŋgə*] 1. *n* Zorn *m*; 2. *vt* ärgern.

angina [æn'dʒaɪnə] *n* Angina *f*, Halsentzündung *f*.

angle ['æŋgl] 1. *n* Winkel *m*; (*point of view*) Standpunkt *m*; 2. *vi* einstellen; **to ~ for** aussein auf *+akk*; **at an ~** nicht gerade.

angler ['æŋglə*] *n* Angler(in) *m(f)*.

Anglican ['æŋglɪkən] *adj* anglikanisch.

anglicize ['æŋglɪsaɪz] *vt* anglisieren.

angling ['æŋglɪŋ] *n* Angeln *nt*.

Anglo- ['æŋgləʊ] *pref* Anglo-.

angrily ['æŋgrɪlɪ] *adv* ärgerlich, böse.

angry ['æŋgrɪ] *adj* verärgert, wütend; (*wound*) entzündet; **to be ~ at/with sb** auf/mit jdm böse sein.

anguish ['æŋgwɪʃ] *n* Qual *f*.

angular ['æŋgjʊlə*] *adj* eckig, winkelförmig; (*face*) kantig.

animal ['ænɪməl] 1. *n* Tier *nt*; 2. *adj* tierisch, animalisch; **~ rights** Tierschutz.

animate ['ænɪmeɪt] 1. *vt* beleben; 2. ['ænɪmət] *adj* lebendig; **animated** *adj* lebendig; (*film*) Zeichentrick-; **animation** [ænɪ'meɪʃən] *n* Lebhaftigkeit *f*.

animosity [ænɪ'mɒsɪtɪ] *n* Feindseligkeit *f*.

aniseed ['ænɪsi:d] *n* Anis *m*.

ankle ['æŋkl] *n* [Fuß]knöchel *m*.

annex ['æneks] 1. *n* Anbau *m*; 2. [ə'neks] *vt* anfügen; (*POL*) annektieren.

annihilate [ə'naɪəleɪt] *vt* vernichten.

anniversary [ænɪ'vɜ:sərɪ] *n* Jahrestag *m*; **wedding ~** Hochzeitstag *m*.

annotate ['ænəteɪt] *vt* kommentieren.

announce [ə'naʊns] *vt* ankündigen, bekanntgeben; **announcement** *n* Ankündigung *f*; (*official*) Bekanntmachung *f*; **announcer** *n* Ansager(in) *m(f)*.

annoy [ə'nɔɪ] *vt* ärgern; **annoyance** *n* Ärgernis *m*; **annoying** *adj* ärgerlich; (*person*) lästig.

annual ['ænjʊəl] 1. *adj* jährlich; (*salary*) Jahres-; 2. *n* (*plant*) einjährige Pflanze; (*book*) Jahrbuch *nt*; **annually** *adv* jährlich.

annuity [ə'nju:ɪtɪ] *n* Jahresrente *f*.

annul [ə'nʌl] *vt* aufheben, annullieren; **annulment** *n* Aufhebung *f*, Annullierung *f*.

anoint [ə'nɔɪnt] *vt* salben.

anomalous [ə'nɒmələs] *adj* anormal; **anomaly** [ə'nɒməlɪ] *n* Abweichung *f* von der Regel.

anonymity [ænə'nɪmɪtɪ] *n* Anonymität *f*; **anonymous** [ə'nɒnɪməs] *adj* anonym.

anorak ['ænəræk] *n* Anorak *m*, Windjacke *f*.

anorexia [ænə'reksɪə] *n* Magersucht *f*; **anorexic** *adj* magersüchtig.

another [ə'nʌðə*] *adj, pron* (*different*) ein(e) andere(r, s); (*additional*) noch eine(r, s).

answer ['ɑ:nsə*] 1. *n* Antwort *f*; 2. *vi* antworten; (*on phone*) sich melden; 3. *vt* (*person*) antworten *+dat*; (*letter, question*) beantworten; (*telephone*) gehen an *+akk*, abnehmen; (*door*) öffnen; **to ~ to the name of …** auf den Namen … hören; **answer back** *vi* widersprechen; (*children*) frech sein; **answer for** *vt* verantwortlich sein für; **answerable** *adj* beantwortbar; (*responsible*) verantwortlich, haftbar; **answering machine** *n* Anrufbeantworter *m*.

ant [ænt] *n* Ameise *f*.

antagonism [æn'tægənɪzəm] *n* Antagonismus *m*; **antagonist** *n* Gegner(in) *m(f)*, Antagonist(in) *m(f)*; **antagonistic** [æntægə'nɪstɪk] *adj* feindselig; **antagonize** [æn'tægənaɪz] *vt* reizen.

Antarctica [æn] *n* die Antarktis.

anteater ['ænti:tə*] *n* Ameisenbär *m*.

antecedent [æntɪ'si:dənt] *n* Vorhergehende(s) *nt*; **~s** *pl* Vorleben *nt*, Vorgeschichte *f*.

antelope ['æntɪləʊp] *n* Antilope *f*.

antenatal [æntɪ'neɪtl] *adj* vor der Geburt,

pränatal.

antenna [æn'tenə] n (BIO) Fühler m; (RADIO) Antenne f.

anteroom ['æntɪrʊm] n Vorzimmer nt.

anthem ['ænθəm] n Hymne f.

anthology [æn'θɒlədʒɪ] n Gedichtsammlung f, Anthologie f.

anthropologist [ænθrə'pɒlədʒɪst] n Anthropologe(-login) m(f); **anthropology** n Anthropologie f.

anti- ['æntɪ] pref Gegen-, Anti-; **anti-aircraft** adj Flugabwehr-; **antibiotic** ['æntɪbaɪ'ɒtɪk] n Antibiotikum nt; **antibody** n (MED) Antikörper m, Abwehrkörper m.

anticipate [æn'tɪsɪpeɪt] vt (expect: trouble, question) erwarten, rechnen mit; (look forward to) sich freuen auf +akk; (do first) vorwegnehmen; (foresee) ahnen, vorhersehen; **anticipation** [æntɪsɪ'peɪʃən] n Erwartung f; (foreshadowing) Vorwegnahme f.

anticlimax [æntɪ'klaɪmæks] n Ernüchterung f; **anticlockwise** [æntɪ'klɒkwaɪz] adj entgegen dem Uhrzeigersinn.

antics ['æntɪks] n pl Possen pl.

anticyclone [æntɪ'saɪkləʊn] n Hoch nt; (area) Hochdruckgebiet nt.

antidote ['æntɪdəʊt] n Gegenmittel nt; **antifreeze** n Frostschutzmittel nt.

antihistamine [æntɪ'hɪstəmɪn] n Antihistamin nt.

anti-lock braking system [ænt'lɒk'breɪkɪŋsɪstəm] n Antiblockiersystem nt; **antinuclear activist** n Kernkraftgegner(in) m(f).

antipathy [æn'tɪpəθɪ] n Abneigung f, Antipathie f.

Antipodes [æn'tɪpədiːz] n pl Australien und Neuseeland.

antiquarian [æntɪ'kwɛərɪən] **1.** adj altertümlich; **2.** n Antiquitätensammler(in) m(f); **antiquated** ['æntɪkweɪtɪd] adj antiquiert.

antique [æn'tiːk] **1.** n Antiquität f; **2.** adj antik; (old-fashioned) altmodisch.

antiquity [æn'tɪkwɪtɪ] n Antike f, Altertum nt.

antiseptic [æntɪ'septɪk] **1.** n Antiseptikum nt; **2.** adj antiseptisch.

antisocial [æntɪ'səʊʃl] adj (person) ungesellig; (behaviour) asozial; **antitechnological** adj technologiefeindlich; **anti-theft device** n Diebstahlsicherung f.

antithesis [æn'tɪθɪsɪs] n Gegensatz m, Antithese f.

antlers ['æntləz] n pl Geweih nt.

anus ['eɪnəs] n After m.

anvil ['ænvɪl] n Amboß m.

anxiety [æŋ'zaɪətɪ] n Angst f; (worry) Sorge

f; **anxious** ['æŋkʃəs] adj ängstlich; (worried) besorgt; **to be ~ to do sth** etw unbedingt tun wollen; **anxiously** adv besorgt; (keenly) eifrig.

any ['enɪ] adj, pron take **~ one** nimm irgendeine(n, s)!; **do you want ~ apples?** willst du Äpfel [haben]?; **do you want ~?** willst du welche?; **not ~** keine; **~ faster** schneller; **anybody** pron irgend jemand; (everybody) jedermann; **anyhow** adv sowieso, ohnehin; (carelessly) einfach so; **anyone** pron irgend jemand; **anything** pron irgend etwas; **anytime** adv jederzeit; **anyway** adv sowieso, ohnehin; **~, let's stop** na ja [o sei's drum], hören wir auf; **anywhere** adv irgendwo; (everywhere) überall.

apart [ə'pɑːt] adv (parted) auseinander; (away) beiseite, abseits; **~ from** außer.

apartheid [ə'pɑːtheɪt] n Apartheid f.

apartment [ə'pɑːtmənt] n (US) Wohnung f.

apathetic [æpə'θetɪk] adj teilnahmslos, apathisch; **apathy** ['æpəθɪ] n Teilnahmslosigkeit f, Apathie f.

ape [eɪp] **1.** n [Menschen]affe m; **2.** vt (pej) nachäffen.

aperitif [ə'perɪtɪv] n Aperitif m.

aperture ['æpətjʊə*] n Öffnung f; (PHOT) Blende f.

apex ['eɪpeks] n Spitze f; (fig) Höhepunkt m.

aphrodisiac [æfrəʊ'dɪzɪæk] n Aphrodisiakum nt.

apiece [ə'piːs] adv pro Stück; (per person) pro Kopf.

aplomb [ə'plɒm] n selbstbewußtes Auftreten.

apologetic [əpɒlə'dʒetɪk] adj entschuldigend; **to be ~** sich vielmals entschuldigen; **apologize** [ə'pɒlədʒaɪz] vi sich entschuldigen; **apology** [ə'pɒlədʒɪ] n Entschuldigung f.

apoplexy ['æpəpleksɪ] n Schlaganfall m.

apostle [ə'pɒsl] n Apostel m; (pioneer) Vorkämpfer(in) m(f).

apostrophe [ə'pɒstrəfɪ] n Apostroph m.

appal [ə'pɔːl] vt entsetzen; **appalling** adj schrecklich.

apparatus [æpə'reɪtəs] n Apparat m, Gerät nt.

apparent [ə'pærənt] adj offenbar; **apparently** adv anscheinend.

apparition [æpə'rɪʃən] n (ghost) Erscheinung f, Geist m; (appearance) Erscheinen nt.

appeal [ə'piːl] **1.** vi dringend bitten (for um); (JUR) Berufung einlegen; **2.** n Aufruf m; (JUR) Berufung f; **to ~ to sb for sth** jdn um etw bitten; (to public) an jdn appellieren, etw zu tun; **appealing** adj ansprechend.

appear [ə'pɪə*] vi (come into sight) erscheinen; (be seen) auftauchen; (seem) scheinen; **appearance** n (coming into sight) Erscheinen nt; (outward show) Äußere(s) nt; **to put in** [o make] **an** ~ sich zeigen.

appease [ə'pi:z] vt beschwichtigen.

append [ə'pend] vt anhängen, hinzufügen; **appendage** [ə'pendɪdʒ] n Anhang m, Anhängsel nt.

appendicitis [əpendɪ'saɪtɪs] n Blinddarmentzündung f.

appendix [ə'pendɪks] n (in book) Anhang m; (MED) Blinddarm m.

appetite ['æpɪtaɪt] n Appetit m; (fig) Lust f; **appetizing** ['æpɪtaɪzɪŋ] adj appetitanregend.

applaud [ə'plɔ:d] vt, vi Beifall klatschen +dat, applaudieren; **applause** [ə'plɔ:z] n Beifall m, Applaus m.

apple ['æpl] n Apfel m; **apple pie** n gedeckter Apfelkuchen; **apple tree** n Apfelbaum m.

appliance [ə'plaɪəns] n Gerät nt.

applicable [ə'plɪkəbl] adj anwendbar; (on forms) zutreffend.

applicant ['æplɪkənt] n Bewerber(in) m(f); **application** [æplɪ'keɪʃən] n (request) Antrag m; (for job) Bewerbung f; (putting into practice) Anwendung f; (hard work) Fleiß m.

applied [ə'plaɪd] adj angewandt.

apply [ə'plaɪ] 1. vi (place on) auflegen (to an +akk), sich melden; (be suitable) zutreffen; 2. vt (place on) auflegen; (cream) auftragen; (put into practice) anwenden; 3. vr: ~ **oneself** (devote oneself) sich widmen (to dat).

appoint [ə'pɔɪnt] vt (to office) ernennen; (settle) festsetzen; **appointment** n (meeting) Verabredung f; (at hairdresser, in business) Termin m; (choice for a position) Ernennung f.

apportion [ə'pɔ:ʃən] vt zuteilen.

appreciable [ə'pri:ʃəbl] adj (perceptible) merklich; (able to be estimated) abschätzbar.

appreciate [ə'pri:ʃɪeɪt] 1. vt (value) zu schätzen wissen; (understand) einsehen; 2. vi (increase in value) im Wert steigen; **appreciation** [əpri:ʃɪ'eɪʃən] n Wertschätzung f; (COMM) Wertzuwachs m; **appreciative** [ə'pri:ʃɪətɪv] adj (showing thanks) dankbar; (showing liking) anerkennend.

apprehend [æprɪ'hend] vt (arrest) festnehmen; (understand) erfassen.

apprehension [æprɪ'henʃən] n Besorgnis f; (arrest) Festnahme f; **apprehensive** [æprɪ'hensɪv] adj besorgt.

apprentice [ə'prentɪs] n Lehrling m, Aus-

zubildende(r) mf; **apprenticeship** n Lehrzeit f.

approach [ə'prəʊtʃ] 1. vi sich nähern; 2. vt herantreten an +akk; (problem) herangehen an +akk; 3. n Annäherung f; (to problem) Ansatz m; (path) Zugang m, Zufahrt f; **approachable** adj zugänglich.

approbation [æprə'beɪʃən] n Zustimmung f.

appropriate 1. vt beschlagnahmen; (take for oneself) sich dat aneignen; (set apart) bereitstellen; 2. [ə'prəʊprɪət] adj angemessen; (remark) treffend; **appropriately** adv passend.

approval [ə'pru:vəl] n (show of satisfaction) Beifall m; (permission) Billigung f; **on** ~ (COMM) bei Gefallen; **approve** [ə'pru:v] vt, vi billigen (of akk); **I don't** ~ **of it/him** ich halte nichts davon/von ihm.

approximate 1. adj ungefähr; 2. [ə'proksɪmeɪt] vt nahekommen +dat; **approximately** adv rund, ungefähr; **approximation** [əproksɪ'meɪʃən] n Annäherung f.

apricot ['eɪprɪkɒt] n Aprikose f.

April ['eɪprəl] n April m; ~ **13th, 1958, 13th** ~ **1958** (Datumsangabe) 13. April 1958: **on the 1st/11th of** ~ (gesprochen) am 1./11. April; **on 1st/11th** ~, **on** ~ **1st/11th** (geschrieben) am 1./11. April; **in** ~ im April.

apron ['eɪprən] n Schürze f.

apt [æpt] adj (suitable) passend; (able) begabt; (likely) geneigt; **aptitude** n Begabung f.

aqualung ['ækwəlʌŋ] n Tauchgerät nt.

aquarium [ə'kweərɪəm] n Aquarium nt.

Aquarius [ə'kweərɪəs] n (ASTR) Wassermann m.

aquatic [ə'kwætɪk] adj Wasser-.

aqueduct ['ækwɪdʌkt] n Aquädukt nt.

Arab ['ærəb] n Araber(in) m(f); **Arabian** [ə'reɪbɪən] adj arabisch; **Arabic** ['ærəbɪk] n (language) Arabisch nt.

arable ['ærəbl] adj bebaubar; ~ **land** Ackerland nt.

arbiter ['ɑ:bɪtə*] n [Schieds]richter(in) m(f).

arbitrary ['ɑ:bɪtrərɪ] adj willkürlich.

arbitrate ['ɑ:bɪtreɪt] vt, vi schlichten; **arbitration** [ɑ:bɪ'treɪʃən] n Schlichtung f; **to go to** ~ vor ein Schiedsgericht gehen; **arbitrator** ['ɑ:bɪtreɪtə*] n Schlichter(in) m(f).

arc [ɑ:k] n Bogen m.

arcade [ɑ:'keɪd] n Säulengang m.

arch [ɑ:tʃ] 1. n Bogen m; 2. vt überwölben; (back) krumm machen; 3. vi sich wölben; 4. adj durchtrieben.

archaeologist [ɑ:kɪ'ɒlədʒɪst] n Archäologe m, Archäologin f; **archaeology** n Archä-

ologie f.
archaic [ɑːˈkeɪk] adj altertümlich.
archbishop [ɑːtʃˈbɪʃəp] n Erzbischof m.
arch enemy n Erzfeind(in) m(f).
archer [ˈɑːtʃə*] n Bogenschütze(-schützin) m(f); **archery** n Bogenschießen nt.
archipelago [ɑːkɪˈpelɪgəʊ] n ⟨-[e]s⟩ Archipel m; (sea) Inselmeer nt.
architect [ˈɑːkɪtekt] n Architekt(in) m(f); **architectural** [ɑːkɪˈtektʃərəl] adj architektonisch; **architecture** n Architektur f.
archives [ˈɑːkaɪvz] n pl Archiv nt.
arch support [ˈɑːtʃsəpɔːt] n Senkfußeinlage f.
archway [ˈɑːtʃweɪ] n Bogen m.
ardent [ˈɑːdənt] adj glühend.
ardour [ˈɑːdə*] n Eifer m.
arduous [ˈɑːdjʊəs] adj mühsam.
are [ɑː*] s. **be**.
area [ˈɛərɪə] n Fläche f; (of land) Gebiet nt; (part of sth) Teil m, Abschnitt m.
arena [əˈriːnə] n Arena f.
aren't [ɑːnt] = **are not**.
Argentina, the Argentine [ɑːdʒənˈtiːnə, ˈɑːdʒəntaɪn] n Argentinien nt.
arguable [ˈɑːgjʊəbl] adj (doubtful) diskutabel; **it's ~ that ...** man könnte argumentieren daß ...; **arguably** adv wohl.
argue [ˈɑːgjuː] **1.** vt (case) vertreten; **2.** vi diskutieren; (angrily) streiten; **don't ~!** keine Widerrede!; **to ~ with sb** sich mit jdm streiten; **argument** n (theory) Argument nt; (reasoning) Argumentation f; (row) Auseinandersetzung f, Streit m; **to have an ~** sich streiten; **argumentative** [ɑːgjʊˈmentətɪv] adj streitlustig.
aria [ˈɑːrɪə] n Arie f.
arid [ˈærɪd] adj trocken; **aridity** [əˈrɪdɪtɪ] n Dürre f.
Aries [ˈɛəriːz] n sing (ASTR) Widder m.
arise [əˈraɪz] ⟨arose, arisen⟩ vi aufsteigen; (get up) aufstehen; (difficulties etc) entstehen; (case) vorkommen; **to ~ out of sth** von etw herrühren.
aristocracy [ærɪsˈtɒkrəsɪ] n Adel m, Aristokratie f; **aristocrat** [ˈærɪstəkræt] n Adlige(r) mf, Aristokrat(in) m(f); **aristocratic** [ærɪstəˈkrætɪk] adj adlig, aristokratisch.
arithmetic [əˈrɪθmətɪk] n Rechnen nt, Arithmetik f.
ark [ɑːk] n: **Noah's Ark** die Arche Noah.
arm [ɑːm] **1.** n Arm m; (branch of military service) Zweig m; **2.** vt bewaffnen.
armaments [ˈɑːməmənts] n pl Waffen pl, Rüstung f.
armband [ˈɑːmbænd] n Armbinde f; **armchair** n Lehnstuhl m; **armed** adj (forces) Streit-, bewaffnet; (robbery) bewaffnet.
armistice [ˈɑːmɪstɪs] n Waffenstillstand m.

armour [ˈɑːmə*] n (knight's) Rüstung f; (MIL) Panzerplatte f; **armoury** n Waffenlager nt; (factory) Waffenfabrik f.
armpit [ˈɑːmpɪt] n Achselhöhle f; **armrest** n Armlehne f.
arms [ɑːmz] n pl (weapons) Waffen pl; **arms control** n Rüstungskontrolle f; **arms race** n Rüstungswettlauf m.
army [ˈɑːmɪ] n Armee f; (host) Heer nt.
aroma [əˈrəʊmə] n Duft m, Aroma nt.
aromatherapy [ərəʊməˈθerəpɪ] n Aromatherapie f.
aromatic [ærəˈmætɪk] adj aromatisch.
arose [əˈrəʊz] pt of **arise**.
around [əˈraʊnd] **1.** adv ringsherum; (almost) ungefähr; **2.** prep um ... herum; **is he ~?** ist er hier?
arouse [əˈraʊz] vt wecken.
arr abbr of **arrival, arrives** Ankunft, Ank.
arrange [əˈreɪndʒ] vt (time, meeting) festsetzen; (holidays) festlegen; (flowers, hair, objects) anordnen; **we ~d to meet at eight o'clock** wir haben uns für acht Uhr verabredet; **it's all ~d** es ist alles arrangiert; **arrangement** n (order) Reihenfolge f; (agreement) Übereinkommen nt; (plan) Vereinbarung f.
array [əˈreɪ] n Aufstellung f.
arrears [əˈrɪəz] n pl (of debts) Rückstand m; **in ~** im Rückstand.
arrest [əˈrest] **1.** vt (person) verhaften; (stop) aufhalten; **2.** n Verhaftung f; **under ~** in Haft; **you're under ~** Sie sind verhaftet.
arrival [əˈraɪvəl] n Ankunft f.
arrive [əˈraɪv] vi ankommen (at bei, in +dat); **to ~ at a decision** zu einer Entscheidung kommen.
arrogance [ˈærəgəns] n Überheblichkeit f, Arroganz f; **arrogant** adj anmaßend, arrogant.
arrow [ˈærəʊ] n Pfeil m.
arse [ɑːs] n (fam!) Arsch m.
arsenal [ˈɑːsənl] n Arsenal nt.
arsenic [ˈɑːsnɪk] n Arsen nt.
arson [ˈɑːsn] n Brandstiftung f.
art [ɑːt] n Kunst f; **~s** pl Geisteswissenschaften pl; **~ gallery** Kunstgalerie f.
artery [ˈɑːtərɪ] n Schlagader f, Arterie f.
artful [ˈɑːtfʊl] adj raffiniert.
arthritis [ɑːˈθraɪtɪs] n Arthritis f.
artichoke [ˈɑːtɪtʃəʊk] n Artischocke f.
article [ˈɑːtɪkl] n (PRESS, LING) Artikel m; (thing) Gegenstand m; (clause) Paragraph m.
articulate 1. adj [ɑːˈtɪkjʊlɪt] (able to express oneself) redegewandt; (speaking clearly) deutlich, verständlich; **2.** [ɑːˈtɪkjʊleɪt] vt (connect) zusammenfügen, gliedern; **to be ~** sich gut ausdrücken können; **~d vehicle** Sattelschlepper m.

artifice [ˈɑːtɪfɪs] n (skill) Kunstgriff m; (trick) Kniff m, List f.

artificial [ɑːtɪˈfɪʃəl] adj künstlich, Kunst-; ~ **heart** Kunstherz nt; ~ **intelligence** künstliche Intelligenz; ~ **respiration** künstliche Atmung.

artillery [ɑːˈtɪlərɪ] n Artillerie f.

artisan [ˈɑːtɪzæn] n Handwerker(in) m(f).

artist [ˈɑːtɪst] n Künstler(in) m(f); **artistic** [ɑːˈtɪstɪk] adj künstlerisch; **artistry** [ˈɑːtɪstrɪ] n künstlerisches Können.

artless [ˈɑːtlɪs] adj ungekünstelt; (character) arglos.

arty [ˈɑːtɪ] adj (fam) künstlerisch angehaucht.

as [æz, əz] adv, conj (since) da, weil; (while) als; (like) wie; (in role of) als; ~ **soon** ~ **he comes** sobald er kommt; ~ **big** ~ so groß wie; ~ **well** auch; ~ **well** ~ und auch; ~ **for him** was ihn betrifft; ~ **if,** ~ **though** als ob; ~ **it were** sozusagen; **tired** ~ **he was** so müde er auch war.

a.s.a.p. abbr of **as soon as possible** möglichst bald.

asbestos [æzˈbestəs] n Asbest m.

ascend [əˈsend] **1.** vi aufsteigen; **2.** vt besteigen; **ascendancy** n Oberhand f.

ascension [əˈsenʃən] n (REL) [Christi] Himmelfahrt f.

ascent [əˈsent] n Aufstieg m.

ascertain [æsəˈteɪn] vt feststellen.

ascetic [əˈsetɪk] adj asketisch.

ascribe [əsˈkraɪb] vt zuschreiben (to dat).

ash [æʃ] n (dust) Asche f; (tree) Esche f.

ashamed [əˈʃeɪmd] adj beschämt; **to be** ~ **of sth/sb** sich für etw/jdn schämen.

ashen [ˈæʃn] adj (pale) aschfahl.

ashore [əˈʃɔː*] adv an Land.

ashtray [ˈæʃtreɪ] n Aschenbecher m; **Ash Wednesday** n Aschermittwoch m.

Asia [ˈeɪʃə] n Asien nt; **Asian 1.** adj asiatisch; **2.** n Asiat(in) m(f).

aside [əˈsaɪd] **1.** adv beiseite; **2.** n (THEAT) beiseite gesprochene Worte pl; ~ **from** (US) abgesehen von.

ask [ɑːsk] vt, vi fragen; (permission) bitten um; ~**ing price** Verkaufspreis m; ~ **him his name** frage ihn nach seinem Namen; **he** ~**ed to see you** er wollte dich sehen; **you** ~**ed for that!** da bist du selbst schuld.

askance [əsˈkæns] adv: **to look** ~ **at sb** jdn schief ansehen.

askew [əsˈkjuː] adv schief.

asleep [əˈsliːp] adj, adv: **to be** ~ schlafen; **to fall** ~ einschlafen.

asp [æsp] n Espe f.

asparagus [əsˈpærəgəs] n Spargel m.

aspect [ˈæspekt] n Aspekt m; (appearance) Aussehen nt.

asphalt [ˈæsfælt] n Asphalt m.

asphyxiate [əsˈfɪksɪeɪt] vt (MED) ersticken; **asphyxiation** [əsfɪksɪˈeɪʃən] n Erstickung f.

aspiration [æspəˈreɪʃən] n Trachten nt; **to have** ~**s towards sth** etw anstreben.

aspire [əsˈpaɪə*] vi streben (to nach).

aspirin [ˈæspɪrɪn] n Aspirin nt.

ass [æs] n (a. fig) Esel m.

assail [əˈseɪl] vt angreifen; **be** ~**ed by doubts** von Zweifeln geplagt werden.

assassin [əˈsæsɪn] n Attentäter(in) m(f); **assassinate** [əˈsæsɪneɪt] vt ermorden; **assassination** [əsæsɪˈneɪʃən] n Ermordung f.

assault [əˈsɔːlt] **1.** n Angriff m; **2.** vt überfallen; (woman) herfallen über +akk.

assemble [əˈsembl] **1.** vt versammeln; (parts) zusammensetzen; **2.** vi sich versammeln; **assembly** n (meeting) Versammlung f; (construction) Zusammensetzung f, Montage f; **assembly line** n Fließband nt.

assent [əˈsent] **1.** n Zustimmung f; **2.** vi zustimmen (to dat).

assert [əˈsɜːt] vt erklären; **assertion** [əˈsɜːʃən] n Behauptung f; **assertive** adj selbstsicher.

assess [əˈses] vt einschätzen; **assessment** n Bewertung f, Einschätzung f.

asset [ˈæset] n Vorteil m, Wert m; ~**s** pl Vermögen nt; (estate) Nachlaß m.

assiduous [əˈsɪdjʊəs] adj gewissenhaft.

assign [əˈsaɪn] vt zuweisen; **assignment** n Aufgabe f; (mission) Auftrag m.

assimilate [əˈsɪmɪleɪt] vt aufnehmen; (into society) integrieren; **assimilation** [əsɪmɪˈleɪʃən] n Assimilierung f, Aufnahme f.

assist [əˈsɪst] vt beistehen +dat; **assistance** n Unterstützung f, Hilfe f; **assistant** n Assistent(in) m(f), Mitarbeiter(in) m(f); (in shop) Verkäufer(in) m(f).

assizes [əˈsaɪzɪz] n pl Landgericht nt.

associate [əˈsəʊʃət] **1.** n (partner) Partner(in) m(f), Teilhaber(in) m(f); (member) außerordentliches Mitglied; **2.** [əˈsəʊʃɪeɪt] vt verbinden (with mit); **3.** vi (keep company) verkehren (with mit); **association** [əsəʊsɪˈeɪʃən] n Verband m, Verein m; (PSYCH) Assoziation f; (link) Verbindung f; **association football** n (Brit) Fußball m.

assorted [əˈsɔːtɪd] adj gemischt; **assortment** n Sammlung f; (COMM) Sortiment nt (of von), Auswahl f (of an +dat).

assume [əˈsjuːm] vt annehmen; (power) übernehmen; ~**d name** Deckname m; **assumption** [əˈsʌmpʃən] n Annahme f.

assurance [əˈʃʊərəns] n (firm statement) Versicherung f; (confidence) Selbstsicherheit f; (insurance) [Lebens]versicherung f;

assure vt (make sure) sicherstellen; (convince) versichern +dat; (life) versichern; **assuredly** adv sicherlich.

asterisk [ˈæstərɪsk] n Sternchen nt.

astern [əsˈtɜːn] adv achtern.

asthma [ˈæsmə] n Asthma nt; **asthmatic** [æsˈmætɪk] **1.** adj asthmatisch; **2.** n Asthmatiker(in) m(f).

astonish [əsˈtɒnɪʃ] vt erstaunen; **astonishing** adj erstaunlich; **astonishment** n Erstaunen nt.

astound [əsˈtaʊnd] vt verblüffen; **astounding** adj verblüffend.

astray [əsˈtreɪ] **1.** adv: **to go** ~ vom Weg abkommmen; (letter) verlorengehen; **to lead sb** ~ jdn irreführen; **2.** adj irregehend.

astride [əsˈtraɪd] **1.** adv rittlings; **2.** prep rittlings auf.

astrologer [əsˈtrɒlədʒə*] n Astrologe(-login) m(f); **astrology** [əsˈtrɒlədʒɪ] n Astrologie f.

astronaut [ˈæstrənɔːt] n Astronaut(in) m(f).

astronomer [əsˈtrɒnəmə*] n Astronom(in) m(f); **astronomical** [æstrəˈnɒmɪkəl] adj astronomisch; (numbers) astronomisch; (success) riesig; **astronomy** [əsˈtrɒnəmɪ] n Astronomie f.

astute [əsˈtjuːt] adj schlau, gerissen.

asunder [əˈsʌndə*] adv entzwei.

asylum [əˈsaɪləm] n (home) Anstalt f; (refuge) Asyl nt.

at [æt] prep: ~ **home** zu Hause; ~ **John's** bei John; ~ **table** bei Tisch; ~ **school** in der Schule; ~ **Easter** an Ostern; ~ **2 o'clock** um 2 Uhr; ~ **the age (of) 16** mit 16; ~ **£5** zu 5 Pfund; ~ **20 mph** mit 20 Meilen pro Stunde; ~ **that** darauf; (also) dazu.

ate [et, eɪt] pt of **eat**.

atheism [ˈeɪθɪɪzəm] n Atheismus m; **atheist** n Atheist(in) m(f).

athlete [ˈæθliːt] n Athlet(in) m(f), Sportler(in) m(f).

athletic [æθˈletɪk] adj sportlich, athletisch; **athletics** n pl Leichtathletik f.

Atlantic [ətˈlæntɪk] n Atlantik m.

atlas [ˈætləs] n Atlas m.

atmosphere [ˈætməsfɪə*] n Atmosphäre f.

atoll [ˈætɒl] n Atoll nt.

atom [ˈætəm] n Atom nt; (fig) bißchen nt; **atomic** [əˈtɒmɪk] adj atomar, Atom-; **atom|ic| bomb** n Atombombe f; **atomic power** n Atomkraft f.

atomizer [ˈætəmaɪzə*] n Zerstäuber m.

atone [əˈtəʊn] vi sühnen (for akk).

atrocious [əˈtrəʊʃəs] adj gräßlich.

atrocity [əˈtrɒsɪtɪ] n Grausamkeit f; (deed) Greueltat f.

attach [əˈtætʃ] vt (fasten) befestigen; (importance etc) legen (to auf +akk), bei-

messen (to dat); **to be** ~**ed to sb/sth** an jdm/ etw hängen.

attaché [əˈtæʃeɪ] n Attaché m; ~ **case** Aktenkoffer m.

attack [əˈtæk] **1.** vt, vi angreifen; **2.** n Angriff m; (MED) Anfall m.

attain [əˈteɪn] vt erreichen.

attempt [əˈtempt] **1.** n Versuch m; **2.** vt, vi versuchen.

attend [əˈtend] **1.** vt (go to) teilnehmen an +dat; (lectures) besuchen; **2.** vi (pay attention) aufmerksam sein; **to** ~ **to** (needs) nachkommen +dat; (person) sich kümmern um; **attendance** n (presence) Anwesenheit f; (people present) Besucherzahl f; **attendant 1.** n (companion) Begleiter(in) m(f); (in car park etc) Wächter(in) m(f); (museum) Aufseher(in) m(f); (servant) Bedienstete(r) mf; **2.** adj begleitend, (fig) verbunden mit.

attention [əˈtenʃən] n Aufmerksamkeit f; **to pay** ~ **to sb/sth** jdn/etw beachten; **pay** ~**!** paß auf!; ~**!** Achtung!; (MIL) stillgestanden!

attentive adj, **attentively** adv [əˈtentɪv, -lɪ] aufmerksam.

attest [əˈtest] vt bestätigen; **to** ~ **to** sich verbürgen für.

attic [ˈætɪk] n Dachstube f, Mansarde f.

attire [əˈtaɪə*] n Gewand nt.

attitude [ˈætɪtjuːd] n (position) Haltung f; (mental) Einstellung f.

attorney [əˈtɜːnɪ] n (US: lawyer) Rechtsanwalt(-anwältin) m(f); (representative) Bevollmächtigte(r) mf; **Attorney General** (in USA) Justizminister(in) m(f).

attract [əˈtrækt] vt anziehen; (attention) erregen; (employees) anlocken; **the idea** ~**s me** ich finde die Idee attraktiv; **attraction** [əˈtrækʃən] n Anziehungskraft f; (thing) Attraktion f; **attractive** adj attraktiv.

attribute 1. [ˈætrɪbjuːt] n Eigenschaft f, Attribut nt; **2.** [əˈtrɪbjuːt] vt zuschreiben (to dat).

attrition [əˈtrɪʃən] n Verschleiß m; **war of** ~ Zermürbungskrieg m.

aubergine [ˈəʊbəʒiːn] n Aubergine f.

auburn [ˈɔːbən] adj kastanienbraun.

auction [ˈɔːkʃən] **1.** n Versteigerung f, Auktion f; **2.** vt versteigern; **auctioneer** [ɔːkʃəˈnɪə*] n Auktionator(in) m(f).

audacious [ɔːˈdeɪʃəs] adj (daring) verwegen; (shameless) unverfroren; **audacity** [ɔːˈdæsɪtɪ] n (boldness) Wagemut m; (impudence) Unverfrorenheit f.

audible [ˈɔːdɪbl] adj hörbar.

audience [ˈɔːdɪəns] n Publikum nt; (radio) Zuhörer pl; (TV) Zuschauer pl, Audienz f (with bei).

audio-visual [ˈɔːdɪəʊˈvɪzjʊəl] adj audiovisuell.

audit [ˈɔːdɪt] **1.** n Bücherrevision f; **2.** vt prüfen.

audition [ɔːˈdɪʃən] n Probe f.

auditorium [ɔːdɪˈtɔːrɪəm] n Zuschauerraum m.

augment [ɔːgˈment] **1.** vt vermehren; **2.** vi zunehmen.

augur [ˈɔːgə*] vi verheißen; **this ~s well** das ist ein gutes Omen; **augury** [ˈɔːgjʊrɪ] n Vorbedeutung f, Omen nt.

august [ɔːˈgʌst] adj erhaben.

August [ˈɔːgəst] n August m; **~ 21st, 1964, 21st ~ 1964** (Datumsangabe) 21. August 1964; **on the 1st/11th of ~** (gesprochen) am 1./11. August; **on 1st/11th ~, on ~ 1st/11th** (geschrieben) am 1./11. August; **in ~** im August.

aunt [ɑːnt] n Tante f; **auntie, aunty** n Tantchen nt.

au pair [əʊˈpɛə*] n (also: ~ **girl**) Au-pair-Mädchen nt.

aura [ˈɔːrə] n Nimbus m.

auspices [ˈɔːspɪsɪz] n pl: **under the ~ of** unter der Schirmherrschaft von.

auspicious [ɔːsˈpɪʃəs] adj günstig; (start) vielversprechend.

austere [ɒsˈtɪə*] adj streng; (room) nüchtern; **austerity** [ɒsˈterɪtɪ] n Strenge f; (POL) wirtschaftliche Einschränkung; **~ measures** Sparmaßnahmen pl.

Australia [ɒˈstreɪlɪə] n Australien nt; **in ~** in Australien; **to go to ~** nach Australien fahren; **Australian 1.** adj australisch; **2.** n Australier(in) m(f).

Austria [ˈɒstrɪə] n Österreich nt; **in ~** in Österreich; **to go to ~** nach Österreich fahren; **Austrian 1.** adj österreichisch; **2.** n Österreicher(in) m(f).

authentic [ɔːˈθentɪk] adj echt, authentisch; **authenticate** vt beglaubigen; **authenticity** [ɔːθenˈtɪsɪtɪ] n Echtheit f.

author [ˈɔːθə*] n Autor(in) m(f), Schriftsteller(in) m(f); (beginner) Urheber(in) m(f).

authoritarian [ɔːθɒrɪˈtɛərɪən] adj autoritär.

authoritative [ɔːˈθɒrɪtətɪv] adj (account) maßgeblich; (manner) entschieden.

authority [ɔːˈθɒrɪtɪ] n (power) Autorität f; (expert) Autorität f, Fachmann m; **the authorities** pl die Behörden pl.

authorize [ˈɔːθəraɪz] vt bevollmächtigen; (permit) genehmigen.

autism [ˈɔːtɪzm] n Autismus m; **autistic** [ɔːˈtɪstɪk] adj autistisch.

auto (US) [ˈɔːtəʊ] n ⟨-s⟩ Auto nt, Wagen m.

autobiographical [ɔːtəbaɪəˈgræfɪkəl] adj autobiographisch; **autobiography** [ɔːtəbaɪˈɒgrəfɪ] n Autobiographie f.

autogenic training [ɔːtəˈdʒenɪkˈtreɪnɪŋ] n autogenes Training.

autograph [ˈɔːtəgrɑːf] **1.** n (of celebrity) Autogramm nt; **2.** vt mit einem Autogramm versehen.

automate [ˈɔːtəmeɪt] vt automatisieren, auf Automation umstellen.

automatic [ɔːtəˈmætɪk] **1.** adj automatisch; **2.** n Selbstladepistole f; (car) Automatikwagen m; **~ gear change** Brit, **~ gear shift** (US) Automatikschaltung f; **automatically** adv automatisch.

automation [ɔːtəˈmeɪʃən] n Automation f.

automaton [ɔːˈtɒmətən] n Automat m; (robot) Roboter m.

automobile [ˈɔːtəməbiːl] n (US) Auto[mobil] nt.

autonomous [ɔːˈtɒnəməs] adj autonom; **autonomy** n Autonomie f, Selbstbestimmung f.

autopsy [ˈɔːtɒpsɪ] n Autopsie f.

autotrain [ˈɔːtəʊtreɪn] n (US) Autoreisezug m.

autotransfusion [ɔːtəʊtrænsˈfjuːʒən] n Eigenbluttransfusion f.

autumn [ˈɔːtəm] n Herbst m; **in ~** im Herbst.

auxiliary [ɔːgˈzɪlɪərɪ] **1.** adj Hilfs-; **2.** n Hilfskraft f; (LING) Hilfsverb nt.

avail [əˈveɪl] **1.** vr: **~ oneself of sth** sich einer Sache bedienen; **2.** n: **to no ~** vergeblich; **availability** [əveɪləˈbɪlɪt] n Vorhandensein nt; **available** adj erhältlich; (at one's disposal) zur Verfügung stehend; (person) erreichbar.

avalanche [ˈævəlɑːnʃ] n Lawine f.

avant-garde [ævɒ̃ˈgɑːd] **1.** adj avantgardistisch; **2.** n Avantgarde f.

avarice [ˈævərɪs] n Habsucht f, Habgier m; **avaricious** [ævəˈrɪʃəs] adj habsüchtig, habgierig.

Ave abbr of **avenue** Straße, Str.

avenge [əˈvendʒ] vt rächen.

avenue [ˈævənjuː] n Allee f.

average [ˈævrɪdʒ] **1.** n Durchschnitt m; **2.** adj durchschnittlich, Durchschnitts-; **3.** vt (figures) den Durchschnitt nehmen von; (perform) durchschnittlich leisten; (in car etc) im Schnitt fahren; **on ~** durchschnittlich, im Durchschnitt.

averse [əˈvɜːs] adj: **to be ~ to** eine Abneigung haben gegen; **aversion** [əˈvɜːʃən] n Abneigung f.

avert [əˈvɜːt] vt (turn away) abkehren; (prevent) abwenden.

aviary [ˈeɪvɪərɪ] n Vogelhaus nt.

aviation [eɪvɪˈeɪʃən] n Luftfahrt f.

aviator [ˈeɪvɪeɪtə*] n Flieger(in) m(f).

avid [ˈævɪd] adj gierig (for auf +akk); **avidly** adv gierig.

avocado [ævə'kɑːdəʊ] n ⟨-s⟩ (also: ~ **pear**) Avocado f.

avoid [ə'vɔɪd] vt vermeiden; **avoidable** adj vermeidbar; **avoidance** n Vermeidung f.

avowal [ə'vaʊəl] n Erklärung f.

AWACS ['eɪwæks] acr of **airborne warning and control system** Frühwarnsystem nt, AWACS nt; (plane) Luftüberwachungsflugkörper m, AWACS-Maschine f.

await [ə'weɪt] vt erwarten, entgegensehen +dat.

awake [ə'weɪk] ⟨awoke, awoken⟩ **1.** vi aufwachen; **2.** vt [auf]wecken; **3.** adj wach; **awakening** n Erwachen nt.

award [ə'wɔːd] **1.** n (judgment) Urteil nt; (prize) Preis m; **2.** vt zuerkennen.

aware [ə'weə*] adj bewußt; **to be ~** sich dat bewußt sein (of gen); **awareness** n Bewußtsein nt.

away [ə'weɪ] adv weg, fort.

awe [ɔː] n Ehrfurcht f; **awe-inspiring**, **awesome** adj ehrfurchtgebietend; **awestruck** adj von Ehrfurcht ergriffen.

awful ['ɔːfʊl] adj (fam) furchtbar; **awfully** adv (fam) furchtbar, sehr.

awkward ['ɔːkwəd] adj (clumsy) ungeschickt, linkisch; (embarrassing) peinlich; **awkwardness** n Ungeschicklichkeit f.

awning ['ɔːnɪŋ] n Markise f.

awoke [ə'wəʊk] pt of **awake**; **awoken** [ə'wəʊkən] pp of **awake**.

awry [ə'raɪ] adj, adv schief; **to go ~** (person) fehlgehen; (plans) schiefgehen.

ax (US), **axe** [æks] **1.** n Axt f, Beil nt; **2.** vt (plans) streichen.

axiom ['æksɪəm] n Grundsatz m, Axiom nt; **axiomatic** [æksɪə'mætɪk] adj axiomatisch.

axis ['æksɪs] n (MATH) Achse f.

axle ['æksl] n (TECH) Achse f.

ay[e] [aɪ] interj (yes) ja; **the ~es** pl die Jastimmen pl.

azure [æ'ʒʊə*] adj himmelblau.

B

B, b [biː] n B nt, b nt.

babble ['bæbl] **1.** vi plappern; **2.** n Geplapper nt.

babe [beɪb] n (US fam) Baby nt.

baboon [bə'buːn] n Pavian m.

baby ['beɪbɪ] n Baby nt, Säugling m; **baby-battering** n Kindesmißhandlung f; **baby carriage** n (US) Kinderwagen m; **babyish** adj kindisch; **baby-sit** irr vi Kinder hüten, babysitten; **baby-sitter** n Babysitter(in) m(f).

bachelor ['bætʃələ*] n Junggeselle m; **Bachelor of Arts** ≈ Magister m der philosophischen Fakultät; **Bachelor of Science** ≈ Magister m der Naturwissenschaften.

back [bæk] **1.** n (of person, horse) Rücken m; (of house) Rückseite f; (of train) Ende nt; (FOOTBALL) Verteidiger(in) m(f); **2.** vt (support) unterstützen; (wager) wetten auf +akk; (car) rückwärts fahren m; **3.** vi (go backwards) rückwärts gehen [o fahren]; **4.** adj hinter(e, s); **5.** adv zurück; (to the rear) nach hinten; **back down** vi zurückstecken; **back out** vi aussteigen (of, from aus); **back up** vt (support) unterstützen; (COMPUT) sichern; (car) zurückfahren mit; **backache** n Rückenschmerzen pl; **backbencher** n Abgeordnete(r) mf (auf den hinteren Reihen im britischen Parlament); **backbiting** n Lästern m; **backbone** n Rückgrat nt; (support) Rückhalt m; **backer** n Förderer m, Förderin f; **backfire** vi (plan) fehlschlagen; (AUTO) zurückzünden; **background** n Hintergrund m; (of person) Verhältnisse pl; (person's education) Vorbildung f; (information) Hintergründe pl, Umstände pl; **backhand 1.** n (SPORT) Rückhand f; **2.** adj Rückhand-; **backhanded** adj (shot) Rückhand-; (compliment) zweifelhaft; **backhander** n (Tennis) Rückhandschlag m; (fam: bribe) Schmiergeld nt; **backing** n (support) Unterstützung f; **backlash** n (TECH) Gegenschlag m; (fig) Gegenreaktion f; **backlog** n (of work) Rückstand m; **back number** n (PRESS) alte Nummer; **backpack** n (US) Rucksack m; **backpacker** n Rucksacktourist(in) m(f); **backpacking** n Rucksacktourismus m; **back pay** n [Gehalts-/Lohn]nachzahlung f; **backpedal** vi (on bicycle) rückwärts treten; (fig) zurückstecken; **backside** n (fam) Hintern m; **backspace key** n Rücktaste f; **backstroke** n Rückenschwimmen nt; **backtrack** vi (fig) einen Rückzieher machen; **back-up** n (support) Unterstützung f; ~ (copy) (COMPUT) Sicherungskopie f; **backward** adj (less developed) zurückgeblieben; (primitive) rückständig; **backwardness** n (of child) Unterentwicklung f; (of country) Rückständigkeit f; **backwards** adv (in reverse) rückwärts; (towards the past) zurück, rückwärts; **backwater** n (fig) Kaff nt; (fig) cultural ~ tiefste Provinz; **backyard** n Hinterhof m.

bacon ['beɪkən] n Schinkenspeck m, Frühstücksspeck m.

bacteria [bæk'tɪərə] n pl Bakterien pl.

bad [bæd] adj ⟨worse, worst⟩ schlecht, schlimm; (fam) toll, geil.

badge [bædʒ] n Abzeichen nt; (with pin

Button m.

badger ['bædʒə*] **1.** n Dachs m; **2.** vt plagen.

badly ['bædlɪ] adv schlecht; **he is ~ off** es geht ihm schlecht.

badminton ['bædmɪntən] n Federballspiel nt.

bad-tempered ['bæd'tempəd] adj schlecht gelaunt.

baffle ['bæfl] vt (puzzle) verblüffen; **baffling** adj verwirrend.

bag [bæg] **1.** n (sack) Beutel m; (paper ~) Tüte f; (hand~) Tasche f; (suitcase) Koffer m; (pej: woman) Schachtel f; **2.** vi sich bauschen.

baggage ['bægɪdʒ] n Gepäck nt; **baggage claim** n Gepäckrückgabe f.

baggy ['bægɪ] adj weit [geschnitten].

baglady ['bæglеɪdɪ] n Stadtstreicherin f.

bagpipes ['bægpaɪps] n pl Dudelsack m.

Bahamas [bə'hɑːməz] n pl: **the ~** die Bahamas pl, die Bahamainseln pl.

bail [beɪl] **1.** n (money) Kaution f; **2.** vt (also: **~ out**) (prisoner) gegen Kaution freibekommen; (boat) ausschöpfen; s. a. **bale**.

bailiff ['beɪlɪf] n Gerichtsvollzieher(in) m(f).

bait [beɪt] **1.** n Köder m; **2.** vt mit einem Köder versehen; (fig) ködern.

bake [beɪk] vt, vi backen; **baker** n Bäcker(in) m(f); **~'s dozen** dreizehn; **bakery** n Bäckerei f; **baking** n Backen nt; **baking powder** n Backpulver nt.

balance ['bæləns] **1.** n (scales) Waage f; (equilibrium) Gleichgewicht nt; (FIN: state of account) Saldo m; (difference) Bilanz f; (amount remaining) Restbetrag m; **2.** vt (weigh) abwägen; (make equal) ausgleichen; **balanced** adj ausgeglichen; **balance sheet** n Bilanz f, Rechnungsabschluß m.

balcony ['bælkənɪ] n Balkon m.

bald [bɔːld] adj kahl, glatzköpfig; (statement) knapp.

bale [beɪl] **1.** n Ballen m; **2.** vi: **to ~** [o **bail**] **out** (from a plane) abspringen.

baleful ['beɪlfʊl] adj (sad) unglückselig; (evil) böse.

balk [bɔːk] **1.** vt (plan) vereiteln; **2.** vi zurückschrecken (at vor +dat).

Balkans ['bɔːkənz] n pl: **the ~** der Balkan, die Balkanländer.

ball [bɔːl] n Ball m.

ballad ['bæləd] n Ballade f.

ballast ['bæləst] n Ballast m.

ball bearing n Kugellager nt.

ballerina [bælə'riːnə] n Ballerina f.

ballet ['bæleɪ] n Ballett nt.

ballistics [bə'lɪstɪks] n sing Ballistik f.

balloon [bə'luːn] n [Luft]ballon m.

ballot ['bælət] n (geheime) Abstimmung f;

ballot box n Wahlurne f.

ball-point [**pen**] ['bɔːlpɔɪnt]['pen]] n Kugelschreiber m.

balmy ['bɑːmɪ] adj (fragrant) wohlriechend; (mild) sanft.

balsa ['bɔːlsə] n (also: **~ wood**) Balsaholz nt.

Baltic ['bɔːltɪk] adj: **~ Sea** Ostsee f; **~ States** Ostseestaaten pl.

balustrade [bæləs'treɪd] n Brüstung f.

bamboo [bæm'buː] n Bambus m.

bamboozle [bæm'buːzl] vt übers Ohr hauen.

ban [bæn] **1.** n Verbot nt; **2.** vt verbieten.

banal [bə'nɑːl] adj banal.

banana [bə'nɑːnə] n Banane f; **banana republic** n (pej) Bananenrepublik f.

band [bænd] n Band nt; (group) Gruppe f; (of criminals) Bande f; (MUS) Kapelle f; (of modern music) Band f; **band together** vi sich zusammentun.

bandage ['bændɪdʒ] **1.** n Verband m; (elastic) Bandage f; **2.** vt (cut) verbinden; (broken leg) bandagieren.

Band-Aid® ['bændeɪd] n Hansaplast® m.

B & B abbr of **bed and breakfast**.

bandit ['bændɪt] n Bandit(in) m(f).

bandy ['bændɪ] vt wechseln; **bandylegged** ['bændɪ'legd] adj o-beinig.

bang [bæŋ] **1.** n (explosion) Knall m; (blow) Hieb m; **2.** vt, vi knallen.

bangle ['bæŋgl] n Armspange f.

banish ['bænɪʃ] vt verbannen.

banister ['bænɪstə*] n (also: **~s**) [Treppen]geländer nt.

banjo ['bændʒəʊ] n ⟨-es o -s US⟩ Banjo nt.

bank [bæŋk] **1.** n (raised ground) Erdwall m; (of lake etc) Ufer nt; (FIN) Bank f; **2.** vt (AVIAT) in die Kurve bringen; (money) einzahlen; **to ~ on sth** mit etw rechnen; **bank account** n Bankkonto nt; **bank clerk** n (employee) Bankangestellte(r) mf; **bank code number** n Bankleitzahl f; **bank holiday** n gesetzlicher Feiertag; **banking** n Bankwesen nt, Bankgeschäft nt; **banknote** n Banknote f; **bank robber** n Bankräuber(in) m(f); **bank robbery** n Bankraub m; **bankrupt 1.** adj bankrott; **2.** vt ruinieren; **to go ~** Bankrott machen; **bankruptcy** n Bankrott m; **bank statement** n Kontoauszug m.

banner ['bænə*] n Banner nt.

banns [bænz] n pl Aufgebot nt.

banquet ['bæŋkwɪt] n Bankett nt, Festessen nt.

banter ['bæntə*] **1.** n scherzhaftes Geplänkel; **2.** vi spötteln.

baptism ['bæptɪzəm] n Taufe f; **baptize** [bæp'taɪz] vt taufen.

bar [bɑː*] **1.** n (rod) Stange f; (obstacle) Hindernis *nt;* (*of chocolate*) Tafel *f;* (*of soap*) Stück *nt;* (*for drinks*) Bar *f;* (*pub*) Lokal *nt;* (*counter*) Theke *f;* (*MUS*) Taktstrich *m;* **2.** *vt* (*fasten*) verriegeln; (*hinder*) versperren; (*exclude*) ausschließen; **to be called to the Bar** als Anwalt zugelassen werden; **~ none** ohne Ausnahme.

barbarian [bɑː'beərɪən] *n* Barbar(in) *m(f);* **barbaric** [bɑː'bærɪk] *adj* primitiv, unkultiviert; **barbarity** [bɑː'bærɪtɪ] *n* Grausamkeit *f;* **barbarous** ['bɑːbərəs] *adj* grausam, barbarisch.

barbecue ['bɑːbɪkjuː] *n* Barbecue *nt;* (*party also*) Grillfest *nt.*

barbed wire ['bɑːbd'waɪə*] *n* Stacheldraht *m.*

barber ['bɑːbə*] *n* (*dated*) Herrenfriseur *m.*

barbiturate [bɑː'bɪtjʊrət] *n* Barbiturat *nt,* Schlafmittel *nt.*

bar chart ['bɑː*tʃɑːt] *n* Balkendiagramm *nt;* **bar code** *n* Strichcode *m.*

bare [beə*] **1.** *adj* nackt; (*trees, country*) kahl; (*mere*) knapp; **2.** *vt* entblößen; **bareback** *adv* ohne Sattel; **barefaced** *adj* unverfroren; **barefoot** *adj* barfuß; **barely** *adv* kaum, knapp; **bareness** *n* Nacktheit *f;* Kahlheit *f.*

bargain ['bɑːgɪn] **1.** *n* (*cheap offer*) günstiges Angebot; (*agreement*) Geschäft *nt;* **2.** *vi* handeln (*for* um); **what a ~!** das ist aber günstig!; **into the ~** obendrein; **bargain for** *vt* rechnen mit.

barge [bɑːdʒ] *n* (*for freight*) Lastkahn *m;* (*houseboat*) Hausboot *nt;* **barge in** *vi* hereinplatzen.

baritone ['bærɪtəʊn] *n* Bariton *m.*

bark [bɑːk] **1.** *n* (*of tree*) Rinde *f;* (*of dog*) Bellen *nt;* **2.** *vi* (*dog*) bellen.

barley ['bɑːlɪ] *n* Gerste *f.*

barmaid ['bɑːmeɪd] *n* Bardame *f;* **barman** ['bɑːmən] *n* ⟨barmen⟩ Barkellner *m.*

barn [bɑːn] *n* Scheune *f.*

barnacle ['bɑːnəkl] *n* Entenmuschel *f.*

barometer [bə'rɒmɪtə*] *n* Barometer *nt.*

baron ['bærən] *n* Baron *m;* **baroness** *n* Baronin *f;* **baronial** [bə'rəʊnɪəl] *adj* (*fig*) fürstlich.

baroque [bə'rɒk] *adj* barock.

barracks ['bærəks] *n pl* Kaserne *f.*

barrage ['bærɑːʒ] *n* (*gunfire*) Sperrfeuer *nt;* (*dam*) Staudamm *m.*

barrel ['bærəl] *n* Faß *nt;* (*of gun*) Lauf *m;* **barrel organ** *n* Drehorgel *f.*

barren ['bærən] *adj* unfruchtbar.

barricade [bærɪ'keɪd] **1.** *n* Barrikade *f;* **2.** *vt* verbarrikadieren.

barrier ['bærɪə*] *n* (*obstruction*) Hindernis *nt;* (*fence*) Schranke *f.*

barrister ['bærɪstə*] *n* (*Brit*) Rechtsanwalt(-anwältin) *m(f).*

barrow ['bærəʊ] *n* (*cart*) Schubkarren *m.*

bartender ['bɑːtendə*] *n* (*US*) Barmann *m.*

barter ['bɑːtə*] **1.** *n* Tauschhandel *m;* **2.** *vi* Tauschhandel treiben.

base [beɪs] **1.** *n* (*bottom*) Boden *m,* Basis *f;* (*MIL*) Stützpunkt *m;* **2.** *vt* gründen; **3.** *adj* (*low*) gemein; **to be ~d on** basieren auf; **baseball** *n* Baseball *m;* **baseless** *adj* grundlos; **basement** *n* Kellergeschoß *nt.*

bash [bæʃ] *vt* (*fam*) verprügeln.

bashful ['bæʃfʊl] *adj* schüchtern.

basic ['beɪsɪk] *adj* grundlegend.

BASIC ['beɪsɪk] *n* acr of **beginner's all-purpose symbolic instruction code** BASIC *nt.*

basically ['beɪsɪklɪ] *adv* im Grunde.

basin ['beɪsn] *n* (*dish*) Schüssel *f;* (*for washing, also valley*) Becken *nt;* (*dock*) [Trokken]becken *nt.*

basis ['beɪsɪs] *n* Basis *f,* Grundlage *f.*

bask [bɑːsk] *vi* sich sonnen.

basket ['bɑːskɪt] *n* Korb *m;* **basketball** *n* Basketball *m.*

bass [beɪs] *n* (*MUS instrument*) Baß *m;* (*voice*) Baßstimme *f;* **bass clef** *n* Baßschlüssel *m.*

bassoon [bə'suːn] *n* Fagott *nt.*

bastard ['bɑːstəd] *n* Bastard *m;* (*fam!*) Arschloch *nt.*

baste [beɪst] *vt* (*meat*) [mit Fett] begießen.

bastion ['bæstɪən] *n* (*fig*) Bollwerk *nt.*

bat [bæt] **1.** *n* (*SPORT*) Schlagholz *nt;* (*tabletennis*) Schläger *m;* (*ZOOL*) Fledermaus *f;* **2.** *vt* (*SPORT*) schlagen; **he didn't ~ an eyelid** er hat nicht mit der Wimper gezuckt; **off one's own ~** auf eigene Faust.

batch [bætʃ] *n* (*of letters*) Stoß *m;* (*of samples*) Satz *m.*

bated ['beɪtɪd] *adj:* **with ~ breath** mit angehaltenem Atem.

bath [bɑːθ] **1.** *n* Bad *nt;* (*tub*) Badewanne *f;* **2.** *vt* baden; **bath chair** *n* Rollstuhl *m.*

bathe [beɪð] *vt, vi* baden; **bathing** *n* Baden *nt;* **bathing cap** *n* Badekappe *f;* **bathing costume** *n* Badeanzug *m.*

bathmat ['bɑːθmæt] *n* Badevorleger *m;* **bathroom** *n* Bad[ezimmer] *nt;* **baths** [bɑːðz] *n pl* [Schwimm]bad *nt;* **bath towel** *n* Badetuch *nt.*

batman ['bætmən] *n* ⟨batmen⟩ [Offiziers]bursche *m.*

baton ['bætən] *n* (*of police*) Schlagstock *m;* (*MIL*) Kommandostab *m;* (*MUS*) Taktstock *m.*

batter ['bætə*] **1.** *vt* verprügeln; **2.** *n* Teig *m.*

battery ['bætərɪ] *n* (*ELEC*) Batterie *f;* (*MIL*) Geschützbatterie *f.*

battery farming ['bætərɪ'fɑːmɪŋ] *n* Batteriehaltung *f* [von Hühnern].

battle [ˈbætl] **1.** n Schlacht f; (small) Gefecht nt; **2.** vi kämpfen; **battle-axe** n (pej: woman) Drachen m; **battlefield** n Schlachtfeld nt; **battlements** n pl Zinnen pl; **battleship** n Schlachtschiff nt.

batty [ˈbætɪ] adj (fam) plemplem.

Bavaria [bəˈvɛərɪə] n Bayern nt; **Bavarian 1.** adj bay[e]risch; **2.** n Bayer(in) m(f).

bawl [bɔːl] vi brüllen; **to ~ sb out** jdn zur Schnecke machen.

bay [beɪ] n (of sea) Bucht f; **at ~** gestellt, in die Enge getrieben; **to keep sth at ~** unter Kontrolle halten.

bayonet [ˈbeɪənet] n Bajonett nt.

bay window [beɪˈwɪndəʊ] n Erkerfenster nt.

bazaar [bəˈzɑː*] n Basar m.

bazooka [bəˈzuːkə] n Panzerfaust f.

BBC [biːbiːˈciː] abbr of **British Broadcasting Corporation** BBC f.

BC abbr of **before Christ** vor Christi Geburt, v. Chr.

be [biː] ⟨was, were, been⟩ vi sein; (become, for passive) werden; (be situated) liegen, sein; **the book is 40p** das Buch kostet 40p; **he wants to ~ a teacher** er will Lehrer werden; **how long have you been here?** wie lange sind Sie schon da?; **have you ever been to Rome?** warst du schon einmal in Rom?, bist du schon einmal in Rom gewesen?; **his name is on the list** sein Name steht auf der Liste; **there is/are** es gibt.

beach [biːtʃ] **1.** n Strand m; **2.** vt (ship) auf den Strand setzen; **beachwear** n Strandkleidung f.

beacon [ˈbiːkən] n (signal) Leuchtfeuer nt; (traffic ~) Bake f.

bead [biːd] n Perle f; (drop) Tropfen m.

beak [biːk] n Schnabel m.

beaker [ˈbiːkə*] n Becher m.

beam [biːm] **1.** n (of wood) Balken m; (of light) Strahl m; (smile) strahlendes Lächeln; **2.** vi strahlen.

bean [biːn] n Bohne f.

bear [bɛə*] ⟨bore, born[e]⟩ **1.** vt (weight, crops) tragen; (tolerate) ertragen; (young) gebären; **2.** n Bär m; **bear on** vt relevant sein für; **bearable** adj erträglich.

beard [bɪəd] n Bart m; **bearded** adj bärtig.

bearer [ˈbɛərə*] n Träger(in) m(f).

bearing [ˈbɛərɪŋ] n (posture) Haltung f; (relevance) Relevanz f; (relation) Bedeutung f; (TECH) Kugellager nt; **bearings** n pl (direction) Orientierung f.

bearskin [ˈbɛəskɪn] n Bärenfellmütze f.

beast [biːst] n Tier nt, Vieh nt; (person) Bestie f; (nasty person) Biest nt; **~ of burden** Lasttier nt; **beastly** adj scheußlich.

beat [biːt] ⟨beat, beaten⟩ **1.** vt schlagen; **2.** n (stroke) Schlag m; (pulsation) [Herz]schlag m; (police round) Runde f; (police district) Revier nt; (MUS) Takt m; (type of music) Beat m; **~ it!** (fam) hau ab!; **to ~ about the bush** wie die Katze um den heißen Brei herumschleichen; **to ~ time** den Takt schlagen; **beat off** vt abschlagen; **beat up** vt zusammenschlagen; **beaten 1.** pp of **beat**; **2.** adj: **~ track** gebahnter Weg; (fig) herkömmliche Art und Weise; **off the ~ track** abgelegen; **beater** n (for eggs, cream) Schneebesen m.

beautiful [ˈbjuːtɪful] adj schön; **beautifully** adv ausgezeichnet; **beautify** [ˈbjuːtɪfaɪ] vt verschönern; **beauty** [ˈbjuːtɪ] n Schönheit f.

beaver [ˈbiːvə*] n Biber m.

beaver away [ˈbiːvə*əˈweɪ] vi (fam) schuften.

becalm [bɪˈkɑːm] vt: **to be ~ed** eine Flaute haben.

became [bɪˈkeɪm] pt of **become**.

because [bɪˈkɒz] **1.** adv, conj weil; **2.** prep: **~ of** wegen +gen o dat.

beckon [ˈbekən] vt, vi ein Zeichen geben (sb jdm).

become [bɪˈkʌm] ⟨became, become⟩ vt werden; (clothes) stehen +dat; **becoming** [bɪˈkʌmɪŋ] adj (suitable) schicklich; (clothes) kleidsam.

bed [bed] n Bett nt; (of river) Flußbett nt; (foundation) Schicht f; (in garden) Beet nt; **bed and breakfast** n Übernachtung f mit Frühstück; **bedclothes** n pl Bettwäsche f; **bedding** n Bettzeug nt.

bedeck [bɪˈdek] vt schmücken.

bedlam [ˈbedləm] n totales Durcheinander.

bedraggled [bɪˈdrægld] adj ramponiert.

bedridden [ˈbedrɪdn] adj bettlägerig.

bedroom [ˈbedrʊm] n Schlafzimmer nt; **bedside** n: **at the ~** am Bett; **bed-sitter** n möbliertes Zimmer; **bedtime** n Schlafenszeit f.

bee [biː] n Biene f.

Beeb [biːb] n (fam) BBC f.

beech [biːtʃ] n Buche f.

beef [biːf] n Rindfleisch nt.

beehive [ˈbiːhaɪv] n Bienenstock m.

beeline [ˈbiːlaɪn] n: **to make a ~ for** schnurstracks zugehen auf +akk.

been [biːn] pp of **be**.

beer [bɪə*] n Bier nt.

beetle [ˈbiːtl] n Käfer m.

beetroot [ˈbiːtruːt] n rote Bete.

befall [bɪˈfɔːl] irr **1.** vi sich ereignen; **2.** vt zustoßen +dat.

befit [bɪˈfɪt] vt sich schicken für.

before [bɪˈfɔː*] **1.** prep vor; **2.** conj bevor; **3.** adv (of time) vorher; **I've done it ~** das habe ich schon mal getan.

beg [beg] vt, vi (implore) dringend bitten;

(*alms*) betteln.

began [bɪˈgæn] *pt of* **begin**.

beggar *n* [ˈbegə*] Bettler(in) *m(f)*.

begin [bɪˈgɪn] ⟨began, begun⟩ *vt, vi* anfangen, beginnen; (*found*) gründen; **to ~ with** zunächst [einmal]; **beginner** *n* Anfänger(in) *m(f)*; **beginning** *n* Anfang *m*.

begrudge [bɪˈgrʌdʒ] *vt* [be]neiden; **to ~ sb sth** jdm etw mißgönnen.

begun [bɪˈgʌn] *pp of* **begin**.

behalf [bɪˈhɑːf] *n*: **on ~ of, in ~ of** (*US*) im Namen von; **on my ~** für mich.

behave [bɪˈheɪv] *vi* sich benehmen; **behavior** (*US*), **behaviour** [bɪˈheɪvjə*] *n* Benehmen *nt*.

behead [bɪˈhed] *vt* enthaupten.

behind [bɪˈhaɪnd] **1.** *prep* hinter; **2.** *adv* (*late*) im Rückstand; (*in the rear*) hinten; **3.** *n* (*fam*) Hinterteil *nt*.

beige [beɪʒ] *adj* beige.

being [ˈbiːɪŋ] *n* (*existence*) [Da]sein *nt*; (*person*) Wesen *nt*.

belch [beltʃ] **1.** *n* Rülpser *m*; **2.** *vi* rülpsen; **3.** *vt* (*smoke*) ausspeien.

belfry [ˈbelfrɪ] *n* Glockenturm *m*.

Belgian [ˈbeldʒən] **1.** *adj* belgisch; **2.** *n* Belgier(in) *m(f)*; **Belgium** [ˈbeldʒəm] *n* Belgien *nt*.

belie [bɪˈlaɪ] *vt* Lügen strafen.

belief [bɪˈliːf] *n* (*in an +akk*) Glaube *m*; (*conviction*) Überzeugung *f*.

believable [bɪˈliːvəbl] *adj* glaubhaft.

believe [bɪˈliːv] **1.** *vt* glauben +*dat*; (*think*) glauben, meinen, denken; **2.** *vi* (*have faith*) glauben; **believer** *n* Gläubige(r) *mf*.

belittle [bɪˈlɪtl] *vt* herabsetzen.

bell [bel] *n* Glocke *f*.

belligerent [bɪˈlɪdʒərənt] *adj* (*person*) streitsüchtig; (*country*) kriegführend.

bellow [ˈbeləʊ] **1.** *vt, vi* brüllen; **2.** *n* Gebrüll *nt*.

bellows [ˈbeləʊz] *n pl* (*TECH*) Gebläse *nt*; (*for fire*) Blasebalg *m*.

belly [ˈbelɪ] *n* Bauch *m*; **belly button** *n* (*fam*) Bauchnabel *m*.

belong [bɪˈlɒŋ] *vi* gehören (*to sb* jdm); (*to club*) angehören +*dat*; **it does not ~ here** es gehört nicht hierher; **belongings** *n pl* Habe *f*.

beloved [bɪˈlʌvɪd] **1.** *adj* innig geliebt; **2.** *n* Geliebte(r) *mf*.

below [bɪˈləʊ] **1.** *prep* unter; **2.** *adv* unten.

belt [belt] **1.** *n* (*band*) Riemen *m*; (*round waist*) Gürtel *m*; (*safety ~*) Gurt *m*; **2.** *vt* (*fasten*) mit Riemen befestigen; (*fam: beat*) schlagen; **3.** *vi* (*fam: go fast*) rasen, düsen; **beltway** *n* (*US*) Umgehungsstraße *f*.

bench [bentʃ] *n* (*seat*) Bank *f*; (*workshop*) Werkbank *f*; (*judges*) Richter *pl*; (*office*) Richteramt *nt*.

bend [bend] ⟨bent, bent⟩ **1.** *vt* (*curve*) biegen; (*stoop*) beugen; **2.** *n* Biegung *f*; (*in road*) Kurve *f*.

beneath [bɪˈniːθ] **1.** *prep* unter; **2.** *adv* darunter.

benefactor [ˈbenɪfæktə*] *n* Wohltäter(in) *m(f)*.

beneficial [benɪˈfɪʃl] *adj* gut (*to* für).

beneficiary [benɪˈfɪʃərɪ] *n* Nutznießer(in) *m(f)*.

benefit [ˈbenɪfɪt] **1.** *n* (*advantage*) Nutzen *m*; **2.** *vt* fördern; **3.** *vi* Nutzen ziehen (*from* aus); **earnings-related ~** Arbeitslosengeld *nt*.

Benelux [ˈbenɪlʌks] *n* Beneluxländer *pl*.

benevolence [bɪˈnevələns] *n* Wohlwollen *nt*; **benevolent** [bɪˈnevələnt] *adj* wohlwollend.

benign [bɪˈnaɪn] *adj* (*person*) gütig; (*climate*) mild; (*MED*) gutartig.

bent [bent] **1.** *pt, pp of* **bend**; **2.** *n* (*inclination*) Neigung *f*; **3.** *adj* (*fam: dishonest*) unehrlich; **to be ~ on** versessen sein auf +*akk*.

bequeath [bɪˈkwiːð] *vt* vermachen; **bequest** [bɪˈkwest] *n* Vermächtnis *nt*.

bereaved [bɪˈriːvd] *n* (*person*) Hinterbliebene(r) *mf*; **bereavement** [bɪˈriːvmənt] *n* schmerzlicher Verlust.

beret [ˈbereɪ] *n* Baskenmütze *f*.

Bermuda [bəˈmjuːdə] **1.** *n*: **the ~s** *pl* die Bermudas *pl*, die Bermudainseln *pl*; **2.** *adj*: **~ shorts** *pl* Bermudashorts *pl*.

berry [ˈberɪ] *n* Beere *f*.

berserk [bəˈsɜːk] *adj*: **to go ~** wild werden.

berth [bɜːθ] **1.** *n* (*for ship*) Ankerplatz *m*; (*in ship*) Koje *f*; (*in train*) Bett *nt*; **2.** *vt* am Kai festmachen; **3.** *vi* anlegen.

beseech [bɪˈsiːtʃ] ⟨besought, besought⟩ *vt* anflehen.

beset [bɪˈset] *irr vt* bedrängen.

beside [bɪˈsaɪd] *prep* neben, bei; (*except*) außer; **to be ~ oneself** außer sich sein (*with* vor +*dat*).

besides [bɪˈsaɪdz] **1.** *prep* außer, neben; **2.** *adv* außerdem, überdies.

besiege [bɪˈsiːdʒ] *vt* (*MIL*) belagern; (*surround*) umlagern, bedrängen.

besought [bɪˈsɔːt] *pt, pp of* **beseech**.

bespectacled [bɪˈspektɪkld] *adj* bebrillt.

best [best] *superl of* **good, well 1.** *adj* beste(r, s); **2.** *adv* am besten; **at ~** höchstens; **to make the ~ of it** das Beste daraus machen; **for the ~** zum Besten.

bestial [ˈbestɪəl] *adj* bestialisch.

best man [ˈbestˈmæn] *n* ⟨men⟩ Trauzeuge *m*.

bestow [bɪˈstəʊ] *vt* verleihen.

bestseller [ˈbestseləʲ*] *n* Bestseller *m*, meistgekauftes Buch.

bet [bet] ⟨bet, bet⟩ **1.** *vt, vi* wetten; **2.** *n* Wette *f*.

beta-blocker ['biːtəblɒkə*] *n* (MED) Betablocker *m*.

betray [bɪ'treɪ] *vt* verraten; **betrayal** *n* Verrat *m*.

better ['betə*] *comp of* good, well **1.** *adj, adv* besser; **2.** *vt* verbessern; **3.** *n*: **to get the ~ of sb** jdn unterkriegen, jdn schaffen; **he thought ~ of it** er hat sich eines Besseren besonnen; **you had ~ leave** Sie gehen jetzt wohl besser; **better off** *adj* (*richer*) wohlhabender.

betting ['betɪŋ] *n* Wetten *nt;* **betting shop** *n* Wettbüro *nt.*

between [bɪ'twiːn] **1.** *prep* zwischen; (*among*) unter; **2.** *adv* dazwischen.

bevel ['bevəl] *n* Abschrägung *f.*

beverage ['bevərɪdʒ] *n* Getränk *nt.*

beware [bɪ'wɛə*] *vt* sich hüten vor +*dat;* "**~ of the dog**" „Vorsicht, bissiger Hund!".

bewildered [bɪ'wɪldəd] *adj* verwirrt; **bewildering** *adj* verwirrend.

bewitching [bɪ'wɪtʃɪŋ] *adj* bestrickend.

beyond [bɪ'jɒnd] **1.** *prep* (*place*) jenseits +*gen;* (*time*) über ... hinaus; (*out of reach*) außerhalb +*gen;* **2.** *adv* darüber hinaus; **it's ~ me** das geht über meinen Horizont.

bias ['baɪəs] *n* (*slant*) Neigung *f;* (*prejudice*) Vorurteil *nt;* **bias[s]ed** *adj* voreingenommen.

bib [bɪb] *n* Latz *m.*

Bible ['baɪbl] *n* Bibel *f;* **biblical** ['bɪblɪkəl] *adj* biblisch.

bibliography [bɪblɪ'ɒgrəfɪ] *n* Bibliographie *f.*

bicarbonate [baɪ'kɑːbənɪt] *n*: **~ of soda** Natron *nt.*

bicentenary [baɪsen'tiːnərɪ] *n* Zweihundertjahrfeier *f.*

biceps ['baɪseps] *n sing* Bizeps *m.*

bicker ['bɪkə*] *vi* zanken; **bickering** *n* Gezänk *nt,* Gekeife *nt.*

bicycle ['baɪsɪkl] *n* Fahrrad *nt.*

bid [bɪd] ⟨bid, bidden⟩ **1.** *vt* (*offer*) bieten; **2.** *n* (*offer*) Gebot *nt;* (*attempt*) Versuch *m;* **to ~ sb farewell** jdm Lebewohl sagen; **bidden** ['bɪdn] *pp of* bid; **bidder** *n* (*person*) Steigerer *m,* Steigerin *f;* **bidding** *n* (*at auction*) Steigern *nt;* (*command*) Geheiß *nt.*

bide [baɪd] *vt:* **to ~ one's time** abwarten.

bifocals [baɪ'fəʊklz] *n pl* Bifokalbrille *f.*

big [bɪg] *adj* groß.

bigamy ['bɪgəmɪ] *n* Bigamie *f.*

big bang ['bɪgbæŋ] *n* Urknall *m.*

bigheaded [bɪg'hedɪd] *adj* eingebildet.

bigot ['bɪgət] *n* Frömmler(in) *m(f);* **bigoted** *adj* bigott; **bigotry** *n* Bigotterie *f.*

bigwig ['bɪgwɪg] *n* (*fam*) hohes Tier.

bike [baɪk] *n* (*fam*) Rad *nt.*

bikini [bɪ'kiːnɪ] *n* Bikini *m.*

bilateral [baɪ'lætərəl] *adj* bilateral.

bile [baɪl] *n* Galle[nflüssigkeit] *f.*

bilge [bɪldʒ] *n* (*water*) Bilgenwasser *nt.*

bilingual [baɪ'lɪŋgwəl] *adj* zweisprachig.

bilious ['bɪlɪəs] *adj* (*sick*) gallenkrank; (*peevish*) verstimmt.

bill [bɪl] *n* (*account*) Rechnung *f;* (POL) Gesetzentwurf *m;* (US FIN) Geldschein *m;* **~ of exchange** Wechsel *m;* **billfold** ['bɪlfəʊld] *n* (US) Brieftasche *f.*

billiards ['bɪlɪədz] *n sing* Billard *nt.*

billion ['bɪlɪən] *n* Milliarde *f.*

billy goat ['bɪlɪgəʊt] *n* Ziegenbock *m.*

bin [bɪn] *n* Kasten *m;* (*dust~*) Abfalleimer *m.*

binary ['baɪnərɪ] *adj* binär.

bind [baɪnd] ⟨bound, bound⟩ *vt* (*tie*) binden; (*tie together*) zusammenbinden; (*oblige*) verpflichten; **binding 1.** *n* [Buch]einband *m;* **2.** *adj* verbindlich.

binge [bɪndʒ] *n* (*fam*) Sauferei *f;* **to go on a ~** einen draufmachen.

bingo ['bɪŋgəʊ] *n* Bingo *nt.*

binoculars [bɪ'nɒkjʊləz] *n pl* Fernglas *nt.*

biochemistry [baɪəʊ'kemɪstrɪ] *n* Biochemie *f;* **biodegradable** ['baɪəʊdɪ'greɪdəbl] *adj* biologisch abbaubar; **biodynamic** *adj* biodynamisch; **biogas** *n* Biogas *nt.*

biographer [baɪ'ɒgrəfə*] *n* Biograph(in) *m(f);* **biographic[al]** [baɪəʊ'græfɪk(l)] *adj* biographisch; **biography** [baɪ'ɒgrəfɪ] *n* Biographie *f.*

biological [baɪə'lɒdʒɪkəl] *adj* biologisch; **biologist** [baɪ'ɒlədʒɪst] *n* Biologe(-login) *m(f);* **biology** [baɪ'ɒlədʒɪ] *n* Biologie *f.*

biomass ['baɪəʊmæs] *n* Biomasse *f.*

biopsy ['baɪɒpsɪ] *n* Biopsie *f.*

biorhythm ['baɪəʊˌrɪðm] *n* Biorhythmus *m;* **biotechnology** *n* Biotechnik *f;* **biotope** ['baɪətəʊp] *n* Biotop *nt.*

biped ['baɪped] *n* Zweifüßler *m.*

birch [bɜːtʃ] *n* Birke *f.*

bird [bɜːd] *n* Vogel *m;* (*fam: girl*) Mädchen *nt;* **bird's-eye view** *n* Vogelperspektive *f.*

birth [bɜːθ] *n* Geburt *f;* **of good ~** aus gutem Hause; **birth certificate** *n* Geburtsurkunde *f;* **birth control** *n* Geburtenkontrolle *f;* **birthday** *n* Geburtstag *m;* **happy ~** herzlichen Glückwunsch zum Geburtstag; **birthmark** *n* Muttermal *nt;* **birthplace** *n* Geburtsort *m;* **birth rate** *n* Geburtenrate *f.*

Biscay ['bɪskeɪ] *n*: **the Bay of ~** der Golf von Biskaya.

biscuit ['bɪskɪt] *n* (Brit) Keks *m.*

bisect [baɪ'sekt] *vt* halbieren.

bisexual [baɪ'seksjʊəl] **1.** *adj* bisexuell; **2.** *n* Bisexuelle(r) *m/f.*

bishop ['bɪʃəp] *n* Bischof *m.*

bit [bɪt] **1.** *pt of* **bite**; **2.** *n* bißchen, Stückchen *nt*; (*COMPUT*) Bit *nt*; (*horse's ~*) Gebiß *nt*; **a ~ tired** etwas müde.

bitch [bɪtʃ] *n* (*dog*) Hündin *f*; (*pej: woman*) Weibsstück *nt*; **son of a ~** (*US: admiring*) toller Kerl; (*nasty*) gemeiner Kerl; **bitchy** *adj* gehässig, gemein.

bite [baɪt] ⟨**bit**, **bitten**⟩ **1.** *vt, vi* beißen; **2.** *n* Biß *m*; (*mouthful*) Bissen *m*; **to grab a ~ to eat** unterwegs eine Happen essen; **to have ~** Biß haben; **biting** *adj* beißend; **bitten** [ˈbɪtn] *pp of* **bite**.

bitter [ˈbɪtə*] **1.** *adj* bitter; (*memory etc*) schmerzlich; (*person*) verbittert; **2.** *n* (*beer*) dunkles Bier; **to the ~ end** bis zum bitteren Ende; **bitterness** *n* Bitterkeit *f*.

bivouac [ˈbɪvʊæk] *n* Biwak *nt*.

bizarre [bɪˈzɑ:*] *adj* bizarr.

blab [blæb] **1.** *vi* klatschen, tratschen; **2.** *vt* ausplaudern.

black [blæk] **1.** *adj* schwarz; (*night*) finster; **2.** *vt* schwärzen; (*shoes*) wichsen; (*eye*) blau schlagen; (*industry*) boykottieren; **Black Forest** Schwarzwald *m*; **the Black Sea** das Schwarze Meer; **~ sheep** (*fig*) schwarzes Schaf; **~ and blue** grün und blau; **blackberry** *n* Brombeere *f*; **blackbird** *n* Amsel *f*; **blackboard** *n* [Wand]tafel *f*; **blackcurrant** *n* schwarze Johannisbeere; **blackleg** *n* Streikbrecher(in) *m(f)*; **blacklist** *n* schwarze Liste; **blackmail 1.** *n* Erpressung *f*; **2.** *vt* erpressen; **blackmailer** *n* Erpresser(in) *m(f)*; **black market** *n* Schwarzmarkt *m*; **blackness** *n* Schwärze *f*; **blackout** *n* Verdunklung *f*; **to have a ~** (*MED*) bewußtlos werden; **blacksmith** *n* Schmied(in) *m(f)*.

bladder [ˈblædə*] *n* Blase *f*.

blade [bleɪd] *n* (*of weapon*) Klinge *f*; (*of grass*) Halm *m*; (*of oar*) Ruderblatt *nt*.

blame [bleɪm] **1.** *n* Tadel *m*; (*guilt*) Schuld *f*; **2.** *vt* tadeln, Vorwürfe machen +*dat*; **he is to ~** er ist daran schuld; **blameless** *adj* untadelig.

blanch [blɑ:ntʃ] *vi* bleich werden.

blancmange [bləˈmɒnʒ] *n* Pudding *m*.

bland [blænd] *adj* mild.

blank [blæŋk] **1.** *adj* leer, unbeschrieben; (*look*) ausdruckslos; (*cheque*) Blanko-; (*verse*) Blank-; **2.** *n* (*space*) Lücke *f*; (*TYP*) Zwischenraum *m*; (*cartridge*) Platzpatrone *f*; (*in lottery*) Niete *f*; **to draw a ~** (*fig*) kein Glück haben.

blanket [ˈblæŋkɪt] *n* [Woll]decke *f*.

blankly [ˈblæŋklɪ] *adv* leer; (*look*) ausdrucksslos.

blare [blɛə*] **1.** *vt, vi* (*radio*) plärren; (*horn*) tuten; (*MUS*) schmettern; **2.** *n* Geplärr *nt*; (*of horn*) Getute *nt*; (*MUS*) Schmettern *nt*.

blasé [ˈblɑ:zeɪ] *adj* blasiert.

blaspheme [blæsˈfi:m] *vi* [Gott] lästern; **blasphemous** [ˈblæsfɪməs] *adj* lästernd, lästerlich; **blasphemy** [ˈblæsfəmɪ] *n* Gotteslästerung *f*, Blasphemie *f*.

blast [blɑ:st] **1.** *n* Explosion *f*; (*of wind*) Windstoß *m*; **2.** *vt* (*blow up*) sprengen; **~!** (*fam*) verflixt!; **blast furnace** *n* Hochofen *m*; **blast-off** *n* (*SPACE*) [Raketen]abschuß *m*.

blatant [ˈbleɪtənt] *adj* offenkundig.

blaze [bleɪz] **1.** *n* (*fire*) loderndes Feuer; **2.** *vi* lodern.

blazer [ˈbleɪzə*] *n* Klubjacke *f*, Blazer *m*.

bleach [bli:tʃ] **1.** *n* Bleichmittel *nt*; **2.** *vt* bleichen.

bleak [bli:k] *adj* kahl; (*future*) trostlos.

bleary-eyed [ˈblɪərɪaɪd] *adj* triefäugig; (*on waking up*) mit verschlafenen Augen.

bleat [bli:t] **1.** *n* (*of sheep*) Blöken *nt*; (*of goat*) Meckern *nt*; **2.** *vi* blöken; meckern.

bled [bled] *pt, pp of* **bleed**.

bleed [bli:d] ⟨**bled**, **bled**⟩ **1.** *vi* bluten; **2.** *vt* (*draw blood*) Blut abnehmen +*dat*; **to ~ to death** verbluten; **bleeding** *adj* blutend; (*Brit fam*) verdammt.

blemish [ˈblemɪʃ] **1.** *n* Makel *m*; **2.** *vt* verunstalten.

blend [blend] **1.** *n* Mischung *f*; **2.** *vt* mischen; **3.** *vi* sich mischen; **blender** *n* Mixer *m*.

bless [bles] *vt* segnen; (*give thanks*) preisen; (*make happy*) glücklich machen; **~ you!** Gesundheit!; **blessing** *n* Segen *m*; (*at table*) Tischgebet *nt*; (*happiness*) Wohltat *f*; (*fig*) Segen *m*; (*good wish*) Glück *nt*.

blew [blu:] *pt of* **blow**.

blight [blaɪt] **1.** *n* (*BOT*) Mehltau *m*; (*fig*) schädlicher Einfluß; **2.** *vt* zunichte machen.

blimey [ˈblaɪmɪ] *interj* (*Brit fam*) verflucht.

blind [blaɪnd] **1.** *adj* blind; (*corner*) unübersichtlich; **2.** *n* (*for window*) Rollo *nt*; **3.** *vt* blenden; **blind alley** *n* Sackgasse *f*; **blindfold. 1.** *n* Augenbinde *f*; **2.** *adj* mit verbundenen Augen; **3.** *vt* die Augen verbinden (*sb* jdm); **blindly** *adv* blind; (*fig*) blindlings; **blindness** *n* Blindheit *f*; **blind spot** *n* (*AUTO*) toter Winkel; (*fig*) schwacher Punkt.

blink [blɪŋk] *vt, vi* blinzeln; **blinkers** *n pl* Scheuklappen *pl*.

bliss [blɪs] *n* [Glück]seligkeit *f*; **blissfully** *adv* glückselig.

blister [ˈblɪstə*] **1.** *n* Blase *f*; **2.** *vi* Blasen werfen.

blitz [blɪts] **1.** *n* Luftkrieg *m*; **2.** *vt* bombardieren.

blizzard [ˈblɪzəd] *n* Schneesturm *m*.

bloated [ˈbləʊtɪd] *adj* aufgedunsen; (*fam: full*) vollsatt.

blob [blɒb] *n* Klümpchen *nt*.

bloc [blɒk] *n* (*POL*) Block *m*.

block [blɔk] **1.** *n* (*of wood*) Block *m*, Klotz *m*; (*of houses*) Häuserblock *m*; **2.** *vt* versperren, blockieren.

blockade [blɔˈkeɪd] **1.** *n* Blockade *f*; **2.** *vt* blockieren.

blockage [ˈblɔkɪdʒ] *n* Verstopfung *f*.

blockbuster [ˈblɔkbʌstə*] *n* Knüller *m*, Renner *m*; **block capitals, block letters** *n pl* Blockbuchstaben *pl*.

bloke [bləʊk] *n* (*fam*) Kerl *m*, Typ *m*.

blonde [blɔnd] **1.** *adj* blond; **2.** *n* Blondine *f*.

blood [blʌd] *n* Blut *nt*; **blood donor** *n* Blutspender(in) *m(f)*; **blood group** *n* Blutgruppe *f*; **bloodless** *adj* blutleer; **blood poisoning** *n* Blutvergiftung *f*; **blood pressure** *n* Blutdruck *m*; **bloodshed** *n* Blutvergießen *nt*; **bloodshot** *adj* blutunterlaufen; **bloodstained** *adj* blutbefleckt; **bloodstream** *n* Blut *nt*, Blutkreislauf *m*; **blood test** *n* Blutprobe *f*; **bloodthirsty** *adj* blutrünstig; **blood transfusion** *n* Bluttransfusion *f*; **blood vessel** *n* Blutgefäß *nt*; **bloody** *adj* (*Brit fam*) verdammt, Scheiß-; (*literal sense*) blutig; **bloody-minded** *adj* (*fam*) stur.

bloom [bluːm] **1.** *n* Blüte *f*; (*freshness*) Glanz *m*; **2.** *vi* blühen; **in ~** in Blüte.

blossom [ˈblɔsəm] **1.** *n* Blüte *f*; **2.** *vi* blühen.

blot [blɔt] **1.** *n* Klecks *m*; **2.** *vt* beklecksen; (*ink*) [ab]löschen; **blot out** *vt* auslöschen.

blotchy [ˈblɔtʃi] *adj* fleckig.

blotting paper [ˈblɔtɪŋpeɪpə*] *n* Löschpapier *nt*.

blouse [blaʊz] *n* Bluse *f*.

blow [bləʊ] (*blew*, *blown*) **1.** *vt* blasen; **2.** *vi* blasen; (*wind*) wehen; **3.** *n* Schlag *m*; **to ~ one's top** [vor Wut] explodieren; **blow over** *vi* vorübergehen; **blow up 1.** *vi* explodieren; **2.** *vt* sprengen; (*balloon, tyre*) aufblasen; (*enlarge*) vergrößern; **blowdry** *vt* fönen; **blowlamp** *n* Lötlampe *f*; **blown** *pp of* **blow**; **blow-out** *n* (*AUTO*) geplatzter Reifen; **blow-up** *n* (*PHOT*) Vergrößerung *f*; **blowy** *adj* windig.

blubber [ˈblʌbə*] *n* Walfischspeck *m*.

bludgeon [ˈblʌdʒən] *vt* (*fig*) zwingen.

blue [bluː] *adj* blau; (*fam: unhappy*) niedergeschlagen; (*obscene*) pornographisch; (*joke*) anzüglich; **bluebell** *n* Glockenblume *f*; **blue-blooded** *adj* blaublütig; **bluebottle** *n* Schmeißfliege *f*; **blueprint** *n* Blaupause *f*; (*fig*) Entwurf *m*; **blues** *n sing* (*MUS*) Blues *m*; **to have the ~** *pl* traurig sein.

bluff [blʌf] **1.** *vt* bluffen, täuschen; **2.** *n* (*deception*) Bluff *m*.

bluish [ˈbluːɪʃ] *adj* bläulich.

blunder [ˈblʌndə*] **1.** *n* grober Fehler,

Schnitzer *m*; **2.** *vi* machen einen groben Fehler machen; (*socially*) sich blamieren.

blunt [blʌnt] **1.** *adj* (*knife*) stumpf; (*talk*) unverblümt; **2.** *vt* abstumpfen; **bluntly** *adv* frei heraus; **bluntness** *n* Stumpfheit *f*; (*fig*) Plumpheit *f*.

blur [blɜː*] **1.** *n* Fleck *m*; **2.** *vi* verschwimmen; **3.** *vt* verschwommen machen.

blurb [blɜːb] *n* Waschzettel *m*.

blurt [blɜːt] *vt* (*also:* **~ out**) herausplatzen mit.

blush [blʌʃ] *vi* erröten; **blusher** *n* Rouge *nt*; **blushing** *adj* errötend.

bluster [ˈblʌstə*] *vi* (*wind*) brausen; (*person*) darauf lospoltern, schwadronieren; **blustery** *adj* sehr windig.

BO *n abbr of* **body odour**.

boa [ˈbəʊə] *n* Boa *f*.

boar [bɔː*] *n* Eber *m*; (*wild*) Keiler *m*.

board [bɔːd] **1.** *n* (*of wood*) Brett *nt*; (*of card*) Pappe *f*; (*committee*) Ausschuß *m*; (*of firm*) Aufsichtsrat *m*; (*SCH*) Direktorium *nt*; **2.** *vt* (*train*) einsteigen in +*akk*; (*ship*) an Bord +*gen* gehen; **~ and lodging** Unterkunft und Verpflegung; **to go by the ~** flachfallen; **board up** *vt* mit Brettern vernageln; **boarder** *n* Pensionsgast *m*; (*SCH*) Internatsschüler(in) *m(f)*; **boarding card** *n* Bordkarte *f*; **boarding house** *n* Pension *f*; **boarding pass** *n* Bordkarte *f*; **boarding school** *n* Internat *nt*; **board room** *n* Sitzungszimmer *nt*.

boast [bəʊst] **1.** *vi* prahlen; **2.** *n* Großtuerei *f*, Prahlerei *f*; **boastful** *adj* prahlerisch; **boastfulness** *n* Überheblichkeit *f*.

boat [bəʊt] *n* Boot *nt*; (*ship*) Schiff *nt*; **boater** *n* (*hat*) Kreissäge *f*; **boating** *n* Bootfahren *nt*; **boatswain** [ˈbəʊsn] *n* Bootsmann *m*; **boat train** *n* Zug *m* mit Schiffsanschluß.

bob [bɔb] *vi* sich auf und nieder bewegen.

bobbin [ˈbɔbɪn] *n* Spule *f*.

bobsleigh [ˈbɔbsleɪ] *n* Bob *m*.

bodice [ˈbɔdɪs] *n* Mieder *nt*.

bodily [ˈbɔdɪli] *adj*, *adv* körperlich.

body [ˈbɔdi] *n* Körper *m*; (*dead*) Leiche *f*; (*group*) Mannschaft *f*; (*AUTO*) Karosserie *f*; (*trunk*) Rumpf *m*; **in a ~** in einer Gruppe; **the main ~ of the work** der Hauptanteil der Arbeit; **bodybuilding** *n* Bodybuilding *nt*; **bodyguard** *n* Leibwache *f*; **body language** *n* Körpersprache *f*; **body odour** *n* Körpergeruch *m*; **body stocking** *n* Body *m*; **bodywork** *n* Karosserie *f*.

bog [bɔg] **1.** *n* Sumpf *m*; (*fam*) Klo *nt*; **2.** *vi*: **to get ~ged down** sich festfahren.

bogey [ˈbəʊgɪ] *n* Schreckgespenst *nt*.

boggle [ˈbɔgl] *vi* stutzen; **the mind ~s [at the thought]** bei dem Gedanken wird einem schwindlig.

bogus ['bəʊgəs] *adj* unecht, Schein-.

boil [bɔɪl] **1.** *vt, vi* kochen; **2.** *n* (MED) Geschwür *nt*; **to come to the ~** zu kochen anfangen; **boiler** *n* Boiler *m*; **boiling point** *n* Siedepunkt *m*; **boiling water reactor** *n* Siedewasserreaktor *m*.

boisterous ['bɔɪstərəs] *adj* ausgelassen.

bold [bəʊld] *adj* (*fearless*) unerschrocken; (*impudent*) unverfroren; (*handwriting*) ausdrucksvoll; (TYP) fett; **boldly** *adv* keck; **boldness** *n* Kühnheit *f*; (*cheekiness*) Dreistigkeit *f*.

Bolivia [bə'lɪvɪə] *n* Bolivien *nt*.

bollard ['bɒləd] *n* (NAUT) Poller *m*; (*on road*) Pfosten *m*.

bolster ['bəʊlstə*] *n* (*on bed*) Nackenrolle *f*; **bolster up** *vt* unterstützen.

bolt [bəʊlt] **1.** *n* Bolzen *m*; (*lock*) Riegel *m*; **2.** *vt* verriegeln; (*swallow*) verschlingen; **3.** *vi* (*horse*) durchgehen.

bomb [bɒm] **1.** *n* Bombe *f*; **2.** *vt* bombardieren; **bombard** [bɒm'bɑːd] *vt* bombardieren; **bombardment** *n* Bombardierung *f*.

bombastic [bɒm'bæstɪk] *adj* bombastisch.

bomber ['bɒmə*] *n* Bomber *m*; **bombing** *n* Bombenangriff *m*; **bombshell** *n* (*fig*) Bombe *f*.

bona fide ['bəʊnə'faɪdɪ] *adj* echt.

bond [bɒnd] *n* (*link*) Band *nt*; (FIN) Schuldverschreibung *f*.

bone [bəʊn] **1.** *n* Knochen *m*; (*of fish*) Gräte *f*; (*piece of* ~) Knochensplitter *m*; **2.** *vt* die Knochen entfernen von; (*fish*) entgräten; **~ of contention** Zankapfel *m*; **bone-dry** *adj* knochentrocken; **boner** *n* (*US fam*) Schnitzer *m*.

bonfire ['bɒnfaɪə*] *n* Feuer *nt* im Freien.

bonnet ['bɒnɪt] *n* Haube *f*; (*for baby*) Häubchen *nt*; (*Brit* AUTO) Motorhaube *f*.

bonny ['bɒnɪ] *adj* (*Scot*) hübsch.

bonus ['bəʊnəs] *n* Bonus *m*; (*annual* ~) Prämie *f*.

bony ['bəʊnɪ] *adj* knochig, knochendürr.

boo [buː] *vt* auspfeifen, ausbuhen.

book [bʊk] **1.** *n* Buch *nt*; **2.** *vt* (*ticket etc*) vorbestellen; (*person*) verwarnen; **bookable** *adj* im Vorverkauf erhältlich; **bookcase** *n* Bücherregal *nt*, Bücherschrank *m*; **booking office** *n* (RAIL) Fahrkartenschalter *m*; (THEAT) Vorverkaufsstelle *f*; **book-keeping** *n* Buchhaltung *f*; **booklet** *n* Broschüre *f*; **bookmaker** *n* Buchmacher(in) *m(f)*; **bookseller** *n* Buchhändler(in) *m(f)*; **bookshop** *n* Buchhandlung *f*; **bookstall** *n* Bücherstand *m*; **book token** *n* Büchergutschein *m*; **bookworm** *n* Bücherwurm *m*.

boom [buːm] **1.** *n* (*noise*) Dröhnen *nt*; (*busy period*) Hochkonjunktur *f*; (*of business*) Boom *m*; **2.** *vi* dröhnen; (*trade*) boomen;

(*prices*) in die Höhe schnellen.

boomerang ['buːməræŋ] *n* Bumerang *m*.

boon [buːn] *n* Wohltat *f*, Segen *m*.

boorish ['bɔːrɪʃ] *adj* grob.

boost [buːst] **1.** *n* Auftrieb *m*; **2.** *vt* Auftrieb geben +*dat*.

boot [buːt] **1.** *n* Stiefel *m*; (*Brit* AUTO) Kofferraum *m*; **2.** *vt* (*kick*) einen Fußtritt geben +*dat*; (COMPUT) hochladen, booten; **to ~** (*in addition*) obendrein.

booty ['buːtɪ] *n* Beute *f*.

booze [buːz] **1.** *n* (*fam*) Alkohol *m*; **2.** *vi* (*fam*) saufen.

border ['bɔːdə*] *n* Grenze *f*; (*edge*) Kante *f*; (*in garden*) [Blumen]rabatte *f*; **border on** *vt* grenzen an +*akk*; **borderline** *n* Grenze *f*.

bore [bɔː*] **1.** *pt of* **bear**; **2.** *vt* bohren; (*weary*) langweilen; **3.** *n* (*person*) langweiliger Mensch; (*thing*) langweilige Sache; (*of gun*) Kaliber *nt*; **boredom** *n* Langeweile *f*; **boring** *adj* langweilig.

born [bɔːn] *adj*: **to be ~** geboren werden.

born|e [bɔːn] *pp of* **bear**.

borough ['bʌrə] *n* Stadt[gemeinde] *f*, Stadtbezirk *m*.

borrow ['bɒrəʊ] *vt* borgen; **borrowing** *n* (FIN) Anleihe *f*.

borstal ['bɔːstl] *n* (*Brit*) Erziehungsheim *nt* für jugendliche Straftäter.

Bosnia-Herzegovina ['bɒznɪəhəːtsəgəʊ'viːnə] *n* Bosnien-Herzegowina *nt*.

bosom ['bʊzəm] *n* Busen *m*.

boss [bɒs] *n* Chef(in) *m(f)*, Boß *m*; **boss around** *vt* herumkommandieren; **bossy** *adj* herrisch.

bosun ['bəʊsn] *n* Bootsmann *m*.

botanical [bə'tænɪkəl] *adj* botanisch; **botany** ['bɒtənɪ] *n* Botanik *f*.

botch [bɒtʃ] *vt* verpfuschen.

both [bəʊθ] **1.** *adj* beide; **2.** *pron* (*people*) beide; (*things*) beides; **3.** *adv*: **~ X and Y** sowohl X als auch Y; **~ [of] the books** beide Bücher; **I like them ~** ich mag [sie] beide.

bother ['bɒðə*] **1.** *vt* (*pester*) ärgern, belästigen; **2.** *vi* (*fuss*) sich aufregen; (*take trouble*) sich *dat* Mühe machen; **3.** *n* Mühe *f*, Umstand *m*.

bottle ['bɒtl] **1.** *n* Flasche *f*; **2.** *vt* [in Flaschen] abfüllen; **bottle bank** *n* [Alt]glascontainer *m*; **bottleneck** *n* (*fig*) Engpaß *m*.

bottom ['bɒtəm] **1.** *n* Boden *m*; (*of person*) Hintern *m*; (*riverbed*) Flußbett *nt*; **2.** *adj* unterste(r, s); **at ~** im Grunde; **bottomless** *adj* bodenlos; **a ~ pit** ein Faß ohne Boden.

bough [baʊ] *n* Ast *m*.

bought [bɔːt] *pt, pp of* **buy**.

boulder ['bəʊldə*] *n* Felsbrocken *m*.

bounce [baʊns] **1.** vi (ball) hochspringen; (person) herumhüpfen; (cheque) platzen; **2.** vt [auf]springen lassen; **3.** n (rebound) Aufprall m; **bouncer** n Rausschmeißer(in) m(f).

bound [baʊnd] **1.** pt, pp of **bind**; **2.** n Grenze f; (leap) Sprung m; **3.** vi (spring, leap) [auf]springen; **4.** adj gebunden, verpflichtet; **out of ~s** Zutritt verboten; **to be ~ to do sth** verpflichtet sein, etw zu tun, etw tun müssen; **it's ~ to happen** es muß so kommen; **to be ~ for …** nach … fahren; **boundary** n Grenze f; **boundless** adj grenzenlos.

bouquet [bʊˈkeɪ] n Strauß m; (of wine) Blume f.

bourgeois [ˈbʊəʒwɑː] adj kleinbürgerlich, bourgeois.

bout [baʊt] n (of illness) Anfall m; (of contest) Kampf m.

bow [bəʊ] **1.** n (ribbon) Schleife f; (weapon, MUS) Bogen m; **2.** [baʊ] vi sich verbeugen; (submit) sich beugen (to dat); **3.** n Verbeugung f; (of ship) Bug m.

bowels [ˈbaʊəlz] n pl Darm m; (centre) Innere(s) nt.

bowl [bəʊl] **1.** n (basin) Schüssel f; (of pipe) [Pfeifen]kopf m; (wooden ball) [Holz]kugel f; **2.** vt, vi (CRICKET) werfen.

bow-legged [bəʊlegd] adj o-beinig.

bowler [ˈbəʊlə*] n (CRICKET) Werfer(in) m(f); (hat) Melone f.

bowling [ˈbəʊlɪŋ] n Kegeln nt; **bowling alley** n Kegelbahn f; **bowling green** n Rasen m zum Bowling-Spiel.

bowls [bəʊlz] n sing (game) Bowls-Spiel nt.

bow tie [bəʊˈtaɪ] n Fliege f.

box [bɒks] **1.** n Schachtel f; (bigger) Kasten m; (THEAT) Loge f; **2.** vt einpacken; **3.** vi boxen; **to ~ sb's ears** jdm eine Ohrfeige geben; **box in** vt einpferchen; **boxer** n Boxer m; **boxing** n (SPORT) Boxen nt; **Boxing Day** n zweiter Weihnachtsfeiertag; **boxing ring** n Boxring m; **box office** n [Theater]kasse f; **box room** n Abstellkammer f.

boy [bɔɪ] n Junge m.

boycott [ˈbɔɪkɒt] **1.** n Boykott m; **2.** vt boykottieren.

boyfriend [ˈbɔɪfrend] n Freund m; **boyish** adj jungenhaft; **boy scout** n Pfadfinder m.

bra [brɑː] n abbr of **brassière** BH m.

brace [breɪs] **1.** n (TECH) Stütze f; (on teeth) [Zahn]spange f, Klammer f; **2.** vt stützen.

bracelet [ˈbreɪslɪt] n Armband m.

braces [ˈbreɪsɪz] n pl Hosenträger pl.

bracing [ˈbreɪsɪŋ] adj belebend.

bracken [ˈbrækən] n Adlerfarn m.

bracket [ˈbrækɪt] **1.** n Halterung f, Klammer f; (in punctuation) Klammer f; (group)

Gruppe f; **2.** vt einklammern; (fig) in dieselbe Gruppe einordnen.

brag [bræg] vi prahlen.

braid [breɪd] n (hair) Flechte f; (trim) Borte f.

Braille [breɪl] n Blindenschrift f.

brain [breɪn] n (ANAT) Gehirn nt; (intellect) Intelligenz f, Verstand m; (person) kluger Kopf; **~s** pl Verstand m; **brainless** adj dumm; **brainstorm** n (US fam) Geistesblitz m; **brainstorming** n gemeinsame Problembewältigung, Brainstorming nt; **brainwash** vt einer Gehirnwäsche unterziehen; **brainwave** n Geistesblitz m; **brainy** adj gescheit.

braise [breɪz] vt schmoren.

brake [breɪk] **1.** n Bremse f; **2.** vt, vi bremsen; **brake fluid** n Bremsflüssigkeit f.

branch [brɑːntʃ] **1.** n Ast m; (division) Zweig m; **2.** vi (road) sich verzweigen.

brand [brænd] **1.** n (COMM) Marke f, Sorte f; (on cattle) Brandmal nt; **2.** vt brandmarken; (COMM) mit seinem Warenzeichen versehen.

brandish [ˈbrændɪʃ] vt (drohend) schwingen.

brand-new [ˈbrændˈnjuː] adj [funkel]nagelneu, brandneu.

brandy [ˈbrændɪ] n Weinbrand m, Kognak m.

brash [bræʃ] adj unverschämt.

brass [brɑːs] n Messing nt; **brass band** n Blaskapelle f.

brat [bræt] n (pej fam) ungezogenes Kind, Gör nt.

bravado [brəˈvɑːdəʊ] n ‹-[e]s› Tollkühnheit f.

brave [breɪv] **1.** adj tapfer; **2.** n indianischer Krieger; **3.** vt die Stirn bieten +dat; **bravely** adv tapfer; **bravery** [ˈbreɪvərɪ] n Tapferkeit f.

bravo [brɑːˈvəʊ] interj bravo.

brawl [brɔːl] **1.** n Schlägerei f; (quarrel) Streit m; **2.** vi sich zanken, streiten.

brawn [brɔːn] n (ANAT) Muskeln pl; (strength) Muskelkraft f; **brawny** adj muskulös, stämmig.

bray [breɪ] n Eselsschrei m; **2.** vi schreien.

brazen [ˈbreɪzn] **1.** adj (shameless) unverschämt; **2.** vt: **to ~ it out** sich mit Lügen und Betrügen durchsetzen.

brazier [ˈbreɪzɪə*] n Kohlenbecken nt.

Brazil [brəˈzɪl] n Brasilien nt.

breach [briːtʃ] **1.** n (gap) Lücke f; (MIL) Durchbruch m; (of discipline) Verstoß m [gegen die Disziplin]; (of faith) Vertrauensbruch m; **2.** vt durchbrechen; **~ of the peace** öffentliche Ruhestörung.

bread [bred] n Brot nt; **~ and butter** Butterbrot nt; **breadcrumbs** n pl Brotkrumen

pl; (GASTR) Paniermehl *nt;* **breadline** *n:* **to be on the ~** sich gerade so durchschlagen.
breadth [bredθ] *n* Breite *f.*
breadwinner ['bredwɪnə*] *n* Ernährer(in) *m(f).*
break [breɪk] ⟨broke, broken⟩ **1.** *vt* (*destroy*) [ab]brechen, zerbrechen; (*somebody*) mürbe machen; (*promise*) brechen, nicht einhalten; (*interrupt*) unterbrechen; **2.** *vi* (*fall apart*) auseinanderbrechen; (*collapse*) zusammenbrechen; (*dawn*) anbrechen; (*become known: story,news*) bekannt werden; **3.** *n* (*gap*) Lücke *f;* (*chance*) Chance *f,* Gelegenheit *f;* (*fracture*) Bruch *m;* (*rest*) Pause *f;* **to ~ free** [*o* **loose**] sich losreißen; **break down** *vi* (*car*) eine Panne haben; (*person*) zusammenbrechen; **break in 1.** *vt* (*animal*) abrichten; (*horse*) zureiten; **2.** *vi* (*burglar*) einbrechen; **break out** *vi* ausbrechen; **break up 1.** *vt* zerbrechen; (*fig*) sich zerstreuen; (SCH) in die Ferien gehen; **2.** *vi* zerbrechen; **breakable** *adj* zerbrechlich; **breakage** *n* Bruch *m,* Beschädigung *f;* **breakdown** *n* (*car*) Panne *f;* (*nerves*) Zusammenbruch *m;* (*machine*) Störung *f;* **breaker** *n* (*wave*) Brecher *m;* **breakfast** ['brekfəst] *n* Frühstück *nt;* **to have ~** frühstücken; **breakthrough** *n* Durchbruch *m;* **breakwater** *n* Wellenbrecher *m.*
breast [brest] *n* Brust *f;* **breast stroke** *n* Brustschwimmen *nt.*
breath [breθ] *n* Atem *m;* **out of ~** außer Atem; **under one's ~** flüsternd.
breathalyze ['breθəlaɪz] *vt* blasen lassen.
breathe [bri:ð] *vt, vi* atmen; **breather** *n* Verschnaufpause *f.*
breathless ['breθlɪs] *adj* atemlos; **breathtaking** *adj* atemberaubend.
bred [bred] *pt, pp of* **breed.**
breed [bri:d] ⟨bred, bred⟩ **1.** *vi* sich vermehren; **2.** *vt* züchten; **3.** *n* (*race*) Rasse *f,* Zucht *f;* **breeder** *n* (*person*) Züchter(in) *m(f);* **breeding** *n* Züchtung *f;* (*upbringing*) Erziehung *f;* (*education*) Bildung *f.*
breeze [bri:z] *n* Brise *f;* **breezy** *adj* windig; (*manner*) fröhlich und unbekümmert.
brevity ['brevɪtɪ] *n* Kürze *f.*
brew [bru:] **1.** *vt* brauen; (*plot*) anzetteln; **2.** *vi* (*storm*) sich zusammenbrauen; **brewery** *n* Brauerei *f.*
bribe ['braɪb] **1.** *n* Bestechungsgeld *nt,* Bestechungsgeschenk *nt;* **2.** *vt* bestechen; **bribery** ['braɪbərɪ] *n* Bestechung *f.*
bric-à-brac ['brɪkəbræk] *n* Nippes[sachen] *pl.*
brick [brɪk] *n* Backstein *m;* **bricklayer** *n* Maurer(in) *m(f);* **brickwork** *n* Mauerwerk *nt;* **brickworks** *n pl* Ziegelei *f.*
bridal ['braɪdl] *adj* Braut-, bräutlich; **bride** [braɪd] *n* Braut *f;* **bridegroom** *n* Bräuti-

gam *m;* **bridesmaid** *n* Brautjungfer *f.*
bridge [brɪdʒ] **1.** *n* Brücke *f;* (NAUT) Kommandobrücke *f;* (CARDS) Bridge *nt;* (ANAT) Nasenrücken *m;* **2.** *vt* eine Brücke schlagen über *+akk;* (*fig*) überbrücken; **bridging loan** *n* Überbrückungskredit *m.*
bridle ['braɪdl] **1.** *n* Zaum *m;* **2.** *vt* (*fig*) zügeln; (*horse*) aufzäumen; **3.** *vi:* **~ at sth** sich gegen etwas sträuben; **bridlepath** *n* Saumpfad *m.*
brief [bri:f] **1.** *adj* kurz; **2.** *n* (*instructions*) Auftrag *m;* (JUR) Akten *pl;* **3.** *vt* instruieren; **briefcase** *n* Aktentasche *f;* **briefing** *n* [genaue] Anweisung *f;* **briefly** *adv* kurz; **briefness** *n* Kürze *f;* **briefs** *n pl* Schlüpfer *m,* Slip *m.*
brigade [brɪ'geɪd] *n* Brigade *f.*
brigadier [brɪgə'dɪə*] *n* Brigadegeneral *m.*
bright [braɪt] *adj* hell; (*cheerful*) heiter; (*idea*) klug; **brighten up 1.** *vt* aufhellen; (*person*) aufheitern; **2.** *vi* sich aufheitern; **brightly** *adv* hell; heiter; **brightness control** *n* Helligkeitsregler *m.*
brilliance ['brɪljəns] *n* Glanz *m;* (*of person*) Scharfsinn *m;* **brilliant** *adj* glänzend.
brim [brɪm] **1.** *n* Rand *m;* **2.** *vi* voll sein; **brimful** *adj* übervoll.
brine [braɪn] *n* Salzwasser *nt.*
bring [brɪŋ] ⟨brought, brought⟩ *vt* bringen; **bring about** *vt* zustande bringen; (*cause*) verursachen; **bring off** *vt* davontragen; (*success*) erzielen; **bring round, bring to** *vt* wieder zu sich bringen; **bring up** *vt* aufziehen; (*question*) zur Sprache bringen.
brisk [brɪsk] *adj* lebhaft.
bristle ['brɪsl] **1.** *n* Borste *f;* **2.** *vi* sich sträuben; **bristling with** strotzend vor *+dat.*
Brit [brɪt] *n* (*fam*) Brite *m,* Britin *f.*
Britain ['brɪtn] *n* Großbritannien *nt;* **British** ['brɪtɪʃ] **1.** *adj* britisch; **2.** *n:* **the ~** *pl* die Briten *pl;* **the ~ Isles** *pl* die Britischen Inseln *pl;* **Briton** ['brɪtn] *n* Brite *m,* Britin *f.*
brittle ['brɪtl] *adj* spröde.
broach [brəʊtʃ] *vt* (*subject*) anschneiden.
broad [brɔːd] *adj* breit; (*hint*) deutlich; (*daylight*) hellicht; (*general*) allgemein; (*accent*) stark.
broadcast ['brɔːdkɑːst] **1.** *n* Rundfunkübertragung *f;* **2.** *irr vt, vi* übertragen, senden; **broadcasting** *n* Rundfunk *m.*
broaden ['brɔːdn] **1.** *vt* erweitern; **2.** *vi* sich erweitern; **broadly** *adv* allgemein gesagt; **broad-minded** *adj* tolerant.
brocade [brə'keɪd] *n* Brokat *m.*
broccoli ['brɒkəlɪ] *n* Brokkoli *pl.*
brochure ['brəʊʃə*] *n* Broschüre *f.*
broiler ['brɔɪlə*] *n* Bratrost *m.*
broke [brəʊk] **1.** *pt of* **break; 2.** *adj* (*fam*) pleite; **broken** *pp of* **break; broken-hearted** *adj* untröstlich.

broker ['brəʊkə*] n (FIN) Makler(in) m(f).
bronchitis [brɒŋ'kaɪtɪs] n Bronchitis f.
bronze [brɒnz] n Bronze f; **bronzed** adj sonnengebräunt.
brooch [brəʊtʃ] n Brosche f.
brood [bruːd] **1.** n Brut f; **2.** vi brüten; **broody** adj brütend.
brook [brʊk] n Bach m.
broom [bruːm] n Besen m; **broomstick** n Besenstiel m.
Bros [brɒs] abbr of **brothers** Gebr.
broth [brɒθ] n Fleischbrühe f.
brothel ['brɒθl] n Bordell nt.
brother ['brʌðə*] n Bruder m; ~s pl (COMM) Gebrüder pl; **brotherhood** n Bruderschaft f; **brother-in-law** m ⟨brothers-in-law⟩ Schwager m; **brotherly** adj brüderlich.
brought [brɔːt] pt, pp of **bring**.
brow [braʊ] n (eyebrow) [Augen]braue f; (forehead) Stirn f; (of hill) Bergkuppe f; **browbeat** irr vt einschüchtern.
brown [braʊn] **1.** adj braun; **2.** vt bräunen; **brownie** n Wichtel m; **brown paper** n Packpapier nt.
browse [braʊz] vi (in books) blättern; (in shop) schmökern, herumschauen.
bruise [bruːz] **1.** n Bluterguß m, blauer Fleck; **2.** vt, vi einen blauen Fleck geben/bekommen.
brunette [bruː'net] n Brünette f.
brunt [brʌnt] n volle Wucht.
brush [brʌʃ] **1.** n Bürste f; (for sweeping) Handbesen m; (for painting) Pinsel m; (fight) kurzer Kampf; (MIL) Scharmützel nt; (fig) Auseinandersetzung f; **2.** vt (clean) bürsten; (sweep) fegen; (touch) streifen; **brush aside** vt abtun; **brush-off** n: **to give sb the ~** (fam) jdm eine Abfuhr erteilen; **brushwood** n Gestrüpp nt.
brusque [bruːsk] adj schroff.
Brussels sprouts [brʌsl'spraʊts] n pl Rosenkohl m.
brutal ['bruːtl] adj brutal; **brutality** [bruː'tælɪt] n Brutalität f.
brute [bruːt] **1.** n (animal) Tier m; (person) Scheusal nt; **2.** adj (force) roh; (violence) nackt; **brutish** adj tierisch.
BSE n abbr of **bovine spongiform encephalopathy** BSE f.
bubble ['bʌbl] **1.** n (a. fig) [Luft]blase f; (on plane) [Glas]kuppel f; **2.** vi sprudeln; (with joy) übersprudeln; **bubble bath** n Schaumbad nt.
buck [bʌk] **1.** n Bock m; (US fam) Dollar m; **2.** vi bocken; **to earn a fast ~** (US) schnelles Geld machen; **buck up** vi (fam) sich zusammenreißen.
bucket ['bʌkɪt] n Eimer m.
buckle ['bʌkl] **1.** n Schnalle f; **2.** vt [an]-

schnallen, zusammenschnallen; **3.** vi (TECH) sich verziehen.
bud [bʌd] **1.** n Knospe f; **2.** vi knospen, keimen.
Buddhism ['bʊdɪzəm] n Buddhismus m; **Buddhist** ['bʊdɪst] **1.** n Buddhist(in) m(f); **2.** adj buddhistisch.
budding ['bʌdɪŋ] adj angehend.
buddy ['bʌdɪ] n (fam) Kumpel m.
budge [bʌdʒ] vt, vi [sich] von der Stelle rühren.
budgerigar ['bʌdʒərɪgɑː*] n Wellensittich m.
budget ['bʌdʒɪt] **1.** n Budget nt, Etat m; (POL) Haushalt[splan] m; **2.** vi haushalten.
budgie ['bʌdʒɪ] n (fam) s. **budgerigar**.
buff [bʌf] **1.** adj (colour) lederfarben; **2.** n (enthusiast) Fan m.
buffalo ['bʌfələʊ] n ⟨-es⟩ Büffel m.
buffer ['bʌfə*] n (a. COMPUT) Puffer m.
buffet ['bʌfɪt] **1.** n (blow) Schlag m; **2.** ['bʊfeɪ] n (bar) Imbißraum m; (food) [kaltes] Büffet nt; **3.** ['bʌfɪt] vt [herum]stoßen.
buffoon [bə'fuːn] n (fam) Bazillus m, Clown m.
bug [bʌg] **1.** n (fig) Wanze f; **2.** vt verwanzen; **bugbear** n Schreckgespenst nt; **bugger** ['bʌgə*] **1.** n (fam!) Scheißkerl m; (fam!: thing) Scheißding nt; **2.** interj (fam!) Scheiße f; **bugger off** vi (fam!) abhauen, Leine ziehen; **bughouse** n (US) Klapsmühle f.
bugle ['bjuːgl] n Jagdhorn nt.
build [bɪld] ⟨built, built⟩ **1.** vt bauen; **2.** n Körperbau m; **builder** n Bauunternehmer(in) m(f); (fig) [Be]gründer(in) m(f); **building** n Gebäude nt; **building society** n Bausparkasse f; **build-up** n Zunahme f; (publicity) Reklame f; (traffic) Stau m; **built** [bɪlt] **1.** pt, pp of **build**; **2.** adj: **well-built** (person) gut gebaut; **built-in** adj (cupboard) eingebaut; **built-up area** n bebautes Gelände; (AUTO) geschlossene Ortschaft.
bulb [bʌlb] n (BOT) [Blumen]zwiebel f; (ELEC) Glühlampe f, Birne f; **bulbous** adj knollig.
Bulgaria [bʌl'gɛərɪə] n Bulgarien nt; **Bulgarian** adj bulgarisch.
bulge [bʌldʒ] **1.** n Ausbauchung f; **2.** vi sich [aus]bauchen.
bulimia [bʊ'liːmɪə] n (MED) Freßsucht f.
bulk [bʌlk] n Größe f; (large shape) massige Gesalt; (greater part) Großteil m; **bulk-buy** irr vi in großen Mengen einkaufen; **bulkhead** n Schott nt; **bulky** adj [sehr] umfangreich; (goods) sperrig.
bull [bʊl] n (animal) Bulle m; (cattle) Stier m; (papal) Bulle f; **bulldog** n Bulldogge f.
bulldoze ['bʊldəʊz] vt planieren; (fig)

durchboxen; **bulldozer** *n* Planierraupe *f*, Bulldozer *m*.

bullet [ˈbʊlɪt] *n* Kugel *f*.

bulletin [ˈbʊlɪtɪn] *n* Bulletin *nt*, Bekanntmachung *f*.

bullfight [ˈbʊlfaɪt] *n* Stierkampf *m*.

bullion [ˈbʊljən] *n* Barren *m*.

bullock [ˈbʊlək] *n* Ochse *m*.

bullring [ˈbʊlrɪŋ] *n* Stierkampfarena *f*; **bull's-eye** *n* Schwarze; **hit the ~** ins Schwarze treffen.

bullshit [ˈbʊlʃɪt] *n* (*fam!*) Scheiß *m*.

bully [ˈbʊlɪ] **1.** *n* Tyrann *m*; (*SCH*) Rabauke *m*; **2.** *vt* einschüchtern, schikanieren.

bum [bʌm] *n* (*fam: backside*) Hintern *m*; (*tramp*) Landstreicher(in) *m(f)*; (*nasty person*) fieser Kerl; **bum around** *vi* herumgammeln.

bumblebee [ˈbʌmblbiː] *n* Hummel *f*.

bump [bʌmp] **1.** *n* (*blow*) Stoß *m*; (*swelling*) Beule *f*; **2.** *vt*, *vi* stoßen, prallen; **bumper 1.** *n* (*AUTO*) Stoßstange *f*; **2.** *adj* (*edition*) dick; (*harvest*) Rekord-; **bumper strip** *n* (*US*) Stoßstangenaufkleber *m*.

bumptious [ˈbʌmpʃəs] *adj* aufgeblasen.

bumpy [ˈbʌmpɪ] *adj* holp[e]rig.

bun [bʌn] *n* süßes Brötchen; **to have a ~ in the oven** (*fig*) schwanger sein.

bunch [bʌntʃ] *n* (*of flowers*) Strauß *m*; (*of keys*) Bund *m*; (*fam: of people*) Haufen *m*.

bundle [ˈbʌndl] **1.** *n* Bündel *nt*; **2.** *vt* bündeln; **bundle off** *vt* [schnell] fortschicken.

bung [bʌŋ] **1.** *n* Spund *m*; **2.** *vt* (*fam: throw*) schleudern.

bungalow [ˈbʌŋgələʊ] *n* einstöckiges Haus, Bungalow *m*.

bungle [ˈbʌŋgl] *vt* verpfuschen.

bunion [ˈbʌnjən] *n* entzündeter Fußballen.

bunk [bʌŋk] *n* Schlafkoje *f*; **bunk bed** *n* Etagenbett *nt*, Stockbett *nt*.

bunker [ˈbʌŋkə*] *n* (*coal store*) Kohlenbunker *m*; (*GOLF*) Sandloch *nt*; (*MIL*) Bunker *m*.

bunny [ˈbʌnɪ] *n* (*fam*) Häschen *nt*.

Bunsen burner [ˈbʌnsnˈbɜːnə*] *n* Bunsenbrenner *m*.

buoy [bɔɪ] *n* Boje *f*; (*lifebuoy*) Rettungsboje *f*; **buoy up** *vt* Auftrieb geben +*dat*.

buoyancy [ˈbɔɪənsɪ] *n* Schwimmkraft *f*; **buoyant** *adj* (*floating*) schwimmend; (*fig*) heiter.

burden [ˈbɜːdn] **1.** *n* (*weight*) Ladung *f*, Last *f*; (*fig*) Bürde *f*; **2.** *vt* belasten.

bureau [ˈbjuːrəʊ] *n* (*desk*) Sekretär *m*; (*for information*) Büro *nt*; (*government department*) Amt *nt*.

bureaucracy [bjʊˈrɒkrəsɪ] *n* Bürokratie *f*; **bureaucrat** [ˈbjuːrəkræt] *n* Bürokrat(in) *m(f)*; **bureaucratic** [bjuːrəˈkrætɪk] *adj* bürokratisch.

burglar [ˈbɜːglə*] *n* Einbrecher(in) *m(f)*; **burglar alarm** *n* Alarmanlage *f*; **burglarize** *vt* (*US*) einbrechen in +*akk*; **burglary** *n* Einbruch *m*; **burgle** [ˈbɜːgl] *vt* einbrechen in +*akk*.

burial [ˈberɪəl] *n* Beerdigung *f*; **burial ground** *n* Friedhof *m*.

burly [ˈbɜːlɪ] *adj* stämmig.

burn [bɜːn] ⟨burnt *o* burned, burnt *o* burned⟩ **1.** *vt* verbrennen; **2.** *vi* brennen; **3.** *n* Brandwunde *f*; **to ~ one's fingers** sich *dat* die Finger verbrennen; **~ing question** brennende Frage.

burnish [ˈbɜːnɪʃ] *vt* polieren.

burnt [bɜːnt] *pt, pp of* **burn**.

burrow [ˈbʌrəʊ] **1.** *n* (*of fox*) Bau *m*; (*of rabbit*) Höhle *f*; **2.** *vi* sich eingraben; **3.** *vt* eingraben.

bursar [ˈbɜːsə*] *n* Schatzmeister(in) *m(f)*.

burst [bɜːst] ⟨burst, burst⟩ **1.** *vt* zerbrechen; **2.** *vi* platzen; **3.** *n* Explosion *f*; (*outbreak*) Ausbruch *m*; (*in pipe*) Bruch[stelle *f*] *m*; **to ~ into tears** in Tränen ausbrechen.

bury [ˈberɪ] *vt* vergraben; (*in grave*) beerdigen; **to ~ the hatchet** das Kriegsbeil begraben.

bus [bʌs] *n* [Auto]bus *m*, Omnibus *m*; (*INFORM*) [Daten]bus *m*.

bush [bʊʃ] *n* Busch *m*.

bushel [ˈbʊʃl] *n* Scheffel *m*.

bushy [ˈbʊʃɪ] *adj* buschig.

busily [ˈbɪzɪlɪ] *adv* geschäftig.

business [ˈbɪznɪs] *n* Geschäft *nt*; (*concern*) Angelegenheit *f*; **it's none of your ~** es geht dich nichts an; **to mean ~** es ernst meinen; **businessman** *n* ⟨businessmen⟩ Geschäftsmann *m*; **business trip** *n* Geschäftsreise *f*; **businesswoman** *n* ⟨businesswomen⟩ Geschäftsfrau *f*.

bus-stop [ˈbʌsstɒp] *n* Bushaltestelle *f*.

bust [bʌst] **1.** *n* Büste *f*; **2.** *adj* (*fam: broken*) kaputt[gegangen]; (*business*) pleite; **to go ~** pleite machen.

bustle [ˈbʌsl] **1.** *n* Getriebe *nt*; **2.** *vi* hasten; **bustling** *adj* geschäftig.

bust-up [ˈbʌstʌp] *n* (*fam*) Krach *m*.

busy [ˈbɪzɪ] **1.** *adj* beschäftigt; (*road*) belebt; **2.** *vr*: **~ oneself** sich beschäftigen; **busybody** *n* Wichtigtuer(in) *m(f)*; **to be a ~ in** alles seine Nase reinstecken.

but [bʌt, bət] *conj* aber; (*only*) nur; (*except*) außer; **not this ~ that** nicht dies, sondern das.

butane [ˈbjuːteɪn] *n* Butan *nt*.

butcher [ˈbʊtʃə*] **1.** *n* Metzger(in) *m(f)*; (*murderer*) Schlächter *m*; **2.** *vt* schlachten; (*kill*) abschlachten.

butler [ˈbʌtlə*] *n* Butler *m*.

butt [bʌt] **1.** *n* (*cask*) großes Faß; (*target*) Zielscheibe *f*; (*thick end*) dickes Ende; (*of*

gun) Kolben m; (of cigarette) Stummel m;
2. vt [mit dem Kopf] stoßen.
butter ['bʌtə*] **1.** n Butter f; **2.** vt buttern;
butterfly n Schmetterling m; **butter
mountain** n Butterbcrg m.
buttocks ['bʌtəks] npl Gesäß nt.
button ['bʌtn] **1.** n Knopf m; (badge) Button m; **2.** vt, vi zuknöpfen; **buttonhole 1.**
n Knopfloch m; (flower) Blume f im
Knopfloch; **2.** vt rankriegen.
buttress ['bʌtrɪs] n Strebepfeiler m, Stütz-
bogen m.
buxom ['bʌksəm] adj drall.
buy [baɪ] (bought, bought) vt kaufen; **buy
up** vt aufkaufen; **buyer** n Käufer(in) m(f).
buzz [bʌz] **1.** n Summen nt; **2.** vi summen;
give sb a ~ (fam) jdn anrufen.
buzzard ['bʌzəd] n Bussard m.
buzzer ['bʌzə*] n Summer m.
buzz word ['bʌzwɜːd] n (fam) Modewort
nt.
by [baɪ] prep (near) bei; (via) über +akk;
(past) an +dat ... vorbei; (before) bis; ~
day/night tags/nachts; ~ **train/bus** mit dem
Zug/Bus; **done** ~ **sb/sth** von jdm/durch etw
gemacht; ~ **oneself** allein; ~ **and large** im
großen und ganzen; **by[e]-law** n Verordnung f; **by-election** n Nachwahl f;
bygone 1. adj vergangen; **2.** n: let ~s be
~s! reden wir nicht mehr davon!; **bypass**
n Umgehungsstraße f; **byproduct** n Nebenprodukt nt; **bystander** n Zuschau-
er(in) m(f).
byte [baɪt] n (COMPUT) Byte nt.
byword ['baɪwɜːd] n Inbegriff m.

C

C, c [siː] n C nt, c nt.
cab [kæb] n Taxi nt; (of train) Führerstand
m; (of truck) Führersitz m.
cabaret ['kæbəreɪ] n Kabarett nt.
cabbage ['kæbɪdʒ] n Kohl[kopf] m.
cabin ['kæbɪn] n Hütte f; (NAUT) Kajüte f;
(AVIAT) Kabine f; **cabin cruiser** n Motor-
jacht f.
cabinet ['kæbɪnɪt] n Schrank m; (for china)
Vitrine f; (POL) Kabinett nt; **cabinetmaker** n [Möbel]tischler(in) m(f), [Mö-
bel]schreiner(in) m(f).
cable ['keɪbl] **1.** n Drahtseil nt, Tau nt; (TEL)
[Leitungs]kabel nt; (telegram) Kabel nt; **2.**
vt, vi kabeln, telegraphieren; **cable-car** n
Seilbahn f; **cablegram** n Telegramm nt;
cable railway n [Draht]seilbahn f; **cable
television, cablevision** (US) n Kabelfernsehen nt.

cache [kæʃ] **1.** n Versteck nt; (for weapons,
food) geheimes [Waffen-/Proviant]lager; **2.**
vt verstecken.
cache memory [kæʃ'meməɪ] n (COMPUT)
Cache[-Speicher] m.
cackle ['kækl] **1.** n Gegacker nt; **2.** vi gak-
kern.
cactus ['kæktəs] n Kaktus m, Kaktee f.
CAD n abbr of **computer-aided design** CAD
nt.
caddie ['kædɪ] n Golfjunge m.
caddy ['kædɪ] n Teedose f.
cadence ['keɪdəns] n Tonfall m; (MUS) Ka-
denz f.
cadet [kə'det] n Kadett m.
cadge [kædʒ] vt schmarotzen, schnorren.
Caesarean [siː'zɛərɪən] adj: ~ [section]
Kaiserschnitt m.
caesium ['siːzɪəm] n Cäsium nt.
café ['kæfeɪ] n Café nt.
cafeteria [kæfɪ'tɪərɪə] n Cafeteria f.
caffein[e] ['kæfiːn] n Koffein nt.
cage [keɪdʒ] **1.** n Käfig m; **2.** vt einsperren.
cagey ['keɪdʒɪ] adj geheimnistuerisch, zurückhaltend.
cagoule [kə'guːl] n Windhemd nt.
cajole [kə'dʒəʊl] vt überreden.
cake [keɪk] n Kuchen m; (of soap) Stück nt;
caked adj verkrustet.
calamine ['kæləmaɪn] n Galmei m (Zinklo-
tion gegen Entzündungen).
calamitous [kə'læmɪtəs] adj katastrophal,
unglückselig; **calamity** [kə'læmɪtɪ] n Unglück nt, [Schicksals]schlag m.
calcium ['kælsɪəm] n Kalzium nt.
calculate ['kælkjʊleɪt] vt berechnen, kalkulieren; **calculating** adj berechnend; **calculation** [kælkjʊ'leɪʃən] n Berechnung f;
calculator ['kælkjʊleɪtə*] n Rechner m;
(pocket ~) Taschenrechner m.
calculus ['kælkjʊləs] n (MATH) Differential-
und Integralrechnung f; (MED) Stein m.
calendar ['kælɪndə*] n [Wand]kalender m.
calf [kɑːf] n (calves) Kalb nt; (leather)
Kalbsleder nt; (ANAT) Wade f.
caliber (US), **calibre** ['kælɪbə*] n Kaliber
nt.
call [kɔːl] **1.** vt rufen; (summon) herbeirufen;
(name) nennen; (meeting) einberufen;
(awaken) wecken; (TEL) anrufen; (COMPUT,
AVIAT) aufrufen; **2.** vi (for help) rufen,
schreien; (visit) vorbeikommen; **3.** n
(shout) Schrei m, Ruf m; (visit) Besuch m;
(TEL) Anruf m; (COMPUT, AVIAT) Aufruf m; **on**
~ in Bereitschaft; (FIN) auf Abruf; to be
~ed heißen; **call for** vt rufen [nach];
(fetch) abholen; (fig: require) erfordern,
verlangen; **call off** vt (meeting) absagen;
call on vt besuchen, aufsuchen; (request)
fragen; **call up** vt (MIL) einziehen, einbe-

rufen; **call box** n Fernsprechzelle f; **caller** n Besucher(in) m(f); (TEL) Anrufer(in) m(f); **call girl** n Callgirl nt; **calling** n (vocation) Berufung f.

callous adj, **callously** adv ['kæləs, -lɪ] herzlos; **callousness** n Herzlosigkeit f.

calm [kɑːm] **1.** n Stille f, Ruhe f; (NAUT) Flaute f; **2.** vt beruhigen; **3.** adj still, ruhig; (person) gelassen; **calm down 1.** vi sich beruhigen; **2.** vt beruhigen, besänftigen; **calmly** adv ruhig, still; **calmness** n Stille f, Ruhe f; (mental) Gelassenheit f.

calorie ['kælərɪ] n Kalorie f.

calve [kɑːv] vi kalben.

CAM n abbr of **computer-aided manufacture** CAM nt.

camber ['kæmbə*] **1.** n Wölbung f; **2.** vt (road, deck) wölben.

Cambodia [kæm'bəʊdɪə] n Kambodscha nt.

camcorder ['kæmkɔːdə*] n Camcorder m.

came [keɪm] pt of **come**.

camel ['kæməl] n Kamel nt.

cameo ['kæmɪəʊ] n ⟨-s⟩ Kamee f.

camera ['kæmərə] n Fotoapparat m, Kamera f; **in ~** unter Ausschluß der Öffentlichkeit; **cameraman** n ⟨cameramen⟩ Kameramann m; **camera-woman** n ⟨camera-women⟩ Kamerafrau f.

camomile ['kæməmaɪl] n Kamille f; **~ tea** Kamillentee m.

camouflage ['kæməflɑːʒ] **1.** n Tarnung f; **2.** vt tarnen; (fig) verschleiern, bemänteln.

camp [kæmp] **1.** n Lager nt, Camp nt; (MIL) Feldlager nt; (permanent) Kaserne f; (camping place) Zeltplatz m; **2.** vi zelten, campen; **to go ~ing** zelten [gehen].

campaign [kæm'peɪn] **1.** n Kampagne f; (MIL) Feldzug m; **2.** vi (MIL) Krieg führen; (participate) in den Krieg ziehen; (fig) werben, Propaganda machen; (POL) den Wahlkampf führen; **Campaign for Nuclear Disarmament** Organisation, die sich für die atomare Abrüstung einsetzt; **electoral ~** Wahlkampf m.

campbed ['kæmpbed] n [Camping]liege f.

camper ['kæmpə*] n (person) Camper(in) m(f); (van) Wohnmobil nt.

camping ['kæmpɪŋ] n Zelten nt, Camping nt.

campsite ['kæmpsaɪt] n Zeltplatz m, Campingplatz m.

campus ['kæmpəs] n (SCH) Schulgelände nt; (of university) Universitätsgelände nt, Campus m.

can [kæn] ⟨could, been able⟩ **1.** aux vb (be able) können; (be allowed) dürfen, können; **2.** n Büchse f, Dose f; (for water) Kanne f; **3.** vt konservieren, in Büchsen einmachen.

Canada ['kænədə] n Kanada nt; **Canadian** [kə'neɪdjən] **1.** adj kanadisch; **2.** n Kanadier(in) m(f).

canal [kə'næl] n Kanal m.

canary [kə'neərɪ] **1.** n Kanarienvogel m; **2.** adj hellgelb.

cancel ['kænsəl] vt (delete) durchstreichen; (COMPUT) löschen; (MATH) kürzen; (arrangement) aufheben; (meeting) absagen; (treaty) annullieren; (stamp) entwerten; (COMM) stornieren; **cancellation** [kænsə'leɪʃən] n Aufhebung f; Absage f; Annullierung f; Entwertung f.

cancer ['kænsə*] n (MED) Krebs m; **Cancer** (ASTR) Krebs m.

candid adj ['kændɪd] offen, ehrlich.

candidate ['kændɪdət] n Bewerber(in) m(f); (POL) Kandidat(in) m(f).

candidature ['kændɪdətʃə*] n Kandidatur f.

candidly adv ['kændɪdlɪ] offen, ehrlich.

candle ['kændl] n Kerze f; **candlelight** n Kerzenlicht nt; **candlestick** n Kerzenleuchter m.

candour ['kændə*] n Offenheit f.

candy ['kændɪ] n Kandis[zucker] m; (US) Süßigkeiten pl, Bonbons pl; **candy-floss** n Zuckerwatte f.

cane [keɪn] **1.** n (BOT) Rohr nt; (for walking, SCH) Stock m; **2.** vt schlagen.

canister ['kænɪstə*] n Blechdose f.

cannabis ['kænəbɪs] n Cannabis m, Haschisch nt.

canned [kænd] adj Dosen-.

cannibal ['kænɪbəl] n Menschenfresser(in) m(f); **cannibalism** n Kannibalismus m.

cannon ['kænən] n Kanone f.

cannot ['kænɒt] = **can not**.

canny ['kænɪ] adj (shrewd) schlau, erfahren; (cautious) umsichtig, vorsichtig.

canoe [kə'nuː] n Paddelboot nt, Kanu nt; **canoeing** n Kanufahren nt; **canoeist** n Kanufahrer(in) m(f).

can opener ['kænəʊpnə*] n Dosenöffner m.

canopy ['kænəpɪ] n Baldachin m.

can't [kɑːnt] = **can not**.

cantankerous [kæn'tæŋkərəs] adj zänkisch, mürrisch.

canteen [kæn'tiːn] n (in factory) Kantine f; (in university) Mensa f; (case of cutlery) Besteckkasten m.

canter ['kæntə*] **1.** n Kanter m, kurzer leichter Galopp; **2.** vi in kurzem Galopp reiten.

cantilever ['kæntɪliːvə*] n Träger m, Ausleger m.

canvas ['kænvəs] n Segeltuch nt; (for tent) Zeltstoff m; (sail) Segel nt; (for painting) Leinwand f; (painting) Ölgemälde nt;

under ~ (*people*) in Zelten; (*boat*) unter Segel.

canvass [ˈkænvəs] *vt* werben; **canvasser** *n* (POL) Wahlwerber(in) *m(f)*; (COMM) Vertreter(in) *m(f)*.

canyon [ˈkænjən] *n* Felsenschlucht *f*.

cap [kæp] **1.** *n* Kappe *f*, Mütze *f*; (*lid*) [Verschluß]kappe *f*, Deckel *m*; **2.** *vt* verschließen; (*surpass*) übertreffen.

capability [keɪpəˈbɪlɪtɪ] *n* Fähigkeit *f*; **capable** [ˈkeɪpəbl] *adj* fähig; **to be** ~ **of sth** zu etw fähig [*o* imstande] sein.

capacity [kəˈpæsɪtɪ] *n* Fassungsvermögen *nt*; (*ability*) Fähigkeit *f*; (*position*) Eigenschaft *f*.

cape [keɪp] *n* (*garment*) Cape *nt*, Umhang *m*; (GEO) Kap *nt*.

caper [ˈkeɪpə*] *n* Kaper *f*.

capital [ˈkæpɪtl] *n* (FIN) Kapital *nt*; (*letter*) Großbuchstabe *m*; ~ [**city**] Hauptstadt *f*; **capitalism** *n* Kapitalismus *m*; **capitalist** **1.** *adj* kapitalistisch; **2.** *n* Kapitalist(in) *m(f)*; **capital punishment** *n* Todesstrafe *f*.

capitulate [kəˈpɪtjʊleɪt] *vi* kapitulieren; **capitulation** [kəpɪtjʊˈleɪʃən] *n* Kapitulation *f*.

capricious [kəˈprɪʃəs] *adj* launisch.

Capricorn [ˈkæprɪkɔːn] *n* (ASTR) Steinbock *m*.

capsize [kæpˈsaɪz] *vi* kentern.

capstan [ˈkæpstən] *n* Ankerwinde *f*, Poller *m*.

capsule [ˈkæpsjuːl] *n* Kapsel *f*.

captain [ˈkæptɪn] **1.** *n* Anführer(in) *m(f)*, Leiter(in) *m(f)*; (NAUT) Kapitän *m*; (MIL) Hauptmann *m*; (SPORT) [Mannschafts]kapitän *m*; **2.** *vt* anführen.

caption [ˈkæpʃən] *n* Überschrift *f*, Text *m*.

captivate [ˈkæptɪveɪt] *vt* fesseln.

captive [ˈkæptɪv] **1.** *n* Gefangene(r) *mf*; **2.** *adj* gefangen[gehalten]; **captivity** [kæpˈtɪvɪtɪ] *n* Gefangenschaft *f*.

capture [ˈkæptʃə*] *f* **1.** *vt* fassen, gefangennehmen; (COMPUT) erfassen; **2.** *n* Gefangennahme *f*; (COMPUT) Erfassung *f*.

car [kɑː*] *n* Auto *nt*, Wagen *m*.

carafe [kəˈræf] *n* Karaffe *f*.

caramel [ˈkærəməl] *n* Karamel *m*; (*sweet*) Karamelle *f*.

carat [ˈkærət] *n* Karat *nt*.

caravan [ˈkærəvæn] *n* Wohnwagen *m*; (*in desert*) Karawane *f*.

caraway [ˈkærəweɪ] *n* (*also:* ~ **seed**) Kümmel *m*.

carbohydrate [kɑːbəʊˈhaɪdreɪt] *n* Kohle[n]hydrat *nt*.

car bomb [ˈkɑːbɒm] *n* Autobombe *f*.

carbon [ˈkɑːbən] *n* Kohlenstoff *m*; (*paper*) Kohlepapier *nt*; **carbon copy** *n* Durch-

schlag *m*; **carbon-copy crime** *n* Nachahmungstat *f*.

carburettor [ˈkɑːbjʊretə*] *n* Vergaser *m*.

carcass [ˈkɑːkəs] *n* Kadaver *m*.

carcinogenic [kɑːsɪnəˈdʒenɪk] *adj* krebserzeugend, karzinogen; **carcinoma** [kɑːsɪˈnəʊmə] *n* Karzinom *nt*, Krebsgeschwulst *f*.

card [kɑːd] *n* Karte *f*; **cardboard** *n* Pappe *f*; ~ **box** Pappschachtel *f*; **cardboard city** *n* (*fam*) ein Stadtteil, in dem Obdachlose in Pappkartons unter freiem Himmel schlafen; **card game** *n* Kartenspiel *nt*; **cardholder** *n* Karteninhaber(in) *m(f)*.

cardiac [ˈkɑːdɪæk] *adj* Herz-.

cardigan [ˈkɑːdɪgən] *n* Strickjacke *f*.

cardinal [ˈkɑːdɪnl] *adj*: ~ **number** Kardinalzahl *f*.

cardphone [ˈkɑːdfəʊn] *n* Kartentelefon *nt*.

care [kɛə*] **1.** *n* Sorge *f*, Mühe *f*; (*charge*) Obhut *f*, Fürsorge *f*; **2.** *vi*: **I don't** ~ es ist mir egal; **to** ~ **about sb/sth** sich um jdn/etw kümmern; **to take** ~ (*watch*) vorsichtig sein; (*take pains*) darauf achten; **to take** ~ **of** sorgen für; **care for** *vt* (*look after*) sorgen für; (*like*) mögen, gern haben.

career [kəˈrɪə*] **1.** *n* Karriere *f*, Laufbahn *f*; **2.** *vi* rasen.

carefree [ˈkɛəfriː] *adj* sorgenfrei; **careful** *adj*, **carefully** *adv* sorgfältig; **careless** *adj*, **carelessly** *adv* unvorsichtig; **carelessness** *n* Unachtsamkeit *f*; (*neglect*) Nachlässigkeit *f*.

caress [kəˈres] **1.** *n* Liebkosung *f*; **2.** *vt* liebkosen.

caretaker [ˈkɛəteɪkə*] *n* Hausmeister(in) *m(f)*.

car-ferry [ˈkɑːferɪ] *n* Autofähre *f*.

cargo [ˈkɑːgəʊ] *n* ‹-[e]s› [Schiffs]ladung *f*.

Caribbean [kærɪˈbiːən] **1.** *n* Karibik *f*; **2.** *adj* karibisch.

caricature [ˈkærɪkətjʊə*] **1.** *n* Karikatur *f*; **2.** *vt* karikieren.

car insurance [ˈkɑː*ɪnʃʊərəns] *n* Kraftfahrzeugversicherung *f*.

carnage [ˈkɑːnɪdʒ] *n* Blutbad *nt*.

carnal [ˈkɑːnl] *adj* fleischlich.

carnation [kɑːˈneɪʃən] *n* Nelke *f*.

carnival [ˈkɑːnɪvəl] *n* Karneval *m*, Fasnacht *f*, Fasching *m*.

carnivorous [kɑːˈnɪvərəs] *adj* fleischfressend.

carol [ˈkærl] *n* [Weihnachts]lied *nt*.

carp [kɑːp] *n* (*fish*) Karpfen *m*; **carp at** *vt* herumnörgeln an +*dat*.

car park [ˈkɑːpɑːk] *n* Parkplatz *m*; (*multystorey* ~) Parkhaus *nt*.

carpenter [ˈkɑːpəntə*] *n* Zimmermann *m*; **carpentry** [ˈkɑːpəntrɪ] *n* Zimmerhandwerk *nt*.

carpet [ˈkɑːpɪt] **1.** n Teppich m; **2.** vt mit einem Teppich auslegen.

car phone [ˈkɑːfəʊn] n Autotelefon nt.

carping [ˈkɑːpɪŋ] adj (critical) krittelnd, Mecker-.

carpool (US) [ˈkɑːpuːl] **1.** n Fahrgemeinschaft f; (vehicles) Fuhrpark m; **2.** vi eine Fahrgemeinschaft bilden.

carriage [ˈkærɪdʒ] n Wagen m; (of goods) Beförderung f; (bearing) Haltung f; **carriage return** n (on typewriter) Wagenrücklauf m; **carriageway** n (on road) Fahrbahn f; **dual ~** ≈ Schnellstraße f.

carrier [ˈkærɪə*] n Träger(in) m(f); (COMM) Spediteur(in) m(f); **carrier** [**bag**] n Tragetasche f; **carrier pigeon** n Brieftaube f.

carrion [ˈkærɪən] n Aas nt.

carrot [ˈkærət] n Möhre f, Mohrrübe f, Karotte f.

carry [ˈkærɪ] vt tragen; (convey) befördern; **to be carried away** (fig) hingerissen sein; **carry on** vt, vi weitermachen; **carry out** vt (orders) ausführen; **carrycot** n Babytragetasche f.

cart [kɑːt] **1.** n Wagen m, Karren m; (US: trolley) Einkaufswagen m; **2.** vt schleppen.

cartilage [ˈkɑːtɪlɪdʒ] n Knorpel m.

cartographer [kɑːˈtɒɡrəfə*] n Kartograph(in) m(f).

carton [ˈkɑːtən] n [Papp]karton m; (of cigarettes) Stange f.

cartoon [kɑːˈtuːn] n (PRESS) Karikatur f; (CINE) [Zeichen]trickfilm m.

cartridge [ˈkɑːtrɪdʒ] n (for gun) Patrone f; (film, for recorder) Kassette f; (of record player) Tonabnehmer m; (for laser printer) Cartridge nt.

carve [kɑːv] vt, vi (wood) schnitzen; (stone) meißeln; (meat) schneiden, tranchieren; **carving** n (in wood etc) Schnitzerei f; **carving knife** n Tranchiermesser nt.

car wash [ˈkɑːwɒʃ] n Autowäsche f.

cascade [kæsˈkeɪd] **1.** n Wasserfall m; **2.** vi kaskadenartig herabfallen.

case [keɪs] n (box) Kasten m, Kiste f; (suit~) Koffer m; (JUR, matter) Fall m; **in ~** falls, im Falle; **in any ~** jedenfalls, auf jeden Fall.

cash [kæʃ] **1.** n [Bar]geld nt; **2.** vt einlösen; **in ~ bar; ~ on delivery** per Nachnahme; **cash card** n Geldautomatenkarte f; **cash desk** n Kasse f; **cash dispenser** n Geldautomat m; **cashier** [kæˈʃɪə*] n Kassierer(in) m(f).

cashmere [ˈkæʃmɪə*] n Kaschmirwolle f.

cash payment n Barzahlung f; **cash register** n Registrierkasse f.

casing [ˈkeɪsɪŋ] n Gehäuse nt.

casino [kəˈsiːnəʊ] n (-s) Kasino nt.

cask [kɑːsk] n Faß nt.

casket [ˈkɑːskɪt] n Kästchen nt; (US: coffin)

Sarg m.

casserole [ˈkæsərəʊl] n Kasserole f; (food) Schmortopf m.

cassette [kæˈset] **1.** n Kassette f; **2.** vt (US) auf Kassette aufnehmen; **cassette deck** n Kassettendeck nt.

cast [kɑːst] ⟨cast, cast⟩ **1.** vt werfen; (horns etc) verlieren; (metal) gießen; (THEAT) besetzen; (roles) verteilen; **2.** n (THEAT) Besetzung f; **cast off** vi (NAUT) losmachen; **~ ~ clothing** abgelegte Kleidung.

castanets [kæstəˈnets] n pl Kastagnetten pl.

castaway [ˈkɑːstəweɪ] n Schiffbrüchige(r) mf.

caste [kɑːst] n Kaste f.

casting [ˈkɑːstɪŋ] adj: **~ vote** entscheidende Stimme.

cast iron [ˈkɑːstˈaɪən] **1.** n Gußeisen nt; **2.** adj gußeisern; (alibi) hieb- und stichfest.

castle [ˈkɑːsl] n Burg f; Schloß nt; (CHESS) Turm m.

castor [ˈkɑːstə*] n (wheel) Laufrolle f; **castor oil** n Rizinusöl nt; **castor sugar** n Streuzucker m.

castrate [kæsˈtreɪt] vt kastrieren.

casual [ˈkæʒjʊəl] adj (arrangement) beiläufig; (attitude) nachlässig; (dress) leger; (meeting) zufällig; **casual labour** n Gelegenheitsarbeit f; **casually** adv (dress) zwanglos, leger; (remark) beiläufig.

casualty [ˈkæʒjʊəltɪ] n Verletzte(r) mf; (dead) Tote(r) mf; (department in hospital) Unfallstation f.

cat [kæt] n Katze f.

CAT abbr of **computerized axial tomography** Computertomographie f.

catalog (US), **catalogue** [ˈkætəlɒɡ] **1.** n Katalog m; **2.** vt katalogisieren.

catalyst [ˈkætəlɪst] n (a. fig) Katalysator m.

catalytic converter [kætəˈlɪtɪkkənˈvɜːtə*] n (AUTO) Katalysator m.

catapult [ˈkætəpʌlt] n Katapult nt; (slingshot) Schleuder f.

cataract [ˈkætərækt] n Wasserfall m; (MED) grauer Star.

catarrh [kəˈtɑː*] n Katarrh m.

catastrophe [kəˈtæstrəfɪ] n Katastrophe f; **catastrophic** [kætəˈstrɒfɪk] adj katastrophal.

catch [kætʃ] ⟨caught, caught⟩ **1.** vt fangen; (train etc) nehmen; (not miss) erreichen; (surprise) ertappen; (understand) begreifen; **2.** n (of lock) Sperrhaken m; (of fish) Fang m; **to ~ a cold** sich erkälten; **catching** adj (MED fig) ansteckend; **catch phrase** n Schlagwort nt, Slogan m.

catchy [ˈkætʃɪ] adj (tune) eingängig.

catechism [ˈkætɪkɪzəm] n Katechismus m.

categorical adj, **categorically** adv

[kætɪˈgɒrɪkl, -kəlɪ] kategorisch.

categorize [ˈkætɪgəraɪz] vt kategorisieren; **category** [ˈkætɪgərɪ] n Kategorie f.

cater [ˈkeɪtə*] vi die Speisen und Getränke liefern; **cater for** vt (party) ausrichten; (fig) eingestellt sein auf +akk; berücksichtigen; **catering** n Gastronomie f.

caterpillar [ˈkætəpɪlə*] n Raupe f; **caterpillar track** n Gleiskette f.

cathedral [kəˈθiːdrəl] n Kathedrale f, Dom m.

Catholic [ˈkæθəlɪk] **1.** adj (REL) katholisch; **2.** n Katholik(in) m(f); **catholic** vielseitig.

CAT scanner n Computertomograph m.

cattle [ˈkætl] n pl Vieh nt.

catty [ˈkætɪ] adj gehässig.

caught [kɔːt] pt, pp of **catch**.

cauliflower [ˈkɒlɪflaʊə*] n Blumenkohl m.

cause [kɔːz] **1.** n Ursache f; Grund m; (purpose) Sache f; **2.** vt verursachen; **in a good ~** zu einem guten Zweck.

causeway [ˈkɔːzweɪ] n Damm m.

caustic [ˈkɔːstɪk] adj ätzend; (fig) bissig.

cauterize [ˈkɔːtəraɪz] vt ätzen, ausbrennen.

caution [ˈkɔːʃən] **1.** n Vorsicht f; (warning) Warnung f; (JUR) Verwarnung f; **2.** vt [ver]warnen.

cautious adj, **cautiously** adv [ˈkɔːʃəs, -lɪ] vorsichtig.

cavalier [kævəˈlɪə*] adj unbekümmert.

cavalry [ˈkævəlrɪ] n Kavallerie f.

cave [keɪv] n Höhle f; **cave in** vi einstürzen; **caveman** n (cavemen) Höhlenmensch m.

cavern [ˈkævən] n Höhle f; **cavernous** adj (cheeks) hohl; (eyes) tiefliegend.

cavil [ˈkævɪl] vi kritteln (at an +dat).

cavity [ˈkævɪtɪ] n Höhlung f; (in tooth) Loch nt.

CB radio n abbr of **Citizens' Band radio** CB-Funk m.

CD n abbr of **Compact Disc** CD f; **CD player** n CD-Spieler m; **CD-ROM** n abbr of **Compact Disc Read Only Memory** CD-ROM f.

cease [siːs] **1.** vi aufhören; **2.** vt beenden; **ceasefire** n Feuerpause f; (longer) Waffenruhe f; **ceaseless** adj unaufhörlich.

cedar [ˈsiːdə*] n Zeder f.

cede [siːd] vt abtreten.

Ceefax® [ˈsiːfæks] n ≈ Videotext m.

ceiling [ˈsiːlɪŋ] n Decke f; (fig) Höchstgrenze f.

celebrate [ˈselɪbreɪt] vt, vi feiern; **celebrated** adj gefeiert; **celebration** [selɪˈbreɪʃən] n Feier f.

celebrity [sɪˈlebrɪtɪ] n gefeierte Persönlichkeit, Berühmtheit f.

celeriac [səˈlerɪæk] n [Knollen]sellerie m o f.

celery [ˈselərɪ] n [Stangen]sellerie m o f.

celestial [sɪˈlestɪəl] adj himmlisch.

celibacy [ˈselɪbəsɪ] n Zölibat nt o m.

cell [sel] n Zelle f; (ELEC) Element nt.

cellar [ˈselə*] n Keller m.

cellist [ˈtʃelɪst] n Cellist(in) m(f); **cello** [ˈtʃeləʊ] n ⟨-s⟩ Cello nt.

cellophane® [ˈseləfeɪn] n Cellophan f.

cellular, cellular [ˈseljʊlə*] adj zellenförmig, zellular; **~ phone** Funktelefon nt; **~ therapy** Frischzellentherapie f.

cellulose [ˈseljʊləʊs] n Zellulose f.

Celt [kelt] n Kelte m, Keltin f; **Celtic** [ˈkeltɪk] **1.** adj keltisch; **2.** n (language) Keltisch nt.

cement [sɪˈment] **1.** n Zement m; **2.** vt zementieren; (fig) festigen.

cemetery [ˈsemɪtrɪ] n Friedhof m.

censor [ˈsensə*] n Zensor(in) m(f); **censorship** n Zensur f.

censure [ˈsenʃə*] vt rügen.

census [ˈsensəs] n Volkszählung f.

centenary, centennial [senˈtiːnərɪ, senˈtenjəl] n Hundertjahrfeier f.

center [ˈsentə*] n (US) s. **centre**.

centigrade [ˈsentɪgreɪd] adj: **10** [**degrees**] **~** 10 Grad Celsius.

centiliter (US), **centilitre** [ˈsentɪliːtə*] n Zentiliter m.

centimeter (US), **centimetre** [ˈsentɪmiːtə*] n Zentimeter m.

centipede [ˈsentɪpiːd] n Tausendfüßler m.

central [ˈsentrəl] adj zentral; **central [door] locking** n (AUTO) Zentralverriegelung f; **central heating** n Zentralheizung f; **centralist** adj zentralistisch; **centralize** vt zentralisieren; **central processing unit** n Zentraleinheit f.

centre [ˈsentə*] **1.** n Zentrum nt; **2.** vt (TYP, COMPUT) zentrieren; **~ of gravity** Schwerpunkt m; **centre on** vi kreisen um.

century [ˈsentʃʊrɪ] n Jahrhundert nt.

ceramic [sɪˈræmɪk] adj keramisch.

cereal [ˈsɪərɪəl] n (any grain) Getreide nt; (at breakfast) Getreideflocken pl.

ceremonial [serɪˈməʊnɪəl] adj zeremoniell.

ceremony [ˈserɪmənɪ] n Feierlichkeiten pl, Zeremonie f.

certain [ˈsɜːtən] adj sicher; (particular) gewiß; **for ~** ganz bestimmt; **certainly** adv sicher, bestimmt; **certainty** n Gewißheit f.

certificate [səˈtɪfɪkɪt] n Bescheinigung f; (SCH) Zeugnis nt.

certify [ˈsɜːtɪfaɪ] vt, vi bescheinigen.

cervical [ˈsɜːvɪkəl] adj Gebärmutterhals-; **~ smear** Abstrich m.

cesium [ˈsiːzɪəm] n (US) s. **caesium**.

cessation [seˈseɪʃən] n Einstellung f, Ende nt.

CFC n abbr of **chlorofluorocarbon** FCKW nt.

Chad [tʃæd] n Tschad m.

chafe [tʃeɪf] vt, vi [wund]reiben, scheuern.

chaffinch [ˈtʃæfɪntʃ] n Buchfink m.

chain [tʃeɪn] **1.** n Kette f; **2.** vt (also: ~ **up**) anketten; with Ketten fesseln; **human** ~ Menschenkette f; **chain reaction** n Kettenreaktion f; **chain smoker** n Kettenraucher(in) m(f); **chain store** n Kettenladen m.

chair [tʃɛə*] **1.** n Stuhl m; (arm~) Sessel m; (SCH) Lehrstuhl m; **2.** vt: to ~ **a meeting** in einer Versammlung den Vorsitz führen; **chairlift** n Sessellift m; **chairman** ⟨chairmen⟩ Vorsitzende(r) m; (of firm) Präsident m; **chairperson** n Vorsitzende(r) mf; (of firm) Präsident(in) m(f); **chairwoman** ⟨chairwomen⟩ Vorsitzende f; (of firm) Präsidentin f.

chalet [ˈʃæleɪ] n Chalet nt.

chalice [ˈtʃælɪs] n [Abendmahls]kelch m.

chalk [ˈtʃɔːk] n Kreide f.

challenge [ˈtʃælɪndʒ] **1.** n Herausforderung f; **2.** vt auffordern; (contest) bestreiten; **challenger** n Herausforderer(-fordrerin) m(f); **challenging** adj (statement) herausfordernd; (work) anspruchsvoll.

chamber [ˈtʃeɪmbə*] n Kammer f; ~ **of commerce** Handelskammer f; **chambermaid** n Zimmermädchen nt; **chamber music** n Kammermusik f; **chamberpot** n Nachttopf m.

chameleon [kəˈmiːlɪən] n (ZOOL a. fig) Chamäleon nt.

chamois [ˈʃæmwɑː] n Gemse f; **chamois leather** [ˈʃæmɪˈleðə*] n Sämischleder nt; (for windows) Fensterleder nt.

champagne [ʃæmˈpeɪn] n Champagner m.

champion [ˈtʃæmpɪən] n (SPORT) Sieger(in) m(f), Meister(in) m(f); (of cause) Verfechter(in) m(f); **championship** n Meisterschaft f.

chance [tʃɑːns] **1.** n (luck, fate) Zufall m; (possibility) Möglichkeit f; (opportunity) Gelegenheit f, Chance f; (risk) Risiko nt; **2.** adj zufällig; **3.** vt: to ~ **it** es darauf ankommen lassen; **by** ~ zufällig; to **take a** ~ ein Risiko eingehen; **no** ~ (fam) ist nicht drin.

chancel [ˈtʃɑːnsəl] n Altarraum m, Chor m.

chancellor [ˈtʃɑːnsələ*] n Kanzler(in) m(f); **Chancellor of the Exchequer** (Brit) Finanzminister(in) m(f).

chancy [ˈtʃɑːnsɪ] adj (fam) riskant.

chandelier [ʃændɪˈlɪə*] n Kronleuchter m.

change [tʃeɪndʒ] **1.** vt verändern; (money) wechseln; **2.** vi sich verändern; (trains) umsteigen; (colour etc) sich verwandeln; (clothes) sich umziehen; **3.** n Veränderung f; (money) Wechselgeld nt; (coins) Kleingeld nt; **changeable** adj (weather) wechselhaft; **changeover** n Umstellung f, Wechsel m; **changing** adj veränderlich;

changing room n Umkleideraum m.

channel [ˈtʃænl] **1.** n (stream) Bachbett nt; (NAUT) Straße f, Meerenge f; (RADIO, TV) Kanal m; (fig) Weg m; **2.** vt [hindurch]leiten, lenken; **through official** ~**s** durch die Instanzen; **the [English] Channel** der Ärmelkanal; **Channel Islands** pl Kanalinseln pl; **Channel Tunnel** Ärmelkanaltunnel m.

chant [tʃɑːnt] **1.** n [liturgischer] Gesang m; (of football fans) Sprechchor m; **2.** vt intonieren.

chaos [ˈkeɪɒs] n Chaos nt, Durcheinander nt; **chaotic** [keɪˈɒtɪk] adj chaotisch.

chap [tʃæp] **1.** n (fam) Bursche m, Kerl m; **2.** vt (skin) rissig machen; **3.** vi (hands etc) aufspringen.

chapel [ˈtʃæpəl] n Kapelle f.

chaperon [ˈʃæpərəʊn] **1.** n Anstandsdame f; **2.** vt begleiten.

chaplain [ˈtʃæplɪn] n Geistliche(r) m, Kaplan m.

chapter [ˈtʃæptə*] n Kapitel nt.

char [tʃɑː*] **1.** vt (burn) verkohlen; **2.** vi (cleaner) putzen gehen.

character [ˈkærəktə*] n Charakter m, Wesen nt; (LITER) Figur f, Gestalt f; (THEAT) Person f, Rolle f; (peculiar person) Original nt; (in writing) Schriftzeichen nt; **characteristic** [kærəktəˈrɪstɪk] **1.** adj charakteristisch, bezeichnend (of für); **2.** n Kennzeichen nt, Eigenschaft f; **characterize** [ˈkærəktəraɪz] vt charakterisieren, kennzeichnen.

charade [ʃəˈrɑːd] n Scharade f.

charcoal [ˈtʃɑːkəʊl] n Holzkohle f.

charge [tʃɑːdʒ] **1.** n (cost) Preis m; (JUR) Anklage f; (of gun) Ladung f; (attack) Angriff m; **2.** vt (gun, battery) laden; (price) verlangen; (MIL) angreifen; **3.** vi (rush) angreifen, [an]stürmen; **to be in** ~ **of** verantwortlich sein für; **to take** ~ die Verantwortung übernehmen; **charge account** n Kunden[kredit]konto nt; **charge card** n Kunden[kredit]karte f.

chariot [ˈtʃærɪət] n [Streit]wagen m.

charitable [ˈtʃærɪtəbl] adj wohltätig; (lenient) nachsichtig.

charity [ˈtʃærɪtɪ] n (institution) Wohlfahrtseinrichtung f, Hilfswerk nt; (attitude) Nächstenliebe f.

charlady [ˈtʃɑːleɪdɪ] n Reinemachefrau f, Putzfrau f.

charlatan [ˈʃɑːlətən] n Scharlatan m, Schwindler(in) m(f).

charm [tʃɑːm] n Charme m, gewinnendes Wesen nt; (in superstition) Amulett nt; Talisman m; **2.** vt bezaubern; **charming** adj reizend, charmant.

chart [tʃɑːt] n Tabelle f; (NAUT) Seekarte f; ~**s** pl Hitliste f.

charter [ˈtʃɑːtə*] **1.** vt ⟨NAUT, AVIAT⟩ chartern; **2.** n Schutzbrief m; ⟨cost⟩ Schiffsmiete f; **chartered accountant** n Bilanzbuchhalter(in) m(f); **charter flight** n Charterflug m; **charter plane** n Charterflugzeug nt.

charwoman [ˈtʃɑːwʊmən] n ⟨charwomen⟩ Reinemachefrau f, Putzfrau f.

chary [ˈtʃɛərɪ] adj zurückhaltend ⟨of sth mit etw⟩.

chase [tʃeɪs] **1.** vt jagen, verfolgen; **2.** n Jagd f.

chasm [ˈkæzəm] n Kluft f.

chassis [ˈʃæsɪ] n Chassis nt, Fahrgestell nt.

chaste [tʃeɪst] adj keusch; **chastity** [ˈtʃæstɪtɪ] n Keuschheit f.

chat [tʃæt] **1.** vi plaudern, sich [zwanglos] unterhalten; **2.** n Plauderei f; **chatter** [ˈtʃætə*] **1.** vi schwatzen; ⟨teeth⟩ klappern; **2.** n Geschwätz nt; **chatterbox** n Quasselstrippe f; **chatty** adj geschwätzig.

chauffeur [ˈʃəʊfə*] n Chauffeur(in) m(f), Fahrer(in) m(f).

chauvinist [ˈʃəʊvɪnɪst] **1.** adj chauvinistisch; **2.** n Chauvinist(in) m(f); ⟨male ~⟩ Chauvi m.

cheap [tʃiːp] adj billig; ⟨joke⟩ schlecht; ⟨of poor quality⟩ minderwertig; **cheapen** vr: ~ **oneself** sich entwürdigen; **cheaply** adv billig.

cheat [tʃiːt] **1.** vt, vi betrügen; ⟨SCH⟩ mogeln; **2.** n Betrüger(in) m(f); **cheating** n Betrug m.

check [tʃek] **1.** vt prüfen; ⟨look up, make sure⟩ nachsehen; ⟨control⟩ kontrollieren; ⟨restrain⟩ zügeln; ⟨stop⟩ anhalten; **2.** n ⟨examination, restraint⟩ Kontrolle f; ⟨US: restaurant bill⟩ Rechnung f; ⟨pattern⟩ Karo[muster] nt; ⟨US⟩ s. **cheque**; **check in** vt, vi ⟨AVIAT⟩ einchecken.

checkers [ˈtʃekəz] n sing ⟨US⟩ Damespiel nt.

check-in desk [ˈtʃekɪnˈdesk] n Abfertigungsschalter m; **checklist** n Kontrollliste f; **checkmate** n Schachmatt nt; **checkpoint** n Kontrollpunkt m; **checkroom** n ⟨US⟩ Gepäckaufbewahrung f; ⟨for clothes⟩ Garderobe f; **checkup** n [Nach]prüfung f; ⟨MED⟩ [ärztliche] Untersuchung f.

cheek [tʃiːk] n Backe f, Wange f; ⟨fig⟩ Frechheit f, Unverschämtheit f; **cheekbone** n Backenknochen m; **cheeky** adj frech.

cheer [tʃɪə*] **1.** n Beifallsruf m, Hochruf m; **2.** vt zujubeln +dat; ⟨encourage⟩ ermuntern, aufmuntern; **3.** vi jubeln; ~**s!** prost!; **cheer up 1.** vt ermuntern; **2.** vi fröhlicher werden; ~ **up!** Kopf hoch!

cheerful [ˈtʃɪəfʊl] adj fröhlich; **cheerfulness** n Fröhlichkeit f, Munterkeit f.

cheering [ˈtʃɪərɪŋ] **1.** n Applaus m; **2.** adj aufheiternd.

cheerio [tʃɪərɪˈəʊ] interj tschüs.

cheerless [ˈtʃɪəlɪs] adj ⟨prospect⟩ trostlos; ⟨person⟩ verdrießlich.

cheese [tʃiːz] n Käse m; **cheeseboard** n [gemischte] Käseplatte f; **cheesecake** n Käsekuchen m.

cheetah [ˈtʃiːtə] n Gepard m.

chef [ʃef] n Küchenchef(in) m(f); ⟨as profession⟩ Koch m, Köchin f.

chemical [ˈkemɪkəl] adj chemisch.

chemist [ˈkemɪst] n Apotheker(in) m(f), Drogist(in) m(f); ⟨industrial ~⟩ Chemiker(in) m(f); ~**'s [shop]** Apotheke f, Drogerie f; **chemistry** n Chemie f.

chemotherapy [kiːməʊˈθerəpɪ] n Chemotherapie f.

cheque [tʃek] n ⟨Brit⟩ Scheck m; **chequebook** n Scheckbuch nt; **cheque card** n Scheckkarte f.

chequered [ˈtʃekəd] adj ⟨fig⟩ bewegt.

cherish [ˈtʃerɪʃ] vt ⟨person⟩ liebevoll sorgen für; ⟨hope⟩ hegen; ⟨memory⟩ bewahren.

cheroot [ʃəˈruːt] n Zigarillo nt o m.

cherry [ˈtʃerɪ] n Kirsche f.

chervil [ˈtʃɜːvɪl] n Kerbel m.

chess [tʃes] n Schach nt; **chessboard** n Schachbrett nt; **chessman** n ⟨chessmen⟩ Schachfigur f; **chessplayer** n Schachspieler(in) m(f).

chest [tʃest] n Brust f, Brustkasten m; ⟨box⟩ Kiste f, Kasten m; **to get sth off one's** ~ seinem Herzen Luft machen; ~ **of drawers** Kommode f.

chestnut [ˈtʃesnʌt] n Kastanie f; ~ **[tree]** Kastanienbaum m.

chew [tʃuː] vt, vi kauen; **chewing gum** n Kaugummi m.

chic [ʃiːk] adj schick, elegant.

chicanery [ʃɪˈkeɪnərɪ] n Schikane f.

Chicano [tʃɪˈkeɪnəʊ] n ⟨-s⟩ ⟨US⟩ Einwanderer m, Einwanderin f aus Mexiko.

chick [tʃɪk] n Küken nt; ⟨US: girl⟩ Mädchen nt; **chicken** n Huhn nt; ⟨food: roast⟩ Hähnchen nt; **chickenpox** n Windpocken pl; **chickpea** n Kichererbse f.

chicory [ˈtʃɪkərɪ] n Chicorée f.

chief [tʃiːf] **1.** n [Ober]haupt nt; Anführer(in) m(f); ⟨COMM⟩ Chef(in) m(f); **2.** adj höchst, Haupt-; **chiefly** adv hauptsächlich.

chieftain [ˈtʃiːftən] n Häuptling m.

chilblain [ˈtʃɪlbleɪn] n Frostbeule f.

child [tʃaɪld] n ⟨children⟩ Kind nt; **child abuse** n Kindesmißhandlung f; **childbirth** n Entbindung f, Geburt f; **childhood** n Kindheit f; **childish** adj kindisch; **childlike** adj kindlich; **child minder** n Tagesmutter f; **child prodigy** n Wunderkind nt; **children** [ˈtʃɪldrən] pl of **child**; **child-resistant** adj kindersicher; ⟨toy⟩ bruchsicher; **child's play** n (fig) Kinderspiel nt.

Chile [ˈtʃɪlɪ] n Chile nt.

chill [tʃɪl] n Kühle f; (MED) Erkältung f.

chilli [ˈtʃɪlɪ] n Pepperoni m.

chilly [ˈtʃɪlɪ] adj kühl, frostig.

chime [tʃaɪm] **1.** n Glockenschlag m; vi ertönen, erklingen.

chimney [ˈtʃɪmnɪ] n Schornstein m, Kamin m; **chimneysweep** n Schornsteinfeger(in) m(f).

chimpanzee [tʃɪmpænˈziː] n Schimpanse m.

chin [tʃɪn] n Kinn nt.

china [ˈtʃaɪnə] n Porzellan nt.

China [ˈtʃaɪnə] n China nt; **Chinese** [tʃaɪˈniːz] **1.** adj chinesisch; **2.** n Chinese m, Chinesin f; **the** ~ pl die Chinesen pl.

chink [tʃɪŋk] n (opening) Ritze f, Spalt m; (noise) Klirren nt.

chip [tʃɪp] **1.** n (of wood etc) Splitter m; (COMPUT) Chip m, Baustein m; (US: crisp) [Kartoffel]chip m; **2.** vt absplittern; ~**s** (Brit: potato ~) Pommes frites pl; **chip in** vi Zwischenbemerkungen machen.

chiropodist [kɪˈrɒpədɪst] n Fußpfleger(in) m(f).

chirp [tʃɜːp] vi zwitschern.

chisel [ˈtʃɪzl] n Meißel m.

chit [tʃɪt] n Notizzettel m.

chitchat [ˈtʃɪttʃæt] n Geschwätz, Gerede nt.

chivalrous [ˈʃɪvəlrəs] adj ritterlich; **chivalry** [ˈʃɪvəlrɪ] n Ritterlichkeit f.

chives [tʃaɪvz] n pl Schnittlauch m.

chloride [ˈklɔːraɪd] n Chlorid nt.

chlorine [ˈklɔːriːn] n Chlor nt.

chlorofluorocarbon [klɔːrəʊfluərəˈkɑːbən] n Fluorchlorkohlenwasserstoff m.

chock [tʃɒk] n Keil m; **chock-a-block** adj (fam) vollgepfropft.

chocolate [ˈtʃɒklɪt] n Schokolade f.

choice [tʃɔɪs] **1.** n Wahl f; (of goods) Auswahl f; **2.** adj auserlesen, Qualitäts-.

choir [ˈkwaɪə*] n Chor m; **choirboy** n Chorknabe m.

choke [tʃəʊk] **1.** vi ersticken; **2.** vt erdrosseln; (block) [ab]drosseln; **3.** n (AUTO) Starterklappe f, Choke m.

cholera [ˈkɒlərə] n Cholera f.

cholesterol [kəˈlestərəl] n Cholesterin nt.

choose [tʃuːz] ⟨chose, chosen⟩ vt wählen; (decide) beschließen.

chop [tʃɒp] **1.** vt [zer]hacken; (wood) spalten; **2.** vi: to ~ **and change** es sich dat ständig anders überlegen; **3.** n Hieb m; (meat) Kotelett nt; **choppy** adj (sea) bewegt; **chopsticks** n pl [Eß]stäbchen pl.

choral [ˈkɔːrəl] adj Chor-.

chord [kɔːd] n Akkord m; (string) Saite f.

chore [tʃɔː*] n [lästige] Pflicht f; ~**s** pl Hausarbeit f.

choreographer [kɒrɪˈɒɡrəfə*] n Choreograph(in) m(f).

chorister [ˈkɒrɪstə*] n Chorsänger(in) m(f).

chortle [ˈtʃɔːtl] vi glucksen, tief lachen.

chorus [ˈkɔːrəs] n Chor m; (in song) Refrain m.

chose [tʃəʊz] pt of **choose**; **chosen** [ˈtʃəʊzn] pp of **choose**.

chow [tʃaʊ] n (dog) Chow-Chow m.

Christ [kraɪst] n Christus m.

christen [ˈkrɪsn] vt taufen; **christening** n Taufe f.

Christian [ˈkrɪstɪən] **1.** adj christlich; **2.** n Christ(in) m(f); **Christianity** [krɪstɪˈænɪtɪ] n Christentum nt; **Christian name** n Vorname m.

Christmas [ˈkrɪsməs] n Weihnachten pl; **Christmas card** n Weihnachtskarte f; **Christmas Day** n erster Weihnachts[feier]tag; **Christmas tree** n Weihnachtsbaum m.

chrome [krəʊm] n s. **chromium plating**.

chromium [ˈkrəʊmɪəm] n Chrom nt; **chromium plating** n Verchromung f.

chromosome [ˈkrəʊməsəʊm] n Chromosom nt.

chronic [ˈkrɒnɪk] adj (MED) chronisch; (terrible) scheußlich.

chronicle [ˈkrɒnɪkl] n Chronik f.

chronological [krɒnəˈlɒdʒɪkəl] adj chronologisch.

chrysalis [ˈkrɪsəlɪs] n [Insekten]puppe f.

chrysanthemum [krɪˈsænθɪməm] n Chrysantheme f.

chubby [ˈtʃʌbɪ] adj (child) pausbäckig; (adult) rundlich.

chuck [tʃʌk] **1.** vt werfen; **2.** n (TECH) Spannvorrichtung f.

chuckle [ˈtʃʌkl] vi in sich hinein lachen.

chum [tʃʌm] n (child) Spielkamerad(in) m(f); (adult) Kumpel m.

chunk [tʃʌŋk] n Klumpen m; (of food) Brokken m.

Chunnel [ˈtʃʌnəl] n (fam) s. **Channel Tunnel**.

church [tʃɜːtʃ] n Kirche f; (clergy) Geistlichkeit f; **churchyard** n Kirchhof m.

churlish [ˈtʃɜːlɪʃ] adj grob.

churn [tʃɜːn] n Butterfaß nt; (for transport) [große] Milchkanne f; **churn out** vt (fam) produzieren.

chute [ʃuːt] n Rutsche f.

CIA n abbr of **Central Intelligence Agency** CIA f.

cicada [sɪˈkɑːdə] n Zikade f.

CID n abbr of **Criminal Investigation Department** Kripo f.

cider [ˈsaɪdə*] n Apfelwein m.

cigar [sɪˈɡɑː*] n Zigarre f.

cigarette [sɪɡəˈret] n Zigarette f; **to have a**

~ eine Zigarette rauchen; **cigarette case** n Zigarettenetui nt; **cigarette end** n Zigarettenstummel m; **cigarette holder** n Zigarettenspitze f.

Cinderella [sɪndəˈrelə] n Aschenbrödel nt.

cine-camera [ˈsɪnɪˈkæmərə] n Filmkamera f; **cine film** n Schmalfilm m; **cinema** [ˈsɪnəmə] n Kino nt; **cine-projector** n Filmvorführapparat m.

cinnamon [ˈsɪnəmən] n Zimt m.

cipher [ˈsaɪfə*] n (code) Chiffre f; (numeral) Ziffer f.

circle [ˈsɜːkl] **1.** n Kreis m; **2.** vi kreisen; **3.** vt umkreisen; (attacking) umzingeln.

circuit [ˈsɜːkɪt] n Umlauf m; (ELEC) Stromkreis m.

circuitous [sɜːˈkjuːɪtəs] adj weitschweifig.

circular [ˈsɜːkjʊlə*] **1.** adj [kreis]rund, kreisförmig; **2.** n Rundschreiben nt.

circularize [ˈsɜːkjʊləraɪz] vt (inform) benachrichtigen; (letter) herumschicken.

circulate [ˈsɜːkjʊleɪt] **1.** vi zirkulieren; **2.** vt in Umlauf setzen.

circulation [sɜːkjʊˈleɪʃən] n (of blood) Kreislauf m; (of newspaper) Auflage f; (of money) Umlauf m.

circumcise [ˈsɜːkəmsaɪz] vt beschneiden.

circumference [səˈkʌmfərəns] n [Kreis-]umfang m.

circumspect [ˈsɜːkəmspekt] adj umsichtig.

circumstances [ˈsɜːkəmstənsəz] n pl (facts connected with sth) Umstände pl; (financial condition) Verhältnisse pl.

circumvent [sɜːkəmˈvent] vt umgehen.

circus [ˈsɜːkəs] n Zirkus m.

CIS n abbr of **Commonwealth of Independant States** GUS pl.

cissy [ˈsɪsɪ] n (fam) Weichling m.

cistern [ˈsɪstən] n Zisterne f; (of W.C.) Spülkasten m.

citation [saɪˈteɪʃən] n Zitat nt; **cite** [saɪt] vt zitieren.

citizen [ˈsɪtɪzn] n Bürger(in) m(f); (of nation) Staatsangehörige(r) mf; **citizenship** n Staatsangehörigkeit f.

citrus [ˈsɪtrəs] adj: ~ **fruit** Zitrusfrucht f.

city [ˈsɪtɪ] n [große, bedeutende] Stadt f; (centre) Zentrum nt, City f; **city hall** n Rathaus nt.

civic [ˈsɪvɪk] adj städtisch, Bürger-.

civil [ˈsɪvɪl] adj (of town) Bürger-; (of state) staatsbürgerlich; (not military) zivil; (polite) höflich; **civil defence** n Zivilschutz m; **civil engineer** n Bauingenieur(in) m(f); **civil engineering** n Hoch- und Tiefbau m.

civilian [sɪˈvɪlɪən] **1.** n Zivilperson f; **2.** adj zivil, Zivil-; ~ **support group** (MIL) Zivildienstbeschäftigte pl.

civilization [sɪvɪlaɪˈzeɪʃən] n Zivilisation f,

Kultur f.

civilized [ˈsɪvɪlaɪzd] adj zivilisiert; Kultur-.

civil law n bürgerliches Recht, Zivilrecht nt; **civil rights** n pl Bürgerrechte pl; **civil servant** n [Staats]beamte(r) m, [Staats]beamtin f; **civil service** n Staatsdienst m; **civil war** n Bürgerkrieg m.

clad [klæd] adj gekleidet; ~ **in** gehüllt in +akk.

claim [kleɪm] **1.** vt beanspruchen; (have opinion) behaupten; **2.** n (demand) Forderung f; (right) Anspruch m; (assertion) Behauptung f; **claimant** n Antragsteller(in) m(f).

clairvoyant [kleəˈvɔɪənt] **1.** n Hellseher(in) m(f); **2.** adj hellseherisch.

clam [klæm] n Venusmuschel f.

clamber [ˈklæmbə*] vi klettern; (fam) kraxeln.

clammy [ˈklæmɪ] adj feucht, klamm.

clamorous [ˈklæmərəs] adj lärmend, laut.

clamp [klæmp] **1.** n Schraubzwinge f; **2.** vt einspannen.

clan [klæn] n Sippe f, Clan m.

clang [klæŋ] **1.** n Klang m; (metallic) Scheppern nt; **2.** vi klingen; scheppern.

clap [klæp] **1.** vi klatschen; **2.** vt Beifall klatschen +dat.

clapped-out [ˈklæptaʊt] adj (fam) ausgebufft.

clapping [ˈklæpɪŋ] n [Beifall]klatschen nt.

claret [ˈklærɪt] n roter Bordeaux[wein].

clarification [klærɪfɪˈkeɪʃən] n Erklärung f, **clarify** [ˈklærɪfaɪ] vt klären, erklären.

clarinet [klærɪˈnet] n Klarinette f.

clarity [ˈklærɪtɪ] n Klarheit f.

clash [klæʃ] **1.** n (fig) Konflikt m, Widerstreit m; (sound) Knall m; **2.** vi zusammenprallen; (colours) sich beißen; (argue) sich streiten.

clasp [klɑːsp] **1.** n Klammer f, Haken m; (on belt) Schnalle f; (with hand) Griff m; **2.** vt umklammern.

class [klɑːs] **1.** n Klasse f; **2.** vt einordnen, einstufen; **class-conscious** adj klassenbewußt.

classic [ˈklæsɪk] **1.** n Klassiker(in) m(f); **2.** adj (traditional) klassisch; **classical** adj klassisch.

classification [klæsɪfɪˈkeɪʃən] n Klassifizierung f, Einteilung f; **classify** [ˈklæsɪfaɪ] vt klassifizieren, einteilen.

classroom [ˈklɑːsrʊm] n Klassenzimmer nt.

classy [ˈklɑːsɪ] adj (fam) nobel, exclusiv.

clatter [ˈklætə*] **1.** n Klappern nt, Rasseln nt; (of feet) Getrappel nt; **2.** vi klappern, rasseln; (feet) trappeln.

clause [klɔːz] n (JUR) Klausel f; (LING) Satz[teil] m, Satzglied nt.

claustrophobia [klɒstrəˈfəʊbɪə] n Platz-

angst f, Klaustrophobie f.
claw [klɔ:] **1.** n Kralle f; **2.** vt [zer]kratzen.
clay [kleɪ] n Lehm m; (for pots) Ton m.
clean [kli:n] **1.** adj sauber; (fig) schuldlos; (shape) ebenmäßig; (cut) glatt; **2.** vt sauber-machen, reinigen, putzen; **clean out** vt gründlich putzen; **clean up** vt aufräumen; **cleaner** n (person) Putzfrau f, Putzmann m; (for grease etc) Putzmittel nt; **cleaners** n pl chemische Reinigung f; **cleaning** n Reinigen nt, Säubern nt; **cleanliness** ['klenlɪnɪs] n Sauberkeit f, Reinlichkeit f; **cleanse** [klenz] vt reinigen; **clean-shaven** adj glattrasiert; **cleansing cream** n Reinigungscreme f; **clean-up** n Reinigung f.
clear [klɪə*] **1.** adj (water) klar; (glass) durchsichtig; (sound) deutlich, klar, hell; (meaning) genau, klar; (certain) klar, sicher; (road) frei; **2.** vt (pipe etc) reinigen; (road etc) räumen; (COMPUT: screen) löschen; (conscience) erleichtern; (table) ab-räumen; (from guilt) freisprechen; (clean) reinigen; (check) abfertigen; (ask) abklä-ren; **3.** vi (weather) aufklaren; (mist) sich auflösen; **clear up 1.** vi (weather) sich auf-klären; **2.** vt reinigen, säubern; (solve) auf-klären; **clearance** ['klɪərəns] n (removal) Räumung f; (free space) Lichtung f; (per-mission) Freigabe f; **clear-cut** adj scharf umrissen; (case) eindeutig; **clearing** n Lichtung f; **clearly** adv klar, deutlich, zweifellos; **clearway** n (Brit) [Straße f mit] Halteverbot nt.
clef [klef] n Notenschlüssel m.
clench [klentʃ] vt (teeth) zusammenbeißen; (fist) ballen.
clergy ['klɜ:dʒɪ] n Geistliche pl; **clergy-man** ⟨clergymen⟩ Geistliche(r) m.
clerical ['klerɪkəl] adj (office) Schreib-, Büro-; (REL) geistlich, Pfarr[er]-; ~ **error** Ver-sehen nt; (in figures, wording) Schreibfeh-ler m.
clerk [klɑ:k, klɜ:k US] n (in office) Büroange-stellte(r) mf; (US: salesperson) Verkäu-fer(in) m(f).
clever adj, **cleverly** adv ['klevə*, -əlɪ] schlau, klug; (skilful) geschickt.
cliché ['kli:ʃeɪ] n Klischee nt.
click [klɪk] **1.** vi klicken; **2.** n Klicken nt; (of door) Zuklinken nt.
client ['klaɪənt] n Kunde m, Kundin f; **clientele** [kli:ɑ̃:n'tel] n Kundschaft f.
cliff [klɪf] n Klippe f.
climate ['klaɪmɪt] n Klima nt; **climatic** [klaɪ'mætɪk] adj klimatisch.
climax ['klaɪmæks] n Höhepunkt m.
climb [klaɪm] **1.** vt besteigen, klettern auf +akk; **2.** vi steigen, klettern; **3.** n Aufstieg m; **climber** n Bergsteiger(in) m(f), Klette-

rer m, Klett[e]rerin f; (fig) Aufsteiger(in) m(f); **climbing** n Bergsteigen nt, Klettern nt.
clinch [klɪntʃ] **1.** vt (decide) entscheiden; (deal) festmachen; **2.** n (boxing) Clinch m.
cling [klɪŋ] ⟨clung, clung⟩ vi anhaften, an-hängen; **cling film** n Frischhaltefolie f.
clinic ['klɪnɪk] n Klinik f; **clinical** adj kli-nisch.
clink [klɪŋk] **1.** n (of coins) Klimpern nt; (of glasses) Klirren nt; (fam: prison) Knast m; **2.** vi klimpern; **3.** vt klimpern mit; (glasses) anstoßen mit.
clip [klɪp] **1.** n Spange f; **2.** vt (papers) heften; (hair, hedge) stutzen; **paper** ~ [Büro]klam-mer f.
clippers ['klɪpəz] n pl (for hedge) Hecken-schere f; (for hair) Haarschneidemaschine f.
clique [kli:k] n Clique f, Gruppe f.
cloak [kləʊk] n loser Mantel, Umhang m; **cloakroom** n (for coats) Garderobe f; (Brit: W.C.) Toilette f.
clobber ['klɒbə*] **1.** n (fam) Klamotten pl; **2.** vt schlagen.
clock [klɒk] n Uhr f; **clockwise** adv im Uhrzeigersinn; **clockwork** n Uhrwerk nt; **like** ~ wie am Schnürchen.
clog [klɒg] **1.** n Holzschuh m; **2.** vt verstop-fen.
cloister ['klɔɪstə*] n Kreuzgang m; (mon-astery) Kloster nt.
cloning ['kləʊnɪŋ] n Klonen nt.
close [kləʊs] **1.** adj nahe[gelegen]; (march) geschlossen; (thorough) genau, gründlich; (weather) schwül; **2.** adv knapp; **3.** [kləʊz] vt schließen, abschließen; **4.** vi sich schlie-ßen; (shop, window) schließen; **5.** n (end) Ende nt, Schluß m; ~ **to** in der Nähe +gen; **I had a** ~ **shave** das war knapp; **close down 1.** vt (shop) dichtmachen, schließen; **2.** vi schließen; **closed** adj (road) gesperrt; (shop etc) geschlossen; ~ **shop** Gewerk-schaftszwang m; **closely** adv eng, dicht; (attentively) genau.
closet ['klɒzɪt] n Abstellraum m, Schrank m.
close-up ['kləʊsʌp] n Nahaufnahme f.
closure ['kləʊʒə*] n Schließung f.
clot [klɒt] **1.** n Klumpen m; (of blood) Blut-gerinnsel nt; (fool) Trottel m; **2.** vi gerin-nen.
cloth [klɒθ] n (material) Stoff m, Tuch nt; (for cleaning) Lappen m, Tuch nt.
clothe [kləʊð] vt kleiden, bekleiden; **clo-thes** n pl Kleider pl, Kleidung f; **clothes brush** n Kleiderbürste f; **clothes line** n Wäscheleine f; **clothes peg** n Wäsche-klammer f.
clothing ['kləʊðɪŋ] n Kleidung f.
cloud [klaʊd] n Wolke f; **cloudburst** n

Wolkenbruch m; **cloudy** adj bewölkt.
clout [klaʊt] **1.** n (fam) Schlag m; **2.** vt hauen.
clove [kləʊv] n Gewürznelke f; ~ **of garlic** Knoblauchzehe f.
clover [ˈkləʊvə*] n Klee m; **cloverleaf** n ⟨cloverleaves⟩ Kleeblatt nt.
clown [klaʊn] **1.** n Clown m, Hanswurst m; **2.** vi herumkaspern, sich albern benehmen.
cloy [klɔɪ] vi: **it** ~**s** es übersättigt einen.
club [klʌb] **1.** n (society) Klub m; (golf ~) Golfschläger m; (CARDS) Kreuz nt; **2.** vt prügeln; **club together** vi (with money) zusammenlegen; **clubhouse** n Klubhaus nt.
cluck [klʌk] vi glucken.
clue [kluː] n Anhaltspunkt m, Spur f; **he hasn't a** ~ er hat keine Ahnung.
clumsy [ˈklʌmzɪ] adj (person) unbeholfen, ungelenk; (object, shape) unförmig.
clung [klʌŋ] pt, pp of **cling**.
cluster [ˈklʌstə*] n Traube f; (of trees etc) Gruppe f; **cluster round** vi sich scharen um.
clutch [klʌtʃ] **1.** n fester Griff; (AUTO) Kupplung f; **2.** vt umklammern; (book) an sich klammern.
clutter [ˈklʌtə*] **1.** vt vollstopfen; (desk etc) übersäen; **2.** n Unordnung f.
cm n abbr of **centimetre[s]** cm.
CND n abbr of **Campaign for Nuclear Disarmament**.
c/o abbr of **care of** bei.
coach [kəʊtʃ] **1.** n Reisebus m; (RAIL) [Personen]wagen m; (trainer) Trainer(in) m(f); **2.** vt (SCH) Nachhilfeunterricht geben +dat; (SPORT) trainieren.
coagulate [kəʊˈægjʊleɪt] vi gerinnen.
coal [kəʊl] n Kohle f; ~ **power station** Kohlekraftwerk nt.
coalesce [kəʊəˈles] vi sich verbinden.
coal face [ˈkəʊlfeɪs] n [Abbau]sohle f, Streb m; **at the** ~ vor Ort; **coalfield** n Kohlengebiet nt.
coalition [kəʊəˈlɪʃən] n Zusammenschluß m; (POL) Koalition f.
coalmine [ˈkəʊlmaɪn] n Kohlenbergwerk nt; **coalminer** n Bergarbeiter m.
coarse [kɔːs] adj grob; (fig) ordinär.
coast [kəʊst] n Küste f; **coastal** adj Küsten-; **coastguard** n Küstenwache f; **coastline** n Küste f.
coat [kəʊt] **1.** n Mantel m; (on animals) Fell nt, Pelz m; (of paint) Schicht f; **2.** vt überstreichen; (cover) bedecken; ~ **of arms** Wappen nt; **coathanger** n Kleiderbügel m; **coating** n Schicht f, Überzug m; (of paint) Schicht f.
coax [kəʊks] vt beschwatzen.
cobble[stone]s [ˈkɒbl[stəʊn]z] n pl Pfla-

stersteine pl.
cobra [ˈkəʊbrə] n Kobra f.
cobweb [ˈkɒbweb] n Spinnennetz nt.
cocaine [kəˈkeɪn] n Kokain nt.
cock [kɒk] **1.** n Hahn m; (fam!: penis) Schwanz m; **2.** vt (ears) spitzen; (gun) den Hahn +gen spannen; **cockerel** n junger Hahn; **cock-eyed** adj (fig) verrückt.
cockle [ˈkɒkl] n Herzmuschel f.
cockney [ˈkɒknɪ] n (dialect) Cockney nt; (person) Cockney m.
cockpit [ˈkɒkpɪt] n (AVIAT) Pilotenkanzel f.
cockroach [ˈkɒkrəʊtʃ] n Küchenschabe f.
cocktail [ˈkɒkteɪl] n Cocktail m; **cocktail party** n Cocktailparty f; **cocktail shaker** n Mixbecher m.
cocoa [ˈkəʊkəʊ] n Kakao m.
coconut [ˈkəʊkənʌt] n Kokosnuß f.
cocoon [kəˈkuːn] n Kokon m.
cod [kɒd] n Kabeljau m.
COD abbr of **cash on delivery** per Nachnahme.
code [kəʊd] n Kode m; (JUR) Kodex m; **in** ~ verschlüsselt.
codeine [ˈkəʊdiːn] n Kodein nt.
codify [ˈkəʊdɪfaɪ] vt (message) verschlüsseln; (JUR) kodifizieren.
coed [kəʊˈed] n (Brit) gemischte Schule; (US) Schülerin f einer gemischten Schule; **coeducational** [kəʊedjʊˈkeɪʃənl] adj koedukativ, gemischt.
coerce [kəʊˈɜːs] vt nötigen, zwingen; **coercion** [kəʊˈɜːʃən] n Zwang m, Nötigung f.
coexistence [kəʊɪgˈzɪstəns] n Koexistenz f.
coffee [ˈkɒfɪ] n Kaffee m; **coffee bar** n Café m; **coffee break** n Kaffeepause f; **coffee machine** n Kaffeemaschine f.
coffin [ˈkɒfɪn] n Sarg m.
cog [kɒg] n (TECH) [Rad]zahn m.
cogent [ˈkəʊdʒənt] adj stichhaltig.
cognac [ˈkɒnjæk] n Kognak m.
coherence [kəʊˈhɪərəns] n Zusammenhang m; f.
coherent [kəʊˈhɪərnt] adj zusammenhängend, einheitlich.
coil [kɔɪl] **1.** n Rolle f; (ELEC) Spule f; (MED) Spirale f; **2.** vt aufrollen, aufwickeln.
coin [kɔɪn] **1.** n Münze f; ~**-box telephone** Münzfernsprecher m; **2.** vt prägen; **coinage** [ˈkɔɪnɪdʒ] n (word) Prägung f.
coincide [kəʊɪnˈsaɪd] vi (happen together) zusammenfallen; (agree) übereinstimmen; **coincidence** [kəʊˈɪnsɪdəns] n Zufall m; **by a strange** ~ merkwürdigerweise; **coincidental** [kəʊɪnsɪˈdentl] adj zufällig.
coke [kəʊk] n Koks m.
Coke [kəʊk] n Cola f.
colander [ˈkɒləndə*] n Seiher m.
cold [kəʊld] **1.** adj kalt; **2.** n Kälte f; (illness)

Erkältung f; **I'm** ~ mir ist kalt, ich friere; **to have** ~ **feet** (fig) kalte Füße haben, Angst haben; **to give sb the** ~ **shoulder** jdm die kalte Schulter zeigen; **cold box** n Kühlbox f; **coldly** adv kalt; (fig) gefühllos; **cold sore** n Herpes m; **cold start** n (COMPUT) Kaltstart m; **cold turkey** n (US fam) Totalentzug m; (symptoms) Entzugserscheinungen pl.

coleslaw ['kəʊlslɔ:] n Krautsalat m.

colic ['kɒlɪk] n Kolik f.

collaborate [kə'læbəreɪt] vi zusammenarbeiten; **collaboration** [kəlæbə'reɪʃən] n Zusammenarbeit f; (POL) Kollaboration f; **collaborator** [kə'læbəreɪtə*] n Mitarbeiter(in) m(f); (POL) Kollaborateur(in) m(f).

collapse [kə'læps] **1.** (building) zusammenbrechen; (things) einstürzen; **2.** n Zusammenbruch m, Einsturz m.

collapsible [kə'læpsəbl] adj zusammenklappbar, Klapp-.

collar ['kɒlə*] n Kragen m; **collarbone** n Schlüsselbein nt.

collate [kə'leɪt] vt zusammenstellen und vergleichen.

colleague ['kɒli:g] n Kollege m, Kollegin f.

collect [kə'lekt] **1.** vt sammeln; (fetch) abholen; **2.** vi sich sammeln; **collect call** n (US) R-Gespräch nt; **collected** adj gefaßt; **collection** [kə'lekʃən] n Sammlung f; (REL) Kollekte f; **collective** adj gemeinsam; (POL) kollektiv; **collector** n Sammler(in) m(f); (of cash) Kassierer(in) m(f); (tax ~) Finanzbeamte(r) m, -beamtin f.

college ['kɒlɪdʒ] n (SCH) College nt; (TECH) Fachschule f, Berufsschule f.

collide [kə'laɪd] vi zusammenstoßen; (interests) kollidieren, im Widerspruch stehen (with zu).

collie ['kɒlɪ] n Collie m.

colliery ['kɒlɪərɪ] n [Kohlen]grube nt, Zeche f.

collision [kə'lɪʒən] n Zusammenstoß m; (of opinions) Konflikt m.

colloquial [kə'ləʊkwɪəl] adj umgangssprachlich.

collusion [kə'lu:ʒən] n geheime Absprache.

Cologne [kə'ləʊn] n Köln nt.

colon ['kəʊlɒn] n Doppelpunkt m.

colonel ['kɜ:nl] n Oberst m.

colonial [kə'ləʊnɪəl] adj Kolonial-.

colonize ['kɒlənaɪz] vt kolonisieren.

colonnade [kɒlə'neɪd] n Säulengang m.

colony ['kɒlənɪ] n Kolonie f.

color ['kʌlə*] n (US) s. **colour**.

Colorado beetle [kɒlə'rɑ:dəʊ'bi:tl] n Kartoffelkäfer m.

colossal [kə'lɒsl] adj kolossal, riesig.

colour ['kʌlə*] **1.** n Farbe f; **2.** vt (fig) fär-

ben; **3.** vi sich verfärben; **to be off** ~ sich nicht wohl fühlen; ~**s** pl Fahne f; **colour bar** n Rassenschranke f; **colour-blind** adj farbenblind; **coloured** adj farbig; ~ **man/woman** Farbige(r) mf; **colour film** n Farbfilm m; **colourful** adj bunt; **colour scheme** n Farbgebung f; **colour television** n Farbfernsehen nt.

colt [kəʊlt] n Fohlen nt.

column ['kɒləm] n Säule f; (MIL) Kolonne f; (of print) Spalte f; **columnist** ['kɒləmnɪst] n Kolumnist(in) m(f).

coma ['kəʊmə] n Koma nt.

comb [kəʊm] **1.** n Kamm m; **2.** vt kämmen; (search) durchkämmen.

combat ['kɒmbæt] **1.** n Kampf m; **2.** vt bekämpfen.

combination [kɒmbɪ'neɪʃən] n Verbindung f, Kombination f.

combine [kəm'baɪn] **1.** vt verbinden; **2.** vi sich vereinigen, sich zusammenschließen; **3.** ['kɒmbaɪn] n (COMM) Konzern m, Verband m; **combine harvester** ['kɒmbaɪn'hɑ:vɪstə*] n Mähdrescher m.

combustible [kəm'bʌstɪbl] adj brennbar, leicht entzündlich.

combustion [kəm'bʌstʃən] n Verbrennung f.

come [kʌm] (came, come) vi kommen; (reach) ankommen, gelangen; **come about** vi geschehen; **come across** vt (find) stoßen auf +akk; **come away** vi (person) weggehen; (handle etc) abgehen; **come by 1.** vi vorbeikommen; **2.** vt (find) kommen zu; **come down** vi (price) fallen; **come forward** vi (volunteer) sich melden; **come from** vi (result) kommen von; **where do you** ~ ~? wo kommen Sie her?; ~ ~ **London** ich komme aus London; **come in for** vi abkriegen; **come into** vt eintreten in +akk; (inherit) erben; **come of** vi: **what came** ~ **it?** was ist daraus geworden?; **come off** vi (handle) abgehen; (happen) stattfinden; (succeed) klappen; ~ ~ **it!** laß den Quatsch!; **come on** vi (progress) vorankommen; **how's the book coming** ~? was macht das Buch?; ~ ~! komm!; (hurry) beeil dich!; (encouraging) los!; **come out** vi herauskommen; **come out with** vt herausrücken mit; **come round** vi (visit) vorbeikommen; (MED) wieder zu sich kommen; **come to** vi (MED) wieder zu sich kommen; (bill) sich belaufen auf +akk; **come up** vi hochkommen; (problem) auftauchen; **to** ~ ~ **with sth** jdm dat etw einfallen lassen; **come upon** vt stoßen auf +akk; **come up to** vi (approach) zukommen auf +akk; (water) reichen bis; (expectation) entsprechen +dat; **comeback** n Wiederauftreten nt;

(of famous person) Comeback nt.

comedian [kəˈmiːdɪən] n Komiker(in) m(f).

comedown [ˈkʌmdaʊn] n Abstieg m.

comedy [ˈkɒmədɪ] n Komödie f.

come-on [ˈkʌmɒn] n: to give sb the ~ jdn anmachen.

comet [ˈkɒmɪt] n Komet m.

comfort [ˈkʌmfət] 1. n Bequemlichkeit f; *(of body)* Behaglichkeit f; *(of mind)* Trost m; 2. vt trösten; ~s pl Annehmlichkeiten pl; **comfortable** adj bequem, gemütlich.

comic [ˈkɒmɪk] 1. n Comic[heft] nt; *(comedian)* Komiker(in) m(f); 2. adj *(also:* **comical**) komisch, humoristisch.

coming [ˈkʌmɪŋ] n Kommen nt.

comma [ˈkɒmə] n Komma f.

command [kəˈmɑːnd] 1. n Befehl m; *(control)* Führung f; *(MIL)* Kommando nt, [Ober]befehl m; 2. vt befehlen +dat; *(MIL)* kommandieren, befehlen +dat; *(be able to get)* verfügen über +akk; 3. vi befehlen; **commander** n Befehlshaber(in) m(f), Kommandant(in) m(f); **commanding officer** n Kommandeur(in) m(f); **commandment** n *(esp Bible)* Gebot nt; **commando** n ⟨-s⟩ [Mitglied nt einer] Kommandotruppe f.

commemorate [kəˈmeməreɪt] vt gedenken +gen; **commemoration** [kəmeməˈreɪʃən] n: in ~ of zum Gedenken an +akk; **commemorative** [kəˈmemərətɪv] adj Gedenk-.

commence [kəˈmens] vt, vi beginnen; **commencement** n Beginn m.

commend [kəˈmend] vt *(recommend)* empfehlen; *(praise)* loben; **commendable** adj empfehlenswert, lobenswert; **commendation** [kɒmenˈdeɪʃən] n Empfehlung f; *(SCH)* Lob nt.

comment [ˈkɒment] 1. n *(remark)* Bemerkung f; *(note)* Anmerkung f; *(opinion)* Stellungnahme f; 2. vi etwas sagen *(on zu)*, sich äußern *(on zu)*; **commentary** [ˈkɒmentrɪ] n Kommentar m; *(explanations)* Erläuterungen pl; **commentator** [ˈkɒmenteɪtə*] n Kommentator(in) m(f).

commerce [ˈkɒmɜːs] n Handel m; **commercial** [kəˈmɜːʃəl] 1. adj kommerziell, geschäftlich; *(training)* kaufmännisch; 2. n *(TV)* Werbespot m; ~ **television** Werbefernsehen nt; ~ **vehicle** Lieferwagen m; **commercialize** vt kommerzialisieren.

commiserate [kəˈmɪzəreɪt] vi mitfühlen *(with mit)*.

commission [kəˈmɪʃən] 1. n Auftrag m; *(fee)* Provision f; *(reporting body)* Kommission f; 2. vt bevollmächtigen, beauftragen; **out of** ~ außer Betrieb.

commissionaire [kəmɪʃəˈnɛə*] n Portier

m.

commissioner [kəˈmɪʃənə*] n [Regierungs]bevollmächtigte(r) mf.

commit [kəˈmɪt] 1. vt *(crime)* begehen; *(entrust)* übergeben, anvertrauen; 2. vr: ~ **oneself** *(undertake)* sich verpflichten; **I don't want to ~ myself** ich will mich nicht festlegen; **commitment** n Verpflichtung f.

committee [kəˈmɪtɪ] n Ausschuß m, Komitee nt.

commodity [kəˈmɒdɪtɪ] n Ware f, [Handels]artikel m, Gebrauchsartikel m.

common [ˈkɒmən] 1. adj *(cause)* gemeinsam; *(public)* öffentlich, allgemein; *(experience)* allgemein, alltäglich; *(pej)* gewöhnlich; *(widespread)* üblich, häufig, gewöhnlich; 2. n Gemeindeland nt; *(park)* öffentliche Anlage; **Common Market** Gemeinsamer Markt; **commonly** adv im allgemeinen, gewöhnlich; **commonplace** 1. adj alltäglich; *(remark)* banal; 2. n Gemeinplatz m; ~ **ground** *(fig)* gemeinsame Basis; **commonroom** n Gemeinschaftsraum m; **commonsense** n gesunder Menschenverstand; **Commonwealth** n Commonwealth nt.

commotion [kəˈməʊʃən] n Aufsehen nt, Unruhe f.

communal [ˈkɒmjʊnl] adj Gemeinde-, Gemeinschafts-.

commune [ˈkɒmjuːn] n Kommune f.

communicate [kəˈmjuːnɪkeɪt] 1. vt *(transmit)* übertragen; 2. vi *(be in touch)* in Verbindung stehen; *(make oneself understood)* sich verständlich machen; **communication** [kɒmjuːnɪˈkeɪʃən] n *(message)* Mitteilung f; *(RADIO, TV)* Kommunikationsmittel nt; *(making understood)* Kommunikation f; ~s pl *(transport etc)* Verkehrswege pl; **communication cord** n Notbremse f; **communications satellite** n Kommunikationssatellit m, Nachrichtensatellit m.

communion [kəˈmjuːnɪən] n *(group)* Gemeinschaft f; *(REL)* Religionsgemeinschaft f; *[Holy]* **Communion** Heiliges Abendmahl; *(Catholic)* Kommunion f.

communiqué [kəˈmjuːnɪkeɪ] n Kommuniqué nt, amtliche Verlautbarung.

communism [ˈkɒmjʊnɪzəm] n Kommunismus m; **communist** [ˈkɒmjʊnɪst] 1. n Kommunist(in) m(f); 2. adj kommunistisch.

community [kəˈmjuːnɪtɪ] n Gemeinschaft f; *(public)* Gemeinwesen nt; **community centre** n Gemeindezentrum nt; **community chest** n *(US)* Wohltätigkeitsfonds m.

commutation ticket [kɒmjʊˈteɪʃəntɪkɪt] n *(US)* Zeitkarte f.

commute [kəˈmjuːt] vi pendeln; **commuter** n Pendler(in) m(f).

compact [kəmˈpækt] **1.** adj kompakt, fest, dicht; **2.** [ˈkɒmpækt] n Pakt m, Vertrag m; (for make-up) Puderdose f; **compact camera** n Kompaktkamera f; **compact disc** n Compact Disc f, CD f.

companion [kəmˈpænɪən] n Begleiter(in) m(f); **companionship** n Gesellschaft f.

company [ˈkʌmpənɪ] n Gesellschaft f; (COMM A.) Firma f; (MIL) Kompanie f; **to keep sb ~** jdm Gesellschaft leisten.

comparable [ˈkɒmpərəbl] adj vergleichbar.

comparative [kəmˈpærətɪv] **1.** adj (relative) verhältnismäßig, relativ; (LING) steigernd; **2.** n (LING) Komparativ m, erste Steigerungsstufe; **comparatively** adv verhältnismäßig.

compare [kəmˈpɛə*] **1.** vt vergleichen (with, to mit); **2.** vi sich vergleichen lassen; **comparison** [kəmˈpærɪsn] n Vergleich m; (object) Vergleichsgegenstand m; **in ~ with** im Vergleich mit [o zu].

compartment [kəmˈpɑːtmənt] n (RAIL) Abteil nt; (in drawer etc) Fach nt.

compass [ˈkʌmpəs] n Kompaß m; **~es** pl Zirkel m.

compassion [kəmˈpæʃən] n Mitleid nt; **compassionate** adj mitfühlend.

compatible [kəmˈpætɪbl] adj vereinbar, im Einklang; (COMPUT) kompatibel; **environmentally ~** umweltverträglich; **we're not ~** wir passen nicht zueinander.

compel [kəmˈpel] vt zwingen; **compelling** adj (argument) zwingend.

compendium [kəmˈpendɪəm] n Kompendium m.

compensate [ˈkɒmpenseɪt] vt entschädigen; **to ~ for** Ersatz leisten für, kompensieren; **compensation** [kɒmpenˈseɪʃən] n Entschädigung f; (money) Schadenersatz m; (JUR) Abfindung f; (PSYCH) Kompensation f.

compère [ˈkɒmpɛə*] n Conférencier m.

compete [kəmˈpiːt] vi sich bewerben; (be competition) konkurrieren; (SPORT) teilnehmen.

competence [ˈkɒmpɪtəns] n Fähigkeit f; (JUR) Zuständigkeit f; **competent** adj kompetent, fähig; (JUR) zuständig.

competition [kɒmpɪˈtɪʃən] n Wettbewerb m; (COMM) Konkurrenz f; **competitive** [kəmˈpetɪtɪv] adj Konkurrenz-; (COMM) wettbewerbs- or konkurrenzfähig; **competitor** [kəmˈpetɪtə*] n Mitbewerber(in) m(f); (COMM) Konkurrent(in) m(f); (SPORT) Teilnehmer(in) m(f).

compile [kəmˈpaɪl] vt zusammenstellen.

complacency [kəmˈpleɪsnsɪ] n Selbstzu-

friedenheit f, Selbstgefälligkeit f; **complacent** [kəmˈpleɪsnt] adj selbstzufrieden, selbstgefällig.

complain [kəmˈpleɪn] vi sich beklagen, sich beschweren (about über +akk); **complaint** n Beschwerde f; (MED) Leiden nt.

complement [ˈkɒmplɪmənt] n Ergänzung f; (ship's crew etc) Bemannung f; **complementary** [kɒmplɪˈmentərɪ] adj Komplementär-, [sich] ergänzend.

complete [kəmˈpliːt] **1.** adj vollständig, vollkommen, ganz; **2.** vt vervollständigen; (finish) beenden; **completely** adv vollständig, ganz; **completion** [kəmˈpliːʃən] n Vervollständigung f; (of building) Fertigstellung f.

complex [ˈkɒmpleks] **1.** adj komplex; (mind, question, problem) vielschichtig; (theory, situation) kompliziert, verwickelt; **2.** n Komplex m.

complexion [kəmˈplekʃən] n Gesichtsfarbe f, Teint m; (fig) Anstrich m, Aussehen nt.

complexity [kəmˈpleksɪtɪ] n Komplexität f, Kompliziertheit f.

compliance [kəmˈplaɪəns] n Einverständnis nt.

complicate [ˈkɒmplɪkeɪt] vt komplizieren; **complicated** adj kompliziert; **complication** [kɒmplɪˈkeɪʃən] adj Komplikation f.

compliment [ˈkɒmplɪmənt] n **1.** Kompliment nt; **2.** [ˈkɒmplɪment] vt ein Kompliment machen (sb jdm); **~s** pl Grüße pl, Empfehlung f; **complimentary** [kɒmplɪˈmentərɪ] adj schmeichelhaft; (free) Frei-, Gratis-.

comply [kəmˈplaɪ] vi: **to ~ with sth** etw erfüllen, einer Sache dat entsprechen.

component [kəmˈpəʊnənt] **1.** adj Teil-; **2.** n Bestandteil m.

compose [kəmˈpəʊz] vt (arrange) zusammensetzen; (music) komponieren; (poetry) schreiben; (thoughts) sammeln; (features) beherrschen; **composed** adj ruhig, gefaßt; **to be ~ of** bestehen aus; **composer** n Komponist(in) m(f).

composite [ˈkɒmpəzɪt] adj zusammengesetzt.

composition [kɒmpəˈzɪʃən] n (MUS) Komposition f; (SCH) Aufsatz m; (composing) Zusammensetzung f, Gestaltung f; (structure) Zusammensetzung f, Aufbau m.

compositor [kəmˈpɒzɪtə*] n Schriftsetzer(in) m(f).

compos mentis [ˈkɒmpəsˈmentɪs] adj zurechnungsfähig.

compost [ˈkɒmpɒst] n Kompost m; **compost heap** n Komposthaufen m.

composting [ˈkɒmpɒstɪŋ] n Kompostierung f.

composure [kəmˈpəʊʒə*] *n* Gelassenheit *f*, Fassung *f*.

compound [ˈkɒmpaʊnd] **1.** *n* (*CHEM*) Verbindung *f*; (*mixture*) Gemisch *nt*; (*enclosure*) eingezäuntes Gelände; (*LING*) Kompositum *nt*, zusammengesetztes Wort; **2.** *adj* zusammengesetzt; ~ **fracture** komplizierter Bruch; ~ **interest** Zinseszins *m*.

comprehend [kɒmprɪˈhend] *vt* begreifen, verstehen; (*include*) umfassen, einschließen; **comprehension** [kɒmprɪˈhenʃən] *n* Verständnis *nt*.

comprehensive [kɒmprɪˈhensɪv] *adj* umfassend; ~ **school** Gesamtschule *f*.

compress [kəmˈpres] **1.** *vt* zusammendrücken, komprimieren; **2.** [ˈkɒmpres] *n* (*MED*) Kompresse *f*, Umschlag *m*.

comprise [kəmˈpraɪz] *vt* umfassen, bestehen aus.

compromise [ˈkɒmprəmaɪz] **1.** *n* Kompromiß *m*; **2.** *vt* (*expose*) kompromittieren; **3.** *vi* einen Kompromiß schließen.

compulsion [kəmˈpʌlʃən] *n* Zwang *m*; **compulsive** [kəmˈpʌlsɪv] *adj* Gewohnheits-, zwanghaft; **compulsory** [kəmˈpʌlsərɪ] *adj* (*obligatory*) obligatorisch, Pflicht-.

computer [kəmˈpjuːtə*] *n* Computer *m*, Rechner *m*; **computer centre** *n* Rechenzentrum *nt*; **computer-controlled** *adj* rechnergesteuert; **computer game** *n* Telespiel *nt*, Computerspiel *nt*; **computerize** [kəmˈpjuːtəraɪz] *vt* computerisieren; **computerized axial tomography** *n* Computertomographie *f*; **computer scientist** *n* Informatiker(in) *m(f)*; **computer virus** *n* Computervirus *m*.

comrade [ˈkɒmreɪd] *n* Kamerad(in) *m(f)*; (*POL*) Genosse *m*, Genossin *f*; **comradeship** *n* Kameradschaft *f*.

concave [ˈkɒnkeɪv] *adj* konkav.

conceal [kənˈsiːl] **1.** *vt* (*secret*) verschweigen; **2.** *vr*: ~ **oneself** sich verbergen.

concede [kənˈsiːd] **1.** *vt* (*grant*) gewähren; (*point*) zugeben; **2.** *vi* nachgeben.

conceit [kənˈsiːt] *n* Eitelkeit *f*, Einbildung *f*; **conceited** *adj* eitel, eingebildet.

conceivable [kənˈsiːvəbl] *adj* vorstellbar.

conceive [kənˈsiːv] *vt* (*idea*) sich das ausdenken; (*imagine*) sich das vorstellen; (*child*) empfangen.

concentrate [ˈkɒnsəntreɪt] **1.** *vi* sich konzentrieren (*on* auf +*akk*); **2.** *vt* (*gather*) konzentrieren; **concentration** [kɒnsənˈtreɪʃən] *n* Konzentration *f*; **concentration camp** *n* (*esp national socialism*) Konzentrationslager *nt*, KZ *nt*.

concentric [kɒnˈsentrɪk] *adj* konzentrisch.

concept [ˈkɒnsept] *n* Begriff *m*; **conception** [kənˈsepʃən] *n* (*idea*) Vorstellung *f*;

(*of child*) Empfängnis *f*.

concern [kənˈsɜːn] **1.** *n* (*affair*) Angelegenheit *f*; (*COMM*) Unternehmen *nt*, Konzern *m*; (*worry*) Sorge *f*, Unruhe *f*; **2.** *vt* (*involve*) angehen; (*be about*) handeln von; (*have connection with*) betreffen; **concerned** *adj* (*anxious*) besorgt; **concerning** *prep* betreffend, hinsichtlich +*gen*.

concert [ˈkɒnsət] *n* Konzert *nt*; **in** ~ im Einverständnis mit; ~ **hall** Konzerthalle *f*.

concerted [kənˈsɜːtɪd] *adj* gemeinsam; (*FIN*) konzertiert.

concertina [kɒnsəˈtiːnə] *n* Handharmonika *f*.

concerto [kənˈtʃɜːtəʊ] *n* (*-s*) Konzert *nt*.

concession [kənˈseʃən] *n* (*yielding*) Zugeständnis *nt*; (*right to do sth*) Genehmigung *f*.

conciliation [kənsɪlɪˈeɪʃən] *n* Versöhnung *f*; (*official*) Schlichtung *f*; **conciliatory** [kənˈsɪlɪətrɪ] *adj* vermittelnd; versöhnlich.

concise [kənˈsaɪs] *adj* knapp, gedrängt.

conclude [kənˈkluːd] **1.** *vt* (*end*) beenden; (*treaty*) abschließen; (*decide*) schließen, folgern; **2.** *vi* (*finish*) schließen; **conclusion** [kənˈkluːʒən] *n* [Ab]schluß *m*; (*logical* ~) Schlußfolgerung *f*; **in** ~ zum Schluß, schließlich; **conclusive** [kənˈkluːsɪv] *adj* überzeugend, schlüssig; **conclusively** *adv* endgültig.

concoct [kənˈkɒkt] *vt* zusammenbrauen.

concord [ˈkɒŋkɔːd] *n* Eintracht *f*.

concourse [ˈkɒŋkɔːs] *n* [Bahnhofs]halle *f*, Vorplatz *m*.

concrete [ˈkɒŋkriːt] **1.** *n* Beton *m*; **2.** *adj* konkret.

concur [kənˈkɜː*] *vi* übereinstimmen.

concurrently [kənˈkʌrəntlɪ] *adv* gleichzeitig.

concussion [kɒnˈkʌʃən] *n* Gehirnerschütterung *f*.

condemn [kənˈdem] *vt* verdammen; (*JUR*) verurteilen; (*building*) für abbruchreif erklären; **condemnation** [kɒndemˈneɪʃən] *n* Verurteilung *f*.

condensation [kɒndenˈseɪʃən] *n* Kondensation *f*.

condense [kənˈdens] **1.** *vi* (*CHEM*) kondensieren; **2.** *vt* (*fig*) zusammendrängen; **condensed milk** *n* Kondensmilch *f*, Dosenmilch *f*.

condescend [kɒndɪˈsend] *vi* sich herablassen; **condescending** *adj* herablassend.

condition [kənˈdɪʃən] **1.** *n* (*state*) Zustand *m*, Verfassung *f*; (*presupposition*) Bedingung *f*; **2.** *vt* (*regulate*) regeln; **do you** ~ **your hair?** benutzt du eine Pflegespülung?; **on** ~ **that ...** unter der Bedingung, daß ..; ~**s** *pl* (*circumstances, weather*) Verhältnisse *pl*; **conditional** *adj* bedingt; (*LING*) Bedingungs-; **conditioned** *adj:* ~ **to** gewöhnt an +*akk;* ~ **reflex** bedingter Reflex; **conditioner** *n* Weichspüler *m;* (*for hair*) Pflegespülung *f.*

condo ['kɒndəʊ] *n s.* **condominium.**

condolences [kən'dəʊlənsɪz] *n pl* Beileid *nt.*

condom ['kɒndəm] *n* Kondom *nt.*

condominium [kɒndə'mɪnɪəm] *n* (*US*) Eigentumswohnung *f;* (*house*) Gebäude *nt* mit Eigentumswohnungen.

condone [kən'dəʊn] *vt* gutheißen.

conducive [kən'djuːsɪv] *adj* dienlich (*to dat*).

conduct ['kɒndʌkt] **1.** *n* (*behaviour*) Verhalten *nt;* (*management*) Führung *f;* **2.** [kən'dʌkt] *vt* führen, leiten; (*MUS*) dirigieren; ~**ed tour** Führung *f;* **conductor** [kən'dʌktə*] *n* (*of orchestra*) Dirigent(in) *m(f);* (*in bus*) Schaffner *m;* **conductress** [kən'dʌktrɪs] *n* (*in bus*) Schaffnerin *f.*

conduit ['kɒndɪt] *n* (*for water*) Rohrleitung *f;* (*ELEC*) Isolierrohr *nt.*

cone [kəʊn] *n* (*MATH*) Kegel *m;* (*for ice cream*) [Waffel]tüte *f;* (*fir* ~) [Tannen]zapfen *m.*

confectioner [kən'fekʃənə*] *n* Konditor(in) *m(f);* ~**'s** [**shop**] Konditorei *f;* **confectionery** *n* (*cakes*) Konditorwaren *pl;* (*chocolates*) Konfekt *nt.*

confederation [kənfedə'reɪʃən] *n* Bund *m.*

confer [kən'fɜː*] **1.** *vt* (*degree*) verleihen (*on sb* jdm); **2.** *vi* (*discuss*) konferieren, verhandeln; **conference** ['kɒnfərəns] *n* Konferenz *f.*

confess [kən'fes] *vt, vi* gestehen; (*REL*) beichten; **confession** [kən'feʃən] *n* Geständnis *nt;* (*REL*) Beichte *f;* **confessional** [kən'feʃənl] *n* Beichtstuhl *m;* **confessor** *n* (*REL*) Beichtvater *m.*

confetti [kən'fetɪ] *n* Konfetti *nt.*

confide [kən'faɪd] *vi:* **to** ~ **in sb** sich jdm anvertrauen; (*trust*) jdm vertrauen; **confidence** ['kɒnfɪdəns] *n* Vertrauen *nt;* (*assurance*) Selbstvertrauen *nt;* (*secret*) vertrauliche Mitteilung, Geheimnis *nt;* **confidence trick** *n* Schwindel *m.*

confident ['kɒnfɪdənt] *adj* (*sure*) überzeugt, sicher; (*self-assured*) selbstsicher.

confidential [kɒnfɪ'denʃəl] *adj* (*secret*) vertraulich, geheim; (*trusted*) Vertrauens-.

confine [kən'faɪn] *vt* (*limit*) begrenzen, einschränken; (*lock up*) einsperren; **confined** *adj* (*space*) eng, begrenzt; **confinement** *n* (*of room*) Beengtheit *f;* (*in prison*) Haft *f;* (*MED*) Wochenbett *nt;* **confines** ['kɒnfaɪnz] *n pl* Grenze *f.*

confirm [kən'fɜːm] *vt* bestätigen; **confirmation** [kɒnfə'meɪʃən] *n* Bestätigung *f;* (*REL*) Konfirmation *f;* **confirmed** *adj*

unverbesserlich, hartnäckig; (*bachelor*) eingefleischt.

confiscate ['kɒnfɪskeɪt] *vt* beschlagnahmen, konfiszieren; **confiscation** [kɒnfɪs'keɪʃən] *n* Beschlagnahme *f.*

conflagration [kɒnflə'greɪʃən] *n* Feuersbrunst *f.*

conflict ['kɒnflɪkt] **1.** *n* Kampf *m;* (*of words, opinions*) Konflikt *m,* Streit *m;* **2.** [kən'flɪkt] *vi im* Widerspruch stehen; **conflicting** [kən'flɪktɪŋ] *adj* gegensätzlich; (*testimony*) sich widersprechend.

conform [kən'fɔːm] *vi* sich anpassen (*to dat*); (*to rules*) sich fügen (*to dat*); (*general trends*) sich richten (*to* nach); **conformist** *n* Konformist(in) *m(f).*

confront [kən'frʌnt] *vt* (*enemy*) entgegentreten +*dat;* (*sb with sth*) konfrontieren; **confrontation** [kɒnfrən'teɪʃən] *n* Gegenüberstellung *f;* (*quarrel*) Konfrontation *f.*

confuse [kən'fjuːz] *vt* verwirren; (*sth with sth*) verwechseln; **confusing** *adj* verwirrend; **confusion** [kən'fjuːʒən] *n* (*disorder*) Verwirrung *f;* (*tumult*) Aufruhr *m;* (*embarrassment*) Bestürzung *f.*

congeal [kən'dʒiːl] *vi* (*freeze*) gefrieren; (*clot*) gerinnen.

congenial [kən'dʒiːnɪəl] *adj* (*agreeable*) angenehm.

congenital [kən'dʒenɪtəl] *adj* angeboren.

conger eel ['kɒŋgə'iːl] *n* Meeraal *m.*

congested [kən'dʒestɪd] *adj* überfüllt; **congestion** [kən'dʒestʃən] *n* Stau *m.*

conglomeration [kənglɒmə'reɪʃən] *n* Anhäufung *f.*

congratulate [kən'grætjʊleɪt] *vt* beglückwünschen (*on* zu); **congratulations** [kəngrætjʊ'leɪʃənz] *n pl* Glückwünsche *pl;* ~! gratuliere!, herzlichen Glückwunsch!

congregate ['kɒŋgrɪgeɪt] *vi* sich versammeln; **congregation** [kɒŋgrɪ'geɪʃən] *n* Gemeinde *f.*

congress ['kɒŋgres] *n* Kongreß *m;* **congressional** [kən'greʃənl] *adj* Kongreß-; **congressman** *n* (*congressmen*) (*US*) Mitglied *nt* des amerikanischen Repräsentantenhauses.

conical ['kɒnɪkəl] *adj* kegelförmig, konisch.

conifer ['kɒnɪfə*] *n* Nadelbaum *m;* **coniferous** [kə'nɪfərəs] *adj* Nadel-.

conjecture [kən'dʒektʃə*] **1.** *n* Vermutung *f;* **2.** *vt, vi* vermuten.

conjugal ['kɒndʒʊgəl] *adj* ehelich.

conjunction [kən'dʒʌŋkʃən] *n* Verbindung *f;* (*LING*) Konjunktion *f,* Verbindungswort *nt.*

conjunctivitis [kəndʒʌŋktɪ'vaɪtɪs] *n* Bindehautentzündung *f.*

conjure ['kʌndʒə*] *vt, vi* zaubern; **conjure**

up vt heraufbeschwören; **conjurer** n Zauberer m, Zauberin f; (entertainer) Zauberkünstler(in) m(f); **conjuring trick** n Zauberkunststück m.

conk out [kɔŋk aʊt] vi (fam) stehenbleiben, streiken; (person: faint) umkippen.

connect [kəˈnekt] vt verbinden; (train) koppeln; ~**ing flight** Anschlußflug m; **connection, connexion** [kəˈnekʃən] n Verbindung f; (relation) Zusammenhang m; **in ~ with** in Verbindung mit.

connoisseur [kɔnɪˈsɜ:*] n Kenner(in) m(f).

conquer [ˈkɔŋkə*] **1.** vt (overcome) überwinden, besiegen; (MIL) besiegen; **2.** vi siegen; **conqueror** n Eroberer m; **conquest** [ˈkɔŋkwest] n Eroberung f.

conscience [ˈkɔnʃəns] n Gewissen nt.

conscientious [kɔnʃɪˈenʃəs] adj gewissenhaft; ~ **objector** Kriegsdienstverweigerer m, Wehrdienstverweigerer m.

conscious [ˈkɔnʃəs] adj bewußt; (MED) bei Bewußtsein; **consciousness** n Bewußtsein nt.

conscript [ˈkɔnskrɪpt] n Wehrpflichtige(r) m; **conscription** [kənˈskrɪpʃən] n Wehrpflicht f.

consecrate [ˈkɔnsɪkreɪt] vt weihen.

consecutive [kənˈsekjʊtɪv] adj aufeinanderfolgend.

consensus [kənˈsensəs] n allgemeine Übereinstimmung.

consent [kənˈsent] **1.** n Zustimmung f; **2.** vi zustimmen (to dat).

consequence [ˈkɔnsɪkwəns] n Konsequenz f; (importance) Bedeutung f; (result, effect) Wirkung f; **consequently** [ˈkɔnsɪkwəntlɪ] adv folglich.

conservation [kɔnsəˈveɪʃən] n Erhaltung f, Schutz m; **conservationist** n Umweltschützer(in) m(f).

conservative [kənˈsɜ:vətɪv] adj konservativ; (cautious) mäßig, vorsichtig; **Conservative 1.** adj (party) konservativ; **2.** n Konservative(r) m.

conservatory [kənˈsɜ:vətrɪ] n (greenhouse) Gewächshaus nt; (room) Wintergarten m.

conserve [kənˈsɜ:v] vt erhalten.

consider [kənˈsɪdə*] vt sich dat überlegen; (take into account) in Betracht ziehen; (regard) halten für.

considerable [kənˈsɪdərəbl] adj beträchtlich.

considerate [kənˈsɪdərɪt] adj rücksichtsvoll, aufmerksam.

consideration [kənsɪdəˈreɪʃən] n Rücksicht[nahme] f; (thought) Erwägung f; (reward) Entgelt nt; **on no ~** unter keinen Umständen.

considering [kənˈsɪdərɪŋ] **1.** prep in Anbe-

tracht +gen; **2.** conj da.

consign [kənˈsaɪn] vt (send) versenden; (commit) übergeben; **consignment** n (of goods) Sendung f, Lieferung f.

consist [kənˈsɪst] vi bestehen (of aus).

consistency [kənˈsɪstənsɪ] n (of material) Festigkeit f; (of argument) Folgerichtigkeit f; (of person) Konsequenz f; **consistent** adj gleichbleibend, stetig; (argument) folgerichtig; **she's not ~** sie ist nicht konsequent.

consolation [kɔnsəˈleɪʃən] n Trost m; ~ **prize** Trostpreis m.

console [kənˈsəʊl] **1.** vt trösten; **2.** [ˈkɔnsəʊl] n (US) Musiktruhe f.

consolidate [kənˈsɔlɪdeɪt] vt festigen.

consommé [kənˈsɔmeɪ] n Fleischbrühe f.

consonant [ˈkɔnsənənt] n Konsonant m, Mitlaut m.

consortium [kənˈsɔ:tɪəm] n Gruppe f, Konsortium nt.

conspicuous [kənˈspɪkjʊəs] adj (prominent) auffallend; (visible) deutlich, sichtbar.

conspiracy [kənˈspɪrəsɪ] n Verschwörung f, Komplott nt.

conspire [kənˈspaɪə*] vi sich verschwören.

constable [ˈkʌnstəbl] n Polizist(in) m(f).

constabulary [kənˈstæbjʊlərɪ] n Polizei f.

Constance [ˈkɔnstəns] n: **Lake ~** der Bodensee.

constancy [ˈkɔnstənsɪ] n Beständigkeit f, Treue f.

constant [ˈkɔnstənt] adj dauernd; **constantly** adv (continually) andauernd; (faithfully) treu, unwandelbar.

constellation [kɔnstəˈleɪʃən] n (temporary) Konstellation f; (permanent) Sternbild nt.

consternation [kɔnstəˈneɪʃən] n (dismay) Bestürzung f.

constipated [ˈkɔnstɪpeɪtəd] adj verstopft; **constipation** [kɔnstɪˈpeɪʃən] n Verstopfung f.

constituency [kənˈstɪtjʊənsɪ] n Wahlkreis m.

constituent [kənˈstɪtjʊənt] n (person) Wähler(in) m(f); (part) Bestandteil m.

constitute [ˈkɔnstɪtju:t] vt ausmachen.

constitution [kɔnstɪˈtju:ʃən] n Verfassung f; **constitutional** adj Verfassungs-; (monarchy) konstitutionell.

constrain [kənˈstreɪn] vt zwingen; **constraint** n Zwang m; (PSYCH) Befangenheit f.

constrict [kənˈstrɪkt] vt zusammenziehen; **constriction** [kənˈstrɪkʃən] n Zusammenziehung f; (of chest) Beklemmung f.

construct [kənˈstrʌkt] vt bauen; **construction** [kənˈstrʌkʃən] n (action) [Er]bauen nt, Konstruktion f; (building) Bau *m*; **under** ~ im Bau befindlich; **constructive** *adj* konstruktiv.

construe [kən'stru:] *vt* (*interpret*) deuten.

consul ['kɒnsl] *n* Konsul(in) *m(f)*; **consulate** ['kɒnsjʊlət] *n* Konsulat *nt*.

consult [kən'sʌlt] *vt* um Rat fragen; (*doctor*) konsultieren; (*book*) nachschlagen in +*dat*; **consultant** *n* (MED) Facharzt(-ärztin) *m(f)*; (*other specialist*) Gutachter(in) *m(f)*; **consultation** [kɒnsəl'teɪʃən] *n* Beratung *f*; (MED) Konsultation *f*; **consulting room** *n* Sprechzimmer *nt*.

consume [kən'sju:m] *vt* verbrauchen; (*food*) verzehren, konsumieren; **consumer** *n* Verbraucher(in) *m(f)*; **consumerism** *n* Konsumsteigerung *f*.

consumption [kən'sʌmpʃən] *n* Verbrauch *m*; (*of food*) Konsum *m*.

contact ['kɒntækt] **1.** *n* (*touch*) Berührung *f*; (*person*) Kontakt *m*, Beziehung *f*; **2.** *vt* sich in Verbindung setzen mit; **contact lenses** *n pl* Kontaktlinsen *pl*.

contagious [kən'teɪdʒəs] *adj* ansteckend.

contain [kən'teɪn] **1.** *vt* enthalten; **2.** *vr*: ~ **oneself** sich zügeln; **container** *n* Behälter *m*; (*for transport*) Container *m*; **containment** *n* (*in nuclear power station*) Sicherheitsbehälter *m*.

contaminate [kən'tæmɪneɪt] *vt* verunreinigen; (*germs*) infizieren; ~**d by radiation** strahlenverseucht, verstrahlt; **contamination** [kəntæmɪ'neɪʃən] *n* Verunreinigung *f*; (*by radiation*) Verstrahlung *f*.

contemplate ['kɒntəmpleɪt] *vt* [nachdenklich] betrachten; (*think about*) überdenken; (*plan*) vorhaben; **contemplation** [kɒntəm'pleɪʃən] *n* Betrachtung *f*; (REL) Meditation *f*.

contemporary [kən'tempərərɪ] **1.** *adj* zeitgenössisch; **2.** *n* Zeitgenosse(-genossin) *m(f)*.

contempt [kən'tempt] *n* Verachtung *f*; **contemptible** *adj* verächtlich, nichtswürdig; **contemptuous** *adj* voller Verachtung (*of* für).

contend [kən'tend] *vt* (*fight*) kämpfen (*for* um); (*argue*) behaupten; **contender** *n* (*for post*) Bewerber(in) *m(f)*; (SPORT) Wettkämpfer(in) *m(f)*.

content [kən'tent] **1.** *adj* zufrieden; **2.** *vt* befriedigen; **3.** ['kɒntent] *n* (*also*: ~**s**) Inhalt *m*; **contented** *adj* zufrieden.

contention [kən'tenʃən] *n* (*dispute*) Streit *m*; (*argument*) Behauptung *f*.

contentment [kən'tentmənt] *n* Zufriedenheit *f*.

contest ['kɒntest] **1.** *n* [Wett]kampf *m*; **2.** [kən'test] *vt* (*dispute*) bestreiten; (POL: *election*) teilnehmen an +*dat*; **to** ~ **a seat** um einen Wahlkreis kämpfen; **contestant**

context ['kɒntekst] *n* Zusammenhang *m*.

continent ['kɒntɪnənt] *n* Kontinent *m*, Festland *nt*; **the Continent** das europäische Festland, der Kontinent; **continental** [kɒntɪ'nentl] **1.** *adj* kontinental; **2.** *n* Bewohner(in) *m(f)* des Kontinents; ~ **quilt** Steppdecke *f*.

contingency [kən'tɪndʒənsɪ] *n* Möglichkeit *f*.

contingent [kən'tɪndʒənt] **1.** *n* (MIL) Kontingent *nt*; **2.** *adj* abhängig (*upon* von).

continual [kən'tɪnjʊəl] *adj* (*endless*) fortwährend; (*repeated*) immer wiederkehrend; **continually** *adv* immer wieder.

continuation [kəntɪnjʊ'eɪʃən] *n* Fortsetzung *f*.

continue [kən'tɪnju:] **1.** *vi* (*go on*) anhalten; (*last*) fortbestehen; **2.** *vt* fortsetzen; **shall we** ~? wollen wir weitermachen?; **if this** ~**s** wenn das so weitergeht; **the rain** ~**d** es regnete weiter; **he** ~**d reading** er las weiter.

continuity [kɒntɪ'njʊɪtɪ] *n* Kontinuität *f*; (*wholeness*) Zusammenhang *m*.

continuous [kən'tɪnjʊəs] *adj* ununterbrochen; ~ **paper** Endlospapier *nt*.

contort [kən'tɔ:t] *vt* verdrehen; **contortion** [kən'tɔ:ʃən] *n* Verzerrung *f*; **contortionist** *n* Schlangenmensch *m*.

contour ['kɒntʊə*] *n* Umriß *m*; (*height*) Höhenlinie *f*.

contraband ['kɒntrəbænd] *n* Schmuggelware *f*.

contraception [kɒntrə'sepʃən] *n* Empfängnisverhütung *f*; **contraceptive** [kɒntrə'septɪv] **1.** *n* empfängnisverhütendes Mittel; **2.** *adj* empfängnisverhütend.

contract ['kɒntrækt] **1.** *n* (*agreement*) Vertrag *m*; **2.** [kən'trækt] *vi* (*to do sth*) sich vertraglich verpflichten; (*muscle*) sich zusammenziehen; (*become smaller*) schrumpfen; **contraction** [kən'trækʃən] *n* (*shortening*) Zusammenziehen *nt*; (MED) Wehe *f*; **contractor** [kən'træktə*] *n* Unternehmer(in) *m(f)*; (*supplier*) Lieferant(in) *m(f)*.

contradict [kɒntrə'dɪkt] *vt* widersprechen +*dat*; **contradiction** [kɒntrə'dɪkʃən] *n* Widerspruch *m*.

contralto [kən'træltəʊ] *n* (-s) [tiefe] Altstimme *f*.

contraption [kən'træpʃən] *n* (*fam*) komische Konstruktion, komisches Ding.

contrary ['kɒntrərɪ] **1.** *n* Gegenteil *nt*; **2.** *adj* entgegengesetzt; (*wind*) ungünstig, Gegen-; **3.** [kən'treərɪ] *adj* (*obstinate*) widerspenstig, eigensinnig; **on the** ~ im Gegenteil.

contrast ['kɒntrɑ:st] **1.** *n* Kontrast *m*; **2.** [kən'trɑ:st] *vt* entgegensetzen; **contrast control** *n* Kontrastregler *m*; **contrast-**

ing [kən'trɑːstɪŋ] adj Kontrast-.
contravene [kɔntrə'viːn] vt verstoßen gegen.
contribute [kən'trɪbjuːt] vt, vi beitragen; (money) spenden; **contribution** [kɔntrɪ'bjuːʃən] n Beitrag m; **contributor** [kən'trɪbjʊtə*] n Mitarbeiter(in) m(f).
contrite ['kɔntraɪt] adj zerknirscht.
contrivance [kən'traɪvəns] n Vorrichtung f; (invention) Erfindung f.
contrive [kən'traɪv] vt zustande bringen; **to ~ to do sth** es schaffen, etw zu tun.
control [kən'trəʊl] **1.** vt (direct, test) kontrollieren; (COMPUT) steuern; **2.** n Kontrolle f; (of business) Leitung f; (COMPUT) Steuerung f; (of situation, emotion) Beherrschung f; **~s** pl (of vehicle) Steuerung f; (of engine) Schalttafel f; **out of ~** außer Kontrolle; **under ~** unter Kontrolle; **control centre** n (SPACE) Kontrollzentrum nt; **control character** n (COMPUT) Steuerzeichen nt; **control point** n Kontrollstelle f; **control unit** n (COMPUT) Steuerwerk nt.
controversial [kɔntrə'vɜːʃəl] adj umstritten, kontrovers; **controversy** [kən'trɒvəsɪ] n Meinungsstreit m, Kontroverse f.
conundrum [kə'nʌndrəm] n Rätsel nt.
convalesce [kɔnvə'les] vi gesund werden; **convalescence** n Genesung f; **convalescent 1.** adj auf dem Wege der Besserung; **2.** n Genesende(r) mf.
convection oven [kən'vekʃən'ʌvn] n Heißluftherd m.
convector [kən'vektə*] n Heizstrahler m.
convene [kən'viːn] **1.** vt zusammenrufen; **2.** vi sich versammeln.
convenience [kən'viːnɪəns] n Annehmlichkeit f; (thing) bequeme Einrichtung f; **modern ~s** pl Komfort m; **convenient** [kən'viːnɪənt] adj günstig, passend; (useful, functional) zweckmäßig, praktisch.
convent ['kɔnvənt] n Kloster nt.
convention [kən'venʃən] n (custom) Brauch m, Konvention f; (POL) Übereinkunft f, Abkommen nt; (conference) Konferenz f; **conventional** adj herkömmlich, konventionell.
converge [kən'vɜːdʒ] vi zusammenlaufen.
conversant [kən'vɜːsənt] adj vertraut; (in learning) bewandert (with in +dat).
conversation [kɔnvə'seɪʃən] n Unterhaltung f; **conversational** adj Unterhaltungs-; **converse** [kən'vɜːs] **1.** vi sich unterhalten; **2.** ['kɔnvɜːs] adj gegenteilig; **conversely** [kɒn'vɜːslɪ] adv umgekehrt.
conversion [kən'vɜːʃən] n Umwandlung f; (REL) Bekehrung f; **conversion table** n Umrechnungstabelle f.
convert [kən'vɜːt] **1.** vt (change) umwan-

deln; (REL) bekehren; **2.** ['kɔnvɜːt] n Bekehrte(r) mf; Konvertit(in) m(f).
convertible [kən'vɜːtəbl] **1.** n (AUTO) Kabriolett nt; **2.** adj umwandelbar; (FIN) konvertierbar; (COMPUT disc) konvertierbar.
convex [kɔn'veks] adj konvex.
convey [kən'veɪ] vt (carry) befördern; (feelings) vermitteln; **conveyor belt** n Fließband nt.
convict [kən'vɪkt] **1.** vt verurteilen; **2.** ['kɔnvɪkt] n Sträfling m, Strafgefangene(r) mf.
conviction [kən'vɪkʃən] n (verdict) Verurteilung f; (belief) Überzeugung f.
convince [kən'vɪns] vt überzeugen; **convincing** adj überzeugend.
convivial [kən'vɪvɪəl] adj festlich, froh.
convoy ['kɔnvɔɪ] n (of vehicles) Kolonne f; (protected) Konvoi m.
convulse [kən'vʌls] vt zusammenzucken lassen; **to be ~d with laughter/pain** sich vor Lachen schütteln/Schmerzen krümmen; **convulsion** [kən'vʌlʃən] n (MED) Schüttelkrampf m.
coo [kuː] vi (dove) gurren.
cook [kʊk] **1.** vt, vi kochen; **2.** n Koch m, Köchin f; **cookbook** n Kochbuch nt; **cooker** n Herd m; **cookery** n Kochkunst f; **~ book** Kochbuch nt; **cookie** n (US) Plätzchen nt; **cooking** n Kochen nt.
cool [kuːl] **1.** adj kühl; **2.** vt, vi (ab)kühlen; **cool down** vt, vi (fig) [sich] beruhigen; **cooling-tower** n Kühlturm m; **coolness** n Kühle f; (of temperament) kühler Kopf.
coop [kuːp] n Hühnerstall m; **coop up** vt (fig) einpferchen.
co-op ['kəʊɒp] **1.** n (Brit) s. cooperative; **2.** (US: building) Apartmenthaus nt mit Eigentumswohnungen; (apartment) Eigentumswohnung f; **to go ~** in Eigentumswohnungen umgewandelt werden.
cooperate [kəʊ'ɒpəreɪt] vi zusammenarbeiten; **cooperation** [kəʊɒpə'reɪʃən] n Zusammenarbeit f.
cooperative [kəʊ'ɒpərətɪv] **1.** adj hilfsbereit, kooperativ; (COMM) genossenschaftlich; **2.** n Genossenschaft f; (~ store) Konsumladen m.
coordinate [kəʊ'ɔːdɪneɪt] vt koordinieren; **coordination** [kəʊɒ'dɪneɪʃən] n Koordination f.
coot [kuːt] n Wasserhuhn nt.
cop [kɔp] n (fam: policeman) Bulle m.
cope [kəʊp] vi fertig werden, schaffen (with akk).
copier ['kɒpɪə*] n Kopierer m, Kopiergerät nt.
co-pilot ['kəʊ'paɪlət] n Kopilot(in) m(f).
copious ['kəʊpɪəs] adj reichhaltig.

copper [ˈkɔpə*] n Kupfer nt; (coin) Kupfermünze f; (fam: policeman) Bulle m.
coppice, copse [ˈkɔpɪs, kɔps] n Unterholz nt.
copulate [ˈkɔpjʊleɪt] vi sich paaren.
copy [ˈkɔpɪ] 1. n Kopie f; (imitation) Nachahmung f; (of book) Exemplar nt; (of newspaper) Nummer f; 2. vt kopieren, abschreiben; (COMPUT) kopieren; **copycat** n Nachahmer(in) m(f); **copyright** n Copyright nt; ~ reserved alle Rechte vorbehalten, Nachdruck verboten.
coral [ˈkɔrəl] n Koralle f; **coral reef** n Korallenriff nt.
cord [kɔːd] n Schnur f, Kordel f; s. a. **vocal**.
cordial [ˈkɔːdɪəl] 1. adj freundlich; 2. n Fruchtsaftkonzentrat nt; **cordially** adv freundlich; ~ **yours** mit freundlichen Grüßen.
cordon [ˈkɔːdn] n Absperrkette f.
corduroy [ˈkɔːdərɔɪ] n Kord[samt] m.
core [kɔː*] 1. n (a. fig) Kern m; (of nuclear reactor) [Reaktor]kern m; 2. vt entkernen; **core memory** n Kernspeicher m; **core time** n Kern[arbeits]zeit f.
cork [kɔːk] n (bark) Korkrinde f; (stopper) Korken m; **corkage** [ˈkɔːkɪdʒ] n Korkengeld nt; **corkscrew** [ˈkɔːkskruː] n Korkenzieher m.
corm [kɔːm] n Knolle f.
corn [kɔːn] n Getreide nt, Korn nt; (US: maize) Mais m; (on foot) Hühnerauge nt.
cornea [ˈkɔːnɪə] n Hornhaut f.
corned beef [ˈkɔːndˈbiːf] n Corned beef nt.
corner [ˈkɔːnə*] 1. n Ecke f; (nook) Winkel m; (on road) Kurve f; 2. vt in die Enge treiben; **corner kick** n Eckball m; **cornerstone** n Eckstein m.
cornet [ˈkɔːnɪt] n (MUS) Kornett nt; (for ice cream) Eistüte f.
cornflour [ˈkɔːnflaʊə*] n Maismehl nt.
cornice [ˈkɔːnɪs] n Gesims nt.
cornstarch [ˈkɔːnstɑːtʃ] n (US) Maismehl nt.
cornucopia [kɔːnjʊˈkəʊpɪə] n Füllhorn nt.
Cornwall [ˈkɔːnwəl] n Cornwall nt.
corny [ˈkɔːnɪ] adj (joke) blöd[e].
coronary [ˈkɔrənərɪ] 1. adj (MED) Koronar-; 2. n Herzinfarkt m.
coronation [kɔrəˈneɪʃən] n Krönung f.
coroner [ˈkɔrənə*] n [amtlicher] Leichenbeschauer m.
corporal [ˈkɔːpərəl] 1. n Obergefreite(r) m; 2. adj: ~ **punishment** körperliche Strafe f.
corporate [ˈkɔːpərɪt] adj gemeinschaftlich, korporativ.
corporation [kɔːpəˈreɪʃən] n Gemeinde f, Stadt f; (COMM) Handelsgesellschaft f; (US) Gesellschaft f mit beschränkter Haftung.
corps [kɔː*] n [Armee]korps nt.

corpse [kɔːps] n Leiche f.
corpulent [ˈkɔːpjʊlənt] adj korpulent.
Corpus Christi [ˈkɔːpəsˈkrɪstɪ] n Fronleichnam[sfest] nt.
corpuscle [ˈkɔːpʌsl] n (MED) Blutkörperchen nt.
corral [kəˈrɑːl] n Pferch m, Korral m.
correct [kəˈrekt] 1. adj (accurate) richtig; (proper) korrekt; 2. vt berichtigen, korrigieren; **correction** [kəˈrekʃən] n Korrektur f, Berichtigung f; **correction key** n Korrekturtaste f; **correction memory** n Korrekturspeicher m; **correction tape** n Korrekturband nt; **correctly** adv richtig; korrekt.
correlate [ˈkɔrɪleɪt] 1. vt aufeinander beziehen; 2. vi korrelieren; **correlation** [kɔrɪˈleɪʃən] n Wechselbeziehung f.
correspond [kɔrɪˈspɔnd] vi übereinstimmen; (exchange letters) korrespondieren; **correspondence** n (similarity) Entsprechung f; (letters) Briefwechsel m, Korrespondenz f; **correspondence course** n Fernkurs m; **correspondent** n (PRESS) Berichterstatter(in) m(f); **corresponding** adj entsprechend, gemäß (to dat).
corridor [ˈkɔrɪdɔː*] n Gang m.
corroborate [kəˈrɔbəreɪt] vt bestätigen, erhärten.
corrode [kəˈrəʊd] 1. vt (metal) zerfressen; (fig) zerstören; 2. vi rosten; **corrosion** [kəˈrəʊʒən] n Rost m, Korrosion f.
corrugated [ˈkɔrəgeɪtɪd] adj gewellt; ~ **cardboard** Wellpappe f; ~ **iron** Wellblech nt.
corrupt [kəˈrʌpt] 1. adj korrupt; 2. vt verderben; (bribe) bestechen; **corruption** [kəˈrʌpʃən] n (of society) Verdorbenheit f; (bribery) Bestechung f.
corset [ˈkɔːsɪt] n Korsett nt.
cortège [kɔːˈteːʒ] n Zug m; (of funeral) Leichenzug m.
cortisone [ˈkɔːtɪzəʊn] n Kortison nt.
cosh [kɔʃ] 1. n Totschläger m; 2. vt auf den Schädel schlagen.
cosine [ˈkəʊsaɪn] n Kosinus m.
cosiness [ˈkəʊzɪnɪs] n Gemütlichkeit f.
cosmetic [kɔzˈmetɪk] 1. n Schönheitsmittel nt, kosmetisches Mittel; 2. adj kosmetisch.
cosmic [ˈkɔzmɪk] adj kosmisch.
cosmonaut [ˈkɔzmənɔːt] n Kosmonaut(in) m(f).
cosmopolitan [kɔzməˈpɔlɪtən] adj international; (city) Welt-.
cosmos [ˈkɔzmɔs] n Weltall nt, Kosmos m.
cost [kɔst] (cost, cost) 1. n Kosten pl, Preis m; **it** ~ **him his life/job** es kostete ihn sein Leben/seine Stelle; **at all** ~**s** um jeden Preis; ~ **of living** Lebenshaltungskosten pl.

co-star [ˈkəʊstɑː*] *n* zweiter [*o* weiterer] Hauptdarsteller, zweite [*o* weitere] Hauptdarstellerin.

costing [ˈkɒstɪŋ] *n* Kostenberechnung *f*.

costly [ˈkɒstlɪ] *adj* kostspielig.

cost price [ˈkɒstˈpraɪs] *n* Selbstkostenpreis *m*.

costume [ˈkɒstjuːm] *n* (*THEAT*) Kostüm *nt*; (*bathing ~*) Badeanzug *m*; **costume jewellery** *n* Modeschmuck *m*.

cosy [ˈkəʊzɪ] *adj* behaglich, gemütlich; (*warm*) mollig warm.

cot [kɒt] *n* Kinderbett[chen] *nt*; **cot death** *n* Krippentod *m*.

cottage [ˈkɒtɪdʒ] *n* kleines Haus [auf dem Land]; **cottage cheese** *n* Hüttenkäse *m*.

cotton [ˈkɒtn] **1.** *n* Baumwolle *f*; (*fabric*) Baumwollstoff *m*; **2.** *adj* (*dress etc*) Baumwoll-; **cotton wool** *n* Watte *f*.

couch [kaʊtʃ] **1.** *n* Couch *f*; **2.** *vt* [in Worte] fassen, formulieren.

couchette [kuːˈʃet] *n* Liegewagen[platz] *m*.

cougar [ˈkuːgə*] *n* Puma *m*.

cough [kɒf] **1.** *vi* husten; **2.** *n* Husten *m*; **cough drop** *n* Hustenbonbon *nt*.

could [kʊd] *pt of* **can**; **couldn't** = **could not**.

council [ˈkaʊnsl] *n* (*of town*) Stadtrat *m*; **council estate** *n* Siedlung *f* des sozialen Wohnungsbaus; **council house** *n* Sozialwohnung *f*; **councillor** [ˈkaʊnsɪlə*] *n* Stadtrat(-rätin) *m(f)*.

counsel [ˈkaʊnsl] *n* (*barrister*) Anwalt *m*, Anwältin *f*, Rechtsbeistand *m*; (*advice*) Rat[schlag] *m*; **counsellor** *n* Berater(in) *m(f)*.

count [kaʊnt] **1.** *vt, vi* zählen; **2.** *vi* (*be important*) zählen, gelten; **3.** *n* (*reckoning*) Abrechnung *f*; (*nobleman*) Graf *m*; **count on** *vt* [in allen auf +*akk*; **count up** *vt* zusammenzählen; **countdown** *n* Countdown *m*.

counter [ˈkaʊntə*] **1.** *n* (*in shop*) Ladentisch *m*; (*in café*) Theke *f*; (*in bank, post office*) Schalter *m*; **2.** *vt* entgegnen +*dat*; **3.** *adv* entgegen; **counteract** [kaʊntəˈrækt] *vt* entgegenwirken +*dat*; **counter-attack** *n* Gegenangriff *m*; **counterbalance** *vt* aufwiegen, ausgleichen; **counter-clockwise** *adv* entgegen dem Uhrzeigersinn; **counter-espionage** *n* Spionageabwehr *f*.

counterfeit [ˈkaʊntəfɪt] **1.** *n* Fälschung *f*; **2.** *vt* fälschen; **3.** *adj* gefälscht, unecht.

counterfoil [ˈkaʊntəfɔɪl] *n* [Kontroll]abschnitt *m*; **counterpart** *n* (*object*) Gegenstück *nt*; (*person*) Gegenüber *nt*.

countess [ˈkaʊntɪs] *n* Gräfin *f*.

countless [ˈkaʊntlɪs] *adj* zahllos, unzählig.

countrified [ˈkʌntrɪfaɪd] *adj* ländlich.

country [ˈkʌntrɪ] *n* Land *nt*; **in the ~** auf dem Land[e]; **country dancing** *n* Volkstanz *m*; **country house** *n* Landhaus *nt*; **countryman** *n* ⟨countrymen⟩ (*national*) Landsmann *m*; (*rural*) Bauer *m*; **countryside** *n* Landschaft *f*.

county [ˈkaʊntɪ] *n* Landkreis *m*; (*Brit*) Grafschaft *f*; **county town** *n* Kreisstadt *f*.

coup [kuː] *n* Coup *m*; **coup d'état** [kuːˈdeɪˈtɑː] *n* Staatsstreich *m*, Putsch *m*.

coupé [kuːˈpeɪ] *n* (*AUTO*) Coupé *nt*.

couple [ˈkʌpl] **1.** *n* Paar *nt*; **2.** *vt* koppeln; **a ~ of** ein paar.

couplet [ˈkʌplɪt] *n* Reimpaar *nt*.

coupling [ˈkʌplɪŋ] *n* Kupplung *f*.

coupon [ˈkuːpɒn] *n* Gutschein *m*.

courage [ˈkʌrɪdʒ] *n* Mut *m*; **courageous** [kəˈreɪdʒəs] *adj* mutig.

courgette [kʊəˈʒet] *n* Zucchini *f*.

courier [ˈkʊrɪə*] *n* (*for holiday*) Reiseleiter(in) *m(f)*; (*messenger*) Kurier *m*, Eilbote *m*.

course [kɔːs] *n* (*race*) Strecke *f*, Bahn *f*; (*of stream*) Lauf *m*; (*of action*) Richtung *f*; (*of lectures*) Vortragsreihe *f*; (*of study*) Studiengang *m*; (*NAUT*) Kurs *m*; (*in meal*) Gang *m*; **summer ~** Sommerkurs *m*; **of ~** natürlich; **in the ~ of** im Laufe +*gen*; **in due ~** zu gegebener Zeit.

court [kɔːt] **1.** *n* (*royal*) Hof *m*; (*JUR*) Gericht *nt*; **2.** *vt* den Hof machen +*dat*.

courteous [ˈkɜːtɪəs] *adj* höflich, zuvorkommend.

courtesy [ˈkɜːtəsɪ] *n* Höflichkeit *f*.

courthouse [ˈkɔːthaʊs] *n* (*US*) Gerichtsgebäude *nt*.

court-martial [kɔːtˈmɑːʃəl] **1.** *n* Kriegsgericht *nt*; **2.** *vt* vor ein Kriegsgericht stellen.

courtroom [ˈkɔːtrʊm] *n* Gerichtssaal *m*.

courtyard [ˈkɔːtjɑːd] *n* Hof *m*.

cousin [ˈkʌzn] *n* Cousin(e) *m(f)*, Kusine *f*.

cove [kəʊv] *n* kleine Bucht.

covenant [ˈkʌvənənt] *n* feierliches Abkommen.

cover [ˈkʌvə*] **1.** *vt* (*spread over*) bedecken; (*shield*) abschirmen; (*include*) sich erstrecken über +*akk*; (*protect*) decken; **2.** *n* (*lid*) Deckel *m*; (*for bed*) Decke *f*; (*MIL*) Bedeckung *f*.

coverage [ˈkʌvrɪdʒ] *n* (*PRESS: reports*) Berichterstattung *f*; (*distribution*) Verbreitung *f*.

cover charge [ˈkʌvətʃɑːdʒ] *n* Kosten *pl* für ein Gedeck.

covering [ˈkʌvrɪŋ] *n* Decke *f*, Hülle *f*; (*floor ~*) Belag *m*; **covering letter** *n* Begleitbrief *m*.

cover note [ˈkʌvənəʊt] *n* Deckungszusage *f*, Versicherungsdoppelkarte *f*.

covert [ˈkʌvət] *adj* versteckt.

covet ['kʌvɪt] vt begehren.
cow [kaʊ] n Kuh f.
coward ['kaʊəd] n Feigling m; **cowardice** ['kaʊədɪs] n Feigheit f; **cowardly** adj feige.
cowboy ['kaʊbɔɪ] n Cowboy m.
cower ['kaʊə*] vi kauern; (movement) sich kauern.
co-worker ['kəʊ'wɜːkə*] n Mitarbeiter(in) m(f).
cowshed ['kaʊʃed] n Kuhstall m.
cox, coxswain [kɒks, 'kɒksn] n Steuermann m.
coy [kɔɪ] adj gespielt schüchtern.
coyote ['kɔɪəʊtɪ] n Kojote m, Präriewolf m.
CPU n abbr of **central processing unit** Zentraleinheit f.
crab [kræb] n Krebs m; **crabapple** n Holzapfel m.
crack [kræk] 1. n Riß m, Sprung m; (noise) Knall m; 2. vt (break) springen lassen; (joke) reißen; 3. vi (noise) krachen, knallen; 4. adj erstklassig; (troops) Elite-; **crack up** vi (fig) zusammenbrechen.
cracker ['krækə*] n (firework) Knallkörper m, Kracher m; (biscuit) Keks m; (Christmas ~) Knallbonbon nt; (Brit fam) tolle Frau, toller Mann.
crackle ['krækl] vi knistern; (fire) prasseln; **crackling** n Knistern nt; (GASTR) Kruste f [des Schweinebratens].
cradle ['kreɪdl] n Wiege f.
craft [krɑːft] n (skill) Kunstfertigkeit f; (trade) Handwerk nt; (cunning) Verschlagenheit f; (NAUT) Fahrzeug nt, Schiff nt; **craftsman** n ⟨craftsmen⟩ gelernter Handwerker; **craftsmanship** n (quality) handwerkliche Ausführung; (ability) handwerkliches Können.
crafty ['krɑːftɪ] adj schlau, gerieben.
crag [kræg] n Klippe f; **craggy** adj schroff, felsig.
cram [kræm] 1. vt vollstopfen; (fam: teach) pauken; 2. vi (learn) pauken.
cramp [kræmp] 1. n Krampf m; 2. vt (hinder) einengen, behindern.
crampon ['kræmpən] n Steigeisen nt.
cranberry ['krænbərɪ] n Preiselbeere f.
crane [kreɪn] n (machine) Kran m; (bird) Kranich m.
cranium ['kreɪnɪəm] n Schädel m.
crank [kræŋk] 1. n (lever) Kurbel f; (person) Spinner(in) m(f); 2. vt ankurbeln; **crankshaft** n Kurbelwelle f.
cranky ['kræŋkɪ] adj verschroben.
cranny ['krænɪ] n Ritze f.
crap [kræp] n (fam!) Scheiße f.
crash [kræʃ] 1. n (noise) Krachen nt; (with cars) Zusammenstoß m; (with plane) Absturz m; (FIN) Zusammenbruch m; 2. vi

stürzen; (cars) zusammenstoßen; (plane) abstürzen; (economy) zusammenbrechen; (noise) knallen; 3. adj (course) Schnell-; **crash helmet** n Sturzhelm m; **crash landing** n Bruchlandung f.
crass [kræs] adj kraß.
crate [kreɪt] n (a. fig) Kiste f.
crater ['kreɪtə*] n Krater m.
cravat[e] [krə'væt] n Halstuch nt.
crave [kreɪv] vi verlangen (for nach); **craving** n Verlangen nt.
crawl [krɔːl] 1. vi kriechen; (baby) krabbeln; 2. n Kriechen nt; (swim) Kraulen nt.
crayon ['kreɪən] n Buntstift m.
craze [kreɪz] n Fimmel m.
crazy ['kreɪzɪ] adj verrückt (about nach); **crazy paving** n Mosaikpflaster nt.
creak [kriːk] 1. n Knarren m; 2. vi quietschen, knarren.
cream [kriːm] n (from milk) Rahm m, Sahne f; (polish, cosmetic) Creme f; (fig: people) Elite f; 2. adj (colour) cremefarben; **cream cake** n (small) Sahnetörtchen nt; (big) Sahnetorte f; **cream cheese** n Doppelrahmfrischkäse m; **creamery** n Molkerei f; **creamy** adj sahnig.
crease [kriːs] 1. n Falte f; 2. vt falten; (untidy) zerknittern.
create [krɪ'eɪt] vt erschaffen; (cause) verursachen; **creation** [krɪ'eɪʃən] n Schöpfung f; **creative** [krɪ'eɪtɪv] adj schöpferisch, kreativ; **creator** [krɪ'eɪtə*] n Schöpfer(in) m(f).
creature ['kriːtʃə*] n Geschöpf nt.
crèche [kreɪʃ] n (Kinder)krippe f.
credibility [kredɪ'bɪlɪtɪ] n Glaubwürdigkeit f; **credible** ['kredɪbl] adj (person) glaubwürdig; (story) glaubhaft.
credit ['kredɪt] 1. n (COMM) Kredit m; (money possessed) [Gut]haben nt; 2. vt Glauben schenken +dat; **to sb's ~** zu jds Ehre; **creditable** adj rühmlich; **credit card** n Kreditkarte f; **creditor** n Gläubiger(in) m(f); **credit rating company** n ≈ Schufa f.
credulity [krɪ'djuːlɪtɪ] n Leichtgläubigkeit f.
creed [kriːd] n Glaubensbekenntnis nt; (fig) Kredo nt.
creek [kriːk] n (inlet) kleine Bucht; (US: river) Bach m.
creep [kriːp] ⟨crept, crept⟩ vi kriechen; **creeper** n Kletterpflanze f.
creepy ['kriːpɪ] adj (frightening) gruselig.
cremate [krɪ'meɪt] vt einäschern; **cremation** [krɪ'meɪʃən] n Einäscherung f; **crematorium** [kremə'tɔːrɪəm] n Krematorium nt.
crepe [kreɪp] n Krepp m; **crepe bandage** n Elastikbinde f.
crept [krept] pt, pp of **creep**.

crescent ['kresnt] *n* (*of moon*) Halbmond *m*.

cress [kres] *n* Kresse *f*.

crest [krest] *n* (*of cock*) Kamm *m*; (*of wave*) Wellenkamm *m*; (*coat of arms*) Wappen *nt*; **crestfallen** *adj* niedergeschlagen.

cretin ['kretɪn] *n* Idiot(in) *m(f)*.

crevasse [krə'væs] *n* Gletscherspalte *f*.

crevice ['krevɪs] *n* Riß *m*; (*in rock*) Felsspalte *f*.

crew [kru:] *n* Besatzung *f*, Mannschaft *f*; **crew-cut** *n* Bürstenschnitt *m*; **crewneck** *n* runder Ausschnitt.

crib [krɪb] *n* (*bed*) Krippe *f*; (*cheating aid*) Spickzettel *m*; (*fam: plagiary*) Anleihe *f*.

crick [krɪk] *n* Muskelkrampf *m*.

cricket ['krɪkɪt] *n* (*insect*) Grille *f*; (*game*) Kricket *nt*; **cricketer** *n* Kricketspieler(in) *m(f)*.

crime [kraɪm] *n* Verbrechen *nt*.

Crimea [kraɪ'mɪə] *n* Krim *f*.

criminal ['krɪmɪnl] **1.** *n* Verbrecher(in) *m(f)*; **2.** *adj* kriminell, strafbar.

crimson ['krɪmzn] *adj* purpurrot.

cringe [krɪndʒ] *vi* schaudern.

crinkle ['krɪŋkl] **1.** *vt* zerknittern; **2.** *vi* knittern; **crinkly** *adj* (*hair*) kraus.

cripple ['krɪpl] **1.** *n* Krüppel *m*; **2.** *vt* lahmlegen; (*MED*) lähmen, verkrüppeln.

crisis ['kraɪsɪs] *n* Krise *f*.

crisp [krɪsp] **1.** *adj* knusprig; **2.** *n* (*Brit*) (Kartoffel)chip *m*.

criss-cross ['krɪskrɒs] *adj* Kreuz-.

criterion [kraɪ'tɪərɪən] *n* Kriterium *nt*.

critic ['krɪtɪk] *n* Kritiker(in) *m(f)*; **critical** *adj* kritisch; **critically** *adv* kritisch; (*ill*) schwer; **criticism** ['krɪtɪsɪzm] *n* Kritik *f*; **criticize** ['krɪtɪsaɪz] *vt* kritisieren; (*comment*) beurteilen.

croak [krəʊk] **1.** *vi* krächzen; (*frog*) quaken; **2.** *n* Krächzen *nt*; Quaken *nt*.

Croat ['krəʊæt] *n* Kroate *m*, Kroatin *f*; **Croatia** [krəʊ'eɪʃə] *n* Kroatien *nt*; **Croatian** [krəʊ'eɪʃən] **1.** *adj* kroatisch; **2.** *n* Kroate *m*, Kroatin *f*.

crochet ['krəʊʃeɪ] *n* Häkeln *nt*.

crockery ['krɒkərɪ] *n* Geschirr *nt*.

crocodile ['krɒkədaɪl] *n* Krokodil *nt*.

crocus ['krəʊkəs] *n* Krokus *m*.

croft [krɒft] *n* kleines Pachtgut, *m* Kleinbauer(-bäuerin) *m(f)*.

crony ['krəʊnɪ] *n* Freund(in) *m(f)*.

crook [krʊk] *n* (*criminal*) Gauner(in) *m(f)*, Schwindler(in) *m(f)*; (*stick*) Hirtenstab *m*; **crooked** ['krʊkɪd] *adj* krumm.

crop [krɒp] *n* (*harvest*) Ernte *f*; (*fam: series*) Haufen *m*; **crop up** *vi* auftauchen; (*thing*) passieren.

croquet ['krəʊkeɪ] *n* Krocket *nt*.

croquette [krə'ket] *n* Krokette *f*.

cross [krɒs] **1.** *n* Kreuz *nt*; (*BIO*) Kreuzung *f*; **2.** *vt* (*road*) überqueren; (*legs*) übereinanderlegen; (*write*) einen Querstrich ziehen durch; (*cheque*) als Verrechnungsscheck kennzeichnen; (*BIO*) kreuzen; **3.** *adj* (*annoyed*) ärgerlich, böse; **to be at ~ purposes** von verschiedenen Dingen reden; **cross out** *vt* streichen; **crossbar** *n* Querstange *f*; **crossbreed** *n* (*ZOOL, BIO*) Kreuzung *f*; **cross-country** *n* Geländelauf *m*; **cross-country ski** *n* Langlaufski *m*; **cross-country skier** *n* Langläufer(in) *m(f)*; **cross-country skiing** *n* Langlauf *m*; **cross-examination** *n* Kreuzverhör *nt*; **cross-examine** *vt* ins Kreuzverhör nehmen; **cross-eyed** *adj*: **to be ~** schielen; **crossing** *n* (*crossroads*) [Straßen]kreuzung *f*; (*of ship*) Überfahrt *f*; (*for pedestrians*) Fußgängerüberweg *m*; **cross-reference** *n* [Quer]verweis *m*; **crossroads** *n sing o pl* Straßenkreuzung *f*; (*fig*) Scheideweg *m*; **cross section** *n* Querschnitt *m*; **crosswalk** *n* (*US*) Fußgängerüberweg *m*; **crosswind** *n* Seitenwind *m*; **crossword [puzzle]** *n* Kreuzworträtsel *nt*.

crotch [krɒtʃ] *n* (*in tree*) Gabelung *f*; (*ANAT*) Unterleib *m*; (*in pants*) Zwickel *m*.

crotchet ['krɒtʃɪt] *n* Viertelnote *f*.

crouch [kraʊtʃ] *vi* hocken.

crouton ['kru:ton] *n* gerösteter Brotwürfel.

crow [krəʊ] *n* Krähen *nt*.

crowbar ['krəʊbɑ:*] *n* Stemmeisen *nt*.

crowd [kraʊd] **1.** *n* Menge *f*, Gedränge *nt*; **2.** *vt* (*fill*) überfüllen; **3.** *vi* drängen; **crowded** *adj* überfüllt.

crown [kraʊn] **1.** *n* Krone *f*; **2.** *vt* krönen; **crown jewels** *n pl* Kronjuwelen *pl*; **crown prince** *n* Kronprinz *m*.

crow's-nest ['krəʊznest] *n* Krähennest *nt*, Ausguck *m*.

crucial ['kru:ʃəl] *adj* entscheidend.

crucifix ['kru:sɪfɪks] *n* Kruzifix *nt*; **crucifixion** [kru:sɪ'fɪkʃən] *n* Kreuzigung *f*; **crucify** ['kru:sɪfaɪ] *vt* kreuzigen.

crude [kru:d] *adj* (*raw*) roh; (*humour, behaviour*) grob; **crudely** *adv* grob; **crudeness**, **crudity** *n* Roheit *f*.

cruel ['krʊəl] *adj* grausam; (*distressing*) schwer; (*hard-hearted*) hart, gefühllos; **cruelty** *n* Grausamkeit *f*.

cruet ['kru:ɪt] *n* Gewürzständer *m*, Menage *f*.

cruise [kru:z] **1.** *n* Kreuzfahrt *f*; **2.** *vi* kreuzen; **cruise missile** *n* (*MIL*) Marschflugkörper *m*; **cruiser** *n* (*MIL*) Kreuzer *m*; **cruising-speed** *n* Reisegeschwindigkeit *f*.

crumb [krʌm] *n* Krume *f*; (*fig*) Bröckchen *nt*.

crumble [ˈkrʌmbl] *vt, vi* zerbröckeln; **crumbly** *adj* krümelig.

crumpet [ˈkrʌmpɪt] *n* Pfannkuchen *m*.

crumple [ˈkrʌmpl] *vt* zerknittern; **crumple zone** *n* Knautschzone *f*.

crunch [krʌntʃ] **1.** *n* Knirschen *nt*; (*fig*) der entscheidende Punkt; **2.** *vt* knirschen; **crunchy** *adj* knusprig.

crusade [kruːˈseɪd] *n* (*a. fig*) Kreuzzug *m*; **crusader** *n* (*HIST*) Kreuzfahrer *m*.

crush [krʌʃ] **1.** *n* Gedränge *nt*; **2.** *vt* zerdrücken; (*rebellion*) unterdrücken, niederwerfen; **3.** *vi* (*material*) knittern; **to have a ~ on sb** für jdn schwärmen; **crushing** *adj* überwältigend.

crust [krʌst] *n* (*of bread*) Rinde *f*, Kruste *f*; (*MED*) Schorf *m*.

crutch [krʌtʃ] *n* Krücke *f*; *s. a.* **crotch.**

crux [krʌks] *n* (*crucial point*) der springende Punkt.

cry [kraɪ] **1.** *vi* (*call*) ausrufen; (*shout*) schreien; (*weep*) weinen; **2.** *n* (*call*) Schrei *m*; **cry off** *vi* (*plötzlich*) absagen; (*fam*) aussteigen; **crying** *adj* (*fig*) himmelschreiend.

crypt [krɪpt] *n* Krypta *f*.

cryptic [ˈkrɪptɪk] *adj* (*secret*) geheim; (*mysterious*) rätselhaft.

crystal [ˈkrɪstl] *n* Kristall *m*; (*glass*) Kristall[glas] *nt*; (*mineral*) Bergkristall *m*; **crystal-clear** *adj* kristallklar; **crystallize** *vt, vi* kristallisieren; (*fig*) klären.

CSCE *n abbr of* **Conference on Security and Cooperation in Europe** KSZE *f*.

cub [kʌb] *n* Junge(s) *nt*; (*young boy scout*) Wölfling *m*.

Cuba [ˈkjuːbə] *n* Kuba *nt*.

cubby-hole [ˈkʌbɪhəʊl] *n* (*fam*) Eckchen *nt*.

cube [kjuːb] *n* Würfel *m*; (*MATH*) Kubikzahl *f*; **cubic** [ˈkjuːbɪk] *adj* würfelförmig; (*centimetre etc*) Kubik-.

cubicle [ˈkjuːbɪkl] *n* Kabine *f*.

cuckoo [ˈkʊkuː] *n* Kuckuck *m*; **cuckoo clock** *n* Kuckucksuhr *f*.

cucumber [ˈkjuːkʌmbə*] *n* Gurke *f*.

cuddle [ˈkʌdl] **1.** *vi* schmusen; **2.** *vt* schmusen mit; **3.** *n* Liebkosung *f*; **cuddly** [ˈkʌdlɪ] *adj* anschmiegsam; (*teddy*) zum Schmusen.

cudgel [ˈkʌdʒəl] *n* Knüppel *m*.

cue [kjuː] *n* Wink *m*; (*THEAT*) Stichwort *nt*; (*SPORT*) Billardstock *m*; (*MUS*) Einsatz *m*.

cuff [kʌf] *n* (*of shirt, coat etc*) Manschette *f*, Aufschlag *m*; **cufflink** *n* Manschettenknopf *m*.

cuisine [kwɪˈziːn] *n* Kochkunst *f*, Küche *f*.

cul-de-sac [ˈkʌldəsæk] *n* (*Brit*) Sackgasse *f*.

culinary [ˈkʌlɪnərɪ] *adj* Koch-.

culminate [ˈkʌlmɪneɪt] *vi* gipfeln; **culmination** [kʌlmɪˈneɪʃən] *n* Höhepunkt *m*.

culpable [ˈkʌlpəbl] *adj* schuldig.

culprit [ˈkʌlprɪt] *n* Schuldige(r) *mf*; (*fig*)

Übeltäter(in) *m(f)*.

cult [kʌlt] *n* Kult *m*.

cultivate [ˈkʌltɪveɪt] *vt* (*AGR*) bebauen, kultivieren; (*mind*) bilden; **cultivated** *adj* (*AGR*) bebaut; (*cultured*) kultiviert; **cultivation** [kʌltɪˈveɪʃən] *n* (*AGR*) Bebauung *f*; (*of person*) Bildung *f*.

cultural [ˈkʌltʃərəl] *adj* kulturell, Kultur-; **culture** [ˈkʌltʃə*] *n* Kultur *f*; **cultured** *adj* gebildet, kultiviert.

cumbersome [ˈkʌmbəsəm] *adj* (*task*) beschwerlich; (*object*) unhandlich.

cumulative [ˈkjuːmjʊlətɪv] *adj* gehäuft; **to be ~** sich häufen.

cunning [ˈkʌnɪŋ] **1.** *n* Verschlagenheit *f*; **2.** *adj* schlau; (*person also*) listig, gerissen.

cunt [kʌnt] *n* (*fam!: vagina*) Fotze *f*; (*term of abuse*) Arsch *m*, Fotze *f*.

cup [kʌp] *n* Tasse *f*; (*prize*) Pokal *m*; **cupboard** [ˈkʌbəd] *n* Schrank *m*; **cup final** *n* Pokalendspiel *nt*.

cupola [ˈkjuːpələ] *n* Kuppel *f*.

curable [ˈkjʊərəbl] *adj* heilbar.

curb [kɜːb] **1.** *vt* zügeln; **2.** *n* Zaum *m*; (*on spending etc*) Einschränkung *f*.

cure [kjʊə*] **1.** *n* Heilmittel *nt*; (*process*) Heilverfahren *nt*; **2.** *vt* heilen; **there's no ~ for …** es gibt kein Mittel gegen …

curfew [ˈkɜːfjuː] *n* Ausgangssperre *f*.

curiosity [kjʊərɪˈɒsɪtɪ] *n* Neugier *f*; (*for knowledge*) Wißbegierde *f*; (*object*) Merkwürdigkeit *f*; **curious** [ˈkjʊərɪəs] *adj* neugierig; (*strange*) seltsam; **curiously** *adv*: **~ enough** merkwürdigerweise.

curl [kɜːl] **1.** *n* Locke *f*; **2.** *vt* (*hair*) locken; **curler** *n* Lockenwickler *m*.

curlew [ˈkɜːljuː] *n* Brachvogel *m*.

curly [ˈkɜːlɪ] *adj* lockig.

currant [ˈkʌrənt] *n* (*dried*) Korinthe *f*; (*red, black*) Johannisbeere *f*.

currency [ˈkʌrənsɪ] *n* Währung *f*; (*of ideas*) Geläufigkeit *f*.

current [ˈkʌrənt] **1.** *n* Strömung *f*; **2.** *adj* (*expression*) gängig, üblich; (*issue*) neueste(r, s); **current account** *n* Girokonto *nt*; **current affairs** *n pl* Zeitgeschehen *nt*; **currently** *adv* zur Zeit.

curriculum [kəˈrɪkjʊləm] *n* Lehrplan *m*; **curriculum vitae** [kəˈrɪkjʊləmˈviːtaɪ] *n* Lebenslauf *m*.

curry [ˈkʌrɪ] *n* Currygericht *nt*; **curry powder** *n* Curry[pulver] *nt*.

curse [kɜːs] **1.** *vi* (*swear*) fluchen (*at* auf +*akk*); **2.** *vt* verwünschen; **3.** *n* Fluch *m*.

cursor [ˈkɜːsə*] *n* (*COMPUT*) Cursor *m*, Schreibstellenmarke *f*.

cursory [ˈkɜːsərɪ] *adj* flüchtig.

curt [kɜːt] *adj* schroff.

curtail [kɜːˈteɪl] *vt* abkürzen; (*rights*) einschränken.

curtain ['kɜ:tn] n Vorhang m.

curtsy ['kɜ:tsɪ] **1.** n Knicks m; **2.** vi knicksen.

cushion ['kʊʃən] **1.** n Kissen nt; **2.** vt polstern.

custard ['kʌstəd] n Vanillesoße f.

custodian [kʌs'təʊdɪən] n Kustos m, Verwalter(in) m(f).

custody ['kʌstədɪ] n Aufsicht f; (for child) Sorgerecht nt; (police) Polizeigewahrsam m.

custom ['kʌstəm] n (tradition) Brauch m; (business dealing) Kundschaft f; s. a. **customs**.

customary ['kʌstəmrɪ] adj üblich.

customer ['kʌstəmə*] n Kunde m, Kundin f; **customized** ['kʌstəmaɪzd] adj kundenspezifisch, maßgeschneidert; **custommade** adj speziell angefertigt.

customs ['kʌstəmz] n pl (taxes) Einfuhrzoll m; **Customs** Zollamt nt; **Customs officer** Zollbeamte(r) m, -beamtin f.

cut [kʌt] (cut, cut) **1.** vt schneiden; (wages) kürzen; (prices) heruntersetzen; **2.** n Schnitt m; (wound) Schnittwunde f; (in book, income etc) Kürzung f; (in prices) Ermäßigung f; (share) Anteil m; **I ~ my hand** ich habe mir in die Hand geschnitten.

cute [kju:t] adj reizend, niedlich; (US) clever.

cuticle ['kju:tɪkl] n (on nail) Nagelhaut f.

cutlery ['kʌtlərɪ] n Besteck nt.

cutlet ['kʌtlɪt] n (pork) Kotelett nt; (veal) Schnitzel nt.

cutout ['kʌtaʊt] n (ELEC) Sperre f.

cut-price ['kʌtpraɪs] adj sehr billig, zu Schleuderpreisen.

cutting ['kʌtɪŋ] **1.** adj schneidend; **2.** n (from paper) Ausschnitt m.

CV n abbr of **curriculum vitae**.

cwt abbr of **hundredweight** ≈ Zentner, Ztr.

cyanide ['saɪənaɪd] n Zyankali nt.

cybernetics [saɪbə'netɪks] n sing Kybernetik f.

cyclamen ['sɪkləmən] n Alpenveilchen nt.

cycle ['saɪkl] **1.** n Zyklus m, Kreislauf m; (of events) Gang m; (bicycle) Fahrrad nt; (series) Reihe f; **2.** vi radfahren; **cycling** n Radfahren nt; (SPORT) Radsport m; **cyclist** n Radfahrer(in) m(f).

cyclone ['saɪkləʊn] n Zyklon m.

cygnet ['sɪgnɪt] n junger Schwan.

cylinder ['sɪlɪndə*] n Zylinder m; (TECH) Walze f; **cylinder block** n Zylinderblock m; **cylinder capacity** n Hubraum m; **cylinder head** n Zylinderkopf m.

cymbals ['sɪmbəlz] n pl Becken nt.

cynic ['sɪnɪk] n Zyniker(in) m(f); **cynical** adj zynisch; **cynicism** n Zynismus m.

cypress ['saɪprəs] n Zypresse f.

Cyprus ['saɪprəs] n Zypern nt.

cyst [sɪst] n Zyste f.

czar [zɑ:*] n Zar m; **czarina** [zɑ:'ri:nə] n Zarin f.

Czech [tʃek] **1.** adj tschechisch; **2.** n Tscheche m, Tschechin f; **Czech Republic** [tʃekrɪ'pʌblɪk] n die Tschechische Republik, Tschechien nt.

D

D, d [di:] n D nt, d nt.

dab [dæb] **1.** vt (wound, paint) betupfen; **2.** n (little bit) bißchen; (of paint) Tupfer m; (smear) Klecks m; (of liquid, perfume) Tropfen m.

dabble ['dæbl] vi (splash) plätschern; **to ~ in sth** (fig) etw als Hobby machen.

dachshund ['dækshʊnd] n Dackel m.

dad[dy] ['dæd[ɪ]] n Papa m, Vati m; **daddy-long-legs** n sing Weberknecht m.

daffodil ['dæfədɪl] n Osterglocke f.

daft [dɑ:ft] adj doof.

dagger ['dægə*] n Dolch m.

dahlia ['deɪlɪə] n Dahlie f.

daily ['deɪlɪ] **1.** adj, adv täglich; **2.** n (PRESS) Tageszeitung f; (woman) Haushaltshilfe f.

dainty ['deɪntɪ] adj zierlich.

dairy ['deərɪ] **1.** n (shop) Milchgeschäft nt; (on farm) Molkerei f; **2.** adj Milch-.

daisy ['deɪzɪ] n Gänseblümchen nt; **daisy wheel** n Typenrad nt; **~ typewriter** Typenradschreibmaschine f.

dam [dæm] **1.** n (Stau)damm m; **2.** vt stauen.

damage ['dæmɪdʒ] **1.** n Schaden m; **2.** vt beschädigen; **~s** pl (JUR) Schaden[s]ersatz m.

Dame [deɪm] n (Brit) Dame (Titel der weiblichen Träger verschiedener Orden).

damn [dæm] **1.** vt verdammen, verwünschen; **2.** adj (fam) verdammt; **~ it!** verflucht!; **damning** adj vernichtend.

damp [dæmp] **1.** adj feucht; **2.** n Feuchtigkeit f; **3.** vt (also: **~en**) befeuchten; (discourage) dämpfen; **dampness** n Feuchtigkeit f.

damson ['dæmzən] n Damaszenerpflaume f.

dance [dɑ:ns] **1.** n Tanz m; **2.** vi tanzen; **dance hall** n Tanzlokal nt; **dancer** n Tänzer(in) m(f); **dancing** n Tanzen nt.

dandelion ['dændɪlaɪən] n Löwenzahn m.

dandruff ['dændrəf] n [Kopf]schuppen pl.

Dane [deɪn] n Däne m, Dänin f.

danger ['deɪndʒə*] n Gefahr f; **~!** (sign) Achtung!; **danger-list** n: **on the ~** in Lebensgefahr; **dangerous** adj, **dangerously** adv gefährlich.

dangle ['dæŋgl] **1.** *vi* baumeln; **2.** *vt* herabhängen lassen.

Danish ['deɪnɪʃ] *adj* dänisch.

Danube ['dænjuːb] *n* Donau *f*.

dapper ['dæpə*] *adj* adrett.

dare [dɛə*] **1.** *vt* herausfordern; **2.** *vi:* **to ~ [to] do sth** es wagen, etw zu tun; **I ~ say** ich würde sagen; **daring 1.** *adj (audacious)* verwegen; *(bold)* wagemutig; *(dress)* gewagt; **2.** *n* Mut *m*.

dark [dɑːk] **1.** *adj* dunkel; *(fig)* düster, trübe; *(deep colour)* dunkel-; **2.** *n* Dunkelheit *f*; **after ~** nach Anbruch der Dunkelheit; **Dark Ages** *pl* [finsteres] Mittelalter *nt*; **darken** *vt, vi* verdunkeln; **darkness** *n* Finsternis *f*; **darkroom** *n* Dunkelkammer *f*.

darling ['dɑːlɪŋ] **1.** *n* Liebling *m*; *(child)* Schätzchen *nt*; **2.** *adj* lieb, süß.

darn [dɑːn] *vt* stopfen.

dart [dɑːt] **1.** *n (leap)* Satz *m*; *(weapon)* Pfeil *m*; **2.** *vi* sausen; **~s** *sing (game)* Pfeilwurfspiel *nt*; **dartboard** *n* Zielscheibe *f*.

dash [dæʃ] **1.** *n* Sprung *m*; *(mark)* [Gedanken]strich *m*; **2.** *vt* schleudern; **3.** *vi* stürzen, stürmen; **dashboard** *n* Armaturenbrett *nt*; **dashing** *adj* schneidig.

data ['deɪtə] **1.** *n pl* Einzelheiten *pl*, Daten *pl*; **2.** *n (US)* erfassen; **data bank** *n* Datenbank *f*; **database** *n* Datenbasis *f*, Datenbestand *m*; **data capture** *n* Datenerfassung *f*; **data carrier** *n* Datenträger *m*; **data preparation** *n* Datenaufbereitung *f*; **data processing** *n* Datenverarbeitung *f*; **data protection** *n* Datenschutz *m*.

date [deɪt] **1.** *n* Datum *nt*; *(for meeting etc)* Termin *m*; *(with person)* Verabredung *f*; *(fruit)* Dattel *f*; **2.** *vt (letter etc)* datieren; *(person)* gehen mit; **dated** *adj* altmodisch; **date-line** *n* Datumsgrenze *f*.

dative ['deɪtɪv] *n* Dativ *m*, Wemfall *m*.

daub [dɔːb] *vt* beschmieren; *(paint)* schmieren.

daughter ['dɔːtə*] *n* Tochter *f*; **daughter-in-law** *n* ⟨daughters-in-law⟩ Schwiegertochter *f*.

daunt [dɔːnt] *vt* entmutigen.

davenport ['dævnpɔːt] *n (Brit: desk)* Sekretär *m*; *(US: sofa)* Sofa *nt*.

dawdle ['dɔːdl] *vi* trödeln.

dawn [dɔːn] **1.** *n* Morgendämmerung *f*; **2.** *vi* dämmern; *(fig)* dämmern *(on sb* jdm*)*.

day [deɪ] *n* Tag *m*; **~ by ~** Tag für Tag, täglich; **one ~** eines Tages; **daybreak** *n* Tagesanbruch *m*; **daydream 1.** *n* Wachtraum *m*, Träumerei *f*; **2.** *vi irr* vi [mit offenen Augen] träumen; **daylight** *n* Tageslicht *nt*; **daytime** *n* Tageszeit *f*.

daze [deɪz] **1.** *vt* benommen machen; **2.** *n* Benommenheit *f*; **dazed** *adj* benommen.

dazzle ['dæzl] *vt* blenden.

deacon ['diːkən] *n* Diakon *m*.

dead [ded] **1.** *adj* tot, gestorben; *(without feeling)* gefühllos; *(without movement)* leer, verlassen; **2.** *adv (fam)* total, völlig; **~ centre** genau in der Mitte; **the ~** *pl* die Toten *pl*; **the Dead Sea** das Tote Meer; **deaden** *vt (pain)* abtöten; *(sound)* ersticken; **dead end** *n* Sackgasse *f*; **dead heat** *n* totes Rennen; **deadline** *n* Frist *f*, Termin *m*; **deadlock** *n* Stillstand *m*; **deadly** *adj* tödlich; **deadpan** *adj (face)* unbewegt, undurchdringlich; *(humour)* trocken.

deaf [def] *adj* taub; **deaf-aid** *n (Brit)* Hörgerät *nt*; **deafen** *vt* taub machen; **deafening** *adj* ohrenbetäubend; **deaf-mute** *n* Taubstumme(r) *mf*; **deafness** *n* Taubheit *f*.

deal [diːl] ⟨dealt, dealt⟩ **1.** *vt, vi* austeilen; *(CARDS)* geben; **2.** *n* Geschäft *nt*; **a great ~ of** sehr viel; **to ~ with** *(person)* behandeln; *(department)* sich befassen mit; **dealer** *n (COMM)* Händler(in) *m(f)*; *(CARDS)* Kartengeber(in) *m(f)*; **dealings** *n pl (FIN)* Geschäfte *pl*; *(relations)* Beziehungen *pl*, Geschäftsverkehr *m*; **dealt** [delt] *pt, pp of* **deal**.

dean [diːn] *n (SCH, REL)* Dekan *m*.

dear [dɪə*] **1.** *adj* lieb; *(expensive)* teuer; **2.** *n* Liebling *m*; **~ me!** du liebe Zeit!; **Dear Sir or Madam** Sehr geehrte Damen und Herren!; **Dear John** Lieber John!; **dearly** *adv (love)* [heiß und] innig; *(pay)* teuer.

death [deθ] *n* Tod *m*; *(case of)* Todesopfer *nt*; *(end)* Ende *nt*; *(statistic)* Sterbefall *m*; **deathbed** *n* Sterbebett *nt*; **death certificate** *n* Totenschein *m*; **death duties** *n pl (Brit)* Erbschaftssteuer *f*; **deathly** *adj* totenähnlich, Toten-; **~ pale** leichenblaß; **death penalty** *n* Todesstrafe *f*; **death rate** *n* Sterblichkeitsziffer *f*.

debatable [dɪ'beɪtəbl] *adj* strittig.

debate [dɪ'beɪt] **1.** *n* Debatte *f*, Diskussion *f*; **2.** *vt* debattieren, diskutieren; *(consider)* überlegen.

debauched [dɪ'bɔːtʃt] *adj* ausschweifend.

debit ['debɪt] **1.** *n* Soll *nt*; **2.** *vt* belasten.

debris ['debriː] *n* Trümmer *pl*.

debt [det] *n* Schuld *f*; **to be in ~** verschuldet sein; **debtor** *n* Schuldner(in) *m(f)*.

decade ['dekeɪd] *n* Jahrzehnt *nt*.

decadence ['dekədəns] *n* Verfall *m*, Dekadenz *f*; **decadent** *adj* dekadent.

decaffeinated [diː'kæfɪneɪtɪd] *adj* koffeinfrei, entkoffeiniert.

decanter [dɪ'kæntə*] *n* Karaffe *f*.

decay [dɪ'keɪ] **1.** *n* Verfall *m*; **2.** *vi* verfallen; *(teeth, meat)* faulen; *(leaves)* verrotten; *(dead body)* verwesen.

decease [dɪ'siːs] *n* Tod *m*; **deceased** *adj*

verstorben.

deceit [dɪ'siːt] n Betrug m; **deceitful** adj falsch.

deceive [dɪ'siːv] vt täuschen.

decelerate [diː'seləreɪt] vi (car, train) langsamer werden; (production) sich verlangsamen; (driver) die Geschwindigkeit verringern.

December [dɪ'sembə*] n Dezember m; ~ **18th, 1961, 18th ~ 1961** (Datumsangabe) 18. Dezember 1961; **on the 1st/11th of ~** (gesprochen) am 1./11. Dezember; **on 1st/ 11th ~, on ~ 1st/11th** (geschrieben) am 1./ 11. Dezember; **in ~** im Dezember.

decency ['diːsənsɪ] n Anstand m; **decent** ['diːsənt] adj (respectable) anständig; (pleasant) annehmbar.

decentralization [diːsentrəlaɪ'zeɪʃən] n Dezentralisierung f; **decentralized** [diː'sentrəlaɪzd] adj dezentral.

deception [dɪ'sepʃən] n Betrug m; **deceptive** [dɪ'septɪv] adj täuschend, irreführend.

decibel ['desɪbel] n Dezibel nt.

decide [dɪ'saɪd] **1.** vt entscheiden; **2.** vi sich entscheiden; **to ~ on sth** etw beschließen; (choose) etw [aus]wählen; **decided** adj bestimmt, entschieden; **decidedly** adv entschieden.

deciduous [dɪ'sɪdjuəs] adj Laub-.

decimal ['desɪməl] **1.** adj dezimal; **2.** n Dezimalzahl f; **decimal point** n Komma nt [eines Dezimalbruches]; **decimal system** n Dezimalsystem nt.

decipher [dɪ'saɪfə*] vt entziffern.

decision [dɪ'sɪʒən] n Entscheidung f, Entschluß m.

decisive [dɪ'saɪsɪv] adj entscheidend, ausschlaggebend; (manner) bestimmt; (person) entschlußfreudig.

deck [dek] n (NAUT) Deck nt; (of cards) Pack m; **deckchair** n Liegestuhl m; **deckhand** n Matrose m.

declaration [deklə'reɪʃən] n Erklärung f; **declare** [dɪ'kleə*] vt (state) behaupten; (war) erklären; (at Customs) verzollen.

decline [dɪ'klaɪn] **1.** n (decay) Verfall m; (lessening) Rückgang m, Niedergang m; **2.** vt (invitation) ausschlagen, ablehnen; **3.** vi (strength) nachlassen; (say no) ablehnen.

declutch [diː'klʌtʃ] vi (TECH) auskuppeln.

decode [diː'kəʊd] vt entschlüsseln; (COMPUT) dekodieren; **decoder** n (COMPUT) Decoder m.

decompose [diːkəm'pəʊz] vi sich zersetzen; **decomposition** [diːkɒmpə'zɪʃən] n Zersetzung f.

decontaminate [diːkən'tæmɪneɪt] vt entgiften, entseuchen.

décor ['deɪkɔː*] n Ausstattung f.

decorate ['dekəreɪt] vt (room) tapezieren [und streichen]; (adorn) [aus]schmücken; (cake) verzieren; (honour) auszeichnen; **decoration** [dekə'reɪʃən] n Schmuck m; (medal) Orden m; **decorative** ['dekərətɪv] adj dekorativ, Schmuck-; **decorator** ['dekəreɪtə*] n Maler(in) m(f), Anstreicher(in) m(f).

decrease [diː'kriːs] **1.** n Abnahme f; **2.** vt vermindern; **3.** vi abnehmen.

decree [dɪ'kriː] n Verfügung f, Erlaß m.

decrepit [dɪ'krepɪt] adj hinfällig.

dedicate ['dedɪkeɪt] vt (to God) weihen; (book) widmen; **dedication** [dedɪ'keɪʃən] n (devotion) Ergebenheit f; (in book) Widmung f.

deduce [dɪ'djuːs] vt ableiten, schließen (from aus).

deduct [dɪ'dʌkt] vt abziehen; **deduction** [dɪ'dʌkʃən] n (of money) Abzug m; (conclusion) [Schluß]folgerung f.

deed [diːd] n Tat f; (document) Urkunde f.

deep [diːp] adj tief; **deepen** vt vertiefen; **deep-freeze** n Tiefkühltruhe f; (upright) Tiefkühlschrank m; **deep-set** adj tiefliegend.

deer [dɪə*] n Reh nt; (with antlers) Hirsch m.

deface [dɪ'feɪs] vt entstellen, verunstalten.

defamation [defə'meɪʃən] n Verleumdung f.

default [dɪ'fɔːlt] **1.** n Versäumnis nt; (TECH) Fehler m; **2.** vi versäumen; **by ~** durch Nichterscheinen; **3.** [dɪ'fɔːlt] n (COMPUT) Default m, Voreinstellung f.

defeat [dɪ'fiːt] **1.** n (overthrow) Vernichtung f; (in battle) Niederlage f; **2.** vt besiegen; **that ~s the purpose** das bewirkt das Gegenteil; **defeatist** adj defätistisch, gottergeben.

defect ['diːfekt] **1.** n Defekt m, Fehler m; **2.** [dɪ'fekt] vi überlaufen; **defective** [dɪ'fektɪv] adj fehlerhaft, schadhaft.

defence [dɪ'fens] n (MIL, SPORT) Verteidigung f; (excuse) Rechtfertigung f; **defenceless** adj wehrlos.

defend [dɪ'fend] vt verteidigen; **defendant** n Angeklagte(r) mf; **defender** n Verteidiger(in) m(f); **defensive** [dɪ'fensɪv] adj defensiv, Schutz-; **to be on the ~** sich verteidigen, in der Defensive sein.

defer [dɪ'fɜː*] vt verschieben.

defiant [dɪ'faɪənt] adj trotzig, unnachgiebig.

deficiency [dɪ'fɪʃənsɪ] n Unzulänglichkeit f, Mangel m; **deficient** adj unzureichend.

deficit ['defɪsɪt] n Defizit nt, Fehlbetrag m.

define [dɪ'faɪn] vt bestimmen; (explain) definieren.

definite ['definɪt] adj bestimmt; (clear) klar, eindeutig; **definitely** adv bestimmt.

definition [defɪ'nɪʃən] n Definition f;

(*PHOT*) Schärfe f.

definitive [dɪˈfɪnɪtɪv] adj definitiv, endgültig.

deflate [diːˈfleɪt] vt die Luft ablassen aus.

deflect [dɪˈflekt] vt ablenken.

defoliant [diːˈfəʊlɪənt] n Entlaubungsmittel nt.

deform [dɪˈfɔːm] vt deformieren, entstellen; **deformity** n Verunstaltung f, Mißbildung f.

defraud [dɪˈfrɔːd] vt betrügen.

defrost [diːˈfrɒst] vt (*fridge*) abtauen; (*food*) auftauen.

defy [dɪˈfaɪ] vt (*challenge*) sich widersetzen +dat; (*resist*) trotzen +dat, sich stellen gegen.

degenerate [dɪˈdʒenəreɪt] **1.** vi degenerieren; **2.** [dɪˈdʒenərət] adj degeneriert.

degrading [dɪˈɡreɪdɪŋ] adj erniedrigend.

degree [dɪˈɡriː] n Grad m; (*SCH*) akademischer Grad; **by ~s** allmählich; **to take one's ~** sein Examen machen.

dehydrated [diːhaɪˈdreɪtɪd] adj getrocknet, Trocken-; (*person*) ausgetrocknet.

de-ice [diːˈaɪs] vt enteisen.

deign [deɪn] vi sich herablassen.

deity [ˈdeɪɪtɪ] n Gottheit f.

dejected [dɪˈdʒektɪd] adj niedergeschlagen; **dejection** [dɪˈdʒekʃən] n Niedergeschlagenheit f.

delay [dɪˈleɪ] **1.** vt verzögern; (*hold back*) aufschieben; (*person*) aufhalten; **2.** vi zögern; **3.** n Aufschub m; (*lateness*) Verzögerung f; (*of train etc*) Verspätung f; **the flight was ~ed** die Maschine hatte Verspätung; **without ~** unverzüglich.

delegate [ˈdelɪɡət] **1.** n Delegierte(r) mf, Abgeordnete(r) mf; **2.** [ˈdelɪɡeɪt] vt delegieren; **delegation** [delɪˈɡeɪʃən] n Abordnung f; (*foreign*) Delegation f.

delete [dɪˈliːt] vt [aus]streichen; (*COMPUT*) löschen.

deli [ˈdelɪ] n (*US fam*) Feinkostgeschäft nt.

deliberate [dɪˈlɪbərət] **1.** adj (*intentional*) absichtlich; (*slow*) bedächtig; **2.** [dɪˈlɪbəreɪt] vi (*consider*) überlegen; (*debate*) sich beraten; **deliberately** adv vorsätzlich.

delicacy [ˈdelɪkəsɪ] n Zartheit f; (*weakness*) Anfälligkeit f; (*tact*) Zartgefühl nt; (*food*) Delikatesse f; **delicate** [ˈdelɪkɪt] adj (*fine*) fein; (*fragile*) zart; (*situation*) heikel; (*MED*) empfindlich.

delicatessen [delɪkəˈtesn] n sing Feinkostgeschäft nt.

delicious [dɪˈlɪʃəs] adj köstlich, lecker.

delight [dɪˈlaɪt] **1.** n Wonne f; **2.** vt entzücken; **delightful** adj entzückend.

delinquency [dɪˈlɪŋkwənsɪ] n Straffälligkeit f, Delinquenz f; **delinquent 1.** n Straffällige(r) mf; **2.** adj straffällig.

delirious [dɪˈlɪrɪəs] adj irre, im Fieberwahn;

delirium [dɪˈlɪrɪəm] n Fieberwahn m, Delirium nt.

deliver [dɪˈlɪvə*] vt (*goods*) [ab]liefern; (*letter*) bringen, zustellen; (*verdict*) aussprechen; (*speech*) halten; **delivery** n [Ab]lieferung f; (*of letter*) Zustellung f; (*of speech*) Vortragsweise f; **delivery van** n Lieferwagen m.

delouse [diːˈlaʊs] vt entlausen.

delude [dɪˈluːd] vt täuschen.

deluge [ˈdeljuːdʒ] **1.** n Überschwemmung f; (*fig*) Flut f; **2.** vt (*fig*) überfluten.

delusion [dɪˈluːʒən] n [Selbst]täuschung f.

de luxe [dɪˈlʌks] adj Luxus-.

demand [dɪˈmɑːnd] **1.** vt verlangen; **2.** n (*request*) Verlangen nt; (*COMM*) Nachfrage f; **in ~** begehrt, gesucht; **on ~** auf Verlangen; **demanding** adj anspruchsvoll.

demented [dɪˈmentɪd] adj wahnsinnig.

demi- [ˈdemɪ] pref halb-.

demo [ˈdeməʊ] n (-s) (*fam*) Demo f.

democracy [dɪˈmɒkrəsɪ] n Demokratie f; **democrat** [ˈdeməkræt] n Demokrat(in) m(f); **democratic** adj, **democratically** adv [deməˈkrætɪk, -əlɪ] demokratisch.

demographic [deməˈɡræfɪk] adj demographisch.

demolish [dɪˈmɒlɪʃ] vt (*house*) abreißen; (*destroy*) zerstören; (*fig*) vernichten; **demolition** [deməˈlɪʃən] n Abbruch m.

demon [ˈdiːmən] n Dämon m.

demonstrate [ˈdemənstreɪt] vt, vi demonstrieren; **demonstration** [demənˈstreɪʃən] n Demonstration f; (*proof*) Beweisführung f; **demonstrative** [dɪˈmɒnstrətɪv] adj demonstrativ; **demonstrator** [ˈdemənstreɪtə*] n (*POL*) Demonstrant(in) m(f).

demoralize [dɪˈmɒrəlaɪz] vt demoralisieren.

denationalization [ˈdiːnæʃnəlaɪˈzeɪʃən] n Privatisierung f.

denial [dɪˈnaɪəl] n Leugnung f; (*official ~*) Dementi nt.

denigrate [ˈdenɪɡreɪt] vt verunglimpfen.

denim [ˈdenɪm] adj Denim-; **denims** n pl Denim-Jeans pl.

Denmark [ˈdenmɑːk] n Dänemark nt.

denomination [dɪnɒmɪˈneɪʃən] n (*REL*) Bekenntnis nt; (*type*) Klasse f; (*FIN*) Wert m.

denominator [dɪˈnɒmɪneɪtə*] n Nenner m; **common ~** gemeinsamer Nenner.

denote [dɪˈnəʊt] vt bedeuten.

dense [dens] adj dicht, dick; (*stupid*) schwer von Begriff; **densely** adv dicht; **density** [ˈdensɪtɪ] n Dichte f; **double/high ~ disk** (*COMPUT*) Diskette f mit doppelter/hoher Schreibdichte.

dent [dent] **1.** n Delle f; **2.** vt einbeulen.

dental ['dentl] adj Zahn-; ~ **floss** Zahnseide f; ~ **surgeon** Zahnarzt(-ärztin) m(f); **dentist** ['dentɪst] n Zahnarzt(-ärztin) m(f); **dentistry** n Zahnmedizin f.

dentures ['dentʃəz] n pl Gebiß nt.

deny [dɪ'naɪ] vt leugnen; (rumour) widersprechen +dat; (knowledge) verleugnen; (help) abschlagen; **to ~ oneself sth** sich dat etw versagen.

deodorant [di:'əʊdərənt] n Deo[dorant] nt; ~ **spray** Deospray nt o m.

depart [dɪ'pɑ:t] vi abfahren; (go away) weggehen; (deviate) abweichen.

department [dɪ'pɑ:tmənt] n (COMM) Abteilung f; (SCH) Fachbereich m; (POL) Ministerium nt; **departmental** [di:pɑ:'mentl] adj Fach-; **department store** n Kaufhaus nt.

departure [dɪ'pɑ:tʃə*] n (of person) Weggang m; (on journey) Abreise f; (of train) Abfahrt f; (of plane) Abflug m; **new ~** Neuerung f; **departure gate** n Flugsteig m, Ausgang m; **departure lounge** n Abflughalle f; **departure time** n (of train) Abfahrtzeit f; (of plane) Abflugzeit f.

depend [dɪ'pend] vi: **it ~s** es kommt darauf an; **depend on** vi abhängen von; (parents etc) angewiesen sein auf +akk; **dependable** adj zuverlässig; **dependence** n Abhängigkeit f; **dependent 1.** n (person) Familienangehörige(r) mf; **2.** adj bedingt (on durch).

depict [dɪ'pɪkt] vt darstellen; (in words) schildern.

deplorable [dɪ'plɔ:rəbl] adj bedauerlich.

deplore [dɪ'plɔ:*] vt bedauern; (disapprove of) mißbilligen.

deploy [dɪ'plɔɪ] vt einsetzen.

deport [dɪ'pɔ:t] vt deportieren; **deportation** [di:pɔ:'teɪʃən] n Abschiebung f.

depose [dɪ'pəʊz] vt absetzen.

deposit [dɪ'pɒzɪt] **1.** n (in bank) Guthaben nt; (down payment) Anzahlung f; (security) Kaution f; (CHEM) Niederschlag m; **2.** vt (in bank) deponieren; (put down) legen; **deposit account** n Sparkonto nt; **depositor** n Kontoinhaber(in) m(f).

depot ['depəʊ] n Depot nt.

deprave [dɪ'preɪv] vt [moralisch] verderben; **depraved** adj verworfen, verderbt; **depravity** [dɪ'prævɪtɪ] n Verworfenheit f.

depreciate [dɪ'pri:ʃɪeɪt] vi im Wert sinken; **depreciation** [dɪpri:ʃɪ'eɪʃən] n Wertminderung f.

depress [dɪ'pres] vt (press down) niederdrücken; (in mood) deprimieren; **depressed** adj (person) niedergeschlagen, deprimiert; ~ **area** Notstandsgebiet nt; **depressing** adj deprimierend. **depression**

[dɪ'preʃən] n (mood) Depression f; (in trade) Wirtschaftskrise f; (hollow) Vertiefung f; (METEO) Tief[druckgebiet] nt.

deprivation [deprɪ'veɪʃən] n Entbehrung f, Not f.

deprive [dɪ'praɪv] vt: **to ~ sb of sth** jdn um etw bringen; **deprived** adj (child) sozial benachteiligt; (area) unterentwickelt.

dept n abbr of **department** Abteilung f, Abt.

depth [depθ] n Tiefe f; **in the ~s of despair** in tiefster Verzweiflung; **to be out of one's ~** den Boden unter den Füßen verloren haben; **depth charge** n Wasserbombe f.

deputation [depjʊ'teɪʃən] n Abordnung f.

deputy ['depjʊtɪ] **1.** adj stellvertretend; **2.** n Stellvertreter(in) m(f).

derail [dɪ'reɪl] vt entgleisen lassen; **to be ~ed** entgleisen.

deranged [dɪ'reɪndʒd] adj geistesgestört.

derby ['dɑ:bɪ] n (US) Melone f.

derelict ['derɪlɪkt] adj verlassen; (building) baufällig.

derision [dɪ'rɪʒən] n Hohn m, Spott m.

derivation [derɪ'veɪʃən] n Ableitung f.

derive [dɪ'raɪv] **1.** adj (get) gewinnen; (deduce) ableiten; **2.** vi (come from) abstammen.

dermatitis [dɜ:mə'taɪtɪs] n Hautentzündung f.

derogatory [dɪ'rɒgətərɪ] adj geringschätzig.

derrick ['derɪk] n Drehkran m; (on oil platform) Bohrturm m.

desalination [di:sælɪ'neɪʃən] n Entsalzung f.

descend [dɪ'send] vt, vi hinuntersteigen; **to ~ from** abstammen von; **descendant** n Nachkomme m; **descent** [dɪ'sent] n (coming down) Abstieg m; (origin) Abstammung f.

describe [dɪs'kraɪb] vt beschreiben; **description** [dɪ'skrɪpʃən] n Beschreibung f; (sort) Art f; **descriptive** [dɪ'skrɪptɪv] adj beschreibend; (word) anschaulich.

desegregation [di:segrə'geɪʃən] n Aufhebung f der Rassentrennung.

desert ['dezət] **1.** n Wüste f; **2.** [dɪ'zɜ:t] vt verlassen; (temporarily) im Stich lassen; **3.** [dɪ'zɜ:t] vi (MIL) desertieren; **deserter** n Deserteur(in) m(f); **desertion** n (of wife) böswilliges Verlassen; (MIL) Fahnenflucht f; **desert island** n [dezət'aɪlənd] n einsame Insel.

deserve [dɪ'zɜ:v] vt verdienen; **deserving** adj (person) würdig; (action) verdienstvoll.

design [dɪ'zaɪn] **1.** n (plan) Entwurf m; (drawing) Zeichnung f; (planning) Gestaltung f; (of object) Design nt; (construction) Konstruktion f; **2.** vt entwerfen; (construct) konstruieren; (intend) bezwecken; **to have**

~s on sb/sth es auf jdn/etw abgesehen haben.

designate [ˈdezɪɡneɪt] 1. vt bestimmen; 2. [ˈdezɪɡnɪt] adj designiert; **designation** [dezɪɡˈneɪʃən] n Bezeichnung f.

designer [dɪˈzaɪnə*] n Designer(in) m(f); (THEAT) Bühnenbildner(in) m(f).

desirability [dɪzaɪərəˈbɪlɪtɪ] n Wünschbarkeit f; **desirable** [dɪˈzaɪərəbl] n wünschenswert; (woman) begehrenswert.

desire [dɪˈzaɪə*] 1. n Wunsch m; (esp sexual) Verlangen nt; 2. vt begehren, wünschen; (ask for) verlangen, wollen.

desk [desk] n Schreibtisch m; **desktop calculator** n Tischrechner m; **desktop publishing** n Desktop publishing nt.

desolate [ˈdesəlɪt] adj öde; (sad) trostlos; **desolation** [desəˈleɪʃən] n Trostlosigkeit f.

despair [dɪsˈpɛə*] 1. n Verzweiflung f; 2. vi verzweifeln (of an +dat).

despatch [dɪˈspætʃ] s. **dispatch**.

desperate [ˈdespərɪt] adj verzweifelt; (situation) hoffnungslos; **to be ~ for sth** etw unbedingt brauchen; **desperately** adv verzweifelt; **desperation** [despəˈreɪʃən] n Verzweiflung f.

despicable [dɪˈspɪkəbl] adj abscheulich.

despise [dɪˈspaɪz] vt verachten.

despite [dɪˈspaɪt] prep trotz +gen.

despondent [dɪˈspɒndənt] adj mutlos, niedergeschlagen.

dessert [dɪˈzɜːt] n Nachtisch m; **dessertspoon** n Dessertlöffel m.

destination [destɪˈneɪʃən] n (of person) [Reise]ziel nt; (of goods) Bestimmungsort m.

destiny [ˈdestɪnɪ] n Schicksal nt.

destitute [ˈdestɪtjuːt] adj notleidend; **destitution** [destɪˈtjuːʃən] n Elend nt.

destroy [dɪˈstrɔɪ] vt zerstören; **destruction** [dɪˈstrʌkʃən] n Zerstörung f; **destructive** [dɪˈstrʌktɪv] adj zerstörerisch, destruktiv.

desulphurization [diːsʌlfjʊraɪˈzeɪʃən] n Entschwefelung f; ~ **plant** Entschwefelungsanlage f.

detach [dɪˈtætʃ] vt loslösen; **detachable** adj abtrennbar; **detached** adj (attitude) distanziert, objektiv; (house) Einzel-.

detail [ˈdiːteɪl, dɪˈteɪl US] 1. n Einzelheit f, Detail nt; (minor part) unwichtige Einzelheit; 2. vt (relate) ausführlich berichten; (appoint) abkommandieren; **in ~** ausführlich, bis ins kleinste.

detain [dɪˈteɪn] vt aufhalten; (imprison) inhaftieren.

detect [dɪˈtekt] vt entdecken; **detection** [dɪˈtekʃən] n Aufdeckung f; **detective** [dɪˈtektɪv] n Detektiv(in) m(f); **detective story** n

Krimi m; **detector** n Detektor m.

détente [deɪˈtɑːnt] n Entspannung f.

detention [dɪˈtenʃən] n Haft f; (SCH) Nachsitzen nt.

deter [dɪˈtɜː*] vt abschrecken.

detergent [dɪˈtɜːdʒənt] n Reinigungsmittel nt; (soap powder) Waschmittel nt.

deteriorate [dɪˈtɪərɪəreɪt] vi sich verschlechtern; **deterioration** [dɪtɪərɪəˈreɪʃən] n Verschlechterung f.

determination [dɪtɜːmɪˈneɪʃən] n Entschlossenheit f; **determine** [dɪˈtɜːmɪn] vt bestimmen; **determined** adj entschlossen.

deterrent [dɪˈterənt] 1. n Abschreckungsmittel nt; 2. adj abschreckend.

detest [dɪˈtest] vt verabscheuen; **detestable** adj abscheulich.

detonate [ˈdetəneɪt] vt detonieren, explodieren lassen; **detonator** [ˈdetəneɪtə*] n Sprengkapsel f.

detour [ˈdiːtʊə*] n Umweg m; (on road sign) Umleitung f.

detract [dɪˈtrækt] vi schmälern (from akk).

detriment [ˈdetrɪmənt] n: **to the ~ of** zum Schaden von; **detrimental** [detrɪˈmentl] adj schädlich.

deuce [djuːs] n (TENNIS) Einstand m.

devaluation [dɪvæljʊˈeɪʃən] n Abwertung f; **devalue** [diːˈvæljuː] vt abwerten.

devastate [ˈdevəsteɪt] vt verwüsten; **devastating** adj verheerend.

develop [dɪˈveləp] 1. vt entwickeln; (resources) erschließen; 2. vi sich entwickeln; **developer** n (PHOT) Entwickler m; (of land) Bauunternehmer(in) m(f); **developing** adj (country) Entwicklungs-; **development** n Entwicklung f.

deviant [ˈdiːvɪənt] adj abweichend; **deviate** [ˈdiːvɪeɪt] vi abweichen; **deviation** [diːvɪˈeɪʃən] n Abweichung f.

device [dɪˈvaɪs] n Vorrichtung f, Gerät nt.

devil [ˈdevl] n Teufel m; **devilish** adj teuflisch.

devious [ˈdiːvɪəs] adj (route) gewunden; (means) krumm; (person) verschlagen.

devise [dɪˈvaɪz] vt entwickeln.

devoid [dɪˈvɔɪd] adj: ~ **of** ohne, bar +gen.

devote [dɪˈvəʊt] vt widmen (to dat); **devoted** adj ergeben; **devotee** [devəʊˈtiː] n Anhänger(in) m(f), Verehrer(in) m(f).

devotion [dɪˈvəʊʃən] n (piety) Andacht f; (loyalty) Ergebenheit f.

devour [dɪˈvaʊə*] vt verschlingen.

devout [dɪˈvaʊt] adj fromm.

dew [djuː] n Tau m.

dexterity [deksˈterɪtɪ] n Geschicklichkeit f.

diabetes [daɪəˈbiːtiːz] n Zuckerkrankheit f; **diabetic** [daɪəˈbetɪk] 1. adj zuckerkrank;

2. n Diabetiker(in) m(f).

diagnose [ˈdaɪəgnəʊz] vt (MED) diagnostizieren, feststellen; **diagnosis** [daɪəgˈnəʊsɪs] n Diagnose f.

diagonal [daɪˈægənl] **1.** adj diagonal, schräg; **2.** n Diagonale f.

diagram [ˈdaɪəgræm] n Diagramm nt, Schaubild nt.

dial [ˈdaɪəl] **1.** n (TEL) Wählscheibe f; (of clock) Zifferblatt nt; **2.** vt wählen; **dial code** (US) Vorwahl f.

dialect [ˈdaɪəlekt] n Dialekt m.

dialling code (Brit) n Vorwahl f; **dialling tone** (Brit) n Amtszeichen nt.

dialog [ˈdaɪəlɒg] n (COMPUT) Dialog m.

dialogue [ˈdaɪəlɒg] n Gespräch nt; (LITER) Dialog m.

dial tone (US) n Amtszeichen nt.

dialysis [daɪˈæləsɪs] n (MED) Dialyse f.

diameter [daɪˈæmɪtə*] n Durchmesser m.

diametrically [daɪəˈmetrɪkəl] adv: ~ **opposed to** genau entgegengesetzt +dat.

diamond [ˈdaɪəmənd] n Diamant m; (CARDS) Karo nt.

diaper [ˈdaɪpə*] n (US) Windel f.

diaphragm [ˈdaɪəfræm] n Zwerchfell nt; (MED) Diaphragma nt, Pessar nt.

diarrhoea [daɪəˈriːə] n Durchfall m.

diary [ˈdaɪərɪ] n [Taschen]kalender m; (account) Tagebuch nt.

dice [daɪs] **1.** n pl Würfel pl; **2.** vt (GASTR) in Würfel schneiden.

dicey [ˈdaɪsɪ] adj (fam) riskant.

dictate [dɪkˈteɪt] **1.** vt diktieren; (circumstances) gebieten; **2.** [ˈdɪkteɪt] n Gebot nt; **dictation** [dɪkˈteɪʃən] n Diktat nt.

dictator [dɪkˈteɪtə*] n Diktator(in) m(f); **dictatorship** n Diktatur f.

diction [ˈdɪkʃən] n Ausdrucksweise f.

dictionary [ˈdɪkʃənrɪ] n Wörterbuch nt.

did [dɪd] pt of **do**.

diddle [ˈdɪdl] vt (fam) übers Ohr hauen.

didn't [ˈdɪdnt] = **did not**.

die [daɪ] vi sterben; (end) aufhören; **die away** vi schwächer werden; **die down** vi nachlassen; **die out** vi aussterben; (fig) nachlassen.

diesel [ˈdiːzəl] n (also: ~ **engine**) Dieselmotor m.

diet [ˈdaɪət] **1.** n Nahrung f, Kost f; (special food) Diät f; (slimming) Abmagerungskur f; **2.** vi eine Abmagerungskur machen.

dietetics [daɪəˈtetɪks] n Ernährungswissenschaft f.

differ [ˈdɪfə*] vi sich unterscheiden; (disagree) anderer Meinung sein; **we** ~ wir sind unterschiedlicher Meinung; **difference** [ˈdɪfrəns] n Unterschied m; (disagreement) [Meinungs]verschiedenheit f; **different** adj verschieden; **that's** ~ das ist anders.

differential [dɪfəˈrenʃəl] n (AUTO) Differentialgetriebe nt; (in wages) Lohngefälle nt.

differentiate [dɪfəˈrenʃɪeɪt] vt, vi unterscheiden.

differently [ˈdɪfrəntlɪ] adv verschieden, unterschiedlich.

difficult [ˈdɪfɪkəlt] adj schwierig; **difficulty** n Schwierigkeit f; **with** ~ nur schwer.

diffident [ˈdɪfɪdənt] adj schüchtern.

diffuse [dɪˈfjuːs] **1.** adj langatmig; **2.** [dɪˈfjuːz] vt verbreiten.

dig [dɪg] 〈dug, dug〉 **1.** vt, vi (hole) graben; (garden) [um]graben; (claws) senken; **2.** n (prod) Stoß m; **dig in** vi (MIL) sich eingraben; (to food) sich hermachen über +akk; ~ **~!** greif zu!; **dig up** vt ausgraben; (fig) aufgabeln.

digest [daɪˈdʒest] **1.** vt (a. fig) verdauen; **2.** [ˈdaɪdʒest] n Auslese f; **digestible** [daɪˈdʒestəbl] adj verdaulich; **digestion** n Verdauung f.

digit [ˈdɪdʒɪt] n einstellige Zahl; (ANAT) Finger m; (toe) Zehe f; **digital** [ˈdɪdʒɪtəl] adj digital; ~ **computer** Digitalrechner m; ~ **watch/clock** Digitaluhr f.

digitalization [dɪdʒɪtəlaɪˈzeɪʃən] n Digitalisierung f.

dignified [ˈdɪgnɪfaɪd] adj würdevoll; **dignify** vt Würde verleihen +dat.

dignitary [ˈdɪgnɪtərɪ] n Würdenträger(in) m(f).

dignity [ˈdɪgnɪtɪ] n Würde f.

digress [daɪˈgres] vi abschweifen.

digs [dɪgz] n pl (Brit fam) Bude f.

dilapidated [dɪˈlæpɪdeɪtɪd] adj baufällig.

dilate [daɪˈleɪt] vt, vi [sich] weiten.

dilatory [ˈdɪlətərɪ] adj hinhaltend.

dilemma [daɪˈlemə] n Dilemma nt.

dilettante [dɪlɪˈtæntɪ] n Dilettant(in) m(f).

diligence [ˈdɪlɪdʒəns] n Fleiß m; **diligent** adj fleißig.

dill [dɪl] n Dill m.

dilly-dally [ˈdɪlɪdælɪ] vi (fam) herumtrödeln.

dilute [daɪˈluːt] vt verdünnen.

dim [dɪm] **1.** adj trübe, matt; (stupid) schwer von Begriff; **2.** vt verdunkeln; **to take a** ~ **view of sth** etw mißbilligen.

dime [daɪm] n (US) Zehncentstück nt.

dimension [dɪˈmenʃən] n Dimension f; ~**s** pl Maße pl; (fig) Ausmaß nt.

diminish [dɪˈmɪnɪʃ] vt, vi verringern.

diminutive [dɪˈmɪnjʊtɪv] **1.** adj winzig; **2.** n Verkleinerungsform f.

dimly [ˈdɪmlɪ] adv trübe.

dimple [ˈdɪmpl] n Grübchen nt.

dim-witted [ˈdɪmˈwɪtɪd] adj (fam) dämlich.

din [dɪn] n Getöse nt.

dine [daɪn] vi speisen; **diner** n (in restaurant) Gast m; (RAIL) Speisewagen m; (US)

Speiselokal *nt.*

dinghy ['dɪŋgɪ] *n* Schlauchboot *nt,* Dinghy *nt.*

dingy ['dɪndʒɪ] *adj* schmuddelig.

dining car ['daɪnɪŋkɑ:*] *n* Speisewagen *m;* **dining room** *n* Eßzimmer *nt; (in hotel)* Speiseraum *m.*

dinkies ['dɪŋkɪz] *n pl acr of* **double income no kids** Doppelverdiener *pl.*

dinner ['dɪnə*] *n (evening meal)* Abendessen *nt; (lunch)* Mittagessen *nt; (public)* Festessen *nt;* **to have a ~** zu Abend essen; **dinner jacket** *n* Smoking *m;* **dinner party** *n* Essenseinladung *f;* **to have a ~** Leute zum [Abend]essen einladen; **dinner time** *n* Essenszeit *f.*

dinosaur ['daɪnəsɔ:*] *n* Dinosaurier *m.*

diode ['daɪəʊd] *n* Diode *f;* **light-emitting ~** Leuchtdiode *f.*

dioxane [daɪ'ɒksəɪn] *n* Dioxan *nt.*

dioxin [daɪ'ɒksɪn] *n* Dioxin *nt.*

dip [dɪp] **1.** *n (hollow)* Senkung *f; (bathe)* kurzes Bad[en]; **2.** *vt* eintauchen; *(AUTO)* abblenden; **3.** *vi (slope)* sich senken, abfallen.

diphtheria [dɪf'θɪərɪə] *n* Diphterie *f.*

diphthong ['dɪfθɒŋ] *n* Diphthong *m,* Doppellaut *m.*

diploma [dɪ'pləʊmə] *n* Urkunde *f,* Diplom *nt.*

diplomat ['dɪpləmæt] *n* Diplomat(in) *m(f);* **diplomatic** [dɪplə'mætɪk] *adj* diplomatisch; **~ corps** diplomatisches Korps.

dipstick ['dɪpstɪk] *n* Ölmeßstab *m.*

dire [daɪə*] *adj* schrecklich.

direct [daɪ'rekt] **1.** *adj* direkt; **2.** *vt* leiten; *(film)* die Regie führen bei; *(jury)* anweisen; *(aim)* richten, lenken; *(tell the way)* den Weg erklären +*dat; (order)* anweisen; **~ access** *(COMPUT)* Direktzugriff *m;* **~ current** Gleichstrom *m;* **~ hit** Volltreffer *m.*

direction [dɪ'rekʃən] *n* Führung *f,* Leitung *f; (course)* Richtung *f; (CINE)* Regie *f;* **~s** *pl (for use)* Gebrauchsanweisung *f; (orders)* Anweisungen *pl;* **directional** [dɪ'rekʃənl] *adj* Richt-; **directive** *n* Anweisung *f,* Richtlinie *f.*

directly [dɪ'rektlɪ] *adv (in straight line)* gerade, direkt; *(at once)* unmittelbar, sofort.

director [dɪ'rektə*] *n* Direktor(in) *m(f),* Leiter(in) *m(f); (of film)* Regisseur(in) *m(f).*

directory [dɪ'rektərɪ] *n* Adreßbuch *nt; (TEL)* Telefonbuch *nt; (COMPUT)* Verzeichnis *nt.*

dirt [dɜ:t] *n* Schmutz *m,* Dreck *m;* **dirt cheap** *adj* spottbillig; **dirt road** *n* unbefestigte Straße; **dirty 1.** *adj* schmutzig, dreckig; *(trick)* gemein; **2.** *vt* beschmutzen.

disability [dɪsə'bɪlɪtɪ] *n* Körperbehinderung *f;* **disabled** [dɪs'eɪbld] *adj* körperbehindert.

disadvantage [dɪsəd'vɑ:ntɪdʒ] *n* Nachteil *m;* **disadvantageous** [dɪsædvɑ:n'teɪdʒəs] *adj* ungünstig.

disagree [dɪsə'gri:] *vi* nicht übereinstimmen; *(be of different opinion)* verschiedener Meinung sein; *(food)* nicht bekommen *(with dat);* **disagreeable** *adj (person)* widerlich; *(task)* unangenehm; **disagreement** *n (between persons)* Meinungsverschiedenheit *f; (between things)* Widerspruch *m.*

disallow [dɪsə'laʊ] *vt* nicht zulassen.

disappear [dɪsə'pɪə*] *vi* verschwinden; **disappearance** *n* Verschwinden *nt.*

disappoint [dɪsə'pɔɪnt] *vt* enttäuschen; **disappointing** *adj* enttäuschend; **disappointment** *n* Enttäuschung *f.*

disapproval [dɪsə'pru:vəl] *n* Mißbilligung *f;* **disapprove** *vi* mißbilligen *(of akk);* **she ~s** sie mißbilligt es.

disarm [dɪs'ɑ:m] *vt* entwaffnen; *(POL)* abrüsten; **disarmament** *n* Abrüstung *f.*

disaster [dɪ'zɑ:stə*] *n* Unglück *nt,* Katastrophe *f;* **disastrous** [dɪ'zɑ:strəs] *adj* verhängnisvoll, katastrophal.

disbelief [dɪsbə'li:f] *n* Ungläubigkeit *f.*

disc [dɪsk] *n* Scheibe *f; (record)* [Schall]platte *f.*

discard [dɪ'skɑ:d] *vt* ausrangieren.

disc brake *n* Scheibenbremse *f.*

discern [dɪ'sɜ:n] *vt* unterscheiden [können], erkennen; **discerning** *adj* anspruchsvoll.

discharge [dɪs'tʃɑ:dʒ] **1.** *vt (ship)* entladen; *(duties)* nachkommen +*dat; (dismiss)* entlassen; *(gun)* abschießen; **2.** ['dɪstʃɑ:dʒ] *n (MED)* Ausfluß *m.*

disciple [dɪ'saɪpl] *n (a. fig)* Jünger *m.*

disciplinary ['dɪsɪplɪnərɪ] *adj* disziplinarisch.

discipline ['dɪsɪplɪn] **1.** *n* Disziplin *f;* **2.** *vt (train)* schulen; *(punish)* bestrafen.

disc jockey ['dɪskdʒɒkɪ] *n* Diskjockey *m.*

disclose [dɪs'kləʊz] *vt* enthüllen; **disclosure** [dɪs'kləʊʒə*] *n* Enthüllung *f.*

disco ['dɪskəʊ] *n* ⟨-s⟩ Disco *f.*

discoloured [dɪs'kʌləd] *adj* verfärbt, verschossen.

discomfort [dɪs'kʌmfət] *n* Unbehagen *nt; (embarrassment)* Verlegenheit *f.*

disconcert [dɪskən'sɜ:t] *vt* aus der Fassung bringen; *(puzzle)* verstimmen.

disconnect [dɪskə'nekt] *vt* abtrennen; *(ELEC)* ausstecken.

discontent [dɪskən'tent] *n* Unzufriedenheit *f;* **discontented** *adj* unzufrieden.

discontinue [dɪskən'tɪnju:] **1.** *vt* einstellen; **2.** *vi* aufhören.

discord ['dɪskɔ:d] *n* Zwietracht *f; (noise)* Dissonanz *f.*

discotheque ['dɪskəʊtek] *n* Diskothek *f.*

discount ['dɪskaʊnt] **1.** n Rabatt m; **2.** [dɪs'kaʊnt] vt außer acht lassen.

discourage [dɪs'kʌrɪdʒ] vt (dishearten) entmutigen; (dissuade) abraten (sb jdm); (prevent) abhalten; **discouraging** adj entmutigend.

discourteous [dɪs'kɜːtɪəs] adj unhöflich.

discover [dɪs'kʌvə*] vt entdecken; **discovery** n Entdeckung f.

discredit [dɪs'kredɪt] vt in Verruf bringen.

discreet adj, **discreetly** adv [dɪskriːt, -lɪ] taktvoll, diskret.

discrepancy [dɪs'krepənsɪ] n Unstimmigkeit f, Diskrepanz f.

discretion [dɪs'kreʃən] n Takt m, Diskretion f; (decision) Gutdünken nt; **to leave sth to sb's** ~ etw jds Gutdünken überlassen.

discriminate [dɪs'krɪmɪneɪt] vi unterscheiden; **to** ~ **against sb** jdn diskriminieren; **discriminating** adj klug; (taste) anspruchsvoll; fein; **discrimination** [dɪskrɪmɪ'neɪʃən] n Urteilsvermögen nt; (different treatment) Diskriminierung f (against sb jds).

discus ['dɪskəs] n Diskus m.

discuss [dɪs'kʌs] vt diskutieren, besprechen; **discussion** [dɪs'kʌʃən] n Diskussion f.

disdain [dɪs'deɪn] **1.** vt verachten, für unter seiner Würde halten; **2.** n Verachtung f; **disdainful** adj geringschätzig.

disease [dɪ'ziːz] n Krankheit f; **diseased** adj erkrankt.

disembark [dɪsɪm'bɑːk] **1.** vt aussteigen lassen; **2.** vi von Bord gehen.

disenchanted ['dɪsɪn'tʃɑːntɪd] adj desillusioniert.

disengage [dɪsɪn'geɪdʒ] vt (AUTO) auskuppeln.

disentangle ['dɪsɪn'tæŋgl] vt entwirren.

disfigure [dɪs'fɪgə*] vt entstellen.

disgrace [dɪs'greɪs] **1.** n Schande f; (thing) Schandfleck m; **2.** vt Schande bringen über +akk; (less strong) blamieren; **disgraceful** adj schändlich, unerhört; **it's** ~ es ist eine Schande.

disgruntled [dɪs'grʌntld] adj verärgert.

disguise [dɪs'gaɪz] **1.** vt verkleiden; (feelings) verhehlen; (voice) verstellen; **2.** n Verkleidung f; **in** ~ verkleidet, maskiert.

disgust [dɪs'gʌst] **1.** n Abscheu f; **2.** vt anwidern; **disgusting** adj abscheulich; (terrible) gemein.

dish [dɪʃ] n Schüssel f; (food) Gericht nt; **dish up** vt auftischen; **dish cloth** n Geschirrtuch nt; (for washing-up) Spüllappen m.

dishearten [dɪs'hɑːtn] vt entmutigen.

dishevelled [dɪ'ʃevəld] adj (hair) zerzaust; (clothing) ungepflegt.

dishonest [dɪs'ɒnɪst] adj unehrlich; **dishonesty** n Unehrlichkeit f.

dishonour [dɪs'ɒnə*] **1.** n Schande f; **2.** vt (cheque) nicht einlösen; **dishonourable** adj unehrenhaft.

dishwasher ['dɪʃwɒʃə*] n Geschirrspülmaschine f.

disillusion [dɪsɪ'luːʒən] vt enttäuschen, desillusionieren.

disinfect [dɪsɪn'fekt] vt desinfizieren; **disinfectant** n Desinfektionsmittel nt.

disinherit [dɪsɪn'herɪt] vt enterben.

disintegrate [dɪs'ɪntɪgreɪt] vi sich auflösen.

disinterested [dɪs'ɪntrɪstɪd] adj uneigennützig; (bored) desinteressiert.

disjointed [dɪs'dʒɔɪntɪd] adj unzusammenhängend.

disk [dɪsk] n (COMPUT) Diskette f; (hard ~) Platte f; ~ **drive** Diskettenlaufwerk nt.

diskette [dɪ'sket] n (COMPUT) Diskette f.

dislike [dɪs'laɪk] **1.** n Abneigung f; **2.** vt nicht leiden können.

dislocate ['dɪsləʊkeɪt] vt (MED) verrenken, ausrenken; (plans) durcheinanderbringen.

disloyal [dɪs'lɔɪəl] adj illoyal.

dismal ['dɪzməl] adj trostlos, trübe.

dismantle [dɪs'mæntl] vt demontieren.

dismay [dɪs'meɪ] **1.** n Bestürzung f; **2.** vt bestürzen.

dismiss [dɪs'mɪs] vt (employee) entlassen; (idea) von sich weisen; (send away) wegschicken; (JUR complaint) abweisen; **dismissal** n Entlassung f.

disobedience [dɪsə'biːdɪəns] n Ungehorsam m; civil ~ ziviler Ungehorsam; **disobedient** adj ungehorsam.

disobey [dɪsə'beɪ] vt nicht gehorchen +dat; (an order) sich widersetzen.

disorder [dɪs'ɔːdə*] n (confusion) Verwirrung f; (commotion) Aufruhr m; (MED) Erkrankung f.

disorderly [dɪs'ɔːdəlɪ] adj (untidy) unordentlich; (unruly) ordnungswidrig.

disorganized [dɪs'ɔːgənaɪzd] adj chaotisch.

disown [dɪs'əʊn] vt (son) verstoßen; **I** ~ **you** ich will nichts mehr mit dir zu tun haben.

disparaging [dɪ'spærɪdʒɪŋ] adj geringschätzig.

disparity [dɪ'spærɪtɪ] n Ungleichheit f.

dispassionate [dɪ'spæʃnɪt] adj objektiv.

dispatch [dɪ'spætʃ] **1.** vt (goods) abschicken, abfertigen; **2.** n Absendung f.

dispel [dɪ'spel] vt zerstreuen.

dispensable [dɪ'spensəbl] adj entbehrlich.

dispensary [dɪ'spensərɪ] n Apotheke f.

dispensation [dɪspen'seɪʃən] n (REL) Befreiung f.

dispense with [dɪ'spens wɪð] vt verzichten

auf +*akk*.

dispenser [dɪˈspensə*] *n* (*container*) Spender *m*.

dispensing [dɪˈspensɪŋ] *adj*: ~ **chemist** Apotheker(in) *m(f)*.

disperse [dɪˈspɜːs] **1.** *vt* zerstreuen; **2.** *vi* sich verteilen.

dispirited [dɪˈspɪrɪtɪd] *adj* niedergeschlagen.

displace [dɪsˈpleɪs] *vt* verschieben; **displaced** *adj*: ~ **person** Verschleppte(r) *mf*.

display [dɪˈspleɪ] **1.** *n* (*of goods*) Auslage *f*; (*of feeling*) Zurschaustellung *f*; (*COMPUT*) Anzeige *f*, Display *nt*; **2.** *vt* zeigen; (*COMM*) ausstellen.

displease [dɪsˈpliːz] *vt* mißfallen +*dat*.

disposable [dɪˈspəʊzəbl] *adj* (*container etc*) Wegwerf-.

disposal [dɪˈspəʊzəl] *n* (*of property*) Verkauf *m*; (*throwing away*) Beseitigung *f*; **to be at sb's** ~ jdm zur Verfügung stehen; **dispose of** *vt* loswerden.

disposed [dɪˈspəʊzd] *adj* geneigt.

disposition [dɪspəˈzɪʃən] *n* Wesen *nt*, Natur *f*.

disproportionate [dɪsprəˈpɔːʃənɪt] *adj* unverhältnismäßig.

disprove [dɪsˈpruːv] *vt* widerlegen.

dispute [dɪˈspjuːt] **1.** *n* Streit *m*; **2.** *vt* bestreiten.

disqualification [dɪskwɒlɪfɪˈkeɪʃən] *n* Disqualifizierung *f*; **disqualify** [dɪsˈkwɒlɪfaɪ] *vt* disqualifizieren.

disquiet [dɪsˈkwaɪət] *n* Unruhe *f*.

disregard [dɪsrɪˈɡɑːd] *vt* nicht [be]achten.

disreputable [dɪsˈrepjʊtəbl] *adj* verrufen.

disrespectful [dɪsrɪˈspektfʊl] *adj* respektlos.

disrupt [dɪsˈrʌpt] *vt* stören; (*programme*) unterbrechen; **disruption** [dɪsˈrʌpʃən] *n* Störung *f*, Unterbrechung *f*.

dissatisfaction [ˈdɪssætɪsˈfækʃən] *n* Unzufriedenheit *f*; **dissatisfied** [ˈdɪsˈsætɪsfaɪd] *adj* unzufrieden.

dissent [dɪˈsent] **1.** *n* abweichende Meinung; **2.** *vi* nicht übereinstimmen.

dissident [ˈdɪsɪdənt] **1.** *adj* andersdenkend; **2.** *n* Dissident(in) *m(f)*, Regimekritiker(in) *m(f)*.

dissimilar [ˈdɪˈsɪmɪlə*] *adj* unähnlich (*to dat*).

dissipate [ˈdɪsɪpeɪt] *vt* (*waste*) verschwenden; (*scatter*) zerstreuen; **dissipated** *adj* ausschweifend; **dissipation** [dɪsɪˈpeɪʃən] *n* Ausschweifung *f*.

dissolute [ˈdɪsəluːt] *adj* liederlich.

dissolve [dɪˈzɒlv] **1.** *vt* auflösen; **2.** *vi* sich auflösen.

dissuade [dɪˈsweɪd] *vt* abraten +*dat*.

distance [ˈdɪstəns] **1.** *n* Entfernung *f*; **in the** ~ in der Ferne; **2.** *vr*: **to** ~ **oneself** sich di-

stanzieren; **distant** *adj* entfernt, fern; (*with time*) fern; (*formal*) distanziert.

distaste [ˈdɪsˈteɪst] *n* Abneigung *f*; **distasteful** *adj* widerlich; (*photo*) geschmacklos.

distil [dɪˈstɪl] *vt* destillieren; **distillery** *n* Brennerei *f*.

distinct [dɪˈstɪŋkt] *adj* (*separate*) getrennt; (*clear*) klar, deutlich; **distinction** [dɪˈstɪŋkʃən] *n* Unterscheidung *f*; (*eminence*) Berühmtheit *f*; (*in exam*) Auszeichnung *f*; **distinctly** *adv* deutlich.

distinguish [dɪˈstɪŋgwɪʃ] *vt* unterscheiden; **distinguished** *adj* (*eminent*) berühmt.

distort [dɪˈstɔːt] *vt* verdrehen; (*misrepresent*) entstellen; **distortion** [dɪˈstɔːʃən] *n* Verzerrung *f*.

distract [dɪˈstrækt] *vt* ablenken; (*bewilder*) verwirren; **distracting** *adj* verwirrend; (*annoying*) störend; **distraction** [dɪˈstrækʃən] *n* Zerstreutheit *f*; (*distress*) Wahnsinn *m*; (*diversion*) Zerstreuung *f*.

distraught [dɪˈstrɔːt] *adj* verzweifelt.

distress [dɪˈstres] **1.** *n* Not *f*; (*suffering*) Qual *f*; **2.** *vt* betroffen machen; **distressing** *adj* erschütternd; **distress signal** *n* Notsignal *nt*.

distribute [dɪˈstrɪbjuːt] *vt* verteilen; **distribution** [dɪstrɪˈbjuːʃən] *n* Verteilung *f*.

distributor [dɪˈstrɪbjʊtə*] *n* (*AUTO*) Verteiler *m*; (*COMM*) Händler(in) *m(f)*.

district [ˈdɪstrɪkt] *n* (*of country*) Kreis *m*; (*of town*) Bezirk *m*; **district attorney** (*US*) Oberstaatsanwalt(-anwältin) *m(f)*; **district nurse** *n* (*Brit*) Gemeindeschwester *f*.

distrust [dɪsˈtrʌst] **1.** *n* Mißtrauen *nt*; **2.** *vt* mißtrauen +*dat*.

disturb [dɪˈstɜːb] *vt* stören; (*agitate*) erregen; **disturbance** *n* Störung *f*; **disturbing** *adj* beunruhigend.

ditch [dɪtʃ] **1.** *n* Graben *m*; **2.** *vt* (*person*) den Laufpaß geben +*dat*; (*plan etc*) verwerfen.

ditto [ˈdɪtəʊ] *n* dito, ebenfalls.

dive [daɪv] **1.** *n* (*into water*) Kopfsprung *m*; (*AVIAT*) Sturzflug *m*; **2.** *vi* tauchen; **diver** *n* Taucher(in) *m(f)*.

diverge [daɪˈvɜːdʒ] *vi* auseinandergehen; (*two things*) voneinander abweichen.

diverse [daɪˈvɜːs] *adj* verschieden.

diversification [daɪvɜːsɪfɪˈkeɪʃən] *n* Verzweigung *f*; (*COMM*) Diversifikation *f*.

diversify [daɪˈvɜːsɪfaɪ] **1.** *vt* [ver]ändern; **2.** *vi* variieren.

diversion [daɪˈvɜːʃən] *n* Ablenkung *f*; (*of traffic*) Umleitung *f*.

diversity [daɪˈvɜːsɪti] *n* Verschiedenheit *f*; (*variety*) Vielfalt *f*.

divert [daɪˈvɜːt] *vt* ablenken; (*traffic*) umleiten.

divide [dɪˈvaɪd] **1.** vt teilen; **2.** vi sich teilen; **∼ed highway** (US) vierspurige Straße, Schnellstraße f.

dividend [ˈdɪvɪdend] n Dividende f; (fig) Gewinn m.

divine [dɪˈvaɪn] **1.** adj göttlich; **2.** vt erraten.

diving board [ˈdaɪvɪŋbɔːd] n Sprungbrett nt.

divinity [dɪˈvɪnɪtɪ] n Gottheit f, Gott m, Göttin f; (subject) Religion f.

divisible [dɪˈvɪzəbl] adj teilbar.

division [dɪˈvɪʒən] n Teilung f, (MATH) Division f, Teilung f; (MIL) Division f; (part) Teil m, Abteilung f; (in opinion) Uneinigkeit f.

divorce [dɪˈvɔːs] **1.** n [Ehe]scheidung f; **2.** vt scheiden; **divorced** adj geschieden; **to get ∼** sich scheiden lassen; **divorcee** [dɪvɔːˈsiː] n Geschiedene(r) mf.

divulge [daɪˈvʌldʒ] vt preisgeben.

DIY n abbr of **do-it-yourself**.

dizziness [ˈdɪzɪnəs] n Schwindelgefühl nt; **dizzy** adj schwindlig.

DJ 1. n abbr of **dinner jacket** Smoking m; **2.** n abbr of **disc jockey** Diskjockey m.

DNA n abbr of **desoxyribonucleic acid** DNS f.

do [duː] (**did**, **done**) **1.** vt tun, machen; **2.** vi (proceed) vorangehen; (be suitable) passen; (be enough) genügen; **3.** p ⟨-s⟩ (party) Party f; **how ∼ you ∼?** guten Tag.

docile [ˈdəʊsaɪl] adj gefügig; (dog) gutmütig.

dock [dɒk] **1.** n Dock nt; (JUR) Anklagebank f; **2.** vi ins Dock gehen; **docker** n Hafenarbeiter m.

docket [ˈdɒkɪt] n Inhaltsvermerk m.

dockyard [ˈdɒkjɑːd] n Werft f.

doctor [ˈdɒktə*] n Arzt m, Ärztin f; (university degree) Doktor m.

doctrine [ˈdɒktrɪn] n Doktrin f.

document [ˈdɒkjʊmənt] **1.** n Dokument nt; **2.** vt dokumentieren; **documentary** [dɒkjʊˈmentərɪ] **1.** n Dokumentarbericht m; (film) Dokumentarfilm m; **2.** adj dokumentarisch; **documentation** [dɒkjʊmənˈteɪʃən] n dokumentarischer Nachweis; (COMPUT) Dokumentation f.

doddering, doddery [ˈdɒdərɪŋ, ˈdɒdərɪ] adj zittrig.

dodge [dɒdʒ] **1.** n Kniff m; **2.** vt umgehen; (ball, question) ausweichen +dat.

dodgem [ˈdɒdʒəm] n Autoscooter m.

dodo [ˈdəʊdəʊ] n ⟨-[e]s⟩ Dronte f; **as dead as the ∼** mausetot.

doe [dəʊ] n (deer) Hirschkuh f; (rabbit) Häsin f.

dog [dɒg] n Hund m; **dog biscuit** n Hundekuchen m; **dog collar** n Hundehalsband nt; (REL) Kragen m des Geistlichen; **dog-eared** adj mit Eselsohren; **dogfish**

n Hundshai m; **dog food** n Hundefutter nt.

dogged [ˈdɒgɪd] adj hartnäckig.

dogma [ˈdɒgmə] n Dogma nt; **dogmatic** [dɒgˈmætɪk] adj dogmatisch.

doings [ˈduːɪŋz] n pl (activities) Treiben nt.

do-it-yourself [ˈduːɪtjəˈself] **1.** n Heimwerken nt, Do-it-yourself nt; **2.** adj zum Selbermachen, Heimwerker-.

dole [dəʊl] n (Brit fam) Stempelgeld nt; **to be on the ∼** stempeln gehen; **dole out** vt austeilen.

doleful [ˈdəʊlfʊl] adj traurig.

doll [dɒl] **1.** n Puppe f; **2.** vr: **∼ oneself up** (fam) sich aufdonnern.

dollar [ˈdɒlə*] n Dollar m.

dolphin [ˈdɒlfɪn] n Delphin m.

domain [dəʊˈmeɪn] n Bereich m.

dome [dəʊm] n Kuppel f.

domestic [dəˈmestɪk] adj häuslich; (within country) Innen-, Binnen-; (animal) Haus-; **domesticated** adj (person) häuslich; (animal) zahm.

domicile [ˈdɒmɪsaɪl] n [ständiger] Wohnsitz m.

dominant [ˈdɒmɪnənt] adj vorherrschend.

dominate [ˈdɒmɪneɪt] vt beherrschen.

domineering [dɒmɪˈnɪərɪŋ] adj herrisch.

dominion [dəˈmɪnɪən] n (rule) Regierungsgewalt f; (land) Staatsgebiet nt mit Selbstverwaltung.

dominoes [ˈdɒmɪnəʊz] n pl Domino[spiel] nt.

don [dɒn] n akademischer Lehrer, akademische Lehrerin.

donate [dəʊˈneɪt] vt spenden; **donation** [dəʊˈneɪʃən] n Spende f.

done [dʌn] pp of **do**.

donkey [ˈdɒŋkɪ] n Esel m.

donor [ˈdəʊnə*] n Spender(in) m(f).

don't [dəʊnt] = **do not**.

doom [duːm] **1.** n Schicksal nt; (downfall) Verderben nt; **2.** vt: **to be ∼ed** zum Untergang verurteilt sein.

door [dɔː*] n Tür f; **doorbell** n Türklingel f; **door-handle** n Türklinke f; **doorman** n ⟨doormen⟩ Türsteher m; **doormat** n Fußmatte f; **doorstep** n Türstufe f; **doorway** n Türöffnung f.

dope [dəʊp] **1.** n (drug) Aufputschmittel nt; **2.** vt (SPORT) dopen.

dopey [ˈdəʊpɪ] adj (fam) bekloppt; (from drugs) benebelt; (sleepy) benommen.

doping [ˈdəʊpɪŋ] n (SPORT) Doping nt.

dormant [ˈdɔːmənt] adj schlafend, latent.

dormitory [ˈdɔːmɪtrɪ] n Schlafsaal m; **∼ town** Schlafstadt f.

dormobile® [ˈdɔːməbiːl] n Wohnmobil nt.

dormouse [ˈdɔːmaʊs] n ⟨dormice⟩ Haselmaus f.

DOS [dɒs] *n acr of* **disk operating system** Diskettenbetriebssystem *nt*, DOS *nt*.

dosage [ˈdəʊsɪdʒ] *n* Dosierung *f*.

dose [dəʊs] **1.** *n* Dosis *f*; **2.** *vt* dosieren.

dossier [ˈdɒsɪeɪ] *n* Dossier *m*, Akten *pl*.

dot [dɒt] *n* Punkt *m*; **on the ~** pünktlich.

dote on [dəʊt ɒn] *vt* abgöttisch lieben.

dot-matrix printer [ˈdɒtmeɪtrɪksˈprɪntə*] *n* Matrixdrucker *m*.

double [ˈdʌbl] **1.** *adj, adv* doppelt; **2.** *n* Doppelgänger(in) *m(f)*; **3.** *vt* verdoppeln; *(fold)* zusammenfalten; **4.** *vi (in amount)* sich verdoppeln; **~s** *pl o sing* (TENNIS) Doppel *nt*; **she is your absolute ~** sie sieht dir zum Verwechseln ähnlich; **double bass** *n* Kontrabaß *m*; **double bed** *n* Doppelbett *nt*; **double-breasted** *adj* zweireihig; **doublecross** *n* Betrug *m*; **3.** *vt* hintergehen; **doubledecker** *n* Doppeldecker *m*; **double glazing** *n* Doppelfenster *pl*; **double room** *n* Doppelzimmer *nt*; **doubly** *adv* doppelt.

doubt [daʊt] **1.** *n* Zweifel *m*; **2.** *vi* zweifeln; **3.** *vt* bezweifeln; **without ~** zweifellos; **doubtful** *adj* zweifelhaft, fraglich; **doubtless** *adv* ohne Zweifel, sicherlich.

dough [dəʊ] *n* Teig *m*; **doughnut** *n* Krapfen *m*, Berliner [Pfannkuchen] *m*.

dove [dʌv] *n* Taube *f*; **dovetail 1.** *n* Schwalbenschwanz *m*; **2.** *vi* verzahnen, verzinken.

down [daʊn] **1.** *n (feathers)* Daunen *pl*; *(fluff)* Flaum *m*; **2.** *adv* unten; *(motion)* herunter; hinunter; **3.** *prep:* **he came ~ the street** er kam die Straße herunter; **to go ~ the street** die Straße hinuntergehen; **he lives ~ the street** er wohnt unten an der Straße; **4.** *vt* niederschlagen; **~ with X!** nieder mit X!; **down-and-out 1.** *adj* abgerissen; **2.** *n* Penner(in) *m(f)*; **down-at-heel** *adj* schäbig; **downcast** *adj* niedergeschlagen; **downfall** *n* Sturz *m*; **downhearted** *adj* niedergeschlagen, mutlos; **downhill** *adv* bergab; **down-market** *adj* weniger anspruchsvoll; **downpour** *n* Platzregen *m*; **downright** *adj* völlig, ausgesprochen.

Down's syndrome [ˈdaʊnzˈsɪndrəʊm] *n* (MED) Down-Syndrom *nt*, Mongolismus *m*.

downstairs [daʊnˈsteəz] **1.** *adv* unten; *(motion)* nach unten; **2.** *adj (people, flat)* einen Stock tiefer; **downstream** *adv* flußabwärts; **downtown 1.** *adv* in die/der Innenstadt; **2.** *adj (US)* im Geschäftsviertel, City-; **downward** *adj* Abwärts-; **downwards** *adv* abwärts, nach unten.

dowry [ˈdaʊrɪ] *n* Mitgift *f*.

doze [dəʊz] **1.** *vi* dösen; **2.** *n* Schläfchen *nt*, Nickerchen *nt*.

dozen [ˈdʌzn] *n* Dutzend *nt*.

DP *n abbr of* **data processing** DV *f*.

drab [dræb] *adj* düster, eintönig.

draft [drɑːft] **1.** *n* Skizze *f*, Entwurf *m*; (FIN) Wechsel *m*; *(US MIL)* Einberufung *f*; **2.** *vt* skizzieren; *(US MIL)* einziehen.

drag [dræg] **1.** *vt* schleifen, schleppen; *(river)* mit einem Schleppnetz absuchen; **2.** *vi* sich [dahin]schleppen; **3.** *n (bore)* etwas Blödes; *(hindrance)* Klotz *m* am Bein; **in ~** in Frauenkleidung; **drag on** *vi* sich in die Länge ziehen.

dragon [ˈdrægən] *n* Drache *m*; **dragonfly** *n* Libelle *f*.

drain [dreɪn] **1.** *n* Abfluß *m*; *(ditch)* Abflußgraben *m*; *(fig: burden)* Belastung *f*; **2.** *vt* ableiten; *(exhaust)* erschöpfen; **3.** *vt (of water)* abfließen; **drainage** [ˈdreɪnɪdʒ] *n* Kanalisation *f*; **drainpipe** *n* Abflußrohr *nt*.

drama [ˈdrɑːmə] *n (a. fig)* Drama *nt*; **dramatic** [drəˈmætɪk] *adj* dramatisch; **dramatist** [ˈdræmətɪst] *n* Dramatiker(in) *m(f)*; **dramatize** [ˈdræmətaɪz] *vt* dramatisieren, übertrieben darstellen.

drank [dræŋk] *pt of* **drink**.

drape [dreɪp] *vt* drapieren; **drapes** *n pl (US)* Vorhänge *pl*.

drastic [ˈdræstɪk] *adj* drastisch.

draught [drɑːft] *n* [Luft]zug *m*; *(NAUT)* Tiefgang *m*; **on ~** *(beer)* vom Faß; **draughtboard** *n* Zeichenbrett *nt*; **draughts** *n sing* Damespiel *nt*; **draughtsman** *n* ⟨draughtsmen⟩ technischer Zeichner; **draughty** *adj* zugig.

draw [drɔː] ⟨drew, drawn⟩ **1.** *vt (a. fig)* ziehen; *(crowd)* anlocken; *(picture)* zeichnen; *(money)* abheben; *(water)* schöpfen; **2.** *vi* (SPORT) unentschieden spielen; **3.** *n* (SPORT) Unentschieden *nt*; *(lottery)* Ziehung *f*; **to ~ to a close** zu Ende gehen; **draw out 1.** *vi (train)* ausfahren; *(lengthen)* sich hinziehen; **2.** *vt (money)* abheben; **draw up 1.** *vi (stop)* halten; **2.** *vt (document)* aufsetzen; **drawback** *n (disadvantage)* Nachteil *m*; **drawbridge** *n (obstacle)* Haken *m*; **drawbridge** *n* Zugbrücke *f*.

drawer [ˈdrɔː*] *n* Schublade *f*.

drawing [ˈdrɔːɪŋ] *n* Zeichnung *f*; *(action)* Zeichnen *nt*; **drawing pin** *n* Reißzwecke *f*; **drawing room** *n* Salon *m*.

drawl [drɔːl] **1.** *n* schleppende Sprechweise; **2.** *vi* gedehnt sprechen.

drawn [drɔːn] **1.** *pp of* **draw**; **2.** *adj (game)* unentschieden; *(face)* gequält; *(tired)* abgespannt; *(from worry)* verhärmt.

dread [dred] **1.** *n* Furcht *f*, Grauen *nt*; **2.** *vt* fürchten; **dreadful** *adj* furchtbar.

dream [driːm] ⟨dreamed o dreamt, dreamed o dreamt⟩ **1.** *vt, vi (a. fig)* träumen *(about* von); **2.** *n* Traum *m*; **3.** *adj (house etc)* Traum-; **dreamer** *n* Träumer(in) *m(f)*;

dreamt [dremt] *pt, pp of* **dream**; **dream world** *n* Traumwelt *f*; **dreamy** *adj* verträumt.

dreary [ˈdrɪərɪ] *adj* trostlos, öde.

dredge [dredʒ] *vt* ausbaggern; *(with flour etc)* mit Mehl etc bestreuen; **dredger** *n* Baggerschiff *nt*; *(for flour)* [Mehl]streuer *m*.

dregs [dregz] *n pl* [Boden]satz *m*; *(fig)* Abschaum *m*.

drench [drentʃ] *vt* durchnässen.

dress [dres] **1.** *n* Kleidung *f*; *(garment)* Kleid *nt*; **2.** *vt* anziehen; *(MED)* verbinden; *(AGR)* düngen; *(food)* anrichten; **to get ~ed** sich anziehen; **dress up** *vi* sich fein machen; **dress circle** *n* erster Rang; **dresser** *n (furniture)* Anrichte *f*, Geschirrschrank *m*; *(US)* Frisierkommode *f*; **she's a smart ~** sie zieht sich elegant an; **dressing** *n (MED)* Verband *m*; *(GASTR)* Soße *f*; **dressing gown** *n* Morgenrock *m*; **dressing room** *n (THEAT)* Garderobe *f*; *(SPORT)* Umkleideraum *m*; **dressing table** *n* Frisierkommode *f*; **dressmaker** *n* Schneider(in) *m(f)*; **dressmaking** *n* Schneidern *nt*; **dress rehearsal** *n* Generalprobe *f*.

drew [dru:] *pt of* **draw**.

dribble [ˈdrɪbl] **1.** *vi* tröpfeln; **2.** *vt* sabbern.

drift [drɪft] **1.** *n* Trift *f*, Strömung *f*; *(snow ~)* Schneewehe *f*; *(fig)* Richtung *f*; **2.** *vi* getrieben werden; *(aimlessly)* sich treiben lassen; **drift-net** *n* Treibnetz *nt*; **driftwood** *n* Treibholz *nt*.

drill [drɪl] **1.** *n* Bohrer *m*; *(MIL)* Drill *m*; **2.** *vt* bohren; *(MIL)* ausbilden.

drink [drɪŋk] ⟨drank, drunk⟩ **1.** *vt, vi* trinken; **2.** *n* Getränk *nt*; *(spirits)* Drink *m*; **to have a ~** etwas trinken; **drinkable** *adj* trinkbar; **drinker** *n* Trinker(in) *m(f)*; **drinking water** *n* Trinkwasser *nt*.

drip [drɪp] **1.** *n* Tropfen *m*; *(MED fam)* Tropf *m*; **2.** *vi* tropfen; **drip-dry** *adj* bügelfrei; **dripping** *n* Bratenfett *nt*; **dripping wet** *adj* triefnaß.

drive [draɪv] ⟨drove, driven⟩ **1.** *vt (car)* fahren; *(animals)* treiben; *(nail)* einschlagen; *(ball)* schlagen; *(power)* antreiben; *(force)* treiben; **2.** *vi* fahren; **3.** *n* Fahrt *f*; *(road)* Einfahrt *f*; *(of house)* Auffahrt *f*; *(COMPUT)* Laufwerk *nt*; *(energy)* Schwung *m*; *(SPORT)* Schlag *m*; **to ~ sb mad** jdn verrückt machen; **what are you driving at?** worauf willst du hinaus?; **drive-in** *adj* Drive-in-; **~ movie** *(US)* Autokino *nt*; **~ bank** Autoschalter *m*.

drivel [ˈdrɪvl] *n* blödes Zeug.

driven [ˈdrɪvn] *pp of* **drive**.

driver [ˈdraɪvə*] *n* Fahrer(in) *m(f)*; **~'s license** *(US)* Führerschein *m*.

driving [ˈdraɪvɪŋ] **1.** *adj (rain)* stürmisch; **2.** *n* [Auto]fahren *nt*; **driving instructor** *n* Fahrlehrer(in) *m(f)*; **driving lesson** *n* Fahrstunde *f*; **driving licence** *n (Brit)* Führerschein *m*; **driving school** *n* Fahrschule *f*; **driving test** *n* Fahrprüfung *f*.

drizzle [ˈdrɪzl] **1.** *n* Nieselregen *m*; **2.** *vi* nieseln.

droll [drəʊl] *adj* drollig.

dromedary [ˈdrɒmɪdərɪ] *n* Dromedar *nt*.

drone [drəʊn] *n (sound)* Brummen *nt*; *(bee)* Drohne *f*.

droop [druːp] *vi* [schlaff] herabhängen.

drop [drɒp] **1.** *n (of liquid)* Tropfen *m*; *(fall)* Fall *m*; **2.** *vt* fallen lassen; *(lower)* senken; *(abandon)* fallenlassen; **3.** *vi (fall)* herunterfallen; *(temperature)* sinken; **drop off** *vi (sleep)* einschlafen; **drop out** *vi (withdraw)* aussteigen; **dropout** *n* Aussteiger(in) *m(f)*.

drought [draʊt] *n* Dürre *f*.

drove [drəʊv] **1.** *pt of* **drive**; **2.** *n (crowd)* Herde *f*.

drown [draʊn] **1.** *vt* ertränken; *(sound)* übertönen; **2.** *vi* ertrinken.

drowsy [ˈdraʊzɪ] *adj* schläfrig.

drudge [drʌdʒ] *n (person)* Arbeitstier *nt*; **drudgery** [ˈdrʌdʒərɪ] *n* Plackerei *f*.

drug [drʌg] **1.** *n (MED)* Arznei *f*; *(narcotic)* Rauschgift *nt*, Droge *f*; **2.** *vt* betäuben; **drug addict** *n* Rauschgiftsüchtige(r) *mf*; **druggist** *n (US)* Drogist(in) *m(f)*; **drug squad** *n* Rauschgiftdezernat *nt*; **drugstore** *n (US)* Drogerie *f*.

drum [drʌm] *n* Trommel *f*; **drummer** *n* Trommler(in) *m(f)*.

drunk [drʌŋk] **1.** *pp of* **drink**; **2.** *adj* betrunken; **3.** *n* Betrunkene(r) *mf*; *(alcoholic)* Trinker(in) *m(f)*; **drunkard** *n* Trunkenbold *m*; **drunken** *adj* betrunken; **drunkenness** *n* Betrunkenheit *f*.

dry [draɪ] **1.** *adj* trocken; **2.** *vt* [ab]trocknen; **3.** *vi* trocknen, trocken werden; **dry up** *vi* austrocknen; *(dishes)* abtrocknen; **dry-clean** *vt* chemisch reinigen; **dry-cleaning** *n* chemische Reinigung; **dryer** *n* Trockner *m*; **dryness** *n* Trockenheit *f*; **dry rot** *n* Hausschwamm *m*.

DTP *n abbr of* **desktop-publishing** DTP *nt*.

dual [ˈdjʊəl] *adj* doppelt; **~ carriageway** ≈ Schnellstraße *f*; **~ nationality** doppelte Staatsangehörigkeit; **dual-purpose** *adj* Mehrzweck-.

dubbed [dʌbd] *adj (film)* synchronisiert.

dubious [ˈdjuːbɪəs] *adj* zweifelhaft.

duchess [ˈdʌtʃɪs] *n* Herzogin *f*.

duck [dʌk] **1.** *n* Ente *f*; **2.** *vt* [ein]tauchen; **3.** *vi* sich ducken; **duckling** *n* Entenküken *nt*; *(fam)* Entchen *nt*.

duct [dʌkt] *n* Röhre *f*.

dud [dʌd] **1.** *n* Niete *f*; **2.** *adj* wertlos, misera-

bel; (*cheque*) ungedeckt.
dude [dju:d] *n* (*US fam*) Typ *m*; (*from city*) Stadtmensch *m*.
due [dju:] **1.** *adj* fällig; (*fitting*) angemessen; **2.** *n* Gebühr *f*; (*right*) Recht *nt*; **3.** *adv* (*south etc*) in Richtung; ~ **to** infolge +*gen*, wegen +*gen*; **the train is** ~ der Zug soll laut Fahrplan ankommen.
duel ['djʊəl] *n* Duell *nt*.
duet [dju:'et] *n* Duett *nt*.
dug [dʌg] *pt, pp of* **dig**.
duke [dju:k] *n* Herzog *m*.
dull [dʌl] **1.** *adj* (*colour, weather*) trübe; (*stupid*) schwer von Begriff; (*boring*) langweilig; **2.** *vt* abstumpfen.
duly ['dju:lɪ] *adv* ordnungsgemäß, richtig; (*on time*) pünktlich.
dumb [dʌm] *adj* stumm; (*fam: stupid*) doof, blöde.
dumb-bell ['dʌmbel] *n* Hantel *f*.
dummy ['dʌmɪ] **1.** *n* Schneiderpuppe *f*; (*substitute*) Attrappe *f*; (*baby's teat*) Schnuller *m*; (*fam: person*) Dummkopf *m*; **2.** *adj* Schein-.
dump [dʌmp] **1.** *n* Abfallhaufen *m*; (*fam: place*) Nest *nt*; **2.** *vt* abladen, auskippen; **dumping** *n* (*COMM*) Dumping *nt*, Verkauf *m* zu Schleuderpreisen; (*of rubbish*) Schuttabladen (*nt*).
dumpling ['dʌmplɪŋ] *n* Kloß *m*, Knödel *m*.
dune [dju:n] *n* Düne *f*.
dung [dʌŋ] *n* Dung *m*.
dungarees [dʌŋgə'ri:z] *n pl* Latzhose *f*.
dungeon ['dʌndʒən] *n* Kerker *m*.
dupe [dju:p] **1.** *n* (*fam*) Gefoppte(r) *mf*; **2.** *vt* hintergehen, anführen.
duplicate ['dju:plɪkɪt] **1.** *adj* doppelt; **2.** *n* Duplikat *nt*; **3.** ['dju:plɪkeɪt] *vt* verdoppeln; (*make copies*) kopieren; **in** ~ in doppelter Ausführung.
durability [djʊərə'bɪlɪtɪ] *n* Haltbarkeit *f*; **durable** ['djʊərəbl] *adj* haltbar.
duration [djʊə'reɪʃən] *n* Dauer *f*.
during ['djʊərɪŋ] *prep* während +*gen*.
dusk [dʌsk] *n* Abenddämmerung *f*.
dust [dʌst] **1.** *n* Staub *m*; **2.** *vt* abstauben; (*sprinkle*) bestäuben; **dustbin** *n* (*Brit*) Mülleimer *m*; **duster** *n* Staubtuch *nt*; **dustman** *n* ⟨dustmen⟩ (*Brit*) Müllmann *m*; **when do the dustmen come?** wann kommt die Müllabfuhr?; **dust storm** *n* Staubsturm *m*; **dusty** *adj* staubig.
Dutch [dʌtʃ] **1.** *adj* holländisch; **2.** *n*: **the** ~ *pl* die Holländer *pl*; **Dutchman** *n* ⟨Dutchmen⟩ Holländer *m*; **Dutchwoman** *n* ⟨Dutchwomen⟩ Holländerin *f*.
dutiable ['dju:tɪəbl] *adj* zollpflichtig.
duty ['dju:tɪ] *n* Pflicht *f*; (*job*) Aufgabe *f*; (*tax*) Einfuhrzoll *m*; **on** ~ im Dienst, diensthabend; **duty-free** *adj* zollfrei; ~

articles *pl* zollfreie Waren *pl*; ~ **shop** Duty-free-Shop *m*.
dwarf [dwɔ:f] *n* ⟨dwarves⟩ Zwerg(in) *m(f)*.
dwell [dwel] ⟨dwelt, dwelt⟩ *vi* wohnen; **dwell on** *vt* länger nachdenken über +*akk*; **dwelling** *n* Wohnung *f*; **dwelt** [dwelt] *pt, pp of* **dwell**.
dwindle ['dwɪndl] *vi* schwinden.
dye [daɪ] **1.** *n* Farbstoff *m*; **2.** *vt* färben.
dying ['daɪɪŋ] *adj* (*person*) sterbend; (*moments*) letzte(r, s).
dynamic [daɪ'næmɪk] *adj* dynamisch; **dynamics** *n pl o sing* Dynamik *f*.
dynamite ['daɪnəmaɪt] *n* Dynamit *nt*.
dynamo ['daɪnəməʊ] *n* ⟨-s⟩ Dynamo *m*.
dynasty ['dɪnəstɪ] *n* Dynastie *f*.
dysentery ['dɪsntrɪ] *n* Ruhr *f*.
dyslexia [dɪs'leksɪə] *n* Legasthenie *f*.
dyspepsia [dɪs'pepsɪə] *n* Verdauungsstörung *f*.

E

E, e [i:] *n* E *nt*, e *nt*.
each [i:tʃ] **1.** *adj* jeder/jede/jedes; **2.** *pron* ein jeder/eine jede/ein jedes; ~ **other** einander, sich.
eager *adj*, **eagerly** *adv* ['i:gə*, -lɪ] eifrig; **eagerness** *n* Eifer *m*.
eagle ['i:gl] *n* Adler *m*.
ear [ɪə*] *n* Ohr *nt*; (*of corn*) Ähre *f*; **earache** *n* Ohrenschmerzen *pl*; **eardrum** *n* Trommelfell *nt*.
earl [3:l] *n* Graf *m*.
early ['3:lɪ] *adj, adv* früh; ~ **retirement** vorgezogener Ruhestand; **you're** ~ du bist früh dran.
earmark ['ɪəmɑ:k] *vt* vorsehen.
earn [3:n] *vt* verdienen.
earnest ['3:nɪst] *adj* ernst; **in** ~ im Ernst.
earnings ['3:nɪŋz] *n pl* Verdienst *m*.
earphones ['ɪəfəʊnz] *n pl* Kopfhörer *m*; **earplug** *n* Ohrenstöpsel *m*, Ohropax® *nt*; **earring** *n* Ohrring *m*; **earshot** ['ɪəʃɒt] *n* Hörweite *f*.
earth [3:θ] **1.** *n* Erde *f*; (*ELEC*) Erdung *f*; **2.** *vt* erden; **earthenware** *n* Steingut *nt*; **earthquake** *n* Erdbeben *nt*; **earth-shattering** *adj* (*fig*) welterschütternd.
earthy ['3:θɪ] *adj* (*taste, smell*) erdig; (*person, humour*) derb.
earwig ['ɪəwɪg] *n* Ohrwurm *m*.
ease [i:z] **1.** *n* (*simplicity*) Leichtigkeit *f*; (*social*) Ungezwungenheit *f*; **2.** *vt* (*pain*) lindern; (*burden*) erleichtern; **at** ~ ungezwungen; (*MIL*) rührt euch!; **to feel at** ~ sich wohl fühlen; **ease off**, **ease up** *vi*

nachlassen.

easel [ˈiːzl] n Staffelei f.

easily [ˈiːzɪlɪ] adv leicht.

east [iːst] **1.** n Osten m; **2.** adj östlich, Ost-; **3.** adv east of östlich von; **the East** (POL, GEO) der Osten.

Easter [ˈiːstə*] n Ostern nt; **Easter egg** n Osterei nt.

easterly [ˈiːstəlɪ] adj östlich; **eastern** [ˈiːstən] adj östlich; **eastern Germany** n die neuen Bundesländer; **East Germany** n Ostdeutschland nt; **former ~** die ehemalige DDR; **East Indies** n pl Malaiischer Archipel; **eastwards** [ˈiːstwədz] adv nach Osten, ostwärts.

easy [ˈiːzɪ] **1.** adj (task) einfach; (life) bequem; (manner) ungezwungen; **2.** adv leicht.

eat [iːt] ⟨ate, eaten⟩ vt essen; (animals) fressen; (destroy) zerfressen; **eat away** vt (corrode) zerfressen; **eatable** adj genießbar; **eat-by date** n Haltbarkeitsdatum nt; **eaten** [ˈiːtn] pp of **eat**.

eaves [iːvz] n pl überstehender Dachrand.

eavesdrop [ˈiːvzdrɒp] vi horchen, lauschen; **to ~ on sb** jdn belauschen.

ebb [eb] n Ebbe f.

ebony [ˈebənɪ] n Ebenholz nt.

EC n abbr of **European Community** (HIST) EG f.

eccentric [ɪkˈsentrɪk] **1.** adj (a. fig) exzentrisch, überspannt; **2.** n exzentrischer Mensch.

ecclesiastical [ɪkliːzɪˈæstɪkəl] adj kirchlich, geistlich.

echo [ˈekəʊ] **1.** n ⟨-es⟩ Echo nt; **2.** vt zurückwerfen; (words, style) nachbeten; **3.** vi widerhallen.

eclipse [ɪˈklɪps] **1.** n Verfinsterung f, Finsternis f; **2.** vt verfinstern.

ecological [iːkəˈlɒdʒɪkl] adj ökologisch.

ecologist [ɪˈkɒlədʒɪst] n Ökologe m, Ökologin f.

ecology [ɪˈkɒlədʒɪ] n Ökologie f.

economic [iːkəˈnɒmɪk] adj volkswirtschaftlich, ökonomisch; **economical** adj wirtschaftlich; (person) sparsam; **economics** n pl o sing Volkswirtschaft f; **economist** [ɪˈkɒnəmɪst] n Volkswirtschaftler(in) m(f); **economize** [ɪˈkɒnəmaɪz] vi sparen (on a +dat); **economy** [ɪˈkɒnəmɪ] n (of country) Wirtschaft f; (thrift) Sparsamkeit f.

ecosystem [ˈiːkəʊsɪstəm] n Ökosystem nt.

ecstasy [ˈekstəsɪ] n Ekstase f; **ecstatic** [ɪkˈstætɪk] adj hingerissen.

ecumenical [iːkjʊˈmenɪkəl] adj ökumenisch.

eczema [ˈeksmə] n Ekzem nt.

Eden [ˈiːdn] n: **the Garden of ~** der Garten Eden.

edge [edʒ] n Rand m; (of knife) Schneide f; **on ~** nervös; (nerves) überreizt; **edging** n Einfassung f; **edgy** [ˈedʒɪ] adj nervös.

edible [ˈedɪbl] adj eßbar.

edict [ˈiːdɪkt] n Erlaß m.

edifice [ˈedɪfɪs] n Gebäude nt.

edit [ˈedɪt] vt edieren, redigieren; (COMPUT) editieren, abbereiten; **edition** [ɪˈdɪʃən] n Ausgabe f; **editor** n Redakteur(in) m(f), Lektor(in) m(f); (of newspaper, magazine) Herausgeber(in) m(f); (COMPUT) Editor m; **editorial** [edɪˈtɔːrɪəl] **1.** adj Redaktions-; **2.** n Leitartikel m.

EDP n abbr of **electronic data processing** EDV f.

educate [ˈedjʊkeɪt] vt erziehen, ausbilden; **education** [edjʊˈkeɪʃən] n (teaching) Unterricht m; (studies, training) Ausbildung f; (system) Schulwesen nt; (knowledge) Bildung f; **educational** adj pädagogisch.

EEC n abbr of **European Economic Community** EG f.

eel [iːl] n Aal m.

eerie [ˈɪərɪ] adj unheimlich.

efface [ɪˈfeɪs] vt auslöschen.

effect [ɪˈfekt] **1.** n Wirkung f; **2.** vt bewirken; **in ~** in der Tat; **~s** pl (sound, visual) Effekte pl; **effective** adj wirksam, effektiv.

effeminate [ɪˈfemɪnɪt] adj (man) feminin.

effervescent [efəˈvesnt] adj (fig) sprudelnd.

efficiency [ɪˈfɪʃənsɪ] n Leistungsfähigkeit f, Effizienz f; **efficient** adj, **efficiently** adv tüchtig; (TECH) leistungsfähig; (method) wirksam, effizient.

effluent [ˈefluənt] n Abwasser nt.

effort [ˈefət] n Anstrengung f; **to make an ~** sich anstrengen; **effortless** adj mühelos.

effrontery [ɪˈfrʌntərɪ] n Unverfrorenheit f.

EFTA n abbr of **European Free Trade Association** EFTA f.

eg abbr of **for example** z.B.

egg [eg] n Ei nt; **egg on** vt anstacheln; **eggcup** n Eierbecher m; **eggplant** n (US) Aubergine f; **eggshell** n Eierschale f.

ego [ˈiːgəʊ] n ⟨-s⟩ Ich nt, Selbst nt; (fam) Selbstbewußtsein nt.

egotism [ˈegəʊtɪzəm] n Ichbezogenheit f; **egotist** [ˈegəʊtɪst] n Egozentriker(in) m(f).

Egypt [ˈiːdʒɪpt] n Ägypten nt.

eiderdown [ˈaɪdədaʊn] n Daunendecke f.

eight [eɪt] num acht.

eighteen [ˈeɪtiːn] num achtzehn.

eighth [eɪtθ] **1.** adj achte(r, s); **2.** adv an achter Stelle; **3.** n (person) Achte(r) mf; (part) Achtel nt.

eighty [ˈeɪtɪ] num achtzig.

Eire [ˈɛərə] n Irland nt.

either [ˈaɪðə*] **1.** *conj:* **either ... or** entweder ... oder; **2.** *pron:* ~ **of the two** eine(r, s) von beiden; **I don't want** ~ ich will keins von beiden; **3.** *adj:* **on** ~ **side** auf beiden Seiten; **4.** *adv:* **I don't** ~ ich auch nicht.

eject [ɪˈdʒekt] *vt* ausstoßen, vertreiben; **ejector seat** *n* Schleudersitz *m*.

elaborate 1. *adj* sorgfältig ausgearbeitet, ausführlich, kunstvoll; **2.** [ɪˈlæbəreɪt] *vt* sorgfältig ausarbeiten; **elaborately** *adv* genau, ausführlich.

elapse [ɪˈlæps] *vi* vergehen.

elastic [ɪˈlæstɪk] **1.** *n* Gummiband *nt;* **2.** *adj* elastisch; ~ **band** Gummiband *nt*.

Elastoplast® [ɪˈlæstəʊplɑːst] *n* Hansaplast® *nt*.

elbow [ˈelbəʊ] *n* Ellbogen *m*.

elder [ˈeldə*] **1.** *adj* älter; **2.** *n* Ältere(r) *mf;* (*BOT*) Holunder, *m;* **elderly** *adj* ältere(r, s); **the** ~ *pl* ältere Menschen *pl*.

elect [ɪˈlekt] **1.** *vt* wählen; **2.** *adj* zukünftig; **election** [ɪˈlekʃən] *n* Wahl *f;* **electioneering** [ɪlekʃəˈnɪərɪŋ] *n* Wahlpropaganda *f;* **elective** [ɪˈlektɪv] *n* Wahlfach *nt;* **elector** *n* Wähler(in) *m(f);* **electoral** *adj* Wahl-; **electorate** [ɪˈlektərɪt] *n* Wähler *pl*, Wählerschaft *f*.

electric [ɪˈlektrɪk] *adj* elektrisch, Elektro-; ~ **blanket** Heizdecke *f;* ~ **chair** elektrischer Stuhl; ~ **cooker** Elektroherd *m;* ~ **current** elektrischer Strom; ~ **fire** elektrischer Heizofen; **electrical** *adj* elektrisch; **electrical engineer** *n* Elektroingenieur(in) *m(f);* **electrician** [ɪlekˈtrɪʃən] *n* Elektriker(in) *m(f);* **electricity** [ɪlekˈtrɪsɪtɪ] *n* Elektrizität *f*, Strom *m;* **electrify** [ɪˈlektrɪfaɪ] *vt* elektrifizieren; (*fig*) elektrisieren.

electro- [ɪˈlektrəʊ] *pref* Elektro-; **electrocute** [ɪˈlektrəʊkjuːt] *vt* elektrisieren; (*kill*) durch elektrischen Strom töten.

electrode [ɪˈlektrəʊd] *n* Elektrode *f*.

electron [ɪˈlektrɒn] *n* Elektron *nt;* ~ **microscope** Elektronenmikroskop *nt*.

electronic [ɪlekˈtrɒnɪk] *adj* elektronisch, Elektronen-; ~ **data processing** elektronische Datenverarbeitung; ~ **data processing equipment** EDV-Anlage *f;* ~ **mail** elektronische Post; ~ **mailbox** Mailbox *f*, elektronischer Briefkasten; **electronics** *n pl o sing* Elektronik *f*.

elegance [ˈelɪgəns] *n* Eleganz *f;* **elegant** *adj* elegant.

element [ˈelɪmənt] *n* Element *nt;* (*fig*) Körnchen *nt;* **elementary** [elɪˈmentərɪ] *adj* einfach; (*primary*) grundlegend, Anfangs-.

elephant [ˈelɪfənt] *n* Elefant *m*.

elevation [elɪˈveɪʃən] *n* (*height*) Erhebung *f;* (*of style*) Niveau *nt;* (*ARCHIT*) Querschnitt *m*.

elevator [ˈelɪveɪtə*] *n* (*US*) Fahrstuhl *m*, Aufzug *m*.

eleven [ɪˈlevn] **1.** *num* elf; **2.** *n* (*team*) Elf *f*.

elf [elf] *n* ⟨*elves*⟩ Elfe *f*.

elicit [ɪˈlɪsɪt] *vt* entlocken (*from sb* jdm).

eligible [ˈelɪdʒəbl] *adj* wählbar; **he's not** ~ er kommt nicht in Frage; **to be** ~ **for a pension/competition** pensions-/teilnahmeberechtigt sein; ~ **bachelor** gute Partie.

eliminate [ɪˈlɪmɪneɪt] *vt* ausschalten; beseitigen; **elimination** [ɪlɪmɪˈneɪʃən] *n* Ausschaltung *f;* Beseitigung *f*.

elite [eɪˈliːt] *n* Elite *f*.

elm [elm] *n* Ulme *f*.

elocution [eləˈkjuːʃən] *n* Sprechererziehung *f;* (*clarity*) Artikulation *f*.

elongated [ˈiːlɒŋgeɪtɪd] *adj* verlängert.

elope [ɪˈləʊp] *vi* durchbrennen (*with sb* mit jdm).

eloquence [ˈeləkwəns] *n* Beredsamkeit *f;* **eloquent** *adj* redegewandt; **eloquently** *adv* beredt.

else [els] *adv* sonst; **who** ~? wer sonst?; **sb** ~ jd anders; **or** ~ sonst; **elsewhere** *adv* anderswo, woanders.

ELT *n abbr of* **English Language Teaching.**

emancipate [ɪˈmænsɪpeɪt] *vt* emanzipieren; (*slave*) freilassen; **emancipation** [ɪmænsɪˈpeɪʃən] *n* Emanzipation *f;* Freilassung *f*.

embalm [ɪmˈbɑːm] *vt* einbalsamieren.

embankment [ɪmˈbæŋkmənt] *n* (*of river*) Uferböschung *f;* (*of road*) Straßendamm *m*.

embargo [ɪmˈbɑːgəʊ] *n* ⟨-es⟩ Embargo *nt*.

embark [ɪmˈbɑːk] *vi* sich einschiffen; **embark on** *vt* unternehmen; **embarkation** [embɑːˈkeɪʃən] *n* Einschiffung *f*.

embarrass [ɪmˈbærəs] *vt* in Verlegenheit bringen; **embarrassed** *adj* verlegen; **embarrassing** *adj* peinlich; **embarrassment** *n* Verlegenheit *f*.

embassy [ˈembəsɪ] *n* Botschaft *f*.

embed [ɪmˈbed] *vt* einbetten.

embellish [ɪmˈbelɪʃ] *vt* verschönern; (*story*) ausschmücken; (*truth*) beschönigen.

embers [ˈembəz] *n pl* Glutasche *f*.

embezzle [ɪmˈbezl] *vt* unterschlagen; **embezzlement** *n* Unterschlagung *f*.

embitter [ɪmˈbɪtə*] *vt* verbittern.

emblem [ˈembləm] *n* Emblem *nt*, Abzeichen *nt*.

embody [ɪmˈbɒdɪ] *vt* (*ideas*) verkörpern; (*new features*) in sich vereinigen.

emboss [ɪmˈbɒs] *vt* prägen.

embrace [ɪmˈbreɪs] **1.** *vt* umarmen; (*include*) einschließen; **2.** *n* Umarmung *f*.

embroider [ɪmˈbrɔɪdə*] *vt* besticken; (*story*) ausschmücken; **embroidery** *n*

Stickerei f.

embryo [ˈembrɪəʊ] n ⟨-s⟩ Embryo m; (fig) Keim m.

emerald [ˈemərəld] n Smaragd m.

emerge [ɪˈmɜːdʒ] vi auftauchen; (truth) herauskommen.

emergency [ɪˈmɜːdʒənsɪ] **1.** n Notfall m; **2.** adj (action) Not-; ~ **doctor** Notarzt m; ~ **exit** Notausgang m; ~ **stop** Vollbremsung f; ~ **telephone** Notrufsäule f.

emery [ˈemərɪ] n: ~ **paper** Schmirgelpapier nt.

emigrant [ˈemɪgrənt] n Auswanderer m, Auswand[e]rerin f, Emigrant(in) m(f); **emigrate** [ˈemɪgreɪt] vi auswandern, emigrieren; **emigration** [emɪˈgreɪʃən] n Auswanderung f, Emigration f.

eminence [ˈemɪnəns] n hoher Rang; **Eminence** Eminenz f; **eminent** adj bedeutend.

emission [ɪˈmɪʃən] n (of gases) Ausströmen nt; **emit** [ɪˈmɪt] vt (light) ausstrahlen; (gas) ausströmen.

emotion [ɪˈməʊʃən] n Emotion f, Gefühl nt; **emotional** adj (person) emotional; (scene) emotional; **emotionally** adv gefühlsmäßig; (behave) emotional; (sing) ergreifend.

emperor [ˈempərə*] n Kaiser m.

emphasis [ˈemfəsɪs] n (a. LING) Betonung f; **emphasize** [ˈemfəsaɪz] vt betonen.

emphatic [ɪmˈfætɪk] nachdrücklich; **to be ~ about sth** etw nachdrücklich betonen; **emphatically** adv nachdrücklich.

empire [ˈempaɪə*] n Reich nt.

empirical [emˈpɪrɪkəl] adj empirisch.

employ [ɪmˈplɔɪ] vt (hire) anstellen; (use) anwenden; **employee** [emplɔɪˈiː] n Angestellte(r) mf; **employer** n Arbeitgeber(in) m(f); **employment** n Beschäftigung f, ~ beschäftigt.

empower [ɪmˈpaʊə*] vt befähigen; (authorize) ermächtigen.

empress [ˈemprɪs] n Kaiserin f.

emptiness [ˈemptɪnɪs] n Leere f; **empty 1.** adj leer; **2.** vt (contents) leeren; (container) ausleeren; **empty-handed** adj mit leeren Händen.

EMS n abbr of **European Monetary System** EWS f.

emulate [ˈemjʊleɪt] vt nacheifern +dat.

enable [ɪˈneɪbl] vt ermöglichen; **it ~s us to ...** das ermöglicht es uns, zu ...

enamel [ɪˈnæməl] n Email nt; (of teeth) Zahnschmelz m.

enamoured [ɪˈnæməd] adj verliebt (of in +akk).

encase [ɪnˈkeɪs] vt einschließen; (TECH) verschalen.

enchant [ɪnˈtʃɑːnt] vt bezaubern; **enchanting** adj entzückend.

enclose [ɪnˈkləʊz] vt einschließen; (in letter) beilegen (in, with dat); ~**d** (in letter) beiliegend, anbei; **enclosure** [ɪnˈkləʊʒə*] n Gehege nt; (in letter) Anlage f.

encore [ˈɒŋkɔː*] n Zugabe f.

encounter [ɪnˈkaʊntə*] **1.** n Begegnung f; (MIL) Zusammenstoß m; **2.** vt treffen; (resistance) stoßen auf +akk.

encourage [ɪnˈkʌrɪdʒ] vt ermutigen; **encouragement** n Ermutigung f, Förderung f; **encouraging** adj ermutigend, vielversprechend.

encroach [ɪnˈkrəʊtʃ] vi: **to ~ on sb's time** jds Zeit in Anspruch nehmen.

encyclopaedia [ensaɪkləʊˈpiːdɪə] n Lexikon nt, Enzyklopädie f.

end [end] **1.** n Ende nt, Schluß m; (purpose) Zweck m; **2.** adj End-; **3.** vt beenden; **4.** vi zu Ende gehen; **end up** vi landen.

endanger [ɪnˈdeɪndʒə*] vt gefährden.

endeavour [ɪnˈdevə*] **1.** n Bestrebung f; **2.** vi sich bemühen.

ending [ˈendɪŋ] n Ende nt; (LING) Endung f; **endless** adj endlos; (plain) unendlich.

endorse [ɪnˈdɔːs] vt unterzeichnen; (approve) unterstützen; **endorsement** n Bestätigung f; (of document) Unterzeichnung f; (on licence) Eintrag m.

endow [ɪnˈdaʊ] vt: **to ~ sb with sth** jdm etw verleihen; (with money) jdm etw stiften.

end product [ˈendprɒdʌkt] n Endprodukt nt.

endurable [ɪnˈdjʊərəbl] adj erträglich; **endurance** [ɪnˈdjʊərəns] n Ausdauer f; (suffering) Ertragen nt; **endure** [ɪnˈdjʊə*] **1.** vt ertragen; **2.** vi (last) bestehen.

enemy [ˈenɪmɪ] **1.** n Feind(in) m(f); **2.** adj feindlich.

energetic [enəˈdʒetɪk] adj tatkräftig.

energy [ˈenədʒɪ] n Energie f.

enervating [ˈenɜːveɪtɪŋ] adj strapazierend.

enforce [ɪnˈfɔːs] vt durchsetzen; (obedience) erzwingen.

engage [ɪnˈgeɪdʒ] vt (employ) einstellen; (in conversation) verwickeln; (TECH) einrasten lassen, einschalten; **engaged** adj verlobt; (TEL, toilet) besetzt; (busy) beschäftigt, unabkömmlich; **to get ~** sich verloben; **engagement** n (appointment) Verabredung f; (official) Verpflichtung f; (to marry) Verlobung f; ~ **ring** Verlobungsring m.

engaging [ɪnˈgeɪdʒɪŋ] adj gewinnend.

engine [ˈendʒɪn] n (AUTO) Motor m; (RAIL) Lokomotive f; ~ **failure**, ~ **trouble** Maschinenschaden m; (AUTO) Motorschaden m; **engineer** [endʒɪˈnɪə*] n Ingenieur(in) m(f); (US RAIL) Lokomotivführer(in) m(f); **engineering** [endʒɪˈnɪərɪŋ] n Technik f; (mechanical ~) Maschinenbau m.

England [ˈɪŋglənd] n England nt; **in ~** in

England; **to go to** ∼ nach England fahren; **English 1.** adj englisch; **2.** n (language) Englisch nt; **the** ∼ pl die Engländer pl; **the** ∼ **Channel** der Ärmelkanal; ∼ **Language Teaching** Unterrichten nt der englischen Sprache; **to speak** ∼ Englisch sprechen; **to learn** ∼ Englisch lernen; **to translate into** ∼ ins Englische übersetzen; **Englishman** n ⟨Englishmen⟩ Engländer m; **English-woman** n ⟨Englishwomen⟩ Engländerin f.

engrave [ɪn'greɪv] vt (carve) einschneiden; (fig) tief einprägen; (print) eingravieren; **engraving** n Stich m.

engrossed [ɪn'grəʊst] adj vertieft.

enhance [ɪn'hɑːns] vt (quality) verbessern; (price, value) erhöhen.

enigma [ɪ'nɪgmə] n Rätsel nt; **enigmatic** [enɪg'mætɪk] adj rätselhaft.

enjoy [ɪn'dʒɔɪ] vt genießen; ∼ **yourself!** viel Spaß!, viel Vergnügen!; **enjoyable** adj erfreulich; **enjoyment** n Genuß m, Freude f.

enlarge [ɪn'lɑːdʒ] vt erweitern; (PHOT) vergrößern; **to** ∼ **on sth** etw weiter ausführen; **enlargement** n Vergrößerung f.

enlighten [ɪn'laɪtn] vt aufklären; **enlightenment** n Aufklärung f.

enlist [ɪn'lɪst] **1.** vt gewinnen; **2.** vi (MIL) sich melden.

enmity ['enmɪtɪ] n Feindschaft f.

enormity [ɪ'nɔːmɪtɪ] n ungeheures Ausmaß.

enormous adj, **enormously** adv [ɪ'nɔːməs, -lɪ] enorm, ungeheuer.

enough [ɪ'nʌf] **1.** adj genug; **2.** adv genug, genügend; ∼! genug!; **that's** ∼! das reicht!

enquire [ɪn'kwaɪə*] s. **inquire.**

enrich [ɪn'rɪtʃ] vt bereichern.

enrol [ɪn'rəʊl] **1.** vt (MIL) anwerben; **2.** vi (register) sich anmelden; **enrolment** n (for course) Anmeldung f; (SCH) Einschreibung f.

en route [ɑ̃:n'ru:t] adv unterwegs.

ensue [ɪn'sju:] vi folgen, sich ergeben; **ensuing** adj nachfolgend.

ensure [ɪn'ʃɔə*] vt garantieren, sicherstellen.

enter ['entə*] **1.** vt eintreten in +akk, betreten; (club) beitreten +dat; (competition) teilnehmen an +dat; (in book) eintragen; (COMPUT: data) eingeben; **2.** vi hereinkommen, hineingehen; **enter into** vt (agreement) eingehen; (argument) sich einlassen auf +akk; **enter upon** vt beginnen; **enter key** n (COMPUT) Eingabetaste f.

enterprise ['entəpraɪz] n (in person) Initiative f, Unternehmungsgeist m; (COMM) Unternehmen nt, Betrieb m; **enterprising** adj einfallsreich.

entertain [entə'teɪn] vt (guest) bewirten; (amuse) unterhalten; **entertainer** n Un-

terhalter(in) m(f), Entertainer(in) m(f); **entertaining** adj unterhaltsam, amüsant; **entertainment** n (amusement) Unterhaltung f; (show) Veranstaltung f.

enthuse [ɪn'θju:z] vi schwärmen (over von).

enthusiasm [ɪn'θu:zɪæzəm] n Begeisterung f; **enthusiastic** [ɪnθu:zɪ'æstɪk] adj begeistert.

entice [ɪn'taɪs] vt verleiten, locken.

entire [ɪn'taɪə*] adj ganz; **entirely** adv ganz, völlig; **entirety** [ɪn'taɪərətɪ] n: **in its** ∼ in seiner Gesamtheit.

entitle [ɪn'taɪtl] vt (allow) berechtigen; (name) betiteln.

entitlement [ɪn'taɪtlmənt] n Anspruch m (to auf +akk).

entity ['entɪtɪ] n Ding nt, Wesen nt.

entrance ['entrəns] **1.** n Eingang m; (entering) Eintritt m; **2.** [ɪn'trɑːns] vt hinreißen; **entrance examination** n Aufnahmeprüfung f; **entrance fee** n Eintrittsgeld nt.

entrancing [ɪn'trɑːnsɪŋ] adj bezaubernd.

entrant ['entrənt] n (for exam) Kandidat(in) m(f); (into job) Anfänger(in) m(f); (MIL) Rekrut(in) m(f); (in race) Teilnehmer(in) m(f).

entreat [ɪn'tri:t] vt anflehen, beschwören.

entrée ['ontreɪ] n (GASTR) Entrée nt.

entrust [ɪn'trʌst] vt anvertrauen (sb with sth jdm etw).

entry ['entrɪ] n Eingang m; (THEAT) Auftritt m; (in account) Eintragung f; (in dictionary) Eintrag m; **"no** ∼**"** „Eintritt verboten"; (for cars) „Einfahrt verboten"; **entry form** n Anmeldeformular nt; **entry phone** n Türsprechanlage f.

E-number n (food additive) E-Nummer f.

envelope ['envələʊp] n (Brief)umschlag m.

enviable ['envɪəbl] adj beneidenswert.

envious ['envɪəs] adj neidisch.

environment [ɪn'vaɪərənmənt] n Umgebung f; (ecology) Umwelt f; **environmental** [ɪnvaɪərən'mentl] adj Umwelt-; **environmentalist** n Umweltschützer(in) m(f).

envisage [ɪn'vɪzɪdʒ] vt sich dat vorstellen; (plan) ins Auge fassen.

envoy ['envɔɪ] n Gesandte(r) mf.

envy ['envɪ] **1.** n Neid m; (object) Gegenstand m des Neides; **2.** vt beneiden (sb sth jdn um etw).

enzyme ['enzaɪm] n Enzym nt.

ephemeral [ɪ'femərəl] adj kurzlebig, vorübergehend.

epic ['epɪk] **1.** n Epos nt; (film) Monumentalfilm m; **2.** adj episch; (fig) heldenhaft.

epidemic [epɪ'demɪk] n Epidemie f.

epilepsy ['epɪlepsɪ] n Epilepsie f; **epileptic** [epɪ'leptɪk] **1.** adj epileptisch; **2.** n

Epileptiker(in) *m(f)*.

epilogue [ˈepɪlɒg] *n (of drama)* Epilog *m*; *(of book)* Nachwort *nt*.

episode [ˈepɪsəʊd] *n (incident)* Vorfall *m*; *(story)* Episode *f*.

epistle [ɪˈpɪsl] *n (REL)* Brief *m*.

epitaph [ˈepɪtɑːf] *n* Grabinschrift *f*.

epitome [ɪˈpɪtəmɪ] *n* Inbegriff *m*; **epitomize** [ɪˈpɪtəmaɪz] *vt* verkörpern.

epoch [ˈiːpɒk] *n* Epoche *f*.

equal [ˈiːkwl] **1.** *adj* gleich; **2.** *n* Gleichgestellte(r) *mf*; **3.** *vt* gleichkommen +*dat*; ~ **to the task** der Aufgabe gewachsen; **two times two ~s four** zwei mal zwei ist gleich vier; **without** ~ ohne seinesgleichen; **equality** [ɪˈkwɒlɪtɪ] *n* Gleichheit *f*; *(equal rights)* Gleichberechtigung *f*; **equalize 1.** *vt* gleichmachen; **2.** *vi (SPORT)* ausgleichen; **equalizer** *n (SPORT)* Ausgleichstreffer *m*; **equally** *adv* gleich; **equals sign** *n* Gleichheitszeichen *nt*.

equanimity [ekwəˈnɪmɪtɪ] *n* Gleichmut *m*.

equate [ɪˈkweɪt] *vt* gleichsetzen; **equation** [ɪˈkweɪʒən] *n* Gleichung *f*.

equator [ɪˈkweɪtə*] *n* Äquator *m*; **equatorial** [ekwəˈtɔːrɪəl] *adj* Äquator-.

equilibrium [iːkwɪˈlɪbrɪəm] *n* Gleichgewicht *nt*.

equinox [ˈekwɪnɒks] *n* Tagundnachtgleiche *f*.

equip [ɪˈkwɪp] *vt* ausrüsten; **equipment** *n* Ausrüstung *f*; **electrical** ~ Elektrogeräte *pl*.

equitable [ˈekwɪtəbl] *adj* gerecht, fair; **equity** [ˈekwɪtɪ] *n* Billigkeit *f*, Gerechtigkeit *f*.

equivalent [ɪˈkwɪvələnt] **1.** *adj* gleichwertig *(to dat)*, entsprechend *(to dat)*; **2.** *n (amount)* gleiche Menge; *(in money)* Gegenwert *m*; *(same thing)* Äquivalent *nt*.

equivocal [ɪˈkwɪvəkəl] *adj* zweideutig; *(suspect)* fragwürdig.

era [ˈɪərə] *n* Epoche *f*, Ära *f*.

eradicate [ɪˈrædɪkeɪt] *vt* ausrotten.

erase [ɪˈreɪz] *vt* ausradieren; *(tape, disk)* löschen; **erase key** *n* Löschtaste *f*; **eraser** *n* Radiergummi *m*.

erect [ɪˈrekt] **1.** *adj* aufrecht; **2.** *vt* errichten; **erection** *n* Errichtung *f*; *(ANAT)* Erektion *f*.

ergonomic [ɜːgəʊˈnɒmɪk] *adj* ergonomisch; **ergonomics** *n sing* Ergonomie *f*.

ermine [ˈɜːmɪn] *n* Hermelinpelz *m*.

erode [ɪˈrəʊd] *vt* zerfressen; *(land)* auswaschen; **erosion** [ɪˈrəʊʒən] *n* Auswaschen *nt*, Erosion *f*.

erotic [ɪˈrɒtɪk] *adj* erotisch; **eroticism** [ɪˈrɒtɪsɪzəm] *n* Erotik *f*.

err [ɜː*] *vi* sich irren.

errand [ˈerənd] *n* Besorgung *f*.

erratic [ɪˈrætɪk] *adj* unberechenbar.

erroneous [ɪˈrəʊnɪəs] *adj* irrig, irrtümlich.

error [ˈerə*] *n* Fehler *m*.

erudite [ˈerʊdaɪt] *adj* gelehrt; **erudition** [erʊˈdɪʃən] *n* Gelehrsamkeit *f*.

erupt [ɪˈrʌpt] *vi* ausbrechen; **eruption** [ɪˈrʌpʃən] *n* Ausbruch *m*.

escalate [ˈeskəleɪt] **1.** *vt* steigern; **2.** *vi* sich steigern; *(conflict)* eskalieren.

escalator [ˈeskəleɪtə*] *n* Rolltreppe *f*.

escapade [ˈeskəpeɪd] *n* Eskapade *f*, Streich *m*.

escape [ɪˈskeɪp] **1.** *n* Flucht *f*; *(of gas)* Entweichen *nt*; **2.** *vt, vi* entkommen +*dat*; *(prisoners)* fliehen; *(leak)* entweichen; **to** ~ **notice** unbemerkt bleiben; **the word ~s me** das Wort ist mir entfallen; **escape chute** *n* Notrutsche *f*; **escapism** [ɪˈskeɪpɪzəm] *n* Flucht *f* vor der Wirklichkeit.

escort [ˈeskɔːt] **1.** *n (accompanying person)* Begleiter(in) *m(f)*; *(guard)* Eskorte *f*; **2.** [ɪˈskɔːt] *vt (lady)* begleiten; *(MIL)* eskortieren.

Eskimo [ˈeskɪməʊ] **1.** *n ⟨-es⟩* Eskimo *m*, Eskimofrau *f*; **2.** *adj* Eskimo-.

esoteric [esəʊˈterɪk] *adj* esoterisch.

especially [ɪˈspeʃəlɪ] *adv* besonders.

espionage [ˈespɪənɑːʒ] *n* Spionage *f*.

esplanade [ˈespləneɪd] *n* Promenade *f*.

Esquire [ɪˈskwaɪə*] *n*: **J. Brown, Esq** *(in address)* Herrn J. Brown.

essay [ˈeseɪ] *n* Aufsatz *m*; *(LITER)* Essay *m*.

essence [ˈesəns] *n (quality)* Wesen *nt*; *(extract)* Essenz *f*, Extrakt *m*.

essential [ɪˈsenʃəl] **1.** *adj (necessary)* unentbehrlich; *(basic)* wesentlich; **2.** *n* Hauptbestandteil *m*; **the bare** ~ das Allernötigste; **essentially** *adv* in der Hauptsache, eigentlich.

establish [ɪˈstæblɪʃ] *vt (set up)* gründen, einrichten; *(prove)* nachweisen; **establishment** *n (setting up)* Einrichtung *f*; *(business)* Unternehmen *nt*; **the** ~ das Establishment.

estate [ɪˈsteɪt] *n (land)* Gut *nt*; *(housing ~)* Siedlung *f*; *(will)* Nachlaß *m*; **estate agent** *n* Grundstücksmakler(in) *m(f)*; **estate car** *n (Brit)* Kombiwagen *m*.

esteem [ɪˈstiːm] *n* Wertschätzung *f*.

estimate 1. *n (of price)* Kostenvoranschlag *m*; **2.** [ˈestɪmeɪt] *vt* schätzen; **estimation** [estɪˈmeɪʃən] *n* Einschätzung *f*; *(esteem)* Achtung *f*.

estuary [ˈestjʊərɪ] *n* Mündung *f*.

etching [ˈetʃɪŋ] *n* Kupferstich *m*.

eternal *adj*, **eternally** [ɪˈtɜːnl, -nəlɪ] *adv* ewig; **eternity** [ɪˈtɜːnɪtɪ] *n* Ewigkeit *f*.

ether [ˈiːθə*] *n (MED)* Äther *m*.

ethical [ˈeθɪkəl] *adj* ethisch; **ethics** [ˈeθɪks] *n pl* Ethik *f*.

Ethiopia [iːθɪˈəʊpɪə] *n* Äthiopien *nt*.

ethnic ['eθnɪk] *adj* Volks-, ethnisch; (*US: restaurant etc*) folkloristisch.

etiquette ['etɪket] *n* Etikette *f*.

EU *n abbr of* **European Union** EU *f*.

Eucharist ['ju:kərɪst] *n* heiliges Abendmahl.

eulogy ['ju:lədʒɪ] *n* Lobrede *f*.

eunuch ['ju:nək] *n* Eunuch *m*.

euphemism ['ju:fɪmɪzəm] *n* Euphemismus *m*.

euphoria [ju:'fɔ:rɪə] *n* Freudentaumel *m*, Euphorie *f*.

Eurocheque ['jʊərəʊtʃek] *n* Euroscheck *m*.

Europe ['jʊərəp] *n* Europa *nt*; **European** [jʊərə'pi:ən] **1.** *adj* europäisch; **2.** *n* Europäer(in) *m(f)*; **European Free Trade Association** *n* Europäische Freihandelsassoziation; **European Parliament** *n* Europäisches Parlament; **European Union** *n* Europäische Union.

Eurotunnel ['jʊərəʊtʌnəl] *n* Eurotunnel *m* (*Tunnel unter dem Ärmelkanal*).

euthanasia [ju:θə'neɪzɪə] *n* Euthanasie *f*; **active ~** Sterbehilfe *f*.

evacuate [ɪ'vækjʊeɪt] *vt* (*place*) räumen; (*people*) evakuieren; (*MED*) entleeren; **evacuation** [ɪvækjʊ'eɪʃən] *n* Räumung *f*, Evakuierung *f*; Entleerung *f*.

evade [ɪ'veɪd] *vt* (*escape*) entkommen +*dat*; (*avoid*) meiden; (*duty*) sich entziehen +*dat*.

evaluate [ɪ'væljʊeɪt] *vt* bewerten; (*information*) auswerten.

evangelical [i:væn'dʒelɪkəl] *adj* evangelisch; **evangelist** [ɪ'vændʒəlɪst] *n* Evangelist *m*; (*preacher*) Prediger(in) *m(f)*.

evaporate [ɪ'væpəreɪt] **1.** *vi* verdampfen; **2.** *vt* verdampfen lassen; **~d milk** Kondensmilch *f*; **evaporation** [ɪvæpə'reɪʃən] *n* Verdunstung *f*.

evasion [ɪ'veɪʒən] *n* Umgehung *f*; (*excuse*) Ausflucht *f*; **evasive** [ɪ'veɪsɪv] *adj* ausweichend.

even ['i:vən] **1.** *adj* eben; gleichmäßig; (*score etc*) unentschieden; (*number*) gerade; **2.** *vt* einebnen, glätten; **3.** *adv:* **~ you** selbst [o sogar] du; **he ~ said ...** er hat sogar gesagt ...; **~ as he spoke** gerade da er sprach; **~ if** sogar [o selbst] wenn, wenn auch; **~ so** dennoch; **to get ~** sich revanchieren; **even out, even up 1.** *vi* sich ausgleichen; **2.** *vt* ausgleichen.

evening ['i:vnɪŋ] *n* Abend *m*; **in the ~** abends, am Abend; **evening class** *n* Abendschule *f*; **evening dress** *n* (*man's*) Gesellschaftsanzug *m*; (*woman's*) Abendkleid *nt*.

evenly ['i:vənlɪ] *adv* gleichmäßig.

evensong ['i:vənsɒŋ] *n* (*REL*) Abendandacht *f*.

event [ɪ'vent] *n* (*happening*) Ereignis *nt*;

(*SPORT*) Disziplin *f*; (*horses*) Rennen *nt*; **the next ~** der nächste Wettkampf; **in the ~ of** im Falle +*gen*; **eventful** *adj* ereignisreich.

eventual [ɪ'ventʃʊəl] *adj* (*final*) schließlich.

eventuality [ɪventʃʊ'ælɪt] *n* möglicher Fall, Möglichkeit *f*.

eventually [ɪ'ventʃʊəlɪ] *adv* (*at last*) am Ende; (*given time*) schließlich.

ever ['evə*] *adv* (*always*) immer; (*at any time*) jemals; **~ so big** sehr groß; **~ so many** sehr viele; **evergreen 1.** *adj* immergrün; **2.** *n* Immergrün *nt*; **ever-lasting** *adj* immerwährend.

every ['evrɪ] *adj* jeder/jede/jedes; **~ day** jeden Tag; **~ other day** jeden zweiten Tag; **~ so often** hin und wieder; **everybody** *pron* jeder, alle *pl*; **everyday** *adj* (*daily*) täglich; (*commonplace*) alltäglich, Alltags-; **everyone** *pron* jeder, alle *pl*; **everything** *pron* alles; **everywhere** *adv* überall.

evidence ['evɪdəns] *n* (*sign*) Spur *f*; (*proof*) Beweis *m*; (*testimony*) Aussage *f*; **to give ~** aussagen; **in ~** (*obvious*) zu sehen; **evident** *adj*, **evidently** *adv* offensichtlich.

evil ['i:vl] **1.** *adj* böse, übel; **2.** *n* Übel *nt*; (*sin*) Böse(s) *nt*.

evocative [ɪ'vɒkətɪv] *adj:* **to be ~ of sth** an etw *akk* erinnern.

evoke [ɪ'vəʊk] *vt* hervorrufen.

evolution [i:və'lu:ʃən] *n* Entwicklung *f*; (*of life*) Evolution *f*.

evolve [ɪ'vɒlv] **1.** *vt* entwickeln; **2.** *vi* sich entwickeln.

ewe [ju:] *n* Mutterschaf *nt*.

ex- [eks] **1.** *pref* Ex-, Alt-, ehemalig; **2.** *n* (*fam*) Verflossene(r) *mf*.

exacerbate [ek'sæsəbeɪt] *vt* verschlimmern.

exact [ɪg'zækt] **1.** *adj* genau; **2.** *vt* (*demand*) verlangen; (*compel*) erzwingen; (*money, fine*) einziehen; (*punishment*) vollziehen; **exacting** *adj* anspruchsvoll; **exactitude** *n* Genauigkeit *f*; **exactly** *adv* genau; **exactness** *n* Genauigkeit *f*, Richtigkeit *f*.

exaggerate [ɪg'zædʒəreɪt] *vt*, *vi* übertreiben; **exaggerated** *adj* übertrieben; **exaggeration** [ɪgzædʒə'reɪʃən] *n* Übertreibung *f*.

exalt [ɪg'zɔ:lt] *vt* (*praise*) verherrlichen.

exam [ɪg'zæm] *n* Prüfung *f*.

examination [ɪgzæmɪ'neɪʃən] *n* Untersuchung *f*; (*SCH*) Prüfung *f*, Examen *nt*; (*at Customs*) Kontrolle *f*.

examine [ɪg'zæmɪn] *vt* untersuchen; (*SCH*) prüfen; (*consider*) erwägen; **examiner** *n* Prüfer(in) *m(f)*.

example [ɪg'zɑ:mpl] *n* Beispiel *nt*; **for ~** zum Beispiel.

exasperate [ɪg'zɑ:spəreɪt] *vt* zur Verzweiflung bringen; **exasperating** *adj* ärgerlich;

exasperation [ɪgzɑːspəˈreɪʃən] n Verzweiflung f.

excavate [ˈekskəveɪt] vt (unearth) ausgraben; (hollow out) aushöhlen; **excavation** [ekskəˈveɪʃən] n Ausgrabung f; **excavator** n Bagger m.

exceed [ɪkˈsiːd] vt überschreiten; (hopes) übertreffen; **exceedingly** adv in höchstem Maße.

excel [ɪkˈsel] 1. vi sich auszeichnen; 2. vt übertreffen; **excellence** [ˈeksələns] n Vortrefflichkeit f; **Excellency** [ˈeksələnsɪ] n: **His ~** Seine Exzellenz; **excellent** [ˈeksələnt] adj ausgezeichnet.

except [ɪkˈsept] 1. prep (also: ~ for) außer +dat; (~ to) ausnehmen, ausgenommen) mit Ausnahme von, ausgenommen; **excepting** prep mit Ausnahme von, ausgenommen; **exception** [ɪkˈsepʃən] n Ausnahme f; to **take ~ to** Anstoß nehmen an +dat; **exceptional** adj, **exceptionally** adv [ɪkˈsepʃənl, -nəlɪ] außergewöhnlich.

excerpt [ˈeksɜːpt] n Auszug m.

excess [ekˈses] 1. n Übermaß nt (of an +dat); 2. adj (money) Nach-; (baggage) Mehr-; **excesses** n pl Ausschweifungen pl, Exzesse pl; (violent) Ausschreitungen pl; **excessive** adj, **excessively** adv übermäßig; **excess weight** n (of thing) Mehrgewicht nt; (of person) Übergewicht nt.

exchange [ɪksˈtʃeɪndʒ] 1. n Austausch m; (FIN) Wechsel m; (place) Wechselstube f; (TEL) Vermittlung f, Zentrale f; (at Post Office) Fernsprechamt nt; 2. vt (goods) tauschen; (greetings) austauschen; (money, blows) wechseln; **exchange rate** n Wechselkurs m.

exchequer [ɪksˈtʃekə*] n Finanzministerium nt; (esp in Britain) Schatzamt nt.

excisable [ekˈsaɪzəbl] adj verbrauchssteuerpflichtig; **excise** [ˈeksaɪz] n Verbrauchssteuer f.

excitable [ɪkˈsaɪtəbl] adj erregbar, nervös.

excite [ɪkˈsaɪt] vt erregen; **excited** adj aufgeregt; to **get ~** sich aufregen; **excitement** n Aufregung f; (of interest) Erregung f; **exciting** adj aufregend; (book, film) spannend.

exclamation [ekskləˈmeɪʃən] n Ausruf m; **exclamation mark** n Ausrufezeichen nt.

exclude [ɪksˈkluːd] vt ausschließen; **exclusion** [ɪksˈkluːʒən] n Ausschluß m; **exclusive** [ɪksˈkluːsɪv] adj (select) exklusiv; (sole) ausschließlich, Allein-; ~ **of** exklusive +gen; **exclusively** adv nur, ausschließlich.

excommunicate [ekskəˈmjuːnɪkeɪt] vt exkommunizieren.

excrement [ˈekskrɪmənt] n Kot m, Exkremente pl.

excruciating [ɪksˈkruːʃɪeɪtɪŋ] adj qualvoll.

excursion [ɪksˈkɜːʃən] n Ausflug m.

excusable [ɪksˈkjuːzəbl] adj entschuldbar.

excuse [ɪksˈkjuːs] 1. n Entschuldigung f; (pretext) Ausrede f; 2. [ɪksˈkjuːz] vt entschuldigen; ~ **me!** entschuldigen Sie!

ex-directory [eksdaɪˈrektərɪ] adj: to **be ~** (Brit TEL) nicht im Telefonbuch stehen.

execute [ˈeksɪkjuːt] vt (carry out) ausführen; (kill) hinrichten; **execution** [eksɪˈkjuːʃən] n Ausführung f; (killing) Hinrichtung f; **executioner** n Scharfrichter m.

executive [ɪgˈzekjʊtɪv] 1. n (COMM) leitender Angestellter, leitende Angestellte; (POL) Exekutive f; 2. adj Exekutiv-, ausführend.

executor [ɪgˈzekjʊtə*] n Testamentsvollstrecker(in) m(f).

exemplary [ɪgˈzemplərɪ] adj musterhaft.

exemplify [ɪgˈzemplɪfaɪ] vt veranschaulichen.

exempt [ɪgˈzempt] 1. adj befreit; 2. vt befreien; **exemption** [ɪgˈzempʃən] n Befreiung f.

exercise [ˈeksəsaɪz] 1. n Übung f; 2. vt (power) ausüben; (muscle, patience) üben; (dog) ausführen; 3. vi: **you don't ~ enough** du hast zuwenig Bewegung; **exercise bike** n Heimtrainer m; **exercise book** n Heft nt.

exert [ɪgˈzɜːt] 1. vt (influence) ausüben; 2. vr: ~ **oneself** sich anstrengen; **exertion** [ɪgˈzɜːʃən] n Anstrengung f.

exhaust [ɪgˈzɔːst] 1. n (fumes) Abgase pl; (pipe) Auspuff m; 2. vt (weary) ermüden; (use up) erschöpfen; **exhausted** adj erschöpft; **exhausting** adj anstrengend; **exhaustion** n Erschöpfung f; **exhaustive** adj erschöpfend.

exhibit [ɪgˈzɪbɪt] 1. n (ART) Ausstellungsstück nt; (JUR) Beweisstück nt; 2. vt ausstellen; **exhibition** [eksɪˈbɪʃən] n (ART) Ausstellung f; to **make an ~ of oneself** ein Theater machen; **exhibitionist** [eksɪˈbɪʃənɪst] n Exhibitionist(in) m(f); **exhibitor** n Aussteller(in) m(f).

exhilarating [ɪgˈzɪləreɪtɪŋ] adj erhebend; **exhilaration** [ɪgzɪləˈreɪʃən] n erhebendes Gefühl.

exhort [ɪgˈzɔːt] vt ermahnen.

exile [ˈeksaɪl] 1. n Exil nt; (person) im Exil Lebende(r) mf; 2. vt verbannen; **in ~** im Exil.

exist [ɪgˈzɪst] vi existieren; (live) leben; **existence** n Existenz f; (way of life) Leben nt, Existenz f; **existing** adj vorhanden, bestehende.

exit [ˈeksɪt] 1. n Ausgang m; (THEAT) Abgang m; 2. vi hinausgehen; (COMPUT) das Programm beenden.

exonerate [ɪgˈzɒnəreɪt] *vt* entlasten (*from* von).

exorbitant [ɪgˈzɔ:bɪtənt] *adj* übermäßig; (*price*) unverschämt.

exotic [ɪgˈzɒtɪk] *adj* exotisch.

expand [ɪksˈpænd] **1.** *vt* (*business*) erweitern; (*operations*) ausdehnen; **2.** *vi* (*solids, gases, liquids*) sich ausdehnen; **could you ~ on that?** könnten Sie das weiter ausführen?

expanse [ɪksˈpæns] *n* weite Fläche, Weite *f*.

expansion [ɪksˈpænʃən] *n* Erweiterung *f*.

expatriate 1. *adj* im Ausland lebend; **2.** *n* im Ausland Lebende(r) *mf*; **3.** [eksˈpætrɪeɪt] *vt* ausbürgern.

expect [ɪkˈspekt] **1.** *vt* erwarten; (*suppose*) annehmen; **2.** *vi*: **to be ~ing** ein Kind erwarten; **expectant** *adj* (*hopeful*) erwartungsvoll; (*mother*) werdend; **expectation** [ekspekˈteɪʃən] *n* (*hope*) Hoffnung *f*; **~s** *pl* Erwartungen *pl*; (*prospects*) Aussicht *f*.

expedience, expediency [ɪksˈpi:dɪəns, -ənsɪ] *n* Zweckdienlichkeit *f*; **expedient 1.** *adj* zweckdienlich; **2.** *n* Hilfsmittel *nt*.

expedition [ekspɪˈdɪʃən] *n* Expedition *f*.

expel [ɪkˈspel] *vt* ausweisen; (*student*) verweisen.

expend [ɪkˈspend] *vt* (*money*) ausgeben; (*effort*) aufwenden; **expendable** *adj* entbehrlich; **expenditure** *n* Kosten *pl*, Ausgaben *pl*.

expense [ɪkˈspens] *n* (*cost*) Auslage *f*, Ausgabe *f*; (*high cost*) Aufwand *m*; **~s** *pl*; **at the ~ of** auf Kosten von; **expense account** *nt* Spesenkonto *nt*.

expensive [ɪkˈspensɪv] *adj* teuer.

experience [ɪkˈspɪərɪəns] **1.** *n* (*incident*) Erlebnis *nt*; (*practice*) Erfahrung *f*; **2.** *vt* erfahren, erleben; (*hardship*) durchmachen; **experienced** *adj* erfahren.

experiment 1. [ɪkˈsperɪmənt] *n* Versuch *m*, Experiment *nt*; **2.** [ɪkˈsperɪment] *vi* experimentieren; **experimental** [ɪksperɪˈmentl] *adj* versuchsweise, experimentell.

expert [ˈekspɜ:t] **1.** *n* Fachmann *m*, Fachfrau *f*; (*official*) Sachverständige(r) *mf*; **2.** *adj* erfahren; (*practised*) gewandt; **expertise** [ekspəˈti:z] *n* Sachkenntnis *f*.

expire [ɪkˈspaɪə*] *vi* (*end*) ablaufen; (*die*) sterben; (*ticket*) verfallen; **expiry** [ɪkˈspaɪərɪ] *n* Ablauf *m*.

explain [ɪkˈspleɪn] *vt* (*make clear*) erklären; (*account for*) begründen; **explanation** [eksplə'neɪʃən] *n* Erklärung *f*; **explanatory** [ɪkˈsplænətərɪ] *adj* erklärend.

explicable [ekˈsplɪkəbl] *adj* erklärlich.

explicit [ɪkˈsplɪsɪt] *adj* (*clear*) ausdrücklich; (*outspoken*) deutlich; **explicitly** *adv* deutlich.

explode [ɪkˈspləʊd] **1.** *vi* explodieren; **2.** *vt* (*bomb*) zur Explosion bringen; (*theory*) platzen lassen.

exploit 1. [ˈeksplɔɪt] *n* Heldentat *f*; (*adventures*) Abenteuer *pl*; **2.** [ɪkˈsplɔɪt] *vt* ausbeuten; **exploitation** [eksplɔɪˈteɪʃən] *n* Ausbeutung *f*.

exploration [ekspləˈreɪʃən] *n* Erforschung *f*; **exploratory** [ekˈsplɒrətərɪ] *adj* sondierend, Probe-; **explore** [ɪkˈsplɔ:*] (*travel*) erforschen; (*search*) untersuchen; **explorer** *n* Forschungsreisende(r) *mf*, Forscher(in) *m(f)*.

explosion [ɪkˈspləʊʒən] *n* Explosion *f*; (*fig*) Ausbruch *m*; **explosive** [ɪkˈspləʊsɪv] **1.** *adj* explosiv; **2.** *n* Sprengstoff *m*.

expo [ˈekspəʊ] *n* (*-s*) Ausstellung *f*.

exponent [ekˈspəʊnənt] *n* Exponent *m*.

export 1. *vt* exportieren; **2.** [ˈekspɔ:t] *n* Export *m*; **3.** *adj* (*trade*) Export-; **exportation** [ekspɔ:ˈteɪʃən] *n* Ausfuhr *f*; **exporter** *n* Exporteur(in) *m(f)*.

expose [ɪkˈspəʊz] *vt* (*to danger etc*) aussetzen (*to dat*); (*imposter*) entlarven; (*lie*) aufdecken.

exposé [ekˈspəʊzeɪ] *n* (*of scandal*) Enthüllung *f*.

exposed [ɪkˈspəʊzd] *adj* (*position*) exponiert.

exposure [ɪkˈspəʊʒə*] *n* (MED) Unterkühlung *f*; (PHOT) Belichtung *f*; **exposure meter** *n* Belichtungsmesser *m*.

expound [ɪkˈspaʊnd] *vt* entwickeln.

express [ɪkˈspres] **1.** *adj* ausdrücklich; (*speedy*) Expreß-, Eil-; **2.** *n* (RAIL) Schnellzug *m*; **3.** *vt* ausdrücken; **4.** *vr*: **~ oneself** sich ausdrücken; **expression** [ɪkˈspreʃən] *n* (*phrase*) Ausdruck *m*; (*look*) Gesichtsausdruck *m*; **expressive** *adj* ausdrucksvoll; **expressly** *adv* ausdrücklich, extra.

expropriate [ekˈsprəʊprɪeɪt] *vt* enteignen; **expropriation** *n* Enteignung *f*.

expulsion [ɪkˈspʌlʃən] *n* Ausweisung *f*.

exquisite [ekˈskwɪzɪt] *adj* erlesen; **exquisitely** *adv* ausgezeichnet.

extend [ɪkˈstend] *vt* (*visit etc*) verlängern; (*building*) vergrößern, ausbauen; (*hand*) ausstrecken; **to ~ a welcome to sb** jdn willkommen heißen; **extension** [ɪkˈstenʃən] *n* Erweiterung *f*; (*of building*) Anbau *m*; (TEL) Nebenanschluß *m*, Durchwahl *f*.

extensive [ɪkˈstensɪv] *adj* (*knowledge*) umfassend; (*use*) weitgehend.

extent [ɪkˈstent] *n* (*size*) Ausdehnung *f*; (*scope*) Ausmaß *nt*; (*degree*) Grad *m*.

extenuating [ekˈstenjʊeɪtɪŋ] *adj* mildernd.

exterior [ekˈstɪərɪə*] **1.** *adj* äußere(r, s), Außen-; **2.** *n* Äußere(s) *nt*.

exterminate [ekˈstɜ:mɪneɪt] *vt* ausrotten; **extermination** [ekstɜ:mɪˈneɪʃən] *n* Ausrottung f.

external [ek'stɜ:nl] adj äußere(r, s), Außen-; **externally** adv äußerlich.

extinct [ɪk'stɪŋkt] adj ausgestorben; **extinction** [ɪk'stɪŋkʃən] n Aussterben nt.

extinguish [ɪk'stɪŋgwɪʃ] vt auslöschen; **extinguisher** n Löschgerät nt.

extort [ɪk'stɔ:t] vt erpressen (sth from sb etw von jdm); **extortion** [ɪk'stɔ:ʃən] n Erpressung f; **extortionate** [ɪk'stɔ:ʃənɪt] adj überhöht, Wucher-.

extra ['ekstrə] **1.** adj zusätzlich; **2.** adv besonders; **3.** n (benefit) Sonderleistung f; (for car) Extra nt; (charge) Zuschlag m; (THEAT) Statist(in) m(f); ~s pl zusätzliche Kosten pl; (food) Beilagen pl.

extract [ɪk'strækt] **1.** vt (select) auswählen; **2.** n ['ekstrækt] n (from book etc) Auszug m; (GASTR) Extrakt m.

extraction [ɪk'strækʃən] n Herausziehen nt; (origin) Abstammung f.

extracurricular ['ekstrəkə'rɪkjʊlə*] adj außerhalb der normalen Schulzeit.

extradite ['ekstrədaɪt] vt ausliefern; **extradition** [ekstrə'dɪʃən] n Auslieferung f.

extraneous [ɪk'streɪnɪəs] adj unwesentlich; (influence) äußere(r, s).

extraordinary [ɪk'strɔ:dnrɪ] adj außerordentlich; (amazing) erstaunlich.

extravagance [ɪk'strævəgəns] n Verschwendung f; (lack of restraint) Zügellosigkeit f; **an ~ of** eine Extravaganz; **extravagant** adj extravagant.

extreme [ɪk'stri:m] **1.** adj (edge) äußerste(r, s), hinterste(r, s); (cold) äußerste(r, s); (behaviour) außergewöhnlich, übertrieben, extrem; **2.** n Extrem nt; **to go to ~s** es übertreiben; **extremely** adv äußerst, höchst; **extremist** [ɪk'stri:mɪst] **1.** adj extremistisch; **2.** n Extremist(in) m(f).

extremity [ɪk'stremɪtɪ] n (end) Spitze f, äußerstes Ende; (hardship) bitterste Not; (ANAT) Extremität f.

extricate ['ekstrɪkeɪt] vt losmachen, befreien.

extrovert ['ekstrəʊvɜ:t] **1.** n Extrovertierte(r) m(f); **2.** adj extrovertiert.

exuberance [ɪg'zu:bərəns] n (of person) Überschwenglichkeit f; (of feelings) Überschwang m; **exuberant** adj ausgelassen.

exude [ɪg'zju:d] **1.** vt ausscheiden; (fig: radiate) ausstrahlen; **2.** vi sich absondern.

exult [ɪg'zʌlt] vi frohlocken; **exultation** [egzʌl'teɪʃən] n Jubel m.

eye [aɪ] **1.** n Auge nt; (of needle) Öhr nt; **2.** vt betrachten; (up and down) mustern; **to keep an ~ on** aufpassen auf +akk; **in the ~s of** in den Augen +gen; **up to the ~s in** bis zum Hals in; **eyeball** n Augapfel m;

eyebrow n Augenbraue f; **eye contact** n Blickkontakt m; **eyelash** n Wimper f; **eyelid** n Augenlid nt; **eyeliner** n Eyeliner m; **eyeopener** n: **that was an ~** das hat mir die Augen geöffnet; **eyeshadow** n Lidschatten m; **eyesight** n Sehkraft f; **to have good ~** gute Augen haben, gut sehen; **eyes-only** adj (US) streng vertraulich, geheim; **eyesore** n Schandfleck m; **eyewash** n Augenwasser nt; (fig) Augenwischerei f; **eye witness** n Augenzeuge (-zeugin) m(f).

F

F, f [ef] n F nt, f nt.

fable ['feɪbl] n Fabel f.

fabric ['fæbrɪk] n Stoff m, Gewebe nt; (fig) Gefüge nt.

fabricate ['fæbrɪkeɪt] vt fabrizieren.

fabulous ['fæbjʊləs] adj (imaginary) legendär, sagenhaft; (unbelievable) unglaublich; (wonderful) fabelhaft, unglaublich.

façade [fə'sɑ:d] n (fig a.) Fassade f.

face [feɪs] **1.** n Gesicht nt; (grimace) Grimasse f; (surface) Oberfläche f; (of clock) Zifferblatt nt; **2.** vt (point towards) liegen nach; (situation) sich konfrontiert sehen mit; (difficulty) mutig entgegentreten +dat; **in the ~ of** angesichts +gen; **~ to ~** direkt, Auge in Auge; **to ~ up to sth** (danger) einer Sache ins Auge sehen; (facts) sich abfinden mit; **face cloth** n (Brit) Waschlappen m; **face cream** n Gesichtscreme f.

facet ['fæsɪt] n (fig) Seite f, Aspekt m; (of gem) Schliff m.

facetious [fə'si:ʃəs] adj spöttisch; (humorous) witzig; **facetiously** adv spaßhaft, witzig.

face value ['feɪs 'vælju:] n (FIN) Nennwert m; **to take sth at [its] ~** (fig) etw für bare Münze nehmen.

facial ['feɪʃəl] adj Gesichts-.

facile ['fæsaɪl] adj oberflächlich; (US: easy) leicht.

facilitate [fə'sɪlɪteɪt] vt erleichtern.

facility [fə'sɪlɪtɪ] n (ease) Leichtigkeit f; (skill) Gewandtheit f; **facilities** pl Einrichtungen pl.

facing ['feɪsɪŋ] **1.** adj zugekehrt; **2.** prep gegenüber; **3.** (on wall) Verkleidung f.

facsimile [fæk'sɪmɪlɪ] n (TEL: machine) Fernkopierer m, Telekopierer m, Telefaxgerät nt; (document) Telefax nt; **facsimile terminal** n Telefaxgerät nt.

fact [fækt] n Tatsache f; (reality) Wirklichkeit f, Realität f; **in ~** tatsächlich.

faction ['fækʃən] n Splittergruppe f.

factor ['fæktə*] n Faktor m.

factory ['fæktəri] n Fabrik f.

factual ['fæktjʊəl] adj Tatsachen-, sachlich.

faculty ['fækəlti] n Fähigkeit f; (SCH) Fakultät f; (US: teaching staff) Lehrpersonal nt.

fad [fæd] n Tick m, Fimmel m.

fade [feɪd] **1.** vi (fig a.) verblassen; (grow weak) nachlassen, schwinden; (sound) schwächer werden; (wither) verwelken; **2.** vt (material) verblassen lassen; **to ~ in/out** (CINE) ein-/ausblenden; **faded** adj verwelkt; (colour) verblichen.

faff about ['fæfəbaʊt] vi (Brit fam) herumwursteln.

fag [fæg] n Plackerei f; (Brit fam: cigarette) Kippe f; **fag end** n (Brit fam) [Zigaretten]-kippe f.

Fahrenheit ['færənhaɪt] n Fahrenheit.

fail [feɪl] **1.** vt (exam) nicht bestehen; (student) durchfallen lassen; (courage) verlassen; (memory) im Stich lassen; **2.** vi (supplies) zu Ende gehen; (plan) scheitern; (student) durchfallen; (eyesight) nachlassen; (light) schwächer werden; (brakes) versagen; **to ~ to do sth** (neglect) es unterlassen, etw zu tun; (be unable) es nicht schaffen, etw zu tun; **without ~** ganz bestimmt, unbedingt; **failing 1.** n Fehler m, Schwäche f; **2.** prep in Ermangelung +gen; **~ this** falls nicht, sonst; **fail-safe** adj hundertprozentig sicher; **failure** ['feɪljə*] n (person) Versager(in) m(f); (act) Versagen nt; (TECH) Defekt m.

faint [feɪnt] **1.** adj schwach, matt; **2.** n Ohnmacht f; **3.** vi ohnmächtig werden; **faintly** adv schwach; **faintness** n Schwäche f; (MED) Schwächegefühl nt.

fair [feə*] **1.** adj schön; (hair) blond; (skin) hell; (weather) schön, trocken; (just) gerecht, fair; (reasonable) mittelmäßig; (conditions) günstig, gut; (sizeable) ansehnlich; **2.** adv (play) ehrlich, fair; **3.** n (fun~) Jahrmarkt m; (COMM) Messe f; **fairly** adv (honestly) gerecht, fair; (rather) ziemlich; **fairness** n Schönheit f; (of hair) Blondheit f; (of game) Ehrlichkeit f, Fairneß f; **fairway** n (NAUT) Fahrwasser nt; (golf) Fairway nt.

fairy ['feəri] n Fee f; **fairyland** n Märchenland nt; **fairy tale** n Märchen nt.

faith [feɪθ] n (REL) Glaube m; (trust) Vertrauen nt (in zu); **faithful** adj, **faithfully** adv treu; **Yours faithfully** hochachtungsvoll.

fake [feɪk] **1.** n (thing) Fälschung f; (person) Schwindler(in) m(f); **2.** adj vorgetäuscht; **3.** vt fälschen.

falcon ['fɔ:lkən] n Falke m.

Falkland Islands ['fɔ:klənd 'aɪləndz] n pl Falklandinseln pl.

fall [fɔ:l] ⟨fell, fallen⟩ **1.** vi fallen; (night) hereinbrechen; **2.** n Fall m, Sturz m; (decrease) Fallen nt, Rückgang m; (of snow) Schneefall m; (US: autumn) Herbst m; **in ~** im Herbst; **~s** pl (waterfall) [Wasser]fälle pl; **fall back on** vt in Reserve haben, zurückgreifen auf +akk; **fall down** vi (person) hinfallen; (building) einstürzen; **fall flat** vi (joke) nicht ankommen; **the plan fell ~** aus dem Plan wurde nichts; **fall for** vt (trick) hereinfallen auf +akk; (person) sich verknallen in +akk; **fall off** vi herunterfallen von; (diminish) sich vermindern; **fall out** vi sich streiten; **fall through** vi (plan) ins Wasser fallen.

fallacy ['fæləsi] n Trugschluß m.

fallen ['fɔ:lən] pp of **fall**.

fallible ['fæləbl] adj fehlbar.

fallout ['fɔ:laʊt] n radioaktiver Niederschlag, Fallout m; **fallout shelter** n Atomschutzraum m.

fallow ['fæləʊ] adj brachliegend.

false [fɔ:ls] adj falsch; (artificial) gefälscht, künstlich; **~ alarm** Fehlalarm m; **under ~ pretences** unter Vorspiegelung falscher Tatsachen; **falsely** adv fälschlicherweise; **false start** n Fehlstart m; **false teeth** n pl Gebiß nt.

falsification [fɔ:lsɪfɪ'keɪʃn] n [Ver]fälschung f.

falter ['fɔ:ltə*] vi schwanken; (in speech) stocken.

fame [feɪm] n Ruhm m.

familiar [fə'mɪliə*] adj vertraut, bekannt; (intimate) familiär; **to be ~ with** vertraut sein mit, gut kennen; **familiarity** [fəmɪlɪ'ærɪtɪ] n Vertrautheit f; **familiarize** vt vertraut machen.

family ['fæmɪlɪ] n Familie f; (relations) Verwandtschaft f; **family allowance** n Kindergeld nt; **family business** n Familienunternehmen nt; **family doctor** n Hausarzt(-ärztin) m(f); **family life** n(f) Familienleben nt; **family planning** n Familienplanung f.

famine ['fæmɪn] n Hungersnot f.

famished ['fæmɪʃt] adj ausgehungert.

famous ['feɪməs] adj berühmt.

fan [fæn] **1.** n (folding) Fächer m; (ELEC) Ventilator m; (admirer) begeisterter Anhänger, begeisterte Anhängerin, Fan m; **2.** vt fächeln; **fan out** vi sich fächerförmig ausbreiten.

fanatic [fə'nætɪk] **1.** n Fanatiker(in) m(f); **2.** adj fanatisch.

fan belt ['fænbelt] n Keilriemen m.

fanciful ['fænsɪfʊl] adj (odd) seltsam; (imaginative) phantasievoll.

fancy ['fænsɪ] **1.** n (liking) Neigung f; (imagination) Phantasie f, Einbildung f; **2.**

adj schick, ausgefallen; **3.** *vt* (*like*) gern haben wollen; (*imagine*) sich *dat* einbilden; **just ~ that!** stellen Sie sich das nur vor!; **fancy dress** *n* Verkleidung *f*, [Masken]kostüm *nt*; **fancy-dress ball** *n* Maskenball *m*.

fanfare [ˈfænfeə*] *n* Fanfare *f*.

fang [fæŋ] *n* Fangzahn *m*; (*snake's*) Giftzahn *m*.

fan heater [ˈfænhiːtə*] *n* Heizlüfter *m*; **fanlight** [ˈfænlaɪt] *n* Oberlicht *nt*; **fan mail** *n* Fanpost *f*.

fantastic [fænˈtæstɪk] *adj* phantastisch.

fantasy [ˈfæntəzɪ] *n* Phantasie *f*.

far [faː*] **1.** *adj* (*further o* farther, furthest *o* farthest) weit; **2.** *adv* weit entfernt; (*very much*) weitaus, sehr viel; **~ away**, **~ off** weit weg; **by ~** bei weitem; **so ~** soweit; bis jetzt; **the Far East** der Ferne Osten; **faraway** *adj* weit entfernt.

farce [faːs] *n* (*THEAT fig*) Farce *f*; **farcical** [ˈfaːsɪkəl] *adj* possenhaft; (*fig*) lächerlich.

fare [feə*] *n* Fahrpreis *m*; (*money*) Fahrgeld *nt*; (*food*) Kost *f*; **fare-dodger** *n* Schwarzfahrer(in) *m(f)*; **fare reduction** *n* Fahrpreisermäßigung *f*.

farewell [feəˈwel] **1.** *n* Abschiedsgruß *m*; **2.** *interj* lebe wohl; **3.** *adj* Abschieds-.

far-fetched [faːˈfetʃt] *adj* weit hergeholt.

farm [faːm] **1.** *n* Bauernhof *m*, Farm *f*; **2.** *vt* bewirtschaften; **3.** *vi* Landwirt(in) *m(f)* sein; **farmer** *n* Bauer *m*, Bäuerin *f*, Landwirt(in) *m(f)*; **farmhand** *n* Landarbeiter(in) *m(f)*; **farmhouse** *n* Bauernhaus *nt*; **farming** *n* Landwirtschaft *f*; **farmland** *n* Ackerland *nt*; **farmyard** *n* Hof *m*.

far-reaching [faːˈriːtʃɪŋ] *adj* weitreichend; **far-sighted** *adj* weitblickend.

fart [faːt] **1.** *n* (*fam*) Furz *m*; **2.** *vi* (*fam*) furzen.

farther [ˈfaːðə*] *adj, adv comp of* **far** weiter; **farthest** [ˈfaːðɪst] *superl of* **far 1.** *adj* weiteste(r, s), fernste(r, s); **2.** *adv* am weitesten.

fascinate [ˈfæsɪneɪt] *vt* faszinieren, bezaubern; **fascinating** *adj* faszinierend, spannend; **fascination** [fæsɪˈneɪʃən] *n* Faszination *f*, Zauber *m*.

fascism [ˈfæʃɪzəm] *n* Faschismus *m*; **fascist** [ˈfæʃɪst] **1.** *n* Faschist(in) *m(f)*; **2.** *adj* faschistisch.

fashion [ˈfæʃən] **1.** *n* (*of clothes*) Mode *f*; (*manner*) Art und Weise *f*; **2.** *vt* machen, gestalten; **in ~** in Mode; **out of ~** unmodisch; **fashionable** *adj* (*clothes*) modern, modisch; (*place*) elegant; **fashion show** *n* Modenschau *f*.

fast [faːst] **1.** *adj* schnell; (*firm*) fest; (*dye*) waschecht; **2.** *adv* schnell; (*firmly*) fest; **3.** *n* Fasten *nt*; **4.** *vi* fasten; **to be ~** (*clock*) vor-

gehen; **fast-breeder reactor** *n* schneller Brüter.

fast food [ˈfaːstˈfuːd] *n* Schnellimbiß *m*, Fast Food *nt*; **fast-food restaurant** *n* Schnellimbiß *m*.

fasten [ˈfaːsn] **1.** *vt* (*attach*) befestigen; (*with rope*) zuschnüren; **2.** *vi* sich schließen lassen; **to ~ one's seat belt** sich anschnallen; **fastener, fastening** *n* Verschluß *m*.

fastidious [fæˈstɪdɪəs] *adj* genau (*about in bezug auf +akk*).

fast lane [ˈfaːstleɪn] *n* Überholspur *f*.

fat [fæt] **1.** *adj* dick, fett; **2.** *n* (*on person*) Fett *m*, Speck *m*; (*on meat*) Fett *nt*; (*for cooking*) Bratenfett *nt*.

fatal [ˈfeɪtl] *adj* tödlich; (*fig*) verhängnisvoll; **fatalism** *n* Fatalismus *m*; **fatality** [fəˈtælɪtɪ] *n* (*road death etc*) Todesopfer *nt*; **fatally** *adv* tödlich.

fate [feɪt] *n* Schicksal *nt*; **fateful** *adj* (*disastrous*) verhängnisvoll; (*important*) schicksalhaft.

father [ˈfaːðə*] *n* Vater *m*; (*REL*) Pfarrer *m*; **father-in-law** *n* ⟨fathers-in-law⟩ Schwiegervater *m*; **fatherly** *adj* väterlich.

fathom [ˈfæðəm] **1.** *n* Klafter *f*; **2.** *vt* ausloten; (*fig*) ergründen.

fatigue [fəˈtiːg] **1.** *n* Ermüdung *f*; **2.** *vt* ermüden.

fatten [ˈfætn] **1.** *vt* dick machen; (*animals*) mästen; **2.** *vi* dick werden.

fatty [ˈfætɪ] *adj* (*food*) fettig.

fatuous [ˈfætjʊəs] *adj* albern.

faucet [ˈfɔːsɪt] *n* (*US*) Wasserhahn *m*.

fault [fɔːlt] **1.** *n* (*defect*) Defekt *m*; (*ELEC*) Störung *f*; (*blame*) Fehler *m*, Schuld *f*; (*GEO*) Verwerfung *f*; **2.** *vt* **to ~ sth** etwas an etw *dat* auszusetzen haben; **it's your ~** du bist daran schuld; **at ~** schuldig, im Unrecht; **faultless** *adj* fehlerfrei, tadellos; **fault-tolerant** *adj* (*COMPUT*) störunanfällig; **faulty** *adj* fehlerhaft, defekt.

fauna [ˈfɔːnə] *n* Fauna *f*.

favor (*US*), **favour** [ˈfeɪvə*] **1.** *n* (*approval*) Wohlwollen *nt*; (*kindness*) Gefallen *m*; **2.** *vt* (*prefer*) vorziehen; **in ~ of** für; zugunsten +*gen*; **favourable** *adj, favourably* *adv* günstig; **favourite** [ˈfeɪvərɪt] **1.** *adj* Lieblings-; **2.** *n* Liebling *m*, (*SPORT*) Favorit(in) *m(f)*; **favouritism** *n* (*SCH*) Bevorzugung *f*; (*POL*) Vetternwirtschaft *f*.

fawn [fɔːn] **1.** *adj* beige; **2.** *n* (*animal*) Rehkitz *nt*.

fawning [ˈfɔːnɪŋ] *adj* kriecherisch.

fax [fæks] **1.** *vt* [tele]faxen, fernkopieren; **2.** *n* (*system*) Telefax *nt*; (*message*) Fax *nt*, Telefax *nt*.

FBI *n abbr of* **Federal Bureau of Investigation** FBI *nt*.

fear [fɪə*] **1.** *n* Furcht *f*; **2.** *vt* fürchten; **no ~!** keine Angst!; **fearful** *adj* (*timid*) furchtsam; (*terrible*) fürchterlich; **fearless** *adj*, **fearlessly** *adv* furchtlos; **fearlessness** *n* Furchtlosigkeit *f*; **fearsome** *adj* furchterregend.

feasibility [fiːzəˈbɪlɪtɪ] *n* Durchführbarkeit *f*; **feasible** [ˈfiːzəbl] *adj* durchführbar, machbar.

feast [fiːst] **1.** *n* Festmahl *nt*; (REL) Kirchenfest *nt*; **2.** *vi* sich gütlich tun (on an +*dat*); **feast day** *n* kirchlicher Feiertag.

feat [fiːt] *n* Leistung *f*.

feather [ˈfeðə*] *n* Feder *f*.

feature [ˈfiːtʃə*] **1.** *n* Gesichtszug *m*; (*characteristic*) Merkmal *nt*; (*important part*) Grundzug *m*; (CINE, PRESS) Feature *nt*; **2.** *vt* bringen; (*advertising etc*) groß herausbringen; **3.** *vi* vorkommen; **featuring X** mit X; **feature film** *n* Spielfilm *m*; **featureless** *adj* nichtssagend.

February [ˈfebruərɪ] *n* Februar *m*; **~ 14th, 1969, 14th ~ 1969** (*Datumsangabe*) 14. Februar 1969; **on the 24th of ~** (*gesprochen*) am 24. Februar; **on 24th ~, on ~ 24th** (*geschrieben*) am 24. Februar; **in ~** im Februar.

fed [fed] *pt, pp of* **feed**.

federal [ˈfedərəl] *adj* Bundes-; **the Federal Republic of Germany** die Bundesrepublik Deutschland.

federation [fedəˈreɪʃən] *n* (*society*) Verband *m*; (*of states*) Staatenbund *m*.

fed-up [fedˈʌp] *adj*: **to be ~ with sth** etw satt haben; **I'm ~** ich habe die Nase voll.

fee [fiː] *n* Gebühr *f*; (*of doctor, lawyer*) Honorar *nt*.

feeble [ˈfiːbl] *adj* (*person*) schwach; (*excuse*) lahm; **feeble-minded** *adj* dümmlich.

feed [fiːd] (*fed, fed*) **1.** *vt* füttern; (*support*) ernähren; **2.** *n* (*for baby*) Essen *nt*; (*for animals*) Futter *nt*; (COMPUT: *paper ~*) Zuführung *f*; **to ~ on** leben von, fressen; **feedback** *n* (TECH) Rückkopplung *f*; (*information*) Feedback *nt*.

feel [fiːl] (*felt, felt*) **1.** *vt* (*sense*) fühlen; (*touch*) anfassen; (*think*) meinen; **2.** *vi* (*person*) sich fühlen; (*thing*) sich anfühlen; **3.** *n*: **it has a soft ~** es fühlt sich weich an; **to get the ~ of sth** sich an etw akk gewöhnen; **I ~ cold** mir ist kalt; **I ~ like a cup of tea** ich habe Lust auf eine Tasse Tee; **feeler** *n* Fühler *m*; **feeling** *n* Gefühl *nt*; (*opinion*) Meinung *f*.

feet [fiːt] *pl of* **foot**.

feign [feɪn] *vt* vortäuschen; **feigned** *adj* vorgetäuscht, Schein-.

feint [feɪnt] *n* Täuschungsmanöver *nt*.

feline [ˈfiːlaɪn] *adj* Katzen-, katzenartig.

fell [fel] **1.** *pt of* **fall**; **2.** *vt* (*tree*) fällen; **3.** *n* (*hill*) kahler Berg; **4.** *adj*: **with one ~ swoop** mit einem Schlag; auf einen Streich.

fellow [ˈfeləʊ] *n* (*companion*) Gefährte *m*, Gefährtin *f*, Kamerad(in) *m(f)*; (*man*) Kerl *m*, Typ *m*; **~ citizen** Mitbürger(in) *m(f)*; **~ countryman** Landsmann *m*; **~ feeling** Mitgefühl *nt*; **~ men** *pl* Mitmenschen *pl*; **~ worker** Mitarbeiter(in) *m(f)*; **fellowship** *n* (*friendliness*) Gemeinschaft *f*, Kameradschaft *f*; (*company*) Gesellschaft *f*; (*scholarship*) Forschungsstipendium *nt*.

felony [ˈfelənɪ] *n* schweres Verbrechen.

felt [felt] **1.** *pt, pp of* **feel**; **2.** *n* Filz *m*; **felt tip, felt-tip pen** *n* Filzschreiber *m*, Filzstift *m*.

female [ˈfiːmeɪl] **1.** *n* (*of animals*) Weibchen *nt*; **2.** *adj* weiblich.

feminine [ˈfemɪnɪn] *adj* (a. LING) feminin, weiblich; **femininity** [femɪˈnɪnɪtɪ] *n* Weiblichkeit *f*.

feminism [ˈfemɪnɪzəm] *n* Feminismus *m*; **feminist** [ˈfemɪnɪst] **1.** *adj* feministisch; **2.** *n* Feminist(in) *m(f)*.

fence [fens] **1.** *n* Zaun *m*; (*crook*) Hehler(in) *m(f)*; **2.** *vt* fechten; **fence in** *vt* einzäunen; **fence off** *vt* absperren; **fencing** *n* Zaun *m*; (SPORT) Fechten *nt*.

fend [fend] *vi*: **to ~ for oneself** sich allein durchschlagen.

fender [ˈfendə*] *n* Kamingitter *nt*; (US AUTO) Kotflügel *m*.

ferment [fəˈment] **1.** *vi* (CHEM) gären; **2.** [ˈfɜːment] *n* (*excitement*) Unruhe *f*, Erregung *f*; **fermentation** [fɜːmenˈteɪʃən] *n* Gärung *f*.

fern [fɜːn] *n* Farn *m*.

ferocious [fəˈrəʊʃəs] *adj* wild, grimmig; (*temper*) heftig; **ferociously** *adv* wild; **ferocity** [fəˈrɒsɪtɪ] *n* Wildheit *f*, Grimmigkeit *f*.

ferry [ˈferɪ] **1.** *n* Fähre *f*; **2.** *vt* übersetzen.

fertile [ˈfɜːtaɪl] *adj* fruchtbar; **fertility** [fəˈtɪlɪtɪ] *n* Fruchtbarkeit *f*.

fertilization [fɜːtɪlaɪˈzeɪʃən] *n* Befruchtung *f*; **fertilize** [ˈfɜːtɪlaɪz] *vt* (AGR) düngen; (BIO) befruchten; **fertilizer** *n* Kunstdünger *m*.

fervent [ˈfɜːvənt] *adj* (*admirer*) glühend; (*hope*) innig.

festival [ˈfestɪvəl] *n* (REL) Fest *nt*; (ART, MUS) Festspiele *pl*; (*of modern music*) Festival *nt*.

festive [ˈfestɪv] *adj* festlich; **the ~ season** (*Christmas*) die Festtage *pl*.

festivity [feˈstɪvɪtɪ] *n* Festlichkeit *f*; (*celebration*) Feier *f*.

fetch [fetʃ] *vt* holen; (COMPUT) abrufen, aufrufen; (*in sale*) einbringen, erzielen; **fetching** *adj* bezaubernd, reizend.

fête [feɪt] *n* Fest *nt*.

fetid [ˈfetɪd] *adj* übelriechend.

fetish [ˈfetɪʃ] *n* Fetisch *m*.

fetters ['fetəz] *n pl* (*a. fig*) Fesseln *pl.*

fetus ['fi:təs] *n* (*US*) Fötus *m.*

feud [fju:d] **1.** *n* Fehde *f*; **2.** *vi* sich befehden.

feudal ['fju:dl] *adj* lehnsherrlich, Feudal-; **feudalism** *n* Lehnswesen *nt*, Feudalismus *m.*

fever ['fi:və*] *n* Fieber *nt*; **feverish** (*MED*) fiebrig, Fieber-; (*fig*) fieberhaft; **feverishly** *adv* (*fig*) fieberhaft.

few [fju:] **1.** *adj* wenig; **2.** *pron pl* wenige *pl*; **a ~** *pl* einige *pl*; **a good ~** *pl* ziemlich viele *pl*; **fewer** *adj* weniger; **fewest** *adj* wenigste(r, s).

fiancé [fɪ'ɑ:nseɪ] *n* Verlobte(r) *m*; **fiancée** *n* Verlobte *f.*

fiasco [fɪ'æskəʊ] *n* ⟨-s *o* -es *US*⟩ Fiasko *nt.*

fib [fɪb] **1.** *n* Flunkerei *f*; **2.** *vi* flunkern; **don't tell ~s!** erzähl keine Märchen!

fiber (*US*), **fibre** ['faɪbə*] *n* Faser *f*, Fiber *f*; (*material*) Faserstoff *m*; **fibreglass** *n* Fiberglas *m.*

fickle ['fɪkl] *adj* unbeständig, wankelmütig; **fickleness** *n* Unbeständigkeit *f*, Wankelmut *m.*

fiction ['fɪkʃən] *n* (*novels*) Prosaliteratur *f*; **fictional** *adj* erfunden.

fictitious [fɪk'tɪʃəs] *adj* erfunden.

fiddle ['fɪdl] **1.** *n* Geige *f*, Fiedel *f*; (*trick*) Schwindelei *f*; **2.** *vt* (*accounts*) frisieren; **to ~ with** herumfummeln an +*dat*; **fiddler** *n* Geiger(in) *m(f).*

fidelity [fɪ'delɪtɪ] *n* Treue *f*; (*RADIO*) Klangtreue *f.*

fidget ['fɪdʒɪt] **1.** *vi* zappeln; **2.** *n* Zappelphilipp *m*; **fidgety** *adj* nervös, zappelig.

field [fi:ld] *n* Feld *nt*, Acker *m*; (*range*) Gebiet *nt*; **field day** *n* (*gala*) Paradetag *m*; **Edgar had a ~** da hatte Edgar seinen großen Tag; **field marshal** *n* Feldmarschall *m*; **fieldwork** *n* (*SCH*) Feldforschung *f.*

fiend [fi:nd] *n* Teufel *m*; (*beast*) Unhold *m*; (*addict*) Fanatiker(in) *m(f)*; **fiendish** *adj* teuflisch; (*problem*) verzwickt.

fierce *adj*, **fiercely** *adv* [fɪəs, -lɪ] wild; **fierceness** *n* Wildheit *f.*

fiery ['faɪərɪ] *adj* glühend; (*blazing*) brennend; (*hot-tempered*) hitzig, heftig.

fifteen [fɪf'ti:n] *num* fünfzehn.

fifth [fɪfθ] **1.** *adj* fünfte(r, s); **2.** *adv* an fünfter Stelle; **3.** *n* (*person*) Fünfte(r) *mf*; (*part*) Fünftel *m.*

fifty ['fɪftɪ] *num* fünfzig; **fifty-fifty** halbe halbe, fifty fifty.

fig [fɪg] *n* Feige *f.*

fight [faɪt] ⟨fought, fought⟩ **1.** *vt* kämpfen gegen; sich schlagen mit; (*fig*) bekämpfen; **2.** *vi* kämpfen; sich schlagen; streiten; **3.** *n* Kampf *m*; (*brawl*) Schlägerei *f*; (*argument*) Streit *m*; **fighter** *n* Kämpfer(in) *m(f)*; (*plane*) Jagdflugzeug *nt*; **fighting** *n*

Kämpfen *nt*; (*war*) Kampfhandlungen *pl.*

figment ['fɪgmənt] *n*: **~ of imagination** reine Einbildung.

figurative ['fɪgərətɪv] *adj* bildlich, übertragen.

figure ['fɪgə*] **1.** *n* Form *f*; (*of person*) Figur *f*; (*person*) Gestalt *f*; (*illustration*) Zeichnung *f*; (*number*) Ziffer *f*; **2.** *vt* (*US: imagine*) glauben; **3.** *vi* (*appear*) erscheinen; (*make sense*) stimmen, hinhauen; **that ~s** das hätte ich mir denken können; **figure out** *vt* verstehen, herausbekommen; **figurehead** *n* (*NAUT fig*) Galionsfigur *f*; **figure skating** *n* Eiskunstlauf *m.*

filament ['fɪləmənt] *n* Faden *m*; (*ELEC*) Glühfaden *m.*

file [faɪl] **1.** *n* (*tool*) Feile *f*; (*dossier*) Akte *f*; (*COMPUT*) Datei *f*; (*folder*) Aktenordner *m*; (*row*) Reihe *f*; **2.** *vt* (*metal, nails*) feilen; (*papers*) abheften, ablegen; (*claim*) einreichen; (*COMPUT*) abspeichern; **3.** *vi:* **to ~ in/out** verstehen hereinkommen/hinausgehen; **in single** [*o* **Indian**] **~** im Gänsemarsch; **filing cabinet** Aktenschrank *m*; **file manager** *n* (*COMPUT*) Dateimanager *m*; **file name** *n* (*COMPUT*) Dateiname *m.*

filing ['faɪlɪŋ] *n* Feilen *nt*; **~s** *pl* Feilspäne *pl.*

fill [fɪl] **1.** *vt* füllen; (*occupy*) ausfüllen; (*satisfy*) sättigen; **2.** *n:* **to eat one's ~** sich richtig satt essen; **to have had one's ~** genug haben; **fill in** *vt* (*hole*) auffüllen; (*form*) ausfüllen; **fill up** *vt* (*container*) auffüllen; (*form*) ausfüllen.

fillet ['fɪlɪt] **1.** *n* Filet *nt*; **2.** *vt* filetieren.

filling ['fɪlɪŋ] **1.** *n* (*GASTR*) Füllung *f*; (*for tooth*) Zahnfüllung *f*, Plombe *f*; **2.** *adj* sättigend; **filling station** *n* Tankstelle *f.*

film [fɪlm] **1.** *n* Film *m*; **2.** *vt* (*scene*) filmen; **film star** *n* Filmstar *m*; **filmstrip** *n* Filmstreifen *m.*

filter ['fɪltə*] **1.** *n* Filter *m*; (*for traffic*) Abbiegespur *f*; **2.** *vt* filtern; **3.** *vi* durchsickern; **filter tip** *n* Filter *m*, Filtermundstück *nt*; **filter-tipped cigarette** *n* Filterzigarette *f.*

filth [fɪlθ] *n* Dreck *m*; (*fig*) Unflat *m*; **filthy** *adj* dreckig; (*behaviour*) gemein; (*weather*) scheußlich.

fin [fɪn] *n* Flosse *f.*

final ['faɪnl] **1.** *adj* letzte(r, s); End-; (*conclusive*) endgültig; **2.** *n* (*SPORT*) Endspiel *nt*; **~s** *pl* (*SCH*) Abschlußexamen *nt*; **finale** [fɪ'nɑ:lɪ] *n* (*THEAT*) Schlußszene *f*; (*MUS*) Finale *nt*; **finalist** *n* (*SPORT*) Endrundenteilnehmer(in) *m(f)*; **finalize** *vt* endgültige Form geben +*dat*; abschließen; **finally** *adv* (*lastly*) zuletzt; (*eventually*) endlich; (*irrevocably*) unwiderruflich.

finance [faɪ'næns] **1.** *n* Finanzwesen *nt*; **2.** *vt* finanzieren; **~s** *pl* Finanzen *pl*; (*income*)

Einkünfte *pl.*

financial [far'næn[əl] *adj* Finanz-; finanzi ell; **financially** *adv* finanziell.

find [faɪnd] ⟨found, found⟩ **1.** *vt* finden; **2.** *vi* (*realize*) erkennen; **3.** *n* Fund *m*; **to ~ sb guilty** jdn für schuldig erklären; **find out** *vt* herausfinden; **findings** *n pl* (*JUR*) Ermittlungsergebnis *nt*; (*of report*) Feststel lung *f*, Befund *m*.

fine [faɪn] **1.** *adj* fein; (*thin*) dünn, fein; (*good*) gut; (*clothes*) elegant; (*weather*) schön; **2.** *adv* (*well*) gut; (*small*) klein; **3.** *n* (*JUR*) Geldstrafe *f*, Bußgeld *nt*; **4.** *vt* (*JUR*) mit einer Geldstrafe belegen; **to cut it ~** (*fig*) knapp rechnen; **fine arts** *n pl* die schönen Künste *pl*; **fineness** *n* Feinheit *f*.

finesse [fɪ'nes] *n* Finesse *f*.

finger ['fɪŋgə*] **1.** *n* Finger *m*; **2.** *vt* befüh len; **fingernail** *n* Fingernagel *m*; **fin gerprint** *n* Fingerabdruck *m*; **finger stall** *n* Fingerling *m*; **fingertip** *n* Finger spitze *f*; **to have sth at one's ~** etw parat ha ben.

finicky ['fɪnɪkɪ] *adj* pingelig.

finish ['fɪnɪʃ] **1.** *n* Ende *nt*; (*SPORT*) Ziel *nt*; (*of object*) Verarbeitung *f*; (*of paint*) Ober flächenwirkung *f*; **2.** *vt* beenden; (*book*) zu Ende lesen; **3.** *vi* aufhören; (*SPORT*) ans Ziel kommen; **to be ~ed with sth** mit etw fertig sein; **finishing line** *n* Ziellinie *f*; **finish ing school** *n* [Mädchen]pensionat *nt*.

finite ['faɪnaɪt] *adj* endlich, begrenzt; (*LING*) finit.

Finland ['fɪnlənd] *n* Finnland *nt*; **Finn** *n* Finne *m*, Finnin *f*; **Finnish** *adj* finnisch.

fiord [fjɔːd] *n* Fjord *m*.

fir [fɜː*] *n* Tanne *f*, Fichte *f*.

fire ['faɪə*] **1.** *n* Feuer *nt*; (*damaging*) Brand *m*, Feuer *nt*; **2.** *vt* (*rocket*) zünden; (*gun*) abfeuern; (*pottery*) brennen; (*furnace*) be feuern; (*fig: imagination*) beflügeln; (*dis miss*) hinauswerfen, feuern; **3.** *vi* (*AUTO*) zünden; **to ~ at sb** auf jdn schießen; **~ away!** schieß los!; **to set ~ to sth** etw in Brand stecken; **to be on ~** brennen; **fire alarm** *n* Feueralarm *m*; **firearm** *n* Schuß waffe *f*; **fire brigade** *n* Feuerwehr *f*; **fire engine** *n* Feuerwehrauto *nt*; **fire escape** *n* Feuerleiter *f*; **fire extinguisher** *n* Löschgerät *nt*; **fireman** *n* ⟨firemen⟩ Feuer wehrmann *m*; **fireplace** *n* offener Kamin; **fireproof** *adj* feuerfest; **fireside** *n* Kamin *m*; **firestation** *n* Feuerwehrwache *f*; **fire wood** *n* Brennholz *nt*; **fireworks** *n pl* Feuerwerk *nt*.

firing ['faɪərɪŋ] *n* Schießen *nt*; **~ squad** Exe kutionskommando *nt*.

firm [fɜːm] **1.** *adj* fest; (*determined*) ent schlossen; **2.** *n* Firma *f*; **firmly** *adv* fest; **firmness** *n* Festigkeit *f*; Entschlossenheit

f.

first [fɜːst] **1.** *adj* erste(r, s); **2.** *adv* zuerst; (*arrive*) als erste(r); (*happen*) zum erstenmal; (*travel*) erster Klasse; **3.** *n* (*per son*) Erste(r) *mf*; (*SCH*) Eins *f*; (*AUTO*) er ster Gang; **at ~** zuerst, anfangs; **~ of all** zu allererst; **first aid** *n* Erste Hilfe *f*; **first aid kit** *n* Verbandskasten *m*; **first-class** *adj* erstklassig; (*travel*) erster Klasse; **first hand** *adj* aus erster Hand; **first lady** *n* (*US*) First Lady *f*, Frau *f* des Präsidenten; **firstly** *adv* erstens; **first name** *n* Vorna me *m*; **first night** *n* Premiere *f*; **first rate** *adj* erstklassig.

fiscal ['fɪskəl] *adj* Finanz-; (*measures*) fi nanzpolitisch.

fish [fɪʃ] **1.** *n* Fisch *m*; **2.** *vt* (*river*) angeln in +*dat*; (*sea*) fischen in +*dat*; **3.** *vi* fischen angeln; **to ~ out** herausfischen; **to go ~ing** angeln gehen; (*in sea*) fischen gehen; **fisherman** *n* ⟨fishermen⟩ Fischer *m*; **fish finger** *n* Fischstäbchen *nt*; **fish hook** *n* Angelhaken *m*; **fishing boat** *n* Fischer boot *nt*; **fishing line** *n* Angelschnur *f*; **fishing rod** *n* Angelrute *f*; **fishing tackle** *n* Angelzeug *nt*; **fish market** *n* Fischmarkt *m*; **fishmonger** *n* Fischhänd ler(in) *m(f)*; **fish slice** *n* (*for serving*) Fischvorlegemesser *nt*; **fishy** *adj* (*fam. suspicious*) faul.

fission ['fɪʃən] *n* Spaltung *f*; **fission mate rial** *n* Spaltmaterial *nt*.

fissure ['fɪʃə*] *n* Riß *m*.

fist [fɪst] *n* Faust *f*.

fit [fɪt] **1.** *adj* (*MED*) gesund; (*SPORT*) in Form fit; (*suitable*) geeignet; **2.** *vt* (*~ onto*) passen auf +*akk*; (*~ into*) passen in +*akk*; (*clothes*) passen +*dat*; (*insert, attach*) einsetzen; **3.** *vi* (*correspond*) passen zu; (*clothes*) passen; (*in space, gap*) hineinpassen; **4.** *n* (*of clothes* Sitz *m*; (*MED, of anger*) Anfall *m*; (*of laughter*) Krampf *m*; **fit in** *vt* unterbringen; **fit out fit up** *vt* ausstatten; **fitment** *n* Einrich tungsgegenstand *m*; **fitness** *n* (*MED*) Ge sundheit *f*; (*SPORT*) Fitneß *f*; (*suitability*) Eig nung *f*; **fitted** *adj* (*garment*) tailliert; **~ car pet** Teppichboden *m*; **~ kitchen** Einbaukü che *f*; **~ sheet** Spannbettuch *nt*; **fitter** *n* (*TECH*) Monteur(in) *m(f)*; **fitting 1.** *adj* pas send; **2.** *n* (*of dress*) Anprobe *f*; (*piece o equipment*) Ersatzteil *nt*; **~s** *pl* Einrichtung *f*; **fitting room** *n* Anproberaum *m*; (*cubicle*) Anprobekabine *f*.

five [faɪv] *num* fünf; **five-day week** *n* Fünftagewoche *f*; **fiver** *n* (*Brit*) Fünf Pfund-Note *f*.

fix [fɪks] **1.** *vt* befestigen; (*settle*) festsetzen; (*repair*) richten, reparieren; (*drink*) zu rechtmachen; **2.** *n*: **in a ~** in der Klemme **fixed** *adj* repariert; (*time*) abgemacht; **i**

was ~ (*dishonest*) das war Schiebung; **fixer** *n* (*drug addict*) Fixer(in) *m(f)*; **fixture** [ˈfɪkstʃə*] *n* Installationsteil *m*; (*SPORT*) Spiel *nt*.

fizz [fɪz] *vi* sprudeln.

fizzle [ˈfɪzl] *vi* zischen; **fizzle out** *vi* verpuffen.

fizzy [ˈfɪzl] *adj* Sprudel-, sprudelnd; ~ **drink** Brause *f*.

fjord [fjɔːd] *n* Fjord *m*.

flabbergasted [ˈflæbəgɑːstɪd] *adj* (*fam*) platt.

flabby [ˈflæbɪ] *adj* (*fat*) wabbelig.

flag [flæg] **1.** *n* Fahne *f*; **2.** *vi* (*strength*) nachlassen; (*spirit*) erlahmen; (*AUTO*) Schattenflagge *f*; **flag down** *vt* stoppen, abwinken; **flagpole** *n* Fahnenstange *f*.

flagrant [ˈfleɪgrənt] *adj* offenkundig; (*offence*) schamlos; (*violation*) flagrant.

flagstone *n* [ˈflægstəʊn] *n* Steinplatte *f*.

flair [flɛə*] *n* (*talent*) Talent *nt*; (*style*) Flair *nt*.

flake [fleɪk] **1.** *n* (*of snow*) Flocke *f*; (*of rust*) Schuppe *f*; **2.** *vi* (*also:* ~ **off**) abblättern.

flamboyant [flæmˈbɔɪənt] *adj* extravagant; (*colours*) brillant; (*gesture*) großartig.

flame [fleɪm] *n* Flamme *f*.

flaming [ˈfleɪmɪŋ] *adj* brennend, lodernd; (*fam*) verdammt; (*row*) irre.

flamingo [fləˈmɪŋgəʊ] *n* ⟨-es⟩ Flamingo *m*.

flan [flæn] *n* Obstkuchen *m*.

flank [flæŋk] **1.** *n* Flanke *f*; **2.** *vt* flankieren.

flannel [ˈflænl] *n* Flanell *m*; (*face* ~) Waschlappen *m*; (*fam*) Geschwafel *nt*; ~**s** *pl* Flanellhose *f*.

flap [flæp] **1.** *n* Klappe *f*; (*fam: crisis*) helle Aufregung *f*; **2.** *vt* (*wings*) schlagen mit; **3.** *vi* lose herabhängen; flattern; (*fam: panic*) sich aufregen.

flare [flɛə*] *n* (*signal*) Leuchtsignal *nt*; **flare up** *vi* aufflammen; (*fig*) aufbrausen; (*revolt*) plötzlich ausbrechen; **flared** *adj* (*trousers*) ausgestellt.

flash [flæʃ] **1.** *n* Blitz *m*; (*news* ~) Kurzmeldung *f*; (*PHOT*) Blitzlicht *nt*; **2.** *vt* aufleuchten lassen; (*message*) durchgeben; **3.** *vi* aufleuchten; (*PHOT*) blitzen; **in a** ~ im Nu; **to** ~ **by** [*o past*] vorbeirasen; **flashback** *n* Rückblende *f*; **flash cube** *n* Blitzlichtbirne *f*; **flash cube** *n* Blitzlichtwürfel *m*.

flasher [ˈflæʃə*] *n* (*AUTO*) Lichthupe *f*; (*Brit fam*) Exhibitionist *m*.

flash light *n* [ˈflæʃlaɪt] *n* Blitzlicht *nt*; (*US: torch*) Taschenlampe *f*.

flashy [ˈflæʃɪ] *adj* auffällig.

flask [flɑːsk] *n* (*vacuum* ~) Thermosflasche *f*; (*fam*) Flachmann *m*; (*CHEM*) Kolben *m*.

flat [flæt] **1.** *adj* flach; (*dull*) matt; (*drink*) abgestanden; (*tyre*) platt; **2.** *adv* (*MUS*) zu

tief; **3.** *n* (*Brit: rooms*) Wohnung *f*; (*MUS*) b *nt*, Erniedrigungszeichen *nt*; (*AUTO*) Reifenpanne *f*, Platte(r) *m*; **A** ~ (*MUS*) as; **flat-footed** *adj* plattfüßig; **flat-hunting** *n* (*Brit*) Wohnungssuche *f*; **flatmate** *n* (*Brit*) Mitbewohner(in) *m(f)*; **flatness** *n* Flachheit *f*; **flatten** *vt* (*also:* ~ **out**) platt machen, einebnen.

flatter [ˈflætə*] *vt* schmeicheln +*dat*; **flatterer** *n* Schmeichler(in) *m(f)*; **flattering** *adj* schmeichelhaft; **flattery** *n* Schmeichelei *f*.

flatulence [ˈflætjʊləns] *n* Blähungen *pl*.

flaunt [flɔːnt] *vt* prunken mit.

flavor (*US*), **flavour** [ˈfleɪvə*] **1.** *n* Geschmack *m*; **2.** *vt* würzen; **flavouring** *n* Aromastoff *m*.

flaw [flɔː] *n* Fehler *m*; (*in argument*) schwacher Punkt; **flawless** *adj* einwandfrei.

flax [flæks] *n* Flachs *m*.

flea [fliː] *n* Floh *m*.

fled [fled] *pt, pp* of **flee**.

flee [fliː] ⟨fled, fled⟩ **1.** *vi* fliehen; **2.** *vt* fliehen vor +*dat*; (*country*) fliehen aus.

fleece [fliːs] **1.** *n* Schaffell *nt*, Vlies *nt*; **2.** *vt* (*fam*) schröpfen.

fleet [fliːt] *n* Flotte *f*.

fleeting [ˈfliːtɪŋ] *adj* flüchtig.

flesh [fleʃ] *n* Fleisch *nt*; (*of fruit*) Fruchtfleisch *nt*; **flesh wound** *n* Fleischwunde *f*.

flew [fluː] *pt* of **fly**.

flex [fleks] **1.** *n* Leitungskabel *nt*; **2.** *vt* beugen, biegen.

flexibility [fleksɪˈbɪlɪtɪ] *n* Biegsamkeit *f*; (*fig*) Flexibilität *f*; **flexible** *adj* biegsam; (*plans, person*) flexibel; ~ **working hours** *pl* gleitende Arbeitszeit; **flexitime** *n* gleitende Arbeitszeit, Gleitzeit *f*.

flick [flɪk] **1.** *n* Schnippen *nt*; (*blow*) leichter Schlag; **2.** *vt* leicht schlagen; **to** ~ **sth off** etw wegschnippen; **flick through** *vt* durchblättern.

flicker [ˈflɪkə*] **1.** *n* Flackern *nt*; (*of emotion*) Funken *m*; **2.** *vi* flackern.

flier [ˈflaɪə*] *n* s. **flyer**.

flight [flaɪt] *n* Flug *m*; (*fleeing*) Flucht *f*; ~ **of stairs** Treppe *f*; **to take** ~ die Flucht ergreifen; **to put to** ~ in die Flucht schlagen; **flight attendant** *n* Flugbegleiter(in) *m(f)*; **flight deck** *n* (*NAUT*) Flugdeck *nt*; (*AVIAT*) Cockpit *nt*; **flight recorder** *n* Flug[daten]schreiber *m*.

flimsy [ˈflɪmzɪ] *adj* nicht stabil, windig; (*thin*) hauchdünn; (*excuse*) fadenscheinig.

flinch [flɪntʃ] *vi* zurückschrecken (*away from* vor +*dat*).

fling [flɪŋ] ⟨flung, flung⟩ *vt* schleudern.

flint [flɪnt] *n* (*in lighter*) Feuerstein *m*.

flip [flɪp] *vt* werfen; **he** ~ped **the lid off** er klappte den Deckel auf; **Alex** ~ped **his lid**

(*fam*) Alex hat durchgedreht [*o* ist ausgerastet].

flippancy ['flɪpənsɪ] *n* Leichtfertigkeit *f*; **flippant** ['flɪpənt] *adj* schnippisch, leichtfertig; **to be ~ about sth** etw nicht ernst nehmen.

flippers ['flɪpəz] *n pl* Schwimmflossen *pl*.

flirt [flɜːt] **1.** *vi* flirten; **2.** *n*: **he/she is a ~** er/sie flirtet gern; **flirtation** [flɜː'teɪʃən] *n* Flirt *m*.

flit [flɪt] *vi* flitzen.

float [fləʊt] **1.** *n* (*FISHING*) Schwimmer *m*; (*esp in procession*) Festwagen *m*; (*milk ~*) Lieferwagen *m*; **2.** *vi* schwimmen; (*in air*) schweben; **3.** *vt* schwimmen lassen; (*COMM*) gründen; (*currency*) floaten; **floating** *adj* schwimmend; **~ voter** (*fig*) Wechselwähler(in) *m(f)*; **~ decimal point** Fließkomma *nt*.

flock [flɒk] *n* (*of sheep*, *REL*) Herde *f*; (*of birds, people*) Schar *f*.

flog [flɒg] *vt* prügeln; (*with whip*) peitschen; (*fam: sell*) verkaufen, verscherbeln.

flood [flʌd] **1.** *n* Überschwemmung *f*; (*fig*) Flut *f*; **2.** *vt* überschwemmen; **to be in ~** Hochwasser haben; **the Flood** die Sintflut; **flooding** *n* Überschwemmung *f*; **floodlight 1.** *n* Flutlicht *nt*; **2.** *vt* anstrahlen; **floodlighting** *n* Beleuchtung *f*.

floor [flɔː*] *n* (*of room*) Fußboden *m*; (*storey*) Stock *m*; **2.** *vt* (*person*) zu Boden schlagen; **ground** *Brit*/**first** *US* **~** Erdgeschoß *nt*; **first** *Brit*/**second** *US* **~** erster Stock; **floorboard** *n* Diele *f*; **floor leader** *n* (*US*) Fraktionsführer(in) *m(f)*; **floor show** *n* Kabarettvorstellung *f*; **floorwalker** *n* (*COMM*) Ladenaufsicht *f*.

flop [flɒp] **1.** *n* (*fam: failure*) Reinfall *m*, Flop *m*; (*movement*) Plumps *m*; **2.** *vi* (*fail*) durchfallen; **the project ~ped** aus dem Projekt wurde nichts.

floppy ['flɒpɪ] *adj* hängend; **floppy disk** *n* (*COMPUT*) Diskette *f*; **floppy hat** *n* Schlapphut *m*.

flora ['flɔːrə] *n* Flora *f*; **floral** *adj* Blumen-.

florid ['flɒrɪd] *adj* (*style*) blumig; (*complexion*) gerötet.

florist ['flɒrɪst] *n* Blumenhändler(in) *m(f)*; **~'s shop** Blumengeschäft *nt*.

flotsam ['flɒtsəm] *n* Strandgut *nt*.

flounce [flaʊns] *vi*: **to ~ in/out** hinein-/hinausstürmen.

flounder ['flaʊndə*] **1.** *n* (*fish*) Flunder *f*; **2.** *vi* herumstrampeln; (*fig*) ins Schleudern kommen.

flour ['flaʊə*] *n* Mehl *nt*.

flourish ['flʌrɪʃ] **1.** *vi* blühen; (*boom*) florieren; **2.** *vt* (*wave about*) schwenken; **3.** *n* (*waving*) Schwingen *nt*; (*of trumpets*) Tusch *m*, Fanfare *f*; **flourishing** *adj* blühend.

flout [flaʊt] *vt* mißachten.

flow [fləʊ] **1.** *n* Fließen *nt*; (*of sea*) Flut *f*; **2.** *vi* fließen; **flow chart**, **flow diagram** *n* Flußdiagramm *nt*.

flower ['flaʊə*] **1.** *n* Blume *f*; **2.** *vi* blühen; **flower bed** *n* Blumenbeet *nt*; **flowerpot** *n* Blumentopf *m*; **flowery** *adj* (*style*) blumenreich.

flowing ['fləʊɪŋ] *adj* fließend; (*hair*) wallend; (*style*) flüssig.

flown [fləʊn] *pp* of **fly**.

flu [fluː] *n* (*fam*) Grippe *f*.

fluctuate ['flʌktjʊeɪt] *vi* schwanken; **fluctuation** [flʌktjʊ'eɪʃən] *n* Schwankung *f*.

fluency ['fluːənsɪ] *n* Flüssigkeit *f*; **his ~ in English** seine Fähigkeit, fließend Englisch zu sprechen; **fluent** *adj* (*speech*) flüssig; **to be ~ in German** fließend Deutsch sprechen.

fluff [flʌf] *n* Fussel *f*; **fluffy** *adj* flaumig; (*toy*) kuschelig.

fluid ['fluːɪd] **1.** *n* Flüssigkeit *f*; **2.** *adj* flüssig; (*fig: plans*) ungewiß.

fluke [fluːk] *n* (*fam*) Dusel *m*.

flung [flʌŋ] *pt, pp* of **fling**.

fluorescent [flʊə'resnt] *adj* fluoreszierend, Leucht-; (*light*) Neon-.

fluoride ['flʊəraɪd] *n* Fluorid *nt*.

flurry ['flʌrɪ] *n* (*of activity*) Aufregung *f*; (*of snow*) Gestöber *nt*.

flush [flʌʃ] **1.** *n* Erröten *nt*; (*of excitement*) Glühen *nt*; (*CARDS*) Sequenz *f*; **2.** *vt* ausspülen; **3.** *vi* erröten; **4.** *adj* bündig; **flushed** *adj* rot.

fluster ['flʌstə*] *n* Verwirrung *f*; **flustered** *adj* verwirrt.

flute [fluːt] *n* Querflöte *f*.

fluted ['fluːtɪd] *adj* gerillt.

flutter ['flʌtə*] **1.** *n* (*of wings*) Flattern *nt*; (*of excitement*) Beben *nt*; **2.** *vi* flattern; (*person*) rotieren.

flux [flʌks] *n*: **in a state of ~** im Fluß.

fly [flaɪ] **1.** ⟨flew, flown⟩ *vt* fliegen; **2.** ⟨flew, flown⟩ *vi* fliegen; (*flee*) fliehen; (*flag*) wehen; **3.** *n* (*insect*) Fliege *f*; **flies** *pl* (*on trousers*) Hosenschlitz *m*; **~ open** auffliegen; **let ~** (*shoot*) losschießen; (*fig: become angry*) außer sich geraten; (*insults*) loslassen.

flyer ['flaɪə*] *n* (*US: train*) Schnellzug *m*; (*bus*) Expreßbus *m*; **flying** *n*: **to pass with ~ colours** glänzend abschneiden; **flying saucer** *n* fliegende Untertasse; **flying start** *n* guter Start; **flying visit** *n* Stippvisite *f*; **flyover** *n* (*Brit*) Überführung *f*; **flypaper** *n* Fliegenfänger *m*; **flypast** *n* Luftparade *f*; **flysheet** *n* (*for tent*) Überdach *nt*; **flywheel** *n* Schwungrad *nt*.

FO *n abbr of* **Foreign Office** AA *nt*.

foal [fəʊl] *n* Fohlen *nt*.

foam [fəʊm] **1.** n Schaum m; (plastic etc) Schaumgummi m; **2.** vi schäumen.

fob off [fɒb ɒf] vt andrehen (sb with sth jdm etw); (with promise) abspeisen.

focal [ˈfəʊkəl] adj im Brennpunkt stehend, Brennpunkt-.

focus [ˈfəʊkəs] **1.** n Brennpunkt m; (fig) Mittelpunkt m; **2.** vt (attention) konzentrieren; (camera) scharf einstellen; **3.** vi sich konzentrieren (on auf +akk); **in ~** scharf eingestellt; **out of ~** unscharf eingestellt.

fodder [ˈfɒdə*] n Futter nt.

foetus [ˈfiːtəs] n Fötus m.

fog [fɒg] **1.** n Nebel m; **2.** vt (issue) vernebeln, verwirren; **foggy** adj neblig, trüb; **fog lamp, foglight** n Nebellampe f; **rear ~** Nebelschlußleuchte f.

foible [ˈfɔɪbl] n Eigenheit f.

foil [fɔɪl] **1.** vt (attempts) vereiteln; **2.** n Folie f.

foist [fɔɪst] vt: to **~** sth [off] on to sb jdm etw andrehen; to **~** oneself on[to] sb sich jdm aufdrängen.

fold [fəʊld] **1.** n (bend, crease) Falte f; (AGR) Pferch m; **2.** vt falten; **fold up 1.** vt (map etc) zusammenfalten; **2.** vi (business) eingehen; **folder** n (portfolio) Aktenmappe f; (pamphlet) Broschüre f; **folding** adj (chair etc) zusammenklappbar, Klapp-.

foliage [ˈfəʊlɪdʒ] n Laubwerk nt.

folk [fəʊk] **1.** n Volk nt; **2.** adj Volks-; **~s** pl Leute pl; **folklore** [ˈfəʊklɔ:*] n (study) Volkskunde f; (tradition) Folklore f; **folksong** n Volkslied nt; (modern) Folksong m.

follow [ˈfɒləʊ] **1.** vt folgen +dat; (obey) befolgen; (fashion) mitmachen; (profession) nachgehen +dat; (understand) folgen können +dat; **2.** vi folgen; (result) sich ergeben; **as ~s** wie im folgenden; **follow up** vt weiter verfolgen; **follower** n Anhänger(in) m(f); **following 1.** adj folgend; **2.** n Folge(nde(s)) f; (people) Gefolgschaft f.

folly [ˈfɒlɪ] n Torheit f.

fond [fɒnd] adj: **to be ~ of** gern haben; **fondly** adv (with love) liebevoll; **fondness** n Vorliebe f; (for people) Liebe f.

font [fɒnt] n Taufbecken nt; (TYP) Schriftart f.

food [fu:d] n Essen nt, Nahrung f; (for animals) Futter nt; **food poisoning** n Lebensmittelvergiftung f; **food processor** n Küchenmaschine f; **foodstuffs** n pl Lebensmittel pl.

fool [fu:l] **1.** n Narr m, Närrin f; (jester) Hofnarr m; (food) Nachspeise aus Obstpüree mit Sahne; **2.** vt (deceive) hereinlegen; **3.** vi: behave like a **~** herumalbern; **foolhardy** adj tollkühn; **foolish** adj, **foolishly** adv dumm; albern; **foolishness** n Dummheit

f; **foolproof** adj idiotensicher.

foot [fʊt] **1.** n ⟨feet⟩ Fuß m; (measure) Fuß m (30,48 cm); (of animal) Pfote f; **2.** vt (bill) bezahlen; **to put one's ~ in it** ins Fettnäpfchen treten; **on ~** zu Fuß; **foot-and-mouth disease** n Maul- und Klauenseuche f; **football** n Fußball m; **footballer** n Fußballer(in) m(f); **footbrake** n Fußbremse f; **footbridge** n Fußgängerbrücke f; **foothills** n pl Ausläufer pl; **foothold** n Halt m, Stand m; **footing** n Halt m; (fig) Verhältnis nt; **to get a ~ in society** in der Gesellschaft Fuß fassen; **to be on a good ~ with sb** mit jdm auf gutem Fuß stehen; **footlight** n Rampenlicht nt; **footnote** n Fußnote f; **footpath** n Fußweg m; **footrest** n Fußstütze f; **footsore** adj fußkrank; **footstep** n Schritt m; **in his father's ~** in den Fußstapfen seines Vaters; **footwear** n Schuhwerk nt.

for [fɔ:*] **1.** prep für; **2.** conj denn; **what ~?** wozu?

forage [ˈfɒrɪdʒ] **1.** n Viehfutter nt; **2.** vi Nahrung suchen.

forbade [fəˈbæd] pt of **forbid**.

forbearing [fɔ:ˈbɛərɪŋ] adj geduldig.

forbid [fəˈbɪd] ⟨forbade, forbidden⟩ vt verbieten; **forbidding** adj furchterregend.

force [fɔ:s] **1.** n Kraft f, Stärke f; (compulsion) Zwang m; (MIL) Truppen pl; **2.** vt zwingen; (lock) aufbrechen; (plant) treiben; **in ~** (rule) gültig; (group) in großer Stärke; **the Forces** pl die Streitkräfte; **forced** adj (smile) gezwungen; (landing) Not-; **force feeding** n Zwangsernährung f; **forceful** adj (speech) kraftvoll; (personality) resolut.

forceps [ˈfɔ:seps] n pl Zange f.

forcible [ˈfɔ:səbl] adj (convincing) überzeugend; (violent) gewaltsam; **forcibly** adv mit Gewalt.

ford [fɔ:d] **1.** n Furt f; **2.** vt durchqueren; (on foot) durchwaten.

fore [fɔ:*] **1.** adj vordere(r, s), Vorder-; **2.** n: **to the ~** in den Vordergrund.

forearm [ˈfɔ:rɑ:m] n Unterarm m.

foreboding [fɔ:ˈbəʊdɪŋ] n Vorahnung f.

forecast [ˈfɔ:kɑ:st] **1.** n Vorhersage f; **2.** irr vt voraussagen.

forecourt [ˈfɔ:kɔ:t] n Vorhof m.

forefathers [ˈfɔ:fɑ:ðəz] n pl Vorfahren pl.

forefinger [ˈfɔ:fɪŋgə*] n Zeigefinger m.

forefront [ˈfɔ:frʌnt] n: **in the ~ of** an der Spitze gen.

forego [fɔ:ˈgəʊ] irr vt verzichten auf +akk; **foregoing** adj vorangehend; **foregone** [fɔ:ˈgɒn] adj: **it was a ~ conclusion** es stand von vornherein fest.

foreground [ˈfɔ:graʊnd] n Vordergrund m.

forehead [ˈfɒrɪd] n Stirn f.

foreign [ˈfɒrən] adj Auslands-; (country, accent) ausländisch; (trade) Außen-; (body) Fremd-; **foreigner** n Ausländer(in) m(f); **foreign exchange** n Devisen pl; **foreign minister** n Außenminister(in) m(f); **Foreign Office** n (Brit) Auswärtiges Amt.

foreman [ˈfɔːmən] n ⟨foremen⟩ Vorarbeiter m.

foremost [ˈfɔːməʊst] adj erste(r, s).

forensic [fəˈrensɪk] adj gerichtsmedizinisch.

forerunner [ˈfɔːrʌnə*] n Vorläufer(in) m(f).

foresee [fɔːˈsiː] irr vt vorhersehen; **foreseeable** adj absehbar.

foresight [ˈfɔːsaɪt] n Voraussicht f.

forest [ˈfɒrɪst] n Wald m.

forestall [fɔːˈstɔːl] vt zuvorkommen +dat.

forestry [ˈfɒrɪstrɪ] n Forstwirtschaft f; **Forestry Commission** (Brit) Forstverwaltung f.

foretaste [ˈfɔːteɪst] n Vorgeschmack m.

foretell [fɔːˈtel] irr vt vorhersagen.

forever [fəˈrevə*] adv für immer.

foreword [ˈfɔːwɜːd] n Vorwort nt.

forfeit [ˈfɔːfɪt] **1.** n (in game) Pfand nt; **2.** vt verwirken; (fig) einbüßen.

forge [fɔːdʒ] **1.** n Schmiede f; **2.** vt fälschen; (iron) schmieden; **forge ahead** vi Fortschritte machen; **forger** n Fälscher(in) m(f); **forgery** n Fälschung f.

forget [fəˈget] (forgot, forgotten) vt, vi vergessen; **forgetful** adj vergeßlich; **forgetfulness** n Vergeßlichkeit f; **forget-me-not** n Vergißmeinnicht nt.

forgive [fəˈgɪv] irr vt verzeihen (sb for sth jdm etw); **forgiveness** [fəˈgɪvnəs] n Verzeihung f.

forgo [fɔːˈgəʊ] irr vt s. **forego**.

forgot [fəˈgɒt] pt of **forget**; **forgotten** pp of **forget**.

fork [fɔːk] **1.** n Gabel f; (in road) Gabelung f; **2.** vi (road) sich gabeln; **fork out** vi (fam: pay) blechen; **forked** adj gegabelt; (lightning) zickzackförmig.

forlorn [fəˈlɔːn] adj (person) verlassen; (hope) vergeblich.

form [fɔːm] **1.** n Form f; (type) Art f; (figure) Gestalt f; (sch) Klasse f; (document) Formular nt; **2.** vt formen; (be part of) bilden.

formal [ˈfɔːməl] adj förmlich, formell; (occasion) offiziell; **formality** [fɔːˈmælɪtɪ] n Förmlichkeit f; (of occasion) offizieller Charakter; **formalities** pl Formalitäten pl; **formally** adv (ceremoniously) formell; (officially) offiziell.

format [ˈfɔːmæt] **1.** n Format nt; **2.** vt (comput) formatieren.

formation [fɔːˈmeɪʃən] n Bildung f; Gestaltung f; (aviat) Formation f.

formative [ˈfɔːmətɪv] adj (years) formend, entscheidend.

former [ˈfɔːmə*] adj früher; (opposite of latter) erstere(r, s); **formerly** adv früher.

Formica® [fɔːˈmaɪkə] n Resopal® nt.

formidable [ˈfɔːmɪdəbl] adj (person) furchterregend; (task) gewaltig.

formula [ˈfɔːmjʊlə] n Formel f.

formulate [ˈfɔːmjʊleɪt] vt formulieren.

forsake [fəˈseɪk] ⟨forsook, forsaken⟩ vt verlassen; (habit) aufgeben; **forsaken** pp of **forsake**; **forsook** [fəˈsʊk] pt of **forsake**.

fort [fɔːt] n Fort nt; **to hold the ~** die Stellung halten.

forte [ˈfɔːteɪ] n Stärke f, starke Seite.

forth [fɔːθ] adv: **and so ~** und so weiter; **forthcoming** [fɔːθˈkʌmɪŋ] adj kommend; (character) entgegenkommend; **forthright** [ˈfɔːθraɪt] adj offen, direkt.

fortification [fɔːtɪfɪˈkeɪʃən] n Befestigung f; **fortify** [ˈfɔːtɪfaɪ] vt verstärken; (protect) befestigen.

fortitude [ˈfɔːtɪtjuːd] n Seelenstärke f, Mut m.

fortnight [ˈfɔːtnaɪt] n zwei Wochen pl, vierzehn Tage pl; **fortnightly 1.** adj zweiwöchentlich; **2.** adv alle vierzehn Tage.

fortress [ˈfɔːtrɪs] n Festung f.

fortuitous [fɔːˈtjuːɪtəs] adj zufällig.

fortunate [ˈfɔːtʃənɪt] adj glücklich; **fortunately** adv glücklicherweise, zum Glück.

fortune [ˈfɔːtʃən] n Glück nt; (money) Vermögen nt; (chance) Zufall m; **fortuneteller** n Wahrsager(in) m(f).

forty [ˈfɔːtɪ] num vierzig.

forward [ˈfɔːwəd] **1.** adj vordere(r, s); (movement) vorwärts; (person) vorlaut, dreist; (planning) Voraus-; **2.** adv vorwärts; **3.** n (sport) Stürmer m(f); **4.** vt (send on) schicken, nachsenden; (help) fördern; **forwards** adv vorwärts.

fossil [ˈfɒsl] n Fossil nt, Versteinerung f.

foster [ˈfɒstə*] vt (talent) fördern; **foster child** n ⟨children⟩ Pflegekind nt; **foster mother** n Pflegemutter f.

fought [fɔːt] pt, pp of **fight**.

foul [faʊl] **1.** adj schmutzig; (language) unflätig; (weather, smell) schlecht; **2.** n (sport) Foul nt; **3.** vt (mechanism) blockieren; (sport) foulen.

found [faʊnd] **1.** pt, pp of **find**; **2.** vt (establish) gründen; **foundation** [faʊnˈdeɪʃən] n (act) Gründung f; (fig) Fundament nt; **~s** pl Fundament nt.

founder [ˈfaʊndə*] **1.** n Gründer(in) m(f); **2.** vi sinken.

foundry [ˈfaʊndrɪ] n Gießerei f, Eisenhütte f.

fountain [ˈfaʊntɪn] n Springbrunnen m; **fountain pen** n Füller m, Füllfederhalter

four [fɔ:*] *num* vier; **on all ~s** auf allen vieren; **four-letter word** *n* Vulgärausdruck *m*, unanständiges Wort; **fourplex** *n* (*US*) Vierfamilienhaus *nt*; **foursome** *n* Quartett *nt*; **to go out in a ~** zu viert ausgehen.

fourteen [fɔ:'ti:n] *num* vierzehn.

fourth [fɔ:θ] **1.** *adj* vierte(r, s); **2.** *adv* an vierter Stelle; **3.** *n* (*person*) Vierte(r) *mf*; (*part*) Viertel *nt*.

four-wheel drive *n* Allradantrieb *m*.

fowl [faʊl] *n* Huhn *nt*; (*food*) Geflügel *nt*.

fox [fɒks] *n* (*a. fig*) Fuchs *m*; **foxed** *adj* verblüfft; **foxhunting** *n* Fuchsjagd *f*; **foxtrot** *n* Foxtrott *m*.

foyer ['fɔɪeɪ] *n* Foyer *nt*, Vorhalle *f*.

fracas ['fræka:] *n* Radau *m*.

fraction ['frækʃən] *n* (*MATH*) Bruch *m*; (*part*) Bruchteil *m*.

fracture ['fræktʃə*] **1.** *n* (*MED*) Bruch *m*; **2.** *vt* brechen.

fragile ['frædʒaɪl] *adj* zerbrechlich.

fragment ['frægmənt] *n* Bruchstück *nt*, Fragment *nt*; (*small part*) Stück *nt*, Bruchteil *m*; **fragmentary** [fræg'mentərɪ] *adj* bruchstückhaft, fragmentarisch.

fragrance ['freɪɡrəns] *n* Duft *m*; **fragrant** *adj* duftend.

frail [freɪl] *adj* schwach, gebrechlich.

frame [freɪm] **1.** *n* Rahmen *m*; (*body*) Gestalt *f*; **2.** *vt* einrahmen; (*make*) gestalten, machen; **to ~ sb** (*fam: incriminate*) jdm etw anhängen; **~ of mind** Verfassung *f*; **framework** *n* Rahmen *m*; (*of society*) Gefüge *nt*.

France [frɑ:ns] *n* Frankreich *nt*.

franchise ['fræntʃaɪz] *n* (*POL*) aktives Wahlrecht *nt*; (*COMM*) Konzession *f*; **franchising** *n* (*COMM*) Franchising *nt*.

frank [fræŋk] *adj* offen.

frankfurter ['fræŋkfɜːtə*] *n* (Frankfurter) Würstchen *nt*.

frankincense ['fræŋkɪnsens] *n* Weihrauch *m*.

frankly ['fræŋklɪ] *adv* offen gesagt; **frankness** *n* Offenheit *f*.

frantic ['fræntɪk] *adj* (*effort*) verzweifelt; **~ with worry** außer sich vor Sorge; **frantically** *adv* verzweifelt.

fraternal [frə'tɜ:nl] *adj* brüderlich; **fraternity** [frə'tɜ:nɪtɪ] *n* (*club*) Vereinigung *f*; (*spirit*) Brüderlichkeit *f*; (*US SCH*) Burschenschaft *f*.

fraternization [frætənaɪ'zeɪʃən] *n* Verbrüderung *f*; **fraternize** ['frætənaɪz] *vi* fraternisieren.

fraud [frɔ:d] *n* (*trickery*) Betrug *m*; (*trick*) Schwindel *m*, Trick *m*; (*person*) Schwindler *m(f)*; **fraudulent** ['frɔ:djʊlənt] *adj* betrügerisch.

fraught [frɔ:t] *adj* geladen; **~ with meaning** bedeutungsvoll.

freak [fri:k] **1.** *n* (*plant*) Mißbildung *f*; (*animal, person*) Mißgeburt *f*; (*event*) Ausnahmeerscheinung *f*; (*fam: person*) ausgeflippter Typ, Freak *m*; (*fam: fan*) Fan *m*, Freak *m*; **2.** *adj* (*storm, conditions*) anormal; (*animal*) monströs; **freak out** *vi* (*fam*) ausflippen.

freckle ['frekl] *n* Sommersprosse *f*; **freckled** *adj* mit Sommersprossen.

free [fri:] **1.** *adj* frei; (*loose*) lose; (*liberal*) freigebig; (*costing nothing*) kostenlos, Gratis-; **2.** *vt* (*set free*) befreien; (*unblock*) freimachen; **to get sth ~** etw umsonst bekommen; **you're ~ to ...** es steht dir frei zu ...; **freedom** *n* Freiheit *f*; **free-for-all** *n* allgemeiner Wettbewerb; (*fight*) allgemeines Handgemenge; **free kick** *n* Freistoß *m*.

freelance ['fri:lɑ:ns] **1.** *adj* freiberuflich; (*artist*) freischaffend; **2.** *n* Freiberufler(in) *m(f)*; (*with particular firm*) freier Mitarbeiter, freie Mitarbeiterin *f*; **to work ~** freiberuflich tätig sein.

freely ['fri:lɪ] *adv* frei; lose; (*generously*) reichlich; (*admit*) offen; **freemason** *n* Freimaurer(in) *m(f)*; **freemasonry** *n* Freimaurerei *f*; **free-range** *adj* (*hen*) freilaufend; (*egg*) Freiland-.

freesia ['fri:ʒə] *n* Freesie *f*.

free trade ['fri:'treɪd] *n* (*goods*) Freihandel *m*; **freeway** *n* (*US*) gebührenfreie Autobahn; **freewheel** *vi* im Freilauf fahren.

freeze [fri:z] (*froze, frozen*) **1.** *vi* gefrieren; (*feel cold*) frieren; **2.** *vt* (*a. fig*) einfrieren; **3.** *n* (*fig FIN*) Stopp *m*; **freezer** *n* Tiefkühltruhe *f*; (*upright*) Gefrierschrank *m*; (*in fridge*) Gefrierfach *nt*; **freezing** *adj* eisig; (**~ cold**) eiskalt; **freezing point** *n* Gefrierpunkt *m*.

freight [freɪt] *n* (*goods*) Fracht *f*; (*money charged*) Frachtgebühr *f*; **freight car** *n* (*US*) Güterwagen *m*.

French [frentʃ] **1.** *adj* französisch; **2.** *n* (*language*) Französisch *nt*; **the ~** *pl* die Franzosen *pl*; **~ fried potatoes** *pl*/**~ fries** *pl* (*US*) Pommes frites *pl*; **~-speaking Switzerland** die französische Schweiz; **~ window** Verandatür *f*; **Frenchman** *n* ⟨Frenchmen⟩ Franzose *m*; **Frenchwoman** *n* ⟨Frenchwomen⟩ Französin *f*.

frenzy ['frenzɪ] *n* Raserei *f*, wilde Aufregung.

frequency ['fri:kwənsɪ] *n* Häufigkeit *f*; (*PHYS*) Frequenz *f*; **frequent** ['fri:kwnt] **1.** *adj* häufig; **2.** [frɪ'kwent] *vt* regelmäßig besuchen; **frequently** *adv* häufig.

fresco ['freskəʊ] *n* ⟨-es⟩ Fresko *nt*.

fresh [freʃ] *adj* frisch; (*new*) neu; (*cheeky*) frech; **freshen 1.** *vi* (*also: ~ up*) (*person*) sich frisch machen; **2.** *vt* auffrischen;

freshly adv frisch; **freshness** n Frische f; **freshwater** adj (fish) Süßwasser-.

fret [fret] vi sich dat Sorgen machen (about über +akk); **fretsaw** n Laubsäge f.

FRG n abbr of **Federal Republic of Germany** BRD f.

friar ['fraɪə*] n Mönch m.

friction ['frɪkʃən] n (a. fig) Reibung f.

Friday ['fraɪdeɪ] n Freitag m; **on ~** am Freitag; **on ~s, on a ~** freitags.

fridge [frɪdʒ] n Kühlschrank m.

fried [fraɪd] adj gebraten.

friend [frend] n Freund(in) m(f); (less close) Bekannte(r) mf.

friendliness ['frendlɪnɪs] n Freundlichkeit f; **friendly** adj freundlich; (relations) freundschaftlich.

friendship ['frendʃɪp] n Freundschaft f.

frieze [fri:z] n Fries m.

frigate ['frɪgɪt] n (NAUT) Fregatte f.

fright [fraɪt] n Schrecken m; **you look a ~** (fam) du siehst unmöglich aus!; **frighten** vt erschrecken; **to be ~ed** Angst haben; **frightening** adj schrecklich; **frightful** adj, **frightfully** adv schrecklich, furchtbar.

frigid ['frɪdʒɪd] adj kalt, eisig; (woman) frigide; **frigidity** [frɪ'dʒɪdɪtɪ] n Kälte f; Frigidität f.

frill [frɪl] n Rüsche f.

fringe [frɪndʒ] n Besatz m; (hair) Pony m; (fig) äußerer Rand, Peripherie f; **fringe group** n Randgruppe f; **fringe theatre** n (Brit) Experimentiertheater nt.

frisky ['frɪskɪ] adj lebhaft, munter.

fritter away ['frɪtə* əweɪ] vt vertun, verplempern.

frivolity [frɪ'vɒlɪtɪ] n Leichtfertigkeit f, Frivolität f; **frivolous** ['frɪvələs] adj frivol, leichtsinnig.

frizzy ['frɪzɪ] adj kraus.

frock [frɒk] n Kleid nt.

frog [frɒg] n Frosch m; **frogman** n ⟨frogmen⟩ Froschmann m.

frolic ['frɒlɪk] **1.** n lustiger Streich; **2.** vi ausgelassen sein.

from [frɒm] prep von; (place) aus; (judging by) nach; (because of) wegen +gen.

front [frʌnt] **1.** n Vorderseite f; (of house) Fassade f; (promenade) Strandpromenade f; (MIL, POL, METEO) Front f; (fig: appearances) Fassade f; **2.** adj (forward) vordere(r, s), Vorder-; (first) vorderste(r, s); (page) erste(r, s); (door) Eingangs-, Haus-; **in ~** vorne; **in ~ of** vor; **up ~** (US: in advance) vorher, im voraus; (in an open manner) öffentlich.

frontage ['frʌntɪdʒ] n Vorderfront f.

frontal ['frʌntəl] adj frontal, Vorder-.

frontier ['frʌntɪə*] n Grenze f.

front-loading ['frʌntləʊdɪŋ] adj: **~ video** Frontlader m; **front money** n (US) Vorschuß m; **front room** n (Brit) Wohnzimmer nt; **front-runner** n (fig) Spitzenreiter m; **front-wheel drive** n Vorderradantrieb m.

frost [frɒst] n Frost m; **frostbite** n Frostbeulen pl; (more serious) Erfrierung f; **frosted** adj (glass) Milch-; **frosty** adj frostig.

froth [frɒθ] n Schaum m; **frothy** adj schaumig.

frown [fraʊn] **1.** n Stirnrunzeln nt; **2.** vi Stirn runzeln; **to ~ on sth** etw mißbilligen.

froze [frəʊz] pt of **freeze**; **frozen** **1.** pp of **freeze**; **2.** adj (food) gefroren; (FIN: assets) festgelegt.

fructose ['frʌktəʊs] n Fruchtzucker m.

frugal ['fru:gəl] adj sparsam, bescheiden.

fruit [fru:t] n (particular) Frucht f; (as collective) Obst nt; **fruiterer** n (esp Brit) Obsthändler(in) m(f); **fruitful** adj fruchtbar.

fruition [fru:'ɪʃən] n Verwirklichung f; **to come to ~** in Erfüllung gehen.

fruit machine ['fru:tməʃi:n] n Spielautomat m; **fruit salad** n Obstsalat m.

frustrate [frʌ'streɪt] vt (person) frustrieren; **frustrated** adj frustriert; **frustration** [frʌ'streɪʃən] n Behinderung f; (of person) Frustration f.

fry [fraɪ] **1.** vt braten; **2.** n: **small ~** pl (fig) kleine Fische pl; (children) die Kleinen pl; **frying pan** n Bratpfanne f.

fuchsia ['fju:ʃə] n Fuchsie f.

fuck [fʌk] **1.** vt (fam!) ficken; **2.** n (fam!) Fick m; **fucking** adj (fam!) Scheiß-; **~ off** vi (fam!) sich verpissen; **~ ~!** verpiß dich!

fuddy-duddy ['fʌdɪdʌdɪ] n komischer Kauz.

fudge [fʌdʒ] n ≈ weiche Karamellen.

fuel [fjʊəl] n Treibstoff m; (for heating) Brennstoff m; (for cigarette lighter) Benzin nt; **fuel element** n Brennelement nt; **fuel-injection engine** n Einspritzmotor m; **fuel oil** n (diesel fuel) Heizöl nt; **fuel rod** n Brennstab m; **fuel tank** n Tank m.

fugitive ['fju:dʒɪtɪv] n Flüchtling m; (from prison) Flüchtige(r) mf.

fulfil [fʊl'fɪl] vt (duty) erfüllen; (promise) einhalten; **fulfilment** n Erfüllung f; Einhaltung f.

full [fʊl] adj (box, bottle, price) voll; (person: satisfied) satt; (member, power, employment, moon) Voll-; (complete) vollständig, Voll-; (speed) höchste(r, s); (skirt) weit; **in ~** vollständig, ungekürzt; **fullback** n Verteidiger(in) m(f); **full-cream milk** n Vollmilch f; **fullness** n Fülle f; **full stop** n Punkt m; **full-time 1.** adj (job) Ganztags-;

2. adv (work) ganztags; **fully** adv völlig; **fully-fledged** adj flügge; **a ~ teacher** ein vollausgebildeter Lehrer.

fumble ['fʌmbl] vi herumfummeln (with, at an +dat).

fume [fjuːm] vi rauchen, qualmen; (fig) wütend sein, kochen; **fumes** n pl Abgase pl; (smoke) Qualm m.

fumigate ['fjuːmɪgeɪt] vt ausräuchern.

fun [fʌn] n Spaß m; **to make ~ of** sich lustig machen über +akk.

function ['fʌŋkʃən] **1.** n Funktion f; (occasion) Veranstaltung f, Feier f; **2.** vi funktionieren; **~ character** (COMPUT) Steuerzeichen nt; **~ key** (COMPUT) Funktionstaste f.

functional ['fʌŋkʃənəl] adj funktionell, praktisch.

fund [fʌnd] n (money) Geldmittel pl, Fonds m; (store) Schatz m, Vorrat m.

fundamental [fʌndə'mentl] adj fundamental, grundlegend; **fundamentalism** n Fundamentalismus m; **fundamentalist 1.** adj fundamentalistisch; **2.** n Fundamentalist(in) m(f); **fundamentally** adv im Grunde; **fundamentals** n pl Grundlage f.

funeral ['fjuːnərəl] **1.** n Beerdigung f; **2.** adj Beerdigungs-.

funfair ['fʌnfeə*] n Jahrmarkt m.

fungus ['fʌŋgəs] n ⟨fungi o funguses⟩ Pilz m.

funicular [fjuː'nɪkjʊlə*] n Seilbahn f.

funnel ['fʌnl] n Trichter m; (NAUT) Schornstein m.

funnily ['fʌnɪlɪ] adv komisch; **~ enough** merkwürdigerweise.

funny ['fʌnɪ] adj komisch; **~ bone** Musikantenknochen m.

fur [fɜː*] n Pelz m; **fur coat** n Pelzmantel m.

furious adj, **furiously** adv ['fjʊərɪəs, -lɪ] wütend; (attempt) heftig.

furlong ['fɜːlɒŋ] n (measure) Achtelmeile f 201,17 m.

furlough ['fɜːləʊ] n Urlaub m.

furnace ['fɜːnɪs] n Hochofen m.

furnish ['fɜːnɪʃ] vt einrichten, möblieren; (supply) versehen; **furnishings** n pl Einrichtung f.

furniture ['fɜːnɪtʃə*] n sing Möbel pl.

furrow ['fʌrəʊ] n Furche f.

furry ['fɜːrɪ] adj (toy) Plüsch-; (tongue) pelzig, belegt; (animal) Pelz-.

further ['fɜːðə*] comp of **far 1.** adj weitere(r, s); **2.** adv weiter; **3.** vt fördern; **~ education** Weiterbildung f, Erwachsenenbildung f; **furthermore** adv außerdem.

furthest ['fɜːðɪst] superl of **far 1.** adj weiteste(r,s); **2.** adv am weitesten.

furtive adj, **furtively** adv ['fɜːtɪv, -lɪ] verstohlen.

fury ['fjʊərɪ] n Wut f, Zorn m.

fuse [fjuːz] **1.** n (ELEC) Sicherung f; (of bomb) Zünder m; **2.** vt verschmelzen; (fig) verbinden; (lights) die Sicherung durchbrennen lassen; **3.** vi (ELEC) durchbrennen; (COMM) fusionieren; **fuse box** n Sicherungskasten m.

fuselage ['fjuːzəlɑːʒ] n Flugzeugrumpf m.

fusion ['fjuːʒən] n Verschmelzung f.

fuss [fʌs] n Theater nt; **fussy** adj (difficult) heikel; (attentive to detail) pingelig.

futile ['fjuːtaɪl] adj zwecklos, sinnlos; **futility** [fjuː'tɪlɪtɪ] n Zwecklosigkeit f.

future ['fjuːtʃə*] **1.** adj zukünftig; **2.** n Zukunft f; **in the ~** in Zukunft, zukünftig; **futuristic** [fjuːtʃə'rɪstɪk] adj futuristisch.

fuze [fjuːz] (US) s. **fuse.**

fuzzy ['fʌzɪ] adj (indistinct) verschwommen; (hair) kraus; (COMPUT) unscharf.

G

G, g [dʒiː] n G nt, g nt.

gabble ['gæbl] vi plappern.

gable ['geɪbl] n Giebel m.

gadget ['gædʒɪt] n Vorrichtung f; **gadgetry** n Geräte pl.

Gaelic ['geɪlɪk] **1.** adj gälisch; **2.** n (language) Gälisch nt.

gaffe [gæf] n Fauxpas m.

gag [gæg] **1.** n Knebel m; (THEAT) Gag m; **2.** vt knebeln; (POL) mundtot machen.

gain [geɪn] **1.** vt (obtain) erhalten; (win) gewinnen; **2.** vi (improve) gewinnen (in an +dat); (make progress) Vorsprung gewinnen; (clock) vorgehen; **3.** n Gewinn m; **gainful employment** n Erwerbstätigkeit f.

gala ['gɑːlə] n Fest nt; (film, ball) Galaveranstaltung f.

galaxy ['gæləksɪ] n Sternsystem nt.

gale [geɪl] n Sturm m.

gallant ['gælənt] adj tapfer, ritterlich; (polite) galant; **gallantry** n Tapferkeit f, Ritterlichkeit f; (compliment) Galanterie f.

gall-bladder ['gɔːlblædə*] n Gallenblase f.

gallery ['gælərɪ] n Galerie f.

galley ['gælɪ] n (ship's kitchen) Kombüse f; (ship) Galeere f.

gallon ['gælən] n Gallone f (4,546 l).

gallop ['gæləp] **1.** n Galopp m; **2.** vi galoppieren.

gallows ['gæləʊz] n pl Galgen m.

gallstone ['gɔːlstəʊn] n Gallenstein m.

Gambia ['gæmbɪə] n Gambia nt.

gamble ['gæmbl] **1.** vi um Geld spielen; **2.**

vt (*risk*) aufs Spiel setzen; **3.** *n* Risiko *nt*;
gambler *n* Spieler(in) *m(f)*; **gambling** *n*
Glücksspiel *nt*.

game [geɪm] **1.** *n* Spiel *nt*; (*HUNTING*) Wild
nt; **2.** *adj* bereit (*for* zu); (*brave*) mutig;
gamekeeper *n* Wildhüter(in) *m(f)*.

gammon ['gæmən] *n* geräucherter
Schinken.

gander ['gændə*] *n* Gänserich *m*.

gang [gæŋ] *n* (*of criminals, youths*) Bande *f*.

gangrene ['gæŋgriːn] *n* Brand *m*.

gangster ['gæŋstə*] *n* Gangster *m*.

gangway ['gæŋweɪ] *n* (*NAUT*) Laufplanke *f*.

gaol [dʒeɪl] **1.** *n* Gefängnis *nt*; **2.** *vt* einsperren.

gap [gæp] *n* (*hole*) Lücke *f*; (*space*) Zwischenraum *m*.

gape [geɪp] *vi* glotzen.

gaping ['geɪpɪŋ] *adj* (*wound*) klaffend;
(*hole*) gähnend.

garage ['gærɑːʒ] *n* Garage *f*; (*for repair*)
Autoreparaturwerkstatt *f*; (*for petrol*)
Tankstelle *f*.

garbage ['gɑːbɪdʒ] *n* (*esp US*) Abfall *m*;
(*nonsense*) Unsinn *m*; **garbage can** *n*
(*US*) Mülltonne *f*.

garbled ['gɑːbld] *adj* (*story*) verdreht.

garden ['gɑːdn] **1.** *n* Garten *m*; **2.** *vi* gärtnern; **gardener** *n* Gärtner(in) *m(f)*; **gardening** *n* Gärtnern *nt*; **garden party** *n*
Gartenfest *nt*.

gargle ['gɑːgl] **1.** *vi* gurgeln; **2.** *n* Gurgelmit-
tel *nt*.

gargoyle ['gɑːgɔɪl] *n* Wasserspeier *m*.

garish ['gɛərɪʃ] *adj* grell.

garland ['gɑːlənd] *n* Girlande *f*.

garlic ['gɑːlɪk] *n* Knoblauch *m*.

garment ['gɑːmənt] *n* Kleidungsstück *nt*.

garnish ['gɑːnɪʃ] **1.** *vt* (*food*) garnieren; **2.** *n*
Garnierung *f*.

garret ['gærɪt] *n* Dachkammer *f*, Mansarde
f.

garrison ['gærɪsən] **1.** *n* Garnison *f*; **2.** *vt*
besetzen.

garrulous ['gærʊləs] *adj* geschwätzig.

garter ['gɑːtə*] *n* Strumpfband *nt*.

gas [gæs] **1.** *n* Gas *nt*; (*MED*) Lachgas *nt*;
(*US: petrol*) Benzin *nt*; **2.** *vt* vergasen; **to
step on the ~** Gas geben; **gas cooker** *n*
Gasherd *m*; **gas cylinder** *n* Gasflasche *f*;
gas fire *n* Gasofen *m*, Gasheizung *f*.

gash [gæʃ] **1.** *n* klaffende Wunde; **2.** *vt* tief
verwunden.

gasket ['gæskɪt] *n* Dichtungsring *m*.

gasmask ['gæsmɑːsk] *n* Gasmaske *f*; **gas
meter** *n* Gaszähler *m*.

gasoline ['gæsəliːn] *n* (*US*) Benzin *nt*.

gasp [gɑːsp] **1.** *vi* keuchen; (*in astonishment*) tief Luft holen; **2.** *n* Keuchen *nt*.

gas pump ['gæspʌmp] *n* (*US*) Zapfsäule *f*;

gas station *n* (*US*) Tankstelle *f*; **gas
stove** *n* Gaskocher *m*.

gassy ['gæsɪ] *adj* (*drink*) kohlensäurehaltig.

gastric ['gæstrɪk] *adj* Magen-; **~ ulcer** Ma-
gengeschwür *nt*.

gastronomy [gæ'strɒnəmɪ] *n* Gastronomie *f*.

gate [geɪt] *n* Tor *nt*; (*barrier*) Schranke *f*;
gatecrash *vt* (*party*) platzen in +*akk*;
gatecrasher *n* ungeladener Gast; **gate-
way** *n* Tor *nt*.

gather ['gæðə*] **1.** *vt* (*people*) versammeln;
(*things*) sammeln; **2.** *vi* (*deduce*) schließen
(*from* aus); (*assemble*) sich versammeln;
gathering *n* Versammlung *f*.

gauche [gəʊʃ] *adj* linkisch.

gaudy ['gɔːdɪ] *adj* schreiend.

gauge [geɪdʒ] **1.** *n* (*instrument*) Meßgerät *nt*;
(*RAIL*) Spurweite *f*; (*dial*) Anzeiger *m*,
(*measure*) Maß *nt*; **2.** *vt* abmessen; (*fig*) abschätzen.

gaunt [gɔːnt] *adj* hager.

gauntlet ['gɔːntlɪt] *n* (*glove*) Stulpenhand-
schuh *m*; **to throw down/take up the ~** (*fig*)
den Fehdehandschuh hinwerfen/aufneh-
men.

gauze [gɔːz] *n* Mull *m*, Gaze *f*.

gave [geɪv] *pt of* **give**.

gawk [gɔːk] *vi* dumm glotzen; **to ~ at sb/sth**
jdn/etw anglotzen.

gay [geɪ] *adj* (*homosexual*) schwul;
(*coloured*) bunt.

gaze [geɪz] **1.** *n* Blick *m*; **2.** *vi* starren; **to ~ at**
sb/sth jdn/etw anstarren.

gazelle [gə'zel] *n* Gazelle *f*.

gazetteer [gæzɪ'tɪə*] *n* geographisches
Ortsverzeichnis.

GDR *n abbr of* **German Democratic
Republic** (*HIST*) DDR *f*.

gear [gɪə*] *n* Getriebe *nt*; (*AUTO*) Gang *m*;
(*equipment*) Ausrüstung *f*; **to be out of/in ~**
aus-/eingekuppelt sein; **gear up** *vi* her-
aufschalten; (*fig*) höhertourig auslegen;
gearbox *n* Getriebe[gehäuse] *nt*; **gear-
lever, gear shift** (*US*), **gear stick** *n*
Schalthebel *m*.

geese [giːs] *pl of* **goose**.

gel [dʒel] *n* Gel *nt*.

gelatine ['dʒelətiːn] *n* Gelatine *f*.

gem [dʒem] *n* Edelstein *m*; (*fig*) Juwel *nt*.

Gemini ['dʒemɪniː] *n sing* (*ASTR*) Zwillinge
pl.

gen [dʒen] *n* (*Brit fam: information*) Infos *pl*
(*on* über +*akk*).

gender ['dʒendə*] *n* (*LING*) Geschlecht *nt*.

gene [dʒiːn] *n* Gen *nt*.

genealogy [dʒiːnɪ'ælədʒɪ] *n* Familienfor-
schung *f*.

general ['dʒenərəl] **1.** *n* (*MIL*) General *m*; **2.**
adj allgemein; **~ election** Parlaments-

wahlen *pl;* **generalization** [dʒenərəlaɪ'zeɪʃən] *n* Verallgemeinerung *f;* **generalize** ['dʒenərəlaɪz] *vi* verallgemeinern; **generally** *adv* allgemein, im allgemeinen.

generate ['dʒenəreɪt] *vt* erzeugen.

generation [dʒenə'reɪʃən] *n* Generation *f;* (*act*) Erzeugung *f.*

generator ['dʒenəreɪtə*] *n* Generator *m.*

generosity [dʒenə'rɒsɪtɪ] *n* Großzügigkeit *f;* **generous** *adj,* **generously** *adv* ['dʒenərəs, -lɪ] (*noble*) hochherzig; (*giving freely*) großzügig.

genetic [dʒɪ'netɪk] *adj* genetisch; **genetic engineering** Gentechnologie *f;* **genetic manipulation** Genmanipulation *f.*

genetics [dʒɪ'netɪks] *n sing* Genetik *f,* Vererbungslehre *f.*

genial ['dʒiːnɪəl] *adj* freundlich, jovial.

genitals ['dʒɪntlz] *n pl* Geschlechtsteile *pl,* Genitalien *pl.*

genitive ['dʒenɪtɪv] *n* Genitiv *m,* Wesfall *m.*

genius ['dʒiːnɪəs] *n* (*-es o* genii) Genie *nt.*

genocide ['dʒenəʊsaɪd] *n* Völkermord *m.*

genotype ['dʒenəʊtaɪp] *n* Erbgut *nt.*

genteel [dʒen'tiːl] *adj* (*polite*) wohlanständig; (*affected*) affektiert.

gentile ['dʒentaɪl] *n* Nichtjude(-jüdin) *m(f).*

gentle ['dʒentl] *adj* sanft, zart; **gentleman** *n* (gentlemen) Herr *m;* (*polite*) Gentleman *m;* **gentleness** *n* Zartheit *f,* Milde *f;* **gently** *adv* zart, sanft.

gentry ['dʒentrɪ] *n* niederer Adel.

gents [dʒents] *n:* "~" (*lavatory*) „Herren".

genuine ['dʒenjʊɪn] *adj* echt, wahr; **genuinely** *adv* wirklich, echt.

geographer [dʒɪ'ɒgrəfə*] *n* Geograph(in) *m(f);* **geographical** [dʒɪə'græfɪkəl] *adj* geographisch; **geography** [dʒɪ'ɒgrəfɪ] *n* Geographie *f,* Erdkunde *f.*

geological [dʒɪəʊ'lɒdʒɪkəl] *adj* geologisch; **geologist** [dʒɪ'ɒlədʒɪst] *n* Geologe(-login) *m(f);* **geology** [dʒɪ'ɒlədʒɪ] *n* Geologie *f.*

geometrical [dʒɪə'metrɪkəl] *adj* geometrisch; **geometry** [dʒɪ'ɒmɪtrɪ] *n* Geometrie *f.*

Georgia ['dʒɔː'dʒɪə] *n* Georgien *nt.*

geranium [dʒɪ'reɪnɪəm] *n* Geranie *f.*

germ [dʒɜːm] *n* Keim *m;* (MED) Bazillus *m.*

German ['dʒɜːmən] **1.** *adj* deutsch; **2.** *n* (*person*) Deutsche(r) *mf;* (*language*) Deutsch *nt;* **the ~s** pl die Deutschen *pl;* **~ shepherd** (*US: dog breed*) Schäferhund *m;* **to speak ~** Deutsch sprechen; **to learn ~** Deutsch lernen; **to translate into ~** ins Deutsche übersetzen.

Germanic [dʒɜː'mænɪk] *adj* germanisch.

Germany ['dʒɜːmənɪ] *n* Deutschland *nt;* **in ~** in Deutschland; **to go to ~** nach Deutschland fahren.

germination [dʒɜːmɪ'neɪʃən] *n* Keimen *nt.*

gesticulate [dʒe'stɪkjʊleɪt] *vi* gestikulieren; **gesticulation** [dʒestɪkjʊ'leɪʃən] *n* Gesten *pl,* Gestikulieren *nt.*

gesture ['dʒestʃə*] *n* Geste *f.*

get [get] **1.** ⟨got, got *o* gotten *US*⟩ *vt* (*receive*) bekommen, kriegen; (*obtain*) beschaffen, besorgen; **2.** ⟨got, got *o* gotten⟩ *vi* (*become*) werden; (*go, travel*) kommen; (*arrive*) ankommen; **to ~ sb to do sth** jdn dazu bringen, etw zu tun, jdn etw machen lassen; **get along** *vi* (*people*) gut zurechtkommen; (*depart*) sich auf den Weg machen; **get at** *vt* (*facts*) herausbekommen; **to ~ ~ sb** (*nag*) an jdm herumnörgeln; **get away** *vi* (*leave*) sich davonmachen; (*escape*) entkommen (*from dat*); **~ ~ with you!** laß den Quatsch!; **get down** **1.** *vi* heruntergehen; **2.** *vt* (*take down*) herunterholen; (*depress*) fertigmachen; **get in** *vi* (*train*) ankommen; (*arrive home*) heimkommen; **get off** *vi* (*from train etc*) aussteigen aus; (*from horse*) absteigen von; **get on** **1.** *vi* (*progress*) vorankommen; (*be friends*) auskommen; (*age*) alt werden; **2.** *vt* (*train etc*) einsteigen in *+akk;* (*horse*) aufsteigen auf *+akk;* **get out** **1.** *vi* (*of house*) herauskommen; (*of vehicle*) aussteigen; **2.** *vt* (*take out*) herausholen; **get over** *vt* (*illness*) sich erholen von; (*surprise*) verkraften; (*news*) fassen; (*loss*) sich abfinden mit; **I couldn't ~ ~ her** ich konnte sie nie vergessen; **get up** *vi* aufstehen; **getaway** *n* Flucht *f;* **get-together** *n* gemütliches Beisammensein.

geyser ['giːzə*] *n* Geyser *m;* (*heater*) Durchlauferhitzer *m.*

ghastly ['gɑːstlɪ] *adj* (*horrible*) gräßlich.

gherkin ['gɜːkɪn] *n* Gewürzgurke *f.*

ghetto ['getəʊ] *n* ⟨-es⟩ Getto *nt;* **ghetto blaster** *n* tragbares Stereogerät, Ghettoblaster *m.*

ghost [gəʊst] *n* Gespenst *nt,* Geist *m;* **ghostly** *adj* gespenstisch; **ghost story** *n* Gespenstergeschichte *f.*

giant ['dʒaɪənt] **1.** *n* Riese *m,* Riesin *f;* **2.** *adj* riesig, Riesen-.

gibberish ['dʒɪbərɪʃ] *n* dummes Geschwätz.

gibe [dʒaɪb] *n* spöttische Bemerkung.

giblets ['dʒɪblɪts] *n pl* Geflügelinnereien *pl.*

Gibraltar [dʒɪ'brɔːltə*] *n* Gibraltar *nt.*

giddiness ['gɪdɪnəs] *n* Schwindelgefühl *nt;* **giddy** *adj* schwindlig; (*frivolous*) leichtsinnig.

gift [gɪft] *n* Geschenk *nt;* (*ability*) Begabung *f;* **gifted** *adj* begabt; **gift token, gift voucher** *n* Geschenkgutschein *m.*

gigantic [dʒaɪ'gæntɪk] *adj* riesenhaft, ungeheuer groß.

giggle ['gɪgl] **1.** *vi* kichern; **2.** *n* Gekicher *nt.*

gild

glutton

gild [gɪld] vt vergolden.

gill [gɪl] n (of fish) Kieme f.

gilt [gɪlt] **1.** n Vergoldung f; **2.** adj vergoldet.

gimlet [ˈgɪmlɪt] n Handbohrer m.

gimmick [ˈgɪmɪk] n (for sales, publicity) Gag m; **gimmicky** adj: **it's so** ~ es ist alles nur ein Gag.

gin [dʒɪn] n Gin m.

ginger [ˈdʒɪndʒə*] n Ingwer m; **ginger ale** n Ginger Ale nt; **ginger beer** n Ingwerlimonade f; **gingerbread** n Pfefferkuchen m; **ginger-haired** adj rothaarig.

gingerly [ˈdʒɪndʒəlɪ] adv behutsam.

gipsy [ˈdʒɪpsɪ] n Zigeuner(in) m(f).

giraffe [dʒɪˈrɑ:f] n Giraffe f.

girder [ˈgɜ:də*] n (steel ~) Eisenträger m; (wood ~) Tragebalken m.

girdle [ˈgɜ:dl] **1.** n (woman's) Hüftgürtel m; **2.** vt umgürten.

girl [gɜ:l] n Mädchen nt; **girlfriend** n Freundin f; **girlish** adj mädchenhaft.

girth [gɜ:θ] n (measure) Umfang m; (strap) Sattelgurt m.

gist [dʒɪst] n Wesentliche(s) nt, Quintessenz f.

give [gɪv] ⟨gave, given⟩ **1.** vt geben; **2.** vi (break) nachgeben; **give away** vt (give free) verschenken; (betray) verraten; **give back** vt zurückgeben; **give in 1.** vi (yield) aufgeben; (agree) nachgeben; **2.** vt (hand in) abgeben; **give up** vt, vi aufgeben; **give way** vi (traffic) die Vorfahrt achten; (to feelings) nachgeben +dat; **given** [ˈgɪvn] pp of **give**.

glacial [ˈgleɪsɪəl] adj (GEO) Gletscher-; (person) eiskalt.

glacier [ˈglæsɪə*] n Gletscher m.

glad [glæd] adj froh; **I was ~ to hear ...** ich habe mich gefreut, zu hören ...; **gladden** vt erfreuen.

gladiator [ˈglædɪeɪtə*] n Gladiator m.

gladioli [glædɪˈəʊlaɪ] n pl Gladiolen pl.

gladly [ˈglædlɪ] adv gerne.

glamorous [ˈglæmərəs] adj bezaubernd; (life) reizvoll; **glamour** n Zauber m, Reiz m.

glance [glɑ:ns] **1.** n flüchtiger Blick; **2.** vi schnell hinblicken (at auf +akk); **glance off** vi (fly off) abprallen.

gland [glænd] n Drüse f; **glandular fever** n Drüsenfieber nt.

glare [gleə*] **1.** n (light) grelles Licht; (stare) wilder Blick; **2.** vi grell scheinen; (angrily) böse ansehen (at akk); **glaring** adj (injustice) schreiend; (mistake) kraß.

glass [glɑ:s] n Glas nt; (mirror) Spiegel m; ~**es** pl Brille f; **glasshouse** n Gewächshaus nt; **glassware** n Glaswaren pl; **glassy** adj glasig.

glaze [gleɪz] **1.** vt verglasen; **2.** n Glasur f;

finish with a ~ glasieren.

glazier [ˈgleɪzɪə*] n Glaser(in) m(f).

gleam [gli:m] **1.** n Schimmer m; **2.** vi schimmern; **gleaming** adj schimmernd.

glee [gli:] n Frohsinn m; (malicious) Schadenfreude f; **gleeful** adj fröhlich; schadenfroh.

glen [glen] n Bergtal nt.

glib [glɪb] adj redegewandt; (superficial) oberflächlich; **glibly** adv glatt.

glide [glaɪd] **1.** vi gleiten; **2.** n (AVIAT) Segelflug m; **glider** n (AVIAT) Segelflugzeug nt; **gliding** n Segelfliegen nt.

glimmer [ˈglɪmə*] n Schimmer m; ~ **of hope** Hoffnungsschimmer m.

glimpse [glɪmps] **1.** n flüchtiger Blick; **2.** vt flüchtig erblicken.

glint [glɪnt] vi glitzern.

glisten [ˈglɪsn] vi glänzen.

glitch [glɪtʃ] n (fam) Störung f.

glitter [ˈglɪtə*] vi funkeln; **glittering** adj glitzernd.

glitz [glɪts] n Pomp m, Glitzerwelt f; **glitzy** adj glamurös, Schickimicki-.

gloat over [ˈgləʊt əʊvə*] vt sich weiden an +dat.

global [ˈgləʊbl] adj global; **global village** n Weltdorf nt.

globe [gləʊb] n Erdball m; (sphere) Globus m; **globe-trotter** n Weltenbummler(in) m(f), Globetrotter(in) m(f).

gloom [glu:m] n (also: **gloominess**) (darkness) Düsterkeit f; (depression) düstere Stimmung; **gloomily** adv, **gloomy** adj düster.

glorification [glɔ:rɪfɪˈkeɪʃən] n Verherrlichung f; **glorify** [ˈglɔ:rɪfaɪ] vt verherrlichen, glorifizieren.

glorious [ˈglɔ:rɪəs] adj glorreich; (splendid) prächtig.

glory [ˈglɔ:rɪ] **1.** n Herrlichkeit f; (praise) Ruhm m; **2.** vi: **to ~ in** sich sonnen in +dat.

gloss [glɒs] n (shine) Glanz m; **gloss over** vt vertuschen.

glossary [ˈglɒsərɪ] n Glossar nt.

gloss paint [ˈglɒspeɪnt] n Glanzlack m.

glossy [ˈglɒsɪ] adj (surface) glänzend.

glove [glʌv] n Handschuh m.

glow [gləʊ] **1.** vi glühen, leuchten; **2.** n (heat) Glühen nt; (colour) Röte f; (feeling) Wärme f.

glower at [ˈglaʊə* æt] vt finster anblicken.

glucose [ˈglu:kəʊs] n Traubenzucker m.

glue [glu:] **1.** n Klebstoff m, Leim m; **2.** vt leimen, kleben; **glue-sniffing** n Schnüffeln nt.

glum [glʌm] adj bedrückt.

glut [glʌt] **1.** n Überfluß m; **2.** vt überschwemmen.

glutton [ˈglʌtn] n Vielfraß m; (fig) Unersättliche(r) *mf*; **a ~ for punishment** ein Masochist; **gluttonous** *adj* gierig; **gluttony** *n* Völlerei *f*; Unersättlichkeit *f*.

glycerine [ˈglɪsəriːn] *n* Glyzerin *nt*.

GMT *n abbr of* **Greenwich Mean Time** WEZ *f*.

gnarled [nɑːld] *adj* knorrig.

gnat [næt] *n* Stechmücke *f*.

gnaw [nɔː] *vt* nagen an +*dat*.

gnome [nəʊm] *n* Gnom *m*.

GNP *n abbr of* **Gross National Product** BSP *nt*.

go [gəʊ] ⟨went, gone⟩ **1.** *vi* gehen; (*travel*) reisen, fahren; (*plane*) fliegen; (*depart: train*) abfahren; (*money*) ausgehen; (*vision*) verschwinden; (*smell*) verfliegen; (*disappear*) fortgehen; (*be sold*) weggehen; (*work*) gehen, funktionieren; (*extend*) sich erstrecken (*to* bis); (*fit, suit*) passen (*with* zu); (*become*) werden; (*break etc*) nachgeben; **2.** *n* ⟨-es⟩ (*energy*) Schwung *m*; (*attempt*) Versuch *m*; **can I have another ~?** darf ich noch mal?; **go ahead** *vi* (*proceed*) weitergehen; **go along with** *vt* (*agree to support*) zustimmen +*dat*, unterstützen *vt*; **go away** *vi* (*depart*) weggehen; **go back** *vi* (*return*) zurückgehen; **go back on** *vt* (*promise*) nicht halten; **go by** *vi* (*years, time*) vergehen; **go down** *vi* (*sun*) untergehen; **go for** *vt* (*fetch*) holen gehen; (*like*) mögen; (*attack*) sich stürzen auf +*akk*; **go in** *vi* hineingehen; **go into** *vt* (*enter*) hineingehen in +*akk*; (*study*) sich befassen mit; **go off 1.** *vi* (*depart*) weggehen; (*lights*) ausgehen; (*milk etc*) sauer werden; (*explode*) losgehen; **2.** *vt* (*dislike*) nicht mehr mögen; **go on** *vi* (*continue*) weitergehen; (*fam: complain*) meckern; (*lights*) angehen; **to ~ with sth** mit etw weitermachen; **go out** *vi* (*fire, light*) ausgehen; (*of house*) hinausgehen; **go over** *vt* (*examine, check*) durchgehen; **go up** *vi* (*price*) steigen; **go without** *vt* sich behelfen ohne; (*food*) entbehren.

goad [gəʊd] *vt* anstacheln.

go-ahead [ˈgəʊəhed] **1.** *adj* (*progressive*) fortschrittlich; **2.** *n* grünes Licht.

goal [gəʊl] *n* Ziel *nt*; (*SPORT*) Tor *nt*; **goalkeeper** *n* Torwart *m*, Torhüter(in) *m(f)*; **goal-post** *n* Torpfosten *m*.

goat [gəʊt] *n* Ziege *f*.

gobble [ˈgɒbl] *vt* hinunterschlingen.

go-between [ˈgəʊbɪtwiːn] *n* Mittelsmann *m*.

goblet [ˈgɒblɪt] *n* Kelch[glas *nt*] *m*.

goblin [ˈgɒblɪn] *n* Kobold *m*.

god [gɒd] *n* Gott *m*; **godchild** *n* ⟨godchildren⟩ Patenkind *nt*; **goddess** *n* Göttin *f*; **godfather** *n* Pate *m*; **godforsaken** *adj* gottverlassen; **godmother** *n* Patin *f*; **godsend** *n* Geschenk *nt* des Himmels.

goggle [ˈgɒgl] *vi* (*stare*) glotzen; **to ~ at** anglotzen; **goggles** *n pl* Schutzbrille *f*.

going [ˈgəʊɪŋ] **1.** *n* Weggang *m*; **2.** *adj* (*rate*) gängig; (*concern*) gehend; **it's hard ~** es ist schwierig; **the ~ is good/soft** (*in racing*) die Bahn ist gut/weich; **goings-on** *n pl* Vorgänge *pl*.

gold [gəʊld] *n* Gold *nt*; **golden** *adj* golden, Gold-; **goldfish** *n* Goldfisch *m*; **gold mine** *n* Goldgrube *f*.

golf [gɒlf] *n* Golf *nt*; **golf ball** *n* (*SPORT*) Golfball *m*; (*of typewriter*) Kugelkopf *m*; **golf-ball typewriter** *n* Kugelkopfschreibmaschine *f*; **golf club** *n* (*society*) Golfklub *m*; (*stick*) Golfschläger *m*; **golf course** *n* Golfplatz *m*; **golfer** *n* Golfspieler(in) *m(f)*.

gondola [ˈgɒndələ] *n* Gondel *f*.

gone [gɒn] *pp of* **go**.

gong [gɒŋ] *n* Gong *m*.

good [gʊd] **1.** *n* (*benefit*) Wohl *nt*; (*moral excellence*) Güte *f*; **2.** *adj* (*better, best*) gut; (*suitable*) passend; **a ~ deal of** ziemlich viel; **a ~ many** ziemlich viele; **~ morning!** guten Morgen!; **Good Friday** *n* Karfreitag *m*; **goodbye** [gʊdˈbaɪ] **1.** *interj* auf Wiedersehen; **2.** *n* Abschied *m*; **good-looking** *adj* gutaussehend; **goodness** *n* Güte *f*; (*virtue*) Tugend *f*.

goods [gʊdz] *n pl* Waren *pl*, Güter *pl*; **goods train** *n* Güterzug *m*.

goodwill [gʊdˈwɪl] *n* (*favour*) Wohlwollen *nt*; (*COMM*) Geschäftswert *m*.

goose [guːs] *n* ⟨geese⟩ Gans *f*; **gooseberry** [ˈgʊzbərɪ] *n* Stachelbeere *f*; **gooseflesh** *n*, **goose pimples** *n pl* Gänsehaut *f*.

gore [gɔː*] **1.** *vt* durchbohren, aufspießen; **2.** *n* Blut *nt*.

gorge [gɔːdʒ] **1.** *n* Schlucht *f*; **2.** *vr*: **~ oneself** sich vollessen.

gorgeous [ˈgɔːdʒəs] *adj* prächtig; (*person*) hinreißend.

gorilla [gəˈrɪlə] *n* Gorilla *m*.

gorse [gɔːs] *n* Stechginster *m*.

gory [ˈgɔːrɪ] *adj* blutig.

go-slow [gəʊˈsləʊ] *n* Bummelstreik *m*.

gospel [ˈgɒspəl] *n* Evangelium *nt*.

gossamer [ˈgɒsəmə*] *n* Spinnfäden *pl*.

gossip [ˈgɒsɪp] **1.** *n* Klatsch *m*; (*person*) Klatschbase *f*; **2.** *vi* klatschen.

got [gɒt] *pt, pp of* **get**; **gotten** (*US*) *pp of* **get**.

goulash [ˈguːlæʃ] *n* Gulasch *nt o m*.

gout [gaʊt] *n* Gicht *f*.

govern [ˈgʌvən] *vt* regieren; verwalten; (*LING*) bestimmen; **governess** *n* Gouvernante *f*; **governing** *adj* regierend, Regierungs-; (*fig*) bestimmend; **~ body** Vorstand *m*; **government 1.** *n* Regierung *f*; **2.** *adj*

Regierungs-; **governor** *n* Gouverneur(in) *m(f)*.

govt *n abbr of* **government** Regierung *f*.

gown [gaʊn] *n* Gewand *nt*; (*SCH*) Robe *f*.

GP *n abbr of* **General Practitioner** praktischer Arzt.

GPO *n abbr of* **General Post Office** (*Brit*) Hauptpostamt *nt*.

grab [græb] *vt* packen; an sich reißen.

grace [greɪs] **1.** *n* Anmut *f*; (*of movement*) Grazie *f*; (*favour*) Güte *f*, Gefälligkeit *f*; (*mercy*) Gnade *f*; (*prayer*) Tischgebet *nt*; (*COMM*) Zahlungsfrist *f*; (*delay*) Aufschub *m*; **2.** *vt* (*adorn*) zieren; (*honour*) auszeichnen; **5 days'** ~ 5 Tage Aufschub; **graceful** *adj*, **gracefully** *adv* anmutig, graziös; **graceless** *adj* schroff; (*person*) ungehobelt.

gracious [ˈgreɪʃəs] *adj* gnädig; (*kind, courteous*) wohlwollend, freundlich.

gradation [grəˈdeɪʃən] *n* Abstufung *f*.

grade [greɪd] **1.** *n* Grad *m*; (*slope*) Gefälle *nt*; **2.** *vt* (*classify*) einstufen; **to make the** ~ es schaffen; **grade crossing** *n* (*US*) Bahnübergang *m*.

gradient [ˈgreɪdɪənt] *n* (*upward*) Steigung *f*; (*downward*) Gefälle *nt*.

gradual *adj*, **gradually** *adv* [ˈgrædjʊəl, -lɪ] allmählich.

graduate [ˈgrædjʊɪt] **1.** *n* Hochschulabsolvent(in) *m(f)*; **2.** [ˈgrædjʊeɪt] *vi* das Studium absolvieren; **graduation** [grædjʊˈeɪʃən] *n* Erlangung *f* eines akademischen Grades.

graft [grɑːft] **1.** *n* (*on plant*) Pfropfreis *nt*; (*fam: hard work*) Schufterei *f*; (*MED*) Verpflanzung *f*; (*unfair self-advancement*) Schiebung *f*; **2.** *vt* propfen; (*fig*) aufpfropfen; (*MED*) verpflanzen.

grain [greɪn] *n* Korn *nt*, Getreide *nt*; (*particle*) Körnchen *nt*, Korn *nt*; (*in wood*) Maserung *f*.

grammar [ˈgræmə*] *n* Grammatik *f*; **grammatical** [grəˈmætɪkəl] *adj* grammatisch.

gramme [græm] *n* Gramm *nt*.

granary [ˈgrænərɪ] *n* Kornspeicher *m*.

grand [grænd] *adj* großartig; **granddaughter** *n* Enkelin *f*; **grandeur** [ˈgrændjə*] *n* Erhabenheit *f*; **grandfather** *n* Großvater *m*; **grandiose** [ˈgrændɪəʊz] *adj* (*imposing*) großartig; (*pompous*) schwülstig; **grandmother** *n* Großmutter *f*; **grandparents** *n pl* Großeltern *pl*; **grand piano** *n* (-s-) Flügel *m*; **grandson** *n* Enkel *m*; **grandstand** *n* Haupttribüne *f*; **grand total** *n* Gesamtsumme *f*.

granite [ˈgrænɪt] *n* Granit *m*.

granny [ˈgrænɪ] *n* Oma *f*.

grant [grɑːnt] **1.** *vt* gewähren; (*allow*) zugeben; **2.** *n* Unterstützung *f*; (*SCH*) Stipendium *nt*; **to take sb/sth for** ~**ed** jdn/etw als selbstverständlich hinnehmen.

granulated [ˈgrænjʊleɪtɪd] *adj*: ~ **sugar** Zuckerraffinade *f*.

granule [ˈgrænjuːl] *n* Körnchen *nt*.

grape [greɪp] *n* Weintraube *f*; **grapefruit** [ˈgreɪpfruːt] *n* Grapefruit *f*; **grape juice** *n* Traubensaft *m*.

graph [grɑːf] *n* Schaubild *nt*; **graphic** [ˈgræfɪk] *adj* (*descriptive*) anschaulich, lebendig; (*drawing*) graphisch; **graphic artist** *n* Graphiker(in) *m(f)*; **graphics screen** *n* Grafikbildschirm *m*.

grapple [ˈgræpl] *vi* sich raufen; **to** ~ **with** kämpfen mit.

grasp [grɑːsp] **1.** *vt* ergreifen; (*understand*) begreifen; **2.** *n* Griff *m*; (*understanding*) Verständnis *nt*; **grasping** *adj* habgierig.

grass [grɑːs] *n* Gras *nt*; **grasshopper** *n* Heuschrecke *f*; **grassland** *n* Weideland *nt*; **grass roots** *n pl* (*fig*) Basis *f*; **grass snake** *n* Ringelnatter *f*; **grassy** *adj* grasig, Gras-.

grate [greɪt] **1.** *n* Gitter *nt*; (*in fire*) Feuerrost *m*; (*fireplace*) Kamin *m*; **2.** *vi* kratzen; (*sound*) knirschen; (*on nerves*) zerren (*on* an +*dat*); **3.** *vt* (*cheese*) reiben; (*carrots etc*) raspeln.

grateful *adj*, **gratefully** *adv* [ˈgreɪtful, -fəlɪ] dankbar.

grater [ˈgreɪtə*] *n* (*in kitchen*) Reibe *f*.

gratification [grætɪfɪˈkeɪʃən] *n* Befriedigung *f*; **gratify** [ˈgrætɪfaɪ] *vt* befriedigen; **gratifying** *adj* erfreulich.

grating [ˈgreɪtɪŋ] **1.** *n* (*iron bars*) Gitter *nt*; **2.** *adj* (*noise*) knirschend; (*enervating*) nervig.

gratitude [ˈgrætɪtjuːd] *n* Dankbarkeit *f*.

gratuitous [grəˈtjuːɪtəs] *adj* (*uncalled-for*) unnötig, überflüssig; (*unasked-for*) unerwünscht.

gratuity [grəˈtjuːɪtɪ] *n* Geldgeschenk *nt*; (*COMM*) Gratifikation *f*.

grave [greɪv] **1.** *n* Grab *nt*; **2.** *adj* (*serious*) ernst, schwerwiegend; (*solemn*) ernst, feierlich; **gravedigger** *n* Totengräber(in) *m(f)*.

gravel [ˈgrævəl] *n* Kies *m*.

gravely [ˈgreɪvlɪ] *adv* schwer, ernstlich.

gravestone [ˈgreɪvstəʊn] *n* Grabstein *m*; **graveyard** *n* Friedhof *m*.

gravitate [ˈgrævɪteɪt] *vi* angezogen werden (*towards* von).

gravity [ˈgrævɪtɪ] *n* Schwerkraft *f*; (*seriousness*) Schwere *f*, Ernst *m*.

gravy [ˈgreɪvɪ] *n* Bratensoße *f*.

gray [greɪ] *adj* grau.

graze [greɪz] **1.** *vi* grasen; **2.** *vt* (*touch*) streifen; (MED) abschürfen; **3.** n (MED) Abschürfung f.

grease [gri:s] **1.** n (fat) Fett nt; (lubricant) Schmiere f; **2.** vt einfetten; (TECH) schmieren; **grease gun** n Schmierspritze f; **greaseproof** adj (paper) Butterbrot-; **greasy** ['gri:sɪ] adj fettig.

great [greɪt] adj groß, (important) groß, bedeutend; (distinguished) groß, hervorragend; (friend) eng; (fam: good) prima; **Great Britain** n Großbritannien nt; **in** ~ in Großbritannien; **to go to** ~ nach Großbritannien fahren; **great-grandfather** n Urgroßvater m; **great-grandmother** n Urgroßmutter f; **greatly** adv sehr; **greatness** n Größe f.

Greece [gri:s] n Griechenland nt.

greed [gri:d] n (also: **greediness**) Gier f (for nach); (meanness) Geiz m; **greedily** adv gierig; **greedy** adj gefräßig, gierig; ~ **for money** geldgierig.

Greek [gri:k] **1.** adj griechisch; **2.** n Grieche m, Griechin f.

green [gri:n] **1.** adj grün; **2.** n (village ~) Dorfwiese f; ~ **card** grüne Versicherungskarte; **green belt** n Grüngürtel m; **greengrocer** n Obst- und Gemüsehändler(in) m(f); **greenhouse** n Gewächshaus nt; **greenhouse effect** n Treibhauseffekt m; **greenish** adj grünlich; **Greenland** n Grönland nt; **green light** n (a. fig) grünes Licht.

greet [gri:t] vt grüßen; **greeting** n Gruß m, Begrüßung f; **greetings card** n Grußkarte f.

gregarious [grɪ'geərɪəs] adj gesellig.

grenade [grɪ'neɪd] n Granate f.

grew [gru:] pt of **grow**.

grey [greɪ] adj grau; **grey-haired** adj grauhaarig; **greyhound** n Windhund m; **greyish** adj gräulich; **greywater** n Brauchwasser nt.

grid [grɪd] n Gitter nt; (ELEC) Leitungsnetz nt; (on map) Gitternetz nt; **gridiron** ['grɪdaɪən] n [Brat]rost m; (US SPORT) Spielfeld n.

grief [gri:f] n Gram m, Kummer m.

grievance ['gri:vəns] n Beschwerde f.

grieve [gri:v] **1.** vi sich grämen, trauern; **2.** vt betrüben.

grill [grɪl] **1.** n (on cooker) Grill m; **2.** vt grillen; (question) in die Mangel nehmen.

grille [grɪl] n (on car etc) Kühlergitter nt.

grim [grɪm] adj grimmig; (situation) düster.

grimace [grɪ'meɪs] **1.** n Grimasse f; **2.** vi Grimassen schneiden.

grime [graɪm] n Schmutz m.

grimly ['grɪmlɪ] adv grimmig, finster.

grimy ['graɪmɪ] adj schmutzig.

grin [grɪn] **1.** n Grinsen nt; **2.** vi grinsen.

grind [graɪnd] **1.** (ground, ground) vt mahlen; (sharpen) schleifen; (teeth) knirschen mit; **2.** n (fam: drudgery) Schufterei f.

grip [grɪp] **1.** n (fam) (mastery) Griff m, Gewalt f; (suitcase) kleiner Handkoffer m; **2.** vt packen.

gripes [graɪps] n pl (bowel pains) Bauchschmerzen pl, Bauchweh nt.

gripping ['grɪpɪŋ] adj (exciting) spannend.

grisly ['grɪzlɪ] adj gräßlich.

gristle ['grɪsl] n Knorpel m.

grit [grɪt] **1.** n Splitt m; (courage) Mut m, Mumm m; **2.** vt (road) mit Splitt bestreuen; **to** ~ **one's teeth** die Zähne zusammenbeißen.

groan [grəʊn] n stöhnen.

grocer ['grəʊsə*] n Lebensmittelhändler(in) m(f); **groceries** n pl Lebensmittel pl.

grog [grɒg] n Grog m.

groggy ['grɒgɪ] adj benommen; (boxing) angeschlagen.

groin [grɔɪn] n Leistengegend f.

groom [gru:m] **1.** n (bride ~) Bräutigam m; (for horses) Pferdeknecht m; **2.** vt: **to** ~ **sb for a career** jdn auf eine Laufbahn vorbereiten; **3.** vr: ~ **oneself** (men) sich zurechtmachen, sich pflegen; **well** ~ **ed** gepflegt.

groove [gru:v] n Rille f, Furche f.

grope [grəʊp] vi tasten.

gross [grəʊs] **1.** adj (coarse) dick, plump; (bad) grob, schwer; (COMM) brutto; Gesamt-; **2.** n Gros (Zahl); **grossly** adv höchst, ungeheuerlich; **gross national product** n Bruttosozialprodukt nt.

grotesque [grəʊ'tesk] adj grotesk.

grotto ['grɒtəʊ] n (-es) Grotte f.

ground [graʊnd] **1.** pt, pp of **grind**; **2.** n Boden m, Erde f; (land) Grundbesitz m; (reason) Grund m; (esp fig) Gebiet nt; **3.** vt (run ashore) auf Strand setzen; (aircraft) stillegen; (instruct) die Grundlagen f beibringen +dat; **4.** vi (run ashore) stranden, auflaufen; ~**s** pl (dregs) Satz m; (around house) Gartenanlagen pl; **ground floor** n (Brit) Erdgeschoß nt, Parterre nt; **grounding** n (basic knowledge) Grundwissen nt; **groundsheet** n Zeltboden nt; **ground swell** n: **the** ~ **of opinion** die Stimmung im Volk; **groundwork** n Grundlage f.

group [gru:p] **1.** n Gruppe f; **2.** vt, vi sich gruppieren; **grouping** n Anordnung f.

grouse [graʊs] **1.** n (-) (bird) schottisches Moorhuhn; (complaint) Nörgelei f; **2.** vi (complain) meckern.

grove [grəʊv] n Hain m, Gehölz nt.

grovel ['grɒvl] vi auf dem Bauch kriechen; (fig) kriechen.

grow [grəʊ] (grew, grown) **1.** vi wachsen, größer werden; (grass) wachsen; (become) werden; (fig) sich weiterentwickeln; **2.** vt (raise) anbauen, ziehen; (beard) sich dat wachsen lassen; **it ~s on you** man gewöhnt sich daran; **grow up** vi aufwachsen; (mature) erwachsen werden; **grower** n Züchter(in) m(f); **growing** adj wachsend; (fig) zunehmend.

growl [graʊl] vi knurren.

grown [grəʊn] pp of **grow**; **grown-up** [grəʊn'ʌp] **1.** adj erwachsen; **2.** n Erwachsene(r) mf.

growth [grəʊθ] n Wachstum nt, Wachsen nt; (increase) Anwachsen nt, Zunahme f; (of beard) Wuchs m; (fig) Entwicklung f.

grub [grʌb] n Made f, Larve f; (fam: food) Futter nt.

grubby ['grʌbɪ] adj schmutzig, schmuddelig.

grudge [grʌdʒ] **1.** n Groll m; **2.** vt mißgönnen (sb sth jdm etw); **to bear sb a ~** einen Groll gegen jdn hegen; **grudging** adj neidisch; (unwilling) widerwillig.

gruelling ['groəlɪŋ] adj (climb, race) mörderisch.

gruesome ['gru:səm] adj grauenhaft.

gruff [grʌf] adj barsch.

grumble ['grʌmbl] **1.** vi murren, schimpfen; **2.** n Brummen nt, Murren nt, Klage f.

grumpy ['grʌmpɪ] adj verdrießlich.

grunt [grʌnt] **1.** vi grunzen; **2.** n Grunzen nt.

G-string ['dʒi:strɪŋ] n = Tanga m.

guarantee [gærən'ti:] **1.** n (promise to pay) Gewähr f; (promise to replace) Garantie f; **2.** vt gewährleisten; garantieren.

guard [gɑ:d] **1.** n (defence) Bewachung f; (sentry) Wache f; (RAIL) Zugbegleiter(in) m(f); **2.** vt bewachen, beschützen; **~'s van** (Brit RAIL) Dienstwagen m; **to be on ~** Wache stehen; **to be on one's ~** aufpassen; **guarded** adj vorsichtig, zurückhaltend.

guardian ['gɑ:dɪən] n Vormund m; (keeper) Hüter(in) m(f); **~ angel** Schutzengel m.

guerrilla [gə'rɪlə] n Guerilla mf; **guerrilla warfare** n Guerillakrieg m.

guess [ges] **1.** vt, vi erraten, schätzen; **2.** n Vermutung f; **good ~** gut geraten; **guesstimate** n (fam) grobe Schätzung f; **guesswork** n Raterei f.

guest [gest] n Gast m; **guest-house** n Pension f; **guest room** n Gästezimmer nt.

guffaw [gʌ'fɔ:] **1.** n schallendes Gelächter; **2.** vi schallend lachen.

guidance ['gaɪdəns] n (control) Leitung f; (advice) Rat m, Beratung f.

guide [gaɪd] **1.** n (person) Leiter(in) m(f); **2.** vt führen; **girl ~** Pfadfinderin f; **guidebook** n Reiseführer m; **guided missile** n Fernlenkgeschoß nt; **guidelines** n pl Richtlinien pl.

guild [gɪld] n (HIST) Gilde f; (society) Vereinigung f.

guile [gaɪl] n Arglist f; **guileless** adj arglos.

guillotine [gɪlə'ti:n] n Guillotine f.

guilt [gɪlt] n Schuld f; **guilty** adj schuldig.

guise [gaɪz] n (appearance) Verkleidung f; (pretence) Vorwand m; **in the ~ of** (things) in Form von; (people) gekleidet als.

guitar [gɪ'tɑ:*] n Gitarre f; **guitarist** n Gitarrist(in) m(f).

gulf [gʌlf] n Golf m; (fig) Abgrund m; **Gulf States** n pl Golfstaaten pl; **Gulf Stream** n Golf Strom m.

gull [gʌl] n Möwe f.

gullet ['gʌlɪt] n Schlund m.

gullible ['gʌlɪbl] adj leichtgläubig.

gully ['gʌlɪ] n Wasserrinne f; (gorge) Schlucht f.

gulp [gʌlp] **1.** vi würgen; (eat fast) schlingen; (drink) hastig trinken; (gasp) schlucken; **2.** n großer Schluck.

gum [gʌm] **1.** n (around teeth) Zahnfleisch nt; (glue) Klebstoff m; (chewing ~) Kaugummi m; **2.** vt kleben, gummieren; **gumboots** n pl Gummistiefel pl.

gumption ['gʌmpʃən] n (fam) Grips m.

gum tree ['gʌmtri:] n Gummibaum m; **up a ~** (fam) in der Klemme.

gun [gʌn] n Schußwaffe f; **gun down** vt erschießen; **gunfight** n Schießerei f; (MIL) Feuergefecht nt; **gunfire** n Geschützfeuer nt; **gunman** n (gunmen) Schütze m; **gunner** n Kanonier m, Artillerist m; **gunpowder** n Schießpulver nt; **gunrunner** n Waffenschieber(in) m(f); **gunshot** n Schuß m.

gurgle ['gɜ:gl] vi gluckern.

guru ['gʊru:] n Guru m.

gush [gʌʃ] **1.** n Strom m, Erguß m; **2.** vi (rush out) hervorströmen; (fig) schwärmen.

gusset ['gʌsɪt] n Keil m, Zwickel m.

gust [gʌst] n Windstoß m, Bö f.

gusto ['gʌstəʊ] n Genuß m, Begeisterung f.

gut [gʌt] n (ANAT) Gedärme pl; (string) Darm m; (for rackets, violin) Darmsaiten pl; **~s** pl (fig) Schneid m.

gutter ['gʌtə*] n Dachrinne f; (in street) Gosse f.

guttural ['gʌtərəl] adj guttural, Kehl-.

guy [gaɪ] n (rope) Zeltspannseil nt; (man) Typ m, Kerl m; **~s** pl (US) Leute pl; **will you ~s go?** (US) geht ihr?

guzzle ['gʌzl] vt, vi (drink) saufen; (eat) fressen.

gymnasium [dʒɪm'neɪzɪəm] n Turnhalle f; **gymnast** ['dʒɪmnæst] n Turner(in) m(f); **gymnastics** [dʒɪm'næstɪks] **1.** n sing Turnen nt, Gymnastik f; **2.** n pl (exercises) Übungen pl.

gynaecologist [gaɪnɪ'kɒlədʒɪst] n Frauenarzt(-ärztin) m(f), Gynäkologe(-login) *m(f);* **gynaecology** *n* Gynäkologie *f,* Frauenheilkunde *f.*

gypsy [´dʒɪpsɪ] *n* Zigeuner(in) *m(f).*

gyrate [dʒaɪ´reɪt] *vi* kreisen.

H

H, h [eɪtʃ] *n* H *nt,* h *nt.*

haberdashery [hæbə´dæʃərɪ] *n* (*Brit*) Kurzwaren *pl;* (*US*) Herrenartikel *pl.*

habit [´hæbɪt] *n* Angewohnheit *f;* (*monk's*) Habit *nt o m.*

habitable [´hæbɪtəbl] *adj* bewohnbar.

habitat [´hæbɪtæt] *n* (*of plants and animals*) Heimat *f.*

habitation [hæbɪ´teɪʃən] *n* Bewohnen *nt;* (*place*) Wohnung *f.*

habitual [hə´bɪtjʊəl] *adj* üblich, gewohnheitsmäßig; **habitually** *adv* gewöhnlich.

hack [hæk] **1.** *vt* hacken; **2.** *n* Hieb *m;* (*writer*) Schreiberling *m;* **hacker** *n* (*COMPUT*) Hacker(in) *m(f).*

hackneyed [´hæknɪd] *adj* abgedroschen.

had [hæd] *pt, pp of* **have.**

haddock [´hædək] *n* Schellfisch *m.*

hadn't [´hædnt] = **had not.**

haemophiliac [hiːməʊ´fɪlɪæk] *n* Bluter(in) *m(f).*

haemorrhage [´hemərɪdʒ] *n* Blutung *f.*

haemorrhoids [´heməroɪdz] *n pl* Hämorrhoiden *pl.*

haggard [´hægəd] *adj* abgekämpft.

haggle [´hægl] *vi* feilschen; **haggling** [´hæglɪŋ] *n* Feilschen *nt.*

hail [heɪl] **1.** *n* Hagel *m;* **2.** *vt* umjubeln; **3.** *vi* hageln; **hailstorm** *n* Hagelschauer *m.*

hair [heə*] *n* Haar *nt,* Haare *pl;* (*one* ~) Haar *nt;* **hairbrush** *n* Haarbürste *f;* **haircut** *n* Haarschnitt *m;* **to get a** ~ sich die Haare schneiden lassen; **hairdo** *n* (-s) Frisur *f;* **hairdresser** *n* Friseur *m,* Friseuse *f;* **hair grip** *n* Haarspange *f;* **hairnet** *n* Haarnetz *nt;* **hair oil** *n* Haaröl *m;* **hairpiece** *n* (*lady's*) Haarteil *nt;* (*man's*) Toupet *nt;* **hairpin** *n* Haarnadel *f;* (*bend*) Haarnadelkurve *f;* **hair-raising** *adj* haarsträubend; **hair's breadth** *n* Haaresbreite *f;* **hair style** *n* Frisur *f;* **hairy** *adj* haarig.

hake [heɪk] *n* Seehecht *m.*

half [hɑːf] **1.** *n* (*halves*) Hälfte *f;* **2.** *adj* halb; **3.** *adv* halb, zur Hälfte; **half-back** *n* Läufer(in) *m(f);* **half-breed, half-caste** *n* (*pej*) Mischling *m;* **half-hearted** *adj* lustlos, unlustig; **half-hour** *n* halbe Stunde; **half-life** *n* (*half-lives*) (*nuclear*) Halbwertzeit *f;* **halfpenny** [´heɪpnɪ] *n* halber Penny; **half price** *n* halber Preis; **half-time** *n*

Halbzeit *f;* **halfway** *adv* halbwegs, auf halbem Wege.

halibut [´hælɪbət] *n* Heilbutt *m.*

hall [hɔːl] *n* Saal *m;* (*entrance* ~) Hausflur *m;* (*building*) Halle *f.*

hallmark [´hɔːlmɑːk] *n* Stempel *m;* (*fig*) Kennzeichen *nt.*

hallo [hʌ´ləʊ] *interj* hallo.

Hallowe'en [hæləʊ´iːn] *n* Tag *m* vor Allerheiligen (*an dem sich Kinder verkleiden und von Tür zu Tür gehen*).

hallucination [həluːsɪ´neɪʃən] *n* Halluzination *f.*

halo [´heɪləʊ] *n* (-es) (*of saint*) Heiligenschein *m;* (*of moon*) Hof *m.*

halt [hɔːlt] **1.** *n* Halt *m;* **2.** *vt, vi* anhalten.

halve [hɑːv] *vt* halbieren.

ham [hæm] *n* Schinken *m;* ~ **sandwich** Schinkenbrötchen *nt;* **hamburger** *n* Frikadelle *f,* Hamburger *m.*

hamlet [´hæmlɪt] *n* Weiler *m.*

hammer [´hæmə*] **1.** *n* Hammer *m;* **2.** *vt* hämmern.

hammock [´hæmək] *n* Hängematte *f.*

hamper [´hæmpə*] **1.** *vt* behindern; **2.** *n* Picknickkorb *m;* (*as gift*) Geschenkkorb *m.*

hamster [´hæmstə*] *n* Goldhamster *m.*

hand [hænd] **1.** *n* Hand *f;* (*of clock*) Uhrzeiger *m;* (*worker*) Arbeiter(in) *m(f);* **2.** *vt* (*pass*) geben, reichen; **to give sb a** ~ jdm helfen; **at first** ~ aus erster Hand; **to** ~ zur Hand; **in** ~ (*under control*) unter Kontrolle; (*being done*) im Gange; (*extra*) übrig; **handbag** *n* Handtasche *f;* **handball** *n* Handball *m;* **handbook** *n* Handbuch *nt;* **handbrake** *n* Handbremse *f;* **hand cream** *n* Handcreme *f;* **handcuffs** *n pl* Handschellen *pl;* **handful** *n* Handvoll *f;* **those children are a** ~ (*fig*) die Kinder können einen ganz schön auf Trab halten.

handicap [´hændɪkæp] **1.** *n* Handikap *nt;* **2.** *vt* benachteiligen; **handicapped** *adj* behindert; **mentally** ~ geistig behindert.

handicraft [´hændɪkrɑːft] *n* Kunsthandwerk *nt.*

handkerchief [´hæŋkətʃɪf] *n* Taschentuch *nt.*

handle [´hændl] **1.** *n* (*of door etc*) Klinke *f;* (*of cup etc*) Henkel *m;* (*for winding*) Kurbel *f;* **2.** *vt* (*touch*) anfassen; (*deal with: things*) sich befassen mit; (*people*) umgehen mit; **handlebars** *n pl* Lenkstange *f.*

hand-luggage [´hændlʌgɪdʒ] Handgepäck *nt;* **handmade** *adj* handgefertigt; **handshake** *n* Händedruck *m.*

handsome [´hænsəm] *adj* gutaussehend; (*generous*) großzügig.

handwriting [´hændraɪtɪŋ] *n* Handschrift *f.*

handy [´hændɪ] *adj* praktisch; (*shops*) leicht

erreichbar.

handyman ['hændɪmən] n ⟨handymen⟩ Mädchen nt für alles; (do-it-yourself) Bastler m, Heimwerker m.

hang [hæŋ] ⟨hung o hanged, hung o hanged⟩ **1.** vt aufhängen; (execute) hängen; **2.** vi (droop) hängen; **to ~ sth on sth** etw an etw akk hängen; **hang about** vi sich herumtreiben; (Brit fam: wait) warten.

hangar ['hæŋə*] n Hangar m, Flugzeughalle f.

hanger ['hæŋə*] n Kleiderbügel m.

hanger-on [hæŋər'ɒn] n ⟨hangers-on⟩ Anhänger(in) m(f).

hang glider ['hæŋglaɪdə*] n Flugdrachen m; (person) Drachenflieger(in) m(f); **hang-gliding** n Drachenfliegen nt.

hangover ['hæŋəʊvə*] n Kater m.

hank [hæŋk] n Strang m.

hanker ['hæŋkə*] vi sich sehnen (for, after nach).

haphazard [hæp'hæzəd] adj wahllos, zufällig.

happen ['hæpən] vi sich ereignen, passieren; **happening** n Ereignis nt; (ART) Happening nt.

happily ['hæpɪlɪ] adv glücklich; (fortunately) glücklicherweise.

happiness ['hæpɪnɪs] n Glück nt.

happy ['hæpɪ] adj glücklich; **~ birthday** herzlichen Glückwunsch zum Geburtstag; **happy-go-lucky** adj sorglos.

harass ['hærəs] vt bedrängen, plagen.

harbor (US), **harbour** ['hɑːbə*] n Hafen m.

hard [hɑːd] **1.** adj (firm) hart, fest; (difficult) schwer, schwierig; (physically) schwer; (harsh) hartherzig, gefühllos; **2.** adv (work) hart; (try) sehr; (push, hit) fest; **~ by** (close) dicht [o nahe] an +dat; **he took it ~** er hat es schwer genommen; **hardback** n gebundenes Buch; **hard-boiled** adj hartgekocht; **hard disk** n Festplatte f; **~ drive** Festplattenlaufwerk nt; **harden 1.** vt erhärten; (fig) verhärten; **2.** vi hart werden; (fig) sich verhärten; **hard-hearted** adj hartherzig; **hardliner** n Hardliner(in) m(f), Anhänger(in) m(f) einer Politik der Härte; **hardly** adv kaum; **hard sell** n aggressive Verkaufsstrategie; **hardship** n Not f; (injustice) Unrecht nt; **hard shoulder** n Standspur f, Seitenstreifen m; **hard-up** adj knapp bei Kasse; **hardware** n Eisenwaren pl; (COMPUT) Hardware f.

hardy ['hɑːdɪ] adj (strong) widerstandsfähig; (brave) verwegen.

hare [hɛə*] n Hase m.

harem [hɑː'riːm] n Harem m.

harm [hɑːm] **1.** n Schaden m; Leid nt; **2.** vt schaden +dat; **it won't do any ~** es kann

nicht schaden; **harmful** adj schädlich; **harmless** adj harmlos, unschädlich.

harmonica [hɑː'mɒnɪkə] n Mundharmonika f.

harmonious [hɑː'məʊnɪəs] adj harmonisch.

harmonize ['hɑːmənaɪz] **1.** vt abstimmen; **2.** vi harmonieren.

harmony ['hɑːmənɪ] n Harmonie f.

harness ['hɑːnɪs] **1.** n Geschirr nt; **2.** vt (horse) anschirren; (fig) nutzbar machen.

harp [hɑːp] n Harfe f; **to ~ on about sth** auf etw dat herumreiten; **harpist** n Harfenspieler(in) m(f).

harpoon [hɑː'puːn] n Harpune f.

harrow ['hærəʊ] **1.** n Egge f; **2.** vt eggen; **harrowing** adj nervenaufreibend.

harsh [hɑːʃ] adj (rough) rauh, grob; (severe) schroff, streng; **harshly** adv rauh, barsch; **harshness** n Härte f.

harvest ['hɑːvɪst] **1.** n Ernte f; (time) Erntezeit f; **2.** vt ernten; **harvester** n Mähbinder m.

hash [hæʃ] n vt kleinhacken; **2.** n (mess) Kuddelmuddel m; (meat: cooked) Haschee nt; (raw) Gehackte(s) nt.

hashish ['hæʃɪʃ] n Haschisch nt.

haste [heɪst] n (speed) Eile f; (hurry) Hast f; **hasten** ['heɪsn] **1.** vt beschleunigen; **2.** vi eilen, sich beeilen; (rash) vorschnell; **hastily** adv hastig; (rash) vorschnell; **hasty** adj hastig; (rash) vorschnell.

hat [hæt] n Hut m.

hatch [hætʃ] **1.** n (NAUT) Luke f; (in house) Durchreiche f; **2.** vi brüten; (young) ausschlüpfen; **3.** vt (brood) ausbrüten; (plot) aushecken.

hatchet ['hætʃɪt] n Beil nt.

hate [heɪt] **1.** vt hassen; **2.** n Haß m; **I ~ queuing** ich stehe nicht gern Schlange; **hateful** adj verhaßt; **hatred** ['heɪtrɪd] n Haß m; (dislike) Abneigung f.

hat trick ['hættrɪk] n (SPORT) Hattrick m (drei Treffer hintereinander).

haughtily adv ['hɔːtɪlɪ] hochnäsig, überheblich; **haughty** adj ['hɔːtɪ] hochnäsig, überheblich.

haul [hɔːl] **1.** vt ziehen, schleppen; **2.** n (pull) Zug m; (catch) Fang m; **haulage** ['hɔːlɪdʒ] n Transport m; (comm) Spedition f; **haulier** ['hɔːlɪə*] n Transportunternehmer(in) m(f), Spediteur(in) m(f).

haunch [hɔːntʃ] n Lende f; **to sit on one's ~es** hocken.

haunt [hɔːnt] **1.** vt (ghost) spuken in +dat, umgehen in +dat; (memory) verfolgen; (pub) häufig besuchen; **2.** n Lieblingsplatz m; **the castle is ~ed** in dem Schloß spukt es.

have [hæv] ⟨had, had⟩ vt haben; (at meal, fam: trick) hereinlegen; **to ~ lunch** zu Mittag essen; **to ~ tea** (*drink*) Tee trinken; (*meal*) zu Abend essen; **to ~ sth done** etw machen lassen; **to ~ to do sth** etw tun müssen; **to ~ sb on** jdn auf den Arm nehmen.

haven [ˈheɪvn] *n* Hafen *m*; (*fig*) Zufluchtsort *m*.

havoc [ˈhævək] *n* Verwüstung *f*.

hawk [hɔ:k] *n* Habicht *m*.

hay [heɪ] *n* Heu *nt*; **hay fever** *n* Heuschnupfen *m*; **haystack** *n* Heuschober *m*.

haywire [ˈheɪwaɪə*] *adj* (*fam*) durcheinander.

hazard [ˈhæzəd] **1.** *n* (*chance*) Zufall *m*; (*danger*) Wagnis *nt*, Risiko *nt*; **2.** *vt* aufs Spiel setzen; **hazardous** *adj* gefährlich, riskant; **hazardous waste** *n* Sondermüll *m*; **hazard warning lights** *n pl* (AUTO) Warnlichtanlage *f*.

haze [heɪz] *n* Dunst *m*; (*fig*) Unklarheit *f*.

hazelnut [ˈheɪzlnʌt] *n* Haselnuß *f*.

hazy [ˈheɪzɪ] *adj* (*misty*) dunstig, diesig; (*vague*) verschwommen.

he [hi:] *pron* er.

head [hed] **1.** *n* Kopf *m*; (*top*) Spitze *f*; (*leader*) Leiter(in) *m(f)*; **2.** *adj* Kopf-; (*leading*) Ober-; **3.** *vt* anführen, leiten; **~s** (*on coin*) Kopf *m*, Wappen *nt*; **head for** *vt* Richtung nehmen auf +*akk*, zugehen auf +*akk*; **headache** [ˈhedeɪk] *n* Kopfschmerzen *pl*, Kopfweh *nt*; **heading** *n* Überschrift *f*; **headlamp** *n* Scheinwerfer *m*; **headland** *n* Landspitze *f*; **headlight** *n* Scheinwerfer *m*; **headline** *n* Schlagzeile *f*; **headlong** *adv* kopfüber; **headmaster** *n* (*of primary school*) Rektor *m*; (*of secondary school*) Direktor *m*; **headmistress** *n* (*of primary school*) Rektorin *f*; (*of secondary school*) Direktorin *f*; **head-on** *adj* Frontal-; **headphones** *n pl* Kopfhörer *m*; **headquarters** *n pl* Zentrale *f*; (MIL) Hauptquartier *nt*; **headrest**, **head restraint** *n* Kopfstütze *f*; **headroom** *n* (*of bridges etc*) lichte Höhe; (*in car*) Platz *m* für den Kopf; **headscarf** ⟨headscarves⟩ Kopftuch *nt*; **headstrong** *adj* eigenwillig; **head waiter** *n* Oberkellner(in) *m(f)*; **headway** *n* Fahrt *f* voraus; (*fig*) Fortschritte *pl*; **headwind** *n* Gegenwind *m*; **heady** *adj* (*rash*) hitzig; (*intoxicating*) stark, berauschend.

heal [hi:l] **1.** *vt* heilen; **2.** *vi* verheilen.

health [helθ] *n* Gesundheit *f*; **your ~!** zum Wohl!; **health centre** *n* Fitneßcenter *nt*, Fitneßstudio *nt*; **healthy** *adj* gesund.

heap [hi:p] **1.** *n* Haufen *m*; **2.** *vt* häufen.

hear [hɪə*] *vt* (heard, heard) **1.** *vt* hören; (*listen to*) anhören; **2.** *vi* hören; **heard** [hɜ:d] *pt*, *pp of* **hear**; **hearing** *n* Gehör *nt*; (JUR) Verhandlung *f*; (*of witnesses*) Vernehmung *f*; (POL) Anhörung *f*; **to give sb a ~** jdn anhören; **hearing aid** *n* Hörgerät *nt*; **hear-**

say *n* Hörensagen *nt*.

hearse [hɜ:s] *n* Leichenwagen *m*.

heart [hɑ:t] *n* Herz *nt*; (*centre also*) Zentrum *nt*; (*courage*) Mut *m*; **by ~** auswendig; **the ~ of the matter** der Kern des Problems; **heart attack** *n* Herzanfall *m*; **heartbeat** *n* Herzschlag *m*, Schlagen *nt* des Herzens; **heartbreaking** *adj* herzzerbrechend; **heartbroken** *adj* todunglücklich; **heartburn** *n* Sodbrennen *nt*; **heart failure** *n* Herzversagen *nt*; **heartfelt** *adj* aufrichtig.

hearth [hɑ:θ] *n* Herd *m*.

heartily [ˈhɑ:tɪlɪ] *adv* herzlich; (*eat*) herzhaft.

heartless [ˈhɑ:tlɪs] *adj* herzlos.

hearty [ˈhɑ:tɪ] *adj* kräftig; (*friendly*) freundlich.

heat [hi:t] **1.** *n* Hitze *f*; (*of food, water etc*) Wärme *f*; (SPORT) Ausscheidungsrunde *f*; (*excitement*) Feuer *nt*; **2.** *vt* (*house*) heizen; (*substance*) heiß machen, erhitzen; **in the ~ of the moment** in der Hitze des Gefechts; **heat up** **1.** *vi* warm werden; **2.** *vt* aufwärmen; **heated** *adj* erhitzt; (*fig*) hitzig; **heater** *n* Heizofen *m*; **heat exchanger** *n* Wärmetauscher *m*.

heath [hi:θ] *n* (*Brit*) Heide *f*.

heathen [ˈhi:ðən] **1.** *n* Heide *m*, Heidin *f*; **2.** *adj* heidnisch.

heather [ˈheðə*] *n* Heidekraut *nt*, Erika *f*.

heating [ˈhi:tɪŋ] *n* Heizung *f*.

heat pump [ˈhi:tpʌmp] *n* Wärmepumpe *f*; **heatstroke** *n* Hitzschlag *m*; **heatwave** *n* Hitzewelle *f*.

heave [hi:v] **1.** *vt* hochheben; (*sigh*) ausstoßen; **2.** *vi* wogen; (*breast*) sich heben.

heaven [ˈhevn] *n* Himmel *m*; (*bliss*) der siebte Himmel *m*; **heavenly** *adj* himmlisch; **~ body** Himmelskörper *m*.

heavily *adv* [ˈhevɪlɪ], **heavy** *adj* [ˈhevɪ] schwer.

heckle [ˈhekl] **1.** *vt* unterbrechen; **2.** *vi* dazwischenrufen, störende Fragen stellen.

hectic [ˈhektɪk] *adj* hektisch.

he'd [hi:d] = **he had**; **he would**.

hedge [hedʒ] **1.** *n* Hecke *f*; **2.** *vt* einzäunen; **3.** *vi* (*fig*) ausweichen; **to ~ one's bets** sich absichern.

hedgehog [ˈhedʒhɒg] *n* Igel *m*.

heed [hi:d] *vt* beachten; **2.** *n* Beachtung *f*; **heedful** *adj* achtsam; **heedless** *adj* achtlos.

heel [hi:l] **1.** *n* Ferse *f*; (*of shoe*) Absatz *m*; **2.** *vt* (*shoes*) mit Absätzen versehen.

hefty [ˈheftɪ] *adj* (*person*) stämmig; (*portion*) reichlich; (*bite*) kräftig; (*weight*) schwer.

heifer [ˈhefə*] *n* Färse *f*.

height [haɪt] *n* (*of person*) Größe *f*; (*of object*) Höhe *f*; (*high place*) Gipfel *m*;

heighten *vt* erhöhen.

heir [ɛə*] *n* Erbe *m*; **heiress** [ˈɛərɪs] *n* Erbin *f*; **heirloom** [ˈɛəluːm] *n* Erbstück *nt*.

held [held] *pt, pp of* **hold**.

helicopter [ˈhelɪkɒptə*] *n* Hubschrauber *m*.

heliport [ˈhelɪpɔːt] *n* Hubschrauberlandeplatz *m*.

hell [hel] **1.** *n* Hölle *f*; **2.** *interj* verdammt.

he'll [hiːl] = **he will; he shall**.

hellish [ˈhelɪʃ] *adj* höllisch, verteufelt.

hello [hʌˈləu] *interj* (*greeting*) hallo; (*surprise*) hallo, hē.

helm [helm] *n* Ruder *nt*, Steuer *nt*.

helmet [ˈhelmɪt] *n* Helm *m*.

helmsman [ˈhelmzmən] *n* ⟨helmsmen⟩ Steuermann *m*.

help [help] **1.** *n* Hilfe *f*; **2.** *vt* helfen +*dat*; **I can't ~ it** ich kann nichts dafür; **I couldn't ~ laughing** ich mußte einfach lachen; **~ yourself** bedienen Sie sich; **helper** *n* Helfer(in) *m(f)*; **helpful** *adj* hilfreich; **helping** *n* Portion *f*; **helpless** *adj* hilflos.

hem [hem] *n* Saum *m*; **hem in** *vt* einschließen; (*fig*) einengen.

hemisphere [ˈhemɪsfɪə*] *n* Halbkugel *f*, Hemisphäre *f*.

hemline [ˈhemlaɪn] *n* Rocklänge *f*.

hemorrhage [ˈhemərɪdʒ] *n* (*US*) Blutung *f*.

hemorrhoids [ˈhemərɔɪdz] *n pl* (*US*) Hämorroiden *pl*.

hemp [hemp] *n* Hanf *m*.

hen [hen] *n* Henne *f*.

hence [hens] *adv* von jetzt an; (*therefore*) daher.

henchman [ˈhentʃmən] *n* ⟨henchmen⟩ Anhänger *m*, Gefolgsmann *m*.

henpecked [ˈhenpekt] *adj*: **to be ~** unter dem Pantoffel stehen; **~ husband** Pantoffelheld *m*.

hepatitis [hepəˈtaɪtɪs] *n* Hepatitis *f*, Gelbsucht *f*.

her [hɜː*] **1.** *pron* (*adjektivisch*) ihr; **2.** *pron direct/indirect object of* **she** sie/ihr; **it's ~** sie ist es.

herald [ˈherəld] **1.** *n* Herold *m*; (*fig*) Vorbote *m*; **2.** *vt* verkünden, anzeigen.

heraldry [ˈherəldrɪ] *n* Wappenkunde *f*.

herb [hɜːb] *n* Kraut *nt*.

herd [hɜːd] *n* Herde *f*.

here [hɪə*] *adv* hier; (*to this place*) hierher; **hereafter 1.** *adv* hernach, künftig; **2.** *n* Jenseits *nt*; **hereby** *adv* hiermit.

hereditary [hɪˈredɪtərɪ] *adj* erblich; **hereditary disease** *n* Erbkrankheit *f*; **heredity** [hɪˈredɪtɪ] *n* Vererbung *f*.

heresy [ˈherəsɪ] *n* Ketzerei *f*; **heretic** [ˈheretɪk] *n* Ketzer(in) *m(f)*; **heretical** [hɪˈretɪkəl] *adj* ketzerisch.

herewith [ˈhɪəˈwɪð] *adv* hiermit, (*COMM*) anbei.

heritage [ˈherɪtɪdʒ] *n* Erbe *nt*.

hermetically [hɜːˈmetɪkəlɪ] *adv* luftdicht, hermetisch.

hermit [ˈhɜːmɪt] *n* Einsiedler(in) *m(f)*.

hernia [ˈhɜːnɪə] *n* Leistenbruch *m*.

hero [ˈhɪərəu] *n* ⟨-es⟩ Held *m*; **heroic** [hɪˈrəuɪk] *adj* heroisch, heldenhaft.

heroin [ˈherəuɪn] *n* Heroin *nt*.

heroine [ˈherəuɪn] *n* Heldin *f*.

heroism [ˈherəuɪzəm] *n* Heldentum *nt*.

heron [ˈherən] *n* Reiher *m*.

herpes [ˈhɜːpiːz] *n* (*MED*) Herpes *m*.

herring [ˈherɪŋ] *n* Hering *m*.

hers [hɜːz] *pron* (*substantivisch*) ihre(r, s).

herself [hɜːˈself] *pron* sich; **she ~** sie selbst; **she's not ~** mit ihr ist etwas los [*o* nicht in Ordnung].

he's [hiːz] = **he is; he has**.

hesitant [ˈhezɪtənt] *adj* zögernd; (*speech*) stockend.

hesitate [ˈhezɪteɪt] *vi* zögern; (*feel doubtful*) unschlüssig sein.

hesitation [hezɪˈteɪʃən] *n* Zögern *nt*, Schwanken *nt*.

heterosexual [hetərəuˈseksjuəl] **1.** *adj* heterosexuell; **2.** *n* Heterosexuelle(r) *mf*.

het up [hetˈʌp] *adj* (*fam*) aufgeregt.

hew [hjuː] ⟨hewed, hewn *o* hewed⟩ *vt* hauen, hacken.

hexagon [ˈheksəgən] *n* Sechseck *nt*; **hexagonal** [hekˈsægənəl] *adj* sechseckig.

heyday [ˈheɪdeɪ] *n* Blüte *f*, Höhepunkt *m*.

HGV *n abbr of* **heavy goods vehicle** LKW *m*.

hi [haɪ] *interj* he, hallo.

hibernate [ˈhaɪbəneɪt] *vi* Winterschlaf halten; **hibernation** [haɪbəˈneɪʃən] *n* Winterschlaf *m*.

hiccough, hiccup [ˈhɪkʌp] **1.** *vi* den Schluckauf haben; **2.** *n* (*also:* **hiccups** *pl*) Schluckauf *m*.

hid [hɪd] *pt of* **hide**; **hidden** [ˈhɪdn] *pp of* **hide**.

hide [haɪd] ⟨hid, hidden⟩ **1.** *vt* verstecken; (*keep secret*) verbergen; **2.** *vi* sich verstecken; **3.** *n* (*skin*) Haut *f*, Fell *nt*; **hide-and-seek** *n* Versteckspiel *nt*.

hideous [ˈhɪdɪəs] *adj* abscheulich; **hideously** *adv* scheußlich.

hiding [ˈhaɪdɪŋ] *n* (*beating*) Tracht *f* Prügel; **to be in ~** sich versteckt halten; **~ place** *n* Versteck *nt*.

hierarchy [ˈhaɪərɑːkɪ] *n* Hierarchie *f*.

hi-fi set [ˈhaɪfaɪ] *n* Stereoanlage *f*, Hi-Fi-Anlage *f*.

high [haɪ] **1.** *adj* hoch; (*importance*) groß; (*spirits*) Hoch-; (*wind*) stark; (*living*) extravagant, üppig; **2.** *adv* hoch; **highbrow 1.** *n* Intellektuelle(r) *mf*; **2.** *adj* betont intellektuell; (*pej*) hochgestochen; **highchair** *n*

Hochstuhl m, Sitzer m; **high-handed** adj eigenmächtig; **high-heeled** adj hochhackig; **highjack** vt entführen; **Highlands** pl Hochland n; (in Scotland) schottisches Hochland; **high-level** adj (meeting) wichtig, Spitzen-; (radioactive) hochaktiv; **highlight** n (fig) Höhepunkt m; **highlighter** n Leuchtstift m; **highly** adv in hohem Maße, höchst; (praise) in hohen Tönen; **highly-strung** adj nervös; **High Mass** n Hochamt; (nt); **highness** n Höhe f; **your Highness** Eure Hoheit; **high-performance** adj Hochleistungs-; **high-pitched** adj (voice) hoch, schrill, hell; **high-powered** adj (car) starkmotorig; (fig) Spitzen-; **high-resolution** adj hochauflösend; **high school** n Oberschule f; **high-speed** adj Schnell-; ~ **printer** Schnelldrucker m; ~ **train** Hochgeschwindigkeitszug m; **high tech 1.** adj High-Tech-; **2.** n High Tech nt; **high tide** n Flut f; **high-voltage** adj Hochspannungs-; **highway** n Landstraße f.

hijack [ˈhaɪdʒæk] vt hijacken, entführen.

hike [haɪk] **1.** vi wandern; **2.** n Wanderung f; **hiker** n Wanderer m, Wanderin f; **hiking** n Wandern nt.

hilarious [hɪˈlɛərɪəs] adj lustig; zum Schreien komisch; **hilarity** [hɪˈlærɪtɪ] n Lustigkeit f.

hill [hɪl] n Berg m; **hillside** n Berghang m; **hilltop** n Bergspitze f; **hilly** adj hügelig.

hilt [hɪlt] n (of knife) Heft nt; **up to the ~** ganz und gar.

him [hɪm] pron direct/indirect object of **he** ihn/ihm; **it's ~** er ist es.

himself [hɪmˈself] pron sich; **he ~** er selbst; **he's not ~** mit ihm ist etwas los [o nicht in Ordnung].

hind [haɪnd] **1.** adj hintere(r, s), Hinter-; **2.** n Hirschkuh f.

hinder [ˈhɪndə*] vt (stop) hindern; (delay) behindern; **hindrance** [ˈhɪndrəns] n (delay) Behinderung f; (obstacle) Hindernis nt.

Hindu [ˈhɪnduː] adj hinduistisch.

hinge [hɪndʒ] **1.** n Scharnier nt; (on door) Türangel f; **2.** vt mit Scharnieren versehen; **3.** vi (fig) abhängen (on von).

hint [hɪnt] **1.** n Tip m, Andeutung f; (trace) Anflug m; **2.** vi andeuten (at akk), anspielen (at auf +akk).

hip [hɪp] n Hüfte f.

hippopotamus [hɪpəˈpɒtəməs] n Nilpferd nt.

hire [ˈhaɪə*] **1.** vt (worker) anstellen; (car) mieten; **2.** n Miete f; **for ~** (taxi) frei; **to have for ~** verleihen; **hire purchase** n Teilzahlungskauf m.

his [hɪz] **1.** pron (adjektivisch) sein; **2.** pron

(substantivisch) seine(r, s).

hiss [hɪs] vi zischen.

historian [hɪˈstɔːrɪən] n Geschichtsschreiber(in) m(f); Historiker(in) m(f); **historic** [hɪˈstɒrɪk] adj historisch; **historical** [hɪˈstɒrɪkəl] adj historisch, geschichtlich; **history** [ˈhɪstərɪ] n Geschichte f; (personal) Entwicklung f, Werdegang m.

hit [hɪt] **1.** ⟨hit, hit⟩ vt (injure) treffen, verletzen; **2.** n (blow) Schlag m, Stoß m; (success) Erfolg m, Treffer m; (MUS) Hit m.

hitch [hɪtʃ] **1.** vt festbinden; (pull up) hochziehen; **2.** n (loop) Knoten m; (difficulty) Schwierigkeit f, Haken m.

hitch-hike [ˈhɪtʃhaɪk] vi trampen, per Anhalter fahren; **hitch-hiker** n Tramper(in) m(f).

hitherto [hɪðəˈtuː] adv bislang.

HIV n abbr of **human immunodeficiency virus** HIV nt; ~ **positive/negative** HIV-positiv/negativ.

hive [haɪv] n Bienenkorb m; **hive off 1.** vt (subsidiary) ausgliedern; **2.** vi (fam) sich absetzen.

HM abbr of **His/Her Majesty**.

hoard [hɔːd] **1.** n Schatz m; **2.** vt horten, hamstern.

hoarding [ˈhɔːdɪŋ] n Bretterzaun m; (for advertising) Reklamewand f.

hoarfrost [hɔːˈfrɒst] n Rauhreif m.

hoarse [hɔːs] adj heiser, rauh.

hoax [həʊks] n Streich m; (false alarm) blinder Alarm; **hoaxer** n jemand, der einen blinden Alarm auslöst.

hob [hɒb] n (of cooker) Kochfeld nt.

hobble [ˈhɒbl] vi humpeln.

hobby [ˈhɒbɪ] n Steckenpferd nt, Hobby nt.

hobo [ˈhəʊbəʊ] n ⟨-es⟩ (US) Penner(in) m(f).

hock [hɒk] n (wine) weißer Rheinwein.

hockey [ˈhɒkɪ] n Hockey nt.

hoe [həʊ] **1.** n Hacke f; **2.** vt hacken.

hog [hɒg] **1.** n Schlachtschwein nt; **2.** vt mit Beschlag belegen.

hoist [hɔɪst] **1.** n Winde f; **2.** vt hochziehen.

hold [həʊld] ⟨held, held⟩ **1.** vt halten; (keep) behalten; (contain) enthalten; (be able to contain) fassen; (keep back) zurückbehalten; (breath) anhalten; (meeting) abhalten; (position) bekleiden innehaben; **2.** vi (withstand pressure) halten; (be valid) gelten; **3.** n (grasp) Halt m; (claim) Anspruch m; (NAUT) Schiffsraum m; **hold back** vt zurückhalten; **hold down** vt niederhalten; (job) behalten; **hold out 1.** vt hinhalten, bieten; **2.** vi standhalten; **hold up** vt (delay) aufhalten; (rob) überfallen; **holdall** n Reisetasche f; **holder** n Behälter m; **holding** n (share) Aktienanteil m; **holdup** n (in

hole 100 **hostility**

traffic) Stockung *f;* *(robbery)* Überfall *m.*

hole [həʊl] **1.** *n* Loch *nt;* **2.** *vt* durchlöchern.

holiday [ˈhɒlɪdeɪ] *n (day)* Feiertag *m,* freier Tag; *(vacation)* Urlaub *m;* (SCH) Ferien *pl;* **holiday-maker** *n* Feriengast *m,* Urlauber(in) *m(f).*

holiness [ˈhəʊlɪnɪs] *n* Heiligkeit *f.*

Holland [ˈhɒlənd] *n* Holland *nt.*

hollow [ˈhɒləʊ] **1.** *adj* hohl; *(fig)* leer; **2.** *n* Vertiefung *f;* *(in rock)* Höhle *f;* **hollow out** *vt* aushöhlen.

holly [ˈhɒlɪ] *n* Stechpalme *f.*

hologram [ˈhɒləɡræm] *n* Hologramm *nt.*

holster [ˈhəʊlstə*] *n* Pistolenhalfter *m.*

holy [ˈhəʊlɪ] *adj* heilig; *(religious)* fromm.

homage [ˈhɒmɪdʒ] *n* Huldigung *f;* **to pay ~ to sb** jdm huldigen.

home [həʊm] **1.** *n* Heim *nt,* Zuhause *nt;* *(country area)* Heimat *f;* *(institution)* Heim *nt,* Anstalt *f;* **2.** *adj* einheimisch; (POL) innere(r, s); **3.** *adv* heim, nach Hause; **at ~** zu Hause; **homecoming** *n* Heimkehr *f;* **home computer** *n* Heimcomputer *m;* **homeless** *adj* obdachlos; **homelessness** *n* Obdachlosigkeit *f;* **homely** *adj* häuslich; *(US: ugly)* unscheinbar; **homemade** *adj* selbstgemacht; **home movie** *n* Amateurfilm *m;* **homesick** *adj:* **to be ~** Heimweh haben; **homewards** *adj* heimwärts; **homework** *n* Hausaufgaben *pl.*

homicide [ˈhɒmɪsaɪd] *n (US)* Totschlag *m;* **culpable ~** Mord *m.*

homoeopathy [həʊmɪˈɒpəθɪ] *n* Homöopathie *f.*

homogeneous [hɒməˈdʒiːnjəs] *adj* homogen, gleichartig.

homosexual [hɒməʊˈsekʃʊəl] **1.** *adj* homosexuell; **2.** *n* Homosexuelle(r) *mf.*

hone [həʊn] **1.** *n* Schleifstein *m;* **2.** *vt* feinschleifen.

honest [ˈɒnɪst] *adj* ehrlich; *(upright)* aufrichtig; **honestly** *adv* ehrlich; **honesty** *n* Ehrlichkeit *f.*

honey [ˈhʌnɪ] *n* Honig *m;* **honeycomb** *n* Honigwabe *f;* **honeydew melon** *n* Honigmelone *f;* **honeymoon** *n* Flitterwochen *pl,* Hochzeitsreise *f.*

honk [hɒŋk] *vi* hupen.

honor *vt (US) s.* **honour.**

honorary [ˈɒnərərɪ] *adj* Ehren-.

honour [ˈɒnə*] **1.** *vt* ehren; *(cheque)* einlösen; *(debts)* begleichen; *(contract)* einhalten; **2.** *n (respect)* Ehre *f;* *(reputation)* Ansehen *nt,* guter Ruf; *(sense of right)* Ehregefühl *nt;* **~s** *pl (titles)* Auszeichnungen *pl;* **honourable** *adj* ehrenwert, rechtschaffen; *(intention)* ehrenhaft.

hood [hʊd] *n* Kapuze *f;* (AUTO) Verdeck *nt;* *(US AUTO)* Kühlerhaube *f;* **hoodwink** *vt* reinlegen.

hoof [huːf] *n ⟨-s o* hooves⟩ Huf *m.*

hook [hʊk] **1.** *n* Haken *m;* **2.** *vt* einhaken; **hook-up** *n (fam)* Gemeinschaftssendung *f.*

hooligan [ˈhuːlɪɡən] *n* Rowdy *m.*

hoop [huːp] *n* Reifen *m.*

hoot [huːt] **1.** *vi* (AUTO) hupen; **2.** *n (shout)* Johlen *nt;* (AUTO) Hupen *nt;* **to ~ with laughter** schallend lachen; **hooter** *n* (NAUT) Dampfpfeife *f;* (AUTO) Autohupe *f.*

hop [hɒp] **1.** *vi* hüpfen, hopsen; **2.** *n (jump)* Hopser *m;* **3.** *n* (BOT) Hopfen *m.*

hope [həʊp] **1.** *vi* hoffen; **2.** *n* Hoffnung *f;* **I ~ that ...** hoffentlich ...; **hopeful** *adj* hoffnungsvoll; *(promising)* vielversprechend; **hopefully** *adv (full of hope)* hoffnungsvoll; *(I hope so)* hoffentlich; **hopeless** *adj* hoffnungslos; *(useless)* unmöglich.

horde [hɔːd] *n* Horde *f.*

horizon [həˈraɪzn] *n* Horizont *m;* **horizontal** [hɒrɪˈzɒntl] *adj* horizontal.

hormone [ˈhɔːməʊn] *n* Hormon *nt.*

horn [hɔːn] *n* Horn *nt;* (AUTO) Hupe *f;* **horned** *adj* gehörnt, Horn-.

hornet [ˈhɔːnɪt] *n* Hornisse *f.*

horny [ˈhɔːnɪ] *adj* schwielig; *(US)* scharf, geil.

horoscope [ˈhɒrəskəʊp] *n* Horoskop *nt.*

horrible *adj,* **horribly** *adv* [ˈhɒrɪbl, -blɪ] fürchterlich.

horrid *adj,* **horridly** *adv* [ˈhɒrɪd, -lɪ] abscheulich, scheußlich.

horrify [ˈhɒrɪfaɪ] *vt* entsetzen.

horror [ˈhɒrə*] *n* Schrecken *m;* *(great dislike)* Abscheu *m (of vor +dat).*

hors d'oeuvre [ɔːˈdɜːvr] *n* Vorspeise *f.*

horse [hɔːs] *n* Pferd *nt;* **on ~back** beritten; **horse chestnut** *n* Roßkastanie *f;* **horsedrawn** *adj* von Pferden gezogen, Pferde-; **horsepower** *n* Pferdestärke *f,* PS *m;* **horse-racing** *n* Pferderennen *pl;* **horseshoe** *n* Hufeisen *nt.*

horsy [ˈhɔːsɪ] *adj* pferdenärrisch.

horticulture [ˈhɔːtɪkʌltʃə*] *n* Gartenbau *m.*

hosepipe [ˈhəʊzpaɪp] *n* Schlauch *m.*

hosiery [ˈhəʊzɪərɪ] *n* Strumpfwaren *pl.*

hospice [ˈhɒspɪs] *n* Pflegeheim *nt.*

hospitable [hɒˈspɪtəbl] *adj* gastfreundlich.

hospital [ˈhɒspɪtl] *n* Krankenhaus *nt.*

hospitality [hɒspɪˈtælɪtɪ] *n* Gastlichkeit *f,* Gastfreundschaft *f.*

host [həʊst] *n* Gastgeber *m;* *(innkeeper)* Gastwirt *m;* *(large number)* Heerschar *f;* (REL) Hostie *f.*

hostage [ˈhɒstɪdʒ] *n* Geisel *f.*

hostel [ˈhɒstəl] *n* Herberge *f.*

hostess [ˈhəʊstɪs] *n* Gastgeberin *f;* *(in hotel etc)* Wirtin *f;* *(in night-club)* Hosteß *f.*

hostile [ˈhɒstaɪl] *adj* feindlich; **hostility** [hɒˈstɪlɪtɪ] *n* Feindschaft *f;* **hostilities** *pl*

Feindseligkeiten *pl*.

hot [hɒt] *adj* heiß; (*drink, food, water*) warm; (*spiced*) scharf; (*angry*) hitzig; ~ **news** das Neueste vom Neuen; **hotbed** *n* Mistbeet *nt*; (*fig*) Nährboden *m*; **hot-blooded** *adj* heißblütig; **hot dog** *n* Hot dog *m o nt*.

hotel [həʊˈtel] *n* Hotel *nt*.

hotheaded [ˈhɒtˈhedɪd] *adj* hitzig, aufbrausend; **hothouse** [ˈhɒthaʊs] *n* Treibhaus *nt*; **hotline** *n* Hotline *f*; (POL) heißer Draht; **hotly** *adv* (*argue*) hitzig; (*pursue*) dicht; **hotplate** *n* Kochplatte *f*; **hot-water bottle** [hɒtˈwɔːtəbɒtl] *n* Wärmflasche *f*.

hound [haʊnd] **1.** *n* Jagdhund *m*; **2.** *vt* jagen, hetzen.

hour [ˈaʊə*] *n* Stunde *f*; (*time of day*) Tageszeit *f*; **hourly** *adj* stündlich.

house [haʊs] **1.** *n* Haus *nt*; **2.** [haʊz] *vt* (*accommodate*) unterbringen; (*shelter*) aufnehmen; **houseboat** *n* Hausboot *nt*; **housebreaking** *n* Einbruch *m*; **household** *n* Haushalt *m*; **house-husband** *n* Hausmann *m*; **housekeeper** *n* Haushälter(in) *m(f)*; **housekeeping** *n* Haushaltung *f*; **housewife** *n* ⟨*housewives*⟩ Hausfrau *f*; **housework** *n* Hausarbeit *f*.

housing [ˈhaʊzɪŋ] *n* (*act*) Unterbringung *f*; (*houses*) Wohnungen *pl*; (POL) Wohnungsbau *m*; (*covering*) Gehäuse *nt*; **housing benefit** *n* Wohnbeihilfe *f*, Wohngeld *nt*; **housing development** (US), **housing estate** (Brit) *n* Wohnsiedlung *f*.

hovel [ˈhɒvəl] *n* elende Hütte; Loch *nt*.

hover [ˈhɒvə*] *vi* (*bird*) schweben; (*person*) wartend herumstehen; **hovercraft** *n* Luftkissenfahrzeug *nt*.

how [haʊ] *adv* wie; ~ **many** wie viele; ~ **much** wieviel; **however** [haʊˈevə*] *adv* (*but*) jedoch, aber; ~ **you phrase it** wie Sie es auch ausdrücken.

howl [haʊl] *vi* heulen.

howler [ˈhaʊlə*] *n* (*fam*) grober Schnitzer.

hp 1. *n* (Brit) *abbr of* **hire purchase** Ratenkauf *m*; **2.** *n abbr of* **horse power** Pferdestärke *f*, PS.

hub [hʌb] *n* Radnabe *f*; (*of the world*) Mittelpunkt *m*; (*of commerce*) Zentrum *nt*.

hubbub [ˈhʌbʌb] *n* Tumult *m*.

hubcap [ˈhʌbkæp] *n* Radkappe *f*.

huddle [ˈhʌdl] **1.** *vi* sich zusammendrängen; **2.** *n* Grüppchen *nt*.

hue [hjuː] *n* Färbung *f*, Farbton *m*; ~ **and cry** Zetergeschrei *nt*.

huff [hʌf] *n* Eingeschnapptsein *nt*; **to go into a** ~ beleidigt sein.

hug [hʌg] **1.** *vt* umarmen; (*fig*) sich dicht halten an +*akk*; **2.** *n* Umarmung *f*.

huge [hjuːdʒ] *adj* groß, riesig.

hulk [hʌlk] *n* (*ship*) abgetakeltes Schiff; (*person*) Koloß *m*; **hulking** *adj* ungeschlacht.

hull [hʌl] *n* Schiffsrumpf *m*.

hullo [hʌˈləʊ] *interj* hallo.

hum [hʌm] **1.** *vi* summen; (*bumblebee*) brummen; **2.** *vt* summen; **3.** *n* Summen *nt*.

human [ˈhjuːmən] **1.** *adj* menschlich; ~ **rights** Menschenrechte *pl*; **2.** *n* (*also:* ~ **being**) Mensch *m*.

humane [hjuːˈmeɪn] *adj* human.

humanitarian [hjuːˌmænɪˈtɛərɪən] *adj* humanitär.

humanity [hjuːˈmænɪtɪ] *n* Menschheit *f*; (*kindliness*) Menschlichkeit *f*.

humble [ˈhʌmbl] **1.** *adj* demütig; (*modest*) bescheiden; **2.** *vt* demütigen; **humbly** *adv* demütig.

humdrum [ˈhʌmdrʌm] *adj* eintönig, langweilig.

humid [ˈhjuːmɪd] *adj* feucht; **humidity** [hjuːˈmɪdɪtɪ] *n* [Luft]feuchtigkeit *f*.

humiliate [hjuːˈmɪleɪt] *vt* demütigen; **humiliation** [hjuːmɪlɪˈeɪʃən] *n* Demütigung *f*.

humility [hjuːˈmɪlɪtɪ] *n* Demut *f*.

humor (US) *s.* **humour**.

humorist [ˈhjuːmərɪst] *n* Humorist(in) *m(f)*.

humorous [ˈhjuːmərəs] *adj* humorvoll, komisch.

humour [ˈhjuːmə*] **1.** *n* (*fun*) Humor *m*; (*mood*) Stimmung *f*; **2.** *vt* nachgeben +*dat*, bei Stimmung halten.

hump [hʌmp] *n* Buckel *m*.

hunch [hʌntʃ] **1.** *n* (*presentiment*) Vorahnung *f*; **2.** *vt* (*shoulders*) hochziehen; **hunchback** *n* Bucklige(r) *mf*.

hundred [ˈhʌndrəd] *num* (*also:* **one** ~, **a** ~) einhundert; **hundredweight** *n* Zentner *m* (*50,8 kg*).

hung [hʌŋ] *pt, pp of* **hang**.

Hungarian [hʌŋˈgɛərɪən] **1.** *adj* ungarisch; **2.** *n* Ungar(in) *m(f)*; **Hungary** [ˈhʌŋgərɪ] *n* Ungarn *nt*.

hunger [ˈhʌŋgə*] **1.** *n* Hunger *m*; (*fig*) Verlangen *nt* (*for* nach); **2.** *vi* hungern; **hungrily** *adv* [ˈhʌŋgrɪlɪ] hungrig; **hungry** *adj* [ˈhʌŋgrɪ] hungrig; **to be** ~ Hunger haben.

hunt [hʌnt] **1.** *vt* jagen; (*search*) suchen (*for* akk); **2.** *vi* jagen; **3.** *n* Jagd *f*; **hunter** *n* Jäger *m*; **hunting** *n* Jagen *nt*, Jagd *f*; **huntress** [ˈhʌntrɪs] *n* Jägerin *f*.

hurdle [ˈhɜːdl] *n* (*a. fig*) Hürde *f*.

hurl [hɜːl] *vt* schleudern.

hurrah [hʊˈrɑː], **hurray** [hʊˈreɪ] *interj* hurra.

hurricane [ˈhʌrɪkən] *n* Orkan *m*.

hurried [ˈhʌrɪd] *adj* eilig; (*hasty*) übereilt; **hurriedly** *adv* übereilt, hastig.

hurry [ˈhʌrɪ] **1.** *n* Eile *f*; **2.** *vi* sich beeilen; **3.**

vt (*job*) übereilen; **to be in a ~** es eilig haben; **~!** mach schnell!

hurt [hɜːt] ⟨hurt, hurt⟩ **1.** *vt* weh tun +*dat*; (*injure, fig*) verletzen; **2.** *vi* weh tun; **hurtful** *adj* schädlich; (*remark*) verletzend.

husband [ˈhʌzbənd] *n* Ehemann *m*, Gatte *m*.

hush [hʌʃ] **1.** *n* Stille *f*; **2.** *vt* zur Ruhe bringen; **3.** *vi* still sein; **4.** *interj* pst, still.

husk [hʌsk] *n* Spelze *f*.

husky [ˈhʌskɪ] **1.** *adj* (*voice*) rauh; (*figure*) stämmig; **2.** *n* Schlittenhund *m*.

hustle [ˈhʌsl] **1.** *vt* (*push*) stoßen; (*hurry*) antreiben, drängen; **2.** *n* Hochbetrieb *m*; **~ and bustle** Geschäftigkeit *f*.

hut [hʌt] *n* Hütte *f*.

hutch [hʌtʃ] *n* Kaninchenstall *m*.

hyacinth [ˈhaɪəsɪnθ] *n* Hyazinthe *f*.

hybrid [ˈhaɪbrɪd] **1.** *n* Kreuzung *f*; **2.** *adj* Misch-.

hydrant [ˈhaɪdrənt] *n* Hydrant *m*.

hydraulic [haɪˈdrɔːlɪk] *adj* hydraulisch.

hydroelectric [ˌhaɪdrəʊɪˈlektrɪk] *adj* hydroelektrisch; **~ power station** Wasserkraftwerk *nt*.

hydrofoil [ˈhaɪdrəʊfɔɪl] *n* Tragfläche *f*; (*ship*) Tragflächenboot *nt*.

hydrogen [ˈhaɪdrədʒən] *n* Wasserstoff *m*.

hydroponics [haɪdrəˈpɒnɪks] *n sing* Hydrokultur *f*.

hyena [haɪˈiːnə] *n* Hyäne *f*.

hygiene [ˈhaɪdʒiːn] *n* Hygiene *f*; **hygienic** [haɪˈdʒiːnɪk] *adj* hygienisch.

hymn [hɪm] *n* Kirchenlied *nt*.

hype [haɪp] **1.** *n* (*fam*) Publicity *f*; **2.** *vt* Publicity machen für.

hypermarket [ˈhaɪpəmɑːkɪt] *n* Großmarkt *m*.

hyphen [ˈhaɪfən] *n* Bindestrich *m*; (*at end of line*) Trennungsstrich *m*.

hypnosis [hɪpˈnəʊsɪs] *n* Hypnose *f*; **hypnotism** [ˈhɪpnətɪzəm] *n* Hypnotismus *m*; **hypnotist** [ˈhɪpnətɪst] *n* Hypnotiseur(in) *m(f)*; **hypnotize** [ˈhɪpnətaɪz] *vt* hypnotisieren.

hypochondriac [haɪpəʊˈkɒndrɪæk] *n* eingebildeter Kranker, eingebildete Kranke.

hypocrisy [hɪˈpɒkrɪsɪ] *n* Heuchelei *f*, Scheinheiligkeit *f*; **hypocrite** [ˈhɪpəkrɪt] *n* Heuchler(in) *m(f)*, Scheinheilige(r) *mf*; **hypocritical** [hɪpəˈkrɪtɪkəl] *adj* scheinheilig, heuchlerisch.

hypothesis [haɪˈpɒθɪsɪs] *n* Hypothese *f*; **hypothetical** [haɪpəʊˈθetɪkəl] *adj* hypothetisch.

hysteria [hɪˈstɪərɪə] *n* Hysterie *f*; **hysterical** [hɪˈsterɪkəl] *adj* hysterisch; **hysterics** [hɪˈsterɪks] *n pl* hysterischer Anfall; **to go into ~** hysterisch werden; (*laugh*) sich totlachen.

I

I, i [aɪ] *n* I *nt*, i *nt*.

I [aɪ] *pron* ich.

ice [aɪs] **1.** *n* Eis *nt*; **2.** *vt* (*GASTR*) mit Zuckerguß überziehen; **3.** *vi* (*also:* **~ up**) vereisen; **ice-axe** *n* Eispickel *m*; **iceberg** *n* Eisberg *m*; **icebox** *n* (*US*) Kühlschrank *m*; **ice-cold** *adj* eiskalt; **ice-cream** *n* Eis *nt*; **ice-cube** *n* Eiswürfel *m*; **ice hockey** *n* Eishockey *nt*.

Iceland [ˈaɪslənd] *n* Island *nt*; **Icelander** *n* Isländer(in) *m(f)*; **Icelandic** [aɪsˈlændɪk] *adj* isländisch.

ice lolly [ˈaɪslɒlɪ] *n* Eis *nt* am Stiel; **ice rink** *n* Kunsteisbahn *f*.

icicle [ˈaɪsɪkl] *n* Eiszapfen *m*.

icing [ˈaɪsɪŋ] *n* (*on cake*) Zuckerguß *m*.

icon [ˈaɪkɒn] *n* Ikone *f*; (*COMPUT*) Icon *nt*, Piktogramm *nt*.

icy [ˈaɪsɪ] *adj* (*slippery*) vereist; (*cold*) eisig.

I'd [aɪd] = **I would; I had**.

ID *n abbr of* **identification** Ausweis *m*.

idea [aɪˈdɪə] *n* Idee *f*; **no ~** keine Ahnung; **my ~ of a holiday** wie ich mir einen Urlaub vorstelle.

ideal [aɪˈdɪəl] **1.** *n* Ideal *nt*; **2.** *adj* ideal; **idealism** *n* Idealismus *m*; **idealist** *n* Idealist(in) *m(f)*; **idealize** *vt* idealisieren; **ideally** *adv* idealerweise.

identical [aɪˈdentɪkəl] *adj* identisch; (*twins*) eineiig.

identification [aɪdentɪfɪˈkeɪʃən] *n* Identifizierung *f*; **identify** [aɪˈdentɪfaɪ] *vt* identifizieren; (*regard as the same*) gleichsetzen.

identikit picture [aɪˈdentɪkɪtˈpɪktʃə*] *n* (*Brit*) Phantombild *nt*.

identity [aɪˈdentɪtɪ] *n* Identität *f*; **identity card** *n* Personalausweis *m*; **identity papers** *n pl* Ausweispapiere *pl*.

ideology [aɪdɪˈɒlədʒɪ] *n* Ideologie *f*.

idiocy [ˈɪdɪəsɪ] *n* Idiotie *f*.

idiom [ˈɪdɪəm] *n* (*expression*) Redewendung *f*; (*dialect*) Idiom *nt*.

idiosyncrasy [ɪdɪəˈsɪŋkrəsɪ] *n* Eigenart *f*; **idiosyncratic** [ɪdɪəsɪˈkrætɪk] *adj* eigenartig.

idiot [ˈɪdɪət] *n* Idiot(in) *m(f)*; **idiotic** [ɪdɪˈɒtɪk] *adj* idiotisch.

idle [ˈaɪdl] **1.** *adj* (*doing nothing*) untätig, müßig; (*lazy*) faul; (*useless*) vergeblich, nutzlos; (*machine*) stillstehend; (*threat, talk*) leer; **2.** *vi* faulenzen, nichts tun; **idleness** *n* Müßiggang *m*; Faulheit *f*; **idler** *n* Faulenzer(in) *m(f)*.

idol [ˈaɪdl] *n* Idol *nt*; **idolize** [ˈaɪdəlaɪz] *vt* vergöttern.

idyllic [ɪˈdɪlɪk] *adj* idyllisch.

i.e. *abbr of* **that means** d.h.

if [ɪf] *conj* wenn, falls; (*whether*) ob; ~ **only** ... wenn ... dann nur; ~ **not** falls nicht.

igloo ['ɪgluː] *n* Iglu *m o nt.*

ignite [ɪg'naɪt] *vt* anzünden.

ignition [ɪg'nɪʃən] *n* Zündung *f*; **ignition key** *n* (AUTO) Zündschlüssel *m.*

ignominious [ɪgnə'mɪnɪəs] *adj* entwürdigend, schmählich.

ignoramus [ɪgnə'reɪməs] *n* Ignorant(in) *m(f).*

ignorance ['ɪgnərəns] *n* Unwissenheit *f*, Ignoranz *f*; **ignorant** *adj* unwissend.

ignore [ɪg'nɔː*] *vt* ignorieren.

ikon ['aɪkɒn] *n* Ikone *f.*

ilk [ɪlk] *n*: **of that** ~ von dieser Sorte.

I'll [aɪl] = **I will; I shall.**

ill [ɪl] **1.** *adj* krank; (*evil*) schlecht, böse; **2.** *n* Übel *nt*; (*needs*) schlecht beraten, unklug; **ill-at-ease** *adj* unbehaglich.

illegal [ɪ'liːgəl] *adj* illegal.

illegality [ɪliː'gælɪtɪ] *n* Illegalität *f.*

illegible [ɪ'ledʒəbl] *adj* unleserlich.

illegitimate [ɪlɪ'dʒɪtɪmət] *adj* unzulässig; (*child*) unehelich.

ill-fated [ɪl'feɪtɪd] *adj* unselig.

ill-feeling [ɪl'fiːlɪŋ] *n* Verstimmung *f.*

illicit [ɪ'lɪsɪt] *adj* verboten.

illiterate [ɪ'lɪtərət] *adj* ungebildet.

ill-judged [ɪl'dʒʌdʒd] *adj* unklug; **ill-mannered** *adj* ungehobelt.

illness ['ɪlnəs] *n* Krankheit *f.*

illogical [ɪ'lɒdʒɪkəl] *adj* unlogisch.

ill-treat [ɪl'triːt] *vt* mißhandeln.

illuminate [ɪ'luːmɪneɪt] *vt* beleuchten; (*fig*) erläutern; **illumination** [ɪluːmɪ'neɪʃən] *n* Beleuchtung *f.*

illusion [ɪ'luːʒən] *n* Illusion *f.*

illusive, illusory [ɪ'luːsɪv, ɪ'luːsərɪ] *adj* illusorisch, trügerisch.

illustrate ['ɪləstreɪt] *vt* (*book*) illustrieren; (*explain*) veranschaulichen; **illustration** [ɪlə'streɪʃən] *n* Illustration *f*; (*explanation*) Veranschaulichung *f.*

illustrious [ɪ'lʌstrɪəs] *adj* berühmt.

ill will ['ɪl'wɪl] *n* Groll *m.*

I'm [aɪm] = **I am.**

image ['ɪmɪdʒ] *n* Bild *nt*; (*likeness*) Abbild *nt*; (*public* ~) Image *nt*; **imagery** *n* Symbolik *f.*

imaginable [ɪ'mædʒɪnəbl] *adj* vorstellbar.

imaginary [ɪ'mædʒɪnərɪ] *adj* eingebildet; (*world*) Phantasie-.

imagination [ɪmædʒɪ'neɪʃən] *n* Einbildung *f*; (*creative*) Phantasie *f.*

imaginative [ɪ'mædʒɪnətɪv] *adj* phantasiereich, einfallsreich.

imagine [ɪ'mædʒɪn] *vt* sich *dat* vorstellen; (*wrongly*) sich *dat* einbilden.

imbalance [ɪm'bæləns] *n* Unausgeglichen-

heit *f.*

imbecile ['ɪmbəsiːl] *n* Schwachsinnige(r) *mf.*

imitate ['ɪmɪteɪt] *vt* nachmachen, imitieren; **imitation** [ɪmɪ'teɪʃən] *n* Nachahmung *f*, Imitation *f*; **imitator** ['ɪmɪteɪtə*] *n* Nachahmer(in) *m(f).*

immaculate [ɪ'mækjʊlɪt] *adj* makellos; (*dress*) tadellos; (REL) unbefleckt.

immaterial [ɪmə'tɪərɪəl] *adj* unwesentlich.

immature [ɪmə'tjʊə*] *adj* unreif; **immaturity** [ɪmə'tjʊərɪtɪ] *n* Unreife *f.*

immeasurable [ɪ'meʒərəbl] *adj* unermeßlich.

immediate [ɪ'miːdɪət] *adj* (*instant*) sofortig; (*near*) unmittelbar; (*relatives*) nächste(r, s); (*needs*) sofort; **immediately** *adv* sofort; (*in position*) unmittelbar.

immense [ɪ'mens] *adj* unermeßlich; **immensely** *adv* ungeheuerlich; (*grateful*) unheimlich.

immerse [ɪ'mɜːs] *vt* eintauchen.

immersion heater [ɪ'mɜːʃənhiːtə*] *n* Heißwassergerät *nt.*

immigrant ['ɪmɪgrənt] *n* Einwanderer *m*, Einwanderin *f*; **immigration** [ɪmɪ'greɪʃən] *n* Einwanderung *f.*

imminent ['ɪmɪnənt] *adj* bevorstehend; (*danger*) drohend.

immobilize [ɪ'məʊbɪlaɪz] *vt* lähmen.

immoderate [ɪ'mɒdərət] *adj* maßlos, übertrieben.

immoral [ɪ'mɒrəl] *adj* unmoralisch; (*sexually*) unsittlich; **immorality** [ɪmə'rælɪtɪ] *n* Sittenlosigkeit *f.*

immortal [ɪ'mɔːtl] **1.** *adj* unsterblich; **2.** *n* Unsterbliche(r) *mf*; **immortality** [ɪmɔː'tælɪtɪ] *n* Unsterblichkeit *f*; (*of book etc*) Unvergänglichkeit *f*; **immortalize** *vt* unsterblich machen.

immune [ɪ'mjuːn] *adj* (*secure*) geschützt (*from gegen*), sicher (*from vor* +*dat*); (MED) immun; **immune deficiency syndrome** *n* Immunschwächekrankheit *f*; **immune system** *n* Immunsystem *nt.*

immunity [ɪ'mjuːnɪtɪ] *n* (MED, JUR) Immunität *f.*

immunization [ɪmjʊnaɪ'zeɪʃən] *n* Immunisierung *f*; **immunize** ['ɪmjʊnaɪz] *vt* immunisieren.

immunodeficiency [ɪmjuː'nəʊdɪ'fɪʃənsɪ] *n* Immunschwäche *f.*

impact ['ɪmpækt] *n* Aufprall *m*; (*force*) Wucht *f*; (*fig*) Wirkung *f.*

impact adhesive [ɪm'pæktəd'hiːsɪv] *n* Kontaktkleber *m.*

impair [ɪm'peə*] *vt* beeinträchtigen.

impale [ɪm'peɪl] *vt* aufspießen.

impartial [ɪm'pɑːʃəl] *adj* unparteiisch; **impartiality** [ɪmpɑːʃɪ'ælɪtɪ] *n* Unparteilichkeit f.

impassable [ɪmˈpɑːsəbl] adj unpassierbar.

impassioned [ɪmˈpæʃnd] adj leidenschaftlich.

impatience [ɪmˈpeɪʃəns] n Ungeduld f; **impatient** adj ungeduldig; **to be ~ to do sth** es nicht erwarten können, etw zu tun; **impatiently** adv ungeduldig.

impeach [ɪmˈpiːtʃ] vt (JUR) [eines Amtsvergehens] anklagen; (challenge) anzweifeln.

impeccable [ɪmˈpekəbl] adj tadellos.

impede [ɪmˈpiːd] vt behindern.

impediment [ɪmˈpedɪmənt] n Hindernis nt; (in speech) Sprachfehler m.

impending [ɪmˈpendɪŋ] adj bevorstehend.

impenetrable [ɪmˈpenɪtrəbl] adj undurchdringlich; (forest) unwegsam; (theory) undurchsichtig; (mystery) unerforschlich.

imperative [ɪmˈperətɪv] 1. adj (necessary) unbedingt erforderlich; 2. n (LING) Imperativ m, Befehlsform f.

imperceptible [ɪmpəˈseptəbl] adj nicht wahrnehmbar.

imperfect [ɪmˈpɜːfɪkt] adj (faulty) fehlerhaft; (incomplete) unvollständig; **imperfection** [ɪmpəˈfekʃən] n Unvollkommenheit f; (fault) Fehler m; (faultiness) Fehlerhaftigkeit f.

imperial [ɪmˈpɪərɪəl] adj kaiserlich; **imperialism** n Imperialismus m.

imperil [ɪmˈperɪl] vt gefährden.

impersonal [ɪmˈpɜːsnl] adj unpersönlich.

impersonate [ɪmˈpɜːsəneɪt] vt sich ausgeben als; (for amusement) imitieren; **impersonation** [ɪmpɜːsəˈneɪʃən] n Verkörperung f; (THEAT) Imitation f.

impertinence [ɪmˈpɜːtɪnəns] n Unverschämtheit f; **impertinent** adj unverschämt, frech.

imperturbable [ɪmpəˈtɜːbəbl] adj unerschütterlich, gelassen.

impervious [ɪmˈpɜːvɪəs] adj undurchlässig; (fig) unempfänglich (to für).

impetuous [ɪmˈpetjʊəs] adj heftig, ungestüm.

impetus [ˈɪmpɪtəs] n Triebkraft f; (fig) Impuls m.

impinge on [ɪmˈpɪndʒ ɒn] vt beeinträchtigen; (light) fallen auf +akk.

implacable [ɪmˈplækəbl] adj unerbittlich.

implant [ɪmˈplɑːnt] 1. vt (MED) implantieren; (fig) einimpfen; 2. [ˈɪmplɑːnt] n (MED) Implantat nt.

implausible [ɪmˈplɔːzəbl] adj unglaubwürdig, nicht überzeugend.

implement [ˈɪmplɪmənt] 1. n Werkzeug nt, Gerät nt; 2. [ˈɪmplɪment] vt ausführen.

implicate [ˈɪmplɪkeɪt] vt verwickeln, hineinziehen; **implication** [ɪmplɪˈkeɪʃən] n (meaning) Bedeutung f; (effect) Auswir-

kung f; (hint) Andeutung f; (in crime) Verwicklung f; **by ~** implizit.

implicit [ɪmˈplɪsɪt] adj (suggested) unausgesprochen; (utter) vorbehaltlos.

implore [ɪmˈplɔː*] vt anflehen.

imply [ɪmˈplaɪ] vt (hint) andeuten; (be evidence for) schließen lassen auf +akk; **what does that ~?** was bedeutet das?

impolite [ɪmpəˈlaɪt] adj unhöflich.

imponderable [ɪmˈpɒndərəbl] adj unwägbar.

import [ɪmˈpɔːt] 1. vt einführen, importieren; 2. [ˈɪmpɔːt] n Einfuhr f, Import m; (meaning) Bedeutung f, Tragweite f.

importance [ɪmˈpɔːtəns] n Bedeutung f; (influence) Einfluß m; **important** adj wichtig; (influential) bedeutend, einflußreich.

import duty [ˈɪmpɔːtˌdjuːtɪ] n Einfuhrzoll m.

importer [ɪmˈpɔːtə*] n Importeur(in) m(f).

import licence [ˈɪmpɔːtˌlaɪsəns] n Einfuhrgenehmigung f.

impose [ɪmˈpəʊz] vt, vi auferlegen (on dat); (penalty, sanctions) verhängen (on gegen); **to ~ oneself on sb** sich jdm aufdrängen; **to ~ on sb's kindness** jds Liebenswürdigkeit ausnützen.

imposing [ɪmˈpəʊzɪŋ] adj eindrucksvoll.

imposition [ɪmpəˈzɪʃən] n (of burden, fine) Auferlegung f; (SCH) Strafarbeit f.

impossibility [ɪmpɒsəˈbɪlɪtɪ] n Unmöglichkeit f; **impossible** adj, **impossibly** adv [ɪmˈpɒsəbl, -blɪ] unmöglich.

impostor [ɪmˈpɒstə*] n Betrüger(in) m(f), Hochstapler(in) m(f).

impotence [ˈɪmpətəns] n Impotenz f; **impotent** adj machtlos; (sexually) impotent.

impound [ɪmˈpaʊnd] vt beschlagnahmen.

impoverished [ɪmˈpɒvərɪʃt] adj verarmt.

impracticable [ɪmˈpræktɪkəbl] adj undurchführbar.

impractical [ɪmˈpræktɪkəl] adj unpraktisch.

imprecise [ɪmprɪˈsaɪs] adj ungenau.

impregnate [ˈɪmpregneɪt] vt (saturate) sättigen; (fertilize) befruchten; (fig) durchdringen.

impresario [ɪmpreˈsɑːrɪəʊ] n ⟨-s⟩ Impresario m.

impress [ɪmˈpres] vt (influence) beeindrucken; (imprint) aufdrücken; **to ~ sth on sb** jdm etw einschärfen; **impression** [ɪmˈpreʃən] n Eindruck m; (on wax, footprint) Abdruck m; (of stamp) Aufdruck m; (of book) Auflage f; (take-off) Nachahmung f; **I was under the ~** ich hatte den Eindruck; **impressionable** adj leicht zu beeindrucken; **impressionist** n Impressionist(in) m(f); **impressive** adj eindrucksvoll.

imprison [ɪmˈprɪzn] vt ins Gefängnis schicken; **imprisonment** n Inhaftierung f, Gefangenschaft f; **3 years' ~** eine Gefängnisstrafe von 3 Jahren.

improbable [ɪmˈprɔbəbl] adj unwahrscheinlich.

impromptu [ɪmˈprɔmptjuː] adj, adv aus dem Stegreif, improvisiert.

improper [ɪmˈprɔpə*] adj (indecent) unanständig; (wrong) unrichtig, falsch; (unsuitable) unpassend.

improve [ɪmˈpruːv] **1.** vt verbessern; **2.** vi besser werden; **improvement** n Verbesserung f; (of appearance) Verschönerung f.

improvisation [ɪmprəvaɪˈzeɪʃən] n Improvisation f; **improvise** [ˈɪmprəvaɪz] vt, vi improvisieren.

imprudence [ɪmˈpruːdəns] n Unklugheit f; **imprudent** adj unklug.

impudent [ˈɪmpjʊdənt] adj unverschämt.

impulse [ˈɪmpʌls] n (desire) Drang m; (driving force) Antrieb m, Impuls m; **my first ~ was to ...** ich wollte zuerst ...; **impulsive** [ɪmˈpʌlsɪv] adj impulsiv.

impure [ɪmˈpjʊə*] adj (dirty) unrein; (mixed) gemischt; (bad) schmutzig, unanständig; **impurity** [ɪmˈpjʊərɪtɪ] n Unreinheit f; (TECH) Verunreinigung f.

in [ɪn] **1.** prep in; (made of) aus; **2.** adv hinein; **~ Dickens/a child** bei Dickens/einem Kind; **~ him you'll have ...** an ihm hast du ...; **~ doing this he has ...** dadurch, daß er das tat, hat er ...; **~ saying that I mean ...** wenn ich das sage, meine ich ...; **I haven't seen him ~ years** ich habe ihn seit Jahren nicht mehr gesehen; **15 pence ~ the £** 15 Pence per Pfund; **blind ~ the left eye** auf dem linken Auge [o links] blind; **~ itself** an sich; **~ that** (as far as) insofern als; **to be ~** zu Hause sein; (train) da sein; (~ fashion) in Mode sein; **to have it ~ for sb** es auf jdn abgesehen haben; **~s and outs** pl Einzelheiten pl; **to know the ~s and outs** sich auskennen.

inability [ɪnəˈbɪlɪtɪ] n Unfähigkeit f.

inaccessible [ɪnækˈsesəbl] adj (a. fig) unzugänglich.

inaccuracy [ɪnˈækjʊrəsɪ] n Ungenauigkeit f; **inaccurate** [ɪnˈækjʊrɪt] adj ungenau; (wrong) unrichtig.

inaction [ɪnˈækʃən] n Untätigkeit f.

inactive [ɪnˈæktɪv] adj untätig.

inactivity [ɪnækˈtɪvɪtɪ] n Untätigkeit f.

inadequacy [ɪnˈædɪkwəsɪ] n Unzulänglichkeit f; (of punishment) Unangemessenheit f; **inadequate** [ɪnˈædɪkwət] adj unzulänglich; (punishment) unangemessen.

inadvertently [ɪnədˈvɜːtəntlɪ] adv unabsichtlich.

inadvisable [ɪnədˈvaɪzəbl] adj nicht ratsam.

inane [ɪˈneɪn] adj dumm, albern.

inanimate [ɪnˈænɪmət] adj leblos.

inapplicable [ɪnəˈplɪkəbl] adj unzutreffend.

inappropriate [ɪnəˈprəʊprɪət] adj (clothing) ungeeignet; (remark) unangebracht.

inapt [ɪnˈæpt] adj unpassend; (clumsy) ungeschickt; **inaptitude** n Untauglichkeit f.

inarticulate [ɪnɑːˈtɪkjʊlət] adj unklar; **to be ~** sich nicht ausdrücken können.

inasmuch as [ɪnəzˈmʌtʃəz] adv da, weil; (in so far as) soweit.

inattention [ɪnəˈtenʃən] n Unaufmerksamkeit f; **inattentive** [ɪnəˈtentɪv] adj unaufmerksam.

inaudible [ɪnˈɔːdəbl] adj unhörbar.

inaugural [ɪˈnɔːgjʊrəl] adj Eröffnungs-; (SCH) Antritts-.

inaugurate [ɪˈnɔːgjʊreɪt] vt (open) einweihen; (admit to office) feierlich einführen; **inauguration** [ɪnɔːgjʊˈreɪʃən] n Eröffnung f; feierliche Amtseinführung f.

inborn [ˈɪnˈbɔːn] adj angeboren.

inbred [ˈɪnˈbred] adj (quality) angeboren; **they are ~** bei ihnen herrscht Inzucht.

inbreeding [ˈɪnˈbriːdɪŋ] n Inzucht f.

incalculable [ɪnˈkælkjʊləbl] adj (person) unberechenbar; (consequences) unabsehbar.

incapable [ɪnˈkeɪpəbl] adj unfähig (of doing sth etw zu tun); (not able) nicht einsatzfähig.

incapacitate [ɪnkəˈpæsɪteɪt] vt untauglich machen; **incapacitated** adj behindert; (machine) nicht gebrauchsfähig.

incarnate [ɪnˈkɑːnɪt] adj (REL) menschgeworden; (fig) leibhaftig; **incarnation** [ɪnkɑːˈneɪʃən] n (REL) Menschwerdung f; (fig) Inbegriff m.

incendiary [ɪnˈsendɪərɪ] **1.** adj Brand-; (fig) aufrührerisch; **2.** n Brandstifter(in) m(f); (bomb) Brandbombe f.

incense [ˈɪnsens] **1.** n Weihrauch m; **2.** [ɪnˈsens] vt erzürnen.

incentive [ɪnˈsentɪv] n Anreiz m.

incessant adj, **incessantly** adv [ɪnˈsesnt, -lɪ] unaufhörlich.

incest [ˈɪnsest] n Inzest m.

inch [ɪntʃ] n Zoll m (2,54 cm).

incidence [ˈɪnsɪdəns] n Auftreten nt; (of crime) Quote f.

incident [ˈɪnsɪdənt] n Vorfall m; (disturbance) Zwischenfall m.

incidental [ɪnsɪˈdentl] adj (music) Begleit-; (expenses) Neben-; (unplanned) zufällig; (unimportant) nebensächlich; (remark) beiläufig; **~ to sth** mit etw verbunden; **incidentally** [ɪnsɪˈdentlɪ] adv (by chance) nebenbei; (by the way) nebenbei bemerkt, übrigens.

incinerate [ɪnˈsɪnəreɪt] *vt* verbrennen; **incineration** *n* Verbrennung *f*; **incinerator** *n* Verbrennungsofen *m*.

incision [ɪnˈsɪʒən] *n* Schnitt *m*; (MED) Einschnitt *m*.

incisive [ɪnˈsaɪsɪv] *adj* (*style*) treffend; (*person*) scharfsinnig.

incite [ɪnˈsaɪt] *vt* anstacheln.

inclement [ɪnˈklemənt] *adj* (*weather*) rauh.

inclination [ɪnklɪˈneɪʃən] *n* Neigung *f*.

incline [ˈɪnklaɪn] **1.** *n* Abhang *m*; **2.** [ɪnˈklaɪn] *vt* neigen; (*fig*) veranlassen; **3.** *vi* sich neigen; **to be ~ to do sth** Lust haben, etw zu tun; (*have tendency*) dazu neigen, etw zu tun.

include [ɪnˈkluːd] *vt* einschließen; (*on list, in group*) aufnehmen; **including** *prep*: ~ X X inbegriffen; **inclusion** [ɪnˈkluːʒən] *n* Aufnahme *f*, Einbeziehung *f*; **inclusive** [ɪnˈkluːsɪv] *adj* einschließlich; (COMM) inklusive.

incognito [ɪnkɒgˈniːtəʊ] *adv* inkognito.

incoherent [ɪnkəʊˈhɪərənt] *adj* zusammenhanglos.

income [ˈɪnkʌm] *n* Einkommen *nt*; (*from business*) Einkünfte *pl*; **income tax** *n* Lohnsteuer *f*; (*of self-employed*) Einkommensteuer *f*.

incoming [ˈɪnkʌmɪŋ] *adj* ankommend; (*succeeding*) folgend; (*mail*) eingehend; (*tide*) steigend.

incomparable [ɪnˈkɒmpərəbl] *adj* unvergleichlich.

incompatible [ɪnkəmˈpætəbl] *adj* unvereinbar; (*people*) unverträglich.

incompetence [ɪnˈkɒmpɪtəns] *n* Unfähigkeit *f*; **incompetent** *adj* unfähig; (*not qualified*) nicht bekechnigt.

incomplete [ɪnkəmˈpliːt] *adj* unvollständig.

incomprehensible [ɪnkɒmprɪˈhensəbl] *adj* unverständlich.

inconceivable [ɪnkənˈsiːvəbl] *adj* unvorstellbar.

inconclusive [ɪnkənˈkluːsɪv] *adj* nicht schlüssig.

incongruity [ɪnkɒŋˈgruːɪtɪ] *n* Unvereinbarkeit *f*; (*of remark etc*) Unangebrachtsein *nt*; **incongruous** [ɪnˈkɒŋgrʊəs] *adj* nicht zusammenpassend; (*remark*) unangebracht.

inconsequential [ɪnkɒnsɪˈkwenʃəl] *adj* belanglos.

inconsiderable [ɪnkənˈsɪdərəbl] *adj* unerheblich.

inconsiderate [ɪnkənˈsɪdərət] *adj* rücksichtslos; (*hasty*) unüberlegt.

inconsistency [ɪnkənˈsɪstənsɪ] *n* innerer Widerspruch; (*state*) Unbeständigkeit *f*; **inconsistent** *adj* unvereinbar; (*behaviour*) inkonsequent; (*action, speech*) widersprüchlich; (*person, work*) unbeständig.

inconspicuous [ɪnkənˈspɪkjʊəs] *adj* unauffällig.

inconstancy [ɪnˈkɒnstənsɪ] *n* Unbeständigkeit *f*; **inconstant** *adj* unbeständig.

incontinence [ɪnˈkɒntɪnəns] *n* (MED) Inkontinenz *f*; (*fig*) Zügellosigkeit *f*; **incontinent** *adj* (MED) inkontinent; (*fig*) zügellos.

inconvenience [ɪnkənˈviːnɪəns] *n* Unbequemlichkeit *f*; (*trouble to others*) Unannehmlichkeiten *pl*; **inconvenient** *adj* (*time*) ungelegen; (*journey*) unbequem.

incorporate [ɪnˈkɔːpəreɪt] *vt* (*include*) aufnehmen; (*unite*) vereinigen; **incorporated** *adj* eingetragen; (US) GmbH.

incorrect [ˈɪnkərekt] *adj* unrichtig; (*behaviour*) inkorrekt.

incorrigible [ɪnˈkɒrɪdʒəbl] *adj* unverbesserlich.

incorruptible [ɪnkəˈrʌptəbl] *adj* unzerstörbar; (*person*) unbestechlich.

increase [ˈɪnkriːs] **1.** *n* Zunahme *f*, Erhöhung *f*; (*pay* ~) Gehaltserhöhung *f*; (*in size*) Vergrößerung *f*; **2.** [ɪnˈkriːs] *vt* erhöhen; (*wealth, rage*) vermehren; (*business*) erweitern; **3.** *vi* zunehmen; (*prices*) steigen; (*in size*) größer werden; (*in number*) sich vermehren; **increasingly** [ɪnˈkriːsɪŋlɪ] *adv* zunehmend.

incredible [ɪnˈkredəbl], **incredibly** *adv* [ɪnˈkredəbl, -blɪ] unglaublich.

incredulity [ɪnkrɪˈdjuːlɪtɪ] *n* Ungläubigkeit *f*; **incredulous** [ɪnˈkredjʊləs] *adj* ungläubig.

increment [ˈɪnkrɪmənt] *n* Zulage *f*.

incriminate [ɪnˈkrɪmɪneɪt] *vt* belasten.

incubation [ɪnkjʊˈbeɪʃən] *n* Ausbrüten *nt*; **incubation period** *n* Inkubationszeit *f*.

incubator [ˈɪnkjʊbeɪtə*] *n* Brutkasten *m*.

incur [ɪnˈkɜː*] *vt* sich *dat* zuziehen; (*debts*) machen.

incurable [ɪnˈkjʊərəbl] *adj* unheilbar; (*fig*) unverbesserlich.

indebted [ɪnˈdetɪd] *adj* (*obliged*) verpflichtet (*to sb* jdm); (*owing*) verschuldet.

indecency [ɪnˈdiːsnsɪ] *n* Unanständigkeit *f*; **indecent** *adj* unanständig; **indecent assault** *n* Notzucht *f*.

indecision [ɪndɪˈsɪʒən] *n* Unschlüssigkeit *f*.

indecisive [ɪndɪˈsaɪsɪv] *adj* (*battle*) nicht entscheidend; (*result*) unentschieden; (*person*) unentschlossen.

indeed [ɪnˈdiːd] *adv* tatsächlich, in der Tat.

indefinable [ɪndɪˈfaɪnəbl] *adj* undefinierbar; (*vague*) unbestimmt.

indefinite [ɪnˈdefɪnɪt] *adj* unbestimmt; **indefinitely** *adv* auf unbestimmte Zeit; (*wait*) unbegrenzt lange.

indelible [ɪnˈdeləbl] *adj* unauslöschlich; ~ **pencil** Tintenstift *m*.

indemnify [ɪnˈdemnɪfaɪ] vt entschädigen; (safeguard) versichern.

indentation [ɪndenˈteɪʃən] n Einbuchtung f; (TYP) Einrückung f.

independence [ɪndɪˈpendəns] n Unabhängigkeit f; **independent** adj unabhängig (of von).

indescribable [ɪndɪˈskraɪbəbl] adj unbeschreiblich.

indeterminate [ɪndɪˈtɜːmɪnət] adj unbestimmt.

index [ˈɪndeks] n Index m, Verzeichnis nt; (REL) Index m; **indexed** adj (FIN) dynamisch; **index finger** n Zeigefinger m; **index-linked** adj indexiert; (pension) dynamisch.

India [ˈɪndɪə] n Indien nt; **Indian** [ˈɪndɪən] **1.** adj indisch; (American ~) indianisch; **2.** n Inder(in) m(f); (American ~) Indianer(in) m(f); **the ~ Ocean** der Indische Ozean.

indicate [ˈɪndɪkeɪt] vt anzeigen; (hint) andeuten; **indication** [ɪndɪˈkeɪʃən] n Anzeichen nt; (information) Angabe f.

indicative [ɪnˈdɪkətɪv] n (LING) Indikativ m.

indicator [ˈɪndɪkeɪtə*] n (sign) Anzeichen nt; (AUTO) Blinker m.

indict [ɪnˈdaɪt] vt anklagen; **indictable** adj (person) strafrechtlich verfolgbar; (offence) strafbar; **indictment** n Anklage f.

indifference [ɪnˈdɪfrəns] n (lack of interest) Gleichgültigkeit f; (unimportance) Unwichtigkeit f; **indifferent** adj (not caring) gleichgültig; (unimportant) unwichtig; (mediocre) mäßig.

indigenous [ɪnˈdɪdʒɪnəs] adj einheimisch; **a plant ~ to X** eine in X vorkommende Pflanze.

indigestible [ɪndɪˈdʒestəbl] adj unverdaulich.

indigestion [ɪndɪˈdʒestʃən] n Verdauungsstörung f, verdorbener Magen.

indignant [ɪnˈdɪɡnənt] adj ungehalten, entrüstet; **indignation** [ɪndɪɡˈneɪʃən] n Entrüstung f.

indignity [ɪnˈdɪɡnɪtɪ] n Demütigung f.

indigo [ˈɪndɪɡəʊ] **1.** n (~es) Indigo m o nt; **2.** adj indigoblau.

indirect adj [ɪndɪˈrekt] indirekt; (answer) nicht direkt; **by ~ means** auf Umwegen; **indirectly** adv indirekt.

indiscreet [ɪndɪˈskriːt] adj (insensitive) unbedacht; (improper) taktlos; (telling secrets) indiskret; **indiscretion** [ɪndɪˈskreʃən] n Taktlosigkeit f, Indiskretion f.

indiscriminate [ɪndɪˈskrɪmɪnət] adj wahllos; kritiklos.

indispensable [ɪndɪˈspensəbl] adj unentbehrlich.

indisposed [ɪndɪˈspəʊzd] adj unpäßlich;

indisposition [ɪndɪspəˈzɪʃən] n Unpäßlichkeit f.

indisputable [ɪndɪˈspjuːtəbl] adj unbestreitbar; (evidence) unanfechtbar.

indistinct [ɪndɪˈstɪŋkt] adj undeutlich.

indistinguishable [ɪndɪˈstɪŋɡwɪʃəbl] adj nicht zu unterscheiden; (difference) unmerklich.

individual [ɪndɪˈvɪdjuəl] **1.** n Einzelne(r) mf, Individuum nt; **2.** adj individuell; (case) Einzel-; (of, for one person) eigen, individuell; (characteristic) eigentümlich; **individualist** n Individualist(in) m(f); **individuality** [ɪndɪvɪdjuˈælɪtɪ] n Individualität f; **individually** adv einzeln, individuell.

Indo-China [ˈɪndəʊˈtʃaɪnə] n Indochina nt.

indoctrinate [ɪnˈdɒktrɪneɪt] vt indoktrinieren; **indoctrination** [ɪndɒktrɪˈneɪʃən] n Indoktrination f.

indolent [ˈɪndələnt] adj träge.

Indonesia [ɪndəʊˈniːzjə] n Indonesien nt.

indoor [ˈɪndɔː*] adj Haus-; Zimmer-; Innen-; (SPORT) Hallen-; **indoors** adv drinnen, im Haus; **to go ~** hineingehen, ins Haus gehen.

indubitable adj, **indubitably** adv [ɪnˈdjuːbɪtəbl, -blɪ] zweifellos.

induce [ɪnˈdjuːs] vt dazu bewegen, veranlassen; (reaction) herbeiführen; **inducement** n Veranlassung f; (incentive) Anreiz m.

induct [ɪnˈdʌkt] vt in sein Amt einführen.

indulge [ɪnˈdʌldʒ] **1.** vt (give way) nachgeben +dat; (gratify) frönen +dat; **2.** vi frönen (in dat); **to ~ oneself in sth** dat etw gönnen; **indulgence** n Nachsicht f; (enjoyment) übermäßiger Genuß m; **indulgent** adj nachsichtig; (pej) nachgiebig.

industrial [ɪnˈdʌstrɪəl] adj Industrie-, industriell; (dispute, injury) Arbeits-; **~ tribunal** Arbeitsgericht nt; **industrialist** n Industrielle(r) mf; **industrialize** vt industrialisieren.

industrial robot [ɪnˈdʌstrɪəlˈrəʊbɒt] n Industrieroboter m.

industrious [ɪnˈdʌstrɪəs] adj fleißig.

industry [ˈɪndəstrɪ] n Industrie f; (diligence) Fleiß m; **hotel ~** Hotelgewerbe nt.

inebriated [ɪˈniːbrɪeɪtɪd] adj betrunken.

inedible [ɪnˈedɪbl] adj ungenießbar.

ineffective, ineffectual [ɪnɪˈfektɪv, ɪnɪˈfektjuəl] adj unwirksam, wirkungslos; (person) untauglich.

inefficiency [ɪnɪˈfɪʃənsɪ] n Ineffizienz f; **inefficient** adj ineffizient; (ineffective) unwirksam.

inelegant [ɪnˈelɪɡənt] adj unelegant.

ineligible [ɪnˈelɪdʒəbl] adj nicht berechtigt; (candidate) nicht wählbar.

inept [ɪˈnept] adj (remark) unpassend; (person) ungeeignet.

inequality [ɪnɪ'kwɒlɪtɪ] n Ungleichheit f.

inert [ɪ'nɜ:t] adj träge; (CHEM) inaktiv; (motionless) unbeweglich.

inertia [ɪ'nɜ:ʃə] n (a. fig) Trägheit f; **inertia reel seat belt** n Automatikgurt m.

inescapable [ɪnɪ'skeɪpəbl] adj unvermeidbar.

inessential [ɪnɪ'senʃəl] adj unwesentlich.

inestimable [ɪn'estɪməbl] adj unschätzbar.

inevitability [ɪnevɪtə'bɪlɪtɪ] n Unvermeidlichkeit f; **inevitable** [ɪn'evɪtəbl] adj unvermeidlich.

inexact [ɪnɪg'zækt] adj ungenau.

inexcusable [ɪnɪks'kju:zəbl] adj unverzeihlich.

inexhaustible [ɪnɪg'zɔ:stəbl] adj (wealth) unerschöpflich; (talker) unermüdlich; (curiosity) unstillbar.

inexorable [ɪn'eksərəbl] adj unerbittlich.

inexpensive [ɪnɪks'pensɪv] adj preiswert.

inexperience [ɪnɪks'pɪərɪəns] n Unerfahrenheit f; **inexperienced** adj unerfahren.

inexplicable [ɪnɪks'plɪkəbl] adj unerklärlich.

inexpressible [ɪnɪks'presəbl] adj (pain, joy) unbeschreiblich; (thoughts) nicht ausdrückbar.

infallible [ɪn'fæləbl] adj unfehlbar.

infamous ['ɪnfəməs] adj (place) verrufen; (deed) schändlich; (person) niederträchtig, gemein.

infancy ['ɪnfənsɪ] n frühe Kindheit f; (fig) Anfangsstadium nt.

infant ['ɪnfənt] n kleines Kind; Säugling m; **infantile** ['ɪnfəntaɪl] adj kindisch, infantil.

infantry ['ɪnfəntrɪ] n Infanterie f.

infant school n Vorschule f.

infatuated [ɪn'fætjʊeɪtɪd] adj vernarrt; **to become ~ with** sich vernarren in +akk; **infatuation** [ɪnfætjʊ'eɪʃən] n Vernarrtheit f (with in +akk).

infect [ɪn'fekt] vt anstecken, infizieren; **infection** [ɪn'fekʃən] n Ansteckung f, Infektion f; **infectious** [ɪn'fekʃəs] adj ansteckend.

infer [ɪn'fɜ:*] vt schließen, folgern (from aus); **inference** ['ɪnfərəns] n Schlußfolgerung f.

inferior [ɪn'fɪərɪə*] 1. adj (rank) untergeordnet, niedriger; (quality) minderwertig; 2. n Untergebene(r) mf; **inferiority** [ɪnfɪərɪ'ɒrɪtɪ] n Minderwertigkeit f; (in rank) untergeordnete Stellung; **inferiority complex** n Minderwertigkeitskomplex m.

infernal [ɪn'fɜ:nl] adj höllisch.

inferno [ɪn'fɜ:nəʊ] n ⟨-s⟩ Hölle f, Inferno nt.

infertile [ɪn'fɜ:taɪl] adj unfruchtbar; **infertility** [ɪnfɜ:'tɪlɪtɪ] n Unfruchtbarkeit f.

infest [ɪn'fest] vt plagen, heimsuchen; **to be ~ed with rats** mit Ratten verseucht sein.

infidel ['ɪnfɪdəl] n Ungläubige(r) mf.

infidelity [ɪnfɪ'delɪtɪ] n Untreue f.

in-fighting ['ɪnfaɪtɪŋ] n Nahkampf m.

infiltrate ['ɪnfɪltreɪt] 1. vt infiltrieren; (spies) einschleusen; (liquid) durchdringen; 2. vi (MIL. liquid) einsickern; (POL) unterwandern (into akk).

infinite ['ɪnfɪnɪt] adj unendlich.

infinitive [ɪn'fɪnɪtɪv] n Infinitiv m, Nennform f.

infinity [ɪn'fɪnɪtɪ] n Unendlichkeit f.

infirm [ɪn'fɜ:m] adj schwach, gebrechlich; (irresolute) willensschwach.

infirmary [ɪn'fɜ:mərɪ] n Krankenhaus nt.

infirmity [ɪn'fɜ:mɪtɪ] n Schwäche f, Gebrechlichkeit f.

inflame [ɪn'fleɪm] vt (MED) entzünden; (person) reizen; (anger) erregen.

inflammable [ɪn'flæməbl] adj feuergefährlich.

inflammation [ɪnflə'meɪʃən] n Entzündung f.

inflatable [ɪn'fleɪtəbl] adj aufblasbar; **~ dinghy** Schlauchboot nt.

inflate [ɪn'fleɪt] vt aufblasen; (tyre) aufpumpen; (prices) hochtreiben.

inflation [ɪn'fleɪʃən] n Inflation f; **inflationary** adj inflationär.

inflexible [ɪn'fleksəbl] adj (person) nicht flexibel; (opinion) starr; (thing) unbiegsam.

inflict [ɪn'flɪkt] vt zufügen (sth on sb jdm etw); (punishment) auferlegen (on dat); (wound) beibringen (on dat).

influence ['ɪnflʊəns] 1. n Einfluß m; 2. vt beeinflussen; **influential** [ɪnflʊ'enʃəl] adj einflußreich.

influenza [ɪnflʊ'enzə] n Grippe f.

influx ['ɪnflʌks] n (of water) Einfließen nt; (of people) Zustrom m; (of ideas) Eindringen nt.

inform [ɪn'fɔ:m] vt informieren; **to keep sb ~ed** jdn auf dem laufenden halten.

informal [ɪn'fɔ:məl] adj zwanglos; **informality** [ɪnfɔ:'mælɪtɪ] n Ungezwungenheit f.

information [ɪnfə'meɪʃən] n Auskunft f, Information f; **informational** adj informationell; **information scientist** n Informatiker(in) m(f).

informative [ɪn'fɔ:mətɪv] adj informativ; (person) mitteilsam.

informer [ɪn'fɔ:mə*] n Denunziant(in) m(f).

infra-red ['ɪnfrə'red] adj infrarot.

infrastructure ['ɪnfrəstrʌktʃə*] n Infrastruktur f.

infrequent [ɪn'fri:kwənt] adj selten.

infringe [ɪnˈfrɪndʒ] *vt* (*law*) verstoßen gegen; **infringe upon** *vt* verletzen; **infringement** *n* Verstoß *m*, Verletzung *f*.

infuriate [ɪnˈfjʊərɪeɪt] *vt* wütend machen; **infuriating** *adj* ärgerlich.

infusion [ɪnˈfjuːʒən] *n* (*GASTR*) Aufguß *m*; (*drink*) Kräutertee *m*; (*MED*) Infusion *f*.

ingenious [ɪnˈdʒiːnɪəs] *adj* genial; (*thing*) raffiniert; **ingenuity** [ɪndʒɪˈnjuːɪtɪ] *n* Findigkeit *f*, Genialität *f*; Raffiniertheit *f*.

ingot [ˈɪŋgət] *n* Barren *m*.

ingratiate [ɪnˈgreɪʃɪeɪt] *vr*: ~ **oneself** sich einschmeicheln (*with sb* bei jdm).

ingratitude [ɪnˈgrætɪtjuːd] *n* Undankbarkeit *f*.

ingredient [ɪnˈgriːdɪənt] *n* Bestandteil *m*; (*GASTR*) Zutat *f*.

inhabit [ɪnˈhæbɪt] *vt* bewohnen; **inhabitant** *n* Bewohner(in) *m(f)*; (*of island, town*) Einwohner(in) *m(f)*.

inhale [ɪnˈheɪl] *vt* einatmen; (*MED, cigarettes*) inhalieren.

inherent [ɪnˈhɪərənt] *adj* innewohnend (*in dat*).

inherit [ɪnˈherɪt] *vt* erben; **inheritance** *n* Erbe *nt*, Erbschaft *f*.

inhibit [ɪnˈhɪbɪt] *vt* hemmen; (*restrain*) hindern; **inhibition** [ɪnhɪˈbɪʃən] *n* (*a. PSYCH*) Hemmung *f*.

inhospitable [ɪnhɒˈspɪtəbl] *adj* (*person*) ungastlich; (*country*) unwirtlich.

inhuman [ɪnˈhjuːmən] *adj* unmenschlich.

inimitable [ɪˈnɪmɪtəbl] *adj* unnachahmlich.

iniquity [ɪˈnɪkwɪtɪ] *n* Ungerechtigkeit *f*.

initial [ɪˈnɪʃəl] **1.** *adj* anfänglich, Anfangs-; **2.** *n* Anfangsbuchstabe *m*, Initiale *f*; **3.** *vt* abzeichnen; (*POL*) paraphieren; **initially** *adv* anfangs.

initiate [ɪˈnɪʃɪeɪt] *vt* einführen; (*negotiations*) einleiten; (*instruct*) einweihen.

initiative [ɪˈnɪʃɪətɪv] *n* Initiative *f*.

inject [ɪnˈdʒekt] *vt* einspritzen; (*fig*) einflößen; **injection** *n* Spritze *f*, Injektion *f*.

injure [ˈɪndʒə*] *vt* verletzen; (*fig*) schaden +*dat*; **injury** [ˈɪndʒərɪ] *n* Verletzung *f*.

injustice [ɪnˈdʒʌstɪs] *n* Ungerechtigkeit *f*.

ink [ɪŋk] *n* Tinte *f*; **ink-jet printer** *n* Tintenstrahldrucker *m*.

inkling [ˈɪŋklɪŋ] *n* dunkle Ahnung *f*.

inlaid [ˈɪnˈleɪd] *adj* eingelegt, Einlege-.

inland [ˈɪnlənd] **1.** *adj* Binnen-; (*domestic*) Inlands-; **2.** *adv* landeinwärts; **Inland Revenue** *n* (*Brit*) Finanzamt *nt*.

in-law [ˈɪnlɔː] *n* angeheirateter Verwandter, angeheiratete Verwandte; **my** ~**s** meine Schwiegereltern.

inlet [ˈɪnlet] *n* Öffnung *f*, Einlaß *m*; (*bay*) kleine Bucht.

inmate [ˈɪnmeɪt] *n* Insasse *m*, Insassin *f*.

inn [ɪn] *n* Gasthaus *nt*, Wirtshaus *nt*.

innate [ɪˈneɪt] *adj* angeboren, eigen +*dat*.

inner [ˈɪnə*] *adj* innere(r, s), Innen-; (*fig*) verborgen, innerste(r, s).

innocence [ˈɪnəsns] *n* Unschuld *f*; (*ignorance*) Unkenntnis *f*; **innocent** *adj* unschuldig.

innocuous [ɪˈnɒkjʊəs] *adj* harmlos.

innovation [ɪnəˈveɪʃən] *n* Neuerung *f*, Innovation *f*; **innovative** [ɪnəˈveɪtɪv] *adj* innovativ.

innuendo [ɪnjʊˈendəʊ] *n* ⟨-es⟩ versteckte Anspielung *f*.

innumerable [ɪˈnjuːmərəbl] *adj* unzählig.

inoculation [ɪnɒkjʊˈleɪʃən] *n* Impfung *f*.

inopportune [ɪnˈɒpətjuːn] *adj* (*remark*) unangebracht; (*visit*) ungelegen.

inordinately [ɪˈɔːdɪntlɪ] *adv* unmäßig.

inorganic [ɪnɔːˈgænɪk] *adj* unorganisch; (*CHEM*) anorganisch.

in-patient [ˈɪnpeɪʃənt] *n* stationärer Patient, stationäre Patientin.

input [ˈɪnpʊt] *n* (*ELEC*) Aufladung *f*; (*TECH*) zugeführte Menge; (*labour*) angewandte Arbeitsleistung; (*money*) Investitionssumme *f*; (*COMPUT*) Eingabe *f*.

inquest [ˈɪnkwest] *n* gerichtliche Untersuchung.

inquire [ɪnˈkwaɪə*] **1.** *vi* sich erkundigen; **2.** *vt* (*price*) sich erkundigen nach; **inquire into** *vt* untersuchen; **inquiring** *adj* (*mind*) wissensdurstig; **inquiry** [ɪnˈkwaɪərɪ] *n* (*question*) Erkundigung *f*, Nachfrage *f*; (*COMPUT*) Anfrage *f*; (*investigation*) Untersuchung *f*; **inquiry office** *n* Auskunftsbüro *nt*.

inquisitive [ɪnˈkwɪzɪtɪv] *adj* neugierig; (*look*) forschend.

inroad [ˈɪnrəʊd] *n* (*MIL*) Einfall *m*; (*fig*) Eingriff *m*.

insane [ɪnˈseɪn] *adj* wahnsinnig; (*MED*) geisteskrank.

insanitary [ɪnˈsænɪtərɪ] *adj* unhygienisch.

insanity [ɪnˈsænɪtɪ] *n* Wahnsinn *m*.

insatiable [ɪnˈseɪʃəbl] *adj* unersättlich.

inscription [ɪnˈskrɪpʃən] *n* (*on stone*) Inschrift *f*; (*in book*) Widmung *f*.

inscrutable [ɪnˈskruːtəbl] *adj* unergründlich.

insect [ˈɪnsekt] *n* Insekt *nt*; **insecticide** [ɪnˈsektɪsaɪd] *n* Insektenbekämpfungsmittel *nt*.

insecure [ɪnsɪˈkjʊə*] *adj* (*person*) unsicher; (*thing*) nicht fest [*o* sicher]; **insecurity** [ɪnsɪˈkjʊərɪtɪ] *n* Unsicherheit *f*.

insemination [ɪnsemɪˈneɪʃən] *n*: **artificial** ~ künstliche Befruchtung.

insensible [ɪnˈsensɪbl] *adj* gefühllos; (*unconscious*) bewußtlos; (*imperceptible*) unmerklich; ~ **of** [*o* **to**] **sth** unempfänglich für etw.

insensitive [ɪnˈsɛnsɪtɪv] *adj* (*to pain*) unempfindlich; (*without feelings*) gefühllos.

inseparable [ɪnˈsɛpərəbl] *adj* (*people*) unzertrennlich; (*word*) untrennbar.

insert [ɪnˈsɜːt] **1.** *vt* einfügen; (*coin*) einwerfen; (*stick into*) hineinstecken; (*advert*) aufgeben; **2.** [ˈɪnsɜːt] *n* Beifügung *f*; (*in book*) Einlage *f*; (*in magazine*) Beilage *f*; **insertion** *n* Einfügung *f*; (*PRESS*) Inserat *nt*.

in-service [ˈɪnsɜːvɪs] *adj* innerbetrieblich; ~ **training** Fortbildung *f*.

inshore [ˈɪnˈʃɔː*] **1.** *adj* Küsten-; **2.** [ˈɪnˈʃɔː*] *adv* an der Küste.

inside [ˈɪnˈsaɪd] **1.** *n* Innenseite *f*, Innere(s) *nt*; **2.** *adj* innere(r, s), Innen-; **3.** *adv* (*place*) innen; (*direction*) nach innen, hinein; **4.** *prep* (*place*) in +*dat*; (*direction*) in +*akk* ... hinein; (*time*) innerhalb +*gen*; **inside out** *adv* linksherum; (*know*) in- und auswendig; **insider** *n* Eingeweihte(r) *mf*; (*member*) Mitglied *nt*.

insidious [ɪnˈsɪdɪəs] *adj* heimtückisch.

insight [ˈɪnsaɪt] *n* Einsicht *f*, Einblick *m* (*into* in +*akk*).

insignificant [ɪnsɪɡˈnɪfɪkənt] *adj* unbedeutend.

insincere [ɪnsɪnˈsɪə*] *adj* unaufrichtig, falsch; **insincerity** [ɪnsɪnˈsɛrɪtɪ] *n* Unaufrichtigkeit *f*.

insinuate [ɪnˈsɪnjʊeɪt] *vt* (*hint*) andeuten; **to ~ oneself into sth** sich in etw *akk* einschleichen; **insinuation** [ɪnsɪnjʊˈeɪʃən] *n* Anspielung *f*.

insipid [ɪnˈsɪpɪd] *adj* fade.

insist [ɪnˈsɪst] *vi* bestehen (*on* auf +*dat*); **insistent** *adj* hartnäckig; (*urgent*) dringend.

insolence [ˈɪnsələns] *n* Frechheit *f*; **insolent** [ˈɪnsələnt] *adj* frech.

insoluble [ɪnˈsɔljʊbl] *adj* unlösbar; (*CHEM*) unlöslich.

insolvent [ɪnˈsɔlvənt] *adj* zahlungsunfähig.

insomnia [ɪnˈsɔmnɪə] *n* Schlaflosigkeit *f*.

inspect [ɪnˈspɛkt] *vt* besichtigen, prüfen; (*officially*) inspizieren; **inspection** [ɪnˈspɛkʃən] *n* Besichtigung *f*, Inspektion *f*; **inspector** *n* (*official*) Aufsichtsbeamte(r) *m*, -beamtin *f*, Inspektor(in) *m(f)*; (*police*) Polizeikommissar(in) *m(f)*; (*RAIL*) Kontrolleur(in) *m(f)*.

inspiration [ɪnspɪˈreɪʃən] *n* Inspiration *f*.

inspire [ɪnˈspaɪə*] *vt* (*respect*) einflößen (*in* *dat*); (*hope*) wecken (*in* in +*dat*); (*person*) inspirieren; **to ~ sb to do sth** jdn dazu anregen, etw zu tun; **inspired** *adj* begabt, einfallsreich; **inspiring** *adj* begeisternd.

instability [ɪnstəˈbɪlɪtɪ] *n* Unbeständigkeit *f*, Labilität *f*.

install [ɪnˈstɔːl] *vt* (*put in*) einbauen, installieren; (*telephone*) anschließen; (*establish*) einsetzen; **installation** [ɪnstəˈleɪʃən] *n* (*of person*) Amtseinsetzung *f*; (*of machinery*) Einbau *m*, Installierung *f*; (*machines etc*) Anlage *f*.

installment (*US*), **instalment** [ɪnˈstɔːlmənt] *n* Rate *f*; (*of story*) Fortsetzung *f*; **to pay in ~s** auf Raten zahlen.

instance [ˈɪnstəns] *n* Fall *m*; (*example*) Beispiel *nt*; **for ~** zum Beispiel.

instant [ˈɪnstənt] **1.** *n* Augenblick *m*; **2.** *adj* augenblicklich, sofortig.

instantaneous [ɪnstənˈteɪnɪəs] *adj* unmittelbar.

instant coffee [ˈɪnstəntˈkɔfɪ] *n* Pulverkaffee *m*; **instantly** *adv* sofort; **instant-picture camera** *n* Sofortbildkamera *f*.

instead [ɪnˈstɛd] *adv* stattdessen; **instead of** *prep* anstatt +*gen*.

instigation [ɪnstɪˈɡeɪʃən] *n* Veranlassung *f*; (*of crime etc*) Anstiftung *f*.

instil [ɪnˈstɪl] *vt* (*fig*) beibringen (*in sb* jdm).

instinct [ˈɪnstɪŋkt] *n* Instinkt *m*; **instinctive** *adj*, **instinctively** *adv* [ɪnˈstɪŋktɪv, -lɪ] instinktiv.

institute [ˈɪnstɪtjuːt] **1.** *n* Institut *nt*; (*society also*) Gesellschaft *f*; **2.** *vt* einführen; (*search*) einleiten.

institution [ɪnstɪˈtjuːʃən] *n* (*custom*) Einrichtung *f*, Brauch *m*; (*organisation*) Institution *f*; (*home*) Anstalt *f*; (*beginning*) Einführung *f*, Einleitung *f*.

instruct [ɪnˈstrʌkt] *vt* anweisen; (*officially*) instruieren; **instruction** [ɪnˈstrʌkʃən] *n* Unterricht *m*; **~s** *pl* Anweisungen *pl*; (*for use*) Gebrauchsanweisung *f*; **instructive** *adj* lehrreich; **instructor** *n* Lehrer(in) *m(f)*; (*MIL*) Ausbilder(in) *m(f)*.

instrument [ˈɪnstrʊmənt] *n* (*tool*) Instrument *nt*, Werkzeug *nt*; (*MUS*) Musikinstrument *nt*; **instrumental** [ɪnstrʊˈmɛntl] *adj* (*MUS*) Instrumental-; (*helpful*) behilflich (*in* bei); **instrumentalist** [ɪnstrʊˈmɛntəlɪst] *n* Instrumentalist(in) *m(f)*; **instrument panel** *n* Armaturenbrett *nt*.

insubordinate [ɪnsəˈbɔːdnət] *adj* aufsässig, widersetzlich; **insubordination** [ɪnsəbɔːdɪˈneɪʃən] *n* Gehorsamsverweigerung *f*.

insufferable [ɪnˈsʌfərəbl] *adj* unerträglich.

insufficient *adj*, **insufficiently** *adv* [ɪnsəˈfɪʃnt, -lɪ] ungenügend.

insular [ˈɪnsjʊlə*] *adj* (*fig*) engstirnig; **insularity** [ɪnsjʊˈlærɪtɪ] *n* (*fig*) Engstirnigkeit *f*.

insulate [ˈɪnsjʊleɪt] *vt* (*ELEC*) isolieren; (*fig*) abschirmen (*from* vor +*dat*); **insulating tape** *n* Isolierband *nt*; **insulation** [ɪnsjʊˈleɪʃən] *n* Isolierung *f*.

insulin [ˈɪnsjʊlɪn] *n* Insulin *nt*.

insult [ˈɪnsʌlt] **1.** *n* Beleidigung *f*; **2.** [ɪnˈsʌlt] *vt* beleidigen; **insulting** [ɪnˈsʌltɪŋ] *adj* beleidend.

insuperable [ɪn'su:pərəbl] *adj* unüberwindlich.

insurance [ɪn'ʃʊərəns] *n* Versicherung *f*; **insurance agent** *n* Versicherungsvertreter(in) *m(f)*; **insurance policy** *n* Versicherungspolice *f*.

insure [ɪn'ʃʊə*] *vt* versichern.

insurmountable [ɪnsə'maʊntəbl] *adj* unüberwindlich.

insurrection [ɪnsə'rekʃn] *n* Aufstand *m*.

intact [ɪn'tækt] *adj* intakt, unangetastet, ganz.

intake ['ɪnteɪk] *n* (*place*) Einlaßöffnung *f*; (*act*) Aufnahme *f*; (*amount*) aufgenommene Menge; (*SCH*) Neuaufnahme *f*.

intangible [ɪn'tændʒəbl] *adj* unfaßbar; (*thing*) nicht greifbar.

integer ['ɪntɪdʒə*] *n* ganze Zahl.

integral ['ɪntɪgrəl] *adj* (*essential*) wesentlich; (*complete*) vollständig; (*MATH*) Integral-.

integrate ['ɪntɪgreɪt] *vt* vereinigen, eingliedern, integrieren; **integrated circuit** *n* integrierte Schaltung; **integration** [ɪntɪ'greɪʃən] *n* Eingliederung *f*, Integration *f*.

integrity [ɪn'tegrɪtɪ] *n* (*honesty*) Redlichkeit *f*, Integrität *f*.

intellect ['ɪntɪlekt] *n* Intellekt *m*; **intellectual** [ɪntɪ'lektjʊəl] **1.** *adj* geistig, intellektuell; **2.** *n* Intellektuelle(r) *mf*.

intelligence [ɪn'telɪdʒəns] *n* (*understanding*) Intelligenz *f*; (*news*) Information *f*; (*MIL*) Geheimdienst *m*; **intelligent** *adj* intelligent; (*beings*) vernunftbegabt; **intelligently** *adv* klug; (*write, speak*) verständlich.

intelligible [ɪn'telɪdʒəbl] *adj* verständlich.

intemperate [ɪn'tempərət] *adj* unmäßig.

intend [ɪn'tend] *vt* beabsichtigen; **that was ~ed for you** das war für dich gedacht.

intense [ɪn'tens] *adj* stark, intensiv; (*person*) ernsthaft; **intensely** *adv* äußerst; (*study*) intensiv; **intensify** [ɪn'tensɪfaɪ] *vt* verstärken, intensivieren; **intensity** *n* Intensität *f*, Stärke *f*; **intensive** *adj* intensiv; **intensive care unit** *n* Intensivstation *f*; **intensive course** *n* Intensivkurs *m*.

intent [ɪn'tent] **1.** *n* Absicht *f*; **2.** *adj:* **to be ~ on doing sth** fest entschlossen sein, etw zu tun; **to all ~s and purposes** praktisch.

intention [ɪn'tenʃən] *n* Absicht *f*; **with good ~s** mit guten Vorsätzen; **intentional** *adj*, **intentionally** *adv* absichtlich.

intently [ɪn'tentlɪ] *adv* aufmerksam; (*look*) forschend.

inter- ['ɪntə*] *pref* zwischen-, Zwischen-.

interact [ɪntər'ækt] *vi* aufeinander einwirken; **interaction** *n* Wechselwirkung *f*; **interactive** *adj* (*COMPUT*) interaktiv.

intercede [ɪntə'si:d] *vi* sich verwenden; (*in argument*) vermitteln.

intercept [ɪntə'sept] *vt* abfangen; **interception** *n* Abfangen *nt*.

interchange ['ɪntətʃeɪndʒ] **1.** *n* (*exchange*) Austausch *m*; (*of roads*) Kreuzung *f*; (*of motorways*) Autobahnkreuz *nt*; **2.** [ɪntə'tʃeɪndʒ] *vt* austauschen; **interchangeable** [ɪntə'tʃeɪndʒəbl] *adj* austauschbar.

intercity [ɪntə'sɪtɪ] *n* Intercityzug *m*, IC *m*.

intercom ['ɪntəkɒm] *n* Gegensprechanlage *f*.

interconnect [ɪntəkə'nekt] **1.** *vt* miteinander verbinden; **2.** *vi* miteinander verbunden sein; (*roads*) zusammenführen.

intercontinental [ɪntəkɒntɪ'nentl] *adj* interkontinental.

intercourse ['ɪntəkɔ:s] *n* (*exchange*) Verkehr *m*, Beziehungen *pl*; (*sexual*) Geschlechtsverkehr *m*.

interdependence [ɪntədɪ'pendəns] *n* gegenseitige Abhängigkeit, Interdependenz *f*.

interest ['ɪntrest] **1.** *n* Interesse *nt*; (*FIN*) Zinsen *pl*; (*COMM: share*) Anteil *m*; (*group*) Interessengruppe *f*; **2.** *vt* interessieren; **to be of ~** von Interesse sein; **interested** *adj* (*having claims*) beteiligt; (*attentive*) interessiert; **to be ~ in** sich interessieren für; **interesting** *adj* interessant; **interest rate** *n* Zinssatz *m*.

interface ['ɪntəfeɪs] *n* (*COMPUT fig*) Schnittstelle *f*.

interfere [ɪntə'fɪə*] *vi* (*meddle*) sich einmischen (*with in +akk*), stören (*with in +akk*); (*with an object*) sich *dat* zu schaffen machen (*with an +dat*); **interference** *n* Einmischung *f*; (*TV*) Störung *f*.

interim ['ɪntərɪm] **1.** *adj* vorläufig; **2.** *n:* **in the ~** inzwischen.

interior [ɪn'tɪərɪə*] **1.** *n* Innere(s) *nt*; **2.** *adj* innere(r, s), Innen-.

interjection [ɪntə'dʒekʃən] *n* Ausruf *m*; (*LING*) Interjektion *f*.

interlock [ɪntə'lɒk] **1.** *vi* ineinandergreifen; **2.** *vt* zusammenschließen, verzahnen.

interloper ['ɪntələʊpə*] *n* Eindringling *m*.

interlude ['ɪntəlu:d] *n* Pause *f*; (*in entertainment*) Zwischenspiel *nt*.

intermediary [ɪntə'mi:dɪərɪ] *n* Vermittler(in) *m(f)*.

intermediate [ɪntə'mi:dɪət] *adj* Zwischen-, Mittel-.

interminable [ɪn'tɜ:mɪnəbl] *adj* endlos.

intermission [ɪntə'mɪʃən] *n* Pause *f*.

intermittent [ɪntə'mɪtənt] *adj* periodisch, stoßweise; **intermittently** *adv* mit Unterbrechungen.

intern [ɪn'tɜ:n] **1.** *vt* internieren. **2.** ['ɪntɜ:n] *n* (*US*) Assistenzarzt(-ärztin) *m(f)*.

internal [ɪnˈtɜːnl] *adj* (*inside*) innere(r, s); (*domestic*) Inlands-; **internal combustion engine** *n* Verbrennungsmotor *m*; **internally** *adv* innen; (*MED*) innerlich; (*in organisation*) intern; **Internal Revenue Service** *n* (*US*) Finanzamt *nt*.

international [ɪntəˈnæʃnəl] **1.** *adj* international; **2.** *n* (*SPORT*) Nationalspieler(in) *m(f)*; (*match*) internationales Spiel.

internment [ɪnˈtɜːnmənt] *n* Internierung *f*.

interplanetary [ɪntəˈplænɪtərɪ] *adj* interplanetar.

interplay [ˈɪntəpleɪ] *n* Wechselspiel *nt*.

Interpol [ˈɪntəpɒl] *n* Interpol *f*.

interpret [ɪnˈtɜːprɪt] *vt* (*explain*) auslegen, interpretieren; (*translate*) dolmetschen; (*represent*) darstellen; **interpretation** [ɪntɜːprɪˈteɪʃən] *n* Deutung *f*, Interpretation *f*; (*translation*) Dolmetschen *nt*; **interpreter** [ɪnˈtɜːprɪtə*] *n* Dolmetscher(in) *m(f)*.

interrelated [ɪntərɪˈleɪtɪd] *adj* untereinander zusammenhängend.

interrogate [ɪnˈterəgeɪt] *vt* befragen; (*JUR*) verhören; **interrogation** [ɪntərəˈgeɪʃən] *n* Verhör *nt*; **interrogative** [ɪntəˈrogətɪv] *adj* fragend, Frage-; **interrogator** [ɪnˈterəgeɪtə*] *n* Vernehmungsbeamte(r) *m*, -beamtin *f*.

interrupt [ɪntəˈrʌpt] *vt* unterbrechen; **interruption** [ɪntəˈrʌpʃən] *n* Unterbrechung *f*.

intersect [ɪntəˈsekt] **1.** *vt* durchschneiden; **2.** *vi* sich schneiden; **intersection** [ɪntəˈsekʃən] *n* (*of roads*) Kreuzung *f*; (*of lines*) Schnittpunkt *m*.

intersperse [ɪntəˈspɜːs] *vt* (*scatter*) verstreuen; **to ~ sth with sth** etw mit etw durchsetzen.

interstate [ɪntəˈsteɪt] *n* (*US*) zwischenstaatlich; **~ highway** Bundesautobahn *f*.

interval [ˈɪntəvəl] *n* Abstand *m*; (*break*) Pause *f*; (*MUS*) Intervall *nt*; **at ~s** hier und da; (*time*) dann und wann.

intervene [ɪntəˈviːn] *vi* dazwischenliegen; (*act*) einschreiten (*in* gegen), eingreifen (*in* in +*akk*); **intervening** *adj* dazwischenliegend; **intervention** [ɪntəˈvenʃən] *n* Eingreifen *nt*, Intervention *f*.

interview [ˈɪntəvjuː] **1.** *n* (*PRESS*) Interview *nt*; (*for job*) Vorstellungsgespräch *nt*; **2.** *vt* interviewen; **interviewer** *n* Interviewer(in) *m(f)*.

intestate [ɪnˈtesteɪt] *adj* ohne Hinterlassung eines Testaments.

intestine [ɪnˈtestɪn] *n* Darm *m*; **~s** *pl* Eingeweide *pl*.

intimacy [ˈɪntɪməsɪ] *n* vertrauter Umgang, Intimität *f*; **intimate 1.** *adj* (*inmost*) innerste(r, s); (*knowledge*) eingehend; (*familiar*) vertraut; (*friends*) eng; **2.** [ˈɪntɪmeɪt] *vt* andeuten; **intimately** *adv* vertraut, eng.

intimidate [ɪnˈtɪmɪdeɪt] *vt* einschüchtern; **intimidation** [ɪntɪmɪˈdeɪʃən] *n* Einschüchterung *f*.

into [ˈɪntʊ] *prep* (*motion*) in +*akk* ... hinein; **5 ~ 25** 25 durch 5.

intolerable [ɪnˈtɒlərəbl] *adj* unerträglich.

intolerance [ɪnˈtɒlərəns] *n* Intoleranz *f*; **intolerant** *adj* intolerant.

intonation [ɪntəˈneɪʃən] *n* Intonation *f*.

intoxicate [ɪnˈtɒksɪkeɪt] *vt* betrunken machen; (*fig*) berauschen; **intoxicated** *adj* betrunken; (*fig*) trunken; **intoxication** [ɪntɒksɪˈkeɪʃən] *n* Rausch *m*.

intractable [ɪnˈtræktəbl] *adj* schwer zu handhaben; (*problem*) schwer lösbar.

intransigent [ɪnˈtrænsɪdʒənt] *adj* unnachgiebig.

intransitive [ɪnˈtrænsɪtɪv] *adj* intransitiv.

intravenous [ɪntrəˈviːnəs] *adj* intravenös.

in-tray [ˈɪntreɪ] *n* Ablagekorb *m* für eingehende Post.

intrepid [ɪnˈtrepɪd] *adj* unerschrocken.

intricacy [ˈɪntrɪkəsɪ] *n* Kompliziertheit *f*; **intricate** [ˈɪntrɪkət] *adj* kompliziert.

intrigue [ɪnˈtriːg] **1.** *n* Intrige *f*; **2.** *vt* faszinieren; **intriguing** *adj* faszinierend.

intrinsic [ɪnˈtrɪnsɪk] *adj* innere(r, s); (*difference*) wesentlich.

introduce [ɪntrəˈdjuːs] *vt* (*person*) vorstellen (*to sb* jdm); (*sth new*) einführen; (*subject*) anschneiden; **to ~ sb to sth** jdn in etw *akk* einführen; **introduction** [ɪntrəˈdʌkʃən] *n* Einführung *f*; (*to book*) Einleitung *f*; **introductory** [ɪntrəˈdʌktərɪ] *adj* Einführungs-, Vor-.

introspective [ɪntrəʊˈspektɪv] *adj* nach innen gekehrt.

introvert [ˈɪntrəʊvɜːt] *n* Introvertierte(r) *mf*; **introverted** *adj* introvertiert.

intrude [ɪnˈtruːd] *vi* stören (*on akk*); **intruder** *n* Eindringling *m*; **intrusion** [ɪnˈtruːʒən] *n* Störung *f*; (*coming into*) Eindringen *nt*; **intrusive** [ɪnˈtruːsɪv] *adj* aufdringlich.

intuition [ɪntjuːˈɪʃən] *n* Intuition *f*; **intuitive** *adj*, **intuitively** *adv* [ɪnˈtjuːɪtɪv, -lɪ] intuitiv.

inundate [ˈɪnʌndeɪt] *vt* (*a. fig*) überschwemmen.

invade [ɪnˈveɪd] *vt* einfallen in +*akk*; **invader** *n* Eindringling *m*.

invalid [ˈɪnvəlɪd] **1.** *n* (*disabled*) Kranke(r) *mf*, Invalide *m*, Invalidin *f*; **2.** *adj* (*ill*) krank; (*disabled*) invalide; **3.** [ɪnˈvælɪd] *adj* (*not valid*) ungültig; **invalidate** [ɪnˈvælɪdeɪt] *vt* (*passport*) ungültig machen; (*fig*) entkräften.

invaluable [ɪnˈvæljʊəbl] *adj* unschätzbar.

invariable [ɪnˈvɛərɪəbl] *adj* unveränderlich; **invariably** *adv* ausnahmslos.

invasion [ɪnˈveɪʒən] *n* Invasion *f*, Einfall *m*.

invective [ɪnˈvektɪv] *n* Beschimpfung *f*.

invent [ɪnˈvent] *vt* erfinden; **invention** [ɪnˈvenʃən] *n* Erfindung *f*; **inventive** *adj* erfinderisch; **inventiveness** *n* Erfindungsgabe *f*; **inventor** *n* Erfinder(in) *m(f)*.

inventory [ˈɪnvəntrɪ] *n* Bestandsverzeichnis *nt*, Inventar *nt*.

inverse [ɪnˈvɜːs] **1.** *adj* umgekehrt; **2.** *n* Umkehrung *f*.

invert [ɪnˈvɜːt] *vt* umdrehen.

invertebrate [ɪnˈvɜːtɪbrət] *n* wirbelloses Tier.

inverted commas [ɪnˈvɜːtɪdˈkɒməz] *n pl* Anführungsstriche *pl*.

invest [ɪnˈvest] *vt* (FIN) anlegen, investieren; (endue) ausstatten.

investigate [ɪnˈvestɪgeɪt] *vt* untersuchen; **investigation** [ɪnvestɪˈgeɪʃən] *n* Untersuchung *f*; **investigative journalism** *n* Enthüllungsjournalismus *m*; **investigator** [ɪnˈvestɪgeɪtə*] *n* Untersuchungsbeamte(r) *m*, -beamtin *f*.

investiture [ɪnˈvestɪtʃə*] *n* Amtseinsetzung *f*.

investment [ɪnˈvestmənt] *n* Investition *f*; **investor** [ɪnˈvestə*] *n* Geldanleger(in) *m(f)*.

inveterate [ɪnˈvetərət] *adj* unverbesserlich.

invigilate [ɪnˈvɪdʒɪleɪt] **1.** *vi* die Aufsicht führen; **2.** *vt* die Aufsicht führen bei.

invigorating [ɪnˈvɪgəreɪtɪŋ] *adj* stärkend.

invincible [ɪnˈvɪnsəbl] *adj* unbesiegbar.

invisible [ɪnˈvɪzəbl] *adj* unsichtbar; (ink) Geheim-.

invitation [ɪnvɪˈteɪʃən] *n* Einladung *f*; **invite** [ɪnˈvaɪt] *vt* einladen; (criticism, discussion) herausfordern; **inviting** *adj* einladend.

invoice [ˈɪnvɔɪs] **1.** *n* Rechnung *f*, Lieferschein *m*; **2.** *vt* (goods) in Rechnung stellen (sth for sb jdm etw).

invoke [ɪnˈvəʊk] *vt* anrufen.

involuntarily *adv* [ɪnˈvɒləntərɪlɪ] (unwilling) unfreiwillig; (unintentional) unabsichtlich; **involuntary** *adj* [ɪnˈvɒləntərɪ] (unwilling) unfreiwillig; (unintentional) unabsichtlich.

involve [ɪnˈvɒlv] *vt* (entangle) verwickeln; (entail) mit sich bringen; **involved** *adj* verwickelt; **the person ~** die betreffende Person; **involvement** *n* Verwicklung *f*.

invulnerable [ɪnˈvʌlnərəbl] *adj* unverwundbar; (fig) unangreifbar.

inward [ˈɪnwəd] *adj* innere(r, s); (curve) Innen-; **inwardly** *adv* im Innern; **inwards** *adv* nach innen.

I/O *abbr of* **input/output** (COMPUT) Eingabe/Ausgabe.

iodine [ˈaɪədiːn] *n* Jod *nt*.

iota [aɪˈəʊtə] *n* (fig) bißchen *nt*.

Iran [ɪˈrɑːn] *n* der Iran.

Iraq [ɪˈrɑːk] *n* der Irak.

irascible [ɪˈræsɪbl] *adj* jähzornig, reizbar.

irate [aɪˈreɪt] *adj* zornig.

Ireland [ˈaɪələnd] *n* Irland *nt*; **in ~** in Irland; **to go to ~** nach Irland fahren.

iris [ˈaɪrɪs] *n* Iris *f*.

Irish [ˈaɪrɪʃ] **1.** *adj* irisch; **2.** *n* (language) Irisch *nt*; **the ~ pl** die Iren *pl*; **the ~ Sea** die Irische See; **Irishman** *n* ⟨Irishmen⟩ Ire *m*; **Irishwoman** *n* ⟨Irishwomen⟩ Irin *f*.

irk [ɜːk] *vt* verdrießen; **irksome** [ˈɜːksəm] *adj* lästig.

iron [ˈaɪən] **1.** *n* Eisen *nt*; (for ironing) Bügeleisen *nt*; (golf club) Golfschläger *m*, Metallschläger *m*; **2.** *adj* eisern, Eisen-; **3.** *vt* bügeln; **Iron Curtain** (HIST) Eiserner Vorhang; **~s** *pl* (chains) Hand-/Fußschellen *pl*; **iron out** *vt* (a. fig) ausbügeln; (differences) ausgleichen.

ironical [aɪˈrɒnɪkəl] *adj* ironisch; (coincidence etc) witzig; **ironically** *adv* ironisch; witzigerweise.

ironing [ˈaɪənɪŋ] *n* Bügeln *nt*; (laundry) Bügelwäsche *f*; **ironing board** *n* Bügelbrett *nt*.

ironmonger [ˈaɪənmʌŋgə*] *n* Eisenwarenhändler(in) *m(f)*; **~'s shop** Eisenwarenhandlung *f*.

iron ore [ˈaɪənɔː:*] *n* Eisenerz *nt*; **ironworks** [ˈaɪənwɜːks] *n sing o pl* Eisenhütte *f*.

irony [ˈaɪrənɪ] *n* Ironie *f*; **the ~ of it was ...** das Witzige daran war ...

irrational [ɪˈræʃənl] *adj* unvernünftig, irrational.

irreconcilable [ɪrekənˈsaɪləbl] *adj* unvereinbar.

irredeemable [ɪrɪˈdiːməbl] *adj* (money) nicht einlösbar; (loan) unkündbar; (fig) rettungslos.

irrefutable [ɪrɪˈfjuːtəbl] *adj* unwiderlegbar.

irregular [ɪˈregjʊlə*] *adj* unregelmäßig; (shape) ungleichmäßig; (fig) unstatthaft; (behaviour) ungehörig; **irregularity** [ɪregjʊˈlærɪtɪ] *n* Unregelmäßigkeit *f*; Ungleichmäßigkeit *f*; (fig) Vergehen *nt*.

irrelevance [ɪˈreləvəns] *n* Belanglosigkeit *f*; **irrelevant** *adj* belanglos, irrelevant.

irreligious [ɪrɪˈlɪdʒəs] *adj* ungläubig.

irreparable [ɪˈrepərəbl] *adj* nicht gutzumachen.

irreplaceable [ɪrɪˈpleɪsəbl] *adj* unersetzlich.

irrepressible [ɪrɪˈpresəbl] *adj* nicht zu unterdrücken; (joy) unbändig.

irreproachable [ırı'prəʊtʃəbl] *adj* untadelig.

irresistible [ırı'zıstəbl] *adj* unwiderstehlich.

irresolute [ı'rezəluːt] *adj* unentschlossen.

irrespective of [ırı'spektıv ɒv] *prep* ungeachtet +*gen.*

irresponsibility [ırısponsə'bılıtı] *n* Verantwortungslosigkeit *f*; **irresponsible** [ırı'sponsəbl] *adj* verantwortungslos.

irretrievably [ırı'triːvəblı] *adv* unwiederbringlich; (*lost*) unrettbar.

irrigate ['ırıgeıt] *vt* bewässern; **irrigation** [ırı'geıʃən] *n* Bewässerung *f.*

irritable ['ırıtəbl] *adj* reizbar; **irritate** ['ırıteıt] *vt* irritieren, reizen; **irritating** *adj* irritierend; (*cough*) lästig; **irritation** [ırı'teıʃən] *n* (*anger*) Ärger *m*; (*MED*) Reizung *f.*

is [ız] *3rd person sing present of* **be.**

ISBN *n abbr of* **International Standard Book Number** ISBN *f.*

Islam ['ızlɑːm] *n* Islam *m*; **Islamic** *adj* islamisch.

island ['aılənd] *n* Insel *f*; **islander** *n* Inselbewohner(in) *m(f).*

isle [aıl] *n* Insel *f.*

isn't ['ıznt] = **is not.**

isolate ['aısəleıt] *vt* isolieren; **isolated** *adj* isoliert; (*case*) Einzel-; **isolation** [aısə'leıʃən] *n* Isolierung *f*; **to treat sth in ~** etw isoliert [*o* isoliert] behandeln.

isotope ['aısətəʊp] *n* Isotop *nt.*

Israel ['ızreıl] *n* Israel *nt.*

issue ['ıʃuː] 1. *n* (*matter*) Problem *nt*, Frage *f*; (*outcome*) Resultat *nt*; (*of newspaper, shares*) Ausgabe *f*; (*offspring*) Nachkommenschaft *f*; (*of river*) Mündung *f*; 2. *vt* ausgeben; (*warrant*) erlassen; (*documents*) ausstellen; (*orders*) erteilen; (*books*) herausgeben; (*verdict*) aussprechen; **to ~ sb with sth** etw an jdn ausgeben; **that's not at ~** das steht nicht zur Debatte; **to make an ~ out of sth** ein Theater wegen etw machen.

isthmus ['ısməs] *n* Landenge *f.*

it [ıt] 1. *pron* es; 2. *pron direct/indirect object of* **it** es/ihm.

Italian [ı'tæljən] 1. *adj* italienisch; 2. *n* Italiener(in) *m(f).*

italic [ı'tælık] *adj* kursiv; **italics** *n pl* Kursivschrift *f*; **in ~** kursiv gedruckt.

Italy ['ıtəlı] *n* Italien *nt.*

itch [ıtʃ] 1. *n* Juckreiz *m*; (*fig*) brennendes Verlangen; 2. *vi* jucken; **to be ~ing to do sth** darauf brennen, etw zu tun; **itching** *n* Jucken *nt*; **itchy** *adj* juckend.

it'd ['ıtd] = **it would; it had.**

item ['aıtəm] *n* Gegenstand *m*; (*on list*) Posten *m*; (*in programme*) Nummer *f*; (*in agenda*) Programmpunkt *m*; (*in newspaper*)

Zeitungsnotiz *f*; **itemize** ['aıtəmaız] *vt* verzeichnen.

itinerant [ı'tınərənt] *adj* (*person*) umherreisend; (*worker, circus*) Wander-.

itinerary [aı'tınərərı] *n* Reiseroute *f*; (*records*) Reisebericht *m.*

it'll ['ıtl] = **it will; it shall.**

its [ıts] 1. *pron* (*adjektivisch*) sein; 2. *pron* (*substantivisch*) seine(r, s).

it's [ıts] = **it is; it has.**

itself [ıt'self] *pron* sich; **it ~** es selbst.

I've [aıv] = **I have.**

ivory ['aıvərı] *n* Elfenbein *nt*; **ivory tower** *n* (*fig*) Elfenbeinturm *m.*

ivy ['aıvı] *n* Efeu *m.*

J

J, j [dʒeı] *n* J *nt*, j *nt.*

jab [dʒæb] 1. *vt, vi* hineinstechen; 2. *n* Stich *m*, Stoß *m*; (*fam*) Spritze *f.*

jabber ['dʒæbə*] *vi* plappern.

jack [dʒæk] *n* Wagenheber *m*; (*CARDS*) Bube *m*; **jack up** *vt* aufbocken.

jackdaw ['dʒækdɔː] *n* Dohle *f.*

jacket ['dʒækıt] *n* Jacke *f*, Jackett *nt*; (*of book*) Schutzumschlag *m*; (*TECH*) Ummantelung *f.*

jack-knife ['dʒæknaıf] 1. *n* (jack-knives) Klappmesser *nt*; 2. *vi* (*truck*) sich zusammenschieben.

jack plug ['dʒækplʌg] *n* Bananenstecker *m.*

jackpot ['dʒækpɒt] *n* Hauptgewinn *m.*

jacuzzi® [dʒə'kuːzı] *n* (*jet*) Wirbeldüse *f*; (*bath*) Whirlpool *m.*

jade [dʒeıd] *n* (*stone*) Jade *f.*

jaded ['dʒeıdıd] *adj* ermattet.

jagged ['dʒægıd] *adj* zackig; (*blade*) schartig.

jail [dʒeıl] 1. *n* Gefängnis *nt*; 2. *vt* einsperren; **jailbreak** *n* Gefängnisausbruch *m*; **jailer** *n* Gefängniswärter(in) *m(f).*

jam [dʒæm] 1. *n* Marmelade *f*; (*crowd*) Gedränge *nt*; (*traffic ~*) Stau *m*; (*fam: trouble*) Klemme *f*; 2. *vt* (*people*) zusammendrängen; (*wedge*) einklemmen; (*cram*) hineinzwängen; (*obstruct*) blockieren; **to ~ on the brakes** auf die Bremse treten.

jamboree [dʒæmbə'riː] *n* Pfadfindertreffen *nt.*

jangle ['dʒæŋgl] *vt, vi* klimpern; (*bells*) bimmeln.

janitor ['dʒænıtə*] *n* Hausmeister(in) *m(f).*

January ['dʒænjʊərı] *n* Januar *m*; **~ 17th, 1962, 17th ~ 1962** (*Datumsangabe*) 17. Januar 1962; **on the 1st/11th of ~** (*gesprochen*) am 1./11. Januar; **on 1st/11th ~, on ~**

1st/11th (*geschrieben*) am 1./11. Januar; **in** ~ **Januar.**

Japan [dʒə'pæn] *n* Japan *nt;* **Japanese** [dʒæpəˈniːz] **1.** *adj* japanisch; **2.** *n* Japaner(in) *m(f).*

jar [dʒɑː*] **1.** *n* Glas *nt;* **2.** *vi* kreischen; (*colours etc*) nicht harmonieren.

jargon [ˈdʒɑːgən] *n* Fachsprache *f*, Jargon *m.*

jarring [ˈdʒɑːrɪŋ] *adj* (*sound*) kreischend; (*colour*) sich beißend.

jasmine [ˈdʒæzmɪn] *n* Jasmin *m.*

jaundice [ˈdʒɔːndɪs] *n* Gelbsucht *f;* **jaundiced** *adj* zynisch.

jaunt [dʒɔːnt] *n* Spritztour *f;* **jaunty** *adj* (*lively*) munter; (*brisk*) flott; (*attitude*) unbekümmert.

javelin [ˈdʒævlɪn] *n* Speer *m.*

jaw [dʒɔː] *n* Kiefer *m;* ~**s** *pl* (*fig*) Rachen *m.*

jaywalker [ˈdʒeɪwɔːkə*] *n* unvorsichtiger Fußgänger, unvorsichtige Fußgängerin, Verkehrssünder(in) *m(f).*

jazz [dʒæz] *n* Jazz *m;* **jazz up** *vt* (*MUS*) verjazzen; (*enliven*) aufmöbeln; **jazz band** *n* Jazzkapelle *f;* **jazzy** *adj* (*colour*) schreiend, auffallend.

jealous [ˈdʒeləs] *adj* (*envious*) mißgünstig; (*husband*) eifersüchtig; (*watchful*) bedacht (*of* auf +*akk*); **jealously** *adv* mißgünstig; eifersüchtig; sorgsam; **jealousy** *n* Mißgunst *f;* Eifersucht *f.*

jeans [dʒiːnz] *nl pl* Jeans *pl.*

jeep [dʒiːp] *n* Jeep *m.*

jeer [dʒɪə*] **1.** *vi* höhnisch lachen (*at* über +*akk*), verspotten (*at* sb jdn); **2.** *n* Hohn *m;* (*remark*) höhnische Bemerkung; **jeering** *adj* höhnisch.

jelly [ˈdʒelɪ] *n* Gelee *nt;* (*on meat*) Gallert *nt;* (*dessert*) Grütze *f;* **jellyfish** *n* Qualle *f.*

jemmy [ˈdʒemɪ] *n* Brecheisen *nt.*

jeopardize [ˈdʒepədaɪz] *vt* gefährden; **jeopardy** *n* Gefahr *f.*

jerk [dʒɜːk] **1.** *n* Ruck *m;* (*fam: idiot*) Trottel *m;* **2.** *vt* ruckartig bewegen; **3.** *vi* sich ruckartig bewegen; (*muscles*) zucken.

jerkin [ˈdʒɜːkɪn] *n* Jacke *f.*

jerky [ˈdʒɜːkɪ] *adj* (*movement*) ruckartig; (*writing*) zitterig; (*ride*) rüttelnd.

jerry-built [ˈdʒerɪbɪlt] *adj* unsolide gebaut.

jersey [ˈdʒɜːzɪ] *n* Pullover *m.*

jest [dʒest] **1.** *n* Scherz *m;* **2.** *vi* spaßen; **in** ~ im Spaß.

Jesus [ˈdʒiːzəs] *n* Jesus *m.*

jet [dʒet] *n* (*stream: of water etc*) Strahl *m;* (*spout*) Düse *f;* (*AVIAT*) Düsenflugzeug *nt;* **jet-black** *adj* rabenschwarz; **jet engine** *n* Düsenmotor *m;* **jet fighter** *n* Düsenjäger *m;* **jet-hop** *vi* (*fam*) jetten; **jetlag** *n* Jetlag *nt* (*Müdigkeit nach Flug durch Zeitverschiebung*).

jetsam [ˈdʒetsəm] *n* Strandgut *nt.*

jettison [ˈdʒetɪsn] *vt* über Bord werfen.

jetty [ˈdʒetɪ] *n* Landesteg *m*, Mole *f.*

Jew [dʒuː] *n* Jude *m.*

jewel [ˈdʒuːəl] *n* Juwel *nt;* (*stone*) Edelstein *m;* **jeweller** *n* Juwelier(in) *m(f);* ~**'s shop** Juweliergeschäft *nt;* **jewellery** *n* Schmuck *m*, Juwelen *pl.*

Jewess [ˈdʒuːɪs] *n* Jüdin *f;* **Jewish** [ˈdʒuːɪʃ] *adj* jüdisch.

jib [dʒɪb] **1.** *n* (*NAUT*) Klüver *m;* **2.** *vi* scheuen (*at* vor +*dat*).

jibe [dʒaɪb] *n* spöttische Bemerkung.

jiffy [ˈdʒɪfɪ] *n:* **in a** ~ (*fam*) sofort.

jigsaw puzzle [ˈdʒɪgsɔːpʌzl] *n* Puzzle *nt.*

jilt [dʒɪlt] *vt* den Laufpaß geben +*dat.*

jingle [ˈdʒɪŋgl] **1.** *n* (*advertisement*) Werbesong *m;* (*verse*) Reim *m;* **2.** *vi* klimpern; (*bells*) bimmeln.

jinx [dʒɪŋks] *n* Fluch *m;* **to put a** ~ **on sth** etw verhexen.

jitters [ˈdʒɪtəz] *n pl:* **to get the** ~ (*fam*) einen Bammel kriegen.

jittery [ˈdʒɪtərɪ] *adj* (*fam*) nervös.

jiujitsu [dʒuːˈdʒɪtsuː] *n* Jiu-Jitsu *nt.*

job [dʒɔb] *n* (*piece of work*) Arbeit *f;* (*occupation*) Stellung *f*, Arbeit *f;* (*duty*) Aufgabe *f;* (*difficulty*) Mühe *f;* **what's your** ~**?** was machen Sie beruflich?; **it's a good** ~ **he ...** es ist ein Glück, daß er ...; **just the** ~ genau das Richtige; **jobcentre** *n* Arbeitsvermittlungsstelle *f;* **job creation scheme** *n* Arbeitsbeschaffungsprogramm *nt;* **job hunting** *n:* **to go** ~ auf Arbeitssuche gehen; **jobless** *adj* arbeitslos; **job sharing** *n* Arbeitsplatzteilung *f.*

jockey [ˈdʒɔkɪ] **1.** *n* Jockey *m;* **2.** *vi:* **to** ~ **for position** sich um eine gute Position drängeln.

jocular [ˈdʒɔkjʊlə*] *adj* scherzhaft, witzig.

jodhpurs [ˈdʒɔdpəz] *n pl* Reithose *f.*

jog [dʒɔg] **1.** *vt* anstoßen; **2.** *vi* (*run*) einen Dauerlauf machen, joggen; **jogger** *n* Jogger(in) *m(f);* **jogging** *n* Jogging *nt*, Dauerlauf *m;* **jogging suit** *n* Jogginganzug *m.*

john [dʒɔn] *n* (*US fam*) Klo *nt.*

join [dʒɔɪn] **1.** *vt* (*put together*) verbinden (*to* mit); (*club*) beitreten +*dat;* (*person*) sich anschließen +*dat;* **2.** *vi* (*unite*) sich vereinigen; (*bones*) zusammenwachsen; **3.** *n* Verbindungsstelle *f*, Naht *f;* **join in** *vi* mitmachen; **join up** *vi* (*MIL*) zur Armee gehen.

joiner [ˈdʒɔɪnə*] *n* Schreiner(in) *m(f);* **joinery** *n* Schreinerei *f.*

joint [dʒɔɪnt] **1.** *n* (*TECH*) Fuge *f;* (*of bones*) Gelenk *nt;* (*of meat*) Braten *m;* (*fam: place*) Lokal *nt;* (*fam: of marijuana*) Joint *m;* **2.** *adj* gemeinsam; ~ **account** gemeinsames Konto; **jointly** *adv* gemeinsam.

joist [dʒɔɪst] *n* Träger *m.*

joke [dʒəʊk] **1.** *n* Witz *m;* **2.** *vi* spaßen, Witze machen; **you must be joking** das ist doch wohl nicht dein Ernst; **it's no** ~ es ist zum Lachen; **joker** n Witzbold m; (CARDS) Joker m; **joking** adj scherzhaft; **jokingly** adv zum Spaß; (talk) im Spaß, scherzhaft.

jollity ['dʒɒlɪtɪ] n Fröhlichkeit f; **jolly 1.** adj lustig, vergnügt; **2.** adv (fam) ganz schön; **3.** vt: **to** ~ **sb along** jdn ermuntern; ~ **good** prima.

jolt [dʒəʊlt] **1.** n (shock) Schock m; (jerk) Stoß m, Rütteln nt; **2.** vt (push) stoßen; (shake) durchschütteln; (fig) aufrütteln; **3.** vi holpern.

Jordan ['dʒɔːdən] n (country) Jordanien nt; (river) Jordan m.

jostle ['dʒɒsl] vt anrempeln.

jot [dʒɒt] n: **not one** ~ kein Jota nt; **jot down** vt schnell aufschreiben, notieren; **jotter** n Notizbuch nt; (SCH) Schulheft nt.

joule [dʒuːl] n Joule nt.

journal ['dʒɜːnl] n (diary) Tagebuch nt; (magazine) Zeitschrift f; **journalese** [dʒɜːnə'liːz] n Zeitungsjargon m, Pressejargon m; **journalism** n Journalismus m; **journalist** n Journalist(in) m(f).

journey ['dʒɜːnɪ] n Reise f.

jovial ['dʒəʊvɪəl] adj fröhlich; (esp pej) jovial.

joy [dʒɔɪ] n Freude f; **joyful** adj freudig; (gladdening) erfreulich; **joyfully** adv freudig; **joyous** adj freudig; **joy ride** n Spritztour f; **joystick** n (AVIAT) Steuerknüppel m; (COMPUT) Joystick m.

jubilant ['dʒuːbɪlənt] adj triumphierend.

jubilation [dʒuːbɪ'leɪʃən] n Jubel m.

jubilee ['dʒuːbɪliː] n Jubiläum nt.

judge [dʒʌdʒ] **1.** n Richter(in) m(f); (fig) Kenner(in) m(f); **2.** vt (JUR: person) die Verhandlung führen über +akk; (case) verhandeln; (assess) beurteilen; (criticize) verurteilen; **3.** vi ein Urteil abgeben; **as far as I can** ~ soweit ich das beurteilen kann; **judging by sth** nach etw zu urteilen; **judgement** n (JUR) Urteil nt; (REL) Gericht nt; (opinion) Ansicht f; (ability) Urteilsvermögen nt.

judicial [dʒuː'dɪʃəl] adj gerichtlich, Justiz-.

judicious [dʒuː'dɪʃəs] adj weise.

judo ['dʒuːdəʊ] n Judo nt.

jug [dʒʌg] n Krug m.

juggernaut ['dʒʌgənɔːt] n (truck) Fernlastwagen m.

juggle [dʒʌgl] **1.** vi jonglieren; **2.** vt (facts) verdrehen; (figures) frisieren; **juggler** n Jongleur(in) m(f).

juice [dʒuːs] n Saft m; **juiciness** ['dʒuːsɪnəs] n Saftigkeit f; **juicy** adj saftig; (story) schlüpfrig.

jukebox ['dʒuːkbɒks] n Musikautomat m.

July [dʒuː'laɪ] n Juli m; ~ **31st, 1994, 31st** ~

1994 (Datumsangabe) 31. Juli 1994; **on the 31st of** ~ (gesprochen) am 31. Juli; **on 31st** ~, **on** ~ **31st** (geschrieben) am 31. Juli; **in** ~ im Juli.

jumble ['dʒʌmbl] **1.** n Durcheinander nt; **2.** vt (also: ~ **up**) durcheinanderwerfen; (facts) durcheinanderbringen; **jumble sale** n (Brit) Basar m, Flohmarkt m.

jumbo jet ['dʒʌmbəʊdʒet] n ⟨-s⟩ Jumbo-Jet m.

jump [dʒʌmp] **1.** vi springen; (nervously) zusammenzucken; **2.** vt überspringen; **3.** n Sprung m; **to** ~ **to conclusions** voreilige Schlüsse ziehen; **to** ~ **the gun** (fig) voreilig handeln; **to** ~ **the queue** sich vordrängeln; **to give sb a** ~ jdn erschrecken; **jumped-up** adj (fam) eingebildet; **jumper** n Pullover m; **jump leads** n pl (Brit AUTO) Starthilfekabel nt pl; **jumpy** adj nervös.

junction ['dʒʌŋkʃən] n (of roads) Kreuzung f; (RAIL) Knotenpunkt m.

juncture ['dʒʌŋktʃə*] n: **at this** ~ in diesem Augenblick.

June [dʒuːn] n Juni m; ~ **17th, 1961, 17th June 1961** (Datumsangabe) am 17. Juni 1961; **on the 17th of** ~ (gesprochen) am 17. Juni; **on 17th** ~, **on** ~ **17th** (geschrieben) am 17. Juni; **in** ~ im Juni.

jungle ['dʒʌŋgl] n Dschungel m, Urwald m.

junior ['dʒuːnɪə*] **1.** adj (younger) jünger; (after name) junior; (SPORT) Junioren-; (lower position) untergeordnet; (for young people) Junioren-; **2.** n Jüngere(r) mf; **junior rail-pass** n Junior-Paß m.

junk [dʒʌŋk] n (rubbish) Plunder m; (ship) Dschunke f; **junkfood** n Nahrungsmittel pl mit geringem Nährwert, Junkfood m; **junkie** n (fam) Fixer(in) m(f); (fig) Freak m; **junkshop** n Ramschladen m.

junta ['dʒʌntə] n Junta f.

jurisdiction [dʒʊərɪs'dɪkʃən] n Gerichtsbarkeit f; (range of authority) Zuständigkeitsbereich m.

jurisprudence [dʒʊərɪs'pruːdəns] n Rechtswissenschaft f, Jura.

juror ['dʒʊərə*] n Geschworene(r) mf; Schöffe m, Schöffin f; (in competition) Preisrichter(in) m(f).

jury ['dʒʊərɪ] n (court) Geschworene pl; (in competition) Jury f, Preisgericht m; **juryman** n (jurymen) s. **juror**.

just [dʒʌst] **1.** adj gerecht; **2.** adv (recently, now) gerade, eben; (barely) gerade noch; (exactly) genau, gerade; (only) nur, bloß; (small distance) gleich; (absolutely) einfach; ~ **as I arrived** gerade als ich ankam; ~ **as nice** genauso nett; ~ **as well** um so besser; ~ **about** so etwa; ~ **now** soeben, gerade; **not** ~ **now** nicht im Moment; ~ **try** versuch es bloß [o mal].

justice [ˈdʒʌstɪs] n (fairness) Gerechtigkeit f; (magistrate) Richter(in) m(f); ~ **of the peace** Friedensrichter(in) m(f).

justifiable [dʒʌstɪˈfaɪəbl] adj berechtigt; **justifiably** adv berechtigterweise, zu Recht.

justification [dʒʌstɪfɪˈkeɪʃən] n Rechtfertigung f; **justify** [ˈdʒʌstɪfaɪ] vt rechtfertigen; (TYP) justieren; **justified lines** pl Blocksatz m.

just-in-time-manufacturing [dʒʌstɪntaɪmænjʊˈfæktʃərɪŋ] n Just-in-time-Fertigung f.

justly [ˈdʒʌstlɪ] adv (say) mit Recht; (condemn) gerecht.

justness [ˈdʒʌstnəs] n Gerechtigkeit f.

jut [dʒʌt] vi (also: ~ out) hervorragen, vorstehen.

juvenile [ˈdʒuːvənaɪl] **1.** adj (young) jugendlich; (for the young) Jugend-; **2.** n Jugendliche(r) mf; **juvenile delinquency** n Jugendkriminalität f; **juvenile delinquent** n jugendlicher Straftäter, jugendliche Straftäterin.

juxtapose [ˈdʒʌkstəpəʊz] vt nebeneinanderstellen; **juxtaposition** [dʒʌkstəpəˈzɪʃən] n Gegenüberstellung f.

K

K, k [keɪ] n K nt, k nt.

K n abbr of **kilobyte** K nt, Kbyte nt.

kaleidoscope [kəˈlaɪdəskəʊp] n Kaleidoskop nt.

Kampuchea [kæmpʊˈtʃɪə] n Kambodscha nt, Kamputschea nt.

kangaroo [kæŋgəˈruː] n Känguruh nt.

karate [kəˈrɑːtɪ] n Karate nt.

kayak [ˈkaɪæk] n Kajak m o nt.

kebab [kəˈbæb] n Schaschlik nt o m, Kebab m.

keel [kiːl] n Kiel m; **on an even ~** (fig) im Lot.

keen [kiːn] adj eifrig, begeistert; (intelligence, wind, blade) scharf; (sight, hearing) gut; (price) günstig; **keenly** adv leidenschaftlich; (sharply) scharf; **keenness** n Schärfe f; (eagerness) Begeisterung f; (interest) starkes Interesse.

keep [kiːp] ⟨kept, kept⟩ **1.** vt (retain) behalten; (have) haben; (animals, one's word) halten; (support) versorgen; (maintain in state) halten; (preserve) aufbewahren; (restrain) abhalten; **2.** vi (continue in direction) sich halten; (food) sich halten; (remain quiet etc) sein, bleiben; **3.** n Unterhalt m; (tower) Burgfried m; **it ~s happen-**ing es passiert immer wieder; **keep back** vt fernhalten; (secret) verschweigen; **keep on 1.** vi: **~ ~ doing sth** etw immer weiter tun; **2.** vt anbehalten; (hat) aufbehalten; **keep out** vt draußen lassen, nicht hereinlassen; **"~ ~"** „Eintritt verboten"; **keep up 1.** vi Schritt halten; **2.** vt aufrechterhalten; (continue) weitermachen; **keep-fit** n Gymnastik f; **keeping** n (care) Obhut f; **in ~ with** in Übereinstimmung mit.

keepsake [ˈkiːpseɪk] n Andenken nt.

keg [keg] n Faß nt.

kennel [ˈkenl] n Hundehütte f.

Kenya [ˈkenjə] n Kenia nt.

kept [kept] pt, pp of **keep**.

kerb [kɜːb] n Bordstein m.

kerb crawling [ˈkɜːbˈkrɔːlɪŋ*] n Autostrich m.

kernel [ˈkɜːnl] n Kern m.

kerosene [ˈkerəsiːn] n Kerosin nt.

kestrel [ˈkestrəl] n Turmfalke m.

ketchup [ˈketʃʌp] n Ketchup nt o m.

kettle [ˈketl] n Kessel m; **kettledrum** n Pauke f.

key [kiː] **1.** n Schlüssel m; (solution, answers) Schlüssel m, Lösung f; (of piano, typewriter) Taste f; (MUS) Tonart f; (explanatory note) Zeichenerklärung f; **2.** adj (position etc) Schlüssel-; **3.** vt (also: ~ **in**) (COMPUT) eingeben; **keyboard** n (of piano, typewriter, computer) Tastatur f; **keyboards** n pl (MUS) Keyboard nt; **keyhole** n Schlüsselloch nt; **keyhole surgery** n Mikrochirurgie f; **keynote** n Grundton m; **keypad** n (COMPUT) Keypad nt, Handpolster nt; **key ring** n Schlüsselring m; **keyword** n Schlüsselwort m.

khaki [ˈkɑːkɪ] **1.** n Khaki nt; **2.** adj khakifarben.

kick [kɪk] **1.** vt einen Fußtritt geben +dat, treten; **2.** vi treten; (baby) strampeln; (horse) ausschlagen; **3.** n Fußtritt m; (thrill) Spaß m; **kick around** vt (person) herumstoßen; **kick off** vi (SPORT) anstoßen; **kick up** vt (fam) schlagen; **kick-off** n (SPORT) Anstoß m.

kid [kɪd] **1.** n (child) Kind nt; (goat) Zicklein nt; (leather) Glacéleder nt; **2.** vt auf den Arm nehmen; **3.** vi Witze machen.

kidnap [ˈkɪdnæp] vt entführen, kidnappen; **kidnapper** n Kidnapper(in) m(f), Entführer(in) m(f); **kidnapping** n Entführung f, Kidnapping nt.

kidney [ˈkɪdnɪ] n Niere f; **kidney machine** n künstliche Niere.

kill [kɪl] **1.** vt töten, umbringen; (chances) ruinieren; **2.** vi töten; **3.** n Tötung f; (HUNTING) Jagdbeute f; **killer** n Mörder(in) m(f); **killing** n Töten nt; **make a ~** (fam) einen Riesengewinn machen.

kiln [kɪln] n Brennofen m.

kilo [ˈkiːləʊ] n ⟨-s⟩ Kilo nt; **kilobyte** n Kilobyte nt, Kbyte nt; **kilogramme** n Kilogramm m; **kilometer** (US), **kilometre** n Kilometer m; **kilowatt** n Kilowatt nt.

kilt [kɪlt] n Schottenrock m, Kilt m.

kimono [kɪˈməʊnəʊ] n ⟨-s⟩ Kimono m.

kin [kɪn] n Verwandtschaft f, Verwandte(n) pl.

kind [kaɪnd] **1.** adj freundlich, gütig; **2.** n Art f; **a ~ of** eine Art von; **two of a ~** zwei von der gleichen Art; (people) vom gleichen Schlag; **in ~** auf dieselbe Art; (in goods) in Naturalien; **~ of** (fam) irgendwie.

kindergarten [ˈkɪndəgɑːtn] n Kindergarten m.

kind-hearted [ˈkaɪndˈhɑːtɪd] adj gutherzig.

kindle [ˈkɪndl] vt (set on fire) anzünden; (rouse) reizen, erwecken.

kindliness [ˈkaɪndlɪnəs] n Freundlichkeit f, Güte f.

kindly [ˈkaɪndlɪ] **1.** adj freundlich; **2.** adv liebenswürdigerweise; **would you ~ ...** wären Sie so freundlich und ...

kindness [ˈkaɪndnəs] n Freundlichkeit f.

kindred [ˈkɪndrɪd] adj verwandt; **~ spirit** Gleichgesinnte(r) mf.

kinetic [kɪˈnetɪk] adj kinetisch.

king [kɪŋ] n König m; **kingdom** n Königreich nt; **kingfisher** n Eisvogel m; **kingpin** n (TECH) Bolzen m; (AUTO) Achsschenkelbolzen m; (fig) Stütze f; **king-size** adj extra groß; (cigarette) Kingsize-.

kink [kɪŋk] n Knick m; (peculiarity) Schrulle f; **kinky** adj (hair) wellig; (fam) verrückt; (sexually) abartig.

kiosk [ˈkiːɒsk] n Kiosk m; (TEL) Telefonhäuschen nt.

kip [kɪp] (Brit fam) 1. n: **have a ~** eine Runde pennen; 2. vi: ~ [**down**] pennen.

kipper [ˈkɪpə*] n Räucherhering m, Bückling m.

kiss [kɪs] **1.** n Kuß m; **2.** vt küssen; **3.** vi: **they ~ed** sie küßten sich.

kit [kɪt] n Ausrüstung f; (tools) Werkzeug nt; **kitbag** n Seesack m.

kitchen [ˈkɪtʃɪn] n Küche f; **kitchen foil** n Alufolie f; **kitchen garden** n Gemüsegarten m; **kitchen sink** n Spülbecken nt; **kitchen unit** n Küchenschrank m; **kitchenware** n Küchengeschirr nt.

kite [kaɪt] n Drachen m.

kith [kɪθ] n: **~ and kin** Blutsverwandte pl; **with ~ and kin** mit Kind und Kegel.

kitten [ˈkɪtn] n Kätzchen nt.

kitty [ˈkɪtɪ] n (money) gemeinsame Kasse f.

kiwi [ˈkiːwiː] n (fruit) Kiwi f.

kleptomaniac [kleptəʊˈmeɪnɪæk] n Kleptomane m, Kleptomanin f.

km abbr of **kilometres** km.

knack [næk] n Dreh m, Trick m.

knackered [ˈnækəd] adj (Brit fam) ausgebufft.

knapsack [ˈnæpsæk] n Rucksack m; (MIL) Tornister m.

knead [niːd] vt kneten.

knee [niː] n Knie nt; **kneecap** n Kniescheibe f; **knee-deep** adj knietief.

kneel [niːl] ⟨knelt o kneeled, knelt o kneeled⟩ vi knien.

knell [nel] n Grabgeläute nt.

knelt [nelt] pt, pp of **kneel**.

knew [njuː] pt of **know**.

knickers [ˈnɪkəz] n pl Schlüpfer m.

knife [naɪf] **1.** n ⟨knives⟩ Messer nt; **2.** vt erstechen; **knife edge** n: **balanced on a ~** auf des Messers Schneide stehen.

knight [naɪt] n Ritter m; (CHESS) Springer m, Pferd nt; **knighthood** n Ritterwürde f.

knit [nɪt] **1.** vt, vi stricken; **2.** vi (bones) zusammenwachsen; (people) harmonieren; **knitting** n (occupation) Stricken nt; (work) Strickzeug nt; **knitting machine** n Strickmaschine f; **knitting needle** n Stricknadel f; **knitting pattern** n Strickmuster nt; **knitwear** n Strickwaren pl.

knob [nɒb] n Knauf m; (on instrument) Knopf m; (of butter etc) kleines Stück.

knock [nɒk] **1.** vt schlagen; (criticize) heruntermachen; **2.** vi klopfen; (knees) zittern; **3.** n Schlag m, Stoß m; (on door) Klopfen nt; **knock off** vi (do quickly) hinhauen; (steal) klauen; **2.** vi (finish) Feierabend machen; **knock out** vt ausschlagen; (BOXING) k.o. schlagen; **knockdown prices** n pl Schleuderpreise pl; **knocker** n (on door) Türklopfer m; **knock-kneed** adj X-beinig; **knockout** n K.o.-Schlag m; (fig) Sensation f.

knot [nɒt] **1.** n Knoten m; (in wood) Astloch nt; (group) Knäuel nt o m; **2.** vt verknoten; **knotted** adj verknotet; **knotty** [ˈnɒtɪ] adj knorrig; (problem) kompliziert.

know [nəʊ] ⟨knew, known⟩ vt, vi wissen; (be able to) können; (be acquainted with) kennen; (recognize) erkennen; **to ~ how to do sth** wissen, wie man etw macht, etw tun können; **you ~** nicht wahr; **to be well ~** bekannt sein; **know-all** n Alleswisser(in) m(f); **know-how** n Kenntnis f, Know-how nt; **knowing** adj schlau; (look, smile) wissend; **knowingly** adv wissend; (intentionally) wissentlich.

knowledge [ˈnɒlɪdʒ] n Wissen nt, Kenntnis f; (learning) Kenntnisse pl; **knowledgeable** adj informiert, kenntnisreich.

known [nəʊn] pp of **know**.

knuckle [ˈnʌkl] n Fingerknöchel m; **knuckle down** vi (fam): **to ~ ~ to work** sich an die Arbeit machen; **knuckle**

under *vi (fam)* spuren.
Koran [kɔ'rɑːn] *n* Koran *m*.
Korea [kə'rɪə] *n* Korea *nt*.
kph *n abbr of* **kilometres per hour** km/h.
kudos ['kjuːdɒs] *n* Ehre *f*.
Kuwait [kʊ'weɪt] *n* Kuwait *nt*.

L

L, l [el] *n* L *nt*, l *nt*.
lab [læb] *n (fam)* Labor *nt*.
label ['leɪbl] **1.** *n* Etikett *nt*, Schild *nt*; *(record company)* Plattenfirma *f*; **2.** *vt* mit einer Aufschrift versehen, etikettieren; *(pej)* abstempeln.
laboratory [lə'bɒrətərɪ] *n* Labor *nt*.
laborious *adj* [lə'bɔːrɪəs] mühsam.
labor *(US)*, **labour** ['leɪbə*] **1.** *n* Arbeit *f*; *(workmen)* Arbeitskräfte *pl*; *(MED)* Wehen *pl*; **2.** *vi (in fields)* arbeiten; *(work hard)* sich abmühen *(at, with* mit); **3.** *adj (POL)* Labour-; **hard ~** Zwangsarbeit *f*; **labourer** *n* Arbeiter(in) *m(f)*; **labour-saving** *adj* arbeitssparend.
laburnum [lə'bɜːnəm] *n* Goldregen *m*.
labyrinth ['læbərɪnθ] *n* Labyrinth *nt*.
lace [leɪs] **1.** *n (fabric)* Spitze *f*; *(of shoe)* Schnürsenkel *m*; *(braid)* Litze *f*; **2.** *vt (also: ~ up)* zuschnüren.
lacerate ['læsəreɪt] *vt* zerschneiden, tief verwunden.
lack [læk] **1.** *vt* nicht haben; **2.** *vi:* **to be ~ing** fehlen; **sb is ~ing in sth** es fehlt jdm an etw *dat*; **3.** *n* Mangel *m*; **sb ~s sth** jdm fehlt etw; **for ~ of** aus Mangel an +*dat*.
lackadaisical [lækə'deɪzɪkəl] *adj* lasch.
lackey ['lækɪ] *n* Lakei *m*.
lackluster *(US)*, **lacklustre** ['læklʌstə*] *adj* glanzlos, matt.
laconic [lə'kɒnɪk] *adj* lakonisch.
lacquer ['lækə*] *n* Lack *m*.
lacrosse [lə'krɒs] *n* Lacrosse *nt*.
lacy ['leɪsɪ] *adj* spitzenartig, Spitzen-.
lad [læd] *n (boy)* Junge *m*; *(young man)* Bursche *m*.
ladder ['lædə*] **1.** *n* Leiter *f*; *(fig)* Stufenleiter *f*; *(Brit: in stocking)* Laufmasche *f*; **2.** *vt* Laufmaschen bekommen in +*dat*.
laden ['leɪdn] *adj* beladen, voll.
ladle ['leɪdl] *n* Schöpfkelle *f*.
lady ['leɪdɪ] *n* Dame *f*; *(title)* Lady *f*; **"Ladies"** *(lavatory)* „Damen"; **ladybird**, **ladybug** *(US)* *n* Marienkäfer *m*; **lady-in-waiting** *n* ⟨ladies-in-waiting⟩ Hofdame *f*; **ladylike** *adj* damenhaft, vornehm.
lag [læg] **1.** *n (delay)* Verzug *m*; *(time ~)* Zeitabstand *m*; **2.** *vi (also: ~ behind)* zurückbleiben; **3.** *vt (pipes)* verkleiden.
lager ['lɑːgə*] *n* helles Bier.
lagging ['lægɪŋ] *n* Isolierung *f*.
lagoon [lə'guːn] *n* Lagune *f*.
laid [leɪd] **1.** *pt, pp of* **lay**; **2.** *adj:* **to be ~ up** ans Bett gefesselt sein; **laid-back** *adj (fam)* cool, gelassen.
lain [leɪn] *pp of* **lie**.
laity ['leɪtɪ] *n* Laien *pl*.
lake [leɪk] *n* See *m*.
lamb [læm] *n* Lamm *nt*; *(meat)* Lammfleisch *nt*; **lamb chop** *n* Lammkotelett *nt*; **lamb's wool** *n* Lammwolle *f*.
lame [leɪm] *adj* lahm; *(person also)* gelähmt; *(excuse)* faul.
lame duck ['leɪmdʌk] *n* Niete *f*.
lament [lə'ment] **1.** *n* Klage *f*; **2.** *vt* beklagen; **lamentable** ['læməntəbl] *adj* bedauerlich; *(bad)* erbärmlich; **lamentation** [læmən'teɪʃən] *n* Wehklage *f*.
laminated ['læmɪneɪtɪd] *adj* beschichtet; **~ glass** Verbundglas *nt*; **~ plastic** Resopal® *nt*; **~ wood** Sperrholz *nt*.
lamp [læmp] *n* Lampe *f*; *(in street)* Straßenlaterne *f*; **lamppost** *n* Laternenpfahl *m*; **lampshade** *n* Lampenschirm *m*.
lance [lɑːns] **1.** *n* Lanze *f*; **2.** *vt (MED)* aufschneiden.
LAN [læn] *n acr of* **local area network** LAN *nt*.
lancet ['lɑːnsɪt] *n* Lanzette *f*.
land [lænd] **1.** *n* Land *nt*; **2.** *vi (from ship)* an Land gehen; *(AVIAT. end up)* landen; **3.** *vt (obtain)* gewinnen, kriegen; *(passengers)* absetzen; *(goods)* abladen; *(troops, space probe)* landen; **landed** *adj* Land-; **landfill [site]** *n* Mülldeponie *f*; **landing** *n* Landung *f*; *(on stairs)* Treppenabsatz *m*; **landing craft** *n* Landungsboot *nt*; **landing stage** *n* Landesteg *m*; **landing strip** *n* Landebahn *f*; **landlady** *n* Hauswirtin *f*, Besitzerin *f*; **landlocked** *adj* landumschlossen, Binnen-; **landlord** *n (of house)* Hauswirt *m*, Besitzer *m*; *(of pub)* Gastwirt *m*; *(of land)* Grundbesitzer *m*; **landlubber** *n (fam)* Landratte *f*; **landmark** *n* Wahrzeichen *nt*; *(fig)* Meilenstein *m*; **landowner** *n* Grundbesitzer *m(f)*; **landscape** *n* Landschaft *f*; **landslide** *n (GEO)* Erdrutsch *m*; *(POL)* überwältigender Sieg, Erdrutschsieg *m*.
lane [leɪn] *n (in town)* Gasse *f*; *(in country)* Weg *m*, Straßchen *f*; *(of motorway)* Fahrbahn *f*, Spur *f*; *(SPORT)* Bahn *f*.
language ['læŋgwɪdʒ] *n* Sprache *f*; *(style)* Ausdrucksweise *f*; **language laboratory** *n* Sprachlabor *nt*.
languid ['læŋgwɪd] *adj* schlaff, matt.
languish ['læŋgwɪʃ] *vi* schmachten; *(pine)* sich sehnen *(for* nach).

languor [ˈlæŋgə*] n Mattigkeit f.

languorous [ˈlæŋgərəs] adj schlaff, träge.

lank [læŋk] adj dürr; **lanky** adj schlacksig.

lantern [ˈlæntən] n Laterne f.

lap [læp] **1.** n Schoß m; (SPORT) Runde f; **2.** vt auflecken; **3.** vi (water) plätschern; **lap-dog** n Schoßhund m.

lapel [ləˈpel] n Aufschlag m, Revers nt o m.

lapse [læps] n (mistake) Irrtum m; (moral) Fehltritt m; (time) Zeitspanne f.

laptop [ˈlæptɒp] n Laptop m (kleiner, tragbarer Personalcomputer).

larceny [ˈlɑːsənɪ] n Diebstahl m.

lard [lɑːd] n Schweineschmalz m.

larder [ˈlɑːdə*] n Speisekammer f.

large [lɑːdʒ] adj groß; **at** ~ auf freiem Fuß; **by and** ~ im großen und ganzen; **largely** adv zum größten Teil; **large-scale** adj groß angelegt, Groß-.

lark [lɑːk] n (bird) Lerche f; (joke) Jux m; **lark about** vi (fam) herumalbern.

larva [ˈlɑːvə] n ⟨larvae⟩ [ˈlɑːviː] Larve f.

laryngitis [lærɪnˈdʒaɪtɪs] n Kehlkopfentzündung f.

larynx [ˈlærɪŋks] n Kehlkopf m.

lascivious adj, **lasciviously** adv [ləˈsɪvɪəs, -lɪ] wollüstig.

laser [ˈleɪzə*] n Laser m; **laser printer** n Laserdrucker m.

lash [læʃ] **1.** n Peitschenhieb m; **2.** vt (beat against) schlagen an +akk; (rain) schlagen gegen; (whip) peitschen; (bind) festbinden; **lash out 1.** vi (with fists) um sich schlagen; (spend money) sich in Unkosten stürzen; **2.** vt (money etc) springen lassen.

lass [læs] n Mädchen nt.

lassitude [ˈlæsɪtjuːd] n Abgespanntheit f.

lasso [læˈsuː] **1.** n ⟨-es⟩ Lasso nt; **2.** vt mit einem Lasso fangen.

last [lɑːst] **1.** adj letzte(r, s); **2.** adv zuletzt; (last time) das letztemal; **3.** n (person) Letzte(r) mf; (thing) Letzte(s) nt; (for shoe) Schuhleisten m; **4.** vi (continue) dauern; (remain good) sich halten; (money) ausreichen; **at** ~ endlich; ~ **night** gestern abend; **lasting** adj dauerhaft, haltbar; (shame etc) andauernd, bleibend; **last-minute** adj in letzter Minute.

latch [lætʃ] n Riegel m; **latchkey** n Hausschlüssel m; ~ **child** Schlüsselkind nt.

late [leɪt] **1.** adj spät; zu spät; (recent) jüngste(r, s); (former) frühere(r, s); (dead) verstorben; **2.** adv spät; (after proper time) zu spät; **to be** ~ zu spät kommen; **of** ~ in letzter Zeit; ~ **in the day** spät; (fig) reichlich spät; **latecomer** n Nachzügler(in) m(f); **lately** adv in letzter Zeit; **lateness** [ˈleɪtnɪs] n (of train) Verspätung f; ~ **of the hour** die vorgerückte Stunde.

latent [ˈleɪtənt] adj latent.

lateral [ˈlætərəl] adj seitlich; **lateral thinker** n Querdenker(in) m(f).

latest [ˈleɪtɪst] n (news) Neueste(s) nt; **at the** ~ spätestens.

latex [ˈleɪteks] n Milchsaft m.

lath [læθ] n Latte f, Leiste f.

lathe [leɪð] n Drehbank f.

lather [ˈlɑːðə*] **1.** n Seifenschaum m; **2.** vt einschäumen; **3.** vi schäumen.

Latin [ˈlætɪn] n Latein m f; **Latin-American 1.** adj lateinamerikanisch; **2.** n Lateinamerikaner(in) m(f).

latitude [ˈlætɪtjuːd] n (GEO) Breite f; (freedom) Spielraum m, Freiheit f.

latrine [ləˈtriːn] n Latrine f.

latter [ˈlætə*] adj (second of two) letztere(r, s); (coming at end) letzte(r, s), später; **latter-day** adj modern; **latterly** adv in letzter Zeit.

lattice work [ˈlætɪswɜːk] n Lattenwerk nt, Gitterwerk nt.

Latvia [ˈlætvɪə] n Lettland nt.

laudable [ˈlɔːdəbl] adj löblich.

laugh [lɑːf] **1.** n Lachen nt; **2.** vi lachen; **laugh at** vt lachen über +akk; **laugh off** vt mit einem Lachen abtun; **laughable** adj lachhaft; **laughing** adj lachend; **laughing stock** n lächerliche Figur; **laughter** [ˈlɑːftə*] n Lachen nt, Gelächter nt.

launch [lɔːntʃ] **1.** n (of ship) Stapellauf m; (of rocket) Raketenabschuß m; (boat) Barkasse f; (pleasure boat) Vergnügungsboot nt; **2.** vt (set afloat) vom Stapel laufen lassen; (rocket) abschießen; (set going) in Gang setzen, starten; **launching** n Stapellauf m; **launching pad** n Abschußrampe f.

launder [ˈlɔːndə*] vt waschen und bügeln; (fig: money) waschen; **launderette** [lɔːndəˈret] n Waschsalon m; **laundry** [ˈlɔːndrɪ] n (place) Wäscherei f; (clothes) Wäsche f; (fig: of money) Geldwäscherei f, Geldwaschanlage f.

laurel [ˈlɒrəl] n Lorbeer m.

lava [ˈlɑːvə] n Lava f.

lavatory [ˈlævətrɪ] n Toilette f.

lavender [ˈlævɪndə*] n Lavendel m.

lavish [ˈlævɪʃ] **1.** adj (extravagant) verschwenderisch; (generous) großzügig; **2.** vt (money) verschwenden (on auf +akk); (attentions, gifts) überschütten mit (on sb jdn); **lavishly** adv (give) großzügig; (spend money) verschwenderisch.

law [lɔː] n Gesetz nt; (system) Recht nt; (of game etc) Regel f; (as studies) Jura; **law-abiding** adj gesetzestreu; **lawbreaker** n Rechtsbrecher(in) m(f); **law court** n Gerichtshof m; **lawful** adj gesetzlich, rechtmäßig; **lawfully** adv rechtmäßig; **lawless** adj gesetzlos.

lawn [lɔːn] n Rasen m; **lawnmower** n Rasenmäher m; **lawn tennis** n Rasentennis m.

law school ['lɔ:sku:l] n Rechtsakademie f; **law student** n Jurastudent(in) m(f); **lawsuit** ['lɔ:su:t] n Prozeß m.

lawyer ['lɔ:jə*] n Rechtsanwalt(-anwältin) m(f).

lax [læks] adj lax.

laxative ['læksətɪv] n Abführmittel nt.

laxity ['læksɪtɪ] n Laxheit f.

lay [leɪ] **1.** pt of **lie**; **2.** ⟨laid, laid⟩ vt (place) legen; (table) decken; (fire) anrichten; (egg) legen; (trap) stellen; (money) wetten; **3.** adj Laien-; **lay aside** vt zurücklegen; **lay by** vt (set aside) beiseite legen; **lay down** vt hinlegen; (rules) vorschreiben; (arms) strecken; **lay off** vt (workers) vorübergehend entlassen; **lay on** vt auftragen; (concert etc) veranstalten; **lay out** vt herauslegen; (money) ausgeben; (corpse) aufbahren; **lay up** vt (store) aufspeichern; (supplies) anlegen; (save) zurücklegen; **lay-about** n Faulenzer(in) m(f); **lay-by** n Parkbucht f; (bigger) Rastplatz m.

layer ['leɪə*] n Schicht f.

layette [leɪ'et] n Babyausstattung f.

layman ['leɪmən] n (laymen) Laie m.

lay-off ['leɪɒf] n [vorübergehende] Entlassung f.

layout ['leɪaʊt] n Anlage f; (ART) Layout nt.

laze [leɪz] vi faulenzen.

lazily ['leɪzɪlɪ] adv träge, faul.

laziness ['leɪzɪnɪs] n Faulheit f.

lazy ['leɪzɪ] adj faul; (slow-moving) träge.

lb n abbr of **pound** Pfund nt, Pfd.

LCD n abbr of **liquid crystal display** Leuchtkristallanzeige f, Flüssigkristallanzeige f; **LCD-display** n Leuchtdiodenanzeige f.

lead [led] **1.** n Blei nt; (of pencil) Bleistiftmine f; **2.** adj bleiern, Blei-; **3.** [li:d] ⟨led, led⟩ vt (guide) führen; (group etc) leiten; **4.** vi (be first) führen; **5.** n (front position) Führung f; (distance, time ahead) Vorsprung f; (example) Vorbild n; (clue) Tip m; (of police) Spur f; (THEAT) Hauptrolle f; (dog's) Leine f; **lead astray** vt irreführen; **lead away** vt wegführen; (prisoner) abführen; **lead back** vt zurückführen; **lead on** vt anführen; **lead to** vt (street) hinführen nach; (result in) führen zu; **lead up to** vt (drive) führen zu; (speaker etc) hinführen auf +akk.

leaded ['ledɪd] adj (petrol) verbleit.

leader ['li:də*] n [An]führer(in) m(f), Leiter(in) m(f); (of party) Vorsitzende(r) mf; (PRESS) Leitartikel m; **leadership** ['li:dəʃɪp] n (office) Leitung f; (quality) Führungsqualitäten fpl.

lead-free ['led'fri:] adj (petrol) unverbleit, bleifrei.

leading ['li:dɪŋ] adj führend; ~ **lady** (THEAT) Hauptdarstellerin f; ~ **light** (person) maßgebliche Persönlichkeit f; (fam) Leuchte f; ~ **man** (THEAT) Hauptdarsteller m.

leaf [li:f] n ⟨leaves⟩ Blatt nt; (of table) Ausziehplatte f; **leaflet** ['li:flɪt] n Blättchen nt; (advertisement) Prospekt m; (pamphlet) Flugblatt nt; (for information) Merkblatt nt; **leafy** adj belaubt.

league [li:g] n (union) Bund m, Liga f; (SPORT) Liga f, Tabelle f; (measure) 3 englische Meilen.

leak [li:k] **1.** n undichte Stelle; (in ship) Leck nt; **2.** vt (liquid etc) durchlassen; **3.** vi (pipe etc) undicht sein; (liquid etc) auslaufen; **leak out** vi (liquid etc) auslaufen; (information) durchsickern; **leaky** adj undicht.

lean [li:n] ⟨leant o leaned, leant o leaned⟩ **1.** vi sich neigen; **2.** vt anlehnen; **3.** adj mager; **4.** n Magere(s) nt; **to ~ against sth** (thing) an etw dat angelehnt sein; (person) sich an etw akk anlehnen; **lean back** vi sich zurücklehnen; **lean forward** vi sich vorbeugen; **lean on** vt sich stützen auf +akk; **lean over** vi sich hinüberbeugen; **lean towards** vt neigen zu; **leaning** n Neigung f; **leant** [lent] pt, pp of **lean**; **lean-to** n Anbau m.

leap [li:p] ⟨lept o leaped, lept o leaped⟩ **1.** vi springen; **2.** n Sprung m; **by ~s and bounds** schnell; **leapfrog 1.** n Bockspringen nt; **2.** vt überspringen; **leap year** n Schaltjahr nt.

learn [lɜ:n] ⟨learnt o learned, learnt o learned⟩ vt, vi lernen; (find out) erfahren, hören; **learned** ['lɜ:nɪd] adj gelehrt; **learner** n Anfänger(in) m(f); ~ **driver** (AUTO) Fahrschüler(in) m(f); **learning** n Gelehrsamkeit f; **learning disability** n Lernbehinderung f; **learnt** [lɜ:nt] pt, pp of **learn**.

lease [li:s] **1.** n (of property) Mietvertrag m; (of land) Pachtvertrag m; **2.** vt mieten, pachten; (car, copier etc) leasen.

leasehold ['li:shəʊld] n (building) gepachtetes Gebäude; (contract) Pachtvertrag m.

leasing ['li:sɪŋ] n Leasing nt.

leash [li:ʃ] n Leine f.

least [li:st] **1.** adj kleinste(r, s); (slightest) geringste(r, s); **2.** n Mindeste(s) nt; **at ~** zumindest; **not in the ~** durchaus nicht.

leather ['leðə*] **1.** n Leder nt; **2.** adj ledern, Leder-; **leathery** adj zäh, ledern.

leave [li:v] ⟨left, left⟩ **1.** vt verlassen; (~ behind) zurücklassen; (forget) vergessen; (allow to remain) lassen; (after death) hinterlassen; (entrust) überlassen (to sb jdm); **2.** vi weggehen, wegfahren; (for journey) abreisen; (bus, train) abfahren; **3.** n Erlaubnis f; (MIL) Urlaub m; **on ~** auf Urlaub; **to take one's ~** Abschied nehmen von; **to**

be left (*remain*) übrigbleiben; **leave off** *vi*
aufhören; **leave out** *vt* auslassen.
Lebanon ['lebənən] *n*: **the** ~ der Libanon.
lecherous ['letʃərəs] *adj* lüstern.
lectern ['lektɔːn] *n* Lesepult *nt*.
lecture ['lektʃə*] **1.** *n* Vortrag *m*; (*at university*) Vorlesung *f*; **2.** *vi* einen Vortrag halten;
(*professor*) lesen; **lecturer** *n* Vortragen-
de(r) *mf*; (*at university*) Dozent(in) *m(f)*;
lecture theatre *n* Hörsaal *m*.
led [led] *pt, pp of* **lead**.
LED *n abbr of* **light-emitting diode** Leuchtdiode *f*.
ledge [ledʒ] *n* Leiste *f*; (*window* ~) Sims *m o
nt*; (*of mountain*) Felsvorsprung *m*.
ledger ['ledʒə*] *n* Hauptbuch *nt*.
lee [liː] *n* Windschatten *m*; (NAUT) Lee *f*.
leech [liːtʃ] *n* Blutegel *m*.
leek [liːk] *n* Lauch *m*.
leer [lɪə*] **1.** *n* anzüglicher Blick; (*evil*) heim-
tückischer Blick; **2.** *vi* schielen (*at* nach).
leeway ['liːweɪ] *n* (*fig*) Rückstand *m*; (*freedom*) Spielraum *m*.
left [left] **1.** *pt, pp of* **leave**; **2.** *adj* linke(r, s);
3. *adv* links; nach links; **4.** *n* (*side*) linke
Seite; **the Left** (POL) die Linke; **left-hand
drive** *n* Linkssteuerung *f*; **left-handed**
adj linkshändig; **to be** ~ Linkshänder(in)
sein; **left-hand side** *n* linke Seite; **left-
luggage office** *n* Gepäckaufbewahrung
f; **left-overs** *n pl* Reste *pl*, Überbleibsel
pl; **left wing** *n* linker Flügel; **left-wing**
adj linke(r, s).
leg [leg] *n* Bein *nt*; (*of meat*) Keule *f*; (*stage*)
Etappe *f*.
legacy ['legəsɪ] *n* Erbe *nt*, Erbschaft *f*.
legal ['liːgəl] *adj* gesetzlich, rechtlich;
(*allowed*) legal, rechtsgültig; **to take** ~
action den Rechtsweg beschreiten; ~ **tender** gesetzliches Zahlungsmittel; **legal aid**
n Rechtshilfe *f*; **legalize** *vt* legalisieren;
legally *adv* gesetzlich; legal.
legation [lɪ'geɪʃən] *n* Gesandtschaft *f*.
legend ['ledʒənd] *n* Legende *f*; **legendary**
adj legendär.
leggings ['legɪŋz] *n pl* hohe Gamaschen *pl*;
(*fashion*) Leggings *pl*.
legibility [ledʒɪ'bɪlɪtɪ] *n* Leserlichkeit *f*; **legible** *adj*, **legibly** *adv* ['ledʒəbl, -blɪ] leserlich.
legion ['liːdʒən] *n* Legion *f*; **the Foreign
Legion** die Fremdenlegion.
legislate ['ledʒɪsleɪt] *vi* Gesetze erlassen;
legislation [ledʒɪs'leɪʃən] *n* Gesetzgebung *f*; **legislative** ['ledʒɪslətɪv] *adj* gesetzgebend; **legislator** ['ledʒɪsleɪtə*] *n*
Gesetzgeber(in) *m(f)*; **legislature**
['ledʒɪslətʃə*] *n* Legislative *f*.
legitimacy [lɪ'dʒɪtɪməsɪ] *n* Rechtmäßigkeit
f; **legitimate** [lɪ'dʒɪtɪmət] *adj* rechtmäßig,

legitim; (*child*) ehelich.
legroom ['legrʊm] *n* Platz *m* für die Beine.
leisure ['leʒə*] **1.** *n* Freizeit *f*; **2.** *adj*
Freizeit-; **to be at** ~ Zeit haben; **leisure
centre** *n* Freizeitzentrum *nt*; **leisurely**
adj gemächlich.
lemming ['lemɪŋ] *n* Lemming *m*.
lemon ['lemən] *n* Zitrone *f*; (*colour*) Zitro-
nengelb *nt*.
lemonade [lemə'neɪd] *n* Limonade *f*.
lend [lend] ⟨lent, lent⟩ *vt* leihen; **to** ~ **sb sth**
jdm etw leihen; **it** ~**s itself to** es eignet sich
zu; **lender** *n* Verleiher(in) *m(f)*; **lending
library** *n* Leihbücherei *f*.
length [leŋθ] *n* Länge *f*; (*section of road,
pipe etc*) Strecke *f*; (*of material*) Stück *nt*; ~
of time Zeitdauer *f*; **at** ~ (*lengthily*) ausführlich; (*at last*) schließlich; **lengthen**
['leŋθən] **1.** *vt* verlängern; **2.** *vi* länger werden; **lengthways** *adv* längs; **lengthy** *adj*
sehr lang; (*story, speech*) langatmig.
leniency ['liːnɪənsɪ] *n* Nachsicht *f*; **lenient**
adj nachsichtig; **leniently** *adv* milde.
lens [lenz] *n* Linse *f*; (PHOT) Objektiv *nt*.
Lent [lent] *n* Fastenzeit *f*.
lent [lent] *pt, pp of* **lend**.
lentil ['lentl] *n* Linse *f*.
Leo ['liːəʊ] *n* ⟨-s⟩ (ASTR) Löwe *m*.
leopard ['lepəd] *n* Leopard *m*.
leotard ['liːətɑːd] *n* Trikot *nt*, Gymnastikanzug *m*.
leper ['lepə*] *n* Leprakranke(r) *mf*.
leprosy ['leprəsɪ] *n* Lepra *f*.
lesbian ['lezbɪən] **1.** *adj* lesbisch; **2.** *n* Lesbierin *f*.
lesion ['liːʒn] *n* Verletzung *f*.
less [les] *adj, adv, n* weniger.
lessen ['lesn] **1.** *vi* abnehmen; **2.** *vt* verringern, verkleinern.
lesser ['lesə*] *adj* kleiner, geringer.
lesson ['lesn] *n* (SCH) Stunde *f*; (*unit of
study*) Lektion *f*; (*fig*) Lehre *f*; (REL) Lesung *f*; ~**s start at 9** der Unterricht beginnt
um 9.
lest [lest] *conj* damit ... nicht.
let [let] ⟨let, let⟩ **1.** *vt* lassen; (*lease*) vermieten; **2.** *n*: **without** ~ **or hindrance** völlig un-
behindert; **let down** *vt* hinunterlassen;
(*disappoint*) enttäuschen; **let go 1.** *vi* loslassen; **2.** *vt* (*things*) loslassen; (*person*) gehen lassen; ~**'s** ~ gehen wir; **let off** *vt*
(*gun*) abfeuern; (*steam*) ablassen; (*forgive*)
laufenlassen; **let out** *vt* herauslassen;
(*scream*) ausstoßen; **let up** *vi* nachlassen;
(*stop*) aufhören; **let-down** *n* Enttäuschung *f*.
lethal ['liːθəl] *adj* tödlich.
lethargic [le'θɑːdʒɪk] *adj* lethargisch, träge;
lethargy ['leθədʒɪ] *n* Lethargie *f*, Teilnahmslosigkeit *f*.

letter [ˈletə*] n (of alphabet) Buchstabe m; (message) Brief m; **~s** pl (literature) Literatur f; **letterbox** n Briefkasten m; **lettering** n Beschriftung f; **letter-quality printer** n Schönschreibdrucker m.

lettuce [ˈletɪs] n Kopfsalat m.

let-up [ˈletʌp] n (fam) Nachlassen nt.

leukaemia, leukemia (US) [luːˈkiːmiə] n Leukämie f.

level [ˈlevl] **1.** adj (ground) eben; (at same height) auf gleicher Höhe; (equal) gleich gut; (head) kühl; **2.** adv auf gleicher Höhe; **3.** n (instrument) Wasserwaage f; (altitude) Höhe f; (flat place) ebene Fläche; (position on scale) Niveau nt; (amount, degree) Grad m; **4.** vt (ground) einebnen; (building) abreißen; (town) dem Erdboden gleichmachen; (blow) versetzen (at sb jdm); (remark) richten (at gegen); **to draw ~ with** gleichziehen mit; **to do one's ~ best** sein möglichstes tun; **talks on a high ~** Gespräche auf hohem Niveau; **profits keep on the same ~** Gewinne halten sich aufdem gleichen Stand; **on the moral ~** aus moralischer Sicht; **on the ~** auf gleicher Höhe; (fig: honest) ehrlich; **level off, level out 1.** vi flach [o eben] werden; (fig) sich ausgleichen; (plane) horizontal fliegen; **2.** vt (ground) planieren; (differences) ausgleichen; **level crossing** n Bahnübergang m; **level-headed** adj vernünftig.

lever [ˈliːvə*, ˈlevə* US] n Hebel m; (fig) Druckmittel nt; **2.** vt hochstemmen; **leverage** n Hebelkraft f; (fig) Einfluß m.

levity [ˈlevɪtɪ] n Leichtfertigkeit f.

levy [ˈlevɪ] **1.** n (of taxes) Erhebung f; (tax) Abgabe pl; (MIL) Aushebung f; **2.** vt erheben; (MIL) ausheben.

lewd [luːd] adj unzüchtig, unanständig.

liability [laɪəˈbɪlɪtɪ] n (burden) Belastung f; (duty) Pflicht f; (debt) Verpflichtung f; (proneness) Anfälligkeit f; (responsibility) Haftung f.

liable [ˈlaɪəbl] adj (responsible) haftbar; (prone) anfällig; **to be ~ for** einer Sache dat unterliegen; (responsible) haften für; **it's ~ to happen** es kann leicht vorkommen; **then he is ~ to get angry** da könnte er wütend werden.

liaison [liːˈeɪzɔn] n Verbindung f; (love affair) Verhältnis nt.

liar [ˈlaɪə*] n Lügner(in) m(f).

libel [ˈlaɪbəl] **1.** n Verleumdung f; **2.** vt verleumden; **libellous** adj verleumderisch.

liberal [ˈlɪbərəl] **1.** adj (generous) großzügig; (open-minded) aufgeschlossen; (POL) liberal; **2.** n liberal denkender Mensch; **Liberal** (POL) Liberale(r) mf; **liberally** adv (abundantly) reichlich.

liberate [ˈlɪbəreɪt] vt befreien; **liberation** [lɪbəˈreɪʃən] n Befreiung f.

Liberia [laɪˈbɪərɪə] n Liberia nt.

liberty [ˈlɪbətɪ] n Freiheit f; (permission) Erlaubnis f; **to be at ~ to do sth** etw tun dürfen; **to take liberties with** sich dat Freiheiten herausnehmen gegenüber.

Libra [ˈliːbrə] n (ASTR) Waage f.

librarian [laɪˈbrɛərɪən] n Bibliothekar(in) m(f).

library [ˈlaɪbrərɪ] n Bibliothek f; (lending ~) Bücherei f.

libretto [lɪˈbretəʊ] n ⟨-s⟩ Libretto nt.

Libya [ˈlɪbɪə] n Libyen nt.

lice [laɪs] pl of **louse**.

licence [ˈlaɪsəns] n (permit) Erlaubnis f, amtliche Zulassung; (COMM) Lizenz f; (driving ~) Führerschein m; (excess) Zügellosigkeit f; **licence plate** n (AUTO) Nummernschild nt.

license [ˈlaɪsəns] **1.** n (US) s. **licence**; **2.** vt genehmigen, konzessionieren; **licensee** [laɪsənˈsiː] n Konzessionsinhaber(in) m(f).

licentious [laɪˈsenʃəs] adj ausschweifend.

lichen [ˈlaɪkən] n Flechte f.

lick [lɪk] **1.** vt lecken; **2.** vi (flames) züngeln; **3.** n Lecken nt; (small amount) Spur f; **a ~ and a promise** Katzenwäsche f; **licking** n (fam) Tracht f Prügel; (defeat) Niederlage f; **to give sb a ~** jdm eine Abreibung geben.

licorice [ˈlɪkərɪs] n Lakritze f.

lid [lɪd] n Deckel m; (eye~) Lid nt.

lido [ˈliːdəʊ] n ⟨-s⟩ Freibad nt.

lie [laɪ] **1.** n Lüge f; **2.** vi lügen; **3.** ⟨lay, lain⟩ vi (rest, be situated) liegen; (put oneself in position) sich legen; **to ~ idle** stillliegen; **~ detector** Lügendetektor m.

Liechtenstein [ˈlɪktənstaɪn] n Liechtenstein nt.

lieu [luː] n: **in ~ of** anstatt +gen.

lieutenant [lefˈtenənt, luːˈtenənt US] n Leutnant m.

life [laɪf] n ⟨lives⟩ Leben nt; (story) Lebensgeschichte f; (energy) Lebendigkeit f; **life assurance** n Lebensversicherung f; **lifebelt** n Rettungsring m; **lifeboat** n Rettungsboot nt; **lifeguard** n Bademeister(in) m(f), Rettungsschwimmer(in) m(f); **life jacket** n Schwimmweste f; **lifeless** adj (dead) leblos, tot; (dull) langweilig; **lifelike** adj lebensecht, naturgetreu; **lifeline** n (fig) Rettungsanker m; **lifelong** adj lebenslang; **life preserver** n Totschläger m; **life raft** n Rettungsfloß nt; **life sentence** n lebenslängliche Freiheitsstrafe; **life-sized** adj in Lebensgröße; **life span** n Lebensspanne f; **life style** n Lebensstil m; **lifetime** n Lebenszeit f.

lift [lɪft] **1.** vt hochheben; **2.** vi sich heben; **3.** n (elevator) Aufzug m, Lift m; **to give sb a ~** jdn im Auto mitnehmen; **lift-off** n Abheben *nt* vom Boden, Start *m*; **lift-off correction tape** *n* Lift-off-Korrekturband *nt*.

ligament ['lɪgəmənt] *n* Sehne *f*, Band *nt*.

light [laɪt] ⟨lit *o* lighted, lit *o* lighted⟩ **1.** *vt* beleuchten; (*lamp*) anmachen; (*fire, cigarette*) anzünden; (*brighten*) erleuchten, erhellen; **2.** *n* Licht *nt*; (*lamp*) Lampe *f*; (*flame*) Feuer *nt*; **3.** *adj* (*bright*) hell, licht; (*pale*) hell-; (*not heavy, easy*) leicht; (*punishment*) milde-; (*taxes*) niedrig; (*touch*) leicht; ∼s *pl* (AUTO) Beleuchtung *f*; **in the** ∼ **of** angesichts +*gen*; **light up 1.** *vi* (*lamp*) angehen; (*face*) aufleuchten; **2.** *vt* (*illuminate*) beleuchten; (*lights*) anmachen; **light bulb** *n* Glühbirne *f*; **lighten 1.** *vi* (*brighten*) hell werden; **2.** *vt* (*give light to*) erhellen; (*hair*) aufhellen; (*gloom*) aufheitern; (*make less heavy*) leichter machen; (*fig*) erleichtern; **lighter** *n* (*cigarette* ∼) Feuerzeug *nt*; (*boat*) Leichter *m*; **light-headed** *adj* (*thoughtless*) leichtsinnig; (*giddy*) schwindlig; **light-hearted** *adj* leichtherzig, fröhlich; **light-house** *n* Leuchtturm *m*; **lighting** *n* Beleuchtung *f*; **lighting-up time** *n* Zeit *f* des Einschaltens der Straßen-/Autobeleuchtung; **lightly** *adv* leicht; (*irresponsibly*) leichtfertig; **light meter** *n* (PHOT) Belichtungsmesser *m*; **lightness** *n* (*of weight*) Leichtigkeit *f*; (*of colour*) Helle *f*; (*light*) Helligkeit *f*; **lightning** *n* Blitz *m*; ∼ **conductor** Blitzableiter *m*; **light pen** *n* Lichtgriffel *m*, Lichtstift *m*; **light water reactor** *n* Leichtwasserreaktor *m*; **lightweight** *adj* (*suit*) leicht; ∼ **boxer** Leichtgewicht *nt*; **lightyear** *n* Lichtjahr *nt*.

like [laɪk] **1.** *vt* mögen, gern haben; **2.** *prep* wie; **3.** *adj* (*similar*) ähnlich; (*equal*) gleich; **4.** *n* Gleiche(s) *nt*; **would you** ∼ ... hätten Sie gern ...; **would you** ∼ **to** ... möchten Sie gern ...; **what's it/he** ∼? wie ist es/er?; **that's just** ∼ **him** das sieht ihm ähnlich; ∼ **that/this** so.

likeable ['laɪkəbl] *adj* sympathisch.

likelihood ['laɪklɪhʊd] *n* Wahrscheinlichkeit *f*.

likely ['laɪklɪ] **1.** *adj* (*probable*) wahrscheinlich; (*suitable*) geeignet; **2.** *adv* wahrscheinlich.

like-minded [laɪk'maɪndɪd] *adj* gleichgesinnt.

liken ['laɪkən] *vt* vergleichen (*to* mit).

likewise ['laɪkwaɪz] *adv* ebenfalls.

liking ['laɪkɪŋ] *n* Zuneigung *f*; (*taste for*) Vorliebe *f*.

lilac ['laɪlək] *n* Flieder *m*.

lily ['lɪlɪ] *n* Lilie *f*; ∼ **of the valley** Maiglöckchen *nt*.

limb [lɪm] *n* Glied *nt*.

limber up ['lɪmbə* ʌp] *vi* sich auflockern;

(*fig*) sich vorbereiten.

limbo ['lɪmbəʊ] *n* ⟨-s⟩: **to be in** ∼ (*fig*) in der Schwebe sein.

lime [laɪm] *n* (*tree*) Linde *f*; (*fruit*) Limone *f*; (*substance*) Kalk *m*; **lime juice** *n* Limonensaft *m*; **limelight** *n* (*fig*) Rampenlicht *nt*.

limerick ['lɪmərɪk] *n* Limerick *m* (*fünfzeiliges komisches Gedicht*).

limestone ['laɪmstəʊn] *n* Kalkstein *m*.

limit ['lɪmɪt] **1.** *n* Grenze *f*; (*for pollution etc*) Grenzwert *m*; (*fam*) Höhe *f*; **2.** *vt* begrenzen, einschränken; **limitation** [lɪmɪ'teɪʃən] *n* Grenzen *pl*, Einschränkung *f*; **limited** *adj* beschränkt; ∼ **liability company** Gesellschaft *f* mit beschränkter Haftung, GmbH *f*; **limitless** *adj* grenzenlos.

limousine ['lɪməzi:n] *n* Limousine *f*.

limp [lɪmp] **1.** *n* Hinken *nt*; **2.** *vi* hinken; **3.** *adj* (*without firmness*) schlaff.

limpet ['lɪmpɪt] *n* Napfschnecke *f*; (*fig*) Klette *f*.

limpid ['lɪmpɪd] *adj* klar.

limply ['lɪmplɪ] *adv* schlaff.

line [laɪn] **1.** *n* (*rope*) Leine *f*, Schnur *f*; (*on face*) Falte *f*; (*row*) Reihe *f*; (*of hills*) Kette *f*; (US: *queue*) Schlange *f*; (*company*) Linie *f*, Gesellschaft *f*; (RAIL) Strecke *f*; (*in plural*) Geleise *pl*; (TEL) Leitung *f*; (*written*) Zeile *f*; (*direction*) Richtung *f*; (*fig: business*) Branche *f*, Beruf *m*; (*range of items*) Kollektion *f*; **2.** *vt* (*coat*) füttern; (*border*) säumen; **it's a bad** ∼ (TEL) die Verbindung ist schlecht; **hold the** ∼ bleiben Sie am Apparat; **in** ∼ **with** in Übereinstimmung mit; **line up 1.** *vi* sich aufstellen; **2.** *vt* aufstellen; (*prepare*) sorgen für; (*support*) mobilisieren; (*surprise*) planen.

linear ['lɪnɪə*] *adj* gerade; (*measure*) Längen-.

linen ['lɪnɪn] *n* Leinen *nt*; (*sheets etc*) Wäsche *f*.

liner ['laɪnə*] *n* Überseedampfer *m*.

linesman ['laɪnzmən] *n* ⟨linesmen⟩ (SPORT) Linienrichter *m*.

line-up ['laɪnʌp] *n* Aufstellung *f*.

linger ['lɪŋgə*] *vi* (*remain long*) verweilen; (*taste*) zurückbleiben; (*delay*) zögern, verharren.

lingerie ['lænʒəri:] *n* Damenunterwäsche *f*.

lingering ['lɪŋgərɪŋ] *adj* lang; (*doubt*) zurückbleibend; (*disease*) langwierig; (*taste*) nachhaltend; (*look*) lang.

lingo ['lɪŋgəʊ] *n* ⟨-es⟩ (*fam*) Sprache *f*.

linguist ['lɪŋgwɪst] *n* (SCH) Sprachwissenschaftler(in) *m(f)*.

linguistic [lɪŋ'gwɪstɪk] *adj* sprachlich; sprachwissenschaftlich; **linguistics** *n sing* Sprachwissenschaft *f*, Linguistik *f*.

liniment ['lɪnɪmənt] *n* Einreibemittel *nt*.

lining ['laɪnɪŋ] n (of clothes) Futter nt.
link [lɪŋk] **1.** n Glied nt; (connection) Verbindung f; **2.** vt verbinden; **links** n pl Golfplatz m; **link-up** n (TEL) Verbindung f; (of spaceships) Kopplung f.
lino, linoleum ['laɪnəʊ, lɪ'nəʊlɪəm] n Linoleum nt.
linseed oil ['lɪnsiːdɔɪl] n Leinöl nt.
lint [lɪnt] n Verbandstoff m.
lintel ['lɪntl] n (ARCHIT) Sturz m.
lion ['laɪən] n Löwe m; **lioness** n Löwin f.
lip [lɪp] n Lippe f; (of jug) Schnabel m; **lip-read** irr vi von den Lippen ablesen; **lip service** n: **to pay ~ to** ein Lippenbekenntnis ablegen zu; **lipstick** n Lippenstift m.
liquefy ['lɪkwɪfaɪ] vt verflüssigen.
liqueur [lɪ'kjʊə*] n Likör m.
liquid ['lɪkwɪd] **1.** n Flüssigkeit f; **2.** adj flüssig.
liquidate ['lɪkwɪdeɪt] vt liquidieren; **liquidation** [lɪkwɪ'deɪʃən] n Liquidation f.
liquid crystal n Flüssigkristall m; **liquid-crystal display** n Flüssigkristallanzeige f.
liquidizer ['lɪkwɪdaɪzə*] n Mixer m.
liquor ['lɪkə*] n Spirituosen pl.
lisp [lɪsp] vt, vi lispeln.
list [lɪst] **1.** n Liste f, Verzeichnis nt; (of ship) Schlagseite f; **2.** vt (write down) eine Liste machen von, auflisten; (verbally) aufzählen; **3.** vi (ship) Schlagseite haben; **~ed building** unter Denkmalschutz stehendes Gebäude.
listen ['lɪsn] vi hören, horchen; **listen to** vi zuhören +dat; **listener** n Zuhörer(in) m(f).
listless adj, **listlessly** adv ['lɪstləs, -lɪ] lustlos, teilnahmslos; **listlessness** n Lustlosigkeit f, Teilnahmslosigkeit f.
lit [lɪt] pt, pp of **light**.
litany ['lɪtənɪ] n Litanei f.
liter ['liːtə*] n (US) n Liter m.
literacy ['lɪtərəsɪ] n Fähigkeit f zu lesen und zu schreiben.
literal ['lɪtərəl] adj eigentlich, buchstäblich; (translation) wortwörtlich; **literally** adv wörtlich; buchstäblich.
literary ['lɪtərərɪ] adj literarisch, Literatur-.
literate ['lɪtərət] adj lesen und schreiben können; (well read) gebildet.
literature ['lɪtrətʃə*] n Literatur f.
Lithuania [lɪθjuː'eɪnjə] n Litauen nt.
litigant ['lɪtɪɡənt] n (JUR) prozeßführende Partei.
litigate ['lɪtɪɡeɪt] vi prozessieren.
litmus ['lɪtməs] n: **~ paper** Lackmuspapier nt.
litre ['liːtə*] n Liter m.
litter ['lɪtə*] **1.** n (rubbish) Abfall m; (of animals) Wurf m; **2.** vt in Unordnung bringen;

little ['lɪtl] **1.** adj ⟨smaller, smallest⟩ klein; (unimportant) unbedeutend; **2.** adv, n ⟨fewer, fewest⟩ wenig; **a ~** ein bißchen; **the ~** das wenige.
liturgy ['lɪtədʒɪ] n (REL) Liturgie f.
live [laɪv] **1.** adj lebendig; (burning) glühend; (MIL) scharf; (ELEC) geladen, unter Strom; (broadcast) live, Direkt-; **2.** [lɪv] vi leben; (last) fortleben; (dwell) wohnen; **3.** vt (life) führen; **live down** vt Gras wachsen lassen über +akk; **I'll never ~ it ~** das wird man mir nie vergessen; **live on** vi weiterleben; **~ ~ sth** von etw leben; **live up to** vt (standards) gerecht werden +dat; (principles) anstreben; (hopes) entsprechen +dat; **livecell therapy** ['laɪvsel'θerəpɪ] n Frischzellentherapie f.
livelihood ['laɪvlɪhʊd] n Lebensunterhalt m.
liveliness ['laɪvlɪnəs] n Lebendigkeit f; **lively** adj lebhaft, lebendig.
liver ['lɪvə*] n (ANAT) Leber f; **liverish** adj (bad-tempered) gallig, mürrisch.
livery ['lɪvərɪ] n Livree f.
livestock ['laɪvstɒk] n Vieh nt, Viehbestand m.
livid ['lɪvɪd] adj bläulich; (furious) fuchsteufelswild.
living ['lɪvɪŋ] **1.** n Lebensunterhalt m; **2.** adj lebendig; (language etc) lebend; (wage) ausreichend; **living room** n Wohnzimmer nt.
lizard ['lɪzəd] n Eidechse f.
llama ['lɑːmə] n Lama nt.
load [ləʊd] **1.** n (burden, a. fig) Last f; (amount) Ladung f, Fuhre f; **2.** vt beladen; (fig) überhäufen; (camera) einen Film einlegen in +akk; (gun, COMPUT) laden; **~s of** (fam) massenhaft.
loaf [ləʊf] **1.** n ⟨loaves⟩ Brot nt, Laib m; **2.** vi herumlungern, faulenzen.
loam [ləʊm] n Lehmboden m.
loan [ləʊn] **1.** n Leihgabe f; (FIN) Darlehen nt; **2.** vt leihen; **on ~** geliehen.
loath [ləʊθ] adj: **to be ~ to do sth** etwas ungern tun.
loathe [ləʊð] vt verabscheuen; **loathing** n Abscheu m.
lobby ['lɒbɪ] **1.** n Vorhalle f; (POL) Lobby f; **2.** vt politisch beeinflussen wollen.
lobe [ləʊb] n Ohrläppchen nt.
lobster ['lɒbstə*] n Hummer m.
local ['ləʊkəl] **1.** adj einheimisch; (anaesthetic) örtlich; **2.** n (pub) Stammlokal nt; **the ~s** pl die Einheimischen pl; **local anaesthetic** n örtliche Betäubung; **local authority** n Stadtverwaltung f; **local colour** n Lokalkolorit nt; **locality** [ləʊ'kælɪtɪ] n Ort m; **locally** adv örtlich,

am Ort.
locate [ləʊ'keɪt] *vt* ausfindig machen;
(*establish*) errichten.
location [ləʊ'keɪʃən] *n* Platz *m*, Lage *f*; **on
~** (*CINE*) auf Außenaufnahme.
loch [lɒx] *n* (*Scot*) See *m*.
lock [lɒk] *n* **1.** *n* Schloß *nt*; (*NAUT*) Schleuse *f*;
(*of hair*) Locke *f*; **2.** *vt* (*fasten*) abschließen;
3. *vi* (*door etc*) sich schließen lassen;
(*wheels*) blockieren.
locker ['lɒkə*] *n* Schließfach *nt*.
locket ['lɒkɪt] *n* Medaillon *nt*.
locksmith ['lɒksmɪθ] *n* Schlosser(in) *m(f)*.
locomotive [ləʊkə'məʊtɪv] *n* Lokomotive *f*.
locust ['ləʊkəst] *n* Heuschrecke *f*.
lodge [lɒdʒ] **1.** *n* (*gatehouse*) Pförtnerhaus
nt; (*freemasons'*) Loge *f*; **2.** *vi* in Untermiete wohnen (*with* bei); (*get stuck*) steckenbleiben; **3.** *vt* (*protest*) einreichen; **lodger**
n Untermieter(in) *m(f)*; **lodgings** *n pl*
möbliertes Zimmer *nt*.
loft [lɒft] *n* Dachboden *m*.
lofty ['lɒftɪ] *adj* hochragend; (*proud*) hochmütig.
log [lɒg] *n* Klotz *m*; (*NAUT*) Log *nt*.
logarithm ['lɒgərɪθəm] *n* Logarithmus *m*.
logbook ['lɒgbʊk] *n* Bordbuch *nt*, Logbuch
nt; (*for lorry*) Fahrtenbuch *nt*; (*AUTO*)
Kraftfahrzeugbrief *m*.
loggerheads ['lɒgəhedz] *n pl*: **to be at ~**
sich in den Haaren liegen.
logic ['lɒdʒɪk] *n* Logik *f*; **logical** *adj* logisch; **logically** *adv* logischerweise.
logistics [lɒ'dʒɪstɪks] *n sing* Logistik *f*, Planung *f*.
logo ['lɒgəʊ] *n* ⟨-s⟩ Logo *nt*, Emblem *nt*.
loin [lɔɪn] *n* Lende *f*.
loiter ['lɔɪtə*] *vi* herumlungern, sich herumtreiben.
loll [lɒl] *vi* sich rekeln.
lollipop ['lɒlɪpɒp] *n* Dauerlutscher *m*; **~
man** ≈ Schülerlotse *m*.
lone [ləʊn] *adj* einsam.
loneliness ['ləʊnlɪnəs] *n* Einsamkeit *f*;
lonely *adj* einsam.
long [lɒŋ] **1.** *adj* lang; (*distance*) weit; **2.** *adv*
lange; **3.** *vi* sich sehnen (*for* nach); **two-daylong** zwei Tage lang; **~ ago** vor langer Zeit;
before ~ bald; **as ~ as** solange; **in the ~ run**
auf die Dauer; **long-distance** *adj* Fern-;
long-haired *adj* langhaarig; **longhand** *n*
Langschrift *f*; **longing** **1.** *n* Verlangen *nt*,
Sehnsucht *f*; **2.** *adj* sehnsüchtig; **longish**
adj ziemlich lang; **longitude** ['lɒŋgɪtjuːd]
n Längengrad *m*; **long jump** *n* Weitsprung
m; **long-life milk** *n* H-Milch *f*; **long-lost**
adj längst verloren geglaubt; **longplaying record** *n* Langspielplatte *f*;
long-range *adj* Langstrecken-, Fern-; **~**

missile Langstreckenrakete *f*; **longsighted** *adj* weitsichtig; **long-standing**
adj alt, seit langer Zeit bestehend; **longsuffering** *adj* schwer geprüft; **long-term**
adj langfristig; **~ memory** Langzeitgedächtnis *nt*; **long-term unemployment** *n*
Langzeitarbeitslosigkeit *f*; **long wave** *n*
Langwelle *f*; **long-winded** *adj* langatmig.
loo [luː] *n* (*fam*) Klo *nt*.
loofah ['luːfə*] *n* (*plant*) Luffa *f*; (*sponge*)
Luffaschwamm *m*.
look [lʊk] **1.** *vi* schauen, blicken; (*seem*) aussehen; (*face*) liegen nach, gerichtet sein
nach; **2.** *n* Blick *m*; **~s** *pl* Aussehen *nt*;
look after *vt* (*care for*) sorgen für; (*watch*)
aufpassen auf +*akk*; **look down on** *vt*
(*fig*) herabsehen auf +*akk*; **look for** *vt*
(*seek*) suchen nach; (*expect*) erwarten;
look forward to *vt* sich freuen auf +*akk*;
look out for *vt* Ausschau halten nach; (*be
careful*) achtgeben auf +*akk*; **look to** *vt*
(*take care of*) achtgeben auf +*akk*; (*rely on*)
sich verlassen auf +*akk*; **look up** **1.** *vi* aufblicken; (*improve*) sich bessern; **2.** *vt*
(*word*) nachschlagen; (*person*) besuchen;
look up to *vt* aufsehen zu; **look-out** *n*
(*watch*) Ausschau *f*; (*person*) Wachposten
m; (*place*) Ausguck *m*; (*prospect*) Aussichten *pl*.
loom [luːm] **1.** *n* Webstuhl *m*; **2.** *vi* sich abzeichnen.
loop [luːp] **1.** *n* Schlaufe *f*, Schleife *f*; (*MED*)
Spirale *f*; (*COMPUT*) Schleife *f*; **2.** *vt* schlingen; **loophole** *n* (*fig*) Hintertürchen *nt*.
loose [luːs] **1.** *adj* lose, locker; (*free*) frei;
(*inexact*) unpräzise; **2.** *vt* lösen, losbinden;
to be at a ~ end nicht wissen, was man tun
soll; **loosely** *adv* locker, lose; **~ speaking**
grob gesagt; **loosen** *vt* lockern, losmachen; **looseness** *n* Lockerheit *f*.
loot [luːt] **1.** *n* Beute *f*; **2.** *vt* plündern; **looting** *n* Plünderung *f*.
lop [lɒp] *vt* zurechtstutzen.
lop-sided ['lɒp'saɪdɪd] *adj* schief.
lord [lɔːd] *n* (*ruler*) Herr *m*, Gebieter *m*;
(*Brit: title*) Lord *m*; **the Lord** Gott der
Herr; **lordly** *adj* vornehm; (*proud*) stolz.
lore [lɔː*] *n* Überlieferung *f*.
lorry ['lɒrɪ] *n* Lastwagen *m*.
lose [luːz] ⟨*lost, lost*⟩ **1.** *vt* verlieren;
(*chance*) verpassen; **2.** *vi* verlieren; **lose
out** *vi* den kürzeren ziehen; **loser** *n* Verlierer(in) *m(f)*; **losing** *adj* Verlierer-; (*COMM*)
verlustbringend.
loss [lɒs] *n* Verlust *m*; **at a ~** (*COMM*) mit Verlust; **to be at a ~** nicht wissen, was tun; **I
am at a ~ for words** mir fehlen die Worte; **~
of earnings** Lohnausfall *m*.
lost [lɒst] **1.** *pt, pp of* **lose**; **2.** *adj* verloren; **~
cause** aussichtslose Sache; **lost-and-**

found (*US*), **lost property** *n* Fundsachen *pl*; (*place*) Fundbüro *nt*.

lot |lɒt| *n* (*quantity*) Menge *f*; (*fate, at auction*) Los *nt*; (*fam: people, things*) Haufen *m*; **the ~** alles; (*people*) alle; **a ~ of** viel; (*pl*) viele; **~s of** massenhaft, viele.

loth |ləʊθ| *adj*: **to be ~ to do sth** etwas ungern tun.

lotion |'ləʊʃən| *n* Lotion *f*.

lottery |'lɒtərɪ| *n* Lotterie *f*.

loud |laʊd| **1.** *adj* laut; (*showy*) schreiend; **2.** *adv* laut; **loudly** *adv* laut; **loud-mouthed** *adj* (*fam*) großmäulig; **loudness** *n* Lautstärke *f*; **loudspeaker** *n* Lautsprecher *m*.

lounge |laʊndʒ| **1.** *n* (*in hotel*) Gesellschaftsraum *m*; (*in house*) Wohnzimmer *nt*; (*on ship*) Salon *m*; **2.** *vi* sich herumlümmeln; **lounge suit** *n* Straßenanzug *m*.

louse |laʊs| *n* ⟨*lice*⟩ Laus *f*.

lousy |'laʊzɪ| *adj* verlaust; (*fig*) lausig, miserabel.

lout |laʊt| *n* Rüpel *m*.

lovable |'lʌvəbl| *adj* liebenswert.

love |lʌv| **1.** *n* Liebe *f*; (*person*) Liebling *m*, Schatz *m*; (*as address*) mein Lieber, meine Liebe; (*SPORT*) null; **2.** *vt* (*person*) lieben; (*activity*) gerne mögen; **to ~ to do sth** etw sehr gerne tun; **to make ~** sich lieben; **to make ~ to** (*o with*) **sb** mit jdm schlafen; **love affair** *n* Liebesverhältnis *nt*; **love letter** *n* Liebesbrief *m*; **love life** *n* Liebesleben *nt*.

lovely |'lʌvlɪ| *adj* schön; (*person, object also*) entzückend, reizend.

love-making |'lʌvmeɪkɪŋ| *n* Zärtlichkeiten *pl*; (*sexually*) [körperliche] Liebe *f*; **lover** *n* Geliebte(r) *mf*; (*of books etc*) Liebhaber(in) *m(f)*; **the ~s** die Liebenden, das Liebespaar; **lovesong** *n* Liebeslied *nt*; **loving** *adj* liebend, liebevoll; **lovingly** *adv* liebevoll.

low |ləʊ| **1.** *adj* niedrig; (*rank*) niedere(r, s); (*level, note, neckline*) tief; (*intelligence, density*) gering; (*vulgar*) ordinär; (*not loud*) leise; (*depressed*) gedrückt; **2.** *adv* (*not high*) niedrig; (*not loudly*) leise; **3.** *n* (*low point*) Tiefstand *m*; (*METEO*) Tief *nt*; **low-calorie** *adj* kalorienarm; **low-cut** *adj* (*dress*) tiefausgeschnitten.

lower |'ləʊə*| *vt* herunterlassen; (*eyes, gun*) senken; (*reduce*) herabsetzen, senken.

lower case |'ləʊə*keɪs| *n* Kleinbuchstaben *pl*.

Lower Saxony |'ləʊə*'sæksənɪ| *n* Niedersachsen *nt*.

low-fat |ləʊ'fæt| *adj* fettarm; **low-key** *adj* zurückhaltend, unaufdringlich.

low-level *adj* (*radioactive*) schwachaktiv.

lowly |'ləʊlɪ| *adj* bescheiden.

low-lying |ləʊ'laɪɪŋ| *adj* tiefgelegen; **low-pressure** *adj* (*METEO*) Tiefdruck-.

low tide |ləʊ'taɪd| *n* Niedrigwasser *nt*, Ebbe *f*.

loyal |'lɔɪəl| *adj* (*true*) treu; (*to king*) loyal, treu; **loyally** *adv* treu; loyal; **loyalty** *n* Treue *f*, Loyalität *f*.

lozenge |'lɒzɪndʒ| *n* Pastille *f*; (*shape*) Raute *f*.

LP *n abbr of* **long-playing record** LP *f*.

Ltd *abbr of* **limited** GmbH *f*.

lubricant |'lu:brɪkənt| *n* Schmiermittel *nt*; **lubricate** |'lu:brɪkeɪt| *vt* abschmieren, ölen; **lubrication** |lu:brɪ'keɪʃən| *n* Schmieren *nt*.

lucid |'lu:sɪd| *adj* klar; (*sane*) bei klarem Verstand; (*moment*) licht; **lucidity** |lu:'sɪdɪtɪ| *n* Klarheit *f*; **lucidly** *adv* klar.

luck |lʌk| *n* Glück *nt*; **bad ~** Pech *nt*; **luckily** *adv* glücklicherweise, zum Glück; **lucky** *adj* glücklich, Glücks-; **to be ~** Glück haben.

lucrative |'lu:krətɪv| *adj* einträglich.

ludicrous |'lu:dɪkrəs| *adj* grotesk, lächerlich.

ludo |'lu:dəʊ| *n* (*game*) Mensch ärgere dich nicht *nt*.

lug |lʌg| *vt* schleppen.

luggage |'lʌgɪdʒ| *n* Gepäck *nt*; **luggage locker** *n* Gepäckschließfach *nt*; **luggage rack** *n* Gepäcknetz *nt*; **luggage trolley** *n* Kofferkuli *m*.

lugubrious |lu:'gu:brɪəs| *adj* traurig.

lukewarm |'lu:kwɔ:m| *adj* lauwarm; (*indifferent*) lau.

lull |lʌl| **1.** *n* Flaute *f*; **2.** *vt* einlullen; (*calm*) beruhigen.

lullaby |'lʌləbaɪ| *n* Schlaflied *nt*.

lumbago |lʌm'beɪgəʊ| *n* Hexenschuß *m*.

lumber |'lʌmbə*| *n* Plunder *m*; (*wood*) Holz *nt*; **lumberjack** *n* Holzfäller *m*.

luminous |'lu:mɪnəs| *adj* leuchtend, Leucht-.

lump |lʌmp| **1.** *n* Klumpen *m*; (*MED*) Schwellung *f*; (*in breast*) Knoten *m*; (*of sugar*) Stück *nt*; **2.** *vt* zusammentun; (*judge together*) in einen Topf werfen; **lump sum** *n* Pauschalsumme *f*; **lumpy** *adj* klumpig; **to go ~** klumpen.

lunacy |'lu:nəsɪ| *n* Irrsinn *m*.

lunar |'lu:nə*| *adj* Mond-.

lunatic |'lu:nətɪk| **1.** *n* Wahnsinnige(r) *mf*; **2.** *adj* wahnsinnig, irr; **the ~ fringe** die Extremisten *pl*.

lunch, luncheon |lʌntʃ, -ən| Mittagessen *nt*; **to have ~** zu Mittag essen; **luncheon meat** *n* Frühstücksfleisch *nt*; **luncheon voucher** *n* Essensbon *m*; **lunch hour** *n* Mittagspause *f*; **lunchtime** *n* Mittagszeit *f*.

lung [lʌŋ] n Lunge f; **lung cancer** n Lungenkrebs m.
lunge [lʌndʒ] vi losstürzen.
lupin [ˈluːpɪn] n Lupine f.
lurch [lɜːtʃ] vi taumeln; (NAUT) schlingern.
lure [ljʊə*] **1.** n Köder m; (fig) Verlockungen pl; **2.** vt verlocken.
lurid [ˈljʊərɪd] adj (shocking) grausig, widerlich; (colour) grell.
lurk [lɜːk] vi lauern.
luscious [ˈlʌʃəs] adj köstlich; (colour) satt.
lush [lʌʃ] adj satt; (vegetation) üppig.
lust [lʌst] **1.** n sinnliche Begierde (for nach); (sensation) Wollust f; (greed) Gier f; **2.** vi gieren (after nach).
luster [ˈlʌstə*] (US) n Glanz m.
lustful adj wollüstig, lüstern.
lustre [ˈlʌstə*] n Glanz m.
lusty [ˈlʌstɪ] adj gesund und munter; (old person) rüstig.
lute [luːt] n Laute f.
Luxembourg [ˈlʌksəmbɜːg] n Luxemburg nt; **Luxembourgian** [lʌksəmˈbɜːgɪən] adj luxemburgisch.
luxuriant [lʌgˈʒjʊərɪənt] adj üppig.
luxurious [lʌgˈʒjʊərɪəs] adj luxuriös, Luxus-.
luxury [ˈlʌkʃərɪ] n Luxus m; **the little luxuries** pl die kleinen Genüsse pl.
lying [ˈlaɪɪŋ] **1.** n Lügen m; **2.** adj verlogen.
lymph gland [ˈlɪmfglænd] n Lymphdrüse f.
lynch [lɪntʃ] vt lynchen.
lynx [lɪŋks] n Luchs m.
lyre [ˈlaɪə*] n Leier f.
lyric [ˈlɪrɪk] **1.** n Lyrik f; **2.** adj lyrisch; ∼**s** pl (words for song) Liedtext m; **lyrical** adj lyrisch.

M

M, m [em] n M nt, m nt.
mac [mæk] n (Brit fam) Regenmantel m.
macabre [məˈkɑːbr] adj makaber.
macaroni [mækəˈrəʊnɪ] n Makkaroni pl.
mace [meɪs] n Amtsstab m; (spice) Muskatblüte f.
machinations [mækɪˈneɪɪnz] n pl Machenschaften pl.
machine [məˈʃiːn] **1.** n Maschine f; **2.** vt maschinell herstellen; **machinegun** n Maschinengewehr nt; **machine language** n (COMPUT) Maschinensprache f; **machinery** [məˈʃiːnər] n Maschinerie f, Maschinen pl; **machine tool** n Werkzeugmaschine f; **machine-washable** adj waschmaschinenfest.
mackerel [ˈmækrəl] n Makrele f.

mackintosh [ˈmækɪntɒʃ] n Regenmantel m.
macro- [ˈmækrəʊ] pref Makro-, makro-.
mad [mæd] adj verrückt; (dog) tollwütig; (angry) wütend; ∼ **about** (fond of) verrückt nach, versessen auf +akk.
madam [ˈmædəm] n gnädige Frau.
mad cow disease [mædˈkaʊdəˈziːz] n Rinderwahnsinn m.
madden [ˈmædn] vt verrückt machen; (make angry) ärgern; **maddening** adj ärgerlich.
made [meɪd] pt, pp of **make**; **made-to-measure** [ˈmeɪdtəˈmeʒə*] adj Maß-; **made-up** adj (story) erfunden; (person) geschminkt.
madly [ˈmædlɪ] adv wahnsinnig.
madman [ˈmædmən] n ⟨madmen⟩ Verrückte(r) m.
madness [ˈmædnəs] n Wahnsinn m.
Madonna [məˈdɒnə] n Madonna f.
madwoman [ˈmædwʊmən] n ⟨madwomen⟩ Verrückte f.
magazine [mægəˈziːn] n Zeitschrift f; (in gun) Magazin m.
maggot [ˈmægət] n Made f.
magic [ˈmædʒɪk] **1.** n Zauberei f, Magie f; (fig) Zauber m; **2.** adj magisch, Zauber-; **magical** adj magisch; **magician** [məˈdʒɪʃən] n Zauberer m, Zauberin f.
magistrate [ˈmædʒɪstrət] n Friedensrichter(in) m(f).
magnanimous [mægˈnænɪməs] adj großmütig.
magnate [ˈmægneɪt] n Magnat m.
magnet [ˈmægnɪt] n Magnet m; **magnetic** [mægˈnetɪk] adj magnetisch; (fig) anziehend, unwiderstehlich; ∼ **strip** Magnetstreifen m; ∼ **tape** Magnetband nt; **magnetism** [ˈmægnɪtɪzəm] n Magnetismus m; (fig) Ausstrahlungskraft f.
magnification [mægnɪfɪˈkeɪʃən] n Vergrößerung f.
magnificent adj, **magnificently** adv [mægˈnɪfɪsənt, -lɪ] großartig.
magnify [ˈmægnɪfaɪ] vt vergrößern; **magnifying glass** n Vergrößerungsglas nt, Lupe f.
magnitude [ˈmægnɪtjuːd] n (size) Größe f; (importance) Ausmaß nt.
magnolia [mægˈnəʊlɪə] n Magnolie f.
magpie [ˈmægpaɪ] n Elster f.
maharajah [mɑːhəˈrɑːdʒə] n Maharadscha m.
mahogany [məˈhɒgənɪ] n Mahagoni nt.
maid [meɪd] n Dienstmädchen nt; **old** ∼ alte Jungfer; **maiden 1.** n (literary) Maid f; **2.** adj (flight, speech) Jungfern-; **maiden name** n Mädchenname m.
mail [meɪl] **1.** n Post f; **2.** vt aufgeben; **mail**

bomb n Briefbombe f; **mailbox** n (US) Briefkasten m; (COMPUT) Mailbox f, elektronischer Briefkasten; **mailgram** n (US) Telebrief m; **mailing list** n Anschriftenliste f; **mail order** n Bestellung f durch die Post; **mail order firm** n Versandhaus f.

maim [meɪm] vt verstümmeln.

main [meɪn] 1. adj hauptsächlich; 2. n (pipe) Hauptleitung f; **in the** ~ im großen und ganzen; **main beam** n (AUTO): **on** ~ aufgeblendet; **mainframe** n Großrechner m, Großcomputer m; **mainland** n Festland nt; **mainline** n (RAIL) Hauptstrecke f; **mainlining** n (fam) Fixen nt; **main memory** n Zentralspeicher m; **main road** n Hauptstraße f; **mainstay** n (fig) Hauptstütze f; **main storage** n Hauptspeicher m; **mainstream** n Hauptrichtung f.

maintain [meɪn'teɪn] vt (machine, roads) instand halten; (COMPUT) pflegen; (support) unterhalten; (keep up) aufrechterhalten; (claim) behaupten; (innocence) beteuern.

maintenance ['meɪntənəns] n (TECH) Wartung f; (of family) Unterhalt m.

maisonette [meɪzə'net] n (small flat) Apartement nt, Maisonette f.

maize [meɪz] n Mais m.

majestic [mə'dʒestɪk] adj majestätisch.

majesty ['mædʒɪstɪ] n Majestät f; **his/her Majesty** seine/ihre Majestät.

major ['meɪdʒə*] 1. n (MIL) Major m; 2. adj (MUS) Dur; (more important) Haupt-; (bigger) größer.

majority [mə'dʒɒrɪtɪ] n Mehrheit f; (JUR) Volljährigkeit f.

make [meɪk] ⟨made, made⟩ 1. vt machen; (appoint) ernennen zu; (cause to do sth) veranlassen; (reach) erreichen; (in time) schaffen; (earn) verdienen; 2. n Marke f, Fabrikat nt; **to** ~ **sth happen** etw geschehen lassen; **make for** vt gehen/fahren nach; **make out** 1. vi zurechtkommen; 2. vt (write out) ausstellen; (understand) verstehen; (pretend) vorgeben; **make up 1.** vt (make) machen, herstellen; (face) schminken; (quarrel) beilegen; (story etc) erfinden; 2. vi sich versöhnen; **make up for** vt wiedergutmachen; (COMM) vergüten; **make-believe 1.** n: **it's** ~ ist nicht wirklich; 2. adj ersonnen; **make-or-break** adj (fam) entscheidend; **maker** n (COMM) Hersteller(in) m(f); **makeshift** adj behelfsmäßig, Not-; **make-up** n Schminke f, Make-up nt; **making** n: **in the** ~ im Entstehen; **to have the** ~s of das Zeug haben zu.

maladjusted [mælə'dʒʌstɪd] adj verhaltensgestört.

malaise [mæ'leɪz] n allgemeines Unbehagen.

malaria [mə'lɛərɪə] n Malaria f.

Malawi [mə'lɑːwɪ] n Malawi nt.

Malaya [mə'leɪə] n Malaya nt.

Malaysia [mə'leɪʒə] n Malaysia nt.

male [meɪl] 1. n Mann m; (animal) Männchen nt; 2. adj männlich; ~ **chauvinism** Chauvinismus m; ~ **chauvinist pig** (pej) Chauvi m, Chauvinist m.

malevolence [mə'levələns] n Böswilligkeit f; **malevolent** adj boshaft.

malformation [mælfɔː'meɪʃn] n Mißbildung f.

malfunction [mæl'fʌŋkʃən] vi versagen, nicht richtig funktionieren.

malice ['mælɪs] n Bosheit f.

malicious adj, **maliciously** adv [mə'lɪʃəs, -lɪ] böswillig, gehässig.

malign [mə'laɪn] vt verleumden; (run down) schlechtmachen.

malignant [mə'lɪgnənt] adj bösartig.

malinger [mə'lɪŋgə*] vi simulieren; **malingerer** n Drückeberger(in) m(f), Simulant(in) m(f).

mallard ['mælɑːd] n Stockente f.

malleable ['mælɪəbl] adj formbar.

mallet ['mælɪt] n Holzhammer m.

malnutrition [mælnjʊ'trɪʃən] n Unterernährung f.

malpractice [mæl'præktɪs] n Amtsvergehen nt.

malt [mɔːlt] n Malz nt; (whisky) Malt Whisky m.

Malta ['mɔːltə] n Malta nt.

maltreat [mæl'triːt] vt mißhandeln.

mammal ['mæml] n Säugetier nt.

mammoth ['mæməθ] adj Mammut-, Riesen-.

man [mæn] 1. n ⟨men⟩ Mann m; (human race) der Mensch, die Menschen pl; 2. vt bemannen.

manage ['mænɪdʒ] 1. vi zurechtkommen; 2. vt (control) führen, leiten; (cope with) fertigwerden mit; **to** ~ **to do sth** etw schaffen; **manageable** adj (person, animal) lenksam, fügsam; (object) handlich; **management** n (control) Führung f, Litung f; (directors) Management nt; **management consultant** n Unternehmensberater(in) m(f); **manager** n Geschäftsführer m, Betriebsleiter m; **manageress** [mænɪdʒə'res] n Geschäftsführerin f; **managerial** [mænə'dʒɪərɪəl] adj leitend; (problem etc) Management-; **managing** adj leitend; ~ **director** Geschäftsführer(in) m(f).

mandarin ['mændərɪn] n (fruit) Mandarine f; (Chinese official) Mandarin m.

mandate ['mændeɪt] n Mandat nt.

mandatory ['mændətərɪ] adj obligatorisch.

mandoline [ˈmændəlɪn] n Mandoline f.

mane [meɪn] n Mähne f.

maneuver (US) [məˈnuːvə*] s. **manoeuvre**.

mangle [ˈmæŋgl] vt übel zurichten.

mango [ˈmæŋgəʊ] n ⟨-es⟩ Mangopflaume f.

mangrove [ˈmæŋgrəʊv] n Mangrove f.

mangy [ˈmeɪndʒɪ] adj ⟨dog⟩ räudig.

manhandle [mænˈhændl] vt grob behandeln; **manhole** n Straßenschacht m; **manhood** [ˈmænhʊd] n Mannesalter nt; ⟨manliness⟩ Männlichkeit f; **man-hour** n Arbeitsstunde f; **manhunt** n Fahndung f.

mania [ˈmeɪnɪə] n ⟨craze⟩ Sucht f, Manie f; ⟨madness⟩ Wahnsinn m; **maniac** [ˈmeɪnɪæk] n Wahnsinnige(r) mf, Verrückte(r) mf; ⟨fig⟩ Fanatiker(in) m(f).

manicure [ˈmænɪkjʊə*] 1. n Maniküre f; 2. vt maniküren.

manifest [ˈmænɪfest] 1. vt offenbaren; 2. adj offenkundig; **manifestation** [mænɪfeˈsteɪʃən] n ⟨showing⟩ Ausdruck m, Bekundung f; ⟨sign⟩ Anzeichen nt; **manifestly** adv offenkundig; **manifesto** [mænɪˈfestəʊ] n ⟨-es⟩ Manifest nt.

manifold [ˈmænɪfəʊld] adj vielfältig.

manipulate [məˈnɪpjʊleɪt] vt handhaben; ⟨fig⟩ manipulieren; **manipulation** [mənɪpjʊˈleɪʃən] n Manipulation f.

mankind [mænˈkaɪnd] n Menschheit f.

man-made [ˈmænmeɪd] adj ⟨fibre⟩ künstlich.

manner [ˈmænə*] n Art f, Weise f; ⟨style⟩ Stil m; **in such a ~** so; **in a ~ of speaking** sozusagen; **~s** pl Manieren pl; **mannerism** n ⟨of person⟩ Angewohnheit f; ⟨of style⟩ Manieriertheit f.

manoeuvrable [məˈnuːvrəbl] adj manövrierfähig.

manoeuvre [məˈnuːvə*] 1. vt, vi manövrieren; 2. n ⟨MIL⟩ Feldzug m; ⟨clever plan⟩ Manöver nt, Schachzug m; **~s** pl Truppenübungen pl, Manöver nt.

manor [ˈmænə*] n Landgut nt; **~ house** Herrenhaus nt.

manpower [ˈmænpaʊə*] n Arbeitskräfte pl.

manservant [ˈmænsɜːvənt] n Diener m.

mansion [ˈmænʃən] n Herrenhaus nt, Landhaus nt.

manslaughter [ˈmænslɔːtə*] n Totschlag m.

mantelpiece [ˈmæntlpiːs] n Kaminsims m.

manual [ˈmænjʊəl] 1. adj manuell, Hand-; 2. n Handbuch nt.

manufacture [mænjʊˈfæktʃə*] 1. vt herstellen; 2. n Herstellung f; **manufacturer** n Hersteller(in) m(f); **manufacturing industry** n verarbeitende Industrie.

manure [məˈnjʊə*] n Dünger m.

manuscript [ˈmænjʊskrɪpt] n Manuskript nt.

many [ˈmenɪ] adj ⟨more, most⟩ viele; **as ~ as 20** sage und schreibe 20; **~ a good soldier** so mancher gute Soldat; **~'s the time** oft.

map [mæp] 1. n Landkarte f; ⟨of town⟩ Stadtplan m; 2. vt eine Karte machen von; **map out** vt ⟨fig⟩ ausarbeiten.

maple [ˈmeɪpl] n Ahorn m.

mar [mɑː*] vt verderben, beeinträchtigen.

marathon [ˈmærəθən] n Marathon m.

marauder [məˈrɔːdə*] n Plünderer m, Plünderin f.

marble [ˈmɑːbl] n Marmor m; ⟨for game⟩ Murmel f.

march [mɑːtʃ] 1. vi marschieren; 2. n Marsch m.

March [mɑːtʃ] n März m; **~ 16th, 1995, 16th ~ 1998** ⟨Datumsangabe⟩ 16. März 1998; **on the 6th of ~** ⟨gesprochen⟩ am 16. März; **on 16th ~, on ~ 16th** ⟨geschrieben⟩ am 16. März; **in ~** im März.

mare [mɛə*] n Stute f; **~'s nest** Windei nt.

margarine [mɑːdʒəˈriːn] n Margarine f.

margin [ˈmɑːdʒɪn] n Rand m; ⟨extra amount⟩ Spielraum m; ⟨COMM⟩ Gewinnspanne f; **marginal** adj ⟨note⟩ Rand-; ⟨difference etc⟩ geringfügig; **marginally** adv nur wenig.

marigold [ˈmærɪgəʊld] n Ringelblume f.

marijuana [mærjʊˈɑːnə] n Marihuana nt.

marina [məˈriːnə] n Yachthafen m.

marinade [mærɪˈneɪd] n Marinade f.

marinate [ˈmærɪneɪt] vt ⟨GASTR⟩ marinieren.

marine [məˈriːn] 1. adj Meeres-, See-; 2. n ⟨MIL⟩ Marineinfanterist m; ⟨fleet⟩ Marine f; **mariner** [ˈmærɪnə*] n Seemann m.

marionette [mærɪəˈnet] n Marionette f.

marital [ˈmærɪtl] adj ehelich, Ehe-.

maritime [ˈmærɪtaɪm] adj See-.

marjoram [ˈmɑːdʒərəm] n Majoran m.

mark [mɑːk] 1. n ⟨coin⟩ Mark f; ⟨spot⟩ Fleck m; ⟨scar⟩ Kratzer m; ⟨sign⟩ Zeichen nt; ⟨target⟩ Ziel nt; ⟨SCH⟩ Note f; 2. vt ⟨make⟩ Flecken/Kratzer machen auf +akk; ⟨indicate⟩ markieren, bezeichnen; ⟨note⟩ sich dat merken; ⟨exam⟩ korrigieren; **to ~ time** ⟨a. fig⟩ auf der Stelle treten; **marked** adj deutlich; **markedly** [ˈmɑːkɪdlɪ] adv merklich; **marker** n ⟨in book⟩ Lesezeichen nt; ⟨on road⟩ Schild nt; ⟨pen⟩ Markierstift m, Marker m.

market [ˈmɑːkɪt] 1. n Markt m; ⟨stock ~⟩ Börse f; 2. vt ⟨COMM. new product⟩ auf den Markt bringen; ⟨sell⟩ vertreiben; **market**

day n Markttag m; **market economy** n Marktwirtschaft f; **market forces** n Kräfte des freien Marktes; **market garden** n (Brit) Handelsgärtnerei f; **marketing** n Marketing nt; **market place** n Marktplatz m; **market research** n Marktforschung f.

marksman [ˈmɑːksmən] n (marksmen) Scharfschütze m; **marksmanship** n Treffsicherheit f.

marmalade [ˈmɑːməleɪd] n Orangenmarmelade f.

maroon [məˈruːn] 1. vt aussetzen; 2. adj (colour) kastanienbraun.

marquee [mɑːˈkiː] n großes Zelt.

marriage [ˈmærɪdʒ] n Ehe f; (wedding) Heirat f; (fig) Verbindung f; **marriage certificate** n Heiratsurkunde f; **marriage guidance** n Eheberatung f.

married [ˈmærɪd] adj (person) verheiratet; (couple, life) Ehe-.

marrow [ˈmærəʊ] n Knochenmark nt; (vegetable) Kürbis m.

marry [ˈmærɪ] 1. vt (join) trauen; (take as husband, wife) heiraten; 2. vi (also: **get married**) heiraten.

marsh [mɑːʃ] n Marsch f, Sumpfland nt.

marshal [ˈmɑːʃəl] 1. n (US) Bezirkspolizeichef m; (at demo) Ordner m; 2. vt anordnen, arrangieren.

marshy [ˈmɑːʃɪ] adj sumpfig.

martial [ˈmɑːʃəl] adj kriegerisch; ~ **arts** pl Kampfsportarten pl; ~ **law** Kriegsrecht nt.

martyr [ˈmɑːtə*] 1. n Märtyrer(in) m(f); 2. vt zum Märtyrer machen; **martyrdom** n Martyrium nt.

marvel [ˈmɑːvəl] 1. n Wunder nt; 2. vi staunen (at über +dat); **marvellous**, **marvelous** (US) adj wunderbar.

marzipan [mɑːzɪˈpæn] n Marzipan nt o m.

mascara [mæˈskɑːrə] n Wimperntusche f.

mascot [ˈmæskɒt] n Maskottchen nt.

masculine [ˈmæskjʊlɪn] 1. adj männlich; 2. n Maskulinum nt; **masculinity** [mæskjʊˈlɪnɪtɪ] n Männlichkeit f.

mashed [mæʃt] adj: ~ **potatoes** pl Kartoffelbrei m, Kartoffelpüree nt.

mask [mɑːsk] 1. n (a. COMPUT) Maske f; 2. vt maskieren; verdecken.

masochist [ˈmæsəʊkɪst] n Masochist(in) m(f).

mason [ˈmeɪsn] n (stone~) Steinmetz(in) m(f); (free~) Freimaurer m; **masonic** [məˈsɒnɪk] adj Freimaurer-; **masonry** n Mauerwerk nt.

masquerade [mæskəˈreɪd] 1. n Maskerade f; 2. vi sich maskieren, sich verkleiden; to ~ **as** sich ausgeben als.

mass [mæs] 1. n Masse f; (greater part) Mehrheit f; (REL) Messe f; 2. vt sammeln, anhäufen; 3. vi sich sammeln; ~**es of** mas-

senhaft.

massacre [ˈmæsəkə*] 1. n Blutbad nt; 2. vt niedermetzeln, massakrieren.

massage [ˈmæsɑːʒ] 1. n Massage f; 2. vt massieren; **masseur** [mæˈsɜː*] n Masseur m; **masseuse** [mæˈsɜːz] n Masseurin f; (in eros centre etc) Masseuse f.

massive [ˈmæsɪv] adj gewaltig, massiv.

mass media [ˈmæs ˈmiːdɪə] n pl Massenmedien pl; **mass-produce** vt serienmäßig herstellen; **mass production** f; Serienproduktion f, Massenproduktion f; **mass unemployment** n Massenarbeitslosigkeit f.

mast [mɑːst] n Mast m.

master [ˈmɑːstə*] 1. n Herr m; (NAUT) Kapitän m; (teacher) Lehrer m; (artist) Meister m; 2. vt meistern; (language etc) beherrschen; **Master of Arts** Magister Artium m; **master data** n pl Stammdaten pl; **masterly** adj meisterhaft; **mastermind** 1. n führender Kopf; 2. vt geschickt lenken; **masterpiece** n Meisterwerk nt; **master stroke** n Glanzstück nt; **mastery** n Können nt; to gain ~ **over** sb die Oberhand über jdn gewinnen.

masturbate [ˈmæstəbeɪt] vi masturbieren, sich selbst befriedigen; **masturbation** [mæstəˈbeɪʃən] n Masturbation f, Selbstbefriedigung f.

mat [mæt] 1. n Matte f; (for table) Untersetzer m; 2. vi sich verfilzen; 3. vt verfilzen.

match [mætʃ] 1. n Streichholz nt; (sth corresponding) Pendant nt; (SPORT) Wettkampf m; (in ball games) Spiel m; 2. vt (be alike, suit) passen zu; (equal) gleichkommen +dat; (SPORT) antreten lassen; 3. vi zusammenpassen; to be a ~ **for** sb sich mit jdm messen können; jdm gewachsen sein; he's a good ~ er ist eine gute Partie; it's a good ~ es paßt gut (for zu); **matchbox** n Streichholzschachtel f; **matching** adj passend; **matchless** adj unvergleichlich; **matchmaker** n Ehestifter(in) m(f); (pej) Kuppler(in) m(f).

mate [meɪt] 1. n (companion) Kamerad(in) m(f); (spouse) Lebensgefährte m, -gefährtin f; (of animal) Weibchen nt/Männchen nt; (NAUT) Schiffsoffizier m; 2. vi (CHESS) schachmatt setzen; (animals) sich paaren; 3. vt (CHESS) matt setzen.

material [məˈtɪərɪəl] 1. n Material nt; (for book, cloth) Material nt, Stoff m; 2. adj (important) wesentlich; (damage) Sach-; (comforts etc) materiell; ~s pl Materialien pl; **materialistic** [mətɪərɪəˈlɪstɪk] adj materialistisch; **materialize** [məˈtɪərɪəlaɪz] vi zustande kommen; **materially** adv grundlegend.

maternal [məˈtɜːnl] adj mütterlich, Mutter-; ~ **grandmother** Großmutter mütterlicherseits.

maternity [mə'tɜ:nɪtɪ] adj Schwangerschafts-; (dress) Umstands-; ~ **benefit** Mutterschaftsgeld nt; ~ **leave** ≈ Erziehungsurlaub m.

matey ['meɪtɪ] adj (Brit fam) kameradschaftlich.

mathematical adj, **mathematically** adv [mæθə'mætɪkəl, -ɪ] mathematisch; **mathematician** [mæθəmə'tɪʃən] n Mathematiker(in) m(f); **mathematics** [mæθə'mætɪks] n sing Mathematik f; **maths** [mæθs] n sing Mathe f.

matinée ['mætɪneɪ] n Matinee f.

mating ['meɪtɪŋ] n Paarung f; ~ **call** Lockruf m.

matriarchal [meɪtrɪ'ɑ:kl] adj matriarchalisch.

matrimonial [mætrɪ'məʊnɪəl] adj ehelich, Ehe-; **matrimony** ['mætrɪmənɪ] n Ehestand m.

matron ['meɪtrən] n (MED) Oberin f; (SCH) Hausmutter f; **matronly** adj matronenhaft.

matt [mæt] adj (paint) matt.

matter ['mætə*] 1. n (substance) Materie f; (affair) Sache f, Angelegenheit f; (content) Inhalt m; (MED) Eiter m; 2. vi darauf ankommen, wichtig sein; **it doesn't** ~ es macht nichts; **no** ~ **how/what** egal wie/was; **what is the** ~? was ist los?; **as a** ~ **of fact** es eigentlich; **matter-of-course** n Selbstverständlichkeit f; **matter-of-fact** adj sachlich, nüchtern.

mattress ['mætrəs] n Matratze f.

mature [mə'tjʊə*] 1. adj reif; 2. vi reif werden; **maturity** [mə'tjʊərɪtɪ] n Reife f.

maudlin ['mɔ:dlɪn] adj gefühlsselig.

maul [mɔ:l] vt übel zurichten.

mausoleum [mɔ:sə'li:əm] n Mausoleum nt.

mauve [məʊv] adj mauvefarben.

mawkish ['mɔ:kɪʃ] adj kitschig; (taste) süßlich.

maxi ['mæksɪ] pref Maxi-.

maxim ['mæksɪm] n Maxime f.

maximize ['mæksɪmaɪz] vt maximieren.

maximum ['mæksɪməm] 1. adj höchste(r, s), Höchst-, Maximal-; 2. n Höchstgrenze f, Maximum nt.

may [meɪ] (might) aux vb (be possible) können; (have permission) dürfen; **I** ~ **come** ich komme vielleicht, es kann sein, daß ich komme; **we** ~ **as well go** wir können ruhig gehen; ~ **you be very happy** ich hoffe, ihr seid glücklich.

May [meɪ] n Mai m; ~ **26th, 1972, 26th** ~ **1972** (Datumsangabe) 26. Mai 1972; **on the 26th of** ~ (gesprochen) am 26. Mai; **on 26th**

~, **on** ~ **26th** (geschrieben) am 26. Mai; **in** ~ im Mai.

maybe ['meɪbi:] adv vielleicht.

Mayday ['meɪdeɪ] n (message) SOS nt; **May Day** n der Erste Mai, der Maifeiertag.

mayonnaise [meɪə'neɪz] n Mayonnaise f.

mayor [mɛə*] n Bürgermeister m; **mayoress** n (wife) Frau f Bürgermeister; (lady mayor) Bürgermeisterin f.

maypole ['meɪpəʊl] n Maibaum m.

maze [meɪz] n Irrgarten m; (fig) Wirrwarr nt; **to be in a** ~ (fig) durcheinander sein.

MCP n abbr of **male chauvinist pig** (pej) Chauvi m.

me [mi:] pron direct/indirect object of **I** mich/ mir; **it's** ~ ich bin's.

meadow ['medəʊ] n Wiese f.

meager (US), **meagre** ['mi:gə*] adj dürftig, spärlich.

meal [mi:l] n Essen nt, Mahlzeit f; (grain) Schrotmehl nt; **to have a** ~ essen gehen; **meal pack** n (US) tiefgekühltes Fertiggericht; **mealtime** n Essenszeit f.

mealy-mouthed ['mi:lɪmaʊðd] adj unaufrichtig.

mean [mi:n] (meant, meant) 1. vt (signify) bedeuten; 2. vi (intend) vorhaben, beabsichtigen; (be resolved) entschlossen sein; 3. adj (stingy) geizig; (spiteful) gemein; (shabby) armselig, schäbig; (average) durchschnittlich, Durchschnitts-; 4. n (average) Durchschnitt m; **the** ~**s well** er ment es gut; **I** ~ **it** ich meine das ernst; **do you** ~ **me?** meinen Sie mich?; **it** ~**s nothing to me** es sagt mir nichts; s. a. **means**.

meander [mɪ'ændə*] vi sich schlängeln.

meaning ['mi:nɪŋ] n Bedeutung f; (of life) Sinn m; **meaningful** adj bedeutungsvoll; (life) sinnvoll; (relationship) ernst; **meaningless** adj sinnlos.

meanness ['mi:nnəs] n (stinginess) Geiz m; (spitefulness) Gemeinheit f; (shabbiness) Schäbigkeit f.

means [mi:nz] 1. n sing (method) Möglichkeit f, Mittel nt; 2. n pl (financial etc) Mittel pl; (wealth) Vermögen nt; **by** ~ **of** durch; **by all** ~ selbstverständlich; **by no** ~ keineswegs; **to live beyond one's** ~ über seine Verhältnisse leben.

meant [ment] pt, pp of **mean**.

meantime, meanwhile [mi:n'taɪm, -waɪl] adv inzwischen, mittlerweile; **for the** ~ vorerst.

measles ['mi:zlz] n sing Masern pl; **German** ~ Röteln pl.

measly ['mi:zlɪ] adj (fam) poplig.

measurable ['meʒərəbl] adj meßbar.

measure ['meʒə*] 1. vt, vi messen; 2. n Maß nt; (step) Maßnahme f; **to be a** ~ **of sth** etw erkennen lassen; **measured** adj (*slow*) gemessen; **measurement** *n* (*way of measuring*) Messung *f;* (*amount measured*) Maß *nt.*

meat [miːt] *n* Fleisch *nt;* **meaty** *adj* fleischig; (*fig*) gehaltvoll.

Mecca [ˈmekə] *n* Mekka *nt.*

mechanic [miˈkænik] *n* Mechaniker(in) *m(f);* **mechanical** *adj* mechanisch; **mechanics** *n sing* Mechanik *f.*

mechanism [ˈmekənizəm] *n* Mechanismus *m.*

medal [ˈmedl] *n* Medaille *f;* (*decoration*) Orden *m.*

medalist [ˈmedəlist] *n* (*US*) s. **medallist**.

medallion [miˈdæliən] *n* Medaillon *nt.*

medallist [ˈmedəlist] *n* Medaillengewinner(in) *m(f).*

meddle [ˈmedl] *vi* sich einmischen (*in* in +*akk*); (*tamper*) hantieren (*with* an +*dat*); **to ~ with sb** sich mit jdm einlassen; **meddlesome** *adj:* **he's so ~** er mischt sich dauernd in alles ein.

media [ˈmiːdiə] *n pl* Medien *pl.*

mediate [ˈmiːdieit] *vi* vermitteln; **mediation** [miːdiˈeiʃən] *n* Vermittlung *f;* **mediator** [ˈmiːdieitə*] *n* Vermittler(in) *m(f).*

medical [ˈmedikəl] **1.** *adj* medizinisch, Medizin-; ärztlich; **2.** *n* Untersuchung *f;* **medical certificate** *n* Attest *nt.*

Medicare [ˈmedikeə*] *n* (*US*) Krankenkasse *f.*

medicated [ˈmedikeitid] *adj* medizinisch.

medicinal [meˈdisinl] *adj* medizinisch, Heil-.

medicine [ˈmedsin] *n* Medizin *f;* (*drugs*) Arznei *f;* **medicine chest** *n* Hausapotheke *f.*

medieval [medi'iːvəl] *adj* mittelalterlich.

mediocre [miːdi'əukə*] *adj* mittelmäßig; **mediocrity** [miːdi'ɔkriti] *n* Mittelmäßigkeit *f;* (*person*) kleiner Geist.

meditate [ˈmediteit] *vi* nachdenken (*on* über +*akk*); (*REL*) meditieren (*on* über +*akk*); **meditation** [mediˈteiʃən] *n* Nachsinnen *nt;* Meditation *f.*

Mediterranean [meditəˈreiniən] *n* Mittelmeer *nt.*

medium [ˈmiːdiəm] **1.** *adj* mittlere(r, s), Mittel-, mittel-; **2.** *n* Mitte *f;* (*means*) Mittel *nt;* (*person*) Medium *nt.*

medley [ˈmedli] *n* Gemisch *nt;* (*MUS*) Potpourri *nt.*

meek *adj,* **meekly** *adv* [miːk, -li] sanftmütig; (*pej*) duckmäuserisch.

meet [miːt] (*met, met*) **1.** *vt* (*encounter*) treffen, begegnen +*dat;* (*by arrangement*) sich treffen mit; (*difficulties*) stoßen auf +*akk;* (*become acquainted with*) kennenlernen; (*fetch*) abholen; (*join*) zusammentreffen mit; (*river*) fließen in +*akk;* (*satisfy*) ent-

sprechen +*dat;* (*debt*) bezahlen; **2.** *vi* sich treffen; (*become acquainted*) sich kennenlernen; (*join*) sich treffen; (*rivers*) ineinanderfließen; (*roads*) zusammenlaufen; **pleased to ~ you!** sehr angenehm!; **meet with** *vt* (*problems*) stoßen auf +*akk;* (*US: people*) zusammentreffen mit; **meeting** *n* Treffen *nt;* (*business ~*) Besprechung *f,* Konferenz *f;* (*of committee*) Sitzung *f;* (*assembly*) Versammlung *f;* **meeting place** *n* Treffpunkt *m.*

megabyte [ˈmegəbait] *n* Megabyte *nt.*

megaphone [ˈmegəfəun] *n* Megaphon *nt.*

melancholy [ˈmelənkəli] **1.** *n* Melancholie *f;* **2.** *adj* (*person*) melancholisch, schwermütig; (*sight, event*) traurig.

mellow [ˈmeləu] **1.** *adj* mild, weich; (*fruit*) reif, weich; (*fig*) gesetzt; **2.** *vi* reif werden.

melodious [miˈləudiəs] *adj* wohlklingend.

melodrama [ˈmeləudrɑːmə] *n* Melodrama *nt;* **melodramatic** [meləudrəˈmætik] *adj* melodramatisch.

melody [ˈmelədi] *n* Melodie *f.*

melon [ˈmelən] *n* Melone *f.*

melt [melt] **1.** *vi* schmelzen; (*anger*) verfliegen; **2.** *vt* schmelzen; **melt away** *vi* dahinschmelzen; **melt down** *vt* einschmelzen; **meltdown** *n* (*in nuclear reactor*) Kernschmelze *f;* **melting point** *n* Schmelzpunkt *m;* **melting pot** *n* (*fig*) Schmelztiegel *m;* **to be in the ~** in der Schwebe sein.

member [ˈmembə*] *n* Mitglied *nt;* (*of tribe, species*) Angehörige(r) *mf;* (*ANAT*) Glied *nt;* **membership** *n* Mitgliedschaft *f.*

membrane [ˈmembrein] *n* Membrane *f.*

memento [məˈmentəu] *n* ⟨-es⟩ Andenken *nt.*

memo [ˈmeməu] *n* ⟨-s⟩ Notiz *f,* Mitteilung *f.*

memoirs [ˈmemwɑːz] *n pl* Memoiren *pl.*

memorable [ˈmemərəbl] *adj* denkwürdig.

memorandum [meməˈrændəm] *n* Notiz *f,* Mitteilung *f;* (*POL*) Memorandum *nt.*

memorial [miˈmɔːriəl] **1.** *n* Denkmal *nt;* **2.** *adj* Gedenk-.

memorize [ˈmeməraiz] *vt* sich *dat* einprägen.

memory [ˈmeməri] *n* Gedächtnis *nt;* (*of computer*) Speicher *m;* (*sth recalled*) Erinnerung *f;* **in ~ of** zur Erinnerung an +*akk;* **from ~** aus dem Kopf; **memory capacity** *n* Speicherkapazität *f;* **memory function** *n* Speicherfunktion *f;* **memory protection** *n* Speicherschutz *m;* **memory typewriter** *n* Speicherschreibmaschine *f.*

men [men] *pl* of **man.**

menace [ˈmenis] **1.** *n* Drohung *f,* Gefahr *f;* **2.** *vt* bedrohen; **menacing** *adj* drohend.

mend [mend] **1.** *vt* reparieren, flicken; **2.** *n*

ausgebesserte Stelle; **on the ~** auf dem Wege der Besserung.

menial ['miːnɪəl] adj niedrig, untergeordnet.

meningitis [menɪn'dʒaɪtɪs] n Hirnhautentzündung f, Meningitis f.

menopause ['menəʊpɔːz] n Wechseljahre pl, Menopause f.

menstrual ['menstruəl] adj Monats-, Menstruations-; **menstruate** vi menstruieren; **menstruation** [menstru'eɪʃən] n Menstruation f.

mental ['mentl] adj geistig, Geistes-; (arithmetic) Kopf-; (hospital) Nerven-; (cruelty) seelisch; (fam: abnormal) verrückt; **mental hospital** n Nervenklinik f.

mentality [men'tælɪtɪ] n Mentalität f.

mentally ['mentəlɪ] adv geistig; **~ ill** geisteskrank.

mentholated ['menθəleɪtɪd] adj Menthol-.

mention ['menʃən] **1.** n Erwähnung f; **2.** vt erwähnen; (names) nennen; **don't ~ it** bitte sehr, gern geschehen.

menu ['menjuː] n Speisekarte f; (food) Speisenfolge f; (COMPUT) Menü nt.

mercantile ['mɜːkəntaɪl] adj Handels-.

mercenary ['mɜːsɪnərɪ] **1.** adj (person) geldgierig; (MIL) Söldner-; **2.** n Söldner m.

merchandise ['mɜːtʃəndaɪz] n Handelsware f.

merchant ['mɜːtʃənt] **1.** n Kaufmann m, Kauffrau f; **2.** adj Handels-; **~ navy** Handelsmarine f.

merciful ['mɜːsɪfʊl] adj gnädig, barmherzig; **mercifully** ['mɜːsɪfəlɪ] adv gnädig; (fortunately) glücklicherweise; **merciless** adj, **mercilessly** adv erbarmungslos.

mercurial [mɜː'kjʊərɪəl] adj Quecksilber-; (person) wechselhaft; (lively) lebendig.

mercury ['mɜːkjʊrɪ] n Quecksilber nt.

mercy ['mɜːsɪ] n Erbarmen nt, Gnade f; (blessing) Segen m; **at the ~ of** ausgeliefert +dat.

mere adj, **merely** adv [mɪə*, 'mɪəlɪ] bloß.

merge [mɜːdʒ] **1.** vt verbinden; (COMM) fusionieren; **2.** vi verschmelzen; (roads) zusammenlaufen; (AUTO) sich einfädeln; (COMM) fusionieren; **to ~ into** übergehen in +akk; **merger** n (COMM) Fusion f.

meridian [mə'rɪdɪən] n Meridian m.

meringue [mə'ræŋ] n Baiser nt, Schaumgebäck nt.

merit ['merɪt] **1.** n Verdienst nt; (advantage) Vorzug m; **2.** vt verdienen; **to judge on ~** nach Leistung beurteilen.

mermaid ['mɜːmeɪd] n Nixe f, Meerjungfrau f.

merrily ['merɪlɪ] adv lustig.

merriment ['merɪmənt] n Fröhlichkeit f; (laughter) Gelächter nt.

merry ['merɪ] adj fröhlich; (fam) angeheitert; **merry-go-round** n Karussell nt.

mesh [meʃ] **1.** n Masche f; **2.** vi (gears) ineinandergreifen.

mesmerize ['mezməraɪz] vt hypnotisieren; (fig) faszinieren.

mess [mes] n Unordnung f; (dirt) Schmutz m; (trouble) Schwierigkeiten pl; (MIL) Messe f; **to look a ~** unmöglich aussehen; **to make a ~ of sth** etw verpfuschen; **mess about** vi (tinker with) herummurksen (with an +dat); (play the fool) herumalbern; (do nothing in particular) herumgammeln; **mess up** vt verpfuschen; (make untidy) in Unordnung bringen.

message ['mesɪdʒ] n Mitteilung f, Nachricht f; **to get the ~** kapieren; **message unit** n (US TEL) Gebühreneinheit f.

messenger ['mesɪndʒə*] n Bote m, Botin f.

messy ['mesɪ] adj schmutzig; (untidy) unordentlich.

met [met] pt, pp of **meet**.

metabolism [me'tæbəlɪzəm] n Stoffwechsel m.

metal ['metl] n Metall nt; **metallic** [mɪ'tælɪk] adj metallisch.

metamorphosis [metə'mɔːfəsɪs] n Metamorphose f.

metaphor ['metəfə*] n Metapher f; **metaphorical** [metə'fɔrɪkəl] adj bildlich, metaphorisch.

metaphysics [metə'fɪzɪks] n sing Metaphysik f.

meteor ['miːtɪə*] n Meteor m; **meteoric** [miːtɪ'ɒrɪk] adj meteorisch, Meteor-; **meteorite** ['miːtɪəraɪt] n Meteorit m.

meteorological [miːtɪərə'lɒdʒɪkəl] adj meteorologisch, Wetter-; **meteorology** [miːtɪə'rɒlədʒɪ] n Meteorologie f.

meter ['miːtə*] n Zähler m; (US) s. **metre**.

methadone ['meθədəʊn] n Methadon nt.

method ['meθəd] n Methode f; **methodical** [mɪ'θɒdɪkəl] adj methodisch; **methodology** [meθə'dɒlədʒɪ] n Methodik f.

methylated spirit ['meθɪleɪtɪd'spɪrɪt] n (also: meths sing) Brennspiritus m.

meticulous [mɪ'tɪkjʊləs] adj [peinlich]genau.

metre ['miːtə*] n Meter m o nt; (verse) Metrum nt.

metric ['metrɪk] adj (also: **~al**) metrisch; **~ system** Dezimalsystem nt; **metrication** [metrɪ'keɪʃən] n Umstellung f auf das Dezimalsystem.

metronome ['metrənəʊm] n Metronom nt.

metropolis [me'trɒpəlɪs] n Metropole f.

mettle ['metl] n Mut m.

Mexico ['meksɪkəʊ] n Mexiko nt.

miaow [miːˈaʊ] *vi* miauen.

mice [maɪs] *pl of* **mouse**.

mickey [ˈmɪkɪ] *n*: **to take the ~ out of sb** *(fam)* jdn auf den Arm nehmen.

micro [ˈmaɪkrəʊ] *n* ⟨-s⟩ *(COMPUT)* Mikrocomputer *m*.

microbe [ˈmaɪkrəʊb] *n* Mikrobe *f*.

microchip [ˈmaɪkrəʊtʃɪp] *n* *(COMPUT)* Mikrochip *m*; **microcomputer** *n* Mikrocomputer *m*; **microelectronics** *n sing* Mikroelektonik *f*.

microfilm [ˈmaɪkrəʊfɪlm] **1.** *n* Mikrofilm *m*; **2.** *vt* auf Mikrofilm aufnehmen.

microphone [ˈmaɪkrəfəʊn] *n* Mikrophon *nt*.

microprocessor [maɪkrəʊˈprəʊsesə*] *n* Mikroprozessor *m*.

microscope [ˈmaɪkrəskəʊp] *n* Mikroskop *nt*; **microscopic** [maɪkrəˈskɒpɪk] *adj* mikroskopisch.

microsurgery [ˈmaɪkrəʊsɜːdʒərɪ] *n* Mikrochirurgie *f*.

microwave [ˈmaɪkrəʊweɪv] *n* Mikrowelle *f*; **~ oven** Mikrowellenherd *m*.

mid [mɪd] *adj* mitten in *+dat*; **in the ~ eighties** Mitte der achtziger Jahre; **in ~ course** mittendrin.

midday [ˈmɪdˈdeɪ] *n* Mittag *m*.

middle [ˈmɪdl] **1.** *n* Mitte *f*; *(waist)* Taille *f*; **2.** *adj* mittlere(r, s), Mittel-; **in the ~ of** mitten in *+dat*; **the Middle Ages** *pl* das Mittelalter; **the Middle East** der Nahe Osten; **middle-aged** *adj* mittleren Alters; **middle-class 1.** *n* Mittelstand *m*; **2.** *adj* Mittelstands-; *(fig)* bürgerlich; *(pej)* spießig; **middleman** *n* ⟨middlemen⟩ *(COMM)* Zwischenhändler *m*; **middle name** *n* zweiter Vorname; **middle-of-the-road** *adj* gemäßigt.

middling [ˈmɪdlɪŋ] *adj* mittelmäßig.

midge [mɪdʒ] *n* Mücke *f*.

midget [ˈmɪdʒɪt] **1.** *n* Liliputaner(in) *m(f)*; **2.** *adj* Kleinst-.

midnight [ˈmɪdnaɪt] *n* Mitternacht *f*.

midriff [ˈmɪdrɪf] *n* Taille *f*.

midst [mɪdst] *n*: **in the ~ of** *(persons)* mitten unter *+dat*; *(things)* mitten in *+dat*; **in our ~** unter uns.

midsummer [ˈmɪdsʌmə*] *n* Hochsommer *m*; **Midsummer's Day** Sommersonnenwende *f*.

midway [mɪdˈweɪ] **1.** *adv* auf halbem Wege; **2.** *adj* Mittel-.

midweek [mɪdˈwiːk] *adj, adv* in der Mitte der Woche.

midwife [ˈmɪdwaɪf] *n* ⟨midwives⟩ Hebamme *f*; **midwifery** [ˈmɪdwɪfərɪ] *n* Geburtshilfe *f*.

midwinter [mɪdˈwɪntə*] *n* tiefster Winter.

might [maɪt] **1.** *pt of* **may**; **2.** *n* Macht *f*,

Kraft *f*; **I ~ come** ich komme vielleicht; **mightily** *adv* mächtig; **mightn't** = **might not**; **mighty** *adj, adv* mächtig.

migraine [ˈmiːgreɪn] *n* Migräne *f*.

migrant [ˈmaɪgrənt] **1.** *n* *(bird)* Zugvogel *m*; *(worker)* Saisonarbeiter(in) *m(f)*, Wanderarbeiter(in) *m(f)*; **2.** *adj* Wander-; *(bird)* Zug-.

migrate [maɪˈgreɪt] *vi* abwandern; *(birds)* fortziehen; **migration** [maɪˈgreɪʃən] *n* Wanderung *f*, Zug *m*; **migratory bird** *n* Wandervogel *m*.

mike [maɪk] *n* *(fam)* Mikrophon *nt*.

mild [maɪld] *adj* mild; *(medicine, interest)* leicht; *(person)* sanft.

mildew [ˈmɪldjuː] *n* *(on plants)* Mehltau *m*; *(on food)* Schimmel *m*.

mildly [ˈmaɪldlɪ] *adv* leicht; **to put it ~** gelinde gesagt.

mildness [ˈmaɪldnəs] *n* Milde *f*.

mile [maɪl] *n* Meile *f (1,609 km)*; **mileage** *n* Meilenzahl *f*; **milestone** *n (a. fig)* Meilenstein *m*.

milieu [ˈmiːljɜː] *n* Milieu *nt*.

militant [ˈmɪlɪtənt] *adj* militant.

militarism [ˈmɪlɪtərɪzəm] *n* Militarismus *m*.

military [ˈmɪlɪtərɪ] **1.** *adj* militärisch, Militär-; **2.** *n* Militär *nt*.

militia [mɪˈlɪʃə] *n* Miliz *f*, Bürgerwehr *f*.

milk [mɪlk] **1.** *n* Milch *f*; **2.** *vt* melken; **milk chocolate** *n* Milchschokolade *f*; **milkman** *n* ⟨milkmen⟩ Milchmann *m*; **milk shake** *n* Milchmixgetränk *nt*; **Milky Way** *n* Milchstraße *f*.

mill [mɪl] **1.** *n* Mühle *f*; *(factory)* Fabrik *f*; **2.** *vt* mahlen; **3.** *vi* *(move around)* umherlaufen; **milled** *adj* gemahlen.

millennium [mɪˈlenɪəm] *n* Jahrtausend *nt*.

miller [ˈmɪlə*] *n* Müller(in) *m(f)*.

millet [ˈmɪlɪt] *n* Hirse *f*.

milligramme [ˈmɪlɪgræm] *n* Milligramm *nt*; **milliliter** *(US)*, **millilitre** *n* Milliliter *m*; **millimeter** *(US)*, **millimetre** *n* Millimeter *m*.

milliner [ˈmɪlɪnə*] *n* Hutmacher(in) *m(f)*; **millinery** *n* *(hats)* Hüte *pl*, Modewaren *pl*; *(business)* Hutgeschäft *nt*.

million [ˈmɪljən] *n* Million *f*; **millionaire** [mɪljəˈnɛə*] *n* Millionär(in) *m(f)*.

millwheel [ˈmɪlwiːl] *n* Mühlrad *nt*.

milometer [maɪˈlɒmɪtə*] *n* ≈ Kilometerzähler *m*.

mime [maɪm] **1.** *n* Pantomime *f*; *(actor)* Pantomime *m*, Pantomimin *f*; **2.** *vt, vi* mimen.

mimic [ˈmɪmɪk] **1.** *n* Imitator(in) *m(f)*; **2.** *vi* nachahmen; **mimicry** [ˈmɪmɪkrɪ] *n* Nachahmung *f*; *(BIO)* Mimikry *f*.

mince [mɪns] **1.** *vt* zerhacken; **2.** *vi* *(walk)* trippeln; **3.** *n* *(meat)* Hackfleisch *nt*; **mincemeat** *n* süße Pastetenfüllung;

mince pie n gefüllte süße Pastete; **mincing** adj (manner) affektiert.

mind [maɪnd] **1.** n Verstand m, Geist m; (opinion) Meinung f; (thoughts) Gedanken pl; **2.** vt aufpassen auf +akk; (object to) etwas haben gegen; **3.** vi etwas dagegen haben; **on my ~** auf dem Herzen; **to my ~** meiner Meinung nach; **to be out of one's ~** wahnsinnig sein; **to bear** [o **keep**] **in ~** bedenken, nicht vergessen; **to change one's ~** es sich dat anders überlegen; **to make up one's ~** sich entschließen; **to have sth in ~** an etw akk denken; etw beabsichtigen; **to have a good ~ to do sth** große Lust haben, etw zu tun; **I don't ~ the rain** der Regen macht mir nichts aus; **do you ~ if I …** macht es Ihnen etwas aus, wenn ich …; **do you ~!** na hören Sie mal!; **never ~** macht nichts; **"~ the step"** „Vorsicht Stufe!"; **~ your own business** kümmern Sie sich um Ihre eigenen Angelegenheiten; **mindful** adj achtsam (of auf +akk); **mindless** adj hirnlos, dumm; (senseless) sinnlos.

mine [maɪn] **1.** pron (substantivisch) meine(r, s); **2.** n (coal~) Bergwerk nt; (MIL) Mine f; (source) Fundgrube f; **3.** vt abbauen; (MIL) verminen; **4.** vi Bergbau betreiben; **to ~ for sth** etw gewinnen; **mine detector** n Minensuchgerät nt; **minefield** n Minenfeld nt; **miner** n Bergarbeiter m.

mineral ['mɪnərəl] **1.** adj mineralisch, Mineral-; **2.** n Mineral nt; **mineral water** n Mineralwasser nt.

mineshaft ['maɪnʃɑːft] n Schacht m.

minesweeper ['maɪnswiːpə*] n Minensuchboot nt.

mingle ['mɪŋgl] **1.** vt vermischen; **2.** vi sich mischen (with unter +akk).

mini ['mɪnɪ] pref Mini-, Klein-.

miniature ['mɪnɪtʃə*] **1.** adj Miniatur-, Klein-; **2.** n Miniatur f; **in ~** en miniature, in Kleinformat.

minibus ['mɪnɪbʌs] n Kleinbus m, Minibus m; **minicab** ['mɪnɪkæb] n Kleintaxi nt.

minim ['mɪnɪm] n halbe Note.

minimal ['mɪnɪml] adj kleinste(r, s), minimal, Mindest-.

minimize ['mɪnɪmaɪz] vt auf das Mindestmaß beschränken; (belittle) herabsetzen.

minimum ['mɪnɪməm] **1.** n Minimum nt; **2.** adj Mindest-.

mining ['maɪnɪŋ] **1.** n Bergbau m; **2.** adj Bergbau-, Berg-.

miniquake ['mɪnɪkweɪk] n Erdstoß m.

miniskirt ['mɪnɪskɜːt] n Minirock m.

minister ['mɪnɪstə*] n (POL) Minister(in) m(f); (REL) Geistliche(r) mf, Pfarrer(in) m(f); **ministerial** [mɪnɪ'stɪərɪəl] adj ministeriell, Minister-.

ministry ['mɪnɪstrɪ] n (government body) Ministerium nt; (REL office) geistliches Amt; (all ministers) Geistlichkeit f.

mink [mɪŋk] n Nerz m.

minor ['maɪnə*] **1.** adj kleiner; (operation) leicht; (problem, poet) unbedeutend; (MUS) Moll; **2.** n (Brit: under 18) Minderjährige(r) mf; **Smith ~** Smith der Jüngere; **minority** [maɪ'nɒrɪtɪ] n Minderheit f.

minster ['mɪnstə*] n Münster nt, Kathedrale f.

minstrel ['mɪnstrəl] n (HIST) Spielmann m, Minnesänger m; **a wandring ~** ein fahrender Sänger.

mint [mɪnt] **1.** n Minze f; (sweet) Pfefferminzbonbon nt; (place) Münzstätte f; **2.** adj (condition) neu; (stamp) ungestempelt, postfrisch; **mint sauce** n Minzsoße f.

minuet [mɪnjʊ'et] n Menuett nt.

minus ['maɪnəs] **1.** n Minuszeichen nt; (amount) Minusbetrag m; **2.** prep minus, weniger.

minute [maɪ'njuːt] **1.** adj winzig, sehr klein; (detailed) minuziös; **2.** ['mɪnɪt] n Minute f; (moment) Augenblick m; **~s** pl Protokoll nt; **minutely** [maɪ'njuːtlɪ] adv (in detail) genau.

miracle ['mɪrəkl] n Wunder nt.

miraculous [mɪ'rækjʊləs] adj wunderbar; **miraculously** adv auf wunderbare Weise.

mirage ['mɪrɑːʒ] n Luftspiegelung f, Fata Morgana f.

mirror ['mɪrə*] **1.** n Spiegel m; **2.** vt widerspiegeln.

mirth [mɜːθ] n Freude f; (laughter) Heiterheit f.

misadventure [mɪsəd'ventʃə*] n Mißgeschick nt, Unfall m.

misanthropist [mɪ'zænθrəpɪst] n Menschenfeind(in) m(f).

misapprehension ['mɪsæprɪ'henʃən] n Mißverständnis nt; **to be under the ~ that … irrtümlicherweise annehmen, daß …**

misappropriate [mɪsə'prəʊprɪeɪt] vt (funds) veruntreuen.

misbehave [mɪsbɪ'heɪv] vi sich schlecht benehmen.

miscalculate [mɪs'kælkjʊleɪt] vt falsch berechnen; **miscalculation** ['mɪskælkjʊ'leɪʃən] n Rechenfehler m.

miscarriage [mɪs'kærɪdʒ] n (MED) Fehlgeburt f; **~ of justice** Fehlurteil nt.

miscellaneous [mɪsɪ'leɪnɪəs] adj verschieden.

miscellany [mɪ'selənɪ] n Sammlung f.

mischance [mɪs'tʃɑːns] n Mißgeschick nt.

mischief ['mɪstʃɪf] n Unfug m; (harm) Schaden m; **mischievous** adj, **mischievously** adv ['mɪstʃɪvəs, -lɪ] (person) durchtrieben; (glance) verschmitzt; (rumour) bösartig.

misconception [mɪskən'sepʃən] n fälschliche Annahme.

misconduct [mɪs'kɒndʌkt] n Vergehen nt.

misconstrue [mɪskən'stru:] vt mißverstehen.

miscount [mɪs'kaʊnt] vt falsch auszählen.

misdemeanor (US), **misdemeanour** [mɪsdɪ'mi:nə*] n Vergehen nt.

misdirect [mɪsdɪ'rekt] vt (person) irreleiten; (letter) fehlleiten.

miser ['maɪzə*] n Geizhals m.

miserable ['mɪzərəbl] adj (unhappy) unglücklich; (headache, weather) fürchterlich; (poor) elend; (contemptible) erbärmlich; **miserably** adv unglücklich; (fail) kläglich.

miserly ['maɪzəlɪ] adj geizig.

misery ['mɪzərɪ] n Elend nt, Qual f.

misfire [mɪs'faɪə*] vi (gun) versagen; (engine) fehlzünden; (plan) fehlgehen.

misfit ['mɪsfɪt] n Außenseiter(in) m(f).

misfortune [mɪs'fɔ:tʃən] n Unglück nt.

misgiving [mɪs'gɪvɪŋ] n (often pl) Befürchtung f, Bedenken pl.

misguided [mɪs'gaɪdɪd] adj töricht; (opinions) irrig.

mishandle [mɪs'hændl] vt falsch handhaben.

mishap ['mɪshæp] n Unglück nt; (slight) Panne f.

mishear [mɪs'hɪə*] irr vt falsch hören.

misinform [mɪsɪn'fɔ:m] vt falsch unterrichten.

misinterpret [mɪsɪn'tɜ:prɪt] vt falsch auffassen o deuten; **misinterpretation** [mɪsɪntɜ:prɪ'teɪʃən] n falsche Auslegung.

misjudge [mɪs'dʒʌdʒ] vt falsch beurteilen.

mislay [mɪs'leɪ] irr vt verlegen.

mislead [mɪs'li:d] irr vt (deceive) irreführen; **misleading** adj irreführend.

mismanage [mɪs'mænɪdʒ] vt schlecht verwalten; **mismanagement** n Mißwirtschaft f.

misnomer [mɪs'nəʊmə*] n falsche Bezeichnung.

misogynist [mɪ'sɒdʒɪnɪst] **1.** n Frauenfeind m; **2.** adj frauenfeindlich.

misplace [mɪs'pleɪs] vt verlegen.

misprint ['mɪsprɪnt] n Druckfehler m.

mispronounce [mɪsprə'naʊns] vt falsch aussprechen.

misread [mɪs'ri:d] irr vt falsch lesen.

misrepresent [mɪsreprɪ'zent] vt falsch darstellen.

miss [mɪs] **1.** vt (fail to hit, catch) verfehlen; (not notice) verpassen; (be too late) versäumen, verpassen; (omit) auslassen; (regret the absence of) vermissen; **2.** vi fehlen; **3.** n (shot) Fehlschuß m; (failure) Fehlschlag m; **I ~ you** du fehlst mir.

Miss [mɪs] n Fräulein nt; **~ Germany** die Miß Germany.

missal ['mɪsəl] n Meßbuch nt.

misshapen [mɪs'ʃeɪpən] adj mißgebildet.

missile ['mɪsaɪl] n Geschoß nt, Rakete f; **missile-defence system** n Raketenabwehrsystem nt.

missing ['mɪsɪŋ] adj (person) vermißt; (thing) fehlend; **to be ~** fehlen.

mission ['mɪʃən] n (work) Auftrag m, Mission f; (people) Delegation f; (REL) Mission f; **missionary** n Missionar(in) m(f); **mission control** n (SPACE) Kontrollzentrum nt.

misspent [mɪs'spent] adj (youth) vergeudet.

mist [mɪst] n Dunst m, Nebel m; **mist over**, **mist up** vi sich beschlagen.

mistake [mɪs'teɪk] **1.** n Fehler m; **2.** irr vt (misunderstand) mißverstehen; (mix up) verwechseln (for mit); **mistaken** adj (idea) falsch; **~ identity** Verwechslung f; **to be ~** sich irren.

mister ['mɪstə*] n Herr m.

mistletoe ['mɪsltəʊ] n Mistel f; Mistelzweig m.

mistranslation [mɪstræns'leɪʃən] n falsche Übersetzung.

mistreat [mɪs'tri:t] vt schlecht behandeln.

mistress ['mɪstrɪs] n (teacher) Lehrerin f; (in house) Herrin f; (lover) Geliebte f.

mistrust [mɪs'trʌst] vt mißtrauen +dat.

misty ['mɪstɪ] adj neblig.

misunderstand [mɪsʌndə'stænd] irr vt, vi mißverstehen, falsch verstehen; **misunderstanding** n Mißverständnis nt; (disagreement) Meinungsverschiedenheit f; **misunderstood** [mɪsʌndə'stʊd] adj (person) unverstanden.

misuse [mɪs'ju:s] **1.** n falscher Gebrauch; **2.** [mɪs'ju:z] vt falsch gebrauchen.

mite [maɪt] n Milbe f; (fig) bißchen nt.

miter ['maɪtə*] n (US, REL) Mitra f.

mitigate ['mɪtɪgeɪt] vt (pain) lindern; (punishment) mildern.

mitre ['maɪtə*] n (REL) Mitra f.

mitten ['mɪtn] n Fausthandschuh m.

mix [mɪks] **1.** vt (blend) vermischen; **2.** vi (liquids) sich vermischen lassen; (people: get on) sich vertragen; (associate) Kontakt haben; **3.** n (mixture) Mischung f; **she ~es well** sie ist kontaktfreudig; **mix up** vt (mix) zusammenmischen; (confuse) verwechseln; **to be ~ed in sth** in etw dat verwickelt sein; **mixed** adj gemischt; **mixed bag** n (fam) Sammelsurium nt; **mixed-up** adj (papers, person) durcheinander; **mixer** n (for food) Mixer m; **mixture** ['mɪkstʃə*] n (assortment) Mischung f; (MED) Saft m; **mix-up** n Durcheinander nt; Verwechslung

f.

mnemonic [niːˈmɒnɪk] n Eselsbrücke f.

moan [məʊn] **1.** n Stöhnen nt; (complaint) Klage f; **2.** vi stöhnen; (complain) maulen; **moaning** n Stöhnen nt; Gemaule nt.

moat [məʊt] n Burggraben m.

mob [mɒb] **1.** n Mob m; (the masses) Pöbel m; **2.** vt (star) herfallen über +akk.

mobile [ˈməʊbaɪl] **1.** adj beweglich; (library etc) fahrbar, Fahr-; **2.** n (decoration) Mobile nt; ~ **home** Wohnwagen m; ~ **phone** tragbares Telefon; **mobility** [məʊˈbɪlɪtɪ] n Beweglichkeit f.

moccasin [ˈmɒkəsɪn] n Mokassin m.

mock [mɒk] **1.** vt verspotten; (defy) trotzen +dat; **2.** adj Schein-; **mockery** n Spott m; (person) Gespött nt; **mocking** adj (tone) spöttisch; **mockingbird** n Spottdrossel f; **mock-up** n Modell nt.

mod cons [ˈmɒdˈkɒnz] abbr of **modern conveniences** [moderner] Komfort m.

mode [məʊd] n Art und Weise f; (COMPUT) Modus m.

model [ˈmɒdl] **1.** n Modell nt; (example) Vorbild nt; (in fashion) Mannequin nt; **2.** vt (make) formen, modellieren; (clothes) vorführen; **3.** adj Modell-; (perfect) Muster-; vorbildlich; **modeling** (US), **modelling** n (model making) Basteln nt.

modem [ˈməʊdem] n Modem nt.

moderate 1. adj gemäßigt; (fairly good) mittelmäßig; **2.** n (POL) Gemäßigte(r) mf; **3.** [ˈmɒdəreɪt] vi sich mäßigen; **4.** vt mäßigen; **moderately** [ˈmɒdərɪtlɪ] adv mäßig; **moderation** [mɒdəˈreɪʃən] n Mäßigung f; **in** ~ mit Maßen.

modern [ˈmɒdən] adj modern; (history, languages) neuere(r, s); (Greek etc) Neu-; **modernization** [mɒdənaɪˈzeɪʃən] n Modernisierung f; **modernize** [ˈmɒdənaɪz] vt modernisieren.

modest adj, **modestly** adv [ˈmɒdɪst, -lɪ] (attitude) bescheiden; (meal, home) einfach; (chaste) schamhaft; **modesty** n Bescheidenheit f; (chastity) Schamgefühl nt.

modicum [ˈmɒdɪkəm] n bißchen nt.

modification [mɒdɪfɪˈkeɪʃən] n Abänderung f; **modify** [ˈmɒdɪfaɪ] vt abändern; (LING) modifizieren.

modular [ˈmɒdjʊlə*] adj (COMPUT) modular.

modulation [mɒdjʊˈleɪʃən] n Modulation f.

module [ˈmɒdjʊl] n (SPACE) Raumkapsel f; (COMPUT) Modul nt.

mohair [ˈməʊhɛə*] n Mohair m.

moist [mɔɪst] adj feucht; **moisten** [ˈmɔɪsn] vt befeuchten; **moisture** [ˈmɔɪstʃə*] n Feuchtigkeit f; **moisturizer** n Feuchtigkeitscreme f.

molar [ˈməʊlə*] n Backenzahn m.

molasses [məˈlæsɪz] n sing Melasse f.

mold (US) [məʊld] s. **mould.**

mole [məʊl] n (spot) Leberfleck m; (animal) Maulwurf m; (pier) Mole f.

molecular [məˈlekjʊlə*] adj molekular, Molekular-.

molecule [ˈmɒlɪkjuːl] n Molekül nt.

molest [məʊˈlest] vt belästigen.

mollusc [ˈmɒləsk] n Weichtier nt.

mollycoddle [ˈmɒlɪkɒdl] vt verhätscheln.

molt [məʊlt] (US) vi sich mausern.

molten [ˈməʊltən] adj geschmolzen.

moment [ˈməʊmənt] n Moment m, Augenblick m; (importance) Tragweite f; ~ **of truth** Stunde f der Wahrheit; **any** ~ jeden Augenblick; **momentarily** [məʊmənˈtɛərɪlɪ] adv momentan; **momentary** [ˈməʊməntərɪ] adj kurz.

momentous [məʊˈmentəs] adj folgenschwer.

momentum [məʊˈmentəm] n Schwung m.

Monaco [ˈmɒnəkəʊ] n Monaco nt.

monarch [ˈmɒnək] n Herrscher(in) m(f); **monarchist** n Monarchist(in) m(f); **monarchy** n Monarchie f.

monastery [ˈmɒnəstərɪ] n Kloster nt.

monastic [məˈnæstɪk] adj klösterlich, Kloster-.

Monday [ˈmʌndeɪ] n Montag m; **on** ~ am Montag; **on** ~**s, on a** ~ montags.

Monegasque [mɒnɪˈgæsk] adj monegassisch.

monetary [ˈmʌnɪtərɪ] adj geldlich, Geld-; (of currency) Währungs-, monetär.

money [ˈmʌnɪ] n Geld nt; **moneyed** adj vermögend; **moneylender** n Geldverleiher(in) m(f); **moneymaking 1.** adj einträglich, lukrativ; **2.** n Gelderwerb m; **money order** n Postanweisung f; **money-washing** n Geldwäsche f.

mongol [ˈmɒŋgəl] **1.** n (MED) mongoloides Kind; **2.** adj mongolisch; (MED) mongoloid.

mongoose [ˈmɒŋguːs] n ⟨-s⟩ Mungo m.

mongrel [ˈmʌŋgrəl] **1.** n Promenadenmischung f; **2.** adj Misch-.

monitor [ˈmɒnɪtə*] **1.** n (SCH) Klassenordner(in) m(f); (screen) Monitor m, Sichtgerät nt; **2.** vt (broadcasts) abhören; (control) überwachen.

monk [mʌŋk] n Mönch m.

monkey [ˈmʌŋkɪ] n Affe m; **monkey nut** n Erdnuß f; **monkey wrench** n (TECH) Engländer m.

mono- [ˈmɒnəʊ] pref Mono-; **monochrome** [ˈmɒnəkrəʊm] adj einfarbig; (television) schwarz-weiß; (COMPUT) monochrom.

monocle [ˈmɒnəkl] n Monokel nt.

monogram [ˈmɒnəgræm] n Monogramm

nt.

monologue ['mɒnəlɒg] n Monolog m.

monopolize [məˈnɒpəlaɪz] vt beherrschen; *(fig)* mit Beschlag belegen.

monopoly [məˈnɒpəlɪ] n Monopol nt.

monorail ['mɒnəʊreɪl] n Einschienenbahn f.

monosyllabic [mɒnəʊsɪˈlæbɪk] adj einsilbig.

monotone ['mɒnətəʊn] n gleichbleibender Tonfall; **monotonous** [məˈnɒtənəs] adj eintönig, monoton; **monotony** [məˈnɒtənɪ] n Eintönigkeit f, Monotonie f.

monsoon [mɒnˈsuːn] n Monsun m.

monster ['mɒnstə*] 1. n Ungeheuer nt; *(person)* Scheusal nt; 2. adj *(fam)* Riesen-.

monstrosity [mɒnˈstrɒsɪtɪ] n Ungeheuerlichkeit f; *(thing)* Monstrosität f.

monstrous ['mɒnstrəs] adj *(shocking)* gräßlich, ungeheuerlich; *(huge)* riesig.

montage [mɒnˈtɑːʒ] n Montage f.

month [mʌnθ] n Monat m; **monthly** 1. adj monatlich, Monats-; 2. adv einmal im Monat; 3. n *(magazine)* Monatsschrift f.

monument ['mɒnjʊmənt] n Denkmal nt; **monumental** [mɒnjʊˈmentl] adj *(huge)* gewaltig; *(ignorance)* ungeheuer.

moo [muː] vi muhen.

mood [muːd] n Stimmung f, Laune f; **to be in the ~ for** aufgelegt sein zu; **I am not in the ~ for laughing** mir ist nicht zum Lachen zumute; **moodily** adv launisch; **moodiness** n Launenhaftigkeit f; **moody** adj launisch.

moon [muːn] n Mond m; **to be over the ~** überglücklich sein; **moonbeam** n Mondstrahl m; **moonless** adj mondlos; **moonlight** 1. n Mondlicht nt; 2. vi schwarzarbeiten; **moonlit** adj mondhell; **moonshot** n Mondflug m.

moor [mɔː*] 1. n Heide f, Hochmoor nt; 2. vt *(ship)* festmachen, verankern; 3. vi anlegen; **moorings** n pl Liegeplatz m; **moorland** n Heidemoor nt.

moose [muːs] n ⟨-⟩ Elch m.

moot [muːt] 1. vt aufwerfen; 2. adj: **~ point** strittiger Punkt.

mop [mɒp] 1. n Mop m; 2. vt aufwischen; **~ of hair** Mähne f.

mope [məʊp] vi Trübsal blasen.

moped ['məʊped] n *(Brit)* Moped nt.

mopy ['məʊpɪ] adj trübselig.

moral ['mɒrəl] 1. adj moralisch; *(values)* sittlich; *(virtuous)* tugendhaft; 2. n Moral f; **~s** pl Moral f; **morale** [mɒˈrɑːl] n Moral f, Stimmung f; **morality** [məˈrælɪtɪ] n Sittlichkeit f; **morally** adv moralisch.

morass [məˈræs] n Sumpf m.

morbid ['mɔːbɪd] adj krankhaft; *(jokes)* makaber.

more [mɔː*] adj, n, pron, adv mehr; **~ or less** mehr oder weniger; **~ than ever** mehr denn je; **a few ~** noch ein paar; **~ beautiful** schöner; **moreover** adv überdies.

morgue [mɔːg] n Leichenschauhaus nt.

moribund ['mɒrɪbʌnd] adj aussterbend; *(person)* im Sterben liegend.

morning ['mɔːnɪŋ] 1. n Morgen m; 2. adj morgendlich, Morgen-, Früh-; **in the ~** am Morgen; **morning sickness** n Schwangerschaftsübelkeit nt.

Morocco [məˈrɒkəʊ] n Marokko nt.

moron ['mɔːrɒn] n Schwachsinnige(r) mf; **moronic** [məˈrɒnɪk] adj schwachsinnig.

morose [məˈrəʊs] adj mürrisch.

morphine ['mɔːfiːn] n Morphium nt.

Morse [mɔːs] n *(also: ~ code)* Morsealphabet nt.

morsel ['mɔːsl] n Stückchen nt.

mortal ['mɔːtl] 1. adj sterblich; *(deadly)* tödlich; *(very great)* Todes-; 2. n *(human being)* Sterbliche(r) mf; **mortality** [mɔːˈtælɪtɪ] n Sterblichkeit f; *(death rate)* Sterblichkeitsziffer f; **mortally** adv tödlich.

mortar ['mɔːtə*] n *(for building)* Mörtel m; *(bowl)* Mörser m; *(MIL)* Granatwerfer m.

mortgage ['mɔːgɪdʒ] 1. n Hypothek f; 2. vt eine Hypothek aufnehmen auf +akk.

mortification [mɔːtɪfɪˈkeɪʃən] n Beschämung f; *(embarrassment)* äußerste Verlegenheit; **mortified** ['mɔːtɪfaɪd] adj: **I was ~** es war mir schrecklich peinlich.

mortuary ['mɔːtjʊərɪ] n Leichenhalle f.

mosaic [məʊˈzeɪɪk] n Mosaik nt.

Moslem ['mɒzləm] 1. n Moslem m, Moslime f; 2. adj moslemisch.

mosque [mɒsk] n Moschee f.

mosquito [mɒˈskiːtəʊ] n (-es) Moskito m.

moss [mɒs] n Moos m; **mossy** adj bemoost.

most [məʊst] 1. adj *(superlative)* meiste(r, s); 2. adv am meisten; *(very)* höchst; 3. n das meiste, der größte Teil; *(people)* die meisten; **~ men** die meisten Männer; **~ of the time** meistens, die meiste Zeit; **~ of the winter** fast den ganzen Winter über; **the ~ beautiful** der/die/das Schönste; **at the very ~** allerhöchstens; **to make the ~ of** das Beste machen aus; **mostly** adv größtenteils.

MOT n abbr of **Ministry of Transport** TÜV m.

motel [məʊˈtel] n Motel nt.

moth [mɒθ] n Nachtfalter m; *(wool-eating)* Motte f; **mothball** n Mottenkugel f; **moth-eaten** adj mottenzerfressen.

mother ['mʌðə*] 1. n Mutter f; 2. vt bemuttern; 3. adj *(tongue)* Mutter-; *(country)* Heimat-; **motherhood** ['mʌðəhʊd] n Mutterschaft f; **mother-in-law** n ⟨mothers-in-law⟩ Schwiegermutter f;

motherly adj mütterlich; **mother-to-be** n ‹mothers-to-be› werdende Mutter.

mothproof [ˈmɒθpruːf] adj mottenfest.

motif [məʊˈtiːf] n Motiv nt.

motion [ˈməʊʃən] **1.** n Bewegung f; (in meeting) Antrag m; **2.** vt, vi winken +dat, zu verstehen geben +dat; **motionless** adj regungslos; **motion picture** n Film m.

motivate [ˈməʊtɪveɪt] vt motivieren; **motivation** [məʊtɪˈveɪʃən] n Motivation f.

motive [ˈməʊtɪv] **1.** n Motiv nt, Beweggrund m; **2.** adj treibend.

motley [ˈmɒtlɪ] adj bunt.

motor [ˈməʊtə*] **1.** n Motor m; (car) Auto nt; **2.** vi im Auto fahren; **3.** adj Motor-; **motorbike** n Motorrad nt; **motorboat** n Motorboot nt; **motorcar** n Auto nt; **motorcycle** n Motorrad nt; **motorcyclist** n Motorradfahrer(in) m(f); **motoring 1.** n Autofahren nt; **2.** adj Auto-; **motorist** [ˈməʊtərɪst] n Autofahrer(in) m(f); **motor oil** n Motorenöl nt; **motor racing** n Autorennen nt; **motor scooter** n Motorroller m; **motor vehicle** n Kraftfahrzeug nt; **motorway** n (Brit) Autobahn f.

mottled [ˈmɒtld] adj gesprenkelt.

motto [ˈmɒtəʊ] n ‹-es› Motto nt, Wahlspruch m.

mould [məʊld] **1.** n Form f; (mildew) Schimmel m; **2.** vt (a. fig) formen.

moulder [ˈməʊldə*] vi (decay) vermodern.

moulding [ˈməʊldɪŋ] n Formen nt; (on ceiling) Deckenstuck m.

mouldy [ˈməʊldɪ] adj schimmelig.

moult [məʊlt] vi sich mausern.

mound [maʊnd] n Erdhügel m.

mount [maʊnt] **1.** n (hill) Berg m; (horse) Pferd nt; (for jewel etc) Fassung f; **2.** vt (horse) steigen auf +akk; (put in setting) fassen; (exhibition) veranstalten; (attack) unternehmen; **3.** vi (also: ~ up) sich häufen; (on horse) aufsitzen.

mountain [ˈmaʊntɪn] n Berg m; **mountaineer** [maʊntɪˈnɪə*] n Bergsteiger(in) m(f); **mountaineering** n Bergsteigen nt; **mountainous** adj bergig; **mountainside** n Bergabhang m.

mourn [mɔːn] **1.** vt betrauen, beklagen; **2.** vi trauern (for um); **mourner** n Trauernde(r) mf; **mournful** adj traurig; **mourning** n (grief) Trauer f; **in** ~ (period etc) in Trauer; (dress) in Trauerkleidung.

mouse [maʊs] n ‹mice› (a. COMPUT) Maus f; **mousetrap** n Mausefalle f.

mousse [muːs] n (GASTR) Creme f; (styling ~) Schaum m.

moustache [məˈstɑːʃ] n Schnurrbart m.

mousy [ˈmaʊsɪ] adj (colour) mausgrau; (person) schüchtern.

mouth [maʊθ] n Mund m; (general) Öffnung f; (of river) Mündung f; (of harbour) Einfahrt f; **down in the** ~ niedergeschlagen; **mouthful** n (of drink) Schluck m; (of food) Bissen m; **mouth organ** n Mundharmonika f; **mouthpiece** n Mundstück nt; (fig) Sprachrohr nt; **mouthwash** n Mundwasser nt; **mouthwatering** adj lecker, appetitlich.

movable [ˈmuːvəbl] adj beweglich.

move [muːv] **1.** n (movement) Bewegung f, (in game) Zug m; (step) Schritt m; (of house) Umzug m; **2.** vt bewegen; (object) rücken; (people) transportieren; (in job) versetzen; (emotionally) bewegen, ergreifen; **3.** vi sich bewegen; (change place) gehen; (vehicle, ship) fahren; (take action) etwas unternehmen; (go to another house) umziehen; **to** ~ **sb to do sth** jdn veranlassen, etw zu tun; **to get a** ~ **on** sich beeilen; **on the** ~ in Bewegung; **to** ~ **house** umziehen; **to** ~ **closer to** [o **towards**] sich einer Sache dat nähern; **move about** vi sich hin- und herbewegen; (travel) unterwegs sein; **move away** vi weggehen; (move house) wegziehen; **move back** vi zurückgehen; (to the rear) zurückweichen; **move forward 1.** vi vorwärtsgehen, sich vorwärtsbewegen; **2.** vt vorschieben; (time) vorverlegen; **move in** vi (to house) einziehen; (troops) einrücken; **move on** vi weitergehen; **2.** vt weitergehen lassen; **move out** vi (of house) ausziehen; (troops) abziehen; **move up vi 1.** aufsteigen; (in job) befördert werden; **2.** vt nach oben bewegen; (in job) befördern; (SCH) versetzen; **movement** n Bewegung f; (MUS) Satz m; (of clock) Uhrwerk nt.

movie [ˈmuːvɪ] n Film m; **the** ~s (the cinema) das Kino; **movie camera** n Filmkamera f.

moving [ˈmuːvɪŋ] adj beweglich; (force) treibend; (touching) ergreifend.

mow [məʊ] ‹mowed, mown o mowed› vt mähen; **mow down** vt (fig) niedermähen; **mower** n (machine) Mähmaschine f; (lawn~) Rasenmäher m; **mown** [məʊn] pp of **mow**.

Mozambique [məʊzæmˈbiːk] n Mozambique nt.

MP n abbr of **Member of Parliament** Abgeordnete(r) mf.

mph abbr of **miles per hour** Meilen pro Stunde.

Mr [ˈmɪstə*] n abbr of **mister** Herr.

Mrs [ˈmɪsɪz] n abbr of **mistress** Frau.

Ms [məz] n (form of address for any woman) Frau.

MS n abbr of **multiple sclerosis**.

much [mʌtʃ] **1.** adj ‹more, most› viel; **2.** ad-

sehr; viel; **3.** *n* viel, eine Menge; **~ better** viel besser; **~ the same size** so ziemlich gleich groß; **how ~?** wieviel?; **~ so viel; ~ to my surprise** zu meiner großen Überraschung; **~ as I should like to** so gern ich möchte.

muck [mʌk] *n* (*manure*) Mist *m*; (*fig*) Schmutz *m*; **muck about 1.** *vi* (*fam*) herumgammeln; (*meddle*) herumalbern; **2.** *vt:* **to ~ sb ~** mit jdm treiben, was man will; **to ~ ~ with sth** an etw *dat* herumfummeln; **muck up** *vt* (*fam: ruin*) vermasseln; (*dirty*) dreckig machen; **mucky** *adj* (*dirty*) dreckig.

mucus [ˈmjuːkəs] *n* Schleim *m*.

mud [mʌd] *n* Schlamm *m*; (*fig*) Schmutz *m*.

muddle [ˈmʌdl] **1.** *n* Durcheinander *nt*; **2.** *vt* (*also:* **~ up**) durcheinanderbringen; **muddle through** *vi* sich durchwursteln.

muddy [ˈmʌdɪ] *adj* schlammig.

mudguard [ˈmʌdgɑːd] *n* Schutzblech *nt*; **mudpack** *n* Moorpackung *f*; **mudslinging** *n* (*fig*) Schlammschlacht *f*.

muff [mʌf] *n* Muff *m*.

muffin [ˈmʌfɪn] *n* weiches, flaches Milchbrötchen.

muffle [ˈmʌfl] *vt* (*sound*) dämpfen; (*wrap up*) einhüllen.

muffler [ˈmʌflə] *n* (*TECH*) Schalldämpfer *m*; (*US AUTO*) Auspuff *m*.

mufti [ˈmʌftɪ] *n:* **in ~** in Zivil.

mug [mʌg] **1.** *n* (*cup*) Becher *m*; (*fam: face*) Visage *f*; (*fam: fool*) Trottel *m*; **2.** *vt* überfallen und ausrauben; **mugging** *n* Überfall *m*.

muggy [ˈmʌgɪ] *adj* (*weather*) schwül.

mulatto [mjuːˈlætəʊ] *n* ⟨-es⟩ Mulatte *m*, Mulattin *f*.

mule [mjuːl] *n* Maulesel *m*.

mull over [mʌl ˈəʊvə] *vt* nachdenken über +*akk*.

mulled [mʌld] *adj* (*wine*) Glüh-.

multi- [ˈmʌltɪ] *pref* Multi-, multi-; **multicolored** (*US*), **multicoloured** *adj* mehrfarbig; **multi-functional** *adj* multifunktional, Multifunktions-; **multi-grade** *adj:* **~ oil** Mehrbereichsöl *nt*; **multilateral** *adj* multilateral; **multimedia** *adj* Multimedia-; **multinational 1.** *adj* multinational; **2.** *n* (*company*) Multi *m*.

multiple [ˈmʌltɪpl] **1.** *n* Vielfache(s) *nt*; **2.** *adj* mehrfach; (*many*) mehrere; **multiple-function keyboard** *n* Multifunktionstastatur *f*; **multiple sclerosis** *n* multiple Sklerose *f*; **multiple store** *n* Kaufhauskette *f*.

multiplication [mʌltɪplɪˈkeɪʃən] *n* Multiplikation *f*; **multiply** [ˈmʌltɪplaɪ] **1.** *vt* multiplizieren (*by* mit); **2.** *vi* (*BIO*) sich vermehren.

multi-purpose [ˈmʌltɪpɜːpəs] *adj* Mehrzweck-.

multiracial [ˈmʌltɪˈreɪʃəl] *adj* gemischtrassig; **~ policy** Rassenintegration *f*; **multistation** *adj* (*COMPUT*) mehrplatzfähig; **multitasking** *n* (*COMPUT*) Multitasking *nt*.

multitude [ˈmʌltɪtjuːd] *n* Menge *f*.

mum [mʌm] **1.** *n:* **to keep ~** den Mund halten (*about* über +*akk*); **2.** *n* (*fam*) Mutti *f*, Mami *f*.

mumble [ˈmʌmbl] **1.** *vt, vi* murmeln; **2.** *n* Gemurmel *nt*.

mummy [ˈmʌmɪ] *n* (*dead body*) Mumie *f*; (*fam*) Mami *f*.

mumps [mʌmps] *n sing* Mumps *m*.

munch [mʌntʃ] *vt, vi* mampfen.

mundane [mʌnˈdeɪn] *adj* weltlich; (*fig*) profan.

Munich [ˈmjuːnɪk] *n* München *nt*.

municipal [mjuːˈnɪsɪpəl] *adj* städtisch, Stadt-; **municipality** [mjuːnɪsɪˈpælɪtɪ] *n* Stadt *f* mit Selbstverwaltung.

munificence [mjuːˈnɪfɪsns] *n* Freigebigkeit *f*.

munitions [mjuːˈnɪʃənz] *n pl* Munition *f*.

mural [ˈmjʊərəl] *n* Wandgemälde *nt*.

murder [ˈmɜːdə] **1.** *n* Mord *m*; **2.** *vt* ermorden; **it was ~** es war mörderisch; **to get away with ~** (*fig*) sich *dat* alles erlauben können; **murderer** *n* Mörder *m*; **murderess** *n* Mörderin *f*; **murderous** *adj* Mord-; (*fig*) mörderisch.

murk [mɜːk] *n* Dunkelheit *f*; **murky** *adj* finster.

murmur [ˈmɜːmə] **1.** *n* Murmeln *nt*; (*of water, wind*) Rauschen *nt*; **2.** *vt, vi* murmeln; **without a ~** ohne zu murren.

muscle [ˈmʌsl] *n* Muskel *m*; **muscular** [ˈmʌskjʊlə] *adj* Muskel-; (*strong*) muskulös.

muse [mjuːz] *vi* nachsinnen.

Muse [mjuːz] *n* Muse *f*.

museum [mjuːˈzɪəm] *n* Museum *nt*.

mushroom [ˈmʌʃruːm] **1.** *n* Champignon *m*; (*any edible ~, atomic ~*) Pilz *m*; **2.** *vi* (*fig*) emporschießen.

mushy [ˈmʌʃɪ] *adj* breiig; (*sentimental*) gefühlsduselig.

music [ˈmjuːzɪk] *n* Musik *f*; (*printed*) Noten *pl*; **musical 1.** *adj* (*sound*) melodisch; (*person*) musikalisch; **2.** *n* (*show*) Musical *nt*; **~ box** Spieldose *f*; **to play ~ chairs** die Reise nach Jerusalem spielen; **~ instrument** Musikinstrument *nt*; **musically** *adv* musikalisch; (*sing*) melodisch; **music cassette** *n* Musikkassette *f*; **music hall** *n* (*Brit*) Varieté *nt*; **musician** [mjuːˈzɪʃən] *n* Musiker(in) *m(f)*; **music stand** *n* Notenständer *m*.

Muslim ['mʊslɪm] **1.** n Moslem m, Moslime f; **2.** adj moslemisch.

mussel ['mʌsl] n Miesmuschel f.

must [mʌst] ⟨had to, had to⟩ **1.** aux vb müssen; (in negation) dürfen; **2.** n Muß nt; **the film is a ~** den Film muß man einfach gesehen haben.

mustache ['mʌstæʃ] n (US) Schnurrbart m.

mustard ['mʌstəd] n Senf m.

muster ['mʌstə*] vt (MIL) antreten lassen; (courage) zusammennehmen.

mustiness ['mʌstɪnəs] n Muffigkeit f.

mustn't ['mʌsnt] = **must not**.

musty ['mʌstɪ] adj muffig.

mute [mjuːt] **1.** adj stumm; **2.** n (person) Stumme(r) mf; (MUS) Dämpfer m.

mutilate ['mjuːtɪleɪt] vt verstümmeln; **mutilation** [mjuːtɪ'leɪʃən] n Verstümmelung f.

mutiny ['mjuːtɪnɪ] **1.** n Meuterei f; **2.** vi meutern.

mutter ['mʌtə*] vt, vi murmeln.

mutton ['mʌtn] n Hammelfleisch nt.

mutual ['mjuːtjʊəl] adj gegenseitig; beiderseitig; **mutually** adv gegenseitig; auf beiden Seiten.

muzzle ['mʌzl] **1.** n (of animal) Schnauze f; (for animal) Maulkorb m; (of gun) Mündung f; **2.** vt einen Maulkorb anlegen +dat.

my [maɪ] pron (adjektivisch) mein.

myopic [maɪ'ɒpɪk] adj kurzsichtig.

myrrh [mɜː*] n Myrrhe f.

myself [maɪ'self] pron mich; **I ~** ich selbst; **I'm not ~** mit mir ist etwas nicht in Ordnung.

mysterious [mɪ'stɪərɪəs] adj geheimnisvoll, mysteriös; **mysteriously** adv auf unerklärliche Weise.

mystery ['mɪstərɪ] n (secret) Geheimnis nt; (sth difficult) Rätsel nt.

mystic ['mɪstɪk] **1.** n Mystiker(in) m(f); **2.** adj mystisch; **mystical** adj mystisch; **mysticism** ['mɪstɪsɪzəm] n Mystizismus m.

mystification [mɪstɪfɪ'keɪʃən] n Verblüffung f; **mystify** ['mɪstɪfaɪ] vt ein Rätsel sein +dat, verblüffen.

mystique [mɪ'stiːk] n geheimnisvolle Natur.

myth [mɪθ] n Mythos m; (fig) Märchen nt; **mythical** adj mythisch, Sagen-; **mythological** [mɪθə'lɒdʒɪkəl] adj mythologisch; **mythology** [mɪ'θɒlədʒɪ] n Mythologie f.

N

N, n [en] n N nt, n nt.

nab [næb] vt (fam) schnappen.

nadir ['neɪdɪə*] n Tiefpunkt m.

NAFTA n abbr of **North American Free Trade Agreement** NAFTA-Abkommen nt.

nag [næg] **1.** n (horse) Gaul m; (person) Nörgler(in) m(f); **2.** vt, vi herumnörgeln (sb an jdm); **nagging 1.** adj (doubt) nagend; **2.** n Nörgelei f.

nail [neɪl] **1.** n Nagel m; **2.** vt nageln; **nail down** vt festnageln; **nailbrush** n Nagelbürste f; **nailfile** n Nagelfeile f; **nail polish** n Nagellack m; **nail polish remover** n Nagellackentferner m; **nail scissors** n pl Nagelschere f.

naive adj, **naively** adv [naɪ'iːv, -lɪ] naiv.

naked ['neɪkɪd] adj nackt; **nakedness** n Nacktheit f.

name [neɪm] **1.** n Name m; (reputation) Ruf m; **2.** vt nennen; (sth new) benennen; (appoint) ernennen; **what's your ~?** wie heißen Sie?; **in the ~ of** im Namen von; (for the sake of) um +gen willen; **namedrop** vi: **he's always ~ping** er wirft immer mit großen Namen um sich; **nameless** adj namenlos; **namely** adv nämlich; **namesake** n Namensvetter m, Namensschwester f.

nanny ['nænɪ] n Kindermädchen nt.

nap [næp] n (sleep) Nickerchen nt; (on cloth) Strich m; **to have a ~** ein Nickerchen machen.

napalm ['neɪpɑːm] n Napalm nt.

nape [neɪp] n Nacken m.

napkin ['næpkɪn] n (at table) Serviette f; (Brit: for baby) Windel f.

nappy ['næpɪ] n (Brit: for baby) Windel f.

narcissism [nɑː'sɪsɪzəm] n Narzißmus m, Selbstverliebtheit f.

narcotic [nɑː'kɒtɪk] n Betäubungsmittel nt.

narrate [nə'reɪt] vt erzählen; **narration** [nə'reɪʃən] n Erzählung f.

narrative ['nærətɪv] **1.** n Erzählung f; **2.** adj erzählend; **narrator** [nə'reɪtə*] n Erzähler(in) m(f).

narrow ['nærəʊ] **1.** adj eng, schmal; (limited) beschränkt; **2.** vi sich verengen; **to ~ sth down to sth** etw auf etw akk einschränken; **narrowly** adv (miss) knapp; (escape) mit knapper Not; **narrow-**

minded *adj* engstirnig.
nasal ['neɪzəl] *adj* Nasal-.
nastily ['nɑːstɪlɪ] *adv* böse, schlimm; **nastiness** ['nɑːstɪnəs] *n* Gemeinheit *f*; **nasty** *adj* ekelhaft, fies; *(business, wound)* schlimm; **to turn ~** gemein werden.
nation ['neɪʃən] *n* Nation *f*; **national** ['næʃənl] **1.** *adj* national, National-, Landes-; **2.** *n* Staatsangehörige(r) *mf*; **~ anthem** Nationalhymne *f*; **~ insurance** *(Brit)* Sozialversicherung *f*; **nationalism** ['næʃnəlɪzəm] *n* Nationalismus *m*; **nationalist 1.** *n* Nationalist(in) *m(f)*; **2.** *adj* nationalistisch; **nationality** [næʃ'nælɪtɪ] *n* Staatsangehörigkeit *f*, Nationalität *f*; **nationalization** [næʃnəlaɪ'zeɪʃən] *n* Verstaatlichung *f*; **nationalize** ['næʃnəlaɪz] *vt* verstaatlichen; **nationally** ['næʃnəlɪ] *adv*, **nationwide** *adj, adv* als Nation, landesweit.
native ['neɪtɪv] **1.** *n (born in particular place)* Einheimische(r) *f*; Ureinwohner *pl*; *(in colonial context)* Eingeborene(r) *mf*; **2.** *adj (coming from a certain place)* einheimisch; *(of the original inhabitants)* Eingeborenen-; *(of birth)* heimatlich, Heimat-; *(inborn)* angeboren, natürlich; **a ~ of Germany** ein gebürtiger Deutscher, eine gebürtige Deutsche; **~ language** Muttersprache *f*.
NATO ['neɪtəʊ] *n acr of* **North Atlantic Treaty Organization** Nato *f*.
natter ['nætə*] *vi (fam: chat)* quatschen.
natural ['nætʃrəl] *adj* natürlich; Natur-; *(inborn)* angeboren; **naturalist** *n* Naturkundler(in) *m(f)*; **naturalize** *vt (foreigner)* einbürgern, naturalisieren; *(plant etc)* einführen; **naturally** *adv* natürlich; **naturalness** *n* Natürlichkeit *f*.
nature ['neɪtʃə*] *n* Natur *f*; **by ~** von Natur aus.
naught [nɔːt] *n* Null *f*.
naughtily ['nɔːtɪlɪ] *adv* unartig; **naughtiness** ['nɔːtɪnəs] *n* Unartigkeit *f*; **naughty** *adj (child)* unartig, ungezogen; *(action)* ungehörig.
nausea ['nɔːsɪə] *n (sickness)* Übelkeit *f*; *(disgust)* Ekel *m*; **nauseate** ['nɔːsɪeɪt] *vt* anekeln; **nauseating** *adj* ekelerregend; *(job)* widerlich.
nautical ['nɔːtɪkəl] *adj* nautisch; See-; *(expression)* seemännisch.
naval ['neɪvəl] *adj* Marine-, Flotten-.
nave [neɪv] *n* Kirchenhauptschiff *nt*.
navel ['neɪvəl] *n* Nabel *m*.
navigable ['nævɪɡəbl] *adj* schiffbar.
navigate ['nævɪɡeɪt] **1.** *vt (ship etc)* steuern; **2.** *vi (sail)* fahren; **navigation** [nævɪ'ɡeɪʃən] *n* Navigation *f*; **navigator** ['nævɪɡeɪtə*] *n* Steuermann *m*; *(explorer)*

Seefahrer(in) *m(f)*; *(AVIAT)* Navigator(in) *m(f)*; *(AUTO)* Beifahrer(in) *m(f)*.
navvy ['nævɪ] *n* Straßenarbeiter(in) *m(f)*; *(on roads also)* Bauarbeiter(in) *m(f)*.
navy ['neɪvɪ] *n* Kriegsmarine *f*; **navy-blue** *adj* marineblau.
NB *abbr of* nota bene NB.
neap [niːp] *adj:* **~ tide** Nippflut *f*.
near [nɪə*] **1.** *adj* nahe; **2.** *adv* in der Nähe; **3.** *prep (also:* **~ to)** *(space)* in der Nähe +gen; *(time)* um +akk ... herum; **4.** *vt* sich nähern +dat; **~ at hand** nicht weit weg; **the holidays are ~** es sind bald Ferien; **a ~ miss** knapp daneben; **a ~ thing** knapp; **to come ~er** näher kommen; *(time)* näher rücken; **nearby 1.** *adj* nahegelegen; **2.** *adv* in der Nähe; **nearly** *adv* fast; **nearness** *n* Nähe *f*; **nearside 1.** *n (AUTO)* Beifahrerseite *f*; **2.** *adj* auf der Beifahrerseite.
neat *adj,* **neatly** *adv* ['niːt, -lɪ] *(tidy)* ordentlich; *(clever)* treffend; *(solution)* sauber; *(pure)* unverdünnt, rein; *(pleasing)* nett; **neatness** *n* Ordentlichkeit *f*, Sauberkeit *f*.
nebulous ['nebjʊləs] *adj* nebelhaft, verschwommen.
necessarily [nesə'serəlɪ] *adv* unbedingt; notwendigerweise.
necessary ['nesəsərɪ] *adj* notwendig, nötig.
necessitate [nɪ'sesɪteɪt] *vt* erforderlich machen.
necessity [nɪ'sesɪtɪ] *n (need)* Not *f*; *(compulsion)* Notwendigkeit *f*; **in case of ~** im Notfall; **necessities** *pl* **of life** Bedürfnisse *pl* des Lebens.
neck [nek] *n* Hals *m*; **~ and ~** Kopf an Kopf; **necklace** ['neklɪs] *n* Halskette *f*; **neckline** *n* Ausschnitt *m*; **necktie** *n (US)* Krawatte *f*.
nectar ['nektə*] *n* Nektar *m*.
nectarine ['nektərɪn] *n* Nektarine *f*.
née [neɪ] *adj* geborene.
need [niːd] **1.** *n* Bedarf *m (for an +dat)*, Bedürfnis *nt (for* für); *(want)* Mangel *m*; *(necessity)* Notwendigkeit *f*; *(poverty)* Not *f*; **2.** *vt* brauchen; **to ~ to do tun müssen;** *(+ inf)* **if ~ be** wenn nötig; **to be in ~ of sth** etw brauchen; **there is no ~ for you to come** du brauchst nicht zu kommen; **there's no ~** es ist nicht nötig.
needle ['niːdl] *n* Nadel *f*.
needless *adj,* **needlessly** *adv* ['niːdlɪs, -lɪ] unnötig.
needlework ['niːdlwɜːk] *n* Handarbeit *f*.
needy ['niːdɪ] *adj* bedürftig.
negation [nɪ'ɡeɪʃən] *n* Verneinung *f*.
negative ['neɡətɪv] **1.** *n (PHOT)* Negativ *nt*; **2.** *adj* negativ; *(answer)* abschlägig.
neglect [nɪ'ɡlekt] **1.** *vt (leave undone)* versäumen; *(take no care of)* vernachlässigen; **2.** *n* Vernachlässigung *f*; **in a state of ~** ver-

wahrlost.

negligence [ˈneglɪdʒəns] n Nachlässigkeit f; **negligent** adj, **negligently** adv nachlässig, unachtsam.

negligible [ˈneglɪdʒəbl] adj unbedeutend, geringfügig.

negotiable [nɪˈgəʊʃəbl] adj (cheque) übertragbar.

negotiate [nɪˈgəʊʃɪeɪt] **1.** vi verhandeln; **2.** vt (treaty) abschließen, aushandeln; (difficulty) überwinden; (corner) nehmen; **negotiation** [nɪgəʊʃɪˈeɪʃən] n Verhandlung f; **negotiator** [nɪˈgəʊʃɪeɪtə*] n Unterhändler(in) m(f).

Negress [ˈniːgres] n (pej) Negerin f.

Negro [ˈniːgrəʊ] **1.** n ⟨-es⟩ (pej) Neger m; **2.** adj Neger-.

neighbor (US), **neighbour** [ˈneɪbə*] n Nachbar(in) m(f); **neighbourhood** n Nachbarschaft f, Umgebung f; **neighbouring** adj benachbart, angrenzend; **neighbourly** adv freundlich, gutnachbarschaftlich.

neither [ˈnaɪðə*] **1.** adj, pron keine(r, s) von beiden; **2.** conj weder; **he can't do it, and ~ can I** er kann es nicht und ich auch nicht.

neo- [ˈniːəʊ] pref neo-.

neon [ˈniːɒn] n Neon nt; **~ light** Neonlicht nt.

nephew [ˈnefjuː] n Neffe m.

nerve [nɜːv] n Nerv m; (courage) Mut m; (impudence) Frechheit f; **nerve-racking** adj nervenaufreibend; **nervous** [ˈnɜːvəs] adj (of the nerves) Nerven-; (timid) nervös, ängstlich; ~ **breakdown** Nervenzusammenbruch m; **nervously** adv nervös; **nervousness** n Nervosität f.

nest [nest] n Nest nt.

nestle [ˈnesl] vi sich kuscheln; (village) sich schmiegen.

net [net] **1.** n Netz nt; **2.** adj (also: **nett**) netto, Netto-, Rein-; **netball** n Netzball m; **net curtain** n Store m.

Netherlands [ˈneðələndz] n pl: **the ~** die Niederlande pl.

netting [ˈnetɪŋ] n Netzwerk nt, Drahtgeflecht nt.

network [ˈnetwɜːk] n Netz nt; (COMPUT) Netzwerk nt; **networked** adj vernetzt; **networking** n Vernetzung f.

neurosis [njʊəˈrəʊsɪs] n Neurose f; **neurotic** [njʊəˈrɒtɪk] **1.** adj neurotisch; **2.** n Neurotiker(in) m(f).

neuter [ˈnjuːtə*] **1.** adj (BIO) geschlechtslos; (LING) sächlich; **2.** n (BIO) kastriertes Tier; (LING) Neutrum nt.

neutral [ˈnjuːtrəl] adj neutral; **neutrality** [njuːˈtrælɪtɪ] n Neutralität f.

neutron [ˈnjuːtrɒn] n Neutron nt; **neutron bomb** n Neutronenbombe f.

never [ˈnevə*] adv niemals; **well I ~** na so was; **never-ending** adj endlos; **nevertheless** [nevəðəˈles] adv trotzdem, dennoch.

new [njuː] adj neu; **they are still ~ to the work** die Arbeit ist ihnen noch neu; **~ from** frisch aus [o von]; **newborn** adj neugeboren; **newcomer** n Neuankömmling m; (in job, subject) Neuling m; **newly** adv frisch, neu; **new moon** n Neumond m; **newness** n Neuheit f.

news [njuːz] n sing Nachricht f; (RADIO, TV) Nachrichten pl; **news agency** n Nachrichtenagentur f; **newsagent** n Zeitungshändler(in) m(f); **news flash** n Kurzmeldung f; **newsletter** n Rundschreiben nt; **newspaper** n Zeitung f; **newsreel** n Wochenschau f.

newt [njuːt] n Wassermolch m; **as drunk as a ~** sturzbesoffen.

New Year [ˈnjuːˈjɪə*] n Neujahr nt; **~'s Day** Neujahrstag m; **~'s Eve** Silvesterabend m.

New York [njuːˈjɔːk] n New York nt.

New Zealand [njuːˈziːlənd] **1.** n Neuseeland nt; **2.** adj neuseeländisch; **New Zealander** n Neuseeländer(in) m(f).

next [nekst] **1.** adj nächste(r, s); **2.** adv (after) dann, darauf; (next time) das nächstemal; **3.** prep: **~ to** gleich neben +dat; **~ to nothing** so gut wie nichts; **to do sth ~** etw als nächstes tun; **what ~?** was denn noch alles?; **the ~ day** am nächsten [o übernächsten] Tag; **~ door** nebenan; **~ year** nächstes Jahr; **~ of kin** Familienangehörige(r) mf.

Niagara Falls [naɪˈægrəˈfɔːlz] n pl Niagarafälle pl.

nib [nɪb] n Spitze f.

nibble [ˈnɪbl] vt knabbern an +dat.

Nicaragua [nɪkəˈrægjʊə] n Nicaragua nt; **Nicaraguan** [-ən] **1.** adj nicaraguanisch; **2.** n Nicaraguaner(in) m(f).

nice [naɪs] adj hübsch, nett, schön; (subtle) fein; **nice-looking** adj hübsch, gutaussehend; **nicely** adv gut, fein, nett.

nick [nɪk] n Einkerbung f; **in the ~ of time** gerade rechtzeitig.

nickel [ˈnɪkl] n (CHEM) Nickel nt; (US) Nickel m, Fünfcentstück nt.

nickname [ˈnɪkneɪm] n Spitzname m.

nicotine [ˈnɪkətiːn] n Nikotin nt.

niece [niːs] n Nichte f.

Nielsen rating [ˈniːlsənreɪtɪŋ] n (US) Einschaltquote f.

niggardly [ˈnɪgədlɪ] adj schäbig; (person) geizig.

niggling [ˈnɪglɪŋ] adj pedantisch; (doubt, worry) quälend; (detail) kleinlich.

night [naɪt] n Nacht f; (evening) Abend m; **good ~!** gute Nacht!; **at** [o **by**] **~** nachts; abends; **nightcap** n (drink) Schlummertrunk m; **nightclub** n Nachtlokal nt, Nachtklub m; **nightdress** n Nachthemd nt; **nightfall** n Einbruch m der Nacht.

nightie [ˈnaɪtɪ] n (fam) Nachthemd nt.

nightingale [ˈnaɪtɪŋgeɪl] n Nachtigall f.

night life [ˈnaɪtlaɪf] n Nachtleben nt; **nightly** adv jeden Abend; jede Nacht; **nightmare** [ˈnaɪtmeə*] n Alptraum m; **night school** n Abendschule f; **night-time** n Nacht f; at ~ nachts; **night watchman** n ⟨night watchmen⟩ Nachtwächter m.

nil [nɪl] n (SPORT) null.

Nile [naɪl] n Nil m.

nimble [ˈnɪmbl] adj behende, flink; (mind) beweglich; **nimbly** adv flink.

nine [naɪn] num neun.

nineteen [naɪnˈtiːn] num neunzehn.

ninety [ˈnaɪntɪ] num neunzig.

ninth [naɪnθ] 1. adj neunte(r, s); 2. adv an neunter Stelle; 3. n (person) Neunte(r) mf; (part) Neuntel nt.

nip [nɪp] 1. vt kneifen; 2. vi flitzen, sausen.

nipple [ˈnɪpl] n Brustwarze f.

nippy [ˈnɪpɪ] adj (fam: person) flink; (car) flott; (cold) frisch.

nit [nɪt] n Nisse f.

nitrogen [ˈnaɪtrədʒən] n Stickstoff m; **nitrogen oxide** n Stickoxid nt.

no [nəʊ] 1. adj kein; 2. adv nein; 3. n ⟨-es⟩ Nein nt; ~ **further** nicht weiter; ~ **more time** keine Zeit mehr; in ~ **time** schnell.

nobility [nəʊˈbɪlɪtɪ] n Adel m; **the** ~ **of this deed** diese edle Tat.

noble [ˈnəʊbl] 1. adj (rank) adlig; (splendid) nobel, edel; 2. n Adlige(r) mf; **nobleman** n ⟨noblemen⟩ Edelmann m, Adlige(r) m; **noblewoman** n ⟨noblewomen⟩ Adlige f; **nobly** [ˈnəʊblɪ] adv edel, großmütig.

nobody [ˈnəʊbədɪ] 1. pron niemand, keiner; 2. n Niemand m.

no-claims bonus [nəʊˈkleɪmzbəʊnəs] n Schadenfreiheitsrabatt m.

nod [nɒd] vi nicken; **nod off** vi einnicken.

noise [nɔɪz] n (sound) Geräusch m; (unpleasant, loud) Lärm m; **noise prevention** n Lärmschutz m; **noise reducer** n ⟨COMPUT⟩ Schallschluckhaube f; **noisily** adv lärmend, laut; **noisy** adj laut; (crowd) lärmend.

nomad [ˈnəʊmæd] n Nomade m, Nomadin f; **nomadic** [nəʊˈmædɪk] adj nomadisch.

no-man's land [ˈnəʊmænzlænd] n Niemandsland nt.

nominal [ˈnɒmɪnl] adj nominell; (LING) Nominal-.

nominate [ˈnɒmɪneɪt] vt (suggest) vorschlagen; (in election) aufstellen; (appoint) ernennen; **nomination** [nɒmɪˈneɪʃən] n (election) Nominierung f; (appointment)

Ernennung f.

nominative [ˈnɒmɪnətɪv] n (LING) Nominativ m, erster Fall.

nominee [nɒmɪˈniː] n Kandidat(in) m(f).

non- [nɒn] pref Nicht-, un-; **non-alcoholic** adj alkoholfrei.

nonchalant [ˈnɒnʃələnt] adj lässig.

nondescript [ˈnɒndɪskrɪpt] adj mittelmäßig.

none [nʌn] 1. adj, pron kein(e, er, es); 2. adv: ~ **the wiser** keineswegs klüger; ~ **of your cheek!** sei nicht so frech!

nonentity [nɒˈnentɪtɪ] n Null f.

nonetheless [nʌnðəˈles] adv nichtsdestoweniger.

non-fiction [nɒnˈfɪkʃən] n Sachbücher pl.

nonplussed [nɒnˈplʌst] adj verdutzt.

nonprint [nɒnˈprɪnt] adj nicht in Buchform.

nonsense [ˈnɒnsəns] n Unsinn m.

non-stop [ˈnɒnˈstɒp] adj pausenlos, Nonstop-.

noodles [ˈnuːdlz] n pl Nudeln pl.

nook [nʊk] n Winkel m, Eckchen nt.

noon [nuːn] n Mittag m.

no one [ˈnəʊwʌn] pron s. **nobody**.

noose [nuːs] n Schlinge f.

norm [nɔːm] n Norm f, Regel f.

normal [ˈnɔːməl] adj normal; **normally** adv normal; (usually) normalerweise.

north [nɔːθ] 1. n Norden m; 2. adj nördlich, Nord-; 3. adv nach Norden; ~ **of** nördlich von; **North America** n Nordamerika nt; **northerly** adj nördlich; **northern** [ˈnɔːðən] adj nördlich; **Northern Ireland** n Nordirland nt; **North Sea** n Nordsee f; **northwards** adv nach Norden.

Norway [ˈnɔːweɪ] n Norwegen nt; **Norwegian** [nɔːˈwiːdʒən] 1. adj norwegisch; 2. n Norweger(in) m(f).

nos abbr of **numbers** Nummern, Nr.

nose [nəʊz] n Nase f; **nosebleed** n Nasenbluten nt; **nose-dive** n Sturzflug m.

nosey [ˈnəʊzɪ] adj neugierig.

nostalgia [nɒˈstældʒɪə] n Sehnsucht f, Nostalgie f; **nostalgic** adj wehmütig, nostalgisch.

nostril [ˈnɒstrɪl] n Nasenloch nt; (of animal) Nüster f.

not [nɒt] adv nicht; **he is** ~ **an expert** er ist kein Experte; ~ **at all** keineswegs; (don't mention it) gern geschehen.

notable [ˈnəʊtəbl] adj bemerkenswert; **notably** adv (especially) besonders; (noticeably) bemerkenswert.

notch [nɒtʃ] n Kerbe f, Einschnitt m.

note [nəʊt] 1. n (MUS) Note f, Ton m; (short letter) Nachricht f; (POL) Note f; (comment, attention) Notiz f; (of lecture etc) Aufzeichnung f; (bank~) Schein m; (fame) Ruf m, Ansehen nt; 2. vt (observe) bemerken;

(*write down*) notieren; **to take ~s of** sich *dat* Notizen machen über +*akk*; **note-book** *n* Notizbuch *nt*; (*COMPUT*) Notebook *nt* (*kleiner, tragbarer Personalcomputer*); **note-case** *n* Brieftasche *f*; **noted** *adj* bekannt; **notepaper** *n* Briefpapier *nt*.

nothing ['nʌθɪŋ] *n* nichts; **for ~** umsonst; **it is ~ to me** es bedeutet mir nichts.

notice ['nəʊtɪs] **1.** *n* (*announcement*) Anzeige *f*, Bekanntmachung *f*; (*attention*) Beachtung *f*; (*warning*) Ankündigung *f*; (*dismissal*) Kündigung *f*; **2.** *vt* bemerken; **to take ~ of** beachten; **to bring sth to sb's ~** jdn auf etw *akk* aufmerksam machen; **take no ~!** kümmere dich nicht darum!; **noticeable** *adj* merklich; **notice board** *n* Anschlagtafel *f*.

notification [nəʊtɪfɪ'keɪʃən] *n* Benachrichtigung *f*.

notify ['nəʊtɪfaɪ] *vt* benachrichtigen.

notion ['nəʊʃən] *n* (*idea*) Vorstellung *f*, Idee *f*; (*fancy*) Lust *f*.

notorious [nəʊ'tɔ:rɪəs] *adj* berüchtigt.

notwithstanding [nɒtwɪð'stændɪŋ] **1.** *adv* trotzdem, dennoch; **2.** *prep* trotz.

nougat ['nu:ga:] *n* weißer Nougat.

nought [nɔ:t] *n* Null *f*.

noun [naʊn] *n* Hauptwort *nt*, Substantiv *nt*.

nourish ['nʌrɪʃ] *vt* nähren; **nourishing** *adj* nahrhaft; **nourishment** *n* Nahrung *f*.

novel ['nɒvəl] **1.** *n* Roman *m*; **2.** *adj* neuartig; **novelist** *n* Schriftsteller(in) *m(f)*; **novelty** *n* Neuheit *f*.

November [nəʊ'vembə*] *n* November *m*; **~ 16th, 1998, 16th ~ 1998** (*Datumsangabe*) 16. November 1998; **on the 16th of ~** (*gesprochen*) am 16. November; **on 16th ~, on ~ 16th** (*geschrieben*) am 16. November; **in ~** im November.

novice ['nɒvɪs] *n* Neuling *m*; (*REL*) Novize *m*, Novizin *f*.

now [naʊ] *adv* jetzt; **right ~** jetzt, gerade; **do it right ~** tun Sie es sofort!; **~ and then, ~ and again** ab und zu, manchmal; **~, ~** na, na; **~ ... ~** [*or* **then**] bald ... bald, mal ... mal; **nowadays** *adv* heutzutage.

nowhere ['nəʊwɛə*] *adv* nirgends.

nozzle ['nɒzl] *n* Düse *f*.

nuclear ['nju:klɪə*] *adj* (*energy etc*) Atom-, Kern-; **~ power** Kernkraft *f*, Atomkraft *f*; **~ power station** Atomkraftwerk *nt*, Kernkraftwerk *nt*; **~ winter** nuklearer Winter; **nuclear-free** *adj* atomwaffenfrei.

nucleus ['nju:klɪəs] *n* 〈nuclei〉 ['nju:klɪaɪ] Kern *m*.

nude [nju:d] **1.** *adj* nackt; **2.** *n* (*person*) Nackte(r) *mf*; (*ART*) Akt *m*; **in the ~** nackt.

nudge [nʌdʒ] *vt* leicht anstoßen.

nudist ['nju:dɪst] *n* Nudist(in) *m(f)*, FKK-Anhänger(in) *m(f)*; **nudist beach** *n*

FKK-Strand *m*, Nacktbadestrand *m*.

nudity ['nju:dɪtɪ] *n* Nacktheit *f*.

nuisance ['nju:sns] *n* Ärgernis *nt*; **that's a ~** das ist ärgerlich; **he's a ~** er geht einem auf die Nerven.

nuke [nju:k] (*esp US*) **1.** *n* (*fam*) Kernkraftwerk *nt*, Atomkraftwerk *nt*; (*bomb*) Atombombe *f*; **2.** *vt* (*fam*) eine Atombombe werfen auf +*akk*.

null [nʌl] *adj*: **~ and void** null und nichtig; **nullify** *vt* für null und nichtig erklären.

numb [nʌm] **1.** *adj* taub, gefühllos; **2.** *vt* betäuben.

number ['nʌmbə*] **1.** *n* Nummer *f*; (*numeral also*) Zahl *f*; (*quantity*) Anzahl *f*; (*LING*) Numerus *m*; (*of magazine also*) Ausgabe *f*; **2.** *vt* (*give a number to*) numerieren; (*amount to*) sein; **his days are ~ed** seine Tage sind gezählt; **~ed account** Nummernkonto *nt*; **number plate** *n* (*Brit AUTO*) Nummernschild *nt*.

numbness ['nʌmnəs] *n* Gefühllosigkeit *f*.

numbskull ['nʌmskʌl] *n* Idiot(in) *m(f)*.

numeral ['nju:mərəl] *n* Ziffer *f*.

numerical [nju:'merɪkəl] *adj* numerisch; (*order*) zahlenmäßig.

numerous ['nju:mərəs] *adj* zahlreich.

nun [nʌn] *n* Nonne *f*.

nurse [nɜ:s] *n* **1.** Krankenschwester *f*; (*male ~*) Krankenpfleger *m*; (*for children*) Kindermädchen *nt*; **2.** *vt* (*patient*) pflegen; (*doubt etc*) hegen; **nursery** *n* (*for children*) Kinderzimmer *nt*; (*for plants*) Gärtnerei *f*; (*for trees*) Baumschule *f*; **~ rhyme** Kinderreim *m*; **~ school** Kindergarten *m*; **nursing** *n* (*profession*) Krankenpflege *f*; **~ home** Privatklinik *f*.

nut [nʌt] *n* Nuß *f*; (*screw*) Schraubenmutter *f*; (*fam*) Verrückte(r) *mf*; *s. a.* **nuts**; **nutcase** *n* (*fam*) Verrückte(r) *mf*; **nutcrackers** *n pl* Nußknacker *m*.

nutmeg ['nʌtmeg] *n* Muskatnuß *f m*.

nutrient ['nju:trɪənt] *n* Nährstoff *m*; **nutrition** [nju:'trɪʃən] *n* Nahrung *f*; **nutritious** [nju:'trɪʃəs] *adj* nahrhaft.

nuts [nʌts] *adj* (*fam: crazy*) verrückt.

nutshell ['nʌtʃel] *n*: **in a ~** in aller Kürze.

nylon ['naɪlɒn] **1.** *n* Nylon *nt*; **2.** *adj* Nylon-.

O

O, o [əʊ] *n* O *nt*, o *nt*; (*TEL*) Null *f*; *s. a.* **oh**.

oaf [əʊf] *n* 〈-s *o* oaves〉 Trottel *m*.

oak [əʊk] **1.** *n* Eiche *f*; **2.** *adj* Eichenholz-.

oar [ɔ:*] *n* Ruder *nt*.

oasis [əʊ'eɪsɪs] *n* Oase *f*.

oath [əʊθ] *n* (*statement*) Eid *m*, Schwur *m*;

(swearword) Fluch m.

oatmeal [ˈəʊtmiːl] n Haferschrot m.

oats [əʊts] n pl Hafer m; (GASTR) Haferflocken pl.

obedience [əˈbiːdɪəns] n Gehorsam m; **obedient** adj gehorsam, folgsam.

obelisk [ˈɒbəlɪsk] n Obelisk m.

obesity [əʊˈbiːsɪtɪ] n Fettleibigkeit f.

obey [əˈbeɪ] vt, vi gehorchen +dat, folgen +dat.

obituary [əˈbɪtjʊərɪ] n Nachruf m.

object 1. n (thing) Gegenstand m, Objekt nt; (of feeling etc) Gegenstand m; (purpose) Ziel nt; (LING) Objekt nt; **2.** [əbˈdʒekt] vi dagegen sein, Einwände haben (to gegen); (morally) Anstoß nehmen (to an +dat); **objection** [əbˈdʒekʃən] n (reason against) Einwand m, Einspruch m; (dislike) Abneigung f; **objectionable** [əbˈdʒekʃnəbl] adj nicht einwandfrei; (language) anstößig.

objective 1. n Ziel nt; **2.** adj objektiv; **objectively** adv objektiv; **objectivity** [ɒbdʒekˈtɪvətɪ] n Objektivität f.

objector [əbˈdʒektə*] n Gegner(in) m(f).

obligation [ɒblɪˈgeɪʃən] n (duty) Pflicht f; (promise) Verpflichtung f; **no ~** unverbindlich; **to be under an ~** verpflichtet sein; **obligatory** [əˈblɪgətərɪ] adj bindend, obligatorisch; **it is ~ to …** es ist Pflicht, zu …

oblige [əˈblaɪdʒ] vt (compel) zwingen; (do a favour) einen Gefallen tun +dat; **you are not ~d to do it** Sie sind nicht verpflichtet, es zu tun; **much ~d** herzlichen Dank; **obliging** adj entgegenkommend.

oblique [əˈbliːk] **1.** adj schräg, schief; **2.** n Schrägstrich m.

obliterate [əˈblɪtəreɪt] vt auslöschen.

oblivion [əˈblɪvɪən] n Vergessenheit f.

oblivious [əˈblɪvɪəs] adj nicht bewußt (of gen); **he was ~ of it** er hatte es nicht bemerkt.

oblong [ˈɒblɒŋ] **1.** n Rechteck nt; **2.** adj länglich.

obnoxious [əbˈnɒkʃəs] adj abscheulich, widerlich.

oboe [ˈəʊbəʊ] n Oboe f.

obscene [əbˈsiːn] adj obszön, unanständig; **obscenity** [əbˈsenɪtɪ] n Obszönität f; **obscenities** pl Zoten pl.

obscure [əbˈskjʊə*] **1.** adj unklar; (indistinct) undeutlich; (unknown) unbekannt, obskur; (dark) düster; **2.** vt verdunkeln; (view) verbergen; (confuse) verwirren; **obscurity** [əbˈskjʊərɪtɪ] n Unklarheit f; (being unknown) Verborgenheit f; (darkness) Dunkelheit f.

obsequious [əbˈsiːkwɪəs] adj servil.

observable [əbˈzɜːvəbl] adj wahrnehmbar,

sichtlich.

observance [əbˈzɜːvəns] n Befolgung f.

observant [əbˈzɜːvənt] adj aufmerksam.

observation [ɒbzəˈveɪʃən] n (noticing) Beobachtung f; (surveillance) Überwachung f; (remark) Bemerkung f.

observatory [əbˈzɜːvətrɪ] n Sternwarte f, Observatorium nt.

observe [əbˈzɜːv] vt (notice) bemerken; (watch) beobachten; (customs) einhalten; **observer** n Beobachter(in) m(f).

obsess [əbˈses] vt verfolgen, quälen; **to be ~ed with an idea** von einem Gedanken besessen sein; **obsession** [əbˈseʃən] n Besessenheit f, Wahn m; **obsessive** adj krankhaft.

obsolete [ˈɒbsəliːt] adj überholt, veraltet.

obstacle [ˈɒbstəkl] n Hindernis nt; **~ race** Hindernisrennen nt.

obstetrics [ɒbˈstetrɪks] n sing Geburtshilfe f.

obstinacy [ˈɒbstɪnəsɪ] n Hartnäckigkeit f, Sturheit f; **obstinate** adj, **obstinately** adv [ˈɒbstɪnət, -lɪ] hartnäckig, stur.

obstreperous [əbˈstrepərəs] adj aufmüpfig.

obstruct [əbˈstrʌkt] vt versperren; (pipe) verstopfen; (hinder) hemmen; **obstruction** [əbˈstrʌkʃən] n Versperrung f, Verstopfung f; (obstacle) Hindernis nt; **obstructive** adj behindernd.

obtain [əbˈteɪn] vt erhalten, bekommen; (result) erzielen; **obtainable** adj erhältlich.

obtrusive [əbˈtruːsɪv] adj aufdringlich.

obtuse [əbˈtjuːs] adj begriffsstutzig; (angle) stumpf.

obviate [ˈɒbvɪeɪt] vt beseitigen; (danger) abwenden.

obvious [ˈɒbvɪəs] adj offenbar, offensichtlich; **obviously** adv offensichtlich.

occasion [əˈkeɪʒən] **1.** n Gelegenheit f; (special event) großes Ereignis; (reason) Grund m, Anlaß m; **2.** vt veranlassen; **on ~** gelegentlich; **occasional** adj, **occasionally** adv gelegentlich; **very occasionally** sehr selten.

occult [ɒˈkʌlt] **1.** n: **the ~** der Okkultismus; **2.** adj okkult.

occupant [ˈɒkjʊpənt] n Inhaber(in) m(f); (of house etc) Bewohner(in) m(f).

occupation [ɒkjʊˈpeɪʃən] n (employment) Tätigkeit f, Beruf m; (pastime) Beschäftigung f; (of country) Besetzung f, Okkupation f; **occupational** adj (hazard) Berufs-; (therapy) Beschäftigungs-.

occupier [ˈɒkjʊpaɪə*] n Bewohner(in) m(f).

occupy [ˈɒkjʊpaɪ] vt (take possession of) besetzen; (seat) belegen; (live in) bewohnen;

(*position, office*) bekleiden; (*position in sb's life*) einnehmen; (*time*) beanspruchen; (*mind*) beschäftigen.

occur [əˈkɜː*] *vi* (*happen*) vorkommen, geschehen; (*appear*) vorkommen; (*come to mind*) einfallen (*to sb* jdm); **occurrence** [əˈkʌrəns] *n* (*event*) Ereignis *nt*; (*appearing*) Auftreten *nt*.

ocean [ˈəʊʃən] *n* Ozean *m*, Meer *nt*; **ocean-going** *adj* Hochsee-.

ochre [ˈəʊkə*] *n* Ocker *m o nt*.

o'clock [əˈklɒk] *adv*: **it is 5** ~ es ist 5 Uhr.

OCR *abbr of* **optical character recognition/ reader** OCR *f*, optische Zeichenerkennung; (*reader*) OCR-Lesegerät *nt*; **OCR font** *n* OCR-Schrift *f*.

octagonal [ɒkˈtægənl] *adj* achteckig.

octane [ˈɒkteɪn] *n* Oktan *nt*.

octave [ˈɒktɪv] *n* Oktave *f*.

October [ɒkˈtəʊbə*] *n* Oktober *m*; ~ **3rd, 1998, 3rd** ~ **1998** (*Datumsangabe*) 3. Oktober 1998; **on the 3rd of** ~ (*gesprochen*) am 3. Oktober; **on 3rd** ~, **on** ~ **3rd** (*geschrieben*) am 3. Oktober; **in** ~ im Oktober.

octopus [ˈɒktəpəs] *n* Krake *m*; (*small*) Tintenfisch *m*.

oculist [ˈɒkjʊlɪst] *n* Augenarzt(-ärztin) *m(f)*.

odd [ɒd] *adj* (*strange*) sonderbar; (*not even*) ungerade; (*the other part missing*) einzeln; (*about*) ungefähr; (*surplus*) übrig; (*casual*) Gelegenheits-, zeitweilig; (*strangeness*) Merkwürdigkeit *f*; (*queer person*) seltsamer Kauz; (*thing*) Kuriosität *f*; **oddly** *adv* seltsam; ~ **enough** merkwürdigerweise; **oddment** *n* Rest *m*, Einzelstück *nt*; **odds** *n pl* Chancen *pl*; (*in betting*) Gewinnchancen *pl*; **it makes no** ~ es spielt keine Rolle; **at** ~ uneinig; ~ **and ends** (*fam*) Kleinkram *pl*.

ode [əʊd] *n* Ode *f*.

odious [ˈəʊdɪəs] *adj* verhaßt; (*action*) abscheulich.

odometer [əʊˈdɒmɪtə*] *n* (*esp US*) Kilometerzähler *m*.

odor (*US*), **odour** [ˈəʊdə*] *n* Geruch *m*; **odourless** *adj* geruchlos.

of [ɒv, əv] *prep von*; (*indicating material*) aus; **the third** ~ **May** der dritte Mai; **within a month** ~ **his arrival** einen Monat nach seiner Ankunft; **a girl** ~ **ten** ein zehnjähriges Mädchen; **fear** ~ **God** Gottesfurcht *f*; **love** ~ **money** Liebe *f* zum Geld; **the six** ~ **us** wir sechs.

off [ɒf] **1.** *adv* (*absent*) weg, fort; (*switch*) ausgeschaltet, abgeschaltet; (*milk*) sauer; **2.** *prep von*; (*distant from*) abgelegen von; **3%** ~ 3% Nachlaß; **just** ~ **Piccadilly** gleich bei Piccadilly; **I'm** ~ ich gehe jetzt; **I'm** ~ **smoking** ich rauche nicht mehr; **the button's** ~ der Knopf ist ab; **to be well-/badly-**

off reich/arm sein.

offal [ˈɒfəl] *n* Innereien *pl*.

off-colour [ˈɒfˈkʌlə*] *adj* nicht wohl.

offence [əˈfens] *n* (*crime*) Vergehen *nt*, Straftat *f*; (*insult*) Beleidigung *f*.

offend [əˈfend] *vt* beleidigen; **offender** *n* Rechtsbrecher(in) *m(f)*; **offending** *adj* verletzend; **offense** (*US*) *s.* **offence**.

offensive [əˈfensɪv] **1.** *adj* (*unpleasant*) übel, abstoßend; (*weapon*) Kampf-; (*remark*) verletzend; **2.** *n* Angriff *m*, Offensive *f*.

offer [ˈɒfə*] **1.** *n* Angebot *nt*; **2.** *vt* anbieten; (*reward*) aussetzen; (*opinion*) äußern (*resistance*) leisten; **on** ~ zum Verkauf angeboten; **offering** *n* Gabe *f*; (*collection*) Kollekte *f*.

offhand [ɒfˈhænd] **1.** *adj* lässig; **2.** *adv* ohne weiteres.

office [ˈɒfɪs] *n* Büro *nt*; (*position*) Amt *nt*, (*duty*) Aufgabe *f*; (*REL*) Gottesdienst *m*, **office automation** *n* Büroautomation *f*, **office block** *n* Bürohochhaus *nt*; **office boy** *n* Laufbursche *m*; **office hours** *n* Geschäftszeiten *pl*.

officer [ˈɒfɪsə*] *n* (*MIL*) Offizier(in) *m(f)*, (*police* ~) Polizist(in) *m(f)*; (*public* ~) Beamte(r) *m* im öffentlichen Dienst.

office work *n* Büroarbeit *f*, **office worker** *n* Büroangestellte(r) *mf*.

official [əˈfɪʃl] **1.** *adj* offiziell, amtlich; **2.** *n* Beamte(r) *m*, Beamtin *f*, (*POL*) amtlicher Sprecher, amtliche Sprecherin; (*of club*) Funktionär(in) *m(f)*, Offizielle(r) *mf*; **officially** *adv* offiziell.

officious [əˈfɪʃəs] *adj* dienstbeflissen.

offing [ˈɒfɪŋ] *n*: **in the** ~ in Aussicht.

off-licence [ˈɒflaɪsəns] *n* Wein- und Spirituosenhandlung *f*; **off-line** *adj* (*COMPUT*) Off-line- (*getrennt von der Anlage arbeitend*); ~ **mode** Off-line-Betrieb *m*; **off-peak** *adj* (*heating*) Speicher-; (*charges*) verbilligt; **off-season** *adj* außerhalb der Saison.

offset [ˈɒfset] *irr vt* ausgleichen.

offshore [ˈɒfˈʃɔː*] *adj* küstennah, Küsten- (*oil rig*) im Meer.

offside [ˈɒfˈsaɪd] **1.** *adj* (*SPORT*) im Abseits stehend; **2.** *adv* abseits; **3.** *n* (*AUTO*) Fahrerseite *f*; (*SPORT*) Abseits *nt*.

offspring [ˈɒfsprɪŋ] *n* Nachkommenschaft *f*; (*one*) Sprößling *m*.

offstage [ˈɒfˈsteɪdʒ] *adv* hinter den Kulissen.

off-the-cuff [ˈɒfðəkʌf] *adj* unvorbereitet, aus dem Stegreif.

often [ˈɒfən] *adv* oft.

oh [əʊ] *interj* oh, ach.

oil [ɔɪl] **1.** *n* Öl *nt*; **2.** *vt* ölen; **oilcan** *n* Ölkännchen *nt*; **oilfield** *n* Ölfeld *nt*; **oil fil-**

ter *n* Ölfilter *m;* **oil-fired** *adj* Öl-; **oil level** *n* Ölstand *m;* **oil painting** *n* Ölgemälde *nt;* **oil refinery** *n* Ölraffinerie *f;* **oil-rig** *n* [Öl]bohrinsel *f;* **oilskins** *n pl* Ölzeug *nt;* **oil slick** *n* Ölteppich *m;* **oil tanker** *n* Öltanker *m;* **oil well** *n* Ölquelle *f;* **oily** *adj* ölig; (*street*) ölbeschmiert; (*manners*) schleimig.

•intment [ˈɔɪntmənt] *n* Salbe *f.*

•K, okay [ˈəʊˈkeɪ] **1.** *interj* in Ordnung, o.k.; **2.** *adj* in Ordnung; **3.** *n* Zustimmung *f;* **4.** *vt* genehmigen; **that's ~ with** [*o* **by**] **me** ich bin damit einverstanden.

•ld [əʊld] *adj* alt; (*former also*) ehemalig; **in the ~ days** früher; **any ~ thing** irgend etwas; **old age** *n* Alter *nt;* **old-fashioned** *adj* altmodisch; **old maid** *n* alte Jungfer.

•live [ˈɒlɪv] **1.** *n* (*fruit*) Olive *f;* (*colour*) Olive *nt;* **2.** *adj* Oliven-; (*coloured*) olivenfarben; **olive branch** *n* Ölzweig *m;* **olive oil** *n* Olivenöl *nt.*

•lympic [əˈlɪmpɪk] *adj* olympisch; **the Olympic Games, the Olympics** *pl* die Olympischen Spiele *pl,* die Olympiade.

•melette [ˈɒmlət] *n* Omelett *nt.*

•men [ˈəʊmən] *n* Zeichen *nt,* Omen *nt.*

•minous [ˈɒmɪnəs] *adj* bedrohlich.

•mission [əʊˈmɪʃən] *n* Auslassung *f;* (*neglect*) Versäumnis *nt;* **omit** [əʊˈmɪt] *vt* auslassen; (*fail to do*) versäumen.

•n [ɒn] **1.** *prep* auf; **2.** *adv* darauf; **she had nothing ~** sie hatte nichts an; (*no plans*) sie hatte nichts vor; **what's ~ at the cinema?** was läuft im Kino?; **to move ~** weitergehen; **go ~** mach weiter; **the light is ~** das Licht ist an; **you're ~** (*fam*) abgemacht!; **it's not ~** (*fam*) das ist nicht drin; **~ and off** hin und wieder; **~ TV** im Fernsehen; **I have it ~ me** ich habe es bei mir; **a ring ~ his finger** ein Ring am Finger; **~ the main road/the bank of the river** an der Hauptstraße/dem Flußufer; **~ foot** zu Fuß; **a lecture ~ Dante** eine Vorlesung über Dante; **~ the left** links; **~ the right** rechts; **~ and ~** ununterbrochen, andauernd; **~ Sunday** am Sonntag; **~ Sundays** sonntags; **~ hearing this, he left** als er das hörte, ging er.

•nce [wʌns] **1.** *adv* einmal; **2.** *conj* wenn … einmal; **~ you've seen him** wenn du ihn erst einmal gesehen hast; **~ she had seen him** sobald sie ihn gesehen hatte; **at ~** sofort; (*at the same time*) gleichzeitig; **all at ~** plötzlich; **~ more** noch einmal; **more than ~** mehr als einmal; **~ in a while** ab und zu; **~ and for all** ein für allemal; **~ upon a time** es war einmal.

•ncoming [ˈɒnkʌmɪŋ] *adj* (*traffic*) Gegen-, entgegenkommend.

•ne [wʌn] **1.** *num* eins; **2.** *adj* ein, eine, ein; **3.** *pron* eine(r, s); (*people, you*) man; **~ day**

eines Tages; **this ~, that ~** das; dieser/diese/dieses; **the blue ~** der/die/das blaue; **which ~** welche(r, s); **he is ~ of us** er ist einer von uns; **~ by ~** einzeln; **~ another** einander; **one-man** *adj* Einmann-; **oneself** *pron* sich selber; **one-upmanship** *n* Überlegenheit *f;* **one-way** *adj* (*street*) Einbahn-; **~ ticket** (*US*) einfache Fahrkarte.

ongoing [ˈɒngəʊɪŋ] *adj* laufend, andauernd; **it's an ~ process** das geht laufend weiter.

onion [ˈʌnjən] *n* Zwiebel *f.*

on-line [ˈɒnlaɪn] *adj* (COMPUT) On-line- (*in direkter Verbindung mit der Anlage arbeitend*); **~ mode** On-Line-Betrieb *m.*

onlooker [ˈɒnlʊkə*] *n* Zuschauer(in) *m(f).*

only [ˈəʊnlɪ] **1.** *adv* nur, bloß; **2.** *adj* einzige(r, s); **~ yesterday** erst gestern; **~ just arrived** gerade erst angekommen.

onset [ˈɒnset] *n* (*beginning*) Beginn *m.*

onshore [ˈɒnʃɔ:*] **1.** *adv* an Land; **2.** *adj* Küsten-.

onto [ˈɒntə] = **on to.**

onwards [ˈɒnwədz] *adv* (*place*) voran, vorwärts; **from that day ~** von dem Tag an; **from today ~** ab heute.

onyx [ˈɒnɪks] *n* Onyx *m.*

ooze [u:z] *vi* sickern; (*a. fig*) triefen.

opacity [əʊˈpæsɪtɪ] *n* Undurchsichtigkeit *f.*

opal [ˈəʊpəl] *n* Opal *m.*

opaque [əʊˈpeɪk] *adj* undurchsichtig.

open [ˈəʊpən] **1.** *adj* offen; (*public*) öffentlich; (*mind*) aufgeschlossen; (*sandwich*) belegt; **2.** *vt* öffnen, aufmachen; (*trial, motorway, account*) eröffnen; **3.** *vi* (*begin*) anfangen; (*shop*) aufmachen; (*door, flower*) aufgehen; (*play*) Premiere haben; **in the ~ air** im Freien; **to keep a day ~** einen Tag freihalten; **to keep an ~ mind on sth** sich bezüglich einer Sache ger nicht vorschnell festlegen; **open out 1.** *vt* ausbreiten; (*hole, business*) erweitern; **2.** *vi* (*person*) aus sich herausgehen; (*route*) sich erschließen; (*shop, prospects*) eröffnen; **open-air** *adj* Freiluft-; **opener** *n* Öffner *m;* **opening** *n* (*hole*) Öffnung *f;* (*beginning*) Eröffnung *f,* Anfang *m;* (*good chance*) Gelegenheit *f;* **openly** *adv* offen; (*publicly*) öffentlich; **open-minded** *adj* aufgeschlossen; **open-plan** *adj* (*house*) offen angelegt; (*office*) Großraum-; **Open University** *n* (*Brit*) Fernuniversität *f;* **to do an ~ course** ein Fernstudium machen.

opera [ˈɒpərə] *n* Oper *f;* **opera glasses** *n pl* Opernglas *nt;* **opera house** *n* Opernhaus *nt.*

operate [ˈɒpəreɪt] **1.** *vt* (*machine*) bedienen; (*brakes, light*) betätigen; **2.** *vi* (*machine*) laufen, in Betrieb sein; (*person*) arbeiten; **to ~ on sb** (MED) jdn operieren.

operatic [ɒpəˈrætɪk] *adj* Opern-.

operating system [ˈɒpəreɪtɪŋsɪstəm] *n* (*COMPUT*) Betriebssystem *nt*.

operation [ɒpəˈreɪʃən] *n* (*working*) Betrieb *m*, Tätigkeit *f*; (*MED*) Operation *f*; (*undertaking*) Unternehmen *nt*; (*MIL*) Einsatz *m*; **in full** ~ in vollem Gang; **to be in** ~ (*JUR*) in Kraft sein; (*machine*) in Betrieb sein; **operational** *adj* einsatzbereit.

operative [ˈɒpərətɪv] *adj* wirksam; (*law*) rechtsgültig; (*MED*) operativ.

operator [ˈɒpəreɪtə*] *n* (*of machine*) Arbeiter(in) *m(f)*; (*COMPUT*) Bediener(in) *m(f)*; (*TEL*) Telefonist(in) *m(f)*; **phone the** ~ rufen Sie die Vermittlung (o das Fernamt) an.

operetta [ɒpəˈretə] *n* Operette *f*.

opinion [əˈpɪnjən] *n* Meinung *f*; **in my** ~ meiner Meinung nach; **a matter of** ~ Ansichtssache *f*; **opinionated** *adj* starrsinnig; **opinion poll** *n* Meinungsumfrage *f*.

opium [ˈəʊpɪəm] *n* Opium *nt*.

opponent [əˈpəʊnənt] *n* Gegner(in) *m(f)*.

opportune [ˈɒpətjuːn] *adj* günstig; (*remark*) passend.

opportunist [ɒpəˈtjuːnɪst] *n* Opportunist(in) *m(f)*.

opportunity [ɒpəˈtjuːnɪtɪ] *n* Gelegenheit *f*, Möglichkeit *f*; **equality of** ~ Chancengleichheit *f*.

oppose [əˈpəʊz] *vt* entgegentreten +*dat*; (*argument, idea*) ablehnen; (*plan*) bekämpfen; **opposed** *adj*: **to be** ~ **to sth** gegen etw sein; **as** ~ **to** im Gegensatz zu; **opposing** *adj* gegnerisch; (*points of view*) entgegengesetzt.

opposite [ˈɒpəzɪt] **1.** *adj* (*house*) gegenüberliegend; (*direction*) entgegengesetzt; **2.** *adv* gegenüber; **3.** *prep* gegenüber; **4.** *n* Gegenteil *nt*; ~ **me** mir gegenüber; **opposite number** *n* (*person*) Pendant *nt*; (*SPORT*) Gegenspieler(in) *m(f)*.

opposition [ɒpəˈzɪʃən] *n* (*resistance*) Widerstand *m*; (*POL*) Opposition *f*; (*contrast*) Gegensatz *m*.

oppress [əˈpres] *vt* unterdrücken; (*heat etc*) bedrücken; **oppression** [əˈpreʃən] *n* Unterdrückung *f*; **oppressive** *adj* (*authority, law*) ungerecht; (*burden, thought*) bedrückend; (*heat*) drückend.

opt [ɒpt] *vi*: **to** ~ **for sth** sich für etw entscheiden; **to** ~ **to do sth** sich entscheiden, etw zu tun; **opt out** *vt* sich drücken vor +*dat*; (*of society*) aussteigen aus +*dat*.

optical [ˈɒptɪkəl] *adj* optisch; ~ **character recognition** optische Zeichenerkennung; ~ **character reader** OCR-Lesegerät *nt*.

optician [ɒpˈtɪʃən] *n* Optiker(in) *m(f)*.

optimism [ˈɒptɪmɪzəm] *n* Optimismus *m*; **optimist** *n* Optimist(in) *m(f)*; **optimistic** [ɒptɪˈmɪstɪk] *adj* optimistisch.

optimize [ˈɒptɪmaɪz] *vt* optimieren.

optimum [ˈɒptɪməm] *adj* optimal.

option [ˈɒpʃən] *n* Wahl *f*; (*COMM*) Vorkaufsrecht *m*, Option *f*; **optional** *adj* freiwillig; (*subject*) wahlfrei; ~ **extras** Extras *pl* au Wunsch.

or [ɔː*] *conj* oder; **he could not read** ~ **write** er konnte weder lesen noch schreiben.

oracle [ˈɒrəkl] *n* Orakel *nt*.

oral [ˈɔːrəl] **1.** *adj* mündlich; **2.** *n* (*exam*) mündliche Prüfung, Mündliche(s) *nt*.

orange [ˈɒrɪndʒ] **1.** *n* (*fruit*) Apfelsine *f*, Orange *f*; (*colour*) Orange *nt*; **2.** *adj* orangegefarben; ~ **juice** Orangensaft *m*.

orang-outang, **orang-utan** [ɔːˈræŋuˈtæn] *n* Orang-Utan *m*.

oratorio [ɒrəˈtɔːrɪəʊ] *n* (*-s*) Oratorium *nt*.

orbit [ˈɔːbɪt] **1.** *n* Umlaufbahn *f*; (*single circuit*) Umkreisung *f*; (*fig*) Machtbereich *m*; **2.** *vt* umkreisen; **to be in** ~ die Erde/den Mond umkreisen.

orchard [ˈɔːtʃəd] *n* Obstgarten *m*.

orchestra [ˈɔːkɪstrə] *n* Orchester *nt* **orchestral** [ɔːˈkestrəl] *adj* Orchester-.

orchid [ˈɔːkɪd] *n* Orchidee *f*.

ordain [ɔːˈdeɪn] *vt* (*REL*) weihen; (*decide*) verfügen.

ordeal [ɔːˈdiːl] *n* Tortur *f*.

order [ˈɔːdə*] **1.** *n* (*sequence*) Reihenfolge *f*, (*good arrangement*) Ordnung *f*; (*command*) Befehl *m*; (*JUR*) Anordnung *f*, (*peace*) Ordnung *f*, Ruhe *f*; (*condition*) Zustand *m*; (*rank*) Klasse *f*; (*COMM*) Bestellung *f*; (*REL. honour*) Orden *m*; **2.** *vt* (*arrange*) ordnen; (*command*) befehlen +*dat sth* jdm etw); (*COMM*) bestellen; **out of** ~ außer Betrieb; **in** ~ **to do sth** um etw zu tun; **in** ~ **that** damit; **holy** ~**s** *pl* Priesterweihe *f*; **order form** *n* Bestellschein *m*

orderly [ˈɔːdəlɪ] **1.** *n* (*MIL*) Offiziersbursche *m* (*MIL MED*) Sanitäter(in) *m(f)*; (*MED*) Pfleger *m*; **2.** *adj* (*tidy*) ordentlich; (*well-behaved*) ruhig; ~ **officer** diensthabender Offizier

ordinal [ˈɔːdɪnl] *adj* Ordnungs-, Ordinal-.

ordinarily [ɔːdəˈnerɪlɪ] *adv* gewöhnlich.

ordinary [ˈɔːdnrɪ] *adj* (*usual*) gewöhnlich normal; (*commonplace*) gewöhnlich, alltäglich.

ordination [ɔːdɪˈneɪʃən] *n* Priesterweihe *f* (*Protestant*) Ordination *f*.

ordnance [ˈɔːdnəns] *n* Munition *f*; ~ **factory** Munitionsfabrik *f*.

ore [ɔː*] *n* Erz *nt*.

organ [ˈɔːgən] *n* (*MUS*) Orgel *f*; (*BIO. fig*) Organ *nt*.

organic [ɔːˈgænɪk] *adj* organisch.

organism [ˈɔːgənɪzm] *n* Organismus *m*.

organist [ˈɔːgənɪst] *n* Organist(in) *m(f)*.

organization [ɔːgənaɪˈzeɪʃən] *n* Organisation *f*; (*make-up*) Struktur *f*.

organize ['ɔ:gənaɪz] vt organisieren; **organizer** n Organisator(in) m(f), Veranstalter(in) m(f).

orgasm ['ɔ:gæzəm] n Orgasmus m.

orgy ['ɔ:dʒɪ] n Orgie f.

Orient ['ɔ:rɪənt] n Orient m; **oriental** [ɔ:rɪ'entəl] **1.** adj orientalisch; **2.** n Orientale m, Orientalin f.

orientate ['ɔ:rɪentəɪt] vt sich orientieren.

orifice ['ɒrɪfɪs] n Öffnung f.

origin ['ɒrɪdʒɪn] n Ursprung m; (of the world) Anfang m, Entstehung f.

original [ə'rɪdʒɪnl] **1.** adj (first) ursprünglich; (painting) (idea) originell; **2.** n Original nt; **originality** [ərɪdʒɪ'nælɪtɪ] n Originalität f; **originally** adv ursprünglich; originell.

originate [ə'rɪdʒɪneɪt] **1.** vi entstehen; **2.** vt ins Leben rufen; ~ **from** stammen aus; **originator** [ə'rɪdʒɪneɪtə*] n (of movement) Begründer(in) m(f); (of invention) Erfinder(in) m(f).

Orkneys ['ɔ:knɪz] n pl (also: **Orkney Islands**) Orkneyinseln pl.

ornament ['ɔ:nəmənt] n Schmuck m; (on mantelpiece) Nippesfigur f; (fig) Zierde f; **ornamental** [ɔ:nə'mentl] adj schmükkend, dekorativ, Zier-; **ornamentation** [ɔ:nəmen'teɪʃən] n Verzierung f.

ornate [ɔ:'neɪt] adj reich verziert; (style) überladen.

ornithology [ɔ:nɪ'θɒlədʒɪ] n Vogelkunde f, Ornithologie f.

orphan ['ɔ:fən] **1.** n Waise f, Waisenkind nt; **2.** vt zur Waise machen; **orphanage** ['ɔ:fənɪdʒ] n Waisenhaus nt.

orthodox ['ɔ:θədɒks] adj orthodox.

orthopaedic, orthopedic (US) [ɔ:θəʊ'pi:dɪk] adj orthopädisch.

oscillation [ɒsɪ'leɪʃən] n Schwingung f, Oszillation f.

ostensible adj, **ostensibly** adv [ɒ'stensəbl, -ɪ] vorgeblich, angeblich.

ostentatious [ɒsten'teɪʃəs] adj großtuerisch, protzig.

ostracize ['ɒstrəsaɪz] vt ächten.

ostrich ['ɒstrɪtʃ] n Strauß m.

other ['ʌðə*] **1.** adj andere(r, s); **2.** pron andere(r, s); **3.** adv: ~ **than** anders als; **the ~ day** neulich; **every ~ day** jeden zweiten Tag; **any person ~ than him** alle außer ihm; **there are 6 ~s** da sind noch 6; **otherwise** adv (in a different way) anders; (in other ways) sonst, im übrigen; (or else) sonst.

otter ['ɒtə*] n Otter m.

ought [ɔ:t] aux vb sollen; **he behaves as he ~** er benimmt sich, wie es sich gehört; **you ~ to do that** Sie sollten das tun; **he ~ to win** er müßte gewinnen; **that ~ to do** das müßte [o dürfte] reichen.

ounce [aʊns] n Unze f (28,35 g).

our [aʊə*] pron (adjektivisch) unser; **ours** pron (substantivisch) unsere(r, s); **ourselves** pron uns; **we ~** wir selbst.

oust [aʊst] vt verdrängen; (government) absetzen.

out [aʊt] adv hinaus/heraus; (not indoors) draußen; (not alight) aus; (unconscious) bewußtlos; (results) bekanntgegeben; **to eat/go ~** auswärts essen/ausgehen; **that fashion's ~** das ist nicht mehr Mode; **the ball was ~** der Ball war aus; **the flowers are ~** die Blumen blühen; **he was ~ in his calculations** seine Berechnungen waren nicht richtig; **to be ~ for sth** auf etw akk aus sein; **~ and ~** durch und durch; **~ loud** laut.

outback ['aʊtbæk] n (in Australia): **the ~** das Hinterland.

outboard motor ['aʊtbɔ:d'məʊtə*] n Außenbordmotor m.

outbreak ['aʊtbreɪk] n Ausbruch m.

outbuilding ['aʊtbɪldɪŋ] n Nebengebäude nt.

outburst ['aʊtbɜ:st] n Ausbruch m.

outcast ['aʊtkɑ:st] n Ausgestoßene(r) mf.

outclass [aʊt'klɑ:s] vt übertreffen.

outcome ['aʊtkʌm] n Ergebnis nt.

outcry ['aʊtkraɪ] n Aufschrei m; (public protest) Protestwelle f (against gegen).

outdated [aʊt'deɪtɪd] adj veraltet, überholt.

outdo [aʊt'du:] irr vt übertreffen.

outdoor ['aʊtdɔ:*] adj Außen-; (SPORT) im Freien; **outdoors** [aʊt'dɔ:z] adv draußen, im Freien; **to go ~** ins Freie [o nach draußen] gehen.

outer ['aʊtə*] adj äußere(r, s); **outer space** n Weltraum m.

outfit ['aʊtfɪt] n Ausrüstung f; (set of clothes) Kleidung f; **outfitters** n sing (for men's clothes) Herrenausstatter m.

outgoings ['aʊtgəʊɪŋz] n pl Ausgaben pl.

outgrow [aʊt'grəʊ] irr vt (clothes) herauswachsen aus; (habit) ablegen.

outing ['aʊtɪŋ] n Ausflug m.

outlandish [aʊt'lændɪʃ] adj eigenartig.

outlaw ['aʊtlɔ:] **1.** n Geächtete(r) mf; **2.** vt ächten; (thing) verbieten.

outlet ['aʊtlet] n Auslaß m, Abfluß m; (COMM) Absatzmarkt m; (shop) Verkaufsstelle f; (for emotions) Ventil nt.

outline ['aʊtlaɪn] n Umriß m.

outlive [aʊt'lɪv] vt überleben.

outlook ['aʊtlʊk] n (a. fig) Aussicht f; (attitude) Einstellung f.

outlying ['aʊtlaɪɪŋ] adj entlegen; (district) Außen-.

outmoded [aʊt'məʊdɪd] adj veraltet.

outnumber [aʊt'nʌmbə*] vt zahlenmäßig überlegen sein +dat.

out of ['aʊtɒv] prep aus; (away from) außerhalb +gen; **to be ~ milk** keine Milch mehr haben; **made ~ wood** aus Holz gemacht; **~ danger** außer Gefahr; **~ place** fehl am Platz; **~ curiosity** aus Neugier; **nine ~ ten** neun von zehn; **out-of-bounds** adj verboten; **out-of-date** adj veraltet; **out-of-doors** adv im Freien; **out-of-the-way** adj (off the general route) abgelegen; (unusual) ungewöhnlich.

outpatient ['aʊtpeɪʃənt] n ambulanter Patient, ambulante Patientin.

output ['aʊtpʊt] 1. n Leistung f, Produktion f; (COMPUT) Ausgabe f; 2. vt (COMPUT) ausgeben.

outrage ['aʊtreɪdʒ] 1. n (cruel deed) Ausschreitung f, Verbrechen nt; (indecency) Skandal m; 2. vt (morals) verstoßen gegen; (person) empören; **outrageous** [aʊt'reɪdʒəs] adj unerhört, empörend.

outright ['aʊtraɪt] 1. adv (at once) sofort; (openly) ohne Umschweife; 2. adj (denial) völlig; (winner) unbestritten; **to refuse ~** rundweg ablehnen.

outset ['aʊtset] n Beginn m.

outside ['aʊt'saɪd] 1. n Außenseite f; 2. adj äußere(r, s), Außen-; (price) Höchst-; (chance) gering; 3. adv außen; 4. prep außerhalb +gen; **to go ~** nach draußen (o hinaus) gehen; **on the ~** außen; **at the very ~** höchstens; **outsider** n Außenseiter(in) m(f).

outsize ['aʊtsaɪz] adj übergroß.

outskirts ['aʊtskɜːts] n pl Stadtrand m.

outspoken [aʊt'spəʊkən] adj offen, freimütig; **she is a very ~ person** sie nimmt kein Blatt vor den Mund.

outstanding [aʊt'stændɪŋ] adj hervorragend; (debts etc) ausstehend.

outstay [aʊt'steɪ] vt: **to ~ one's welcome** länger bleiben als erwünscht.

out-tray ['aʊttreɪ] n Ablagekorb m für ausgehende Post.

outward ['aʊtwəd] 1. adj äußere(r, s); (journey) Hin-; (freight) ausgehend; 2. adv nach außen; **outwardly** adv äußerlich.

outweigh [aʊt'weɪ] vt (fig) überwiegen.

outwit [aʊt'wɪt] vt überlisten.

oval ['əʊvəl] 1. adj oval; 2. n Oval nt.

ovary ['əʊvərɪ] n Eierstock m.

ovation [əʊ'veɪʃən] n Beifallssturm m.

oven ['ʌvn] n Backofen m; **oven cloth** n Topflappen m.

over ['əʊvə*] 1. adv (across) hinüber/herüber; (finished) vorbei; (left) übrig; (again) wieder, noch einmal; 2. prep über; (in every part of) in; **famous the world ~** in der ganzen Welt berühmt; **five times ~** fünfmal; **~ the weekend** übers Wochenende; **~ coffee** bei einer Tasse Kaffee; **~ the phone** am Telephon; **all ~** (everywhere) überall; (fin-

ished) vorbei; **~ and ~** immer wieder; **~ and above** darüber hinaus.

over- ['əʊvə*] pref über- (excessively) übermäßig.

overact [əʊvər'ækt] vi übertreiben.

overall ['əʊvərɔːl] 1. n (Brit) Kittel m; 2. adj (situation) allgemein; (length) Gesamt-; 3. adv insgesamt; **overalls** n pl Overall m.

overawe [əʊvər'ɔː] vt (frighten) einschüchtern; (impress) überwältigen.

overbearing [əʊvə'bɛərɪŋ] adj aufdringlich.

overboard ['əʊvəbɔːd] adv über Bord; **to go ~** (fig) es übertreiben; **to go ~ for sb** von jdm ganz hingerissen sein.

overcast ['əʊvəkɑːst] adj bedeckt.

overcharge [əʊvə'tʃɑːdʒ] vt zuviel verlangen von.

overcoat ['əʊvəkəʊt] n Mantel m.

overcome [əʊvə'kʌm] irr vt überwinden; (sleep, emotion) übermannen; **we shall ~** wir werden siegen.

overcrowded [əʊvə'kraʊdɪd] adj überfüllt; **overcrowding** [əʊvə'kraʊdɪŋ] n Überfüllung f.

overdo [əʊvə'duː] irr vt (cook too much) verkochen; (exaggerate) übertreiben.

overdose ['əʊvədəʊs] n Überdosis f.

overdraft ['əʊvədrɑːft] n Kontoüberziehung f; **to have an ~** sein Konto überzogen haben; **overdrawn** [əʊvə'drɔːn] adj (account) überzogen.

overdrive ['əʊvədraɪv] n (AUTO) Schnellgang m.

overdue [əʊvə'djuː] adj überfällig.

overestimate [əʊvər'estɪmeɪt] vt überschätzen.

overexcited [əʊvərɪk'saɪtɪd] adj überreizt; (children) überdreht.

overexertion [əʊvərɪg'zɜːʃən] n Überanstrengung f.

overexpose [əʊvərɪks'pəʊz] vt (PHOT) überbelichten.

overflow [əʊvə'fləʊ] 1. vi überfließen; 2. ['əʊvəfləʊ] n (excess) Überschuß m; (outlet) Überlauf m.

overgrown [əʊvə'grəʊn] adj (garden) verwildert.

overhaul [əʊvə'hɔːl] 1. vt (car) überholen; (plans) überprüfen; 2. ['əʊvəhɔːl] n Überholung f.

overhead [əʊvəhed] 1. adj Hoch-; (wire) oberirdisch; (lighting) Decken-; 2. [əʊvə'hed] adv oben; **overhead projector** n Tageslichtprojektor m, Overheadprojektor m; **overheads** n pl allgemeine Unkosten pl.

overhear [əʊvə'hɪə*] irr vt mit anhören.

overjoyed [əʊvə'dʒɔɪd] adj überglücklich.

overland ['əʊvəlænd] adj Überland-; 2. [əʊvə'lænd] adv (travel) über Land.

overlap [əʊvə'læp] 1. vi sich überschneiden; (objects) sich teilweise decken; 2.

['əʊvəlæp] n Überschneidung f.
overload ['əʊvə'ləʊd] vt überladen.
overlook [əʊvə'lʊk] vt (view from above) überblicken; (not notice) übersehen; (pardon) hinwegsehen über +akk.
overnight [əʊvə'naɪt] **1.** adj (journey) Nacht-; **2.** adv über Nacht; ~ **bag** Reisetasche f; ~ **stay** Übernachtung f.
overpass ['əʊvəpɑ:s] n Überführung f.
overpower [əʊvə'paʊə*] vt überwältigen; **overpowering** adj überwältigend.
overrate [əʊvə'reɪt] vt überschätzen.
override [əʊvə'raɪd] irr vt (order, decision) aufheben; (objection) übergehen; **overriding** adj Haupt-, vorherrschend.
overrule [əʊvə'ru:l] vt verwerfen; **we were ~d** unser Vorschlag wurde verworfen.
overseas [əʊvə'si:z] **1.** adv nach/in Übersee; **2.** adj überseeisch, Übersee-.
overshadow [əʊvə'ʃædəʊ] vt überschatten.
overshoot [əʊvə'ʃu:t] irr vt (runway) hinausschießen über +akk.
oversight ['əʊvəsaɪt] n (mistake) Versehen nt.
oversimplify [əʊvə'sɪmplɪfaɪ] vt zu sehr vereinfachen.
oversleep [əʊvə'sli:p] irr vi verschlafen.
overspill ['əʊvəspɪl] n Bevölkerungsüberschuß m.
overstate [əʊvə'steɪt] vt übertreiben.
overt [əʊ'vɜ:t] adj offenkundig.
overtake [əʊvə'teɪk] irr vt, vi überholen.
overthrow [əʊvə'θrəʊ] irr vt (POL) stürzen.
overtime ['əʊvətaɪm] n Überstunden pl.
overtone ['əʊvətəʊn] n (fig) Note f.
overture ['əʊvətjʊə*] n Ouvertüre f; ~**s** pl (fig) Annäherungsversuche pl.
overturn [əʊvə'tɜ:n] vt, vi umkippen.
overweight [əʊvə'weɪt] adj zu dick, zu schwer.
overwhelm [əʊvə'welm] vt überwältigen; **overwhelming** adj überwältigend.
overwork [əʊvə'wɜ:k] **1.** vt überlasten; **2.** vi überarbeiten.
overwrought [əʊvə'rɔ:t] adj überreizt.
owe [əʊ] vt schulden; **to ~ sth to sb** (money) jdm etw schulden; (favour etc) jdm etw verdanken; **owing to** wegen +gen.
owl [aʊl] n Eule f.
own [əʊn] **1.** vt besitzen; **2.** adj eigen; **3.** n Eigentum nt; **all my ~** mein Eigentum; **on one's ~** allein; **who ~s that?** wem gehört das?; **I have money of my ~** ich habe selbst Geld; **own up** vi zugeben (to sth etw akk); **owner** n Besitzer(in) m(f), Eigentümer(in) m(f); **ownership** n Besitz m.
ox [ɒks] n Ochse m.
oxide ['ɒksaɪd] n Oxid nt.
oxtail ['ɒksteɪl] n Ochsenschwanz m; ~ **soup** Ochsenschwanzsuppe f.
oxygen ['ɒksɪdʒən] n Sauerstoff m; **oxy-**

gen mask n Sauerstoffmaske f; **oxygen tent** n Sauerstoffzelt nt.
oyster ['ɔɪstə*] n Auster f.
oz n abbr of **ounces** Unze f.
ozone ['əʊzəʊn] n Ozon nt; ~ **barrier,** ~ **shield** Ozonschild m; ~ **layer** Ozonschicht f.

P

P, p [pi:] n P nt, p nt.
p 1. abbr of **page** Seite, S f; **2.** abbr of **pence** Penny m.
pa [pɑ:] n (fam) Papa m, Papi m.
p.a. abbr of **per annum** pro Jahr.
pace [peɪs] **1.** n Schritt m; (speed) Geschwindigkeit f, Tempo nt; **2.** vi schreiten; **to keep ~ with** Schritt halten mit; **pacemaker** n (MED, SPORT) Schrittmacher m.
Pacific [pə'sɪfɪk] n Pazifik m.
pacifism ['pæsɪfɪzəm] n Pazifismus m; **pacifist** n Pazifist(in) m(f).
pacify ['pæsɪfaɪ] vt (calm) beruhigen; (countries, people) aussöhnen.
pack [pæk] **1.** n Packen m; (of wolves) Rudel nt; (of hounds) Meute f; (of cards) Spiel nt; (gang) Bande f; (US: back~) Rucksack m; **2.** vt, vi (case) packen; (clothes) einpacken; **package** ['pækɪdʒ] n Paket nt; (COMPUT) Programmpaket nt, Softwarepaket nt; **package deal** n Pauschalangebot nt; **package tour** n Pauschalreise f; **packet** n Päckchen nt; **packhorse** n Packpferd nt; **pack ice** n Packeis nt; **packing** n (action) Packen nt; (material) Verpackung f; **packing case** n Packkiste f, Umzugskiste f.
pact [pækt] n Pakt m, Vertrag m.
pad [pæd] **1.** n (of paper) Schreibblock m; (for inking) Stempelkissen nt; (padding) Polster nt; **2.** vt polstern.
paddle ['pædl] **1.** n Paddel nt; **2.** vt (boat) paddeln; **3.** vi (in sea) planschen; **paddling pool** n Planschbecken nt.
paddock ['pædək] n Koppel f.
paddy ['pædɪ] n: ~ [**field**] Reisfeld nt.
padlock ['pædlɒk] n Vorhängeschloß nt.
paediatrics [pi:dɪ'ætrɪks] n sing Kinderheilkunde f.
pagan ['peɪgən] adj heidnisch.
page [peɪdʒ] **1.** n Seite f; (person) Page m; **2.** vt (in hotel etc) ausrufen lassen.
pageant ['pædʒənt] n Festzug m; **pageantry** n Prunk m.
pager ['peɪdʒə*] n Piepser m.
pagoda [pə'gəʊdə] n Pagode f.
paid [peɪd] pt, pp of **pay**.
pail [peɪl] n Eimer m.

pain [peɪn] *n* Schmerz *m*, Schmerzen *pl*; **~s** *pl* (efforts) große Mühe, große Anstrengungen *pl*; **to be at ~s to do sth** sich *dat* Mühe geben, etw zu tun; **pained** *adj* (expression) gequält; **painful** *adj* (physically) schmerzhaft; (embarrassing) peinlich; (difficult) mühsam; **painkiller** *n* Schmerzmittel *nt*; **pain-killing drug** *n* schmerzstillendes Mittel; **painless** *adj* schmerzlos; **painstaking** *adj* gewissenhaft.

paint [peɪnt] **1.** *n* Farbe *f*; **2.** *vt* anstreichen; (picture) malen; **paintbrush** *n* Pinsel *m*; **painter** *n* Maler(in) *m(f)*; **painting** *n* (act) Malen *nt*; (ART) Malerei *f*; (picture) Bild *nt*, Gemälde *nt*.

pair [pɛə*] *n* Paar *nt*; **a ~ of scissors** eine Schere; **a ~ of trousers** eine Hose.

pajamas [pəˈdʒɑːməz] *n pl* (US) Schlafanzug *m*.

Pakistan [pɑːkɪˈstɑːn] *n* Pakistan *nt*.

pal [pæl] *n* (fam) Kumpel *m*.

palace [ˈpæləs] *n* Palast *m*, Schloß *nt*.

palatable [ˈpælətəbl] *adj* schmackhaft.

palate [ˈpælɪt] *n* Gaumen *m*; (taste) Geschmack *m*.

palaver [pəˈlɑːvə*] *n* (fam) Theater *nt*.

pale [peɪl] *adj* (face) blaß, bleich; (colour) hell, blaß; **paleness** *n* Blässe *f*.

palette [ˈpælɪt] *n* Palette *f*.

pall [pɔːl] **1.** *n* Leichentuch *nt*; (of smoke) Rauchwolke *f*; **2.** *vi* an Reiz verlieren; **pall-bearer** *n* Sargträger(in) *m(f)*.

pallid [ˈpælɪd] *adj* blaß, bleich.

pally [ˈpælɪ] *adj* (fam) freundlich; **they are very ~** sie sind dicke Freunde; **to get ~ with sb** jdm plump-vertraulich kommen.

palm [pɑːm] *n* (also: **~ tree**) Palme *f*; (of hand) Handfläche *f*; **palmist** *n* Handleser(in) *m(f)*; **Palm Sunday** *n* Palmsonntag *m*.

palpable [ˈpælpəbl] *adj* greifbar; **palpably** *adv* offensichtlich.

palpitation [pælpɪˈteɪʃən] *n* Herzklopfen *nt.*

paltry [ˈpɔːltrɪ] *adj* armselig.

pamper [ˈpæmpə*] *vt* verhätscheln.

pamphlet [ˈpæmflət] *n* Broschüre *f*.

pan [pæn] **1.** *n* Pfanne *f*; **2.** *vi* (CINE) schwenken.

pan- [pæn] *pref* Pan-, All-.

panacea [pænəˈsɪə] *n* (fig) Allheilmittel *nt*.

panache [pəˈnæʃ] *n* Schwung *m*.

Panama [ˈpænəmɑː] *n* Panama *nt*; **the ~ Canal** der Panamakanal.

pancake [ˈpænkeɪk] *n* Pfannkuchen *m*.

panda [ˈpændə] *n* Panda *m*.

pandemonium [pændɪˈməʊnɪəm] *n* Hölle *f*; (noise) Höllenlärm *m*.

pander [ˈpændə*] *vi* sich richten (to nach); **to ~ to sb's ego** jdm schmeicheln.

pane [peɪn] *n* Fensterscheibe *f*.

panel [ˈpænl] *n* (of wood) Tafel *f*; (TV) Diskussionsteilnehmer *pl*; **panel discussion** *n* Podiumsdiskussion *f*; **paneling** (US) s. **panelling**; **panelist** (US) s. **panellist**; **panelling**; **panellist** *n* Diskussionsteilnehmer(in) *m(f)*.

pang [pæŋ] *n* Stich *m*; **~s** *pl* **of conscience** Gewissensbisse *pl.*

panic [ˈpænɪk] **1.** *n* Panik *f*; **2.** *vi* in Panik geraten, durchdrehen; **don't ~** nur keine Panik; **panicky** *adj* (person) überängstlich; **panic-stricken** *adj* von Panik erfaßt.

pannier [ˈpænɪə*] *n* Tragekorb *m*; (on bike) Satteltasche *f*.

panorama [pænəˈrɑːmə] *n* Rundblick *m*, Panorama *nt*; **panoramic** [pænəˈræmɪk] *adj* Panorama-.

pansy [ˈpænzɪ] *n* (flower) Stiefmütterchen *nt*; (fam) Schwule(r) *m*.

pant [pænt] *vi* keuchen; (dog) hecheln.

pantechnicon [pænˈteknɪkən] *n* Möbelwagen *m*.

panther [ˈpænθə*] *n* Panther *m*.

panties [ˈpæntɪz] *n pl* Damenslip *m*.

pantomime [ˈpæntəmaɪm] *n* Märchenkomödie *f* um Weihnachten.

pantry [ˈpæntrɪ] *n* Vorratskammer *f*.

pants [pænts] *n pl* Unterhose *f*; (trousers) Hose *f*.

panty-liner [ˈpæntɪlaɪnə*] *n* Slipeinlage *f*.

papal [ˈpeɪpəl] *adj* päpstlich.

paper [ˈpeɪpə*] **1.** *n* Papier *nt*; (newspaper) Zeitung *f*; (essay) Vortrag *m*, Referat *nt*; **2.** *adj* Papier-, aus Papier; **3.** *vt* (wall) tapezieren; **~s** *pl* (identity ~) Ausweispapiere *pl*; **paperback** *n* Taschenbuch *nt*; **paper bag** *n* Tüte *f*; **paper clip** *n* Büroklammer *f*; **paper cup** *n* Pappbecher *m*; **paper feed** *n* (printer) Papiereinzug *m*; **paper handkerchief** *n* Papiertaschentuch *nt*; **paper plate** *n* Pappteller *m*; **paper tissue** *n* Kosmetiktuch *nt*; (handkerchief) Papiertaschentuch *nt*; **paperweight** *n* Briefbeschwerer *m*; **paperwork** *n* Schreibarbeit *f.*

papier-mâché [ˈpæpɪeɪˈmæʃeɪ] *n* Pappmaché *nt.*

paprika [ˈpæprɪkə] *n* Paprikapulver *nt*.

papyrus [pəˈpaɪərəs] *n* Papyrus *m*.

par [pɑː*] *n* (COMM) Nennwert *m*; (GOLF) Par *nt*; **on a ~ with** ebenbürtig +*dat*; **to be on a ~ with sb** sich mit jdm messen können; **below ~** unter jds Niveau.

parable [ˈpærəbl] *n* Parabel *f*; (REL) Gleichnis *nt.*

parachute [ˈpærəʃuːt] **1.** *n* Fallschirm *m*; **2.** *vi* abspringen; **parachutist** [ˈpærəʃuːtɪst] *n* Fallschirmspringer(in) *m(f)*.

parade [pəˈreɪd] **1.** *n* Parade *f*; (fashion ~) Modenschau *f*; **2.** *vt* zur Schau stellen; **3.** *vi* vorbeimarschieren.

paradise ['pærədaɪs] n Paradies nt.

paradox ['pærədɒks] n Paradox nt; **paradoxical** [pærə'dɒksɪkəl] adj paradox, widersinnig; **paradoxically** adv paradoxerweise.

paraffin ['pærəfɪn] n Paraffin nt.

paragraph ['pærəgrɑːf] n Absatz m, Paragraph m.

parallel ['pærəlel] 1. adj parallel; 2. n Parallele f.

paralysis [pə'ræləsɪs] n Lähmung f; **paralyze** ['pærəlaɪz] vt lähmen.

paramedic [pærə'medɪk] n Rettungssanitäter(in) m(f).

parameter [pə'ræmɪtə*] n Parameter m.

paramilitary [pærə'mɪlɪtrɪ] adj paramilitärisch.

paranoia [pærə'nɔɪə] n Paranoia f, Verfolgungswahn m.

parapet ['pærəpɪt] n Brüstung f.

paraphernalia [pærəfə'neɪlɪə] n pl Brimborium nt.

paraphrase ['pærəfreɪz] vt umschreiben.

paraplegic [pærə'pliːdʒɪk] n Querschnittsgelähmte(r) mf.

parasite ['pærəsaɪt] n Schmarotzer(in) m(f); (plant, animal) Parasit m.

parasol ['pærəsɒl] n Sonnenschirm m.

paratrooper ['pærətruːpə*] n Fallschirmjäger m.

parcel ['pɑːsl] 1. n Paket nt; 2. vt (also: ~ up) einpacken.

parch [pɑːtʃ] vt ausdörren, austrocknen; **I'm ~ed** ich bin am Verdursten.

parchment ['pɑːtʃmənt] n Pergament nt.

pardon ['pɑːdn] 1. n Begnadigung f; 2. vt (JUR) begnadigen; **~ me, I beg your ~** verzeihen Sie bitte; (objection) aber ich bitte Sie; **I beg your ~?, ~ me?** (US) wie bitte?

parent ['pɛərənt] n Elternteil m; **~s** pl Eltern pl; **parental** [pə'rentl] adj elterlich, Eltern-.

parenthesis [pə'renθɪsɪs] n Klammer f; (sentence) Parenthese f.

parenthood ['pɛərənthʊd] n Elternschaft f.

parish ['pærɪʃ] n Gemeinde f; **parishioner** [pə'rɪʃənə*] n Gemeindemitglied nt.

parity ['pærɪtɪ] n (equality) Gleichberechtigung f; (FIN) Währungsparität f; **~ check** (COMPUT) Plausibilitätskontrolle f.

park [pɑːk] 1. n Park m; 2. vt, vi parken; **parking** n Parken nt; **"no ~"** "Parken verboten"; **parking disc** n Parkscheibe f; **parking lot** n (US) Parkplatz m; **parking meter** n Parkuhr f; **parking place** n Parkplatz m; **parkway** n (US) Schnellstraße f durch einen Park.

parliament ['pɑːləmənt] n Parlament nt; **parliamentary** [pɑːlə'mentərɪ] adj par-

lamentarisch, Parlaments-.

parlor (US), **parlour** ['pɑːlə*] n Salon m, Wohnzimmer nt.

parochial [pə'rəʊkɪəl] adj (REL) Gemeinde-; (narrow-minded) engstirnig, Provinz-.

parody ['pærədɪ] 1. n Parodie f; 2. vt parodieren.

parole [pə'rəʊl] n: **on ~** (prisoner) auf Bewährung.

parquet ['pɑːkeɪ] n Parkettfußboden m.

parrot ['pærət] n Papagei m; **parrot fashion** adv wie ein Papagei.

parry ['pærɪ] vt parieren, abwehren.

parsimonious adj, **parsimoniously** adv [pɑːsɪ'məʊnɪəs, -lɪ] geizig.

parsing ['pɑːsɪŋ] n (COMPUT) Parsing nt.

parsley ['pɑːslɪ] n Petersilie f.

parsnip ['pɑːsnɪp] n Pastinake f, Petersilienwurzel f.

parson ['pɑːsn] n Pfarrer m.

part [pɑːt] 1. n (piece) Teil m, Stück nt; (THEAT) Rolle f; (of machine) Teil nt; 2. adj Teil-; 3. adv s. **partly**; 4. vt trennen; (hair) scheiteln; 5. vi (people) sich trennen, Abschied nehmen; **for my ~** ich für meinen Teil; **for the most ~** meistens, größtenteils; **in ~ exchange** in Zahlung; **part with** vt hergeben; (renounce) aufgeben.

partial ['pɑːʃəl] adj (incomplete) teilweise, Teil-; (biased) eingenommen, parteiisch; (eclipse) partiell; **to be ~ to** eine besondere Vorliebe haben für; **partially** adv teilweise, zum Teil.

participate [pɑː'tɪsɪpeɪt] vi teilnehmen; (in) an +dat; **participation** [pɑːtɪsɪ'peɪʃən] n Teilnahme f; (sharing) Beteiligung f.

participle ['pɑːtɪsɪpl] n Partizip nt, Mittelwort nt.

particular [pə'tɪkjʊlə*] 1. adj bestimmt, speziell; (exact) genau; (fussy) eigen; 2. n Einzelheit f; **~s** pl (details) Einzelheiten pl; (about person) Personalien pl; **particularly** adv besonders.

parting ['pɑːtɪŋ] 1. n (separation) Abschied m, Trennung f; (of hair) Scheitel m; 2. adj Abschieds-.

partisan [pɑːtɪ'zæn] 1. n Parteigänger(in) m(f), Anhänger(in) m(f); (guerrilla) Partisan(in) m(f); 2. adj Partei-; Partisanen-.

partition [pɑː'tɪʃən] n (wall) Trennwand f; (division) Teilung f.

partly ['pɑːtlɪ] adv zum Teil, teilweise.

partner ['pɑːtnə*] n Partner(in) m(f); (COMM A.) Gesellschafter(in) m(f), Teilhaber(in) m(f); **partnership** n Partnerschaft f, Gemeinschaft f; (COMM) Teilhaberschaft f.

partridge ['pɑːtrɪdʒ] n Rebhuhn nt.

part-time ['pɑːt'taɪm] 1. adj teilzeitbeschäftigt; 2. adv als Teilzeitkraft.

party [ˈpɑːtɪ] **1.** n (POL, JUR) Partei f; (group) Gesellschaft f; (celebration) Party f; **2.** adj (dress) Gesellschafts-, Party-; (POL) Partei-.

pass [pɑːs] **1.** vt vorbeikommen an +dat; (on foot) vorbeigehen an +dat; (by car etc) vorbeifahren an +dat; (surpass) übersteigen; (hand on) weitergeben; (approve) gelten lassen, genehmigen; (time) verbringen; (exam) bestehen; **2.** vi (go by) vorbeigehen; vorbeifahren; (years) vergehen; (be successful) bestehen; **3.** n (in mountains) Paß m; (permission) Passierschein m; (SPORT) Paß m, Abgabe f; **to get a ~** (in exam) bestehen; **pass away** vi (die) verscheiden; **pass by** vi vorbeigehen; vorbeifahren; (years) vergehen; **pass for** vi gehalten werden für; **pass out** vi (faint) ohnmächtig werden.

passable [ˈpɑːsəbl] adj (road) passierbar, befahrbar; (fairly good) passabel, leidlich; **passably** adv leidlich, ziemlich.

passage [ˈpæsɪdʒ] n (corridor) Gang m, Korridor m; (in book) Textstelle f; (voyage) Überfahrt f; **passageway** n Passage f, Durchgang m.

passenger [ˈpæsɪndʒə*] n Passagier m; (on bus) Fahrgast m; (in aeroplane also) Fluggast m; (on train) Reisende(r) mf; **passenger lounge** n Warteraum m.

passer-by [ˈpɑːsəˈbaɪ] n Passant(in) m(f).

passing [ˈpɑːsɪŋ] **1.** n (death) Ableben nt; **2.** adj (car) vorbeifahrend; (thought, affair) momentan; **in ~** im vorbeigehen, en passant.

passion [ˈpæʃən] n Leidenschaft f; **passionate** adj, **passionately** adv leidenschaftlich.

passive [ˈpæsɪv] **1.** n Passiv nt; **2.** adj Passiv-, passiv; **~ smoking** Passivrauchen nt.

Passover [ˈpɑːsəʊvə*] n Passahfest nt.

passport [ˈpɑːspɔːt] n Reisepaß m.

password [ˈpɑːswɜːd] n (a. COMPUT) Kennwort nt.

past [pɑːst] **1.** n Vergangenheit f; **2.** adv vorbei; **3.** adj (years) vergangen; (president etc) ehemalig; **4.** prep: **to go ~ sth** an etw dat vorbeigehen; **to be ~ 10** (with age) über 10 sein; (with time) nach 10 sein.

pasta [ˈpæstə] n Nudeln pl.

paste [peɪst] **1.** n (for pastry) Teig m; (fish ~ etc) Paste f; (glue) Kleister m; **2.** vt kleben; (put ~ on) mit Kleister bestreichen.

pastel [ˈpæstəl] adj (colour) Pastell-.

pasteurized [ˈpæstəraɪzd] adj pasteurisiert.

pastille [ˈpæstɪl] n Pastille f.

pastime [ˈpɑːstaɪm] n Hobby nt, Zeitvertreib m.

pastmaster [pɑːstˈmɑːstə*] n Meister m.

pastor [ˈpɑːstə*] n Pastor(in) m(f), Pfar-

rer(in) m(f).

pastry [ˈpeɪstrɪ] n Blätterteig m; (tarts etc) Stückchen pl, Tortengebäck nt.

pasture [ˈpɑːstʃə*] n Weide f.

pasty 1. [ˈpæstɪ] n Fleischpastete f; **2.** [ˈpeɪstɪ] adj bläßlich, käsig.

pat [pæt] **1.** n leichter Schlag, Klaps m; **2.** vt tätscheln.

patch [pætʃ] **1.** n Fleck m; **2.** vt flicken; **a bad ~** eine Pechsträhne; **~ of fog** Nebelfeld nt; **patchwork** n Patchwork nt; **patchy** adj (irregular) ungleichmäßig.

patent [ˈpeɪtənt] **1.** n Patent nt; **2.** vt patentieren lassen; (by authorities) patentieren; **3.** adj offenkundig; **patent leather** n Lackleder nt; **patently** adv offensichtlich.

paternal [pəˈtɜːnl] adj väterlich; **his ~ grandmother** seine Großmutter väterlicherseits; **paternalistic** [pətɜːnəˈlɪstɪk] adj patriarchalisch.

paternity [pəˈtɜːnɪtɪ] n Vaterschaft f.

path [pɑːθ] n (a. fig) Pfad m, Weg m; (COMPUT) Pfad m; (of the sun) Bahn f.

pathetic adj, **pathetically** adv [pəˈθetɪk, -lɪ] (very bad) kläglich; **it's ~** es ist zum Weinen [o Heulen].

pathological [pæθəˈlɒdʒɪkəl] adj krankhaft, pathologisch; **pathologist** [pəˈθɒlədʒɪst] n Pathologe(-login) m(f); **pathology** [pəˈθɒlədʒɪ] n Pathologie f.

pathos [ˈpeɪθɒs] n Rührseligkeit f.

pathway [ˈpɑːθweɪ] n Pfad m, Weg m.

patience [ˈpeɪʃəns] n Geduld f; (CARDS) Patience f; **patient 1.** adj geduldig; **2.** n Patient(in) m(f), Kranke(r) mf; **patiently** adv geduldig.

patio [ˈpætɪəʊ] n ⟨-s⟩ Innenhof m; (outside) Terrasse f.

patriotic [pætrɪˈɒtɪk] adj patriotisch; **patriotism** [ˈpætrɪətɪzəm] n Patriotismus m.

patrol [pəˈtrəʊl] **1.** n Patrouille f; (police) Streife f; **2.** vt patrouillieren in +dat; **3.** vi (police) die Runde machen; (MIL) patrouillieren; **on ~** (police) auf Streife; **patrol car** n Streifenwagen m; **patrolman** ⟨patrolmen⟩ (US) Streifenpolizist m.

patron [ˈpeɪtrən] n (in shop) Stammkunde m, -kundin f; (in hotel) Stammgast m; (supporter) Förderer m, Förderin f; **patronage** [ˈpætrənɪdʒ] n Förderung f, Schirmherrschaft f; (COMM) Kundschaft f; **patronize** [ˈpætrənaɪz] vt (support) unterstützen; (shop) besuchen; (treat condescendingly) von oben herab behandeln; **patronizing** adj (attitude) herablassend; **patron saint** n Schutzheilige(r) mf, Schutzpatron(in) m(f).

patter [ˈpætə*] **1.** n (sound: of feet) Trappeln nt, Trippeln nt; (of rain) Prasseln nt; (sales talk) Art f zu reden, Gerede nt; **2.** vi (*feet*) trappeln; (*rain*) prasseln.

pattern [´pætən] **1.** *n* Muster *nt*; (*sewing*) Schnittmuster *nt*; (*knitting*) Strickanleitung *f*; **2.** *vt*: **to ~ sth on sth** etw nach etw bilden.

paunch [pɔːntʃ] *n* dicker Bauch, Wanst *m*.

pauper [´pɔːpə*] *n* Arme(r) *mf*.

pause [pɔːz] **1.** *n* Pause *f*; **2.** *vi* innehalten, eine Pause machen.

pave [peɪv] *vt* pflastern; **to ~ the way for** den Weg bahnen für; **pavement** *n* (*Brit*) Bürgersteig *m*.

pavilion [pə´vɪlɪən] *n* Pavillon *m*; (*SPORT*) Klubhaus *nt*.

paving [´peɪvɪŋ] *n* Straßenpflaster *nt*.

paw [pɔː] **1.** *n* Pfote *f*; (*of big cats*) Tatze *f*, Pranke *f*; **2.** *vt* (*scrape*) scharren; (*handle*) betatschen.

pawn [pɔːn] **1.** *n* Pfand *nt*; (*CHESS*) Bauer *m*; **2.** *vt* versetzen, verpfänden; **pawnbroker** *n* Pfandleiher(in) *m(f)*; **pawnshop** *n* Pfandhaus *nt*.

pay [peɪ] ⟨paid, paid⟩ **1.** *vt* bezahlen; **2.** *vi* zahlen; (*be profitable*) sich bezahlt machen; **3.** *n* Bezahlung *f*, Lohn *m*; **to be in sb's ~** von jdm bezahlt werden; **it would ~ you to ... es würde sich für dich lohnen, zu ...; to ~ attention** achtgeben (*to* auf +*akk*); **it doesn't ~** es lohnt sich nicht; **pay for** *vt* bezahlen für; **pay off** *vt* auszahlen und entlassen; **pay up** *vi* bezahlen, seine Schulden begleichen; **payable** *adj* zahlbar; (*due*) fällig; **pay-as-you-earn** [tax] **system** *n* Quellensteuerverfahren *nt* (*Steuersystem, bei dem die Lohnsteuer direkt einbehalten wird*); **payday** *n* Zahltag *m*.

PAYE *n abbr of* **pay-as-you-earn**.

payee [peɪ´iː] *n* Zahlungsempfänger(in) *m(f)*; **paying** *adj* einträglich, rentabel; **paying guest** *n* zahlender Gast; **payload** *n* Nutzlast *f*; **payment** *n* Bezahlung *f*; **pay negotiations** *n pl* Tarifverhandlungen *pl*; **pay packet** *n* Lohntüte *f*; **payroll** *n* Lohnliste *f*; **to be on sb's ~** bei jdm beschäftigt sein.

PC *n* **1.** *n abbr of* **personal computer** PC *m*; **2.** *n abbr of* **police constable** Polizeibeamte(r) *m*.

pc *adj abbr of* **politically correct**.

PDA *n abbr of* **personal digital assistant** PDA *m* (*kleiner Notizbuchrechner, der handschriftliche Eingaben ermöglicht*).

pea [piː] *n* Erbse *f*.

peace [piːs] *n* Frieden *m*; **peaceable** *adj*, **peaceably** *adv* friedlich; **Peace Corps** *n* (*US*) Entwicklungsdienst *m*; **peaceful** *adj* friedlich, ruhig; **peace-keeping** *adj* Friedens-; **~ role** Vermittlerrolle *f*; **peace movement** *n* Friedensbewegung *f*; **peace offering** *n* Friedensangebot *nt*; **peace studies** *n pl* Friedensforschung *f*; **peacetime** *n* Frieden *m*.

peach [piːtʃ] *n* Pfirsich *m*.

peacock [´piːkɒk] *n* Pfau *m*.

peak [piːk] *n* Spitze *f*; (*of mountain*) Gipfel *m*; (*fig*) Höhepunkt *m*; (*of cap*) Mützenschirm *m*; **peak period** *n* Stoßzeit *f*, Hauptverkehrzeit *f*.

peanut [´piːnʌt] *n* Erdnuß *f*; **to work for ~s** für einen Hungerlohn arbeiten; **peanut butter** *n* Erdnußbutter *f*.

pear [peə*] *n* Birne *f*.

pearl [pɜːl] *n* Perle *f*.

peasant [´pezənt] *n* Bauer *m*, Bäuerin *f*.

pea souper [´piːsuːpə*] *n* (*fam: fog*) Waschküche *f*.

peat [piːt] *n* Torf *m*.

pebble [´pebl] *n* Kiesel *m*.

peck [pek] **1.** *vt, vi* picken; **2.** *n* (*with beak*) Schnabelhieb *m*; (*kiss*) flüchtiger Kuß; **peckish** *adj* (*fam*) ein bißchen hungrig.

peculiar [pɪ´kjuːlɪə*] *adj* (*odd*) seltsam; **~ to** charakteristisch für; **peculiarity** [pɪkjʊlɪ´ærɪtɪ] *n* (*singular quality*) Besonderheit *f*; (*strangeness*) Eigenartigkeit *f*; **peculiarly** *adv* seltsam; (*especially*) besonders.

pecuniary [pɪ´kjuːnɪərɪ] *adj* Geld-, finanziell, pekuniär.

pedal [´pedl] **1.** *n* Pedal *nt*; **2.** *vi* (*cycle*) fahren, radfahren.

pedant [´pedənt] *n* Pedant(in) *m(f)*; **pedantic** [pɪ´dæntɪk] *adj* pedantisch; **pedantry** [´pedəntrɪ] *n* Pedanterie *f*.

peddle [´pedl] *vt* hausieren gehen mit.

pedestal [´pedɪstl] *n* Sockel *m*.

pedestrian [pɪ´destrɪən] **1.** *n* Fußgänger(in) *m(f)*; **2.** *adj* Fußgänger-; (*humdrum*) langweilig; **pedestrian crossing** *n* Fußgängerüberweg *m*; **pedestrianize** *vt* in eine Fußgängerzone umwandeln; **pedestrian precinct** *n* Fußgängerzone *f*.

pediatrics [piːdɪ´ætrɪks] *n sing* (*US*) *s.* **paediatrics**.

pedigree [´pedɪgriː] **1.** *n* Stammbaum *m*; **2.** *adj* (*animal*) reinrassig, Zucht-.

pee [piː] *vi* (*fam*) pinkeln.

peek [piːk] **1.** *n* flüchtiger Blick; **2.** *vi* gucken.

peel [piːl] **1.** *n* Schale *f*; **2.** *vt* schälen; **3.** *vi* (*paint etc*) abblättern; (*skin, person*) sich schälen; **peelings** *n pl* Schalen *pl*.

peep [piːp] **1.** *n* (*look*) neugieriger Blick; (*sound*) Piepsen *nt*; **2.** *vi* (*look*) neugierig gucken; **peephole** *n* Guckloch *nt*.

peer [pɪə*] **1.** *vi* angestrengt schauen (*at* auf +*akk*); (*peep*) gucken; **2.** *n* (*nobleman*) Peer *m*; (*equal*) Ebenbürtige(r) *mf*; **his ~s** seinesgleichen; **peerage** *n* Peerswürde *f*; **peerless** *adj* unvergleichlich.

peeve [piːv] *vt* (*fam*) verärgern; **peeved** *adj* ärgerlich; (*person*) sauer.

peevish [´piːvɪʃ] *adj* verdrießlich, brummig;

peevishness n Verdrießlichkeit f.

peg [peg] n Stift m; (hook) Haken m; (stake) Pflock m; **clothes** ~ Wäscheklammer f; **off the** ~ von der Stange.

pejorative [prˈdʒɔrɪtɪv] adj pejorativ, abwertend.

pekinese [piːkɪˈniːz] n Pekinese m.

Peking [piːˈkɪŋ] n Peking nt.

pelican [ˈpelɪkən] n Pelikan m.

pellet [ˈpelɪt] n Kügelchen nt.

pelmet [ˈpelmɪt] n Blende f, Schabracke f.

pelt [pelt] **1.** vt werfen (at nach); **2.** n Pelz m, Fell nt; **pelt down** vi niederprasseln.

pelvis [ˈpelvɪs] n Becken nt.

pen [pen] n Feder f; (fountain ~) Füllfederhalter m; (ball-point) Kuli m; (for sheep) Pferch m; **have you got a ~?** haben Sie etwas zum Schreiben?

penal [ˈpiːnl] adj Straf-; **penalize** vt (make punishable) unter Strafe stellen; (punish) bestrafen; (disadvantage) benachteiligen; **penalty** [ˈpenltɪ] n Strafe f; (FOOTBALL) Elfmeter m; **penalty area** n Strafraum m; **penalty kick** n Elfmeter m.

penance [ˈpenəns] n Buße f.

pence [pens] n pl of **penny** Pence pl.

pencil [ˈpensl] n Bleistift m; **pencil sharpener** n Bleistiftspitzer m.

pendant [ˈpendənt] n Anhänger m.

pending [ˈpendɪŋ] **1.** prep bis zu; **2.** adj unentschieden, noch offen.

pendulum [ˈpendjʊləm] n Pendel nt.

penetrate [ˈpenɪtreɪt] vt durchdringen; (enter into) eindringen in +akk; **penetrating** adj durchdringend; (analysis) scharfsinnig; **penetration** [penɪˈtreɪʃən] n Durchdringen nt, Eindringen nt.

penfriend [ˈpenfrend] n Brieffreund(in) m(f).

penguin [ˈpeŋgwɪn] n Pinguin m.

penicillin [penɪˈsɪlɪn] n Penizillin nt.

peninsula [prˈnɪnsjʊlə] n Halbinsel f.

penis [ˈpiːnɪs] n Penis m, männliches Glied.

penitence [ˈpenɪtəns] n Reue f; **penitent** adj reuig.

penitentiary [penɪˈtenʃərɪ] n (US) Zuchthaus nt.

penknife [ˈpennaɪf] n ⟨penknives⟩ Taschenmesser nt.

pen name [ˈpenneɪm] n Pseudonym nt.

pennant [ˈpenənt] n Wimpel m; (official ~) Stander m.

penniless [ˈpenɪləs] adj mittellos, ohne einen Pfennig.

penny [ˈpenɪ] n ⟨pence o pennies coins⟩ Penny m.

pen pal [ˈpenpæl] n Brieffreund(in) m(f).

pension [ˈpenʃən] n Rente f; (for civil servants, executives etc) Pension f; **pensionable** adj (person) pensionsberechtigt; (job)

mit Renten-/Pensionsanspruch; **pensioner** n Rentner(in) m(f); (civil servant, executive) Pensionär(in) m(f); **pension fund** n Rentenfonds m.

pensive [ˈpensɪv] adj nachdenklich.

pentagon [ˈpentəgən] n Fünfeck nt; **the Pentagon** (in USA) das Pentagon.

pentathlon [penˈtæθlən] n Zehnkampf m.

Pentecost [ˈpentɪkɒst] n Pfingsten nt.

penthouse [ˈpenthaʊs] n Dachterrassenwohnung f.

pent-up [ˈpentʌp] adj (feelings) angestaut.

penultimate [prˈnʌltɪmət] adj vorletzte(r, s).

people [ˈpiːpl] **1.** n pl (nation) Volk nt; (inhabitants) Bevölkerung f; (persons) Leute pl; **2.** vt besiedeln; ~ **think/say** man glaubt/sagt.

pep [pep] n (fam) Schwung m, Schmiß m; **pep up** vt aufmöbeln.

pepper [ˈpepə*] **1.** n Pfeffer m; (vegetable) Paprika m; **2.** vt (pelt) bombardieren; **peppermint** n (plant) Pfefferminze f; (sweet) Pfefferminz nt.

peptalk [ˈpeptɔːk] n: **to give sb a** ~ (fam) jdm gut zusprechen, jdn anspornen.

per [pɜː*] prep pro; ~ **annum** pro Jahr; ~ **cent** Prozent nt.

perceive [pəˈsiːv] vt (realize) wahrnehmen, spüren; (understand) verstehen.

percentage [pəˈsentɪdʒ] n Prozentsatz m; (payment) Anteil m, Prozente pl.

perceptible [pəˈseptəbl] adj merklich, wahrnehmbar.

perception [pəˈsepʃən] n Wahrnehmung f; (insight) Einsicht f.

perceptive [pəˈseptɪv] adj (person) aufmerksam; (analysis) tiefgehend, scharfsinnig.

perch [pɜːtʃ] **1.** n Stange f; (fish) Flußbarsch m; **2.** vi sitzen, hocken.

percolator [ˈpɜːkəleɪtə*] n Kaffeemaschine f.

percussion [pɜːˈkʌʃən] n (MUS) Schlagzeug nt; ~ **drill** Schlagbohrmaschine f.

peremptory [pəˈremptərɪ] adj schroff.

perennial [pəˈrenɪəl] **1.** adj wiederkehrend; (everlasting) unvergänglich; **2.** n mehrjährige Pflanze f.

perfect [ˈpɜːfɪkt] **1.** adj vollkommen; (crime, solution) perfekt; **2.** n (LING) Perfekt nt; **3.** [pəˈfekt] vt vervollkommnen; **perfection** [pəˈfekʃən] n Vollkommenheit f, Perfektion f; **perfectionist** [pəˈfekʃənɪst] n Perfektionist(in) m(f); **perfectly** adv vollkommen, perfekt; (quite) ganz, einfach.

perforate [ˈpɜːfəreɪt] vt perforieren; **perforated** adj perforiert; **perforation** [pɜːfəˈreɪʃən] n Perforation f.

perform [pəˈfɔːm] **1.** vt (play, concert) aufführen; (*solo*) vortragen; (*trick*) vorführen; (*task*) ausführen; (*duty*) erfüllen; (*operation*) durchführen; **2.** *vi* (*THEAT*) auftreten; (*car, team etc*) leisten; **to ~ well** viel leisten; **performance** *n* Durchführung *f*; (*efficiency*) Leistung *f*; (*show*) Vorstellung *f*; **performer** *n* Künstler(in) *m(f)*; **performing** *adj* (*animal*) dressiert.

perfume [ˈpɜːfjuːm] *n* (*scent*) Duft *m*; (*substance*) Parfüm *nt*.

perfunctory [pəˈfʌŋktərɪ] *adj* oberflächlich, mechanisch.

perhaps [pəˈhæps] *adv* vielleicht.

peril [ˈperɪl] *n* Gefahr *f*; **perilous** *adj*, **perilously** *adv* gefährlich.

perimeter [pəˈrɪmɪtə*] *n* Peripherie *f*; (*of circle etc*) Umfang *m*.

period [ˈpɪərɪəd] **1.** *n* Periode *f*, Zeit *f*; (*LING*) Punkt *m*; (*MED*) Periode *f*; **2.** *adj* (*costume*) historisch; **periodical** *n* Zeitschrift *f*; **periodically** *adv* periodisch.

peripheral [pəˈrɪfərəl] **1.** *adj* Rand-, peripher, nebensächlich; **2.** *n* (*COMPUT*) Peripheriegerät *nt*.

periphery [pəˈrɪfərɪ] *n* Peripherie *f*, Rand *m*.

periscope [ˈperɪskəʊp] *n* Periskop *nt*, Sehrohr *nt*.

perish [ˈperɪʃ] *vi* umkommen; (*material*) unbrauchbar werden; (*fruit*) verderben; **~ the thought** daran wollen wir nicht denken; **perishable** *adj* (*fruit*) leicht verderblich; **perishing** *adj* (*fam: cold*) eisig.

perjure [ˈpɜːdʒə*] *vr*: **~ oneself** einen Meineid leisten; **perjury** [ˈpɜːdʒərɪ] *n* Meineid *m*.

perk [pɜːk] *n* (*fam: fringe benefit*) Vergünstigung *f*; **perk up 1.** *vi* munter werden; **2.** *vt* (*ears*) spitzen; **perky** *adj* (*cheerful*) keck, munter.

perm [pɜːm] *n* Dauerwelle *f*.

permanent *adj*, **permanently** *adv* [ˈpɜːmənənt, -lɪ] dauernd, ständig.

permissible [pəˈmɪsəbl] *adj* zulässig.

permission [pəˈmɪʃən] *n* Erlaubnis *f*, Genehmigung *f*.

permissive [pəˈmɪsɪv] *adj* nachgiebig; (*society etc*) permissiv, sexuell freizügig; **permissiveness** *n* Permissivität *f*, sexuelle Freizügigkeit.

permit [ˈpɜːmɪt] **1.** *n* Genehmigung *f*, Erlaubnisschein *m*; **2.** [pəˈmɪt] *vt* erlauben, zulassen.

permutation [pɜːmjʊˈteɪʃən] *n* Veränderung *f*, (*MATH*) Permutation *f*.

pernicious [pɜːˈnɪʃəs] *adj* schädlich.

perpendicular [pɜːpənˈdɪkjʊlə*] *adj* senkrecht.

perpetrate [ˈpɜːpɪtreɪt] *vt* begehen, ver-

üben.

perpetual *adj*, **perpetually** *adv* [pəˈpetjʊəl, -ɪ] ständig, dauernd; **perpetuate** [pəˈpetjʊeɪt] *vt* verewigen, bewahren; **perpetuity** [pɜːpɪˈtjuːɪtɪ] *n* Ewigkeit *f*.

perplex [pəˈpleks] *vt* verblüffen; **perplexed** *adj* verblüfft, perplex; **perplexing** *adj* verblüffend; **perplexity** *n* Verblüffung *f*.

persecute [ˈpɜːsɪkjuːt] *vt* verfolgen; **persecution** [pɜːsɪˈkjuːʃən] *n* Verfolgung *f*.

perseverance [pɜːsɪˈvɪərəns] *n* Ausdauer *f*; **persevere** *vi* beharren, durchhalten.

Persian [ˈpɜːʃən] **1.** *adj* persisch; **2.** *n* (*person*) Perser(in) *m(f)*; (*cat*) Perserkatze *f*; **the ~ Gulf** der Persische Golf.

persist [pəˈsɪst] *vi* (*in belief etc*) bleiben (*in* bei); (*rain, smell*) andauern; (*continue*) nicht aufhören; **persistence** *n* Beharrlichkeit *f*; **persistent** *adj*, **persistently** *adv* beharrlich; (*unending*) ständig.

person [ˈpɜːsn] *n* Mensch *m*; (*LING, in official context*) Person *f*; **on one's ~** bei sich; **in ~** persönlich; **personable** *adj* gutaussehend; **personal** *adj* persönlich; (*private*) privat; (*of body*) körperlich, Körper-; **personal computer** *n* Personal Computer *m*, PC *m*; **personal identification number** *n* Geheimnummer *f*; **personality** [pɜːsəˈnælɪtɪ] *n* Persönlichkeit *f*; **personal stereo** *n* Walkman® *m*.

personification [pɜːsɒnɪfɪˈkeɪʃən] *n* Verkörperung *f*; **personify** [pɜːˈsɒnɪfaɪ] *vt* verkörpern, personifizieren.

personnel [pɜːsəˈnel] *n* Personal *nt*; (*in factory*) Belegschaft *f*; (*department*) Personalabteilung *f*; **personnel manager** *n* Personalchef(in) *m(f)*.

perspective [pəˈspektɪv] *n* Perspektive *f*.

perspex® [ˈpɜːspeks] *n* Acrylglas *nt*.

perspicacity [pɜːspɪˈkæsɪtɪ] *n* Scharfsinn *m*.

perspiration [pɜːspəˈreɪʃən] *n* Transpiration *f*; **perspire** [pəˈspaɪə*] *vi* schwitzen.

persuade [pəˈsweɪd] *vt* überreden; (*convince*) überzeugen; **persuasion** [pəˈsweɪʒən] *n* Überredung *f*; Überzeugung *f*; **persuasive** *adj*, **persuasively** *adv* [pəˈsweɪsɪv, -lɪ] überzeugend.

pert [pɜːt] *adj* keck.

pertain [pɜːˈteɪn] *vt* gehören (*to* zu); **~ing to** betreffend +*akk*.

pertinent [ˈpɜːtɪnənt] *adj* relevant.

perturb [pəˈtɜːb] *vt* beunruhigen.

pervasive [pəˈveɪsɪv] *adj* (*smell*) durchdringend; (*ideas*) um sich greifend.

perverse *adj*, **perversely** *adv* [pəˈvɜːs, -lɪ] pervers; (*obstinate*) eigensinnig; **perverseness** *n* Perversität *f*; Eigensinn *m*;

perversion |pə'vɜ:ʃən| n Perversion f; (of justice) Verdrehung f; **perversity** [pə'vɜ:sɪtɪ] n Perversität f; **pervert** ['pɜ:vɜ:t] **1.** n Perverse(r) mf; **2.** [pə'vɜ:t] vt verdrehen; (morally) verderben.

pessimism ['pesɪmɪzəm] n Pessimismus m; **pessimist** n Pessimist(in) m(f); **pessimistic** [pesɪ'mɪstɪk] adj pessimistisch.

pest [pest] n Plage f; (insect) Schädling m; (fig: person) Nervensäge f; (thing) Plage f.

pester ['pestə*] vt plagen.

pesticide ['pestɪsaɪd] n Schädlingsbekämpfungsmittel nt.

pestle ['pesl] n Stößel m.

pet [pet] **1.** n (animal) Haustier nt; (person) Liebling m; **2.** vt liebkosen, streicheln.

petal ['petl] n Blütenblatt nt.

peter out ['pi:tə* aut] vi allmählich zu Ende gehen.

petite [pə'ti:t] adj zierlich.

petition [pə'tɪʃən] n Bittschrift f.

petrel ['petrəl] n Sturmvogel m.

petrified ['petrɪfaɪd] adj versteinert; (person) starr vor Schreck; **petrify** vt versteinern; (person) erstarren lassen.

petrol ['petrəl] n (Brit) Benzin nt, Kraftstoff m; **petroleum** [pɪ'trəuliəm] n Petroleum nt; **petrol pump** (in car) Benzinpumpe f; (at garage) Zapfsäule f, Tanksäule f; **petrol station** n Tankstelle f; **petrol tank** n Benzintank m.

petticoat ['petɪkəut] n Unterrock m, Petticoat m.

pettifogging ['petɪfɒgɪŋ] adj kleinlich.

pettiness ['petɪnɪs] n Geringfügigkeit f; (meanness) Kleinlichkeit f.

petty ['petɪ] adj (unimportant) geringfügig, unbedeutend; (mean) kleinlich; **petty cash** n Portokasse f; **petty officer** n Maat m.

petulant ['petjulənt] adj leicht reizbar.

pew [pju:] n Kirchenbank f.

pewter ['pju:tə*] n Zinn nt.

pH n pH-Wert m.

phallic ['fælɪk] adj phallisch, Phallus-.

phantom ['fæntəm] n Phantom nt, Geist m.

pharmacist ['fɑ:məsɪst] n Pharmazeut(in) m(f); (druggist) Apotheker(in) m(f); **pharmacy** ['fɑ:məsɪ] n Pharmazie f; (shop) Apotheke f.

phase [feɪz] n Phase f; **phase out** vt langsam abbauen; (model) auslaufen lassen; (person) absetzen.

PhD n abbr of Doctor of Philosophy Dr. phil; (dissertation) Doktorarbeit f.

pheasant ['feznt] n Fasan m.

phenomenal [fɪ'nɒmɪnl] adj, **phenomenally** adv [fɪ'nɒmɪnl, -nəlɪ] phänomenal.

phenomenon [fɪ'nɒmɪnən] n ⟨phenom-ena⟩ Phänomen nt; **common** ~ häufige Erscheinung.

phial ['faɪəl] n Fläschchen nt; (for serum) Ampulle f.

philanderer [fɪ'lændərə*] n Schurzenjäger m.

philanthropic [fɪlən'θrɒpɪk] adj philanthropisch, menschenfreundlich; **philanthropist** [fɪ'lænθrəpɪst] n Philanthrop m, Menschenfreund m.

philatelist [fɪ'lætəlɪst] n Briefmarkensammler(in) m(f), Philatelist(in) m(f); **philately** [fɪ'lætlɪ] n Briefmarkensammeln nt, Philatelie f.

Philippines ['fɪlɪpi:nz] n pl Philippinen pl.

philosopher [fɪ'lɒsəfə*] n Philosoph(in) m(f).

philosophical [fɪlə'sɒfɪkəl] adj philosophisch.

philosophize [fɪ'lɒsəfaɪz] vi philosophieren.

philosophy [fɪ'lɒsəfɪ] n Philosophie f, Weltanschauung f.

phlegm [flem] n (MED) Schleim m; (calmness) Gelassenheit f; **phlegmatic** [fleg'mætɪk] adj (cool) gelassen; (stolid) träge, phlegmatisch.

phobia ['fəubɪə] n krankhafte Furcht, Phobie f.

phoenix ['fi:nɪks] n Phönix m.

phone [fəun] **1.** n Telefon nt; **2.** vt, vi telefonieren, anrufen; **phonecard** n Telefonkarte f; **phone-in** n Rundfunkprogramm, bei dem Hörer anrufen können.

phonetics [fəu'netɪks] n sing Phonetik f, Lautbildungslehre f; (in plural) Lautschrift f.

phoney ['fəunɪ] **1.** adj (fam) unecht; (excuse) faul; (money) gefälscht; **2.** n (person) Schwindler(in) m(f); (thing) Fälschung f; (pound note) Blüte f.

phonograph ['fəunəgrɑ:f] n (US) Grammophon nt.

phosphate ['fɒsfeɪt] n Phosphat nt.

phosphorus ['fɒsfərəs] n Phosphor m.

photo ['fəutəu] n (-s) Foto nt.

photocopier ['fəutəu'kɒpɪə*] n Kopiergerät nt; **photocopy** ['fəutəukɒpɪ] **1.** n Fotokopie f; **2.** vt fotokopieren.

photo finish ['fəutəu'fɪnɪʃ] n Zielfotografie f.

photogenic [fəutəu'dʒenɪk] adj fotogen.

photograph ['fəutəgrɑ:f] **1.** n Fotografie f, Aufnahme f; **2.** vt fotografieren, aufnehmen; **photographer** [fə'tɒgrəfə] n Fotograf(in) m(f); **photographic** [fəutə'græfɪk] adj fotografisch; **photography** [fə'tɒgrəfɪ] n Fotografie f; (of film, book) Aufnahmen pl.

photostat ['fəutəustæt] n Fotokopie f.

phrase [freɪz] **1.** n Satz m; (LING) Phrase f; (expression) Redewendung f, Ausdruck m; **2.** vt ausdrücken, formulieren; **phrase book** n Sprachführer m.

physical adj, **physically** adv [ˈfɪzɪkəl, -ɪ] physikalisch; (bodily) körperlich, physisch; **~ training, ~ education** Turnen nt.

physician [fɪˈzɪʃən] n Arzt m, Ärztin f.

physicist [ˈfɪzɪsɪst] n Physiker(in) m(f).

physics [ˈfɪzɪks] n sing Physik f.

physiology [fɪzɪˈɒlədʒɪ] n Physiologie f.

physiotherapist [fɪzɪəˈθerəpɪst] n Krankengymnast(in) m(f); **physiotherapy** n Krankengymnastik f, Physiotherapie f.

physique [fɪˈziːk] n Körperbau m; (in health) Konstitution f.

pianist [ˈpɪənɪst] n Pianist(in) m(f).

piano [ˈpjɑːnəʊ] n ⟨-s⟩ Klavier nt; **piano-accordion** n Akkordeon nt.

piccolo [ˈpɪkələʊ] n ⟨-s⟩ Pikkoloflöte f.

pick [pɪk] **1.** n (tool) Pickel m; (choice) Auswahl f; **2.** vt (gather) auflesen, sammeln; (fruit) pflücken; (choose) auswählen, aussuchen; (MUS) zupfen; (bird) [auf]picken; **to ~ one's nose** in der Nase bohren; **to ~ sb's pocket** jdn bestehlen; **to ~ at one's food** im Essen herumstochern; **the ~ of** das Beste von; **pick on** vt (person) herumhacken auf +dat; **why ~ ~ me?** warum ich?; **pick out** vt auswählen; **pick up 1.** vi (improve) sich erholen; **2.** vt (lift up) aufheben; (learn) schnell mitbekommen; (word) aufschnappen; (collect) abholen; (woman or man) abschleppen; (speed) gewinnen an +dat; **pick axe** n Pickel m.

picket [ˈpɪkɪt] **1.** n (stake) Pfahl m, Pflock m; (guard) Posten m; (striker) Streikposten m; **2.** vt (factory) Streikposten aufstellen vor +dat; **3.** vi Streikposten stehen; **picketing** n Streikwache f; **picket line** n Streikpostenkette f.

pickle [ˈpɪkl] **1.** n (food) [Mixed] Pickles pl; (fam) Klemme f; **2.** vt einlegen; einpökeln.

pick-me-up [ˈpɪkmiːʌp] adj Schnäpschen nt.

pickpocket [ˈpɪkpɒkɪt] n Taschendieb(in) m(f).

pickup [ˈpɪkʌp] n (on record player) Tonabnehmer m; (small truck) Lieferwagen m.

picnic [ˈpɪknɪk] **1.** n Picknick nt; **2.** vi picknicken.

pictogram [ˈpɪktəgræm] n Piktogramm nt.

pictorial [pɪkˈtɔːrɪəl] **1.** adj in Bildern, bebildert; **2.** n Illustrierte f.

picture [ˈpɪktʃə*] **1.** n Bild nt; (likeness also) Abbild nt; (in words) Darstellung f; **2.** vt darstellen; (fig: paint) malen; (visualize) sich dat vorstellen; **the ~s** pl (Brit) das Kino; **in the ~** (fig) im Bild; **picture book** n Bilderbuch nt.

picturesque [pɪktʃəˈresk] adj malerisch.

pidgin [ˈpɪdʒɪn] adj: **~ English** Pidgin-Englisch nt.

pie [paɪ] n (meat) Pastete f; (fruit) Kuchen m.

piebald [ˈpaɪbɔːld] adj gescheckt.

piece [piːs] n Stück nt; **to go to ~s** (work, standard) wertlos werden; **he's gone to ~s** er ist vor die Hunde gegangen; **in ~s** entzwei, kaputt; (taken apart) auseinandergenommen; **a ~ of cake** (fam) ein Kinderspiel; **piecemeal** adv stückweise, Stück für Stück; (not ordered) durcheinander; **piece together** vt zusammensetzen; **piecework** n Akkordarbeit f.

pier [pɪə*] n Pier m, Mole f.

pierce [pɪəs] vt durchstechen, durchbohren; (look) durchdringen; **piercing** adj durchdringend; (cry also) gellend.

piety [ˈpaɪətɪ] n Frömmigkeit f.

pig [pɪg] n Schwein nt.

pigeon [ˈpɪdʒən] n Taube f; **pigeonhole 1.** n (compartment) Ablegefach nt; **2.** vt ablegen; (idea) zu den Akten legen.

piggy bank [ˈpɪgɪbæŋk] n Sparschwein nt.

pigheaded [ˈpɪgˈhedɪd] adj dickköpfig, stur.

piglet [ˈpɪglət] n Ferkel nt, Schweinchen nt.

pigment [ˈpɪgmənt] n Farbstoff m; (a. BIO) Pigment nt; **pigmentation** [pɪgmənˈteɪʃən] n Färbung f, Pigmentation f.

pigmy [ˈpɪgmɪ] n Pygmäe m.

pigskin [ˈpɪgskɪn] **1.** n Schweinsleder nt; **2.** adj schweinsledern.

pigsty [ˈpɪgstaɪ] n (a. fig) Schweinestall m.

pigtail [ˈpɪgteɪl] n Zopf m.

pike [paɪk] n Pike f; (fish) Hecht m.

pilchard [ˈpɪltʃəd] n Sardine f.

pile [paɪl] **1.** n Haufen m; (of books, wood) Stapel m, Stoß m; (in ground) Pfahl m; (of bridge) Pfeiler m; (on carpet) Flor m; **2.** vt, vi (also: **~ up**) sich anhäufen.

piles [paɪlz] n pl Hämorrhoiden pl.

pile-up [ˈpaɪlʌp] n (AUTO) Massenzusammenstoß m.

pilfer [ˈpɪlfə*] vt stehlen, klauen; **pilfering** n Diebstahl m.

pilgrim [ˈpɪlgrɪm] n Wallfahrer(in) m(f), Pilger(in) m(f); **pilgrimage** [ˈpɪlgrɪmɪdʒ] n Wallfahrt f, Pilgerfahrt f.

pill [pɪl] n Tablette f, Pille f; **the Pill** die [Antibaby]pille.

pillage [ˈpɪlɪdʒ] vt plündern.

pillar [ˈpɪlə*] n Pfeiler m; (a. fig) Säule f; **pillar box** n (Brit) Briefkasten m.

pillion [ˈpɪljən] n Soziussitz m; **pillion passenger** n Soziusfahrer(in) m(f).

pillory [ˈpɪlərɪ] **1.** n Pranger m; **2.** vt (fig) anprangern.

pillow [ˈpɪləʊ] n Kissen nt; **pillowcase** n

Kissenbezug m.

pilot ['paɪlət] **1.** n Pilot(in) m(f); (NAUT) Lotse m; **2.** adj (scheme etc) Versuchs-, Pilot-; **3.** vt führen; (ship) lotsen; **pilot light** n Zündflamme f; **pilot scheme** n Pilotprojekt nt.

pimento [pɪ'mentəʊ] n ⟨-s⟩ (US) rote Paprikaschote.

pimp [pɪmp] n Zuhälter m.

pimple ['pɪmpl] n Pickel m; **pimply** ['pɪmplɪ] adj pickelig.

PIN n abbr of **personal identification number**.

pin [pɪn] **1.** n Nadel f; (sewing) Stecknadel f; (TECH) Stift m, Bolzen m; **2.** vt stecken, heften (to an +akk); (keep in one position) pressen, drücken; **~s and needles** pl Kribbeln nt; **I have ~s and needles in my leg** mein Bein ist mir eingeschlafen; **pin down** vt (fig: person) festnageln (to auf +akk).

pinafore ['pɪnəfɔː*] n Schürze f; **pinafore dress** n Trägerkleid nt.

pincers ['pɪnsəz] n pl Kneifzange f, Beißzange f; (crab's) Pinzette f.

pinch [pɪntʃ] **1.** n Zwicken nt, Kneifen nt; (of salt) Prise f; **2.** vt, vi zwicken, kneifen; (shoe) drücken; **3.** vt (fam: steal) klauen; (arrest) schnappen; **at a ~** notfalls, zur Not; **to feel the ~** die Not [o es] zu spüren bekommen.

pincushion ['pɪnkʊʃən] n Nadelkissen nt.

pine [paɪn] **1.** n (also: ~ tree) Kiefer f; **2.** vi: **to ~ for** sich sehnen [o verzehren] nach; **to ~ away** sich zu Tode sehnen.

pineapple ['paɪnæpl] n Ananas f.

ping [pɪŋ] n Peng nt, Kling nt; **ping-pong** n Pingpong nt.

pink [pɪŋk] **1.** n (plant) Nelke f; (colour) Rosa nt; **2.** adj (colour) rosafarben.

pinnacle ['pɪnəkl] n Spitze f.

PIN-number ['pɪnʌmbə*] n Geheimnummer f.

pinpoint ['pɪnpɔɪnt] vt festlegen.

pinstripe ['pɪnstraɪp] n Nadelstreifen m.

pint [paɪnt] n Pint m (Brit: 0,57 l, US: 0,473l).

pin-up ['pɪnʌp] n Pin-up-girl nt.

pioneer [paɪə'nɪə*] n Pionier(in) m(f); (fig a.) Bahnbrecher(in) m(f).

pious ['paɪəs] adj fromm; (literature) geistlich.

pip [pɪp] n Kern m; (sound) Piepen nt; (on uniform) Stern m.

pipe [paɪp] **1.** n (for smoking) Pfeife f; (MUS) Flöte f; (tube) Rohr nt; (in house) Rohrleitung f; **2.** vt, vi leiten; (MUS) blasen; **pipe down** vi (be quiet) die Luft anhalten; **pipe cleaner** n Pfeifenreiniger m; **pipe-dream** n Hirngespinst nt; **pipeline** n (for

oil) Pipeline f; **piper** n Pfeifer(in) m(f); (bagpipes) Dudelsackbläser(in) m(f); **pipe tobacco** n Pfeifentabak m.

piping ['paɪpɪŋ] **1.** n Leitungsnetz nt; (on cake) Dekoration f; (on uniform) Tresse f; **2.** adv: **~ hot** kochend heiß.

piquant ['piːkənt] adj pikant.

pique [piːk] n gekränkter Stolz; **piqued** adj pikiert.

piracy ['paɪərəsɪ] n Piraterie f; (plagiarism) Plagiat nt.

pirate ['paɪərɪt] **1.** n Pirat(in) m(f), Seeräuber m; **2.** vt unerlaubt kopieren; **pirated copy** n Raubkopie f; **pirate radio** n Piratensender m.

pirouette [pɪrʊ'et] **1.** n Pirouette f; **2.** vi pirouettieren, eine Pirouette drehen.

Pisces ['paɪsiːz] n sing (ASTR) Fische pl; **she is ~** sie ist [ein] Fisch.

piss [pɪs] vi (fam!) pissen; **~ off!** (Brit fam!) verpiß dich!; (don't be stupid) du kannst mich mal!

pissed [pɪst] adj (fam) sturzbesoffen.

pistol ['pɪstl] n Pistole f.

piston ['pɪstən] n Kolben m.

pit [pɪt] **1.** n Grube f; (THEAT) Parterre nt; **2.** vt (mark with scars) zerfressen; (compare oneself) messen (against an +dat); (sb/sth) messen (against an +dat); **the ~s** pl (for motor racing) die Boxen pl; **orchestra ~** Orchestergraben m.

pitch [pɪtʃ] **1.** n Wurf m; (of trader) Stand m; (SPORT) Spielfeld nt; (slope) Neigung f; (degree) Stufe f; (MUS) Tonlage f; (substance) Pech nt; **2.** vt werfen, schleudern; (set up) aufschlagen; (song) anstimmen; **3.** vi (fall) der Länge nach hinschlagen; (NAUT) rollen; **~ed too high** zu hoch; **~ed battle** offene Schlacht; **perfect ~** absolutes Gehör; **to queer sb's ~** (fam) jdm alles verderben; **pitch-black** adj pechschwarz.

piteous ['pɪtɪəs] adj kläglich, erbärmlich.

pitfall ['pɪtfɔːl] n (fig) Falle f.

pith [pɪθ] n Mark nt; (of speech) Kern m.

pithead ['pɪthed] n Schachtkopf m.

pithy ['pɪθɪ] adj prägnant.

pitiable ['pɪtɪəbl] adj bedauernswert; (contemptible) jämmerlich.

pitiful adj, **pitifully** adv ['pɪtɪfʊl, -fəlɪ] mitleidig; (deserving pity) bedauernswert; (contemptible) jämmerlich; **pitiless** adj, **pitilessly** adv erbarmungslos.

pittance ['pɪtəns] n Hungerlohn m.

pity ['pɪtɪ] **1.** n (sympathy) Mitleid nt; (shame) Jammer m; **2.** vt Mitleid haben mit; **I ~ you** du tust mir leid; **to have [o take] ~ on sb** jdm Mitleid haben; **for ~'s sake!** um Himmels willen!; **what a ~** wie schade; **it's a ~** es ist schade; **pitying** adj mitleidig.

pivot [ˈpɪvət] **1.** n Drehpunkt m; (pin) Drehzapfen m; (fig) Angelpunkt m; **2.** vi sich drehen (on um).

pixie [ˈpɪksɪ] n Elfe f.

pixel [ˈpɪksl] n (COMPUT) Pixel nt.

placate [pləˈkeɪt] vt beschwichtigen, besänftigen.

place [pleɪs] **1.** n Platz m; (spot) Stelle f; (town etc) Ort m; **2.** vt setzen, stellen, legen; (order) aufgeben; (SPORT) plazieren; (identify) unterbringen; **in ~** am rechten Platz; **out of ~** nicht am rechten Platz; (fig: remark) unangebracht; **in ~ of** anstelle von; **in the first/second ~** erstens/zweitens; **to give ~ to** Platz machen +dat; **to invite sb to one's ~** jdn zu sich nach Hause einladen; **to put sb in his ~** jdn in seine Schranken verweisen; **~ of worship** Stätte f des Gebets; **place mat** n Platzdeckchen nt.

placid [ˈplæsɪd] adj gelassen, ruhig.

plagiarism [ˈpleɪdʒɪərɪzəm] n Plagiat nt; **plagiarist** [ˈpleɪdʒɪərɪst] n Plagiator(in) m(f); **plagiarize** [ˈpleɪdʒɪəraɪz] vt abschreiben, plagiieren.

plague [pleɪg] **1.** n Pest f; (fig) Plage f; **2.** vt plagen.

plaice [pleɪs] n Scholle f.

plain [pleɪn] **1.** adj (clear) klar, deutlich; (simple) einfach, schlicht; (not beautiful) unscheinbar, nicht attraktiv; (honest) offen; **2.** n Ebene f; (chocolate) bittere Schokolade; **in ~ clothes** (police) in Zivilkleidung; **it is ~ sailing** das ist ganz einfach; **plainly** adv klar, deutlich; einfach; offen; **plainness** n Einfachheit f.

plaintiff [ˈpleɪntɪf] n Kläger(in) m(f).

plait [plæt] **1.** n Zopf m; **2.** vt flechten.

plan [plæn] **1.** n Plan m; **2.** vt, vi planen; (intend also) vorhaben; **according to ~** planmäßig; **plan out** vt vorbereiten.

plane [pleɪn] **1.** n Ebene f; (AVIAT) Flugzeug nt; (tool) Hobel m; (tree) Platane f; **2.** adj eben, flach; **3.** vt hobeln.

planet [ˈplænɪt] n Planet m.

planetarium [plænɪˈtɛərɪəm] n Planetarium nt.

plank [plæŋk] n Planke f, Brett nt; (POL) Programmpunkt m.

plankton [ˈplæŋktən] n Plankton nt.

planning [ˈplænɪŋ] n Planen nt, Planung f; **~ permission** Baugenehmigung f.

plant [plɑːnt] **1.** n Pflanze f; (TECH) Maschinenanlage f; (factory) Fabrik f, Werk nt; **2.** vt pflanzen; (set firmly) stellen.

plantain [ˈplæntɪn] n Mehlbanane f.

plantation [plænˈteɪʃən] n Pflanzung f, Plantage f.

plaque [plæk] n Gedenktafel f; (on teeth) Zahnbelag m.

plasma [ˈplæzmə] n Plasma nt.

plaster [ˈplɑːstə*] **1.** n Gips m; (on wall) Verputz m; (MED: sticking ~) Pflaster nt; (for fracture) Gipsverband m; **2.** vt gipsen; (hole) zugipsen; (ceiling) verputzen; (fig: with pictures etc) bekleben; **in ~** (leg etc) in Gips; **plastered** adj (fam) besoffen.

plastic [ˈplæstɪk] **1.** n Kunststoff m; **2.** adj (made of plastic) Kunststoff-, Plastik-; (soft) formbar, plastisch; (ART) plastisch, bildend; **~ bag** Plastiktüte f; **~ surgery** plastische Chirurgie, Schönheitsoperation f.

plasticine [ˈplæstɪsiːn] n Plastilin nt.

plate [pleɪt] **1.** n Teller m; (gold/silver) vergoldetes/versilbertes Tafelgeschirr; (flat sheet) Platte f; (in book) Bildtafel f; **2.** vt überziehen, plattieren; **to silver-/gold-plate** versilbern/vergolden.

plateau [ˈplætəʊ] n ⟨-x⟩ Hochebene f, Plateau nt.

platform [ˈplætfɔːm] n (at meeting) Plattform f, Podium nt; (stage) Bühne f; (RAIL) Bahnsteig m; (POL) Parteiprogramm nt; **platform ticket** n Bahnsteigkarte f.

platinum [ˈplætɪnəm] n Platin nt.

platitude [ˈplætɪtjuːd] n Gemeinplatz m, Platitüde f.

platter [ˈplætə*] n Platte f.

plausibility [plɔːzəˈbɪlɪtɪ] n Plausibilität f; **~ check** Plausibilitätskontrolle f; **plausible** adj, **plausibly** adv [ˈplɔːzəbl, -blɪ] plausibel, einleuchtend; (liar) überzeugend.

play [pleɪ] **1.** n (a. TECH) Spiel nt; (THEAT) Theaterstück nt, Schauspiel nt; **2.** vt, vi spielen; (another team) spielen gegen; (put sb in a team) einsetzen, spielen lassen; **to ~ a joke on sb** jdm einen Streich spielen; **to ~ sb off against sb else** jdn gegen jdn anders ausspielen; **to ~ a part in** (fig) eine Rolle spielen bei; **play down** vt herunterspielen; **play up** vi (cause trouble) frech werden; (bad leg etc) weh tun; **2.** vt (person) plagen; **to ~ ~ to sb** jdm schöntun; **playacting** n Schauspielerei f; **playboy** n Playboy m; **player** n Spieler(in) m(f); **playful** adj spielerisch, verspielt; **playgoer** n Theaterbesucher(in) m(f); **playground** n Spielplatz m; **play group** n Spielgruppe f; **playing card** n Spielkarte f; **playing field** n Sportplatz m; **playmate** n Spielkamerad(in) m(f); **play-off** n (SPORT) Entscheidungsspiel nt; **playpen** n Laufstall m; **plaything** n Spielzeug nt; **playwright** n Dramatiker(in) m(f).

plc abbr of **public limited company** AG f.

plea [pliː] n Bitte f, Gesuch nt; (JUR) Antwort f des Angeklagten; (excuse) Ausrede f, Vorwand m; (objection) Einrede f; **~ of guilty** Geständnis nt.

plead [pliːd] **1.** vt (poverty) zur Entschuldigung anführen; (JUR: sb's case) vertreten; **2.**

vi (*beg*) dringend bitten (*with sb* jdn); (*JUR*) plädieren; **to ~ guilty** für schuldig plädieren.

pleasant *adj*, **pleasantly** *adv* ['plɛznt, -lı] angenehm, freundlich; **pleasantness** *n* Angenehme(s) *nt*; (*of person*) angenehmes Wesen, Freundlichkeit *f*; **pleasantry** *n* Scherz *m*.

please [pli:z] *vt* (*be agreeable to*) gefallen +*dat*; ~ bitte; ~ **yourself** wie du willst; **do what you ~** mach' was du willst; **pleased** *adj* zufrieden; (*glad*) erfreut (*with* über +*akk*); **pleasing** *adj* erfreulich.

pleasurable *adj*, **pleasurably** *adv* ['plɛʒərəbl, -blı] angenehm, erfreulich.

pleasure ['plɛʒə*] *n* Vergnügen *nt*, Freude *f*; **it's a ~** gern geschehen; **they take no/ great ~ in doing . . .** es macht ihnen keinen/ großen Spaß zu . . .; **pleasure ground** *n* Vergnügungspark *m*; **pleasure-seeking** *adj* vergnügungshungrig; **pleasure steamer** *n* Vergnügungsdampfer *m*.

pleat [pli:t] *n* Falte *f*.

plebiscite ['plɛbɪsɪt] *n* Volksentscheid *m*, Plebiszit *nt*.

plebs [plɛbz] *n pl* Plebs *m*, Pöbel *m*.

plectrum ['plɛktrəm] *n* Plektron *nt*.

pledge [plɛdʒ] **1.** *n* Pfand *nt*; (*promise*) Versprechen *nt*; **2.** *vt* verpfänden; (*promise*) geloben, versprechen; **to take the ~** dem Alkohol abschwören.

plentiful ['plɛntɪfʊl] *adj* reichlich.

plenty ['plɛntɪ] *n* Fülle *f*, Überfluß *m*; **2.** *adv* (*fam*) ganz schön; **~ of** eine Menge, viel; **in ~** reichlich, massenhaft; **to be ~** genug sein, reichen.

pleurisy ['plʊərɪsɪ] *n* Brustfellentzündung *f*.

pliable ['plaɪəbl] *adj* biegsam; (*person*) beeinflußbar.

pliers ['plaɪəz] *n pl* Kombizange *f*.

plight [plaɪt] *n* Notlage *f*.

plimsolls ['plɪmsəlz] *n pl* Turnschuhe *pl*.

plod [plɒd] *vi* (*work*) sich abplagen; (*walk*) trotten; **plodder** *n* Arbeitstier *nt*; **plodding** *adj* schwerfällig.

plonk [plɒŋk] **1.** *n* (*fam: wine*) billiger Wein; **2.** *vt:* **to ~ sth down** etw hinknallen.

plot [plɒt] **1.** *n* Komplott *nt*, Verschwörung *f*; (*of story*) Handlung *f*; (*of land*) Stück *nt* Land, Grundstück *nt*; **2.** *vt* markieren; (*curve*) zeichnen; (*movements*) nachzeichnen; **3.** *vi* (*plan secretly*) sich verschwören, ein Komplott schmieden; **plotter** *n* Verschwörer(in) *m(f)*; (*COMPUT*) Plotter *m*; **plotting** *n* Intrigen *pl*.

plough, plow (*US*) [plaʊ] **1.** *n* Pflug *m*; **2.** *vt* pflügen; (*fam: exam candidate*) durchfallen lassen; **plough through** *vt* (*water*) durchpflügen; (*book*) sich kämpfen durch.

plow *n* (*US*) *s.* **plough**.

ploy [plɔɪ] *n* Masche *f*.

pluck [plʌk] **1.** *vt* (*fruit*) pflücken; (*guitar*) zupfen; (*goose*) rupfen; **2.** *n* Mut *m*; **to ~ up courage** all seinen Mut zusammennehmen; **plucky** *adj* beherzt.

plug [plʌg] **1.** *n* Stöpsel *m*; (*ELEC*) Stecker *m*; (*fam: publicity*) Schleichwerbung *f*; (*AUTO*) Zündkerze *f*; **2.** *vt* (*fam: advertise*) Reklame machen für; **to ~ in a lamp** den Stecker einer Lampe einstecken.

plum [plʌm] **1.** *n* Pflaume *f*, Zwetschge *f*; **2.** *adj* (*fam: job etc*) Super-.

plumage ['plu:mɪdʒ] *n* Gefieder *nt*.

plumb [plʌm] **1.** *n* Lot *nt*; **2.** *adj* senkrecht; **3.** *adv* (*exactly*) genau; **4.** *vt* ausloten; (*fig*) sondieren; (*mystery*) ergründen; **out of ~** nicht im Lot.

plumber ['plʌmə*] *n* Klempner(in) *m(f)*, Installateur(in) *m(f)*.

plumbing ['plʌmɪŋ] *n* (*craft*) Installieren *nt*; (*fittings*) Leitungen *pl*, Installationen *pl*.

plumbline ['plʌmlaɪn] *n* Senkblei *nt*.

plume [plu:m] **1.** *n* Feder *f*; (*of smoke etc*) Fahne *f*; **2.** *vr:* ~ **oneself** (*bird*) sich putzen.

plummet ['plʌmɪt] **1.** *n* Senkblei *nt*; **2.** *vi* abstürzen.

plump [plʌmp] **1.** *adj* rundlich, füllig; **2.** *vi* plumpsen, sich fallen lassen; **3.** *vt* plumpsen lassen; **to ~ for** (*fam: choose*) wählen, sich entscheiden für; **plumpness** *n* Rundlichkeit *f*.

plunder ['plʌndə*] **1.** *n* Plünderung *f*; (*loot*) Beute *f*; **2.** *vt* plündern; (*things*) rauben.

plunge [plʌndʒ] **1.** *n* Sprung *m*, Stürzen *nt*; **2.** *vt* stoßen; **3.** *vi* stürzen; (*ship*) rollen; **a room ~d into darkness** ein in Dunkelheit getauchtes Zimmer; **plunging** *adj* (*neckline*) offenherzig.

pluperfect [plu:'pɜ:fɪkt] *n* Plusquamperfekt *nt*, Vorvergangenheit *f*.

plural ['plʊərəl] *n* Plural *m*, Mehrzahl *f*.

pluralistic [plʊərə'lɪstɪk] *adj* pluralistisch.

plus [plʌs] **1.** *prep* plus, und; **2.** *adj* Plus-.

plush [plʌʃ] **1.** *adj* (*also:* ~**y**) (*fam: luxurious*) feudal; **2.** *n* Plüsch *m*.

plutonium [plu:'təʊnɪəm] *n* Plutonium *nt*.

ply [plaɪ] **1.** *n:* **three-ply** (*wood*) dreischichtig; (*wool*) Dreifach-; **2.** *vt* (*trade*) betreiben; (*with questions*) zusetzen +*dat*; (*ship, taxi*) befahren; **3.** *vi* (*ship, taxi*) verkehren; **plywood** *n* Sperrholz *nt*.

pm *abbr of* **post meridiem** nachmittags, nachm.

PM *n abbr of* **Prime Minister**.

pneumatic [nju:'mætɪk] *adj* pneumatisch; (*TECH*) Luft-; ~ **drill** Preßluftbohrer *m*; ~ **tyre** Luftreifen *m*.

pneumonia [nju:'məʊnɪə] *n* Lungenentzündung *f*.

poach [pəʊtʃ] *vt* (*GASTR*) pochieren; (*game*)

wildern; **poached** *adj* (*egg*) pochiert, verloren; **poacher** *n* Wilddieb(in) *m(f)*; **poaching** *n* Wildern *nt*.

pocket ['pɒkɪt] **1.** *n* Tasche *f*; (*of ore*) Ader *f*; (*of resistance*) Widerstandsnest *nt*; **2.** *vt* einstecken, in die Tasche stecken; **to be out of ~ kein Geld haben; air ~** Luftloch *nt*; **pocketbook** *n* Taschenbuch *nt*; **pocket calculator** *n* Taschenrechner *m*; **pocket knife** *n* (*knives*) Taschenmesser *nt*; **pocket money** *n* Taschengeld *nt*.

pockmarked ['pɒkmɑːkt] *adj* (*face*) pokkennarbig.

pod [pɒd] *n* Hülse *f*; (*of peas also*) Schote *f*.

podgy ['pɒdʒɪ] *adj* pummelig.

poem ['pəʊəm] *n* Gedicht *nt*.

poet ['pəʊɪt] *n* Dichter(in) *m(f)*, Poet(in) *m(f)*.

poetic [pəʊ'etɪk] *adj* poetisch, lyrisch; (*beauty*) malerisch, stimmungsvoll.

poet laureate [pəʊɪt'lɔːrɪət] *n* Hofdichter *m*.

poetry ['pəʊɪtrɪ] *n* Poesie *f*; (*poems*) Gedichte *pl*.

po-faced ['pəʊfeɪst] *adj* grimmig.

point [pɔɪnt] **1.** *n* Punkt *m*; (*in discussion, scoring, also spot*) Stelle *f*; (*sharpened tip*) Spitze *f*; (*moment*) Zeitpunkt *m*, Moment *m*; (*purpose*) Zweck *m*, Sinn *m*; (*idea*) Argument *nt*; (*decimal* ~) Dezimalstelle *f*; (*personal characteristic*) Seite *f*; **2.** *vt* zeigen mit; (*gun*) richten (*at* auf +*akk*); **3.** *vi* zeigen; **~s** *pl* (*RAIL*) Weichen *pl*; **~ of view** Standpunkt *m*, Gesichtspunkt *m*; **what's the ~?** was soll das?; **you have a ~** there da hast du recht; **three ~ two** drei Komma zwei; **point out** *vt* hinweisen auf +*akk*; **point to** *vt* zeigen auf +*akk*; **point-blank** *adv* (*at close range*) aus nächster Entfernung; (*bluntly*) unverblümt; **point duty** *n* Verkehrsregelungsdienst *m*; **pointed** *adj*, **pointedly** *adv* spitz, scharf; (*fig*) gezielt; **pointer** *n* Zeigestock *m*; (*on dial*) Zeiger *m*; **pointless** *adj*, **pointlessly** *adv* zwecklos, sinnlos.

poise [pɔɪz] **1.** *n* Haltung *f*; (*fig*) Gelassenheit *f*; **2.** *vt, vi* balancieren; (*knife, pen*) bereithalten; **3.** *vr*: **~ oneself** sich bereitmachen; **poised** *adj* beherrscht.

poison ['pɔɪzn] **1.** *n* Gift *nt*; **2.** *vt* vergiften; **poisoning** *n* Vergiftung *f*; **poisonous** *adj* giftig, Gift-.

poke [pəʊk] **1.** *vt* stoßen; (*put*) stecken; (*fire*) schüren; (*hole*) bohren; **2.** *n* Stoß *m*; **to ~ one's nose into** seine Nase stecken in +*akk*; **to ~ fun at sb** sich über jdn lustig machen; **poke about** *vi* herumstochern; herumwühlen; **poker** *n* Schürhaken *m*; (*CARDS*) Poker *nt*; **poker-faced** *adj* undurchdringlich.

poky ['pəʊkɪ] *adj* eng.

Poland ['pəʊlənd] *n* Polen *nt*.

polar ['pəʊlə*] *adj* Polar-, polar; **~ bear** Eisbär *m*.

polarization [pəʊləraɪ'zeɪʃən] *n* Polarisation *f*; **polarize** ['pəʊləraɪz] **1.** *vt* polarisieren; **2.** *vi* sich polarisieren.

pole [pəʊl] *n* Stange *f*, Pfosten *m*; (*flag~, telegraph ~*) Mast *m*; (*ELEC, GEO*) Pol *m*; (*SPORT: vaulting ~*) Stab *m*; (*ski ~*) Stock *m*; **the North/South Pole** der Nord-/Südpol; **we are ~s apart** uns trennen Welten.

Pole [pəʊl] *n* Pole *m*, Polin *f*.

polecat ['pəʊlkæt] *n* (*US*) Skunk *m*.

polemic [pə'lemɪk] *n* Polemik *f*.

pole star ['pəʊlstɑː*] *n* Polarstern *m*; **pole vault** *n* Stabhochsprung *m*.

police [pə'liːs] **1.** *n* Polizei *f*; **2.** *vt* polizeilich überwachen; kontrollieren; **police car** *n* Polizeiwagen *m*; **policeman** *n* (*policemen*) Polizist *m*; **police state** *n* Polizeistaat *m*; **police station** *n* Polizeirevier *nt*, Wache *f*; **policewoman** *n* (*policewomen*) Polizistin *f*.

policy ['pɒlɪsɪ] *n* Politik *f*; (*insurance* ~) Versicherungspolice *f*; (*prudence*) Klugheit *f*; (*principle*) Grundsatz *m*; **policy decision** *n* Grundsatzentscheidung *f*; **policy statement** *n* Grundsatzerklärung *f*.

polio ['pəʊlɪəʊ] *n* Kinderlähmung *f*.

polish ['pɒlɪʃ] **1.** *n* Politur *f*; (*for floor*) Wachs *nt*; (*for shoes*) Creme *f*; (*nail~*) Lack *m*; (*shine*) Glanz *m*; (*fig*) Schliff *m*; **2.** *vt* polieren; (*shoes*) putzen; (*fig*) den letzten Schliff geben +*dat*, aufpolieren; **polish off** *vt* (*fam: work*) erledigen; (*food*) wegputzen; (*drink*) hinunterschütten; **polish up** *vt* (*essay*) aufpolieren; (*knowledge*) auffrischen.

Polish ['pəʊlɪʃ] *adj* polnisch.

polished ['pɒlɪʃt] *adj* glänzend; (*fig: manners*) verfeinert.

polite [pə'laɪt] *adj*, **politely** *adv* [pə'laɪt, -lɪ] höflich; (*society*) fein; **politeness** *n* Höflichkeit *f*.

politic ['pɒlɪtɪk] *adj* (*prudent*) diplomatisch; **political** *adj*, **politically** *adv* [pə'lɪtɪkəl, -lɪ] politisch; **political science** Politologie *f*; **politically correct** *adj* ≈ nicht diskriminierend; **'financially disadvantaged' is a ~ term for 'poor'** ‚finanziell benachteiligt‘ ist eine politisch korrekte Bezeichnung für ‚arm‘; **politician** [pɒlɪ'tɪʃən] *n* Politiker(in) *m(f)*, Staatsmann *m*; **politics** ['pɒlɪtɪks] *n sing o pl* Politik *f*.

poll [pəʊl] **1.** *n* Abstimmung *f*; (*in election*) Wahl *f*; (*votes cast*) Wahlbeteiligung *f*; (*opinion* ~) Umfrage *f*; **2.** *vt* (*votes*) erhalten, auf sich vereinigen.

pollen ['pɒlən] *n* Blütenstaub *m*, Pollen *m*; **pollen count** *n* Pollenkonzentration *f*.

pollination [pɒlɪ'neɪʃən] n Befruchtung f.

polling booth ['pəʊlɪŋbuːð] n Wahlkabine f; **polling day** n Wahltag m; **polling station** n Wahllokal nt.

pollutant [pə'luːtənt] n Schadstoff m.

pollute [pə'luːt] vt verschmutzen, verunreinigen; **pollution** [pə'luːʃən] n Verschmutzung f.

polo ['pəʊləʊ] n Polo nt.

poly- [pɒlɪ] pref Poly-.

polygamy [pɒ'lɪgəmɪ] n Polygamie f.

Polynesia [pɒlɪ'niːzɪə] n Polynesien nt.

polytechnic [pɒlɪ'teknɪk] n technische Hochschule.

polythene ['pɒlɪθiːn] n Plastik nt; **polythene bag** n Plastiktüte f.

pomegranate ['pɒməgrænɪt] n Granatapfel m.

pomp [pɒmp] n Pomp m, Prunk m.

pompous adj, **pompously** adv ['pɒmpəs, -lɪ] aufgeblasen; (language) geschwollen.

ponce [pɒns] n (fam: pimp) Louis m; (queer) Schwule(r) m.

pond [pɒnd] n Teich m, Weiher m.

ponder ['pɒndə*] vt nachdenken [o nachgrübeln] über +akk; **ponderous** adj schwerfällig.

pontificate [pɒn'tɪfɪkeɪt] vi (fig) dozieren.

pontoon [pɒn'tuːn] n Ponton m; (CARDS) 17-und-4 nt.

pony ['pəʊnɪ] n Pony nt; **ponytail** n Pferdeschwanz m.

poodle ['puːdl] n Pudel m.

pooh-pooh [puː'puː] vt die Nase rümpfen über +akk.

pool [puːl] 1. n (swimming ~) Schwimmbad nt; (private) Swimming-pool m; (typing ~) Schreibzentrale f; (of spilt liquid, blood) Lache f; (fund) gemeinsame Kasse f; (billiards) Poolspiel nt; 2. vt (money etc) zusammenlegen.

poor [pʊə*] adj arm; (not good) schlecht, schwach; **the ~** pl die Armen pl; **poorly 1.** adv schlecht, schwach; (dressed) ärmlich; 2. adj (ill) schlecht, elend.

pop [pɒp] 1. n Knall m; (music) Popmusik f; (drink) Limonade f; (US fam) Papa m; 2. vt (put) stecken; (balloon) platzen lassen; 3. vi knallen; **to ~ in/out** (person) vorbeikommen/hinausgehen; hinein-/hinausspringen; **pop concert** n Popkonzert nt; **popcorn** n Popcorn nt.

Pope [pəʊp] n Papst m.

poplar ['pɒplə*] n Pappel f.

poplin ['pɒplɪn] n Popelin m.

poppy ['pɒpɪ] n Mohn m.

populace ['pɒpjʊləs] n Volk nt.

popular ['pɒpjʊlə*] adj beliebt, populär; (of the people) volkstümlich, Populär-; (widespread) allgemein; **popularity** [pɒpjʊ'lærɪtɪ] n Beliebtheit f, Popularität f;

popularize ['pɒpjʊləraɪz] vt popularisieren; **popularly** adv allgemein, überall.

populate ['pɒpjʊleɪt] vt bevölkern; (town) bewohnen.

population [pɒpjʊ'leɪʃən] n Bevölkerung f; (of town) Einwohner pl.

porcelain ['pɔːslɪn] n Porzellan nt.

porch [pɔːtʃ] n Vorbau m, Veranda f; (in church) Vorhalle f.

porcupine ['pɔːkjʊpaɪn] n Stachelschwein nt.

pore [pɔː*] n Pore f; **pore over** vt brüten [o hocken] über +dat.

pork [pɔːk] n Schweinefleisch nt.

pornographic adj, **pornographically** adv [pɔːnə'græfɪk, -əlɪ] pornographisch; **pornography** [pɔː'nɒgrəfɪ] n Pornographie f.

porous ['pɔːrəs] adj porös; (skin) porig.

porpoise ['pɔːpəs] n Tümmler m.

porridge ['pɒrɪdʒ] n Porridge m, Haferbrei m.

port [pɔːt] n Hafen m; (town) Hafenstadt f; (NAUT: left side) Backbord nt; (opening for loads) Luke f; (wine) Portwein m.

portable ['pɔːtəbl] adj tragbar; (radio) Koffer-; (typewriter) Reise-.

portal ['pɔːtl] n Portal nt.

portcullis [pɔːt'kʌlɪs] n Fallgitter nt.

porter ['pɔːtə*] n Pförtner(in) m(f); (for luggage) Gepäckträger m.

porthole ['pɔːthəʊl] n Bullauge nt.

portico ['pɔːtɪkəʊ] n ⟨-es⟩ Säulengang m.

portion ['pɔːʃən] n Teil m, Stück nt; (of food) Portion f.

portly ['pɔːtlɪ] adj korpulent, beleibt.

portrait ['pɔːtrɪt] n Porträt nt, Bildnis nt.

portray [pɔː'treɪ] vt darstellen; (describe) schildern; **portrayal** n Darstellung f; Schilderung f.

Portugal ['pɔːtʃʊgl] n Portugal nt; **Portuguese** [pɔːtʃʊ'giːz] 1. adj portugiesisch; 2. n Portugiese m, Portugiesin f; **the ~** pl die Portugiesen pl.

pose [pəʊz] 1. n Stellung f; (affectation) Pose f; 2. vi posieren, sich in Positur setzen; 3. vt stellen; **to ~ as** sich ausgeben als; **poser** n (person) Angeber(in) m(f); (difficult question) knifflige Frage.

posh [pɒʃ] adj (fam) piekfein.

position [pə'zɪʃən] 1. n Stellung f; (place) Position f, Lage f; (job) Stelle f; (attitude) Standpunkt m, Haltung f; 2. vt aufstellen; (COMPUT) positionieren; **to be in a ~ to do sth** in der Lage sein, etw zu tun.

positive adj, **positively** adv ['pɒzɪtɪv, -lɪ] positiv; (convinced) sicher; (definite) eindeutig.

posse ['pɒsɪ] n (US) Aufgebot nt.

possess [pəˈzes] vt besitzen; **what ~ed you to ...** was ist in dich gefahren, daß ...?; **possessed** adj besessen; **possession** [pəˈzeʃən] n Besitz m; **possessive** adj besitzergreifend, eigensüchtig; (LING) Possessiv-, besitzanzeigend; **possessively** adv besitzergreifend, eigensüchtig; **possessor** n Besitzer(in) m(f).

possibility [pɒsəˈbɪlɪtɪ] n Möglichkeit f.

possible [ˈpɒsəbl] adj möglich; **if ~** wenn möglich, möglichst; **as big as ~** so groß wie möglich, möglichst groß; **possibly** adv möglicherweise, vielleicht; **as soon as I ~ can** sobald ich irgendwie kann.

post [pəʊst] **1.** n Post f; (pole) Pfosten m, Pfahl m; (place of duty) Posten m; (job) Stelle f; **2.** vt (notice) anschlagen; (letters) aufgeben; (soldiers) aufstellen; **postage** [ˈpəʊstɪdʒ] n Postgebühr f, Porto nt; **postal** adj Post-; **~ order** Postanweisung f; **postcard** n Postkarte f; **postcode** n (Brit) Postleitzahl f; **postdate** vt (cheque) nachdatieren.

poster [ˈpəʊstə*] n Plakat nt, Poster nt.

poste restante [pəʊstˈrestɔːnt] n: **to send sth ~** etw postlagernd schicken.

posterior [pɒˈstɪərɪə*] n (fam) Hintern m.

posterity [pɒˈsterɪtɪ] n Nachwelt f; (descendants) Nachkommenschaft f.

postgraduate [pəʊstˈgrædjuət] n jd, der seine Studien nach dem ersten akademischen Grad weiterführt.

posthumous, **posthumously** adv [ˈpɒstjʊməs, -lɪ] posthum.

postman [ˈpəʊstmən] n (postmen) Briefträger m, Postbote m; **postmark** n Poststempel m.

post-modern [pəʊstˈmɒdən] adj postmodern.

post-mortem [ˈpəʊstˈmɔːtəm] n Autopsie f; (fig) nachträgliche Erörterung.

post office [ˈpəʊstɒfɪs] n Postamt nt; (organization) Post f.

postpone [pəˈspəʊn] vt verschieben, aufschieben.

postscript [ˈpəʊsskrɪpt] n Nachschrift f, Postskript nt; (in book) Nachwort nt.

postulate [ˈpɒstjʊleɪt] vt voraussetzen; (maintain) behaupten.

posture [ˈpɒstʃə*] **1.** n Haltung f; **2.** vi posieren.

postwar [pəʊstˈwɔː*] adj Nachkriegs-.

posy [ˈpəʊzɪ] n Blumenstrauß m.

pot [pɒt] **1.** n Topf m; (tea~) Kanne f; (fam: marijuana) Hasch nt; **2.** vt (plant) eintopfen.

potash [ˈpɒtæʃ] n Pottasche f.

potato [pəˈteɪtəʊ] n (-es) Kartoffel f; **potato peeler** n Kartoffelschäler m.

potency [ˈpəʊtənsɪ] n Stärke f, Potenz f;

potent adj stark; (argument) zwingend.

potential [pəʊˈtenʃəl] **1.** adj potentiell; **2.** n Potential nt; **he is a ~ virtuoso** er hat das Zeug zum Virtuosen; **potentially** adv potentiell.

pothole [ˈpɒthəʊl] n Höhle f; (in road) Schlagloch nt; **potholer** n Höhlenforscher(in) m(f); **potholing** n: **to go ~** Höhlen erforschen.

potion [ˈpəʊʃən] n Trank m.

potluck [pɒtˈlʌk] n: **to take ~ with sth** etw auf gut Glück nehmen.

pot plant [ˈpɒt plɑːnt] n Topfpflanze f.

potted [ˈpɒtɪd] adj (food) eingelegt, eingemacht; (plant) Topf-; (fig: book, version) konzentriert.

potter [ˈpɒtə*] **1.** n Töpfer(in) m(f); **2.** vi herumhantieren, herumwurteln; **pottery** n Töpferwaren pl, Steingut nt; (place) Töpferei f.

potty [ˈpɒtɪ] **1.** adj (fam) verrückt; **2.** n Töpfchen nt.

pouch [paʊtʃ] n Beutel m; (under eyes) Tränensack m; (for tobacco) Tabaksbeutel m.

pouffe [puːf] n Sitzkissen nt.

poultice [ˈpəʊltɪs] n Packung f.

poultry [ˈpəʊltrɪ] n Geflügel nt; **poultry farm** n Geflügelfarm f.

pounce [paʊns] **1.** vi sich stürzen (on auf +akk); **2.** n Sprung m, Satz m.

pound [paʊnd] **1.** n (FIN) Pfund nt; (weight) Pfund nt (0,454 kg); (for cars, animals) Auslösestelle f; (for stray animals) Tierasyl nt; **2.** vi klopfen, hämmern; **3.** vt zerstampfen; **pounding** n starkes Klopfen, Hämmern nt, Zerstampfen nt.

pour [pɔː*] **1.** vt gießen, schütten; **2.** vi gießen; (crowds etc) strömen; **~ing rain** strömender Regen; **pour away, pour off** vt abgießen.

pout [paʊt] **1.** n Schnute f, Schmollmund m; **2.** vi schmollen.

poverty [ˈpɒvətɪ] n Armut f; **poverty-stricken** adj verarmt, sehr arm.

PoW n abbr of **prisoner of war**.

powder [ˈpaʊdə*] **1.** n Pulver nt; (cosmetic) Puder m; **2.** vt pulverisieren; (sprinkle) bestreuen; **to ~ one's nose** sich dat die Nase pudern; (fig) zur Toilette gehen; **powder room** n Damentoilette f; **powdery** adj pulverig, Pulver-.

power [ˈpaʊə*] **1.** n Macht f; (ability) Fähigkeit f; (strength) Stärke f; (authority) Macht f, Befugnis f; (MATH) Potenz f; (ELEC) Strom m; **2.** vt betreiben, antreiben; **power-assisted steering** n Servolenkung f; **power cut** n Stromausfall m; **powerful** adj (person) mächtig; (engine, government) stark; **powerless** adj machtlos; **power line** n Hauptstromleitung f;

power pack n (ELEC) Netzteil nt; **power point** n elektrischer Anschluß; **power station** n Kraftwerk nt; **atomic** [o **nuclear**] ~ Atomkraftwerk nt, Kernkraftwerk nt.

powwow ['pauwau] **1.** n Besprechung f; **2.** vi eine Besprechung abhalten.

PR 1. n abbr of **public relations**; **2.** n abbr of **proportional representation**.

practicability [præktikə'biliti] n Durchführbarkeit f; **practicable** ['præktikəbl] adj durchführbar.

practical ['præktikəl] adj praktisch; (solution) praxisnah; ~ **joke** Streich m.

practice ['præktis] **1.** n Übung f; (reality) Praxis f; (custom) Brauch m; (in business) Usus m; (doctor's, lawyer's) Praxis f; **in** ~ (in reality) in der Praxis; **out of** ~ außer Übung; **2.** (US) s. **practise**; **practicing** (US) s. **practising**.

practise ['præktis] **1.** vt üben; (profession) ausüben; **2.** vi üben; (doctor, lawyer) praktizieren; **to** ~ **law/medicine** als Rechtsanwalt/Arzt arbeiten; **practised** adj erfahren; **practising** adj praktizierend; (Christian etc) aktiv.

practitioner [præk'tiʃənə*] n praktischer Arzt, praktische Ärztin.

pragmatic [præg'mætik] adj pragmatisch; **pragmatist** ['prægmətist] n Pragmatiker(in) m(f).

prairie ['prεəri] n Prärie f, Steppe f.

praise [preiz] **1.** n Lob nt; **2.** vt loben; (worship) lobpreisen, loben; **praiseworthy** adj lobenswert.

pram [præm] n Kinderwagen m.

prance [pro:ns] vi (horse) tänzeln; (person) stolzieren; (gaily) herumhüpfen.

prank [præŋk] n Streich m.

prattle ['prætl] vi schwatzen, plappern.

prawn [prɔ:n] n Garnele f, Krabbe f.

pray [prei] vi beten; **prayer** n [prεə*] n Gebet nt; **prayer book** n Gebetbuch nt.

pre- [pri:] pref prä-, vorher-.

preach [pri:tʃ] vi predigen; **preacher** n Prediger(in) m(f).

preamble [pri:'æmbl] n Einleitung f.

prearrange [pri:ə'reindʒ] vt vereinbaren, absprechen; **prearranged** adj vereinbart; **prearrangement** n Vereinbarung f, vorherige Absprache.

precarious adj, **precariously** adv [pri'kεəriəs, -li] prekär, unsicher.

precaution [pri'kɔ:ʃən] n Vorsichtsmaßnahme f, Vorbeugung f; **precautionary** adj (measure) vorbeugend, Vorsichts-.

precede [pri'si:d] vt, vi vorausgehen +dat; (be more important) an Bedeutung übertreffen; **precedence** ['presidəns] n Priorität f, Vorrang f; **to take** ~ **over** den Vorrang haben vor +dat; **precedent**

['presidənt] n Präzedenzfall m; **preceding** adj vorhergehend.

precinct ['pri:siŋkt] n Gelände nt; (district) Bezirk m; (police ~) Revier nt; (shopping ~) Einkaufsviertel nt.

precious ['preʃəs] adj kostbar, wertvoll; (affected) preziös, geziert.

precipice ['presipis] n Abgrund m.

precipitate [pri'sipiteit] vt beschleunigen; (events) herausbeschwören.

precipitation [prisipi'teiʃən] n (CHEM, METEO) Niederschlag m.

precipitous adj, **precipitously** adv [pri'sipitəs, -li] steil; (action) überstürzt.

précis ['preisi:] n Übersicht f, Zusammenfassung f; (SCH) Inhaltsangabe f.

precise adj, **precisely** adv [pri'sais, -li] genau, präzis.

preclude [pri'klu:d] vt ausschließen; (person) abhalten (sb from sth jdn von etw.).

precocious [pri'kəuʃəs] adj frühreif.

preconceived [pri:kən'si:vd] adj (idea) vorgefaßt.

precursor [pri:'kɜ:sə*] n Vorläufer(in) m(f).

predator ['predətə*] n Raubtier nt; **predatory** adj Raub-.

predecessor ['pri:disesə*] n Vorgänger(in) m(f).

predestination [pri:destɪ'neiʃən] n Vorherbestimmung f, Prädestination f; **predestine** [pri:'destin] vt vorherbestimmen.

predetermine [pri:dɪ'tɜ:min] vt vorherentscheiden, vorherbestimmen.

predicament [pri'dikəmənt] n mißliche Lage; **to be in a** ~ in der Klemme sitzen.

predicate ['predikət] n Prädikat nt, Satzaussage f.

predict [pri'dikt] vt voraussagen; **prediction** [pri'dikʃən] n Voraussage f.

predominance [pri'dominəns] n (in power) Vorherrschaft f; (fig) Vorherrschen nt, Überwiegen nt; **predominant** adj vorherrschend; (fig a.) überwiegend; **predominantly** adv überwiegend, hauptsächlich; **predominate** [pri'domineit] vi vorherrschen; (fig a.) überwiegen.

pre-eminent [pri:'eminənt] adj hervorragend, herausragend.

pre-empt [pri:'empt] vt (action, decision) vorwegnehmen.

preen [pri:n] vt putzen; **to** ~ **oneself on sth** sich auf etw einbilden.

prefab ['pri:fæb] n Fertighaus nt; **prefabricated** [pri:'fæbrikeitid] adj vorgefertigt, Fertig-.

preface ['prefis] n Vorwort nt, Einleitung f.

prefect ['pri:fekt] n Präfekt(in) m(f); (SCH) Aufsichtsschüler(in) m(f).

prefer [pri'fɜ:*] vt vorziehen, lieber mögen;

to ~ to do sth etw lieber tun; **preferable** [ˈprefərəbl] adj vorzuziehen (to dat); **preferably** [ˈprefərəbli] adv vorzugsweise, am liebsten; **preference** [ˈprefərəns] n Vorliebe f; (greater favour) Vorzug m; **preferential** [prefəˈrenʃəl] adj bevorzugt, Vorzugs-.

prefix [ˈpriːfɪks] n Vorsilbe f, Präfix nt; (US TEL) Vorwahl f.

pregnancy [ˈpregnənsi] n Schwangerschaft f; **pregnancy test** n Schwangerschaftstest m; **pregnant** adj schwanger; ~ with meaning (fig) bedeutungsschwer, bedeutungsvoll.

prehistoric [priːhɪˈstɔrɪk] adj prähistorisch, vorgeschichtlich; **prehistory** [priːˈhɪstəri] n Urgeschichte f.

prejudge [priːˈdʒʌdʒ] vt vorschnell beurteilen.

prejudice [ˈpredʒʊdɪs] **1.** n Vorurteil nt, Voreingenommenheit f; (harm) Schaden m; **2.** vt beeinträchtigen; **prejudiced** adj (person) voreingenommen.

preliminary [prɪˈlɪmɪnəri] **1.** adj einleitend, Vor-; **2.** n Einleitung f; (measure) Vorbereitung f; (SPORT) Vorspiel nt; **the preliminaries** pl die vorbereitenden Maßnahmen pl; **prelims** n pl (SCH) Vorprüfung f; (in book) Vorbemerkungen pl.

prelude [ˈpreljuːd] n Vorspiel nt; (MUS) Präludium nt; (fig) Auftakt m.

premarital [priːˈmærɪtl] adj vorehelich.

premature [ˈpremətʃʊə*] adj vorzeitig, verfrüht; (birth) Früh-; (decision) voreilig; **prematurely** adv vorzeitig; verfrüht; voreilig.

premeditate [priːˈmedɪteɪt] vt im voraus planen; **premeditated** adj geplant; (murder) vorsätzlich; **premeditation** [priːmedɪˈteɪʃən] n Planung f.

premier [ˈpremɪə*] **1.** adj erste(r, s), oberste(r, s), höchste(r, s); **2.** n Premier m, Premierminister(in) m(f).

premiere [ˈpremɪə*] n Premiere f; (first ever) Uraufführung f.

premise [ˈpremɪs] n Voraussetzung f, Prämisse f; ~s pl Räumlichkeiten pl; (grounds) Grundstück nt.

premium [ˈpriːmɪəm] n Prämie f; to sell at a ~ mit Gewinn verkaufen.

premonition [premə'nɪʃən] n Vorahnung f.

preoccupation [priːɒkjʊˈpeɪʃən] n Sorge f; **preoccupied** [priːˈɒkjʊpaɪd] adj (look) geistesabwesend; to be ~ with sth mit den Gedanken an etw akk beschäftigt sein.

prepaid [priːˈpeɪd] adj vorausbezahlt; (letter) frankiert.

preparation [prepəˈreɪʃən] n Vorbereitung f.

preparatory [prɪˈpærətəri] adj Vorberei-

tungs-.

prepare [prɪˈpɛə*] **1.** vt vorbereiten (for auf +akk); **2.** vi sich vorbereiten; to be ~d to ... bereit sein zu ...

preponderance [prɪˈpɒndərəns] n Übergewicht nt.

preposition [prepəˈzɪʃən] n Präposition f, Verhältniswort nt.

preposterous [prɪˈpɒstərəs] adj absurd, widersinnig.

preppy [ˈprepi] adj (esp US) adrett und trendy.

prerequisite [priːˈrekwɪzɪt] n Voraussetzung f.

prerogative [prɪˈrɒgətɪv] n Vorrecht nt, Privileg nt.

presbytery [ˈprezbɪtəri] n (house) Presbyterium nt; (Catholic) Pfarrhaus nt.

prescribe [prɪˈskraɪb] vt vorschreiben, anordnen; (MED) verschreiben; **prescription** [prɪˈskrɪpʃən] n Vorschrift f; (MED) Rezept nt; **prescriptive** [prɪˈskrɪptɪv] adj normativ.

presence [ˈprezns] n Gegenwart f, Anwesenheit f; ~ of mind Geistesgegenwart f; **present** [ˈpreznt] **1.** adj anwesend; (existing) gegenwärtig, augenblicklich; **2.** n Gegenwart f; (LING) Präsens nt; (gift) Geschenk nt; **3.** [prɪˈzent] vt vorlegen; (introduce) vorstellen; (show) zeigen; (give) überreichen; to ~ sb with sth jdm etw überreichen; at ~ im Augenblick.

presentable [prɪˈzentəbl] adj präsentabel.

presentation [prezənˈteɪʃən] n Überreichung f; (of prize) Verleihung f; (gift) Geschenk nt; (THEAT) Inszenierung f; (TV) Produktion f; (announcing etc) Moderation f.

present-day [ˈprezntˈdeɪ] adj heutig, gegenwärtig, modern; **presently** adv bald; (at present) im Augenblick; **present participle** n Partizip Präsens nt, Mittelwort nt der Gegenwart; **present tense** n Präsens nt, Gegenwart f.

preservation [prezəˈveɪʃən] n Erhaltung f.

preservative [prɪˈzɜːvətɪv] n Konservierungsmittel nt.

preserve [prɪˈzɜːv] **1.** vt erhalten, schützen; (food) einmachen, konservieren; **2.** n (jam) Eingemachte(s) nt; (HUNTING) Schutzgebiet nt.

preside [prɪˈzaɪd] vi den Vorsitz haben.

presidency [ˈprezɪdənsi] n (POL) Präsidentschaft f.

president [ˈprezɪdənt] n Präsident(in) m(f); **presendital** [prezɪˈdenʃəl] adj Präsidenten-; (election) Präsidentschafts-; (system) Präsidial-.

press [pres] **1.** n Presse f; (printing house) Druckerei f; **2.** vt drücken, pressen; (iron) bügeln; (urge) bedrängen; **3.** vi (push) drücken, pressen; **to be ~ed for time** unter Zeitdruck stehen; **to be ~ed for money/space** wenig Geld/Platz haben; **to ~ for sth** auf etw *akk* drängen; **to give the clothes a ~** die Kleider bügeln; **press on** *vi* weitermachen; **press agency** *n* Presseagentur *f*; **press conference** *n* Pressekonferenz *f*; **press cutting** *n* Zeitungsausschnitt *m*; **pressing** *adj* dringend; **press-stud** *n* Druckknopf *m*; **press-up** *n* (*Brit*) Liegestütz *m*.

pressure [ˈpreʃə*] *n* Druck *m*; **pressure cooker** *n* Schnellkochtopf *m*; **pressure gauge** *n* Druckmesser *m*; **pressure group** *n* Interessengruppe *f*, Pressuregroup *f*.

pressurized [ˈpreʃəraɪzd] *adj* Druck-.

prestige [preˈstiːʒ] *n* Ansehen *nt*, Prestige *nt*; **prestigious** [preˈstɪdʒəs] *adj* Prestige-.

presumably [prɪˈzjuːməblɪ] *adv* vermutlich.

presume [prɪˈzjuːm] *vt*, *vi* annehmen; (*dare*) sich *dat* erlauben.

presumption [prɪˈzʌmpʃən] *n* Annahme *f*; (*impudent behaviour*) Anmaßung *f*.

presumptuous [prɪˈzʌmptjʊəs] *adj* anmaßend.

presuppose [priːsəˈpəʊz] *vt* voraussetzen; **presupposition** [priːsʌpəˈzɪʃən] *n* Voraussetzung *f*.

pretence [prɪˈtens] *n* Vortäuschung *f*; (*false claim*) Vorwand *m*.

pretend [prɪˈtend] **1.** *vt* vorgeben, so tun als ob . . .; **2.** *vi* so tun; **to ~ to sth** Anspruch auf etw *akk* erheben.

pretense [prɪˈtens] *n* (*US*) s. **pretence**.

pretension [prɪˈtenʃən] *n* Anspruch *m*; (*impudent claim*) Anmaßung *f*.

pretentious [prɪˈtenʃəs] *adj* angeberisch.

pretext [ˈpriːtekst] *n* Vorwand *m*.

prettily [ˈprɪtɪlɪ] *adv* hübsch, nett.

pretty [ˈprɪtɪ] **1.** *adj* hübsch, nett; **2.** *adv* (*fam*) ganz schön.

prevail [prɪˈveɪl] *vi* siegen (*against, over* über +*akk*); (*custom*) vorherrschen; **to ~ upon sb to do sth** jdn dazu bewegen, etw zu tun; **prevailing** *adj* vorherrschend, aktuell.

prevalent [ˈprevələnt] *adj* vorherrschend.

prevarication [prɪværɪˈkeɪʃən] *n* Ausflucht *f*.

prevent [prɪˈvent] *vt* (*stop*) verhindern, verhüten; **to ~ sb from doing sth** jdn daran hindern, etw zu tun; **preventable** *adj* verhütbar; **preventative** *n* Vorbeugungsmittel *nt*; **prevention** [prɪˈvenʃən] *n* Verhütung *f*, Schutz *m* (*of* gegen); **preventive** *adj* vorbeugend, Schutz-.

preview [ˈpriːvjuː] **1.** *n* private Voraufführung; (*trailer*) Vorschau *f*; **2.** *vt* (*film*) privat

vorführen.

previous [ˈpriːvɪəs] *adj* früher, vorherig; **previously** *adv* früher.

prewar [priːˈwɔː*] *adj* Vorkriegs-.

prey [preɪ] *n* Beute *f*; **bird/beast of ~** Raubvogel *m*/Raubtier *nt*; **prey on** *vt* Jagd machen auf +*akk*; (*mind*) nagen an +*dat*.

price [praɪs] **1.** *n* Preis *m*; (*value*) Wert *m*; **2.** *vt* schätzen; (*label*) auszeichnen; **price-fixing** *n* Preisabsprache *f*; **price-freeze** *n* Preisstopp *m*; **priceless** *adj* (*a. fig*) unbezahlbar; **price list** *n* Preisliste *f*; **pricey** *adj* (*fam*) teuer.

prick [prɪk] **1.** *n* Stich *m*; **2.** *vt*, *vi* stechen; **to ~ up one's ears** die Ohren spitzen.

prickle [ˈprɪkl] **1.** *n* Stachel *m*, Dorn *m*; **2.** *vi* brennen.

prickly [ˈprɪklɪ] *adj* stachelig; (*fig: person*) reizbar; **prickly heat** *n* Hitzebläschen *pl*; **prickly pear** *n* Feigenkaktus *m*; (*fruit*) Kaktusfeige *f*.

pride [praɪd] *n* Stolz *m*; (*arrogance*) Hochmut *m*; **to ~ oneself in sth** auf etw *akk* stolz sein.

priest [priːst] *n* Priester *m*; **priestess** *n* Priesterin *f*; **priesthood** *n* Priesteramt *nt*.

prig [prɪg] *n* Selbstgefällige(r) *mf*.

prim *adj*, **primly** *adv* [prɪm, -lɪ] prüde.

prima donna [priːməˈdɒnə] *n* Primadonna *f*.

primarily [ˈpraɪmərɪlɪ] *adv* vorwiegend, hauptsächlich.

primary [ˈpraɪmərɪ] *adj* Haupt-, Grund-, primär; **~ colour** Grundfarbe *f*; **~ education** Grundschulausbildung *f*; **~ election** Vorwahl *f*; **~ school** Grundschule *f*.

primate [ˈpraɪmɪt] *n* (*REL*) Primas *m*; (*BIO*) Primat *m*.

prime [praɪm] **1.** *adj* oberste(r, s), erste(r, s), wichtigste(r, s); (*excellent*) erstklassig, prima; **2.** *vt* vorbereiten; (*gun*) laden; **3.** *n* (*of life*) bestes Alter; **prime minister** *n* Premierminister(in) *m(f)*, Ministerpräsident(in) *m(f)*; **primer** *n* Elementarlehrbuch *nt*, Fibel *f*.

primeval [praɪˈmiːvəl] *adj* vorzeitlich; (*forests*) Ur-.

primitive [ˈprɪmɪtɪv] *adj* primitiv.

primrose [ˈprɪmrəʊz] *n* Primel *f*.

primula [ˈprɪmjʊlə] *n* Primel *f*.

primus stove® [ˈpraɪməs stəʊv] *n* Campingkocher *m* (*der mit Paraffin betrieben wird*).

prince [prɪns] *n* Prinz *m*; (*ruler*) Fürst *m*; **princess** [prɪnˈses] *n* Prinzessin *f*; Fürstin *f*.

principal [ˈprɪnsɪpəl] **1.** *adj* Haupt-; wichtigste(r, s); **2.** *n* (*SCH*) Schuldirektor(in) *m(f)*, Rektor(in) *m(f)*; (*money*) Grundkapital *nt*.

principality [prɪnsɪˈpælɪtɪ] *n* Fürstentum *nt*.

principally ['prɪnsɪpəlɪ] adv hauptsächlich.

principle ['prɪnsəpl] n Grundsatz m, Prinzip nt; **in/on** ~ im/aus Prinzip, prinzipiell.

print [prɪnt] **1.** n Druck m; (made by feet, fingers) Abdruck m; (PHOT) Abzug m; **2.** vt drucken; (COMPUT) ausdrucken; (name) in Druckbuchstaben schreiben; (photo) abziehen; **is the book still in ~?** ist das Buch noch erhältlich?; **out of** ~ vergriffen; **printed matter** n Drucksache f; **printer** n Drucker m; **printing** n Drucken nt; (of photos) Abziehen nt; ~ **press** Druckerpresse f; **printout** n (COMPUT) Ausdruck m.

prior ['praɪə*] **1.** adj früher; **2.** n Prior m; ~ **to** vor etw dat; ~ **to going abroad, she had ...** bevor sie ins Ausland ging, hatte sie ...; **prioress** n Priorin f.

priority [praɪ'ɒrɪtɪ] n Vorrang m, Priorität f.

priory ['praɪərɪ] n Kloster nt.

prise [praɪz] vt: **to ~ open** aufbrechen.

prism ['prɪzəm] n Prisma nt.

prison ['prɪzn] n Gefängnis nt; **prisoner** n Gefangene(r) mf; ~ **of war** Kriegsgefangene(r) mf; **to be taken** ~ in Gefangenschaft geraten.

prissy ['prɪsɪ] adj (fam) etepetete.

pristine ['prɪstiːn] adj makellos.

privacy ['prɪvəsɪ] n Privatleben nt.

private ['praɪvɪt] **1.** adj privat, Privat-; (secret) vertraulich, geheim; (soldier) einfach; **2.** n einfacher Soldat; **in** ~ privat, unter vier Augen; **private eye** n Privatdetektiv(in) m(f); **privately** adv privat; vertraulich.

privet ['prɪvɪt] n Liguster m.

privilege ['prɪvɪlɪdʒ] n Vorrecht nt, Privileg nt; (honour) Ehre f; **privileged** adj bevorzugt, privilegiert.

privy ['prɪvɪ] adj geheim, privat; ~ **council** Geheimer Staatsrat.

prize [praɪz] **1.** n Preis m; **2.** adj (example) erstklassig; (idiot) Voll-; **3.** vt hochschätzen; **prize fighting** n Preisboxen nt; **prize giving** n Preisverteilung f; **prize money** n Geldpreis m; **prizewinner** n Preisträger(in) m(f); (of money) Gewinner(in) m(f).

pro [prəʊ] n (-s) (professional) Profi m; **the** ~**s and cons** pl das Für und Wider.

pro- [prəʊ] pref pro-.

probability [probə'bɪlɪtɪ] n Wahrscheinlichkeit f; **in all** ~ aller Wahrscheinlichkeit nach; **probable** adj, **probably** adv ['probəbl, -blɪ] wahrscheinlich.

probation [prə'beɪʃən] n Probezeit f; (JUR) Bewährung f; **on** ~ auf Probe; auf Bewährung; **probation officer** n Bewährungshelfer(in) m(f); **probationary** adj; **probationer** n (nurse) Lernschwester f, Pfleger m in der Ausbildung; (JUR) auf Bewährung freigelassener Gefangener.

probe [prəʊb] **1.** n Sonde f; (enquiry) Untersuchung f; **2.** vt, vi untersuchen, erforschen, sondieren.

problem ['probləm] n Problem nt; **problematic** [problɪ'mætɪk] adj problematisch.

procedural [prə'siːdjʊrəl] adj verfahrensmäßig, Verfahrens-; **procedure** [prə'siːdʒə*] n Verfahren nt, Vorgehen nt.

proceed [prə'siːd] vi (advance) vorrücken; (start) anfangen; (carry on) fortfahren; (set about) vorgehen; (come from) entstehen (from aus); (JUR) gerichtlich vorgehen; **proceedings** n pl (JUR) Verfahren nt; (record of things) Sitzungsbericht m.

proceeds ['prəʊsiːdz] n pl Erlös m, Gewinn m.

process ['prəʊses] **1.** n Vorgang m, Prozeß m; (method also) Verfahren nt; **2.** vt bearbeiten; (food, COMPUT) verarbeiten; (film) entwickeln.

procession [prə'seʃən] n Prozession f, Umzug m.

proclaim [prə'kleɪm] vt verkünden, proklamieren; **to** ~ **sb king** jdn zum König ausrufen; **proclamation** [proklə'meɪʃən] n Verkündung f, Proklamation f.

procrastination [prəʊkræstɪ'neɪʃən] n Hinausschieben nt.

procreation [prəʊkrɪ'eɪʃən] n Erzeugung f.

procure [prə'kjʊə*] vt beschaffen.

prod [prod] **1.** vt stoßen; **2.** n Stoß m; **to** ~ **sb** (fig) jdn anspornen, jdn treten.

prodigal ['prodɪgəl] adj verschwenderisch (of mit); **the** ~ **son** der verlorene Sohn.

prodigious [prə'dɪdʒəs] adj gewaltig, erstaunlich; (wonderful) wunderbar.

prodigy ['prodɪdʒɪ] n Wunder nt; **a child** ~ ein Wunderkind.

produce ['prodjuːs] n (AGR) Produkte pl, (Natur)erzeugnis nt; [prə'djuːs] vt herstellen, produzieren; (cause) hervorrufen; (farmer) erzeugen; (yield) liefern, bringen; (play) inszenieren; **producer** n Erzeuger(in) m(f), Hersteller(in) m(f); (CINE) Produzent(in) m(f).

product ['prodʌkt] n Produkt nt, Erzeugnis nt.

production [prə'dʌkʃən] n Produktion f, Herstellung f; (thing) Erzeugnis nt, Produkt nt; (THEAT) Inszenierung f; **production line** n Fließband nt.

productive [prə'dʌktɪv] adj produktiv; (fertile) ertragreich, fruchtbar; **to be** ~ **of** führen zu, erzeugen.

productivity [prodʌk'tɪvɪtɪ] n Produktivität f; (COMM) Leistungsfähigkeit f; (fig) Fruchtbarkeit f.

product liability ['prodʌktlaɪə'bɪlɪtɪ] n (US) Produkthaftung f.

prof [prɔf] n (fam) Professor(in) m(f).

profane [prəˈfeɪn] adj weltlich, profan, Profan-.

profess [prəˈfes] vt bekennen; (show) zeigen; (claim to be) vorgeben.

profession [prəˈfeʃən] n Beruf m; (declaration) Bekenntnis nt.

professional [prəˈfeʃənl] **1.** n Fachmann m, -frau f; (SPORT) Berufsspieler(in) m(f), Profi m; **2.** adj Berufs-; (expert) fachlich; (player) professionell; **professionalism** n fachliches Können nt; Berufssportlertum nt.

professor [prəˈfesə*] n Professor(in) m(f).

proficiency [prəˈfɪʃənsɪ] n Fertigkeit f, Können nt; **proficient** adj fähig.

profile [ˈprəʊfaɪl] n Profil nt; (fig: report) Kurzbiographie f.

profit [ˈprɔfɪt] **1.** n Gewinn m, Profit m; **2.** vi profitieren (by, from von), Nutzen, Gewinn ziehen (by, from aus); **profitability** [prɔfɪtəˈbɪlɪtɪ] n Rentabilität f; **profitable** adj einträglich, rentabel; **profitably** adv nützlich; **profiteering** [prɔfɪˈtɪərɪŋ] n Profitmacherei f.

profound [prəˈfaʊnd] adj tief; (knowledge) profund; (book, thinker) tiefschürfend; **profoundly** adv zutiefst.

profuse [prəˈfjuːs] adj überreich; **to be ~ in** überschwenglich sein bei; **profusely** adv überschwenglich; (sweat) reichlich; **profusion** [prəˈfjuːʒən] n Überfülle f, Überfluß m (of an +dat).

program (US) s. **programm**.

programing (US) s. **programming**.

programme [ˈprəʊɡræm] **1.** n Programm nt; **2.** vt planen; (computer) programmieren; **programmer** n Programmierer(in) m(f); **programming** n Programmieren nt, Programmierung f; **~ language** Programmiersprache f.

progress [ˈprəʊɡres] **1.** n Fortschritt m; **2.** [prəˈɡres] vi fortschreiten, weitergehen; **to be in ~** im Gang sein; **to make ~** Fortschritte machen; **progression** [prəˈɡreʃən] n Fortschritt m, Progression f; (walking etc) Fortbewegung f; **progressive** [prəˈɡresɪv] adj fortschrittlich, progressiv; **progressively** [prəˈɡresɪvlɪ] adv zunehmend.

prohibit [prəˈhɪbɪt] vt verbieten; **prohibition** [prəʊɪˈbɪʃən] n Verbot nt; (US) Alkoholverbot nt, Prohibition f; **prohibitive** adj (price etc) unerschwinglich.

project [ˈprɔdʒekt] **1.** n Projekt nt; **2.** [prəˈdʒekt] vt vorausplanen; (PSYCH) hineinprojizieren; (film etc) projizieren; (personality, voice) zum Tragen bringen; **3.** vi (stick out) hervorragen, hervorstehen.

projectile [prəˈdʒektaɪl] n Geschoß nt, Projektil nt.

projection [prəˈdʒekʃən] n Projektion f; (sth prominent) Vorsprung m.

projector [prəˈdʒektə*] n Projektor m, Vorführgerät nt.

proletarian [prəʊləˈtɛərən] **1.** adj proletarisch; **2.** n Proletarier(in) m(f).

proliferate [prəˈlɪfəreɪt] vi sich vermehren; **proliferation** [prəlɪfəˈreɪʃən] n Vermehrung f; (of nuclear weapons) Weitergabe f.

prolific [prəˈlɪfɪk] adj fruchtbar; (author) produktiv.

prologue [ˈprəʊlɔɡ] n Prolog m; (event) Vorspiel nt.

prolong [prəˈlɔŋ] vt verlängern; **prolonged** adj lang.

prom [prɔm] **1.** n abbr of **promenade, promenade concert;** **2.** n (US: college ball) Studentenball m.

promenade [prɔmɪˈnɑːd] n Promenade f; **promenade concert** n Konzert nt (in lockerem Rahmen); **promenade deck** n Promenadendeck nt.

prominent [ˈprɔmɪnənt] adj bedeutend; (politician) prominent; (easily seen) herausragend, auffallend.

promiscuity [prɔmɪˈskjuːɪtɪ] n Promiskuität f, häufiger Partnerwechsel; **promiscuous** [prəˈmɪskjʊəs] adj promisk, häufig den Partner wechselnd; (mixed up) wild.

promise [ˈprɔmɪs] **1.** n Versprechen nt; (hope) Aussicht f (of auf +akk); **2.** vt, vi versprechen; **the Promised Land** das Gelobte Land; **to show ~** vielversprechend sein; **a writer of ~** ein vielversprechender Schriftsteller; **promising** adj vielversprechend.

promote [prəˈməʊt] vt befördern; (help on) fördern, unterstützen; **promoter** n (in sport, entertainment) Veranstalter(in) m(f); (for charity etc) Organisator(in) m(f); **promotion** [prəˈməʊʃən] n (in rank) Beförderung f; (furtherance) Förderung f; (COMM) Werbung f (of für).

prompt [prɔmpt] **1.** adj prompt, schnell; **2.** adv (punctually) genau; **3.** vt veranlassen; (THEAT) einsagen +dat, soufflieren +dat; **4.** n (COMPUT) Befehlszeile f; **to do ~ to do sth** etw sofort tun; **at two o'clock ~** punkt zwei Uhr; **prompter** n (THEAT) Souffleur m, Souffleuse f; **promptly** adv sofort; **promptness** n Schnelligkeit f, Promptheit f.

prone [prəʊn] adj hingestreckt; **to be ~ to sth** zu etw neigen.

prong [prɔŋ] n Zinke f.

pronoun [ˈprəʊnaʊn] n Pronomen nt, Fürwort nt.

pronounce [prəˈnaʊns] **1.** vt aussprechen; (JUR) verkünden; **2.** vi (give an opinion) sich äußern (*on* zu); **pronounced** *adj* ausgesprochen; **pronouncement** *n* Erklärung *f*.

pronto [ˈprɒntəʊ] *adv* (*fam*) fix. pronto.

pronunciation [prənʌnsɪˈeɪʃən] *n* Aussprache *f*.

proof [pruːf] **1.** *n* Beweis *m*; (*TYP*) Korrekturfahne *f*; (*of alcohol*) Alkoholgehalt *m*; **2.** *adj* sicher; (*alcohol*) prozentig; **to put to the** ~ unter Beweis stellen.

prop [prɒp] **1.** *n* (*a. fig*) Stütze *f*; (*THEAT*) Requisit *nt*; **2.** *vt* (*also*: ~ **up**) abstützen.

propaganda [prɒpəˈgændə] *n* Propaganda *f*.

propagate [ˈprɒpəgeɪt] *vt* fortpflanzen; (*news*) verbreiten; **propagation** [prɒpəˈgeɪʃən] *n* Fortpflanzung *f*; (*of knowledge*) Verbreitung *f*.

propel [prəˈpel] *vt* antreiben; **propellant** *n* Treibgas *nt*; **propeller** *n* Propeller *m*; **propelling pencil** *n* Drehbleistift *m*.

propensity [prəˈpensɪtɪ] *n* Tendenz *f*.

proper [ˈprɒpə*] *adj* richtig; (*seemly*) schicklich; **it is not** ~ **to …** es schickt sich nicht zu …; **properly** *adv* richtig; ~ **speaking** genau genommen; **proper noun** *n* Eigenname *m*.

property [ˈprɒpətɪ] *n* Eigentum *nt*, Besitz *m*; (*quality*) Eigenschaft *f*; (*land*) Grundbesitz *m*; **properties** *pl* (*THEAT*) Requisiten *pl*; **property developer** *n* Häusermakler(in) *m(f)*; **property owner** *n* Grundbesitzer(in) *m(f)*.

prophecy [ˈprɒfɪsɪ] *n* Prophezeiung *f*; **prophesy** [ˈprɒfɪsaɪ] *vt* prophezeien, vorhersagen.

prophet [ˈprɒfɪt] *n* Prophet(in) *m(f)*; **prophetic** [prəˈfetɪk] *adj* prophetisch.

proportion [prəˈpɔːʃən] **1.** *n* Verhältnis *nt*, Proportion *f*; (*share*) Teil *m*; **2.** *vt* abstimmen (*to* auf *+akk*); **proportional** *adj*, **proportionally** *adv* proportional, verhältnismäßig; ~ **spacing** Proportionalschrift *f*; **to be** ~ **to** entsprechen *+dat*; **proportionate** *adj*, **proportionately** *adv* verhältnismäßig; **proportioned** *adj* proportioniert.

proposal [prəˈpəʊzl] *n* Vorschlag *m*, Antrag *m*; (*of marriage*) Heiratsantrag *m*.

propose [prəˈpəʊz] **1.** *vt* vorschlagen; (*toast*) ausbringen; **2.** *vi* (*offer marriage*) einen Heiratsantrag machen; **proposer** *n* Antragsteller(in) *m(f)*; **proposition** [prɒpəˈzɪʃən] *n* Angebot *nt*; (*MATH*) Lehrsatz *m*; (*statement*) Satz *m*.

proprietor [prəˈpraɪətə*] *n* Besitzer(in) *m(f)*; (*of pub, hotel*) Inhaber(in) *m(f)*.

props [prɒps] *n pl* Requisiten *pl*.

propulsion [prəˈpʌlʃən] *n* Antrieb *m*.

pro-rata [prəʊˈrɑːtə] *adv* anteilmäßig.

prosaic [prəˈzeɪk] *adj* prosaisch, alltäglich.

prose [prəʊz] *n* Prosa *f*.

prosecute [ˈprɒsɪkjuːt] *vt* verfolgen; **prosecution** [prɒsɪˈkjuːʃən] *n* Durchführung *f*; (*JUR*) strafrechtliche Verfolgung; (*party*) Anklage *f*, Staatsanwaltschaft *f*; **prosecutor** [ˈprɒsɪkjuːtə*] *n* Vertreter(in) *m(f)* der Anklage; **Public Prosecutor** Staatsanwalt(-anwältin) *m(f)*.

prospect [ˈprɒspekt] **1.** *n* Aussicht *f*; **2.** [prəˈspekt] *vi* suchen (*for* nach); **prospecting** [prəˈspektɪŋ] *n* (*for minerals*) Suche *f*; **prospective** [prəˈspektɪv] *adj* voraussichtlich; (*future*) zukünftig; **prospector** [prəˈspektə*] *n* Goldsucher(in) *m(f)*.

prospectus [prəˈspektəs] *n* Werbeprospekt *m*.

prosper [ˈprɒspə*] *vi* blühen, gedeihen; (*person*) erfolgreich sein; **prosperity** [prɒˈsperɪtɪ] *n* Wohlstand *m*; **prosperous** *adj* wohlhabend, reich; (*business*) gutgehend, blühend.

prostitute [ˈprɒstɪtjuːt] *n* Prostituierte(r) *mf*.

prostrate [ˈprɒstreɪt] *adj* ausgestreckt; ~ **with grief/exhaustion** von Schmerz/Erschöpfung übermannt.

protagonist [prəʊˈtægənɪst] *n* Hauptperson *f*, Held(in) *m(f)*.

protect [prəˈtekt] *vt* beschützen; (*COMPUT*) sichern; **protection** [prəˈtekʃən] *n* Schutz *m*; ~ **factor** Lichtschutzfaktor *m*; **protectionism** *n* Protektionismus *m*; **protective** *adj* Schutz-, beschützend; **protector** *n* Beschützer(in) *m(f)*.

protégé [ˈprɒtɪʒeɪ] *n* Schützling *m*.

protein [ˈprəʊtiːn] *n* Protein *nt*, Eiweiß *nt*.

protest [ˈprəʊtest] **1.** *n* Protest *m*; **2.** [prəˈtest] *vi* protestieren (*against* gegen); **to** ~ **that …** beteuern, daß …

Protestant [ˈprɒtɪstənt] **1.** *adj* protestantisch; **2.** *n* Protestant(in) *m(f)*.

protocol [ˈprəʊtəkɒl] *n* Protokoll *nt*.

prototype [ˈprəʊtəʊtaɪp] *n* Prototyp *m*.

protracted [prəˈtræktɪd] *adj* sich hinziehend.

protractor [prəˈtræktə*] *n* Winkelmesser *m*.

protrude [prəˈtruːd] *vi* hervorstehen.

protuberance [prəˈtjuːbərəns] *n* Auswuchs *m*; **protuberant** *adj* hervorstehend.

proud *adj*, **proudly** *adv* [praʊd, -lɪ] stolz (*of* auf *+akk*).

prove [pruːv] **1.** *vt* beweisen; **2.** *vi* sich herausstellen, sich zeigen.

proverb [ˈprɒvɜːb] *n* Sprichwort *nt*; **proverbial** *adj*, **proverbially** *adv* [prəˈvɜːbɪəl, -ɪ] sprichwörtlich.

provide [prəˈvaɪd] *vt* versehen; (*supply*) besorgen; (*person*) versorgen; ~**d that** vorausgesetzt daß; **blankets will be** ~**d** Decken werden gestellt; **provide for** *vt* sorgen für, sich kümmern um; (*emergency*) Vorkehrungen treffen für.

Providence [ˈprɒvɪdəns] *n* die Vorsehung.

providing [prəˈvaɪdɪŋ] *conj* vorausgesetzt, daß.

province [ˈprɒvɪns] *n* Provinz *f*; (*division of work*) Bereich *m*; **the** ~**s** *pl* die Provinz; **provincial** [prəˈvɪnʃəl] **1.** *adj* provinziell, Provinz-; **2.** *n* (*pej*) Provinzler(in) *m(f)*.

provision [prəˈvɪʒən] *n* Vorkehrung *f*, Maßnahme *f*; (*condition*) Bestimmung *f*; ~**s** *pl* (*food*) Vorräte *pl*, Proviant *m*.

provisional *adj*, **provisionally** *adv* [prəˈvɪʒənl, -ɪ] vorläufig, provisorisch.

proviso [prəˈvaɪzəʊ] *n* ⟨-es⟩ Vorbehalt *m*, Bedingung *f*.

provocation [prɒvəˈkeɪʃən] *n* Provokation *f*, Herausforderung *f*; **provocative** [prəˈvɒkətɪv] *adj* provokativ, herausfordernd; **provoke** [prəˈvəʊk] *vt* provozieren; (*cause*) hervorrufen.

prow [praʊ] *n* Bug *m*.

prowl [praʊl] **1.** *vt* (*streets*) durchstreifen; **2.** *vi* herumstreichen; (*animal*) schleichen; **3.** *n*: **on the** ~ umherstreifend; (*police*) auf der Streife; (*cat, burglar*) auf Streifzug sein; **prowler** *n* Eindringling *m*.

proximity [prɒkˈsɪmɪtɪ] *n* Nähe *f*.

proxy [ˈprɒksɪ] *n* Stellvertreter(in) *m(f)*, Bevollmächtigte(r) *mf*; (*document*) Vollmacht *f*; **to vote by** ~ Briefwahl machen.

prudence [ˈpruːdəns] *n* Klugheit *f*, Umsicht *f*; **prudent** *adj*, **prudently** *adv* klug, umsichtig.

prudish [ˈpruːdɪʃ] *adj* prüde.

prune [pruːn] **1.** *n* Backpflaume *f*; **2.** *vt* ausputzen; (*fig*) zurechtstutzen.

pry [praɪ] *vi* seine Nase stecken (*into* in +*akk*).

psalm [sɑːm] *n* Psalm *m*.

pseudo [ˈsjuːdəʊ] *adj* Pseudo-; (*false*) falsch, unecht; **pseudo croup** [ˈsjuːdəʊˈkruːp] *n* (*MED*) Pseudokrupp *m*; **pseudonym** [ˈsjuːdənɪm] *n* Pseudonym *nt*, Deckname *m*.

psyche [ˈsaɪkɪ] *n* Psyche *f*.

psychiatric [saɪkɪˈætrɪk] *adj* psychiatrisch.

psychiatrist [saɪˈkaɪətrɪst] *n* Psychiater(in) *m(f)*.

psychiatry [saɪˈkaɪətrɪ] *n* Psychiatrie *f*.

psychical [ˈsaɪkɪkəl] *adj* übersinnlich; ~ **healer** Geistheiler(in) *m(f)*; **you must be** ~ du kannst wohl hellsehen.

psychoanalyse [saɪkəʊˈænəlaɪz] *vt* psychoanalytisch behandeln; **psychoanalysis** [saɪkəʊˈnælɪsɪs] *n* Psychoanalyse *f*; **psychoanalyst** [saɪkəʊˈænəlɪst] *n* Psy-

choanalytiker(in) *m(f)*; **psychoanalyze** (*US*) *s.* **psychoanalyse**.

psychological *adj*, **psychologically** *adv* [saɪkəˈlɒdʒɪkəl, -ɪ] psychologisch.

psychologist [saɪˈkɒlədʒɪst] *n* Psychologe(-login) *m(f)*.

psychology [saɪˈkɒlədʒɪ] *n* Psychologie *f*.

psychopath [ˈsaɪkəʊpæθ] *n* Psychopath(in) *m(f)*.

psychosomatic [saɪkəʊsəʊˈmætɪk] *adj* psychosomatisch.

psychotherapy [saɪkəʊˈθerəpɪ] *n* Psychotherapie *f*.

psychotic [saɪˈkɒtɪk] **1.** *adj* psychotisch; **2.** *n* Psychotiker(in) *m(f)*.

pto *abbr of* **please turn over** bitte wenden, b.w.

pub [pʌb] *n* (*Brit*) Wirtschaft *f*, Kneipe *f*.

puberty [ˈpjuːbətɪ] *n* Pubertät *f*.

pubic [ˈpjuːbɪk] *adj* Scham-.

public [ˈpʌblɪk] **1.** *n* (*also:* **general** ~) Öffentlichkeit *f*; **2.** *adj* öffentlich; ~ **company** Aktiengesellschaft *f*; ~ **convenience** öffentliche Toiletten *pl*; ~ **opinion** die öffentliche Meinung; ~ **relations** *pl* Öffentlichkeitsarbeit *f*, Public Relations *pl*; ~ **school** (*Brit*) Privatschule *f*, Internatsschule *f*.

publication [pʌblɪˈkeɪʃən] *n* Publikation *f*, Veröffentlichung *f*.

publicity [pʌbˈlɪsɪtɪ] *n* Publicity *f*, Werbung *f*.

publicly [ˈpʌblɪklɪ] *adv* öffentlich; **public sector** *n* öffentlicher Sektor.

publish [ˈpʌblɪʃ] *vt* veröffentlichen, publizieren; (*event*) bekanntgeben; **publisher** *n* Verleger(in) *m(f)*; **publishing** *n* Herausgabe *f*, Verlegen *nt*; (*business*) Verlagswesen *n*.

puck [pʌk] *n* (*SPORT*) Puck.

pucker [ˈpʌkə*] *vt* (*face*) verziehen; (*lips*) kräuseln.

pudding [ˈpʊdɪŋ] *n* (*course*) Nachtisch *m*; Pudding *m*.

puddle [ˈpʌdl] *n* Pfütze *f*.

puff [pʌf] **1.** *n* (*of wind etc*) Stoß *m*; (*cosmetic*) Puderquaste *f*; **2.** *vt* blasen, pusten; (*pipe*) paffen an +*dat*; **3.** *vi* keuchen, schnaufen; (*smoke*) paffen; **puffed** *adj* (*fam: out of breath*) außer Puste.

puffin [ˈpʌfɪn] *n* Papageientaucher *m*.

puff paste (*US*), **puff pastry** [ˈpʌfˈpeɪstrɪ] *n* Blätterteig *m*.

puffy [ˈpʌfɪ] *adj* aufgedunsen.

puke [pjuːk] *vi* (*fam!*) kotzen.

pull [pʊl] **1.** *n* Ruck *m*, Zug *m*; (*influence*) Beziehungen *pl*; **2.** *vt* ziehen; (*muscle*) zerren; (*trigger*) abdrücken; **3.** *vi* ziehen; **to** ~ **a face** ein Gesicht schneiden; **to** ~ **sb's leg** jdn auf den Arm nehmen; **to** ~ **to pieces** in Stücke reißen; (*fig*) verreißen; **to** ~ **one's**

weight sein Bestes geben; **to ~ oneself together** sich zusammenreißen; **pull apart** vt (break) zerreißen; (dismantle) auseinandernehmen; (fighters) trennen; **pull down** vt (house) abreißen; **pull in** vi hineinfahren; (stop) anhalten; (RAIL) einfahren; **pull off** vt (deal etc) abschließen; **pull out 1.** vi (car) herausfahren; (fig: partner) aussteigen; **2.** vt herausziehen; **pull round**, **pull through** vi durchkommen; **pull up** vi anhalten.

pulley ['pʊlɪ] n Flaschenzug m.

pullover ['pʊləʊvə*] n Pullover m.

pulp [pʌlp] n Brei m; (of fruit) Fruchtfleisch nt.

pulpit ['pʊlpɪt] n Kanzel f.

pulsate [pʌl'seɪt] vi pulsieren.

pulse [pʌls] n Puls m.

pulverize ['pʌlvəraɪz] vt (a. fig) pulverisieren, in kleine Stücke zerlegen.

puma ['pjuːmə] n Puma m.

pump [pʌmp] **1.** n Pumpe f; (shoe) Lackschuh m; (US) Pumps m; **2.** vt pumpen; **pump up** vt (tyre) aufpumpen.

pumpkin ['pʌmpkɪn] n Kürbis m.

pun [pʌn] n Wortspiel nt.

punch [pʌntʃ] **1.** n (tool) Locher m; (blow) Faustschlag m; (drink) Punsch m, Bowle f; **2.** vt lochen; (strike) schlagen, boxen; **punch-drunk** adj benommen; **punch-up** n (fam) Keilerei f.

punctual ['pʌŋktjʊəl] adj pünktlich; **punctuality** [pʌŋktjʊ'ælɪt] n Pünktlichkeit f.

punctuate ['pʌŋktjʊeɪt] vt mit Satzzeichen versehen, interpunktieren; (fig) unterbrechen; **punctuation** [pʌŋktjʊ'eɪʃən] n Zeichensetzung f, Interpunktion f.

puncture ['pʌŋktʃə*] **1.** n Loch nt; (AUTO) Reifenpanne f; **2.** vt durchbohren.

pungent ['pʌndʒənt] adj scharf.

punish ['pʌnɪʃ] vt bestrafen; (in boxing etc) übel zurichten; **punishable** adj strafbar; **punishment** n Strafe f; (action) Bestrafung f.

punk [pʌŋk] n (~ rock) Punk m; (person) Punker(in) m(f).

punt [pʌnt] n Stechkahn m, Stocherkahn m.

punter ['pʌntə*] n (better) Wetter(in) m(f).

puny ['pjuːnɪ] adj kümmerlich.

pup [pʌp] n s. **puppy**.

pupil ['pjuːpl] n (f) Schüler(in) m(f); (in eye) Pupille f.

puppet ['pʌpɪt] n Puppe f; (string ~, fig) Marionette f.

puppy ['pʌpɪ] n junger Hund.

purchase ['pɜːtʃɪs] **1.** n Kauf m, Anschaffung f; (grip) Halt m; **2.** vt kaufen, erwerben; **purchaser** n Käufer(in) m(f).

pure [pjʊə*] adj pur; (a. fig) rein.

purée ['pjʊəreɪ] n Püree nt.

purely ['pjʊəlɪ] adv rein; (only) nur; (with adjective also) rein.

purgatory ['pɜːgətərɪ] n Fegefeuer nt.

purge [pɜːdʒ] **1.** n (a. POL) Säuberung f; (medicine) Abführmittel nt. **2.** vt reinigen; (body) entschlacken.

purification [pjʊərɪfɪ'keɪʃən] n Reinigung f.

purify ['pjʊərɪfaɪ] vt reinigen.

purist ['pjʊərɪst] n Purist(in) m(f).

puritan ['pjʊərɪtən] n Puritaner(in) m(f); **puritanical** [pjʊərɪ'tænɪkəl] adj puritanisch.

purity ['pjʊərɪtɪ] n Reinheit f.

purl [pɜːl] **1.** n linke Masche; **2.** vt links stricken.

purple ['pɜːpl] adj violett; (face) dunkelrot.

purpose ['pɜːpəs] n Zweck m, Ziel nt; (of person) Absicht f; **on ~** absichtlich; **purposeful** adj zielbewußt, entschlossen; **purposely** adv absichtlich.

purr [pɜː*] vi schnurren.

purse [pɜːs] **1.** n Portemonnaie nt, Geldbeutel m; (US: hand bag) Handtasche f; **2.** vt (lips) zusammenpressen, schürzen.

purser ['pɜːsə*] n Zahlmeister(in) m(f).

purse-snatching ['pɜːsnætʃɪŋ] n Handtaschenraub m.

pursue [pə'sjuː] vt verfolgen, nachjagen +dat; (study) nachgehen +dat; **pursuer** n Verfolger(in) m(f); **pursuit** [pə'sjuːt] n Jagd f (of nach), Verfolgung f; (occupation) Beschäftigung f.

pus [pʌs] n Eiter m.

push [pʊʃ] **1.** n Stoß m, Schub m; (energy) Schwung m; **2.** vt stoßen, schieben; (button) drücken; (idea) durchsetzen; **3.** vi stoßen, schieben; **at a ~** zur Not; **push aside** vt beiseite schieben; **push off** vi (fam) abschieben, abhauen; **push on** vi weitermachen; (policy) durchsetzen; **push through** vt durchdrücken; **push up** vt (total) erhöhen; (prices) hochtreiben; **push-button telephone** n Tastentelefon nt; **push-chair** n (Brit) Kindersportwagen m; **pushing** adj aufdringlich; **pushover** n (fam) Kinderspiel nt; (person) leichtes Opfer; **push-up** n (US) Liegestütz m; **pushy** adj (fam) penetrant.

puss [pʊs] n Miezekatze f.

put [pʊt] (put) vt setzen, stellen, legen; (express) ausdrücken, sagen; (write) schreiben; **put about 1.** vi (turn back) wenden; **2.** vt (spread) verbreiten; **put across** vt (explain) erklären; **put away** vt weglegen; (store) beiseite legen; **put back** vt zurückstellen, zurücklegen; **put by** vt zurücklegen, sparen; **put down** vt hinstellen, hinlegen; (stop) niederschlagen; (animal) einschläfern; (in writing) niederschreiben; **put forward** vt (idea) vorbringen; (clock) vorstellen; **put off** vt verlegen, verschieben; (discourage) abbringen; **it ~ me smoking** das hat mir die Lust am Rauchen verdorben; **put on** vt (clothes etc) anziehen; (light) anschalten, anmachen; (play etc) aufführen; (brake) anziehen; (fig) heucheln, vorgeben; **put out** vt (hand etc) ausstrecken; (news, rumour) verbreiten; (light) ausschalten, ausmachen; **put up** vt (tent) aufstellen; (building) errichten; (price) erhöhen; (person) unterbringen; **to ~ ~ with** sich abfinden mit; **I won't ~ ~ with it** das laß ich mir nicht gefallen.

putrid [ˈpjuːtrɪd] adj faul, verfault.

putsch [pʊtʃ] n Putsch m.

putt [pʌt] **1.** vt (GOLF) putten, einlochen; **2.** n (GOLF) Putten nt, leichter Schlag.

putty [ˈpʌtɪ] n Kitt m; (fig) Wachs nt.

put-up [ˈpʊtʌp] adj: ~ **job** abgekartetes Spiel.

puzzle [ˈpʌzl] **1.** n Rätsel nt; (toy) Geduldspiel nt; (jigsaw ~) Puzzle nt; **2.** vt verwirren; **3.** vi sich dat den Kopf zerbrechen; **puzzling** adj rätselhaft, verwirrend.

pygmy [ˈpɪgmɪ] n Pygmäe m; (fig) Zwerg(in) m(f).

pyjamas [pɪˈdʒɑːməz] n pl Schlafanzug m, Pyjama m.

pylon [ˈpaɪlən] n Mast m.

pyramid [ˈpɪrəmɪd] n Pyramide f.

python [ˈpaɪθən] n Pythonschlange f.

Q

Q, q [kjuː] n Q nt, q nt.

quack [kwæk] n Quaken nt; (doctor) Quacksalber(in) m(f).

quad [kwɒd] abbr of **quadrangle, quadruple, quadruplet.**

quadrangle [ˈkwɒdræŋgl] n (court) Hof m; (MATH) Viereck nt.

quadruped [ˈkwɒdrʊped] n Vierfüßler m.

quadruple [ˈkwɒdruːpl] **1.** adj vierfach; **2.** vi sich vervierfachen; **3.** vt vervierfachen.

quadruplet [ˈkwɒdrʊplət] n Vierling m.

quagmire [ˈkwægmaɪə*] n Morast m.

quaint [kweɪnt] adj kurios; (picturesque) malerisch; **quaintly** adv kurios; **quaintness** n Kuriosität f; malerischer Anblick.

quake [kweɪk] vi beben, zittern.

qualification [kwɒlɪfɪˈkeɪʃən] n Qualifikation f; (sth which limits) Einschränkung f; **qualified** [ˈkwɒlɪfaɪd] adj (competent) qualifiziert; (limited) bedingt; **qualify 1.** vt (prepare) befähigen; (limit) einschränken; **2.** vi sich qualifizieren.

qualitative [ˈkwɒlɪtətɪv] adj qualitativ.

quality [ˈkwɒlɪtɪ] **1.** n Qualität f; (characteristic) Eigenschaft f; **2.** adj Qualitäts-.

qualm [kwɑːm] n Bedenken pl, Zweifel m.

quandary [ˈkwɒndərɪ] n Verlegenheit f; **to be in a ~** in Verlegenheit sein.

quantitative [ˈkwɒntɪtətɪv] adj quantitativ.

quantity [ˈkwɒntɪtɪ] n Menge f, Quantität f.

quarantine [ˈkwɒrəntiːn] n Quarantäne f.

quarrel [ˈkwɒrəl] **1.** n Streit m; **2.** vi sich streiten; **quarrelsome** adj streitsüchtig.

quarry [ˈkwɒrɪ] n Steinbruch m; (animal) Wild nt; (fig) Opfer nt.

quarter [ˈkwɔːtə*] **1.** n Viertel nt; (of year) Quartal nt, Vierteljahr nt; **2.** vt (divide) vierteln, in Viertel teilen; **~ of an hour** eine Viertelstunde; **~ past three** Viertel nach drei; **~ to three** dreiviertel drei, Viertel vor drei; **quarter-deck** n Achterdeck nt; **quarter final** n Viertelfinale nt; **quarterly** adj vierteljährlich; **quarters** n pl (MIL) Quartier nt.

quartette [kwɔːˈtet] n Quartett nt.

quartz [kwɔːts] n Quarz m.

quash [kwɒʃ] vt (verdict) aufheben.

quaver [ˈkweɪvə*] **1.** n (MUS) Achtelnote f; **2.** vi (tremble) zittern.

quay [kiː] n Kai m.

queasy [ˈkwiːzɪ] adj übel; **he feels ~** ihm ist übel.

queen [kwiːn] n Königin f; **queen mother** n Königinmutter f.

queer [kwɪə*] **1.** adj seltsam, sonderbar, kurios; **2.** n (pej: homosexual) Schwule(r) m; **~ fellow** komischer Kauz.

quench [kwentʃ] vt (thirst) löschen, stillen; (extinguish) löschen.

query [ˈkwɪərɪ] **1.** n (question) Anfrage f; (question mark) Fragezeichen nt; **2.** vt (express doubt about) bezweifeln; (bill) reklamieren; (check) abklären.

quest [kwest] n Suche f.

question [ˈkwestʃən] **1.** n Frage f; **2.** vt (ask) befragen; (suspect) verhören; (doubt) in Frage stellen, bezweifeln; **beyond ~** ohne Frage; **out of the ~** ausgeschlossen; **questionable** adj zweifelhaft; **questioning** adj fragend; **question mark** n Fragezeichen nt; **questionnaire** [kwestʃəˈnɛə*] n Fragebogen m.

queue [kjuː] **1.** n Schlange f; **2.** vi (also: ~ up) Schlange stehen.

quibble [ˈkwɪbl] **1.** n Spitzfindigkeit f; **2.** vi kleinlich sein.

quick [kwɪk] **1.** n (of nail) Nagelhaut f; **2.** adj schnell; **to the ~** (fig) bis ins Innerste; **quicken 1.** vt (hasten) beschleunigen; (stir) anregen; **2.** vi sich beschleunigen; **quickly** adv schnell; **quickness** n Schnelligkeit f; (mental) Scharfsinn m; **quicksand** n Treibsand m; **quick-**

witted adj schlagfertig, aufgeweckt.
quid [kwɪd] n (Brit fam: £1) Pfund nt.
quiet ['kwaɪət] **1.** adj (without noise) leise; (peaceful, calm) still, ruhig; **2.** n Stille f, Ruhe f; **quieten** ['kwaɪətən] **1.** vi (also: ~ down) ruhig werden; **2.** vt beruhigen; **quietly** adv leise, ruhig; **quietness** n Ruhe f, Stille f.
quill [kwɪl] n (of porcupine) Stachel m; (pen) Feder f.
quilt [kwɪlt] n Steppdecke f; **quilting** n Wattierung f.
quin [kwɪn] n abbr of **quintuplet**.
quince [kwɪns] n Quitte f.
quinine [kwɪ'niːn] n Chinin nt.
quinsy ['kwɪnzɪ] n Mandelentzündung f.
quintette [kwɪn'tet] n Quintett nt.
quintuplet ['kwɪntjʊplət] n Fünfling m.
quip [kwɪp] **1.** n witzige Bemerkung; **2.** vi witzeln.
quirk [kwɜːk] n (oddity) Eigenart f.
quit [kwɪt] ⟨quit o quitted, quit o quitted⟩ **1.** vt verlassen; **2.** vi aufhören.
quite [kwaɪt] adv (completely) ganz, völlig; (fairly) ziemlich; ~ **so** richtig.
quits [kwɪts] adj quitt.
quiver ['kwɪvə*] **1.** vi zittern; **2.** n (for arrows) Köcher m.
quiz [kwɪz] **1.** n (competition) Quiz nt; (series of questions) Befragung f; **2.** vt prüfen; (question) ausfragen; **quizzical** adj fragend, verdutzt.
quoit [kɔɪt] n Wurfring m.
quorum ['kwɔːrəm] n beschlußfähige Anzahl.
quota ['kwəʊtə] n Anteil m; (COM. POL) Quote f; ~ **system** (US) Quotenregelung f.
quotation [kwəʊ'teɪʃən] n Zitat nt; (price) Kostenvoranschlag m; **quotation marks** n pl Anführungszeichen pl.
quote [kwəʊt] **1.** n s. quotation; **2.** vi (from book) zitieren (from aus); **3.** vt (from book) zitieren; (price) angeben.
quotient ['kwəʊʃənt] n Quotient m.

R

R, r [ɑː*] n R nt, r nt.
rabbi ['ræbaɪ] n Rabbiner m; (title) Rabbi m.
rabbit ['ræbɪt] n Kaninchen nt; **rabbit hutch** n Kaninchenstall m.
rabble ['ræbl] n Pöbel m.
rabies ['reɪbiːz] n sing Tollwut f.
raccoon [rə'kuːn] n Waschbär m.
race [reɪs] **1.** n (species) Rasse f; (competition) Rennen nt; (on foot also) Wettlauf m;

2. vt um die Wette laufen mit; (horses) laufen lassen; **3.** vi (in contest) am Rennen teilnehmen; **racecourse** n (for horses) Rennbahn f; **race horse** n Rennpferd nt; **race meeting** n (for horses) Pferderennen nt; **race relations** n pl Beziehungen pl zwischen den Rassen; **racetrack** n (for cars etc) Rennstrecke f.
racial ['reɪʃəl] adj Rassen-; ~ **discrimination** Rassendiskriminierung f; **racialism** n Rassismus m; **racialist 1.** adj rassistisch; **2.** n Rassist(in) m(f).
racing ['reɪsɪŋ] n Rennen nt; **racing car** n Rennwagen m; **racing driver** n Rennfahrer(in) m(f).
racism ['reɪsɪzəm] n Rassismus m; **racist 1.** n Rassist(in) m(f); **2.** adj rassistisch.
rack [ræk] **1.** n Ständer m, Gestell nt; **2.** vt zermartern; **to go to ~ and ruin** verfallen.
racket ['rækɪt] n (din) Krach m; (scheme) Schwindelgeschäft nt; (TENNIS) Tennisschläger m.
racketeer [rækɪ'tɪə*] n Gauner(in) m(f).
racy ['reɪsɪ] adj gewagt; (style) spritzig.
radar ['reɪdɑː*] n Radar nt o m.
radial ['reɪdɪəl] adj radial; (lines) strahlenförmig; ~**-ply tyres** pl Gürtelreifen pl.
radiant ['reɪdɪənt] adj (bright) strahlend; (giving out rays) Strahlungs-.
radiate ['reɪdɪeɪt] vt, vi ausstrahlen; (roads, lines) strahlenförmig wegführen.
radiation [reɪdɪ'eɪʃən] n Strahlung f; **exposure to ~** Strahlenbelastung f; ~ **sickness** Strahlenkrankheit f.
radiator ['reɪdɪeɪtə*] n (for heating) Heizkörper m; (AUTO) Kühler m; **radiator cap** n Kühlerverschlußdeckel m.
radical ['rædɪkəl] **1.** adj radikal; **2.** n Radikale(r) mf.
radio ['reɪdɪəʊ] n ⟨-s⟩ Rundfunk m, Radio nt; (set) Radio nt, Radioapparat m.
radioactive [reɪdɪəʊ'æktɪv] adj radioaktiv; **radioactivity** [reɪdɪəʊæk'tɪvɪtɪ] n Radioaktivität f.
radio alarm clock [reɪdɪəʊə'lɑːm] n Radiowecker m; **radio cab** n Funktaxi nt; **radio cassette recorder** n Radiorecorder m.
radiographer [reɪdɪ'ɒɡrəfə*] n Röntgenassistent(in) m(f); **radiography** [reɪdɪ'ɒɡrəfɪ] n Radiographie f, Röntgenographie f; **radiology** [reɪdɪ'ɒlədʒɪ] n Radiologie f.
radio station ['reɪdɪəʊsteɪʃən] n Rundfunkstation f, Rundfunksender m; **radio taxi** n Funktaxi nt; **radio telephone** n Funksprechgerät nt; **radio telescope** n Radioteleskop nt.
radiotherapist [reɪdɪəʊ'θerəpɪst] n Röntgenologe(-login) m(f); **radiotherapy** n

Strahlenbehandlung f, Bestrahlung f.

radish [ˈrædɪʃ] n (big) Rettich m; (small) Radieschen nt.

radium [ˈreɪdɪəm] n Radium nt.

radius [ˈreɪdɪəs] n Radius m, Halbkreis m; (area) Umkreis m.

raffia [ˈræfɪə] n Raffiabast m.

raffish [ˈræfɪʃ] adj liederlich; (clothes) gewagt.

raffle [ˈræfl] n Verlosung f, Tombola f.

raft [rɑːft] n Floß nt.

rafter [ˈrɑːftə*] n Dachsparren m.

rag [ræg] 1. n (cloth) Lumpen m, Lappen m; (pej: newspaper) Käseblatt nt; (at university: for charity) studentische Sammelaktion; 2. vt auf den Arm nehmen; **ragbag** n (fig) Sammelsurium nt.

rage [reɪdʒ] 1. n Wut f; (desire) Sucht f; (fashion) große Mode; 2. vi wüten, toben; **to be in a** ~ wütend sein.

ragged [ˈrægɪd] adj (edge) gezackt; (clothes) zerlumpt.

raging [ˈreɪdʒɪŋ] adj tobend; (thirst) Heiden-; (pain) rasend.

raid [reɪd] 1. n Überfall m; (MIL) Angriff m; (by police) Razzia f; 2. vt überfallen.

rail [reɪl] n Schiene f, Querstange f; (on stair) Geländer nt; (of ship) Reling f; (RAIL) Schiene f; **by** ~ per Bahn; **railings** n Geländer nt; **railroad** n (US) Eisenbahn f; **railroad station** n Bahnhof m; **railway** n (Brit) Eisenbahn f; **railway station** n Bahnhof m.

rain [reɪn] 1. n Regen m; 2. vi impers regnen; **the** ~**s** pl die Regenzeit; **rainbow** n Regenbogen m; **raincoat** n Regenmantel m; **raindrop** n Regentropfen m; **rainfall** n Niederschlag m; **rainforest** n Regenwald m; **rainproof** n regendicht; **rainy** adj (region, season) Regen-; (day) regnerisch, verregnet.

raise [reɪz] 1. n (esp US: increase) Preiserhöhung f; (of wages/salary) Lohn-/Gehaltserhöhung f; 2. vt (lift) hochheben; (increase) erhöhen; (question) aufwerfen; (doubts) äußern; (funds) beschaffen; (family) großziehen; (livestock) züchten; (build) errichten.

raisin [ˈreɪzən] n Rosine f.

rake [reɪk] 1. n Rechen m, Harke f; (person) Wüstling m; 2. vt rechen, harken; (search) suchen; **to** ~ **in** (fam: money) kassieren.

rakish [ˈreɪkɪʃ] adj verwegen, flott.

rally [ˈrælɪ] 1. n (POL) Kundgebung f; (AUTO) Rallye f; (improvement) Erholung f; 2. vt (MIL) sammeln; 3. vi Kräfte sammeln; **rally round** vi sich scharen um; (help) zu Hilfe kommen +dat.

ram [ræm] 1. n Widder m; (instrument) Ramme f; 2. vt (strike) rammen; (stuff) hin-

einstopfen.

RAM n [ræm] acr of **Random-access memory** RAM m.

ramble [ˈræmbl] 1. n Wanderung f, Ausflug m; 2. vi (wander) umherstreifen; (talk) schwafeln; **rambler** n Wanderer m, Wanderin f; (plant) Kletterrose f; **rambling** adj (plant) Kletter-; (speech) weitschweifig; (town) ausgedehnt.

ramp [ræmp] n Rampe f.

rampage [ræmˈpeɪdʒ] n: **to be on the** ~, **to** ~ randalieren.

rampant [ˈræmpənt] adj (heraldry) aufgerichtet; **to be** ~ überhandnehmen.

rampart [ˈræmpɑːt] n Schutzwall m.

ramshackle [ˈræmʃækl] adj baufällig.

ran [ræn] pt of **run**.

ranch [rɑːntʃ] n Ranch f; **rancher** n Rancher(in) m(f).

rancid [ˈrænsɪd] adj ranzig.

rancor (US), **rancour** [ˈræŋkə*] n Verbitterung f, Groll m.

random [ˈrændəm] 1. adj willkürlich; 2. n: **at** ~ aufs Geratewohl; **Random-access memory** Direktzugriffsspeicher m; ~ **sample** Stichprobe f.

randy [ˈrændɪ] adj (Brit) geil, scharf.

rang [ræŋ] pt of **ring**.

range [reɪndʒ] 1. n Reihe f; (of mountains) Kette f; (COMM) Sortiment nt; (selection) Auswahl f (of an +dat); (reach) Reichweite f; (of gun) Schußweite f; (for shooting practice) Schießplatz m; (stove) Herd m; 2. vt (set in row) anordnen, aufstellen; (roam) durchstreifen; 3. vi (extend) sich erstrecken; **prices ranging from £5 to £10** Preise, die sich zwischen £5 und £10 bewegen; **ranger** n Förster(in) m(f).

rank [ræŋk] 1. n (row) Reihe f; (for taxis) Stand m; (MIL) Dienstgrad m, Rang m; (social position) Stand m; 2. vt einschätzen; 3. vi gehören (among zu); 4. adj (strong-smelling) stinkend; (extreme) krass; **the** ~ **and file** (fig) die breite Masse.

ransack [ˈrænsæk] vt (plunder) plündern; (search) durchwühlen.

ransom [ˈrænsəm] n Lösegeld nt; **to hold sb to** ~ jdn als Geisel festhalten.

rant [rænt] vi Tiraden loslassen; (talk nonsense) irres Zeug reden; **to** ~ **and rave** toben; **ranting** n Wortschwall m.

rap [ræp] 1. n Schlag m; 2. vi klopfen.

rape [reɪp] 1. n Vergewaltigung f; 2. vt vergewaltigen.

rapid [ˈræpɪd] adj rasch, schnell; **rapidity** [rəˈpɪdɪtɪ] n Schnelligkeit f; **rapidly** adv schnell; **rapids** n pl Stromschnellen pl.

rapier [ˈreɪpɪə*] n Florett nt.

rapist [ˈreɪpɪst] n Vergewaltiger m.

rapport [ræˈpɔː] n gutes Verhältnis.

rapt [ræpt] *adj* hingerissen; **rapture** [ˈræptʃə*] *n* Entzücken *nt*; **to go into** ~**s** ins Schwärmen geraten; **rapturous** *adj* (*applause*) stürmisch; (*expression*) verzückt, hingerissen.

rare [rɛə*] *adj* selten, rar; (*especially good*) vortrefflich; (*underdone*) nicht durchgebraten; **rarefied** [ˈrɛərɪfaɪd] *adj* (*air, atmosphere*) dünn; **rarely** *adv* selten; **rarity** [ˈrɛərɪtɪ] *n* Seltenheit *f*.

rascal [ˈrɑːskəl] *n* Schuft *m*; (*child*) Schlingel *m*.

rash [ræʃ] **1.** *adj* übereilt; (*reckless*) unbesonnen; **2.** *n* Hautausschlag *m*.

rasher [ˈræʃə*] *n* Speckscheibe *f*.

rashly [ˈræʃlɪ] *adv* vorschnell, unbesonnen.

rashness [ˈræʃnəs] *n* Voreiligkeit *f*; (*recklessness*) Unbesonnenheit *f*.

rasp [rɑːsp] *n* Raspel *f*.

raspberry [ˈrɑːzbərɪ] *n* Himbeere *f*.

rat [ræt] *n* (*animal*) Ratte *f*; (*person*) Schuft *m*.

ratable [ˈreɪtəbl] *adj*: ~ **value** Grundsteuer *f*.

ratchet [ˈrætʃɪt] *n* Sperrad *nt*.

rate [reɪt] **1.** *n* (*proportion*) Ziffer *f*, Rate *f*; (*price*) Tarif *m*, Gebühr *f*; (*speed*) Tempo *nt*; **2.** *vt* einschätzen; ~**s** *pl* (*Brit*) Grundsteuer *f*, Gemeindeabgaben *pl*; **at any** ~ jedenfalls; (*at least*) wenigstens; **at this** ~ wenn es so weitergeht; ~ **of exchange** Wechselkurs *m*; **ratepayer** *n* Steuerzahler(in) *m(f)*.

rather [ˈrɑːðə*] *adv* (*in preference*) lieber, eher; (*to some extent*) ziemlich; ~*!* und ob!

ratification [rætɪfɪˈkeɪʃən] *n* Ratifizierung *f*; **ratify** [ˈrætɪfaɪ] *vt* bestätigen; (*POL*) ratifizieren.

rating [ˈreɪtɪŋ] *n* Klasse *f*; (*sailor*) Matrose *m*.

ratio [ˈreɪʃɪəʊ] *n* ⟨-s⟩ Verhältnis *nt*.

ration [ˈræʃən] **1.** *n* Ration *f*; **2.** *vt* rationieren.

rational *adj* [ˈræʃənl] rational, vernünftig.

rationale [ræʃəˈnɑːl] *n* Gründe *pl*.

rationalization [ræʃnəlaɪˈzeɪʃən] *n* Rationalisierung *f*; **rationalize** [ˈræʃnəlaɪz] *vt* rationalisieren.

rationing [ˈræʃnɪŋ] *n* Rationierung *f*.

rat race [ˈrætreɪs] *n* Konkurrenzkampf *m*.

rattle [ˈrætl] **1.** *n* (*sound*) Rattern *nt*, Rasseln *nt*; (*toy*) Rassel *f*; **2.** *vi* rattern, klappern; **rattlesnake** *n* Klapperschlange *f*.

raucous *adj*, **raucously** *adv* [ˈrɔːkəs, -lɪ] heiser, rauh.

ravage [ˈrævɪdʒ] *vt* verheeren; **ravages** *n pl* verheerende Wirkungen *pl*; **the** ~ **of time** der Zahn der Zeit.

rave [reɪv] *vi* (*talk wildly*) phantasieren; (*rage*) toben; (*enthuse*) schwärmen (*about*

von).

raven [ˈreɪvn] *n* Rabe *m*.

ravenous [ˈrævənəs] *adj* heißhungrig; (*appetite*) unersättlich.

ravine [rəˈviːn] *n* Schlucht *f*, Klamm *f*.

raving [ˈreɪvɪŋ] *adj* tobend; ~ **mad** total verrückt.

ravioli [rævɪˈəʊlɪ] *n* Ravioli *pl*.

ravish [ˈrævɪʃ] *vt* (*delight*) entzücken; (*JUR: woman*) vergewaltigen; **ravishing** *adj* hinreißend.

raw [rɔː] *adj* roh; (*tender*) wundgerieben; (*wound*) offen; (*inexperienced*) unerfahren; ~ **material** Rohmaterial *nt*.

ray [reɪ] *n* (*of light*) Lichtstrahl *m*; (*gleam*) Schimmer *m*.

rayon [ˈreɪɒn] *n* Kunstseide *f*, Reyon *nt o m*.

raze [reɪz] *vt* dem Erdboden gleichmachen.

razor [ˈreɪzə*] *n* Rasierapparat *m*; **razor blade** *n* Rasierklinge *f*.

razzle [ˈræzl] *n*: **to be out on the** ~ (*fam*) eine Sause machen.

razzmatazz [ˈræzməˈtæz] *n* (*fam*) Rummel *m*, Trubel *m*.

Rd *abbr of* **road** Straße, Str.

re [riː] *prep* (*COMM*) betreffs +*gen*.

re- [riː] *pref* wieder-.

reach [riːtʃ] **1.** *n* Reichweite *f*; (*of river*) Flußstrecke *f*; **2.** *vt* erreichen; (*pass on*) reichen, geben; **3.** *vi* (*try to get*) langen (*for* nach); (*stretch*) sich erstrecken; **within** ~ (*shops*) in Reichweite; **reach out** *vi* die Hand ausstrecken.

react [riːˈækt] *vi* reagieren; **reaction** [riːˈækʃən] *n* Reaktion *f*.

reactionary [riːˈækʃənrɪ] *adj* reaktionär.

reactor [rɪˈæktə*] *n* Reaktor *m*; **reactor block** *n* Reaktorblock *m*.

read [riːd] ⟨read, read⟩ *vt, vi* lesen; (*aloud*) vorlesen; **it** ~**s as follows** es lautet folgendermaßen; **read** [red] *pt, pp of* **read**; **readable** *adj* leserlich; (*worth reading*) lesenswert; **reader** *n* (*person*) Leser(in) *m(f)*; (*book*) Lesebuch *nt*; **readership** *n* Leserschaft *f*.

readily [ˈredɪlɪ] *adv* (*willingly*) bereitwillig; (*easily*) leicht.

readiness [ˈredɪnəs] *n* (*willingness*) Bereitwilligkeit *f*; (*being ready*) Bereitschaft *f*.

reading [ˈriːdɪŋ] *n* Lesen *nt*; (*interpretation*) Deutung *f*, Auffassung *f*; **reading device** *n* (*COMPUT*) Lesegerät *nt*; **reading lamp** *n* Leselampe *f*; **reading matter** *n* Lesestoff *m*, Lektüre *f*; **reading room** *n* Lesezimmer *nt*, Lesesaal *m*.

readjust [riːəˈdʒʌst] *vt* wieder in Ordnung bringen; neu einstellen; **to** ~ **oneself to sth** sich wieder an etw *akk* anpassen.

Read only memory [ˈriːdəʊnlɪˈmeməri] *n* (*COMPUT*) Lesespeicher *m*.

ready [ˈredɪ] **1.** adj (prepared) bereit, fertig; (willing) bereit, willens; (in condition to) reif; (quick) schlagfertig; (money) verfügbar, bar; **2.** adv bereit; **3.** n: **at the ~** bereit; **ready-made** adj (solution) Patent-; (clothes) Konfektions-; **ready reckoner** n Rechentabelle f.

real [rɪəl] adj wirklich; (actual) eigentlich; (true) wahr; (not fake) echt; **real estate** n Immobilien pl; **realism** n Realismus m; **realist** n Realist(in) m(f); **realistic** adj, **realistically** [rɪəˈlɪstɪk, -əlɪ] adv realistisch; **reality** [rɪˈælɪtɪ] n (real existence) Wirklichkeit f, Realität f; (facts) Tatsachen pl.

realization [rɪəlaɪˈzeɪʃən] n (understanding) Erkenntnis f; (fulfilment) Verwirklichung f; **realize** [ˈrɪəlaɪz] vt (understand) begreifen; (make real) realisieren; (money) einbringen; **I didn't ~ ...** ich wußte nicht, ...

really [ˈrɪəlɪ] adv wirklich.

realm [relm] n Reich nt.

real time [rɪəlˈtaɪm] n (COMPUT) Echtzeit f.

reap [riːp] vt ernten.

reappear [riːəˈpɪə*] vi wieder erscheinen; **reappearance** n Wiedererscheinen nt.

reappoint [riːəˈpɔɪnt] vt wieder anstellen; wiederernennen.

reappraisal [riːəˈpreɪzəl] n Neubeurteilung f.

rear [rɪə*] **1.** adj hintere(r, s), Rück-; **2.** n Rückseite f; (last part) Schluß m; **3.** vt (bring up) aufziehen; **4.** vi (horse) sich aufbäumen; **rear-engined** adj mit Heckmotor; **rearguard** n Nachhut f.

rearm [riːˈɑːm] **1.** vt wiederbewaffnen; **2.** vi wieder aufrüsten; **rearmament** n Wiederaufrüstung f; (additional) Nachrüstung f.

rearrange [riːəˈreɪndʒ] vt umordnen; (plans) ändern.

rear-view [ˈrɪəvjuː] adj: **~ mirror** Rückspiegel m; **rear-wheel drive** n (AUTO) Hinterradantrieb m; **rear window** n (AUTO) Heckscheibe f.

reason [ˈriːzn] **1.** n (cause) Grund m; (ability to think) Verstand m; (sensible thoughts) Vernunft f; **2.** vi (think) denken; (use arguments) argumentieren; **to ~ with sb** mit jdm vernünftig reden; **it stands to ~** das ist logisch; **reasonable** adj vernünftig; **reasonably** adv (fairly) ziemlich; **one could ~ suppose** man könnte doch annehmen; **reasoned** adj (argument) durchdacht; **reasoning** n logisches Denken; (argumentation) Beweisführung f.

reassemble [riːəˈsembl] **1.** vt wieder versammeln; (TECH) wieder zusammensetzen, wieder zusammenbauen; **2.** vi sich wieder versammeln.

reassurance [riːəˈʃʊərəns] n Beruhigung f; (confirmation) nochmalige Versicherung, Bestätigung f; **reassure** [riːəˈʃʊə*] vt beruhigen; (confirm) versichern (sb jdm); **reassuring** adj beruhigend.

rebate [ˈriːbeɪt] n Rabatt m; (money back) Rückzahlung f.

rebel [ˈrebl] **1.** n Rebell(in) m(f); **2.** adj Rebellen-, rebellisch; **rebellion** [rɪˈbeljən] n Rebellion f, Aufstand m; **rebellious** [rɪˈbeljəs] adj rebellisch; (fig) widerspenstig.

rebirth [riːˈbɜːθ] n Wiedergeburt f.

rebound [rɪˈbaʊnd] **1.** vi zurückprallen; **2.** [ˈriːbaʊnd] n Rückprall m; **on the ~** (fig) als Reaktion.

rebuff [rɪˈbʌf] **1.** n Abfuhr f; **2.** vt abblitzen lassen.

rebuild [riːˈbɪld] irr vt wiederaufbauen; (fig) wiederherstellen.

rebuke [rɪˈbjuːk] **1.** n Tadel m; **2.** vt tadeln, rügen.

recall [rɪˈkɔːl] vt (call back) zurückrufen; (remember) sich erinnern an +akk.

recant [rɪˈkænt] vi widerrufen.

recap [ˈriːkæp] **1.** n kurze Zusammenfassung; **2.** vt, vi (information) wiederholen.

recede [rɪˈsiːd] vi zurückweichen; **receding hairline** Stirnglatze f.

receipt [rɪˈsiːt] n (document) Quittung f; (receiving) Empfang m; **~s** pl Einnahmen pl.

receive [rɪˈsiːv] vt erhalten; (visitors etc) empfangen; **receiver** n (TEL) Hörer m; (of letters, goods) Empfänger(in) m(f).

recent [ˈriːsnt] adj vor kurzem geschehen, neuerlich; (modern) neu; **recently** adv kürzlich, neulich.

receptacle [rɪˈseptəkl] n Behälter m.

reception [rɪˈsepʃən] n Empfang m; (welcome) Aufnahme f; (in hotel) Rezeption f; **receptionist** n (in hotel) Empfangschef(-dame) m(f); (MED) Sprechstundenhilfe f.

receptive [rɪˈseptɪv] adj aufnahmebereit.

recess [riːˈses] n (break) Ferien pl; (hollow) Nische f; **~es** pl im Winkel m.

recession [rɪˈseʃən] n Rezession f.

recharge [riːˈtʃɑːdʒ] vt (battery) aufladen.

recipe [ˈresɪpɪ] n Rezept nt.

recipient [rɪˈsɪpɪənt] n Empfänger(in) m(f).

reciprocal [rɪˈsɪprəkəl] adj gegenseitig; (mutual) wechselseitig.

reciprocate [rɪˈsɪprəkeɪt] vt erwidern.

recital [rɪˈsaɪtl] n Vortrag m; (MUS) Konzert nt.

recite [rɪˈsaɪt] vt vortragen, aufsagen; (give list of) aufzählen.

reckless adj, **recklessly** adv [ˈrekləs, -lɪ] leichtsinnig; (driving) fahrlässig; **recklessness** n Rücksichtslosigkeit f.

reckon ['rekən] **1.** *vt* (*count*) berechnen, errechnen; (*consider*) glauben; (*estimate*) schätzen; **2.** *vi* (*suppose*) annehmen; **reckon on** *vt* rechnen mit; **reckoning** *n* (*calculation*) Rechnen *nt*.

reclaim [rɪ'kleɪm] *vt* (*land*) abgewinnen (*from dat*); (*expenses*) zurückverlangen.

reclamation [reklə'meɪʃən] *n* Rückgewinnung *f*.

recline [rɪ'klaɪn] *vi* sich zurücklehnen; **reclining** *adj* verstellbar, Liege-; ~ **seat** Liegesitz *m*.

recluse [rɪ'kluːs] *n* Einsiedler(in) *m(f)*.

recognition [rekəg'nɪʃən] *n* (*recognizing*) Erkennen *nt*; (*acknowledgement*) Anerkennung *f*.

recognizable ['rekəgnaɪzəbl] *adj* erkennbar.

recognize ['rekəgnaɪz] *vt* erkennen; (*POL approve*) anerkennen.

recoil [rɪ'kɔɪl] **1.** *n* Rückstoß *m*; **2.** *vi* (*in horror*) zurückschrecken; (*rebound*) zurückprallen.

recollect [rekə'lekt] *vt* sich erinnern an +*akk*; **recollection** *n* Erinnerung *f*.

recommend [rekə'mend] *vt* empfehlen; **recommendation** [rekəmen'deɪʃən] *n* Empfehlung *f*.

recompense ['rekəmpens] **1.** *n* (*compensation*) Entschädigung *f*; (*reward*) Belohnung *f*; **2.** *vt* (*compensate*) entschädigen; (*reward*) belohnen.

reconcilable ['rekənsaɪləbl] *adj* vereinbar.

reconcile ['rekənsaɪl] *vt* (*facts*) vereinbaren, in Einklang bringen; (*people*) versöhnen.

reconciliation [rekənsɪl'eɪʃən] *n* Versöhnung *f*.

reconditioned [riːkən'dɪʃənd] *adj* überholt, erneuert; ~ **engine** Austauschmotor *m*.

reconnaissance [rɪ'kɒnɪsəns] *n* Aufklärung *f*.

reconnoiter (*US*), **reconnoitre** [rekə'nɔɪtə*] **1.** *vt* erkunden; **2.** *vi* aufklären.

reconsider [riːkən'sɪdə*] **1.** *vt* überdenken; (*change*) revidieren; (*JUR*) wiederaufnehmen; **2.** *vi* es sich *dat* noch einmal überlegen.

reconstruct [riːkən'strʌkt] *vt* wiederaufbauen; (*crime*) rekonstruieren; **reconstruction** [riːkən'strʌkʃən] *n* Rekonstruktion *f*.

record ['rekɔːd] **1.** *n* Aufzeichnung *f*; (*MUS*) Schallplatte *f*; (*best performance*) Rekord *m*; **2.** *adj* (*time*) Rekord-; **3.** [rɪ'kɔːd] *vt* aufzeichnen; (*MUS*) aufnehmen; ~ **holder** (*SPORT*) Rekordinhaber(in) *m(f)*; **for the** ~ der Ordnung halber; **record card** *n* (*in file*) Karteikarte *f*.

recorder [rɪ'kɔːdə*] *n* (*officer*) Protokollführer(in) *m(f)*; (*MUS*) Blockflöte *f*; **cassette** ~ [Kassetten]recorder *m*.

recording [rɪ'kɔːdɪŋ] *n* (*MUS*) Aufnahme *f*.

record player ['rekɔːdpleɪə*] *n* Plattenspieler *m*.

recount [rɪˈkaʊnt] **1.** *n* Nachzählung *f*; **2.** *vt* (*count again*) nachzählen; **3.** [rɪ'kaʊnt] *vt* (*tell*) berichten.

recoup [rɪ'kuːp] *vt* wettmachen.

recourse [rɪ'kɔːs] *n* Zuflucht *f*.

recover [rɪ'kʌvə*] **1.** *vt* (*get back*) zurückhalten; **2.** *vi* sich erholen; **recovery** *n* Wiedererlangung *f*; (*of health*) Genesung *f*.

recreate [riːkrɪ'eɪt] *vt* wiederherstellen.

recreation [rekrɪ'eɪʃən] *n* Erholung *f*; (*leisure*) Freizeitbeschäftigung *f*; **recreational** *adj* Freizeit-.

recrimination [rɪkrɪmɪ'neɪʃən] *n* Gegenbeschuldigung *f*.

recruit [rɪ'kruːt] **1.** *n* Rekrut(in) *m(f)*; **2.** *vt* rekrutieren, anwerben; **recruitment** *n* Rekrutierung *f*.

rectangle ['rektæŋgl] *n* Rechteck *nt*; **rectangular** [rek'tæŋgjʊlə*] *adj* rechteckig, rechtwinklig.

rectify ['rektɪfaɪ] *vt* berichtigen.

rectory ['rektərɪ] *n* Pfarrhaus *nt*.

recuperate [rɪ'kuːpəreɪt] *vi* sich erholen.

recur [rɪ'kɜː*] *vi* sich wiederholen; **recurrence** *n* Wiederholung *f*; **recurrent** *adj* wiederkehrend.

recycle [riː'saɪkl] *vt* wiederverwerten, recyclen; **recycling** *n* Recycling *nt*, Wiederverwertung *f*, Wiederaufbereitung *f*; **recycling paper** *n* Umweltschutzpapier *nt*, Recyclingpapier *nt*.

red [red] **1.** *n* Rot *nt*; (*POL*) Rote(r) *mf*; **2.** *adj* rot; **in the** ~ in den roten Zahlen; **Red Cross** Rotes Kreuz; **reddish** *adj* rötlich.

redecorate [riː'dekəreɪt] *vt* renovieren.

redeem [rɪ'diːm] *vt* (*COMM*) einlösen; (*promise*) einhalten; (*debt*) zahlen; (*mortgage*) tilgen; (*save*) retten; (*compensate for*) wettmachen; **to** ~ **sb from sin** jdn von seinen Sünden erlösen; **redeeming** *adj* (*virtue, feature*) rettend.

red-haired ['redheəd] *adj* rothaarig; **redhanded** [red'hændɪd] *adv* auf frischer Tat; **redhead** *n* Rothaarige(r) *mf*; **red herring** *n* Ablenkungsmanöver *nt*; **redhot** *adj* rotglühend; (*excited*) hitzig; (*tip*) heiß.

redirect [riːdaɪ'rekt] *vt* umleiten.

rediscovery [riːdɪs'kʌvərɪ] *n* Wiederentdeckung *f*.

redistribute [riːdɪ'strɪbjuːt] *vt* neu verteilen.

red-letter day [red'letədeɪ] *n* Festtag *m*.

redness ['rednəs] n Röte f.

redo [riː'duː] irr vt nochmals tun [o machen].

redouble [riː'dʌbl] vt verdoppeln.

red tape [red'teɪp] n Bürokratismus m.

reduce [rɪ'djuːs] vt (price) herabsetzen (to auf +akk); (speed, temperature) vermindern; (photo) verkleinern; **to ~ sb to tears/ silence** jdn zum Weinen/Schweigen bringen; **reduction** [rɪ'dʌkʃən] n Herabsetzung f; Verminderung f; Verkleinerung f; (amount of money) Nachlaß m.

redundancy [rɪ'dʌndənsɪ] n Überflüssigkeit f; (of workers) Entlassung f; **redundancy payment** n Abfindung f; **redundant** adj überflüssig; (workers) ohne Arbeitsplatz; **to be made ~** (Brit) entlassen werden.

reed [riːd] n Schilf nt; (MUS) Rohrblatt nt.

reef [riːf] n Riff nt.

reek [riːk] vi stinken (of nach).

reel [riːl] 1. n Spule f, Rolle f; 2. vt (wind) wickeln, spulen; (stagger) taumeln.

re-election [riːɪ'lekʃən] n Wiederwahl f.

re-engage [riːɪn'geɪdʒ] vt wieder einstellen.

re-enter [riː'entə*] vt, vi wieder eintreten in +akk; **re-entry** [riː'entrɪ] n Wiedereintritt m.

re-examine [riːɪg'zæmɪn] vt neu überprüfen.

ref [ref] n (fam) Schiri m, Schiedsrichter(in) m(f).

refectory [rɪ'fektərɪ] n (at college) Mensa f; (SCH) Speisesaal m; (REL) Refektorium nt.

refer [rɪ'fɜː*] 1. vt: **to ~ sb to sb/sth** jdn an jdn/etw verweisen; 2. vi: **to ~ to** hinweisen auf +akk; (to book) nachschlagen in +dat; (mention) sich beziehen auf +akk.

referee [refə'riː] 1. n Schiedsrichter(in) m(f); (for job) Referenz f; 2. vt schiedsrichtern.

reference ['refrəns] n (mentioning) Hinweis m; (allusion) Anspielung f; (for job) Referenz f; (in book) Verweis m; (number, code) Aktenzeichen nt; (in catalogue) Katalognummer f; **with ~ to** in bezug auf +akk; **reference book** n Nachschlagewerk nt.

referendum [refə'rendəm] n Volksentscheid m.

refill [riː'fɪl] 1. vt nachfüllen; 2. ['riːfɪl] n Nachfüllung f; (for pen) Ersatzpatrone f, Ersatzmine f.

refine [rɪ'faɪn] vt (purify) raffinieren, läutern; (fig) bilden, kultivieren; **refined** adj fein; kultiviert; **refinement** n Bildung f, Kultiviertheit f; **refinery** n Raffinerie f.

reflect [rɪ'flekt] 1. vt (light) reflektieren; (fig) widerspiegeln, zeigen; 2. vi (meditate) nachdenken (on über +akk); **reflection** [rɪ'flekʃən] n Reflexion f; (image) Spiegelbild nt; (thought) Überlegung f, Gedanke

m; **reflector** [rɪ'flektə*] n Reflektor m.

reflex ['riːfleks] n Reflex m; **reflex camera** n Spiegelreflexkamera f.

reflexive [rɪ'fleksɪv] adj (LING) Reflexiv-, rückbezüglich, reflexiv.

reform [rɪ'fɔːm] 1. n Reform f; 2. vt (person) bessern; **Reformation** [refə'meɪʃən] n Reformation f; **reformer** n Reformer(in) m(f); (REL) Reformator m.

refrain [rɪ'freɪn] vi unterlassen (from akk).

refresh [rɪ'freʃ] vt erfrischen; **refresher course** n Wiederholungskurs m; **refreshing** adj erfrischend; **refreshments** n pl Erfrischungen pl.

refrigeration [rɪfrɪdʒə'reɪʃən] n Kühlung f.

refrigerator [rɪ'frɪdʒəreɪtə*] n Kühlschrank m.

refuel [riː'fjuəl] vt, vi auftanken; **refuelling** n Auftanken nt.

refuge ['refjuːdʒ] n Zuflucht f; **refugee** [refjʊ'dʒiː] n Flüchtling m.

refund ['riːfʌnd] 1. n Rückvergütung f; 2. [rɪ'fʌnd] vt zurückerstatten, rückvergüten.

refurbish [riː'fɜːbɪʃ] vt aufpolieren.

refurnish [riː'fɜːnɪʃ] vt neu möblieren.

refusal [rɪ'fjuːzəl] n Ablehnung f; (official) abschlägige Antwort, Verweigerung f.

refuse ['refjuːs] 1. n Abfall m, Müll m; 2. [rɪ'fjuːz] vt ablehnen; (permission) verweigern; 3. vi sich weigern; **refuse disposal** n Abfallbeseitigung f.

refute [rɪ'fjuːt] vt widerlegen.

regain [rɪ'geɪn] vt wiedergewinnen; (consciousness) wiedererlangen.

regal [rɪ'gɑːl] adj königlich.

regalia [rɪ'geɪlɪə] n pl Insignien pl; (of mayor etc) Amtsornat m.

regard [rɪ'gɑːd] 1. n Achtung f; 2. vt ansehen; **~s** pl Grüße pl; **~ing, as ~s, with ~ to** bezüglich +gen, in bezug auf +akk; **regardless** 1. adj ohne Rücksicht (of auf +akk); 2. adv unbekümmert, ohne Rücksicht auf die Folgen.

regatta [rɪ'gætə] n Regatta f.

regency ['riːdʒənsɪ] n Regentschaft f; **regent** n Regent(in) m(f).

régime [reɪ'ʒiːm] n Regime nt.

regiment ['redʒɪmənt] n Regiment nt; **regimental** [redʒɪ'mentl] adj Regiments-; **regimentation** n Reglementierung f.

region ['riːdʒən] n Gegend f, Bereich m; **regional** adj örtlich, regional.

register ['redʒɪstə*] 1. n Register nt, Verzeichnis nt, Liste f; (COMPUT) Kurzzeitspeicher m; 2. vt (list) registrieren, eintragen; (emotion) zeigen; (write down) eintragen; 3. vi (at hotel) sich eintragen; (with police) sich melden (with bei); (make impression) wirken, ankommen; **registered** adj (design) eingetragen; (letter) Einschreibe-, eingeschrieben; ~ **trademark** eingetragenes Warenzeichen.

registrar [redʒɪˈstrɑː*] n Standesbeamte(r) m, -beamtin f.

registration [redʒɪˈstreɪʃən] n (act) Erfassung f, Registrierung f; (number) Autonummer f, polizeiliches Kennzeichen.

registry office [ˈredʒɪstrɪɒfɪs] n Standesamt nt.

regret [rɪˈgret] 1. n Bedauern nt; 2. vt bedauern; **to have no** ~**s** nichts bereuen; **regretful** adj traurig; **to be** ~ **about sth** etw bedauern; **regretfully** adv mit Bedauern, ungern; **regrettable** adj bedauerlich.

regroup [riːˈɡruːp] 1. vt umgruppieren; 2. vi sich umgruppieren.

regular [ˈreɡjʊlə*] 1. adj regelmäßig; (usual) üblich; (fixed by rule) geregelt; (fam) regelrecht; 2. n (client) Stammkunde(-kundin) m(f); (MIL) Berufssoldat(in) m(f); (petrol) Normalbenzin nt; **regularity** [reɡjʊˈlærɪt] n Regelmäßigkeit f; **regularly** adv regelmäßig.

regulate [ˈreɡjʊleɪt] vt regeln, regulieren; **regulation** [reɡjʊˈleɪʃən] n (rule) Vorschrift f; (control) Regulierung f; (order) Anordnung f, Regelung f.

rehab [ˈriːhæb] n (US fam) Reha f.

rehabilitate [riːəˈbɪlɪteɪt] vt rehabilitieren.

rehabilitation [riːhəbɪlɪˈteɪʃən] n (of invalid) Rehabilitation f; (of criminal) Resozialisierung f.

rehash [riːˈhæʃ] vt (pej: rework) aufbereiten.

rehearsal [rɪˈhɜːsəl] n Probe f; **rehearse** [rɪˈhɜːs] vt proben.

reign [reɪn] 1. n Herrschaft f; 2. vi herrschen; **reigning** adj (monarch) herrschend; (champion) gegenwärtig.

reimburse [riːɪmˈbɜːs] vt entschädigen, zurückzahlen (sb for sth jdm etw).

rein [reɪn] n Zügel m.

reincarnation [riːɪnkɑːˈneɪʃən] n Wiedergeburt f, Reinkarnation f.

reindeer [ˈreɪndɪə*] n Ren nt.

reinforce [riːɪnˈfɔːs] vt verstärken; **reinforced** adj verstärkt; (concrete) Stahl-; **reinforcement** n Verstärkung f; ~**s** pl (MIL fig) Verstärkung f.

reinstate [riːɪnˈsteɪt] vt wiedereinsetzen.

reissue [riːˈɪʃuː] vt neu herausgeben.

reiterate [riːˈɪtəreɪt] vt wiederholen.

reject [ˈriːdʒekt] 1. n (COMM) Ausschußartikel m; 2. [rɪˈdʒekt] vt ablehnen; (throw away) ausrangieren; **rejection** [rɪˈdʒekʃən] n Ablehnung f.

rejoice [rɪˈdʒɔɪs] vi sich freuen.

rejuvenate [rɪˈdʒuːvɪneɪt] vt verjüngen.

relapse [rɪˈlæps] n Rückfall m.

relate [rɪˈleɪt] vt (tell) berichten, erzählen; (connect) verbinden; **related** adj verwandt (to mit); **relating** prep: ~ **to** bezüglich +gen.

relation [rɪˈleɪʃən] n Verwandte(r) mf; (connection) Beziehung f; **relational** adj (COMPUT) relational; **relationship** n Verhältnis nt, Beziehung f.

relative [ˈrelətɪv] 1. n Verwandte(r) mf; 2. adj relativ, bedingt; **relatively** adv verhältnismäßig; **relative pronoun** n Verhältniswort nt, Relativpronomen nt.

relax [rɪˈlæks] 1. vi (slacken) sich lockern; (muscles, person) sich entspannen; (be less strict) freundlicher werden; 2. vt (ease) lockern, entspannen; ~**!** reg' dich nicht auf!; **relaxation** [riːlækˈseɪʃən] n Entspannung f; **relaxed** adj entspannt, locker; **relaxing** adj entspannend.

relay [ˈriːleɪ] 1. n (SPORT) Staffel f; 2. vt (message) weiterleiten; (RADIO, TV) übertragen.

release [rɪˈliːs] 1. n (freedom) Entlassung f; (TECH) Auslöser m; 2. vt befreien; (prisoner) entlassen; (report, news) veröffentlichen, bekanntgeben; (film, record) herausbringen.

relent [rɪˈlent] vi nachgeben; **relentless** adj, **relentlessly** adv unnachgiebig.

relevance [ˈreləvəns] n Bedeutung f, Relevanz f; **relevant** adj wichtig, relevant.

reliability [rɪlaɪəˈbɪlɪt] n Zuverlässigkeit f; **reliable** adj, **reliably** [rɪˈlaɪəbl, -blɪ] adv zuverlässig.

reliance [rɪˈlaɪəns] n Abhängigkeit f (on von).

relic [ˈrelɪk] n (from past) Überbleibsel nt; (REL) Reliquie f.

relief [rɪˈliːf] n Erleichterung f; (help) Hilfe f, Unterstützung f; (person) Ablösung f; (ART) Relief nt.

relieve [rɪˈliːv] vt (ease) erleichtern; (bring help) entlasten; (person) ablösen; (pain) lindern; **to** ~ **sb of sth** jdm etw abnehmen; **relieved** adj: **be** ~ **that...** erleichtert sein, daß...

religion [rɪˈlɪdʒən] n Religion f.

religious [rɪˈlɪdʒəs] adj religiös; **religiously** adv religiös; (conscientiously) gewissenhaft.

relinquish [rɪˈlɪŋkwɪʃ] vt aufgeben.

relish [ˈrelɪʃ] 1. n Würze f, pikante Beigabe f; 2. vt genießen.

relive [riːˈlɪv] vt noch einmal durchleben.

reluctance [rɪˈlʌktəns] n Widerstreben nt, Abneigung f; **reluctant** adj widerwillig; **reluctantly** adv ungern.

rely on [rɪˈlaɪ ɒn] vt sich verlassen auf +akk.

remain [rɪˈmeɪn] 1. vi (be left) übrigbleiben; (stay) bleiben; 2. n: ~**s** pl Überreste pl;

(dead body) sterbliche Überreste *pl*;
remainder *n* Rest *m*; **remaining** *adj* übrig.

remand [rɪ'mɑːnd] **1.** *n:* **on** ~ in Untersuchungshaft; **2.** *vt:* **to** ~ **in custody** in Untersuchungshaft halten.

remark [rɪ'mɑːk] **1.** *n* Bemerkung *f*; **2.** *vt* bemerken; **remarkable** *adj*, **remarkably** *adv* bemerkenswert.

remarry [riː'mærɪ] *vi* sich wieder verheiraten.

remedial [rɪ'miːdɪəl] *adj (measures)* Hilfs-; *(MED)* Heil-; ~ **teaching** Förderunterricht *m*, Hilfsunterricht *m*; ~ **class** Förderklasse *f*.

remedy ['remədɪ] **1.** *n* Mittel *nt (for* gegen); **2.** *vt (pain)* abhelfen *+dat; (trouble)* in Ordnung bringen.

remember [rɪ'membə*] *vt* sich erinnern an *+akk;* ~ **me to them** grüße sie von mir; **remembrance** [rɪ'membrəns] *n* Erinnerung *f; (official)* Gedenken *nt.*

remind [rɪ'maɪnd] *vt* erinnern; **reminder** *n* Mahnung *f.*

reminisce [remɪ'nɪs] *vi* in Erinnerungen schwelgen; **reminiscences** [remɪ'nɪsənsɪz] *n pl* Erinnerungen *pl*; **reminiscent** *adj* erinnernd *(of an +akk),* Erinnerungen wachrufend *(of an +akk).*

remit [rɪ'mɪt] *vt (money)* überweisen *(to an +akk);* **remittance** *n* Geldanweisung *f.*

remnant ['remnənt] *n* Rest *m.*

remorse [rɪ'mɔːs] *n* Gewissensbisse *pl*; **remorseful** *adj* reumütig; **remorseless** *adj*, **remorselessly** *adv* unbarmherzig.

remote [rɪ'məʊt] *adj* abgelegen, entfernt; *(slight)* gering; ~ **control** Fernsteuerung *f*; **remotely** *adv* entfernt; **remoteness** *n* Entlegenheit *f.*

removal [rɪ'muːvəl] *n* Beseitigung *f; (of furniture)* Umzug *m; (from office)* Entlassung *f;* **removal van** *n* Möbelwagen *m.*

remove [rɪ'muːv] *vt* beseitigen, entfernen; *(dismiss)* entlassen; **remover** *n (for paint etc)* Entferner *m;* ~**s** *pl* Möbelspedition *f.*

remuneration [rɪmjuːnə'reɪʃən] *n* Vergütung *f*, Honorar *m.*

Renaissance [rə'neɪsɑːns] *n:* **the** ~ die Renaissance *f.*

rename [riː'neɪm] *vt* umbenennen.

rend [rend] ⟨rent, rent⟩ *vt* zerreißen.

render ['rendə*] *vt* machen; *(translate)* übersetzen; **rendering** *n (MUS)* Wiedergabe *f.*

renegade ['renɪgeɪd] *n* Abtrünnige(r) *mf.*

renew [rɪ'njuː] *vt* erneuern; *(contract, licence)* verlängern; *(replace)* ersetzen; **renewal** *n* Erneuerung *f;* Verlängerung *f.*

renounce [rɪ'naʊns] *vt (give up)* verzichten auf *+akk; (disown)* verstoßen.

renovate ['renəveɪt] *vt* renovieren; *(building)* restaurieren; **renovation** [renəʊ'veɪʃən] *n* Renovierung *f;* Restauration *f.*

renown [rɪ'naʊn] *n* Ruf *m;* **renowned** *adj* namhaft.

rent [rent] **1.** *pt, pp of* **rend;** **2.** *n* Miete *f; (for land)* Pacht *f;* **3.** *vt (hold as tenant)* mieten; pachten; *(let)* vermieten; verpachten; *(car etc)* mieten; *(firm)* vermieten; **rental** *n* Miete *f;* Pacht *f;* **rent boy** *n (fam)* Stricher *m.*

renunciation [rɪnʌnsɪ'eɪʃən] *n* Verzicht *m (of auf +akk).*

reopen [riː'əʊpən] *vt* wiedereröffnen.

reorder [riː'ɔːdə*] *vt* wieder bestellen; nachbestellen.

reorganization [riːɔːɡənaɪ'zeɪʃən] *n* Neugestaltung *f; (of company)* Umbildung *f;* **reorganize** [riː'ɔːɡənaɪz] *vt* umgestalten, reorganisieren.

rep [rep] *n (COMM)* Vertreter(in) *m(f); (THEAT)* Repertoire *f.*

repair [rɪ'peə*] **1.** *n* Reparatur *f;* **2.** *vt* reparieren; *(damage)* wiedergutmachen; **in good** ~ in gutem Zustand; **repair kit** *n* Werkzeugkasten *m;* **repair man** *n* ⟨repairmen⟩ Mechaniker *m;* **repair shop** *n* Reparaturwerkstatt *f.*

repartee [repɑː'tiː] *n* schlagfertige Antwort.

repay [riː'peɪ] *irr vt* zurückzahlen; *(reward)* vergelten; **repayment** *n* Rückzahlung *f; (fig)* Vergelten *nt.*

repeal [rɪ'piːl] **1.** *n* Aufhebung *f;* **2.** *vt* aufheben.

repeat [rɪ'piːt] **1.** *n (RADIO, TV)* Wiederholungssendung *f;* **2.** *vt* wiederholen; **repeatedly** *adv* wiederholt.

repel [rɪ'pel] *vt (drive back)* zurückschlagen; *(disgust)* abstoßen; **repellent 1.** *adj* abstoßend; **2.** *n:* **insect** ~ Insektenschutzmittel *nt.*

repent [rɪ'pent] *vt, vi* bereuen; **repentance** *n* Reue *f.*

repercussion [riːpə'kʌʃən] *n* Auswirkung *f; (of rifle)* Rückstoß *m.*

repertoire ['repətwɑː*] *n (THEAT, MUS)* Repertoire *nt.*

repertory ['repətərɪ] *n* Repertoire *nt.*

repetition [repə'tɪʃən] *n* Wiederholung *f.*

repetitive [rɪ'petɪtɪv] *adj* sich wiederholend.

rephrase [riː'freɪz] *vt* anders formulieren.

replace [rɪ'pleɪs] *vt* ersetzen; *(put back)* zurückstellen; **replacement** *n* Ersatz *m.*

replenish [rɪ'plenɪʃ] *vt* wieder auffüllen.

replica ['replɪkə] *n* Kopie *f.*

reply [rɪ'plaɪ] **1.** *n* Antwort *f*, Erwiderung *f*; **2.** *vi* antworten, erwidern.

report [rɪ'pɔːt] **1.** *n* Bericht *m; (SCH)* Zeugnis

nt; (of gun) Knall m; **2.** vt (tell) berichten; (give information against) melden; (to police) anzeigen; **3.** vi (make report) Bericht erstatten; (present oneself) sich melden; **reportedly** adv wie verlautet; **reporter** n Reporter(in) m(f).

reprehensible [reprɪˈhensɪbl] adj verwerflich.

represent [reprɪˈzent] vt darstellen, zeigen; (act) darstellen; (speak for) vertreten; **representation** [reprɪzenˈteɪʃən] n Darstellung f; (being represented) Vertretung f; **representative** [reprɪˈzentətɪv] **1.** n (person) Vertreter(in) m(f); **2.** adj repräsentativ.

repress [rɪˈpres] vt unterdrücken; **repression** [rɪˈpreʃən] n Unterdrückung f; **repressive** adj Unterdrückungs-; (PSYCH) hemmend.

reprieve [rɪˈpriːv] n Aufschub m; (cancellation) Begnadigung f; (fig) Atempause f.

reprimand [ˈreprɪmɑːnd] **1.** n Verweis m; **2.** vt einen Verweis erteilen +dat.

reprint [ˈriːprɪnt] **1.** n Nachdruck m; **2.** [riːˈprɪnt] vt nachdrucken, neu auflegen.

reprisal [rɪˈpraɪzəl] n Vergeltung f.

reproach [rɪˈprəʊtʃ] **1.** n (blame) Vorwurf m, Tadel m; (disgrace) Schande f; **2.** vt Vorwürfe machen +dat, tadeln; **beyond ~** über jeden Vorwurf erhaben; **reproachful** adj vorwurfsvoll.

reprocess [riːˈprəʊses] vt wiederaufarbeiten, wiederaufbereiten; **reprocessing** n Wiederaufbereitung f, Wiederaufarbeitung f; **~ plant** Wiederaufarbeitungsanlage f.

reproduce [riːprəˈdjuːs] **1.** vt reproduzieren; **2.** vi (have offspring) sich vermehren.

reproduction [riːprəˈdʌkʃən] n Wiedergabe f; (ART, PHOT) Reproduktion f; (breeding) Fortpflanzung f.

reproductive [riːprəˈdʌktɪv] adj reproduktiv; (breeding) Fortpflanzungs-.

reprove [rɪˈpruːv] vt tadeln.

reptile [ˈreptaɪl] n Reptil nt.

republic [rɪˈpʌblɪk] n Republik f; **republican 1.** adj republikanisch; **2.** n Republikaner(in) m(f).

repudiate [rɪˈpjuːdɪeɪt] vt zurückweisen, nicht anerkennen.

repugnance [rɪˈpʌgnəns] n Widerwille m; **repugnant** adj widerlich.

repulsion [rɪˈpʌlʃən] n Abscheu m.

repulsive [rɪˈpʌlsɪv] adj abstoßend.

reputable [ˈrepjʊtəbl] adj anständig, ordentlich.

reputation [repjʊˈteɪʃən] n Ruf m.

repute [rɪˈpjuːt] n hohes Ansehen; **reputed** adj, **reputedly** adv angeblich.

request [rɪˈkwest] **1.** n (asking) Ansuchen nt; (demand) Wunsch m; **2.** vt (thing) erbit-

ten; (person) ersuchen; **at sb's ~** auf jds Wunsch.

require [rɪˈkwaɪə*] vt (need) brauchen; (wish) wünschen; **to be ~d to do sth** etw tun müssen; **requirement** n (condition) Anforderung f; (need) Bedarf m.

requisite [ˈrekwɪzɪt] **1.** n (COMM) Artikel m; (necessary thing) Erfordernis nt; **2.** adj erforderlich.

requisition [rekwɪˈzɪʃən] **1.** n Anforderung f; **2.** vt beschlagnahmen; (order) anfordern.

reroute [riːˈruːt] vt umleiten.

rescind [rɪˈsɪnd] vt aufheben.

rescue [ˈreskjuː] **1.** n Rettung f; **2.** vt retten; **rescue party** n Rettungsmannschaft f; **rescuer** n Retter(in) m(f).

research [rɪˈsɜːtʃ] **1.** n Forschung f; **2.** vi Forschungen betreiben, forschen (into über +akk); **3.** vt erforschen; **researcher** n Forscher(in) m(f); **research satellite** n Forschungssatellit m; **research work** n Forschungsarbeit f; **research worker** n Forscher(in) m(f).

resemblance [rɪˈzembləns] n Ähnlichkeit f.

resemble [rɪˈzembl] vt ähneln +dat.

resent [rɪˈzent] vt übelnehmen; **resentful** adj nachtragend, empfindlich; **resentment** n Verstimmung f, Unwille m.

reservation [rezəˈveɪʃən] n (of seat) Reservierung f; (THEAT) Vorbestellung f; (doubt) Vorbehalt m; (land) Reservat nt.

reserve [rɪˈzɜːv] **1.** n (store) Vorrat m, Reserve f; (manner) Zurückhaltung f; (game ~) Naturschutzgebiet nt; (native ~) Reservat nt; (SPORT) Ersatzspieler(in) m(f); **2.** vt reservieren; (judgement) sich dat vorbehalten; **~s** pl (MIL) Reserve f; **in ~** in Reserve; **reserved** adj reserviert; **all rights ~** alle Rechte vorbehalten.

reservoir [ˈrezəvwɑː*] n Reservoir nt.

resettle [riːˈsetl] vt (refugees) umsiedeln; (land) neu [o wieder] besiedeln.

reshuffle [riːˈʃʌfl] vt (POL) umbilden; (cards) neumischen.

reside [rɪˈzaɪd] vi wohnen, ansässig sein; **residence** [ˈrezɪdəns] n (house) Wohnung f, Wohnsitz m; (living) Wohnen nt, Aufenthalt m; **resident** [ˈrezɪdənt] **1.** n (in house) Bewohner(in) m(f); (in area) Einwohner(in) m(f); **2.** adj wohnhaft, ansässig; **"~s only"** „nur für Mieter"; (on road) „Anlieger frei"; (at hotel) „nur für Gäste"; **residential** [rezɪˈdenʃəl] adj Wohn-.

residue [ˈrezɪdjuː] n Rest m; (CHEM) Rückstand m; (fig) Bodensatz m.

resign [rɪˈzaɪn] **1.** vt (office) aufgeben, zurücktreten von; **2.** vi (from office) zurücktreten; **to be ~ed to sth, to ~ oneself to sth** sich mit etw abfinden; **resignation**

[rɪzɪg'neɪ∫ən] n (resigning) Aufgabe f; (POL) Rücktritt m; (submission) Resignation f; **resigned** adj resigniert.

resilient [rɪ'zɪlɪənt] adj unverwüstlich.

resin ['rezɪn] n Harz nt.

resist [rɪ'zɪst] vt widerstehen +dat; **resistance** n Widerstand m; **resistant** adj widerstandsfähig (to gegen); (material) strapazierfähig; **water-resistant** wasserbeständig.

resolute adj, **resolutely** adv ['rezəluːt, -lɪ] entschlossen, resolut.

resolution [rezə'luː∫ən] n (firmness) Entschlossenheit f; (intention) Vorsatz m; (decision) Beschluß m; (personal) Entschluß m.

resolve [rɪ'zɒlv] 1. n Vorsatz m, Entschluß m; 2. vt (decide) beschließen; **it ~d itself** es löste sich von selbst; **resolved** adj fest entschlossen.

resonant ['rezənənt] adj widerhallend; (voice) volltönend.

resort [rɪ'zɔːt] 1. n (holiday place) Urlaubsort m; (good for health) Kurort m; (help) Zuflucht f; 2. vi Zuflucht nehmen (to zu); **as a last ~** als letzter Ausweg.

resource [rɪ'sɔːs] n Findigkeit f; **~s** pl (of energy) Energiequellen pl; (of money) Quellen pl; (of a country etc) Bodenschätze pl; **resourceful** adj findig.

respect [rɪ'spekt] 1. n Respekt m; (esteem) Hochachtung f; 2. vt achten, respektieren; **with ~ to** in bezug auf +akk, hinsichtlich +gen; **in ~ of** in bezug auf +akk; **in this ~** in dieser Hinsicht.

respectability [rɪspektə'bɪlɪtɪ] n Anständigkeit f, Achtbarkeit f; **respectable** [rɪ'spektəbl] adj (decent) angesehen, geachtet; (fairly good sum) leidlich, beachtlich.

respected [rɪ'spektɪd] adj angesehen; **respectful** adj höflich; **respectfully** adv ehrerbietig; (in letter) mit vorzüglicher Hochachtung.

respective [rɪ'spektɪv] adj jeweilig; **respectively** adv beziehungsweise; (correspondingly) dementsprechend.

respiration [respɪ'reɪ∫ən] n Atmung f, Atmen nt; **respiratory** [rɪ'spɪrətərɪ] adj Atmungs-.

respite ['respaɪt] n Ruhepause f; **without ~** ohne Unterlaß.

resplendent [rɪ'splendənt] adj strahlend.

respond [rɪ'spɒnd] vi antworten; (react) reagieren (to auf +akk); **response** [rɪ'spɒns] n Antwort f; Reaktion f; (to advert etc) Resonanz f.

responsibility [rɪspɒnsə'bɪlɪtɪ] n Verantwortung f; **responsible** [rɪ'spɒnsəbl] adj verantwortlich; (reliable) verantwortungs-

voll; **responsibly** adv verantwortungsvoll.

responsive [rɪ'spɒnsɪv] adj empfänglich (to für).

rest [rest] 1. n Ruhe f; (break) Pause f; (remainder) Rest m; 2. vi sich ausruhen; (be supported) aufliegen; (remain) liegen (with bei); **the ~ of them** die übrigen.

restaurant ['restərɒnt] n Restaurant nt, Gaststätte f; **restaurant car** n Speisewagen m.

rest cure ['restkjʊə*] n Erholung f; **restful** adj erholsam, ruhig; **rest home** n Pflegeheim nt.

restitution [restɪ'tjuː∫ən] n Rückgabe f, Entschädigung f.

restive ['restɪv] adj unruhig; (disobedient) störrisch.

restless ['restləs] adj unruhig; **restlessly** adv ruhelos; **restlessness** n Ruhelosigkeit f.

restock [riː'stɒk] vt auffüllen.

restoration [restə'reɪ∫ən] n Wiederherstellung f; Neueinführung f; Wiedereinsetzung f; Rückgabe f; Restaurierung f; **the Restoration** die Restauration; **restore** [rɪ'stɔː*] vt (order) wiederherstellen; (customs) wieder einführen; (person to position) wiedereinsetzen; (give back) zurückgeben; (paintings) restaurieren.

restrain [rɪ'streɪn] vt zurückhalten; (curiosity etc) beherrschen; **restrained** adj (style etc) verhalten; **restraint** n (restraining) Einschränkung f; (being restrained) Beschränkung f; (self-control) Zurückhaltung f.

restrict [rɪ'strɪkt] vt einschränken; **restricted** adj beschränkt; **restriction** [rɪ'strɪk∫ən] n Einschränkung f; **restrictive** adj einschränkend.

restroom ['restruːm] n (US) Toilette f.

result [rɪ'zʌlt] 1. n Resultat nt, Folge f; (of exam, game) Ergebnis nt; 2. vi zur Folge haben (in akk); **resultant** adj daraus entstehend [o resultierend].

resume [rɪ'zjuːm] vt fortsetzen; (occupy again) wieder einnehmen.

résumé ['reɪzjuːmeɪ] n Zusammenfassung f; (US) Lebenslauf m.

resumption [rɪ'zʌmp∫ən] n Wiederaufnahme f.

resurgence [rɪ'sɜːdʒəns] n Wiederaufleben n.

resurrection [rezə'rek∫ən] n Auferstehung f.

resuscitate [rɪ'sʌsɪteɪt] vt wiederbeleben; **resuscitation** [rɪsʌsɪ'teɪ∫ən] n Wiederbelebung f.

retail ['riːteɪl] 1. n Einzelhandel m; 2. adj Einzelhandels-; 3. [riː'teɪl] vt im kleinen verkaufen; **4.** *vi* im Einzelhandel kosten; **retailer** [ˈriːteɪlə*] *n* Einzelhändler(in) *m(f)*; **retail price** *n* Ladenpreis *m*, Einzelhandelspreis *m*.

retain [rɪˈteɪn] *vt* (*keep*) zurückbehalten; (*pay*) unterhalten; **retainer** *n* (*servant*) Gefolgsmann *m*; (*fee*) Honorarvorschuß *m*.

retaliate [rɪˈtælɪeɪt] *vi* zum Vergeltungsschlag ausholen; **retaliation** [rɪtælɪˈeɪʃən] *n* Vergeltung *f*.

retarded [rɪˈtɑːdɪd] *adj* zurückgeblieben.

retention [rɪˈtenʃən] *n* Beibehaltung *f*; (*of possession*) Zurückhalten *nt*; (*of facts*) Behalten *nt*; (*of information*) Speicherung *f*; (*memory*) Gedächtnis *nt*; **retentive** [rɪˈtentɪv] *adj* (*memory*) gut.

rethink [riːˈθɪŋk] *irr vt* überdenken.

reticence [ˈretɪsəns] *n* Zurückhaltung *f*; **reticent** *adj* schweigsam, zurückhaltend.

retina [ˈretɪnə] *n* Netzhaut *f*.

retinue [ˈretɪnjuː] *n* Gefolge *nt*.

retire [rɪˈtaɪə*] *vi* (*from work*) in den Ruhestand treten, in Rente gehen; (*withdraw*) sich zurückziehen; (*go to bed*) schlafen gehen; **retired** *adj* (*person*) pensioniert, im Ruhestand; **retirement** *n* Ruhestand *m*.

retiring [rɪˈtaɪərɪŋ] *adj* zurückhaltend, schüchtern.

retort [rɪˈtɔːt] **1.** *n* (*reply*) Erwiderung *f*; (*SCIENCE*) Retorte *f*; **2.** *vi* scharf erwidern.

retrace [rɪˈtreɪs] *vt* zurückverfolgen.

retract [rɪˈtrækt] *vt* (*statement*) zurücknehmen; (*claws*) einziehen; **retractable** *adj* (*aerial*) ausziehbar.

retrain [riːˈtreɪn] *vt* umschulen.

retreat [rɪˈtriːt] **1.** *n* Rückzug *m*; (*place*) Zufluchtsort *m*; **2.** *vi* sich zurückziehen.

retrial [riːˈtraɪəl] *n* Wiederaufnahmeverfahren *nt*.

retribution [retrɪˈbjuːʃən] *n* Strafe *f*.

retrieval [rɪˈtriːvəl] *n* Wiedergewinnung *f*; (*of data*) Abruf *m*; **retrieve** [rɪˈtriːv] *vt* wiederbekommen; (*data*) abrufen, aufrufen; (*rescue*) retten; **retriever** *n* Apportierhund *m*.

retroactive [retrəʊˈæktɪv] *adj* rückwirkend.

retrograde [ˈretrəʊgreɪd] *adj* (*step*) Rück-; (*policy*) rückschrittlich.

retrospect [ˈretrəʊspekt] *n*: in ~ rückblickend; **retrospective** [retrəʊˈspektɪv] *adj* rückwirkend; rückblickend.

retrovirus [ˈretrəʊvaɪrəs] Retrovirus *nt*.

return [rɪˈtɜːn] **1.** *n* Rückkehr *f*; (*profits*) Ertrag *m*, Gewinn *m*; (*report*) amtlicher Bericht; (*rail ticket*) Rückfahrkarte *f*; (*plane*) Rückflugkarte *f*; (*bus*) Rückfahrschein *m*; **2.** *adj* (*journey, match*) Rück-; **3.** *vi* zurückkommen, zurückkehren; **4.** *vt* zurückgeben, zurücksenden; (*pay back*) zurückzah-

len; (*elect*) wählen; (*verdict*) aussprechen; **by ~ of post** postwendend; **returnable** *adj* (*bottle etc*) Pfand-; **return key** *n* (*COMPUT*) Eingabetaste *f*.

reunion [riːˈjuːnɪən] *n* Wiedervereinigung *f*; (*SCH*) Klassentreffen *nt*; **reunite** [riːjuːˈnaɪt] *vt* wiedervereinigen.

rev [rev] **1.** *n* Drehzahl *f*; **2.** *vt, vi* (*also: ~ up*) den Motor auf Touren bringen.

Rev *n abbr of* **Reverend** ≈ Pfarrer *m*.

revalue [riːˈvæljuː] *vt* (*currency*) aufwerten.

reveal [rɪˈviːl] *vt* enthüllen; **revealing** *adj* aufschlußreich.

revel [ˈrevl] *vi* genießen (*in akk*).

revelation [revəˈleɪʃən] *n* Offenbarung *f*.

revelry [ˈrevlrɪ] *n* Festlichkeit *f*.

revenge [rɪˈvendʒ] **1.** *n* Rache *f*; **2.** *vt* rächen; **revengeful** *adj* rachsüchtig.

revenue [ˈrevənjuː] *n* Einnahmen *pl*; (*of state*) Staatseinkünfte *pl*; (*department*) Finanzamt *nt*.

reverberate [rɪˈvɜːbəreɪt] *vi* widerhallen; **reverberation** [rɪvɜːbəˈreɪʃən] *n* Widerhall *m*.

revere [rɪˈvɪə*] *vt* verehren; **reverence** [ˈrevərəns] *n* Ehrfurcht *f*.

Reverend [ˈrevərənd] *n* Hochwürden *m*.

reverent [ˈrevərənt] *adj* ehrfurchtsvoll.

reversal [rɪˈvɜːsəl] *n* Umkehrung *f*.

reverse [rɪˈvɜːs] **1.** *n* Rückseite *f*; (*AUTO: gear*) Rückwärtsgang *m*; **2.** *adj* (*order, direction*) entgegengesetzt; **3.** *vt* umkehren; **4.** *vi* (*AUTO*) rückwärts fahren.

revert [rɪˈvɜːt] *vi* zurückkehren (*to zu*).

review [rɪˈvjuː] **1.** *n* (*of book*) Besprechung *f*, Rezension *f*; (*magazine*) Zeitschrift *f*; **2.** *vt* Rückschau halten auf +*akk*; (*MIL*) mustern; (*book*) besprechen, rezensieren; (*reexamine*) von neuem untersuchen; **to be under ~** untersucht werden; **reviewer** *n* (*critic*) Rezensent(in) *m(f)*.

revise [rɪˈvaɪz] *vt* durchsehen, verbessern; (*book*) überarbeiten; (*reconsider*) ändern, revidieren; **revision** [rɪˈvɪʒən] *n* Durchsicht *f*, Prüfung *f*; (*COMM*) Revision *f*; (*of book*) überarbeitete Ausgabe; (*SCH*) Wiederholung *f*.

revitalize [riːˈvaɪtəlaɪz] *vt* neu beleben.

revival [rɪˈvaɪvəl] *n* Wiederbelebung *f*; (*REL*) Erweckung *f*; (*THEAT*) Wiederaufnahme *f*.

revive [rɪˈvaɪv] **1.** *vt* wiederbeleben; (*fig*) wieder auffrischen; **2.** *vi* wiedererwachen; (*fig*) wieder aufleben.

revoke [rɪˈvəʊk] *vt* aufheben; (*decision*) widerrufen; (*licence*) entziehen.

revolt [rɪˈvəʊlt] **1.** *n* Aufstand *m*, Revolte *f*; **2.** *vi* sich auflehnen; **3.** *vt* entsetzen; **revolting** *adj* widerlich.

revolution [revəˈluːʃən] *n* (*turn*) Umdrehung *f*; (*change*) Umwälzung *f*; (*POL*) Revolution f; **revolutionary 1.** adj revolutionär; **2.** n Revolutionär(in) m(f); **revolutionize** vt revolutionieren.

revolve [rɪ'vɒlv] vi kreisen; (on own axis) sich drehen; **revolver** n Revolver m; **revolving door** n Drehtür f.

revue [rɪ'vju:] n Revue f.

revulsion [rɪ'vʌlʃən] n (disgust) Ekel m.

reward [rɪ'wɔːd] **1.** n Belohnung f; **2.** vt belohnen; **rewarding** adj lohnend.

reword [ri:'wɜːd] vt anders formulieren.

rewrite [ri:'raɪt] irr vt umarbeiten, neu schreiben.

rhetoric ['retərɪk] n Rhetorik f, Redekunst f; **rhetorical** [rɪ'tɒrɪkəl] adj rhetorisch.

rheumatic [ru:'mætɪk] adj rheumatisch; **rheumatism** ['ru:mətɪzəm] n Rheumatismus m, Rheuma nt.

Rhine [raɪn] n Rhein m.

rhinoceros [raɪ'nɒsərəs] n Nashorn nt, Rhinozeros m.

rhododendron [rəʊdə'dendrən] n Rhododendron m.

Rhone [rəʊn] n Rhone f.

rhubarb ['ru:bɑːb] n Rhabarber m.

rhyme [raɪm] n Reim m.

rhythm ['rɪðəm] n Rhythmus m; **rhythmical** adj, **rhythmically** adv ['rɪðmɪkl, -lɪ] rhythmisch.

rib [rɪb] n Rippe f.

ribald ['rɪbəld] adj saftig, derb.

ribbon ['rɪbən] n Band nt.

rice [raɪs] n Reis m; **rice pudding** n Milchreis m.

rich [rɪtʃ] adj reich, wohlhabend; (fertile) fruchtbar; (splendid) kostbar; (food) reichhaltig; **riches** n pl Reichtum m, Reichtümer pl; **richly** adv reich; (deserve) völlig; **richness** n Reichtum m; (of food) Reichhaltigkeit f; (of colours) Sattheit f.

rick [rɪk] n Schober m.

rickets ['rɪkɪts] n sing Rachitis f.

rickety ['rɪkɪtɪ] adj wackelig.

rickshaw ['rɪkʃɔː] n Riksocha f.

ricochet ['rɪkəʃeɪ] **1.** n Abprallen nt; (shot) Querschläger m; **2.** vi abprallen.

rid [rɪd] ⟨rid, rid⟩ vt befreien (of von); **to get ~ of** loswerden; **riddance** ['rɪdəns] n: **good ~!** den/die/das wären wir los!

ridden ['rɪdn] pp of **ride**.

riddle ['rɪdl] **1.** n Rätsel nt; **2.** vt (esp passive) durchlöchern.

ride [raɪd] ⟨rode, ridden⟩. **1.** vt (horse) reiten; (bicycle) fahren; **2.** vi reiten; fahren; (ship) vor Anker liegen; **3.** n (in vehicle) Fahrt f; (on horse) Ritt m; **rider** n Reiter(in) m(f); (addition) Zusatz m.

ridge [rɪdʒ] n (of hills) Bergkette f; (top) Grat m, Kamm m; (of roof) Dachfirst m.

ridicule ['rɪdɪkjuːl] **1.** n Spott m; **2.** vt lächer-

lich machen.

ridiculous adj, **ridiculously** adv [rɪ'dɪkjʊləs, -lɪ] lächerlich.

riding ['raɪdɪŋ] n Reiten nt, Reitsport m; **to go ~** reiten gehen; **riding school** n Reitschule f.

rife [raɪf] adj weit verbreitet.

riffraff ['rɪfræf] n Gesindel nt, Pack nt.

rifle ['raɪfl] **1.** n Gewehr nt; **2.** vt plündern; **rifle range** n Schießstand m.

rift [rɪft] n Ritze f, Spalte f; (fig) Bruch m.

rig [rɪg] **1.** n (outfit) Takelung f; (fig) Aufmachung f; **2.** vt (election etc) manipulieren; **oil ~** Bohrinsel f; **rig out** vt ausstatten; **rig up** vt zusammenbasteln, konstruieren; **rigging** n Takelage f.

right [raɪt] **1.** adj (correct, just) richtig, recht; (right side) rechte(r, s); **2.** n Recht nt; (POL: not left) Rechte f; **3.** adv (on the ~) rechts; (to the ~) nach rechts; (look, work) richtig, recht; (directly) gerade; (exactly) genau; **4.** vt in Ordnung bringen, korrigieren; **5.** interj gut; **~ away** sofort; **~ now** in diesem Augenblick, eben; **~ to the end** bis ans Ende; **to be ~** recht haben; **all ~!** gut!, in Ordnung!, schön!; **by ~s** von Rechts wegen; **on the ~** rechts.

righteous ['raɪtʃəs] adj rechtschaffen.

rightful ['raɪtfʊl] adj rechtmäßig; **rightfully** adv rechtmäßig; (justifiably) zu Recht; **right-hand drive** n: **to have ~** das Steuer rechts haben; **right-handed** adj rechtshändig; **right-hand man** n ⟨men⟩ rechte Hand; **right-hand side** n rechte Seite; **rightly** adv mit Recht; **rightminded** adj rechtschaffen; **right of way** n Vorfahrt f; **right-wing 1.** n rechter Flügel; **2.** adj rechtsgerichtet, Rechts-; **right-wing extremism** n Rechtsradikalismus m; **right-wing extremist** n Rechtsradikale(r) mf.

rigid ['rɪdʒɪd] adj (stiff) starr, steif; (strict) streng; **rigidity** [rɪ'dʒɪdɪtɪ] n Starrheit f, Steifheit f; Strenge f; **rigidly** adv (stand) starr, steif; (fig: behave, treat) streng; (inflexibly) hart, unbeugsam.

rigmarole ['rɪgmərəʊl] n Gewäsch nt.

rigor ['rɪgə*] n (US) Strenge f, Härte f.

rigor mortis ['rɪgə'mɔːtɪs] n Totenstarre f.

rigorous adj, **rigorously** adv ['rɪgərəs, -lɪ] streng; **rigour** n Strenge f, Härte f.

rig-out ['rɪgaʊt] n (fam) Aufzug m.

rile [raɪl] vt ärgern.

rim [rɪm] n (edge) Rand m; (of wheel) Felge f; **rimless** adj randlos; **rimmed** adj gerändert.

rind [raɪnd] n Rinde f.

ring [rɪŋ] ⟨rang, rung⟩ **1.** vi, vi (bell) läuten; **~ up** (TEL) anrufen; **2.** n Ring m; (of people) Kreis m; (arena) Ring m, Manege *f;* (*of telephone*) Klingeln *nt,* Läuten *nt;* **to give sb a ~** jdn anrufen; **it has a familiar ~** es klingt bekannt; **ring off** *vi* aufhängen; **ring binder** *n* Ringbuch *nt;* **ringing tone** *n* (TEL) Rufzeichen *nt;* **ringleader** *n* Anführer(in) *m(f),* Rädelsführer(in) *m(f);* **ringlets** *n pl* Ringellocken *pl;* **ring road** *n* Umgehungsstraße *f.*

rink [rɪŋk] *n* (*ice ~*) Eisbahn *f.*

rinse [rɪns] *vt* [ab-, aus]spülen.

riot [ˈraɪət] **1.** *n* Aufruhr *m;* **2.** *vi* randalieren; **to read sb the ~ act** (US) jdm die Leviten lesen; **rioter** *n* Aufrührer(in) *m(f);* **riotous** *adj,* **riotously** *adv* aufrührerisch; (*noisy*) lärmend.

rip [rɪp] **1.** *n* Schlitz *m,* Riß *m;* **2.** *vt, vi* zerreißen; **ripcord** *n* Reißleine *f;* **rip off 1.** *vt* (*fam*) übers Ohr hauen; **2.** *n* (*fam*) Beschiß *m.*

ripe [raɪp] *adj* (*fruit*) reif; (*cheese*) ausgereift; **ripen** *vt, vi* reifen, reif werden lassen; **ripeness** *n* Reife *f.*

riposte [rɪˈpɒst] *n* Nachstoß *m;* (*fig*) schlagfertige Antwort.

ripple [ˈrɪpl] **1.** *n* kleine Welle; **2.** *vt* kräuseln; **3.** *vi* sich kräuseln.

rise [raɪz] ⟨rose, risen⟩ **1.** *vi* aufstehen; (*sun*) aufgehen; (*smoke*) aufsteigen; (*mountain*) sich erheben; (*ground*) ansteigen; (*prices*) steigen; (*in revolt*) sich erheben; (*slope*) Steigung *f;* (*esp in wages*) Erhöhung *f;* (*growth*) Aufstieg *m;* **to give ~ to** Anlaß geben zu; **to ~ to the occasion** sich der Lage gewachsen zeigen; **risen** [ˈrɪzn] *pp of* **rise**.

risk [rɪsk] **1.** *n* Gefahr *f,* Risiko *nt;* **2.** *vt* (*venture*) wagen; (*chance loss of*) riskieren, aufs Spiel setzen; **risky** *adj* gewagt, gefährlich, riskant.

risqué [ˈriːskeɪ] *adj* gewagt.

rissole [ˈrɪsəʊl] *n* Fleischklößchen *nt.*

rite [raɪt] *n* Ritus *m;* **last ~s** *pl* Letzte Ölung.

ritual [ˈrɪtjʊəl] **1.** *n* Ritual *nt;* **2.** *adj* Ritual-; (*fig*) rituell.

rival [ˈraɪvəl] **1.** *n* Rivale *m,* Rivalin *f,* Konkurrent(in) *m(f);* **2.** *adj* rivalisierend; **3.** *vt* rivalisieren mit; (*comm*) konkurrieren mit; **rivalry** *n* Rivalität *f,* Konkurrenz *f.*

river [ˈrɪvə*] *n* Fluß *m;* **riverbank** *n* Flußufer *nt;* **riverbed** *n* Flußbett *nt;* **riverside 1.** *n* Flußufer *nt;* **2.** *adj* am Ufer gelegen, Ufer-.

rivet [ˈrɪvɪt] **1.** *n* Niete *f;* **2.** *vt* (*fasten*) vernieten.

Riviera [rɪvɪˈɛərə] *n:* **the French ~** die Riviera.

RNA *n abbr of* **ribonucleic acid** RNS *f.*

roach [rəʊtʃ] *n* (US fam) Küchenschabe *f.*

road [rəʊd] *n* Straße *f;* **road accident** *n* Verkehrsunfall *m;* **roadblock** *n* Straßen-

sperre *f;* **road hog** *n* (*fam*) Verkehrsrowdy *m;* **roadmap** *n* Straßenkarte *f;* **road-pricing** *n* Straßenbenutzungsgebühr *f;* **road side 1.** *n* Straßenrand *m;* **2.** *adj* an der Landstraße gelegen; **road sign** *n* Straßenschild *nt;* **road test 1.** *n* Fahrtest *m;* **2.** *vt* einem Fahrtest unterziehen; **road traffic** *n* Straßenverkehr *m;* **road user** *n* Verkehrsteilnehmer(in) *m(f);* **roadway** *n* Fahrbahn *f;* **roadworks** *n pl* Bauarbeiten *pl,* Straßenarbeiten *pl;* **roadworthy** *adj* (*car*) fahrtüchtig.

roam [rəʊm] **1.** *vi* umherstreifen; **2.** *vt* durchstreifen.

roar [rɔː*] **1.** *n* Brüllen *nt,* Gebrüll *nt;* **2.** *vi* brüllen; **roaring** *adj* (*fire*) Bomben-, prasselnd; (*trade*) schwunghaft, Bomben-.

roast [rəʊst] **1.** *n* Braten *m;* **2.** *vt* braten, rösten, schmoren.

rob [rɒb] *vt* bestehlen, berauben; (*bank*) ausrauben; **robber** *n* Räuber(in) *m(f);* **robbery** *n* Raub *m.*

robe [rəʊb] **1.** *n* (*dress*) Gewand *nt;* (US) Hauskleid *nt;* (*judge's*) Robe *f;* **2.** *vt* feierlich ankleiden.

robin [ˈrɒbɪn] *n* Rotkehlchen *nt.*

robot [ˈrəʊbɒt] *n* Roboter *m.*

robust [rəʊˈbʌst] *adj* stark, robust.

rock [rɒk] **1.** *n* Felsen *m;* (*piece*) Stein *m;* (*bigger*) Felsbrocken *m;* (*sweet*) Zuckerstange *f;* **2.** *vt, vi* wiegen, schaukeln; **on the ~s** (*drink*) mit Eiswürfeln; (*marriage*) gescheitert; (*ship*) aufgelaufen; **rock-bottom** *n* (*fig*) Tiefpunkt *m;* **~ price** Niedrigstpreis *m;* **rock climber** *n* Kletterer *m,* Kletterin *f;* **rock climbing** *n* Klettern *nt;* **to go ~** klettern gehen; **rockery** *n* Steingarten *m.*

rocket [ˈrɒkɪt] *n* Rakete *f.*

rock face [ˈrɒkfeɪs] *n* Felswand *f.*

rocking chair [ˈrɒkɪŋtʃɛə*] *n* Schaukelstuhl *m;* **rocking horse** *n* Schaukelpferd *nt.*

rocky [ˈrɒkɪ] *adj* felsig.

rococo [rəʊˈkəʊkəʊ] *n* Rokoko *nt.*

rod [rɒd] *n* (*bar*) Stange *f;* (*stick*) Rute *f.*

rode [rəʊd] *pt of* **ride**.

rodent [ˈrəʊdənt] *n* Nagetier *nt.*

rodeo [ˈrəʊdɪəʊ] *n* ⟨-s⟩ Rodeo *nt.*

roe [rəʊ] *n* (*deer*) Reh *nt;* (*of fish*) Rogen *m.*

roger [ˈrɒdʒə*] *interj* verstanden.

roguish [ˈrəʊgɪʃ] *adj* schurkisch; (*humourous*) schelmisch.

role [rəʊl] *n* (THEAT, fig) Rolle *f;* **role-swapping** *n* Rollentausch *m.*

roll [rəʊl] **1.** *n* Rolle *f;* (*bread*) Brötchen *nt,* Semmel *f;* (*list*) Namensliste *f,* Verzeichnis *nt;* (*of drum*) Wirbel *m;* **2.** *vt* (*turn*) rollen; herumwälzen; (*grass etc*) walzen; **3.** *vi* (*swing*) schlingern; (*sound*) grollen; **roll by** *vi* (*time*) verfließen; **roll in** *vi* (*mail*) hereinkommen; **roll over** vi sich herumdrehen; **roll up 1.** vi (arrive) kommen, auftauchen; **2.** vt (carpet) aufrollen; **roll call** n Namensaufruf m; **roller** n Rolle f, Walze f; (road ~) Straßenwalze f; (hair ~) Lockenwickler m; **roller skates** n pl Rollschuhe pl.

rollicking [ˈrɒlɪkɪŋ] adj ausgelassen.

rolling [ˈrəʊlɪŋ] adj (landscape) wellig; **rolling pin** n Nudelholz nt, Wellholz nt; **rolling stock** n Wagenmaterial nt.

roll-on [deodorant] [ˈrəʊlɒn(-ˈdəʊdərənt)] n Deoroller m.

ROM [rɒm] n acr of **Read Only Memory** Lesespeicher m.

Roman [ˈrəʊmən] **1.** adj römisch; **2.** n Römer(in) m(f); (TYP) Magerdruck m; **Roman Catholic 1.** adj römisch-katholisch; **2.** n Katholik(in) m(f).

romance [rəʊˈmæns] **1.** n Romanze f; (story) Liebesroman m; **2.** vi phantasieren.

Romania [ruːˈmeɪnɪə] n Rumänien nt; **Romanian 1.** adj rumänisch; **2.** n Rumäne m, Rumänin f.

romantic [rəʊˈmæntɪk] adj romantisch; **Romanticism** [rəʊˈmæntɪsɪzəm] n Romantik f.

romp [rɒmp] vi (also: ~ about) herumtollen; **rompers** n pl Spielanzug m.

roof [ruːf] **1.** n Dach nt; (of mouth) Gaumen nt; **2.** vt überdachen, überdecken; **roofing** n Dachdeckmaterial nt; (action) Dachdecken nt.

rook [rʊk] **1.** n (bird) Saatkrähe f; (CHESS) Turm m; **2.** vt (cheat) betrügen.

room [ruːm] n Zimmer nt, Raum m; (space) Platz m; (fig) Spielraum m; ~**s** pl Wohnung f; **room-mate** n Mitbewohner(in) m(f); **room service** n Zimmerbedienung f; **roomy** adj geräumig.

roost [ruːst] **1.** n Hühnerstange f; **2.** vi auf der Stange hocken; **to rule the ~** Herr im Hause sein.

root [ruːt] **1.** n Wurzel f; (fig) Ursache f, Grund m; **2.** vt einwurzeln; **root about** vi (fig) herumwühlen; **root for** vt Stimmung machen für; **root out** vt ausjäten; (fig) ausrotten; **rooted** adj (fig) verwurzelt.

rope [rəʊp] **1.** n Seil nt, Strick m; **2.** vt (tie) festschnüren; **to ~ sb in** jdn gewinnen; **to know the ~s** sich auskennen; **rope off** vt absperren; **rope ladder** n Strickleiter f.

rosary [ˈrəʊzərɪ] n Rosenkranz m.

rose [rəʊz] **1.** pt of **rise**; **2.** n Rose f; **3.** adj rosarot.

rosé [ˈrəʊzeɪ] n Rosé m.

rosebud [ˈrəʊzbʌd] n Rosenknospe f; **rosebush** n Rosenstock m, Rosenstrauch m.

rosemary [ˈrəʊzmərɪ] n Rosmarin m.

rosette [rəʊˈzet] n Rosette f.

roster [ˈrɒstə*] n Dienstplan m.

rostrum [ˈrɒstrəm] n Rednerbühne f.

rosy [ˈrəʊzɪ] adj rosig.

rot [rɒt] **1.** n Fäulnis f; (nonsense) Quatsch m, Blödsinn m; **2.** vt, vi verfaulen lassen.

rota [ˈrəʊtə] n Dienstplan m.

rotary [ˈrəʊtərɪ] adj rotierend, sich drehend.

rotate [rəʊˈteɪt] **1.** vt rotieren lassen; (two or more things in order) turnusmäßig wechseln; **2.** vi rotieren; **rotating** adj rotierend; **rotation** [rəʊˈteɪʃən] n Umdrehung f, Rotation f; **in ~** der Reihe nach, abwechselnd.

rotor [ˈrəʊtə*] n Rotor m.

rotten [ˈrɒtn] adj faul, verfault; (fig) schlecht, gemein.

rotund [rəʊˈtʌnd] adj rund; (person) rundlich.

rouge [ruːʒ] n Rouge nt.

rough [rʌf] **1.** adj (not smooth) rauh; (path) uneben; (violent) roh, grob; (crossing) stürmisch; (wind) rauh; (without comforts) hart, unbequem; (unfinished, makeshift) grob; (approximate) ungefähr; **2.** n (grass) unebener Boden; (person) Rowdy m, Rohling m; **to ~ it** primitiv leben; **to play ~** (SPORT) hart spielen; **to sleep ~** im Freien schlafen; **rough out** vt entwerfen, flüchtig skizzieren; **roughage** [ˈrʌfɪdʒ] n Ballaststoffe pl; **roughen** vt aufrauhen; **roughly** adv grob; (about) ungefähr; **roughness** n Rauheit f; (of manner) Ungeschliffenheit f.

roulette [ruːˈlet] n Roulette nt.

round [raʊnd] **1.** adj rund; (figures) abgerundet, aufgerundet; **2.** adv (in a circle) rundherum; **3.** prep um ... herum; **4.** n Runde f; (of ammunition) Magazin nt; (song) Kanon m; **5.** vt (corner) biegen um; ~ **of applause** Beifall m; **round off** vt abrunden; **round up** vt (end) abschließen; (figures) aufrunden; **roundabout 1.** n (traffic) Kreisverkehr m; (merry-go-round) Karussell nt; **2.** adj auf Umwegen; **rounded** adj gerundet; **roundly** adv (fig) gründlich; **round-shouldered** adj mit abfallenden Schultern; **roundsman** (roundsmen) (general) Austräger m; (milk ~) Milchmann m; **round trip** n Rundreise f; **round-trip ticket** n (US) Rückfahrkarte f; **roundup** n Zusammentreiben nt, Sammeln nt.

rouse [raʊz] vt (waken) aufwecken; (stir up) erregen; **rousing** adj (welcome) stürmisch; (speech) zündend.

rout [raʊt] vt in die Flucht schlagen.

route [ruːt] n Weg m, Route f.

routine [ruːˈtiːn] **1.** n Routine f; **2.** adj Routine-.

rover [ˈrəʊvə*] n Vagabund m.

roving [ˈrəʊvɪŋ] adj (reporter) im Außendienst.

row [rəʊ] **1.** *n* (*line*) Reihe *f*; **2.** *vt, vi* (*boat*) rudern; **3.** [raʊ] *n* (*noise*) Lärm *m*, Krach *m*, Radau *m*; (*dispute*) Streit *m*; (*scolding*) Krach *m*; **4.** *vi* sich streiten; **to give sb a ~** mit jdm schimpfen.

rowboat [ˈrəʊbəʊt] *n* (*US*) Ruderboot *nt*.

rowdy [ˈraʊdɪ] **1.** *adj* rüpelhaft; **2.** *n* (*person*) Rowdy *m*.

rowing [ˈrəʊɪŋ] *n* Rudern *nt*; (*SPORT*) Rudersport *m*; **rowing boat** *n* Ruderboot *nt*.

royal [ˈrɔɪəl] *adj* königlich, Königs-; **royalist** **1.** *n* Royalist(in) *m(f)*; **2.** *adj* königstreu; **royalty** *n* (*family*) königliche Familie; (*for invention*) Patentgebühr *f*; (*for book*) Tantieme *f*.

RSVP *abbr* of **répondez s'il vous plaît** U.A.w.g.

rub [rʌb] **1.** *n* (*problem*) Haken *m*; **2.** *vt* reiben; **to ~ it in** darauf herumreiten; **to rub sth a ~** etw abreiben; **rub off** *vi* (*a. fig*) abfärben (on auf +akk).

rubber [ˈrʌbə*] *n* Gummi *m*; (*Brit*) Radiergummi *m*; (*US: contraceptive*) Gummi *m*, Kondom *nt*; **rubber band** *n* Gummiband *nt*; **rubberneck** *vi* (*US fam*) gaffen; **rubbernecker** *n* (*US fam*) Gaffer(in) *m(f)*, Schaulustige(r) *mf*; **rubber plant** *n* Gummibaum *m*; **rubbery** *adj* gummiartig, wie Gummi.

rubbish [ˈrʌbɪʃ] *n* (*waste*) Abfall *m*; (*nonsense*) Blödsinn *m*, Quatsch *m*; **rubbish dump** *n* Müllabladeplatz *m*.

rubble [ˈrʌbl] *n* Steinschutt *m*.

ruby [ˈruːbɪ] **1.** *n* Rubin *m*; **2.** *adj* rubinrot.

rucksack [ˈrʌksæk] *n* Rucksack *m*.

rudder [ˈrʌdə*] *n* Steuerruder *nt*.

ruddy [ˈrʌdɪ] *adj* (*colour*) rötlich; (*fam: bloody*) verdammt.

rude *adj*, **rudely** *adv* [ruːd, -lɪ] unhöflich, unverschämt; (*shock*) schwer; (*awakening*) unsanft; (*unrefined, rough*) grob; **rudeness** *n* Unhöflichkeit *f*, Unverschämtheit *f*, Grobheit *f*.

rudiment [ˈruːdɪmənt] *n* Grundlage *f*; **rudimentary** [ruːdɪˈmentərɪ] *adj* rudimentär.

ruff [rʌf] *n* Halskrause *f*.

ruffian [ˈrʌfɪən] *n* Rohling *m*.

ruffle [ˈrʌfl] *vt* kräuseln; durcheinanderbringen.

rug [rʌg] *n* Teppich *m*; (*in bedroom*) Bettvorleger *m*; (*for knees*) Wolldecke *f*.

rugged [ˈrʌgɪd] *adj* (*coastline*) zerklüftet; (*features*) markig.

ruin [ˈruːɪn] **1.** *n* Ruine *f*; (*downfall*) Ruin *m*; **2.** *vt* ruinieren; **~s** *pl* Trümmer *pl*; **ruination** [ruːɪˈneɪʃən] *n* Zerstörung *f*, Ruinierung *f*; **ruinous** *adj* ruinierend.

rule [ruːl] **1.** *n* Regel *f*; (*government*) Herrschaft *f*, Regierung *f*; (*for measuring*) Line-al *nt*; **2.** *vt, vi* (*govern*) herrschen über +akk, regieren; (*decide*) anordnen, entscheiden; (*make lines*) linieren; **as a ~** in der Regel; **ruled** *adj* (*paper*) liniert; **ruler** *n* Lineal *nt*; (*person*) Herrscher(in) *m(f)*; **ruling** *adj* (*party*) Regierungs-; (*class*) herrschend.

rum [rʌm] **1.** *n* Rum *m*; **2.** *adj* (*fam*) komisch.

rumble [ˈrʌmbl] **1.** *n* Rumpeln *nt*; (*of thunder*) Grollen *nt*; **2.** *vi* rumpeln; grollen.

ruminate [ˈruːmɪneɪt] *vi* grübeln; (*cows*) wiederkäuen.

rummage [ˈrʌmɪdʒ] **1.** *n* Durchsuchung *f*; **2.** *vi* durchstöbern.

rumor (*US*), **rumour** [ˈruːmə*] **1.** *n* Gerücht *nt*; **2.** *vt:* **it is ~ed that** man sagt [*o* munkelt], daß.

rump [rʌmp] *n* Hinterteil *nt*; (*of fowl*) Bürzel *m*; **rump steak** *n* Rumpsteak *nt*.

rumpus [ˈrʌmpəs] *n* (*fam*) Spektakel *m*, Krach *m*.

run [rʌn] ⟨ran, run⟩ **1.** *vt* (*cause to run*, *COMPUT*) laufen lassen; (*car, train, bus*) fahren; (*pay for*) unterhalten; (*race, distance*) laufen, rennen; (*manage*) leiten, verwalten, führen; (*knife*) stoßen; (*pass: hand, eye*) gleiten lassen; **2.** *vi* (*a. COMPUT*) laufen; (*move quickly also*) rennen; (*bus, train*) fahren; (*flow*) fließen, laufen; (*colours*) abfärben; **3.** *n* Lauf *m*; (*in car*) Spazierfahrt *f*; (*series*) Serie *f*, Reihe *f*; (*of play*) Spielzeit *f*; (*sudden demand*) Ansturm *m*, starke Nachfrage; (*for animals*) Auslauf *m*; (*in stocking*) Laufmasche *f*; **ski ~** Skiabfahrt *f*; **on the ~** auf der Flucht; **in the long ~** auf die Dauer; **to ~ riot** Amok laufen; **to ~ a risk** ein Risiko eingehen; **to ~ for president** für die Präsidentschaft kandidieren; **run about** *vi* (*children*) umherspringen; **run across** *vt* (*find*) stoßen auf +akk; **run away** *vi* weglaufen; **run down 1.** *vi* (*clock*) ablaufen; (*battery*) leer werden; **2.** *vt* (*with car*) überfahren; (*talk against*) heruntermachen; (*firm*) herunterwirtschaften; **to be ~ ~** erschöpft [*o* abgespannt] sein; **run in** *vt* (*Brit: car*) einfahren; **run into** *vt* (*person*) treffen, begegnen +dat; (*trouble*) kriegen; (*collide with*) zusammenstoßen mit; **run off** *vi* fortlaufen; **run out** *vi* (*person*) hinausrennen; (*liquid*) auslaufen; (*lease*) ablaufen; (*money*) ausgehen; **he ran ~ of money/petrol** ihm ging das Geld/Benzin aus; **run over** *vt* (*in accident*) überfahren; (*read quickly*) überfliegen; **run through** *vt* (*instructions*) durchgehen; **run up** *vt* (*debt, bill*) machen; **run up against** *vt* (*difficulties*) stoßen auf +akk; **runabout** *n* (*small car*) kleiner Flitzer; **runaway** *adj* (*horse*) ausgebrochen; (*person*) flüchtig.

rung [rʌŋ] **1.** pp of **ring**; **2.** n Sprosse f.

runner ['rʌnə*] n Läufer(in) m(f); (messenger) Bote m, Botin f; (for sleigh) Kufe f; **runner-up** n Zweite(r) mf.

running ['rʌnɪŋ] **1.** n (of business) Leitung f; (of machine) Laufen nt, Betrieb m; **2.** adj (water) fließend; (commentary) laufend; **3 days** ~ 3 Tage lang [o hintereinander].

runny ['rʌnɪ] adj dünn.

run-of-the-mill ['rʌnəvðə'mɪl] adj gewöhnlich, alltäglich.

runway ['rʌnweɪ] n Startbahn f, Landebahn f.

rupture ['rʌptʃə*] **1.** n (MED) Bruch m; **2.** vr: ~ **oneself** sich dat einen Bruch zuziehen.

rural ['rʊərəl] adj ländlich, Land-.

ruse [ru:z] n Kniff m, List f.

rush [rʌʃ] **1.** n Eile f, Hetze f; (FIN) starke Nachfrage; **2.** vt (carry along) auf dem schnellsten Wege schaffen [o transportieren]; (attack) losstürmen auf +akk; **3.** vi (hurry) eilen, stürzen; **to** ~ **into sth** etw überstürzen; **don't** ~ **me** dräng mich nicht; **rushes** n pl (BOT) Schilfrohr nt; **rush hour** n Hauptverkehrszeit f.

rusk [rʌsk] n Zwieback m.

Russia ['rʌʃə] n Rußland nt; **Russian 1.** adj russisch; **2.** n Russe m, Russin f.

rust [rʌst] **1.** n Rost m; **2.** vi rosten.

rustic ['rʌstɪk] adj bäuerlich, ländlich, Bauern-.

rustle ['rʌsl] **1.** n Rauschen nt, Rascheln nt; **2.** vi rauschen, rascheln; **3.** vt rascheln lassen; (cattle) stehlen.

rustproof ['rʌstpru:f] adj nichtrostend, rostfrei.

rusty ['rʌstɪ] adj rostig.

rut [rʌt] n (in track) Radspur f; (of deer) Brunst f; (fig) Trott m.

ruthless, ruthlessly adv ['ru:θləs, -lɪ] rücksichtslos; (treatment, criticism) schonungslos; **ruthlessness** n Rücksichtslosigkeit f; Schonungslosigkeit f.

rye [raɪ] n Roggen m; **rye bread** n Roggenbrot nt.

S

S, s [es] n S nt, s nt.

Sabbath ['sæbəθ] n Sabbat m.

sabbatical [sə'bætɪkəl] adj: ~ **year** akademischer Urlaub, Forschungsjahr nt.

saber ['seɪbə*] n (US) Säbel m.

sabotage ['sæbətɑ:ʒ] **1.** n Sabotage f; **2.** vt sabotieren.

sabre ['seɪbə*] n Säbel m.

saccharine ['sækərɪn] n Saccharin nt.

sachet ['sæʃeɪ] n Beutel m; (of shampoo) Briefchen nt, Kissen nt.

sack [sæk] **1.** n Sack m; **2.** vt (fam) hinauswerfen; (pillage) plündern; **to give sb the** ~ (fam) jdn hinauswerfen; **sacking** n (material) Sackleinen nt; (fam) Rausschmiß m.

sacrament ['sækrəmənt] n Sakrament nt.

sacred ['seɪkrɪd] adj (building, music etc) geistlich, Kirchen-; (altar, oath) heilig.

sacrifice ['sækrɪfaɪs] **1.** n Opfer nt; **2.** vt (a. fig) opfern.

sacrilege ['sækrɪlɪdʒ] n Sakrileg nt.

sad [sæd] adj traurig; **sadden** vt traurig machen, betrüben.

saddle ['sædl] **1.** n Sattel m; **2.** vt (burden) aufhalsen (sb with sth jdm etw); **saddlebag** n Satteltasche f.

sadism ['seɪdɪzəm] n Sadismus m; **sadist** n Sadist(in) m(f); **sadistic** [sə'dɪstɪk] adj sadistisch.

sadly ['sædlɪ] adv traurig; (unfortunately) traurigerweise; (regrettably) bedauerlich; ~ **neglected** stark vernachlässigt.

sadness ['sædnɪs] n Traurigkeit f.

s.a.e. n abbr of **stamped addressed envelope** vorfrankierter Umschlag.

safari [sə'fɑ:rɪ] n Safari f; **safari park** n Safaripark m, Wildpark m.

safe [seɪf] **1.** adj (free from danger) sicher; (careful) vorsichtig; **2.** n Safe m, Tresor m; **safe deposit box** n Banksafe m; **it's** ~ **to say** man kann ruhig behaupten; **safeguard 1.** n Sicherung f; **2.** vt sichern, schützen; (COMPUT) sichern; **safekeeping** n sichere Verwahrung; **safely** adv sicher; (arrive) wohlbehalten; **safeness** n Sicherheit f; **safety** n Sicherheit f; ~ **first** (slogan) Sicherheit geht vor; **safety belt** n Sicherheitsgurt m; **safety curtain** n (THEAT) eiserner Vorhang; **safety pin** n Sicherheitsnadel f.

sag [sæg] vi durchsacken, sich senken.

saga ['sɑ:gə] n Sage f; (fig) Geschichte f.

sage [seɪdʒ] n (herb) Salbei m; (man) Weise(r) m.

Sagittarius [sædʒɪ'teərɪəs] n (ASTR) Schütze m.

sago ['seɪgəʊ] n Sago m.

said [sed] **1.** pt, pp of **say**; **2.** adj besagt.

sail [seɪl] **1.** n Segel nt; (trip) Fahrt f; **2.** vt segeln; **3.** vi segeln; mit dem Schiff fahren; (begin voyage: person) abfahren; (ship) auslaufen; (fig: cloud etc) dahinsegeln; **sailboat** n (US) Segelboot nt; **sailing** n Segeln nt; **to go** ~ segeln gehen; **sailing ship** n Segelschiff nt; **sailor** n Matrose m, Seemann m.

saint [seɪnt] n Heilige(r) mf; **saintliness** n Heiligkeit f; **saintly** adj heilig, fromm.

sake [seɪk] n: **for the** ~ **of** um +gen ... willen; **for your** ~ um deinetwillen, deinetwegen, wegen dir.

salad ['sæləd] n Salat m; **salad cream** n Salatmayonnaise f; **salad dressing** n Salatsoße f; **salad oil** n Speiseöl nt, Salatöl nt.

salami [sə'lɑːmɪ] n Salami f.

salaried ['sælərɪd] adj: ~ **staff** Gehaltsempfänger pl.

salary ['sælərɪ] n Gehalt nt.

sale [seɪl] n Verkauf m; (reduced prices) Ausverkauf m; **saleroom** n Auktionsraum m; **salesman** n ⟨salesmen⟩ Verkäufer m; (rep) Vertreter m; **salesmanship** n Verkaufstechnik f; **saleswoman** n ⟨saleswomen⟩ Verkäuferin f.

salient ['seɪlɪənt] adj hervorspringend; (fig) bemerkenswert.

saliva [sə'laɪvə] n Speichel m.

sallow ['sæləʊ] adj fahl; (face) bleich.

salmon ['sæmən] n Lachs m.

saloon [sə'luːn] n (AUT) Limousine f; (ship's lounge) Salon m; (US) Wirtschaft f.

salt [sɔːlt] **1.** n Salz nt; **2.** vt (cure) einsalzen; (flavour) salzen; **salt away** vt (money) auf die hohe Kante legen; **saltcellar** n Salzfaß nt; (shaker) Salzstreuer m; **salt mine** n Salzbergwerk nt; **salty** adj salzig.

salubrious [sə'luːbrɪəs] adj gesund; (district etc) ersprießlich.

salutary ['sæljʊtərɪ] adj gesund, heilsam.

salute [sə'luːt] **1.** n (MIL) Gruß m, Salut m; (with guns) Salutschüsse pl; **2.** vi (MIL) salutieren.

salvage ['sælvɪdʒ] **1.** n (from ship) Bergung f; (objects) Bergungsgut nt; **2.** vt bergen; (fig) retten.

salvation [sæl'veɪʃən] n Rettung f; **Salvation Army** Heilsarmee f.

salver ['sælvə*] n Tablett nt.

salvo ['sælvəʊ] n ⟨-s⟩ Salve f.

same [seɪm] adj (similar) gleiche(r, s); (identical) derselbe/dieselbe/dasselbe; **all** [o just] **the** ~ trotzdem; **it's all the** ~ **to me** das ist mir egal; **they all look the** ~ **to me** für mich sehen sie alle gleich aus; **the** ~ **to you** gleichfalls; **at the** ~ **time** zur gleichen Zeit, gleichzeitig; (however) zugleich; andererseits.

sample ['sɑːmpl] **1.** n (specimen) Probe f; (example of sth) Muster nt, Probe f; **2.** vt probieren.

sanatorium [sænə'tɔːrɪəm] n Sanatorium nt.

sanctify ['sæŋktɪfaɪ] vt weihen.

sanctimonious [sæŋktɪ'məʊnɪəs] adj scheinheilig.

sanction ['sæŋkʃən] n Sanktion f.

sanctity ['sæŋktɪtɪ] n Heiligkeit f; (fig) Unverletzlichkeit f.

sanctuary ['sæŋktjʊərɪ] n Heiligtum nt; (for fugitive) Asyl nt; (refuge) Zufluchtsort m; (for animals) Naturpark m, Schutzgebiet nt.

sand [sænd] **1.** n Sand m; **2.** vt mit Sand bestreuen; (furniture) schmirgeln; ~**s** pl Sand m.

sandal ['sændl] n Sandale f.

sandbag ['sændbæg] n Sandsack m; **sandblast** vt sandstrahlen; **sand dune** n Sanddüne f; **sandpaper** n Sandpapier nt; **sandpit** n Sandkasten m; **sandstone** n Sandstein m.

sandwich ['sænwɪdʒ] **1.** n Sandwich m o nt; (open ~) belegtes Brot; **2.** vt einklemmen.

sandy ['sændɪ] adj sandig, Sand-; (colour) sandfarben; (hair) rotblond.

sane [seɪn] adj geistig gesund, normal; (sensible) vernünftig, gescheit.

sang [sæŋ] pt of **sing**.

sanguine ['sæŋgwɪn] adj (hopeful) zuversichtlich.

sanitarium [sænɪ'tɛərɪəm] n (US) Sanatorium nt.

sanitary ['sænɪtərɪ] adj hygienisch einwandfrei; (against dirt) hygienisch, Gesundheits-; **sanitary napkin** (US), **sanitary towel** n Monatsbinde f.

sanitation [sænɪ'teɪʃən] n sanitäre Einrichtungen pl; Gesundheitswesen nt.

sanity ['sænɪtɪ] n geistige Gesundheit; (good sense) gesunder Verstand, Vernunft f.

sank [sæŋk] pt of **sink**.

Santa Claus [sæntə'klɔːz] n Nikolaus m, Weihnachtsmann m.

sap [sæp] **1.** n (of plants) Saft m; **2.** vt (strength) schwächen; (health) untergraben.

sapling ['sæplɪŋ] n junger Baum.

sapphire ['sæfaɪə*] n Saphir m.

sarcasm ['sɑːkæzm] n Sarkasmus m; **sarcastic** [sɑː'kæstɪk] adj sarkastisch.

sarcophagus [sɑː'kɒfəgəs] n Sarkophag m.

sardine [sɑː'diːn] n Sardine f.

sardonic [sɑː'dɒnɪk] adj zynisch.

sari ['sɑːrɪ] n Sari m.

sash [sæʃ] n Schärpe f.

sat [sæt] pt, pp of **sit**.

Satan ['seɪtn] n Satan m, Teufel m; **satanic** [sə'tænɪk] adj satanisch, teuflisch.

satchel ['sætʃəl] n (SCH) Schulranzen m, Schulmappe f.

satellite ['sætəlaɪt] **1.** n Satellit m; (fig) Trabant m; **2.** adj Satelliten-; **satellite television** n Satellitenfernsehen nt; ~ **town** Satellitenstadt f, Trabantenstadt f.

satin ['sætɪn] n Satin m.

satire ['sætaɪə*] n Satire f; **satirical**

[sə'tırıkəl] *adj* satirisch; **satirize** ['sætəraız] *vt* durch Satire verspotten.

satisfaction [sætıs'fækʃən] *n* Befriedigung *f*, Genugtuung *f*; **satisfactorily** [sætıs'fæktərılı] *adv* zufriedenstellend; **satisfactory** [sætıs'fæktərı] *adj* zufriedenstellend, befriedigend; **satisfy** ['sætısfaı] *vt* befriedigen, zufriedenstellen; (*convince*) überzeugen; (*conditions*) erfüllen; **satisfying** *adj* befriedigend; (*meal*) sättigend.

saturate ['sætʃəreıt] *vt* durchtränken; **saturation** [sætʃə'reıʃən] *n* Durchtränkung *f*; (CHEM fig) Sättigung *f*.

Saturday ['sætədeı] *n* Samstag *m*, Sonnabend *m*; **on ~** am Samstag [*o* Sonnabend]; **on ~s, on a ~** samstags, sonnabends.

sauce [sɔːs] *n* Soße *f*, Sauce *f*; **saucepan** *n* Kochtopf *m*; **saucer** *n* Untertasse *f*.

saucily ['sɔːsılı] *adv* frech.

sauciness ['sɔːsınəs] *n* Frechheit *f*.

saucy ['sɔːsı] *adj* frech, keck.

Saudi Arabia ['saʊdıə'reıbıə] *n* Saudi-Arabien *nt*.

sauna ['sɔːnə] *n* Sauna *f*.

saunter ['sɔːntə*] *vi* schlendern.

sausage ['sɒsıdʒ] *n* Wurst *f*; **sausage roll** *n* Wurst *f* im Schlafrock, Wurstrolle *f*.

savage ['sævıdʒ] **1.** *adj* (*fierce*) wild, brutal, grausam; (*uncivilized*) wild, primitiv; **2.** *n* (*pej*) Wilde(r) *mf*; **3.** *vt* (*animals*) zerfleischen; **savagely** *adv* grausam; **savagery** *n* Roheit *f*, Grausamkeit *f*.

save [seıv] **1.** *vt* retten; (*money, electricity etc*) sparen; (*strength etc*) aufsparen; (COMPUT) sichern; (*data*) abspeichern; **2.** *n* (SPORT) Ballabwehr *f*; **3.** *prep, conj* außer, ausgenommen; **to ~ you the trouble** um dir Mühe zu ersparen; **saving 1.** *adj* rettend; **2.** *n* Sparen *nt*; **~s** *pl* Ersparnisse *pl*; **~s bank** Sparkasse *f*.

saviour, (US) **savior** ['seıvjə*] *n* Retter(in) *m(f)*; (REL) Heiland *m*, Erlöser *m*.

savoir-faire ['sævwɑː'fɛə*] *n* Gewandtheit *f*.

savor (US), **savour** ['seıvə*] **1.** *n* Geschmack *m*; **2.** *vt* (*taste*) schmecken; (*fig*) genießen; **3.** *vi* schmecken (*of* nach); riechen (*of* nach); **savoury** *adj* schmackhaft; (*not sweet*) pikant, würzig.

savvy ['sævı] *n* (*fam*) Grips *m*.

saw [sɔː] ⟨sawed, sawn⟩ **1.** *vt, vi* sägen; **2.** *n* (*tool*) Säge *f*; **3.** *pt of* see; **sawdust** *n* Sägemehl *nt*; **sawmill** *n* Sägewerk *nt*; **sawn** [sɔːn] *pp of* saw; **sawn-off shotgun** *n* Flinte *f* mit abgesägtem Lauf.

saxophone ['sæksəfəʊn] *n* Saxophon *nt*.

say [seı] ⟨said, said⟩ **1.** *vt, vi* sagen; **2.** *n* Meinung *f*; (*right*) Mitspracherecht *nt*; **to have no/a ~ in sth** kein/ein Mitspracherecht bei

etw haben; **let him have his ~** laß ihn doch reden; **I couldn't ~** schwer zu sagen; **how old would you ~ he is?** wie alt schätzt du ihn?; **you don't ~!** was du nicht sagst!; **don't ~ you forgot** sag bloß nicht, daß du es vergessen hast; **there are, ~, 50 ...** es sind, sagen wir mal, 50 ...; **that is to ~** das heißt; (*more precisely*) beziehungsweise, mit anderen Worten; **to ~ nothing of ...** ganz zu schweigen von ...; **saying** *n* Sprichwort *nt*; **say-so** *n* (*fam*) Ja *nt*, Zustimmung *f*; **on whose ~?** wer sagt das?

scab [skæb] *n* Schorf *m*; (*of sheep*) Räude *f*; (*pej*) Streikbrecher(in) *m(f)*; **scabby** *adj* (*sheep*) räudig; (*skin*) schorfig.

scaffold ['skæfəʊld] *n* (*for execution*) Schafott *nt*; **scaffolding** *n* Baugerüst *nt*.

scald [skɔːld] **1.** *n* Verbrühung *f*; **2.** *vt* (*burn*) verbrühen; (*clean*) abbrühen; **scalding** *adj* siedend heiß.

scale [skeıl] **1.** *n* (*of fish*) Schuppe *f*; (MUS) Tonleiter *f*; (*dish for measuring*) Waagschale *f*; (*on map, size*) Maßstab *m*; (*gradation*) Skala *f*; **2.** *vt* (*climb*) erklimmen; **~s** *pl* (*balance*) Waage *f*; **on a large ~** (*fig*) im großen, in großem Umfang; **scale down** *vt* verkleinern; (*fig*) verringern; **scale drawing** *n* maßstabgerechte Zeichnung.

scallop ['skɒləp] *n* Jakobsmuschel *f*.

scalp [skælp] **1.** *n* Kopfhaut *f*; **2.** *vt* skalpieren.

scalpel ['skælpəl] *n* Skalpell *nt*.

scamp [skæmp] *vt* schluderig machen, hinschlampen.

scamper ['skæmpə*] *vi* huschen.

scan [skæn] **1.** *vt* (*examine*) genau prüfen; (*quickly*) überfliegen; (*horizon*) absuchen; **2.** *n* (*Brit*) Ultraschallaufnahme *f*; **scan in** *vt* (COMPUT) einfügen, scannen.

scandal ['skændl] *n* (*disgrace*) Skandal *m*; (*gossip*) böswilliger Klatsch; **scandalize** *vt* schockieren; **scandalmongering** *n* Klatschsucht *f*; (*by press*) Skandalsucht *f*; **scandalous** *adj* skandalös, anstößig.

Scandinavia [skændı'neıvıə] *n* Skandinavien *nt*; **Scandinavian 1.** *adj* skandinavisch; **2.** *n* Skandinavier(in) *m(f)*.

scant [skænt] *adj* knapp, wenig; **scantily** *adv* knapp, dürftig; **scantiness** *n* Knappheit *f*; **scanty** *adj* knapp, unzureichend.

scapegoat ['skeıpɡəʊt] *n* Sündenbock *m*.

scar [skɑː*] **1.** *n* Narbe *f*; **2.** *vt* durch Narben entstellen.

scarce ['skɛəs] *adj* selten, rar; (*goods*) knapp; **scarcely** *adv* kaum; **scarceness** *n* Seltenheit *f*; **scarcity** ['skɛəsıtı] *n* Mangel *m*, Knappheit *f*.

scare ['skɛə*] **1.** *n* Schrecken *m*, Panik *f*; **2.** *vt* erschrecken; ängstigen; **to be ~d** Angst haben; **scarecrow** *n* Vogelscheuche *f*;

scaremonger n Panikmacher(in) m(f).

scarf [skɑ:f] n ⟨scarves⟩ Schal m; (on head) Kopftuch nt.

scarlet ['skɑ:lət] adj scharlachrot; **scarlet fever** n Scharlach m.

scarred ['skɑ:d] adj narbig.

scary ['skɛərɪ] adj (fam) schaurig.

scathing ['skeɪðɪŋ] adj scharf, vernichtend.

scatter ['skætə*] **1.** vt (sprinkle) verstreuen; (disperse) zerstreuen; **2.** vi sich zerstreuen; **scatterbrained** adj (fam) flatterhaft, schußlig; **scattering** n: **a ~ of** ein paar.

scavenger ['skævɪndʒə*] n (animal) Aasfresser m; (fig: person) Aasgeier m.

scene [si:n] n (of happening) Ort m; (of play, incident) Szene f; (canvas etc) Bühnenbild nt; (view) Anblick m; (argument) Szene f, Auftritt m; **on the ~** am Ort, dabei; **behind the ~s** hinter den Kulissen; **scenery** ['si:nərɪ] n (THEAT) Bühnenbild nt; (landscape) Landschaft f.

scenic ['si:nɪk] adj landschaftlich, Landschafts-.

scent [sent] **1.** n Parfüm nt; (smell) Duft m; (sense) Geruchssinn m; **2.** vt parfümieren.

scepter ['septə*] n (US) Zepter nt.

sceptic ['skeptɪk] n Skeptiker(in) m(f); **sceptical** adj skeptisch; **scepticism** ['skeptɪsɪzəm] n Skepsis f.

sceptre ['septə*] n Zepter nt.

schedule ['ʃedju:l, 'skedʒʊəl] **1.** n (list) Liste f, Tabelle f; (plan) Programm nt; **2.** vt: **it is ~d for 2** es soll um 2 abfahren/stattfinden; **on ~** pünktlich, fahrplanmäßig; **behind ~** mit Verspätung; **~d flight** Linienflug m.

scheme [ski:m] **1.** n Schema f; (dishonest) Intrige f; (plan of action) Plan m, Programm nt; **2.** vi sich verschwören, Intrigen schmieden; **3.** vt planen; **scheming** adj intrigierend.

schism ['skɪzəm] n Spaltung f; (REL) Schisma nt, Kirchenspaltung f.

schizophrenic [skɪtsəʊˈfrenɪk] adj schizophren.

scholar ['skɒlə*] n Gelehrte(r) mf; (holding scholarship) Stipendiat(in) m(f); **scholarly** adj gelehrt; **scholarship** n Gelehrsamkeit f, Belesenheit f; (grant) Stipendium nt.

school [sku:l] **1.** n Schule f; (at university) Fakultät f; **2.** vt schulen; (dog) trainieren; **schoolbook** n Schulbuch nt; **schoolboy** n Schüler m, Schuljunge m; **schooldays** n pl alte Schulzeit f; **schoolgirl** n Schülerin f, Schulmädchen nt; **schooling** n Schulung f, Ausbildung f; **school-leaver** n (Brit) Schulabgänger(in) m(f); **schoolmaster** n Lehrer m; **schoolmistress** n

Lehrerin f; **schoolroom** n Klassenzimmer nt; **schoolteacher** n Lehrer(in) m(f).

schooner ['sku:nə*] n Schoner m; (glass) großes Sherryglas.

sciatica [saɪˈætɪkə] n Ischias m o nt.

science ['saɪəns] n Wissenschaft f; (natural ~) Naturwissenschaft f; **science fiction** n Science-fiction f.

scientific [saɪənˈtɪfɪk] adj wissenschaftlich; (natural sciences) naturwissenschaftlich.

scientist ['saɪəntɪst] n Wissenschaftler(in) m(f).

scintillating ['sɪntɪleɪtɪŋ] adj sprühend.

scissors ['sɪzəz] n pl Schere f; **a pair of ~** cine Schere.

scoff [skɒf] **1.** vt (eat) fressen; **2.** vi (mock) spotten (at über +akk).

scold [skəʊld] vt schimpfen.

scone [skɒn] n weiches englisches Teegebäck.

scoop [sku:p] **1.** n Schaufel f; (news) Knüller m; **2.** vt (also: ~ out, ~ up) schaufeln.

scooter ['sku:tə*] n Motorroller m; (child's) Roller m.

scope [skəʊp] n Ausmaß nt; (opportunity) Spielraum m.

scorch [skɔ:tʃ] **1.** n Brandstelle f; **2.** vt versengen, verbrennen; **scorcher** n (fam) heißer Tag; **scorching** adj brennend, glühend.

score [skɔ:*] **1.** n (in game) Punktzahl f, Spielergebnis nt; (MUS) Partitur f; (line) Kratzer m; (twenty) 20, 20 Stück; **2.** vt (goal) schießen; (points) machen; (mark) einkerben; (damage) zerkratzen, einritzen; **3.** vi (keep record) Punkte zählen; **on that ~** in dieser Hinsicht; **what's the ~?** wie steht's?; **scoreboard** n Anzeigetafel f; **scorecard** n (SPORT) Punktliste f; **scorer** n Torschütze(-schützin) m(f); (recorder) Aufschreiber m.

scorn [skɔ:n] **1.** n Verachtung f; **2.** vt verhöhnen; **scornful** adj, **scornfully** adv höhnisch, verächtlich.

Scorpio ['skɔ:pɪəʊ] n ⟨-s⟩ (ASTR) Skorpion m.

scorpion ['skɔ:pɪən] n (ZOOL) Skorpion m.

Scot [skɒt] s. **Scotch, Scottish**.

scotch [skɒtʃ] vt (end) unterbinden.

Scotch [skɒtʃ] **1.** adj schottisch; **2.** n (whisky) schottischer Whisky, Scotch m; **the ~** pl die Schotten pl; **Scotland** n Schottland nt; **in ~** in Schottland; **to go to ~** nach Schottland fahren; **Scotsman** n ⟨Scotsmen⟩ Schotte m; **Scotswoman** n ⟨Scotswomen⟩ Schottin f; **Scottish** adj schottisch.

scoundrel ['skaʊndrəl] n Schurke m, Schuft m.

scour ['skaʊə*] vt (search) absuchen;

(clean) schrubben; **scourer** n Topfkratzer m.

scourge [skɜ:dʒ] n (whip) Geißel f; (plague) Qual f.

scout [skaʊt] **1.** n (MIL) Kundschafter m, Aufklärer m; (boy∼) Pfadfinder m; (US: girl ∼) Pfadfinderin f; **2.** vi (reconnoitre) auskundschaften.

scowl [skaʊl] vi finster blicken.

scraggy [ˈskrægɪ] adj dürr, hager.

scram [skræm] vi (fam) verschwinden, abhauen.

scramble [ˈskræmbl] **1.** n (climb) Kletterei f; (struggle) Kampf m; **2.** vi klettern; (fight) sich schlagen; ∼ed eggs pl Rührei nt.

scrap [skræp] **1.** n (bit) Stückchen nt; (fight) Keilerei f; **2.** adj Abfall-; **3.** vt verwerfen; **4.** vi (fight) streiten, sich prügeln; ∼s pl (waste) Abfall m; **scrapbook** n Sammelalbum nt.

scrape [skreɪp] **1.** n Kratzen nt; (trouble) Klemme f; **2.** vt kratzen; (car) zerkratzen; (clean) abkratzen; **3.** vi (make harsh noise) kratzen; **scraper** n Kratzer m.

scrap heap [ˈskræphi:p] n Abfallhaufen m; (metal) Schrotthaufen m; **scrap iron** n Schrott m.

scrappy [ˈskræpɪ] adj zusammengestoppelt.

scratch [skrætʃ] **1.** n (wound) Kratzer m, Schramme f; **2.** adj (improvised) zusammengewürfelt; **3.** vt kratzen; (car) zerkratzen; **4.** vi sich kratzen; **to start from** ∼ ganz von vorne anfangen; **scratch file** n (COMPUT) Hilfsdatei f.

scrawl [skrɔ:l] **1.** n Gekritzel nt; **2.** vt, vi kritzeln.

scream [skri:m] **1.** n Schrei m; **2.** vi schreien.

scree [skri:] n Geröllhalde f.

screech [skri:tʃ] **1.** n Schrei m; **2.** vi kreischen.

screen [skri:n] **1.** n (protective) Schutzschirm m; (CINE) Leinwand f; (TV, COMPUT) Bildschirm m; (against insects) Fliegengitter nt; (REL) Lettner m; **2.** vt (shelter) beschirmen; (film) zeigen, vorführen.

screw [skru:] **1.** n Schraube f; (NAUT) Schiffsschraube f; **2.** vt (fasten) schrauben; (fam) bumsen; **to** ∼ **money out of sb** (fam) jdm das Geld aus der Tasche ziehen; **screwdriver** n Schraubenzieher m; **Phillips** ∼® Kreuzschlitzschraubenzieher m; **screw top** n Schraubverschluß m; **screwy** adj (fam) verrückt.

scribble [ˈskrɪbl] **1.** n Gekritzel nt; **2.** vt kritzeln.

script [skrɪpt] n (handwriting) Handschrift f; (for film) Drehbuch nt; (THEAT) Manuskript nt, Text m.

Scripture [ˈskrɪptʃə*] n Heilige Schrift.

scriptwriter [ˈskrɪptraɪtə*] n Textverfasser(in) m(f).

scroll [skrəʊl] **1.** n Schriftrolle f; **2.** vi (COMPUT) blättern.

scrounge [skraʊndʒ] **1.** vt schnorren; **2.** vi **on the** ∼ beim Schnorren.

scrub [skrʌb] **1.** n (clean) Schrubben nt; (countryside) Gestrüpp nt; **2.** vt (clean) schrubben; (reject) fallenlassen.

scruff [skrʌf] n Genick nt, Kragen m.

scruffy adj unordentlich, vergammelt.

scrummage [ˈskrʌmɪdʒ] n Gedränge nt.

scruple [ˈskru:pl] n Skrupel m, Bedenken nt; **scrupulous** adj, **scrupulously** adv [ˈskru:pjʊləs, -lɪ] peinlich genau, gewissenhaft.

scrutinize [ˈskru:tɪnaɪz] vt genau prüfen (o untersuchen); **scrutiny** [ˈskru:tɪnɪ] n genaue Untersuchung.

scuba diving [ˈsku:bə ˈdaɪvɪŋ] n Gerätetauchen nt.

scuffle [ˈskʌfl] n Handgemenge nt.

scullery [ˈskʌlərɪ] n Spülküche f; Abstellraum m.

sculptor [ˈskʌlptə*] n Bildhauer(in) m(f).

sculpture [ˈskʌlptʃə*] n (ART) Bildhauerei f; (statue) Skulptur f.

scum [skʌm] n Abschaum m.

scupper [ˈskʌpə*] vt (plans, attempts) zunichte machen; (person) erledigen.

scurrilous [ˈskʌrɪləs] adj unflätig.

scurry [ˈskʌrɪ] vi huschen.

scurvy [ˈskɜ:vɪ] n Skorbut m.

scuttle [ˈskʌtl] **1.** n Kohleneimer m; **2.** vt (ship) versenken; **3.** vi (scamper away) sich davonmachen.

scythe [saɪð] n Sense f.

SDP n abbr of **Social Democratic Party** britische sozialdemokratische Partei.

sea [si:] **1.** n Meer nt, See f; **2.** adj Meeres-, See-; **sea bird** n Meeresvogel m; **seaboard** n Küste f; **sea breeze** n Seewind m; **seadog** n Seebär m; **seafaring** adj seefahrend; **seafood** n Meeresfrüchte pl; **sea front** n Strandpromenade f; **seagoing** adj seetüchtig, Hochsee-; **seagull** n Möwe f.

seal [si:l] **1.** n (animal) Robbe f, Seehund m; (stamp, impression) Siegel nt; **2.** vt versiegeln.

sea level [ˈsi:levl] n Meeresspiegel m.

sealing wax [ˈsi:lɪŋwæks] n Siegellack m.

sea lion [ˈsi:laɪən] n Seelöwe m.

seam [si:m] n Saum m; (edges joining) Naht f; (layer) Schicht f; (of coal) Flöz nt.

seaman [ˈsi:mən] n (seamen) Seemann m.

seamless [ˈsi:mlɪs] adj nahtlos.

seamy [ˈsi:mɪ] adj (people, café) zwielichtig; (life) anrüchig; **the** ∼ **side of life** die dunkle Seite des Lebens.

seaport ['si:pɔ:t] n Seehafen m, Hafenstadt f.

search [sɜ:tʃ] **1.** n (a. COMPUT) Suche f (for nach); **2.** vi suchen; **3.** vt (examine) durchsuchen; **searching** adj (look) forschend, durchdringend; **searchlight** n Suchscheinwerfer m; **search operation** n (COMPUT) Suchlauf m; **search party** n Suchmannschaft f; **search warrant** n Durchsuchungsbefehl m.

seashore ['si:ʃɔ:*] n Meeresküste f; **seasick** adj seekrank; **seasickness** n Seekrankheit f; **seaside** n Küste f; **at the ~** am Meer; **to go to the ~** ans Meer fahren.

season ['si:zn] **1.** n Jahreszeit f; (Christmas ~ etc) Zeit f; (COMM) Saison f; **2.** vt (flavour) würzen; (wood) austrocknen; **seasonal** adj Saison-; **seasoning** n Gewürz nt, Würze f; **season ticket** n (RAIL) Zeitkarte f; (THEAT) Abonnement nt.

seat [si:t] **1.** n Sitz m, Platz m; (in Parliament) Sitz m; (part of body) Gesäß nt; (part of garment) Sitzfläche f, Hosenboden m; **2.** vt (place) setzen; (have space for) Sitzplätze bieten für; **seat belt** n Sicherheitsgurt m; **seating** n Anweisen nt von Sitzplätzen; **~ arrangements** pl Sitzordnung f.

sea water ['si:wɔ:tə*] n Meerwasser nt, Seewasser nt; **seaweed** n Seetang m, Alge f; **seaworthy** adj seetüchtig.

secluded [sɪ'klu:dɪd] adj abgelegen, ruhig; **seclusion** [sɪ'klu:ʒən] n Abgeschiedenheit f.

second ['sekənd] **1.** adj zweite(r, s); **2.** adv (in ~ position) an zweiter Stelle; (RAIL) zweiter Klasse; **3.** n Sekunde f; (person) Zweite(r) mf; (COMM: imperfect) zweite Wahl; **4.** vt (support) unterstützen; **to have ~ thoughts** es sich dat anders überlegen; **it is ~ nature to him** es ist ihm zur zweiten Natur geworden; **secondary** adj zweitrangig; **~ education** Sekundarstufe f; **~ school** weiterführende Schule; **seconder** n Befürworter(in) m(f); **secondhand** adj aus zweiter Hand; (car etc) gebraucht; **secondly** adv zweitens; **second-rate** adj mittelmäßig, zweitklassig.

secrecy ['si:krəsɪ] n (of person) Verschwiegenheit f; (of event) Heimlichkeit f; **in ~** im geheimen.

secret ['si:krət] **1.** n Geheimnis nt; **2.** adj geheim, Geheim-; **in ~** heimlich.

secretarial [sekrə'tɛərɪəl] adj Sekretärs-, Sekretärinnen-; **~ job** Büroarbeit f; **~ staff** Schreibkräfte pl.

secretary ['sekrətrɪ] n Sekretär(in) m(f); (government) Staatssekretär(in) m(f); (esp US) Minister(in) m(f).

secretive ['si:krətɪv] adj geheimnistuerisch, geheimnisvoll.

secretly ['si:krətlɪ] adv heimlich.

sect [sekt] n Sekte f; **sectarian** [sek'tɛərɪən] adj (belonging to a sect) Sekten-; (school) konfessionell; (troubles) Konfessions-; **~ murder** religiös begründeter Mord.

section ['sekʃən] n Teil m, Ausschnitt m; (department) Abteilung f; (of document) Abschnitt m, Paragraph m; **sectional** adj (regional) partikularistisch.

sector ['sektə*] n Sektor m.

secular ['sekjʊlə*] adj weltlich, profan.

secure [sɪ'kjʊə*] **1.** adj (safe) sicher; (firmly fixed) fest; **2.** vt (make firm) befestigen, sichern; (obtain) sichern; **securely** adv sicher, fest.

security [sɪ'kjʊərɪtɪ] n Sicherheit f; (pledge) Pfand nt; (document) Sicherheiten pl; (feeling) Geborgenheit f; (national ~) Staatssicherheit f; s. a. social; **security check** n Sicherheitskontrolle f; **Security Council** n (of UN) Sicherheitsrat m; **Security Force** n (of UN) Friedenstruppe f; **security guard** n Sicherheitsbeamte(r) m, -beamtin f.

sedan [sɪ'dæn] n (US AUTO) Limousine f.

sedate [sɪ'deɪt] **1.** adj (calm) gelassen, ruhig; (serious) gesetzt; **2.** vt (MED) ein Beruhigungsmittel geben +dat; **sedation** [sɪ'deɪʃən] n (MED) Einfluß m von Beruhigungsmitteln; **sedative** ['sedətɪv] **1.** n Beruhigungsmittel nt; **2.** adj beruhigend, einschläfernd.

sedentary ['sedntrɪ] adj (job) sitzend.

sediment ['sedɪmənt] n Bodensatz m; **sedimentary** [sedɪ'mentərɪ] adj (GEO) Sediment-.

seduce [sɪ'dju:s] vt verführen; **seduction** [sɪ'dʌkʃən] n Verführung f; **seductive** [sɪ'dʌktɪv] adj verführerisch.

see [si:] (saw, seen) **1.** vt sehen; (understand) einsehen, erkennen; (find out) sehen, herausfinden; (make sure) dafür sorgen, daß; (accompany) begleiten, bringen; (visit) besuchen; **2.** vi (be aware) sehen; (find out) nachsehen; **I ~** ach so, ich verstehe; **let me ~** warte mal; **we'll ~** werden mal sehen; **to ~ sth through** etw durchfechten; **to ~ through sb/sth** jdn/etw durchschauen; **to ~ to it** dafür sorgen; **to ~ sb off** jdn begleiten; **to ~ a doctor** zum Arzt gehen.

seed [si:d] **1.** n Samen m, Samenkorn nt; **2.** vt (TENNIS) plazieren; **seedling** n Setzling m.

seedy ['si:dɪ] adj (ill) flau, angeschlagen; (clothes) schäbig; (person) zweifelhaft, zwielichtig.

seeing ['si:ɪŋ] conj da.

seek [si:k] (sought, sought) vt suchen.

seem [si:m] vi scheinen; **seemingly** adv

anscheinend; **seemly** adj geziemend.

seen [si:n] pp of **see**.

seep [si:p] vi sickern.

seer [sɪə*] n Seher(in) m(f).

seesaw ['si:sɔ:] n Wippe f.

seethe [si:ð] vi kochen; (with crowds) wimmeln (with von).

see-through ['si:θru:] adj (dress) durchsichtig.

segment ['segmənt] n Teil m; (of circle) Ausschnitt m.

segregate ['segrɪgeɪt] vt trennen, absondern; **segregation** [segrɪ'geɪʃən] n Rassentrennung f.

seismic ['saɪzmɪk] adj seismisch, Erdbeben-.

seize [si:z] vt (grasp) ergreifen, packen; (power) ergreifen; (take legally) beschlagnahmen; (point) erfassen, begreifen; **seize up** vi (TECH) sich festfressen.

seizure ['si:ʒə*] n (illness) Anfall m.

seldom ['seldəm] adv selten.

select [sɪ'lekt] **1.** adj ausgewählt; **2.** vt auswählen; **selection** [sɪ'lekʃən] n Auswahl f; **selective** adj (person) wählerisch; ~ service (US) Grundwehrdienst m.

self [self] n (selves) Selbst nt, Ich nt; **self-adhesive** adj selbstklebend; **self-appointed** adj selbsternannt; **self-assurance** n Selbstsicherheit f; **self-assured** adj selbstsicher; **self-aware** adj selbstbewußt; **self-catering** adj für Selbstversorger; **self-colored** (US), **self-coloured** adj einfarbig; **self-confidence** n Selbstvertrauen nt, Selbstbewußtsein nt; **self-confident** adj selbstsicher; **self-conscious** adj gehemmt, befangen; **self-contained** adj (complete) in sich geschlossen; (person) verschlossen; (flat) separat, mit separatem Eingang; **self-defeating** adj widersinnig, kontraproduktiv; **to be** ~ das Gegenteil erzielen; **self-defence** n Selbstverteidigung f; (JUR) Notwehr f; **self-employed** adj freischaffend; **self-evident** adj offensichtlich; **self-explanatory** adj für sich selbst sprechend; **self-indulgent** adj zügellos; **self-interest** n Eigennutz m; **selfish** adj, **selfishly** adv egoistisch, selbstsüchtig; **selfishness** n Egoismus m, Selbstsucht f; **selflessly** adv selbstlos; **self-made** adj selbstgemacht; **self-pity** n Selbstmitleid nt; **self-reliant** adj unabhängig; **self-respect** n Selbstachtung f; **self-righteous** adj selbstgerecht; **self-satisfied** adj selbstzufrieden, selbstgefällig; **self-service** adj Selbstbedienungs-; **self-sufficient** adj genügsam; (person) selbständig; (country) autark; **self-supporting** adj (FIN) Eigenfinanzierungs-;

(person) eigenständig.

sell [sel] (sold, sold) **1.** vt verkaufen; **2.** vi verkaufen; (goods) sich verkaufen lassen; **sell-by date** n Haltbarkeitsdatum nt; **seller** n Verkäufer(in) m(f); **selling price** n Verkaufspreis m.

semantic [sɪ'mæntɪk] adj semantisch; **semantics** n sing Semantik f.

semaphore ['seməfɔ:*] n Winkzeichen pl.

semi ['semɪ] **1.** n (semidetached house) Doppelhaushälfte f; **2.** pref halb-; **semicircle** n Halbkreis m; **semicolon** n Semikolon nt; **semiconductor** n Halbleiter m; **semiconscious** adj halb bewußtlos; **semidetached house** n Doppelhaushälfte f, Doppelhaus nt; **semifinal** n Halbfinale nt.

seminar ['semɪnɑ:*] n Seminar nt.

semiquaver ['semɪkweɪvə*] n Sechzehntelnote f; **semiskilled** adj angelernt; **semiskimmed milk** n Halbfettmilch f; **semitone** ['semɪtəʊn] n Halbton m.

semolina [semə'li:nə] n Grieß m.

senate ['senət] n Senat m; **senator** ['senətə*] n Senator(in) m(f).

send [send] (sent, sent) vt senden, schicken; (fam: inspire) hinreißen; **send away** vt wegschicken; **send away for** vt holen lassen; **send back** vt zurückschicken; **send for** vt holen lassen; **send off** vt (goods) abschicken; (player) vom Feld schicken; **send out** vt (invitation) aussenden; **send up** vt hinaufsenden; (fam) verulken; **sender** n Absender(in) m(f); **send-off** n Verabschiedung f; **send-up** n (fam) Verulkung f.

senile ['si:naɪl] adj senil, Alters-; **senility** [sɪ'nɪlɪtɪ] n Altersschwäche f.

senior ['si:nɪə*] **1.** adj (older) älter; (higher rank) vorgesetzt; **2.** n (older person) Ältere(r) mf; (higher ranking) Vorgesetzte(r) mf; ~ **citizen** Senior(in) m(f); ~ **citizen's travel pass** Seniorenpaß m; **seniority** [si:nɪ'ɒrɪtɪ] n (of age) höheres Alter; (in rank) höherer Dienstgrad.

sensation [sen'seɪʃən] n Empfindung f, Gefühl nt; (excitement) Sensation f, Aufsehen nt; **sensational** adj sensationell, Sensations-.

sense [sens] **1.** n Sinn m; (understanding) Verstand m, Vernunft f; (meaning) Sinn m, Bedeutung f; (feeling) Gefühl nt; **2.** vt fühlen, spüren; **to make** ~ Sinn ergeben, sinnvoll sein; **senseless** adj sinnlos; (unconscious) besinnungslos; **senselessly** adv (stupidly) sinnlos.

sensibility [sensɪ'bɪlɪtɪ] n Empfindsamkeit f; (feeling hurt) Empfindlichkeit f.

sensible adj, **sensibly** adv ['sensəbl, -blɪ] vernünftig.

sensitive [ˈsɛnsɪtɪv] *adj* empfindlich (*to* gegen); (*easily hurt*) sensibel, feinfühlig; (*film*) lichtempfindlich; **sensitivity** [sɛnsɪˈtɪvɪtɪ] *n* Empfindlichkeit *f*; (*artistic*) Feingefühl *nt*; (*tact*) Feinfühligkeit *f*; **sensitize** *vt* sensibilisieren.

sensor [ˈsɛnsə*] *n* Sensor *m*.

sensual [ˈsɛnsjʊəl] *adj* sinnlich.

sensuous [ˈsɛnsjʊəs] *adj* sinnlich, sinnenfreudig.

sent [sɛnt] *pt, pp of* **send**.

sentence [ˈsɛntəns] **1.** *n* Satz *m*; (*JUR*) Strafe *f*; (*verdict*) Urteil *nt*; **2.** *vt* verurteilen.

sentiment [ˈsɛntɪmənt] *n* Gefühl *nt*; (*thought*) Gedanke *m*, Gesinnung *f*; **sentimental** [sɛntɪˈmɛntl] *adj* sentimental; (*of feelings rather than reason*) gefühlsmäßig; **sentimentality** [sɛntɪmɛnˈtælɪtɪ] *n* Sentimentalität *f*.

sentinel [ˈsɛntɪnl] *n* Wachtposten *m*.

sentry [ˈsɛntrɪ] *n* Wache *f*, Wachposten *m*.

separable [ˈsɛpərəbl] *adj* abtrennbar.

separate [ˈsɛprət] **1.** *adj* getrennt, separat; **2.** [ˈsɛpəreɪt] *vt* trennen; **3.** *vi* sich trennen; **separately** *adv* getrennt; **separation** [sɛpəˈreɪʃən] *n* Trennung *f*.

sepia [ˈsiːpjə] **1.** *n* Sepia *f*; **2.** *adj* Sepia-.

September [sɛpˈtɛmbə*] *n* September *m*; ~ **13th, 1972, 13th** ~ **1972** (*Datumsangabe*) 13. September 1972; **on the 13th of** ~ (*gesprochen*) am 13. September; **on 13th** ~, **on** ~ **13th** (*geschrieben*) am 13. September; **in** ~ im September.

septic [ˈsɛptɪk] *adj* vereitert, septisch; ~ **tank** Klärbecken *nt*, Klärbehälter *m*.

sequel [ˈsiːkwəl] *n* Folge *f*.

sequence [ˈsiːkwəns] *n* Reihenfolge *f*.

sequential [sɪˈkwɛnʃəl] *adj* (*COMPUT*) sequentiell; **to be** ~ **upon sth** auf etw *akk* folgen.

sequin [ˈsiːkwɪn] *n* Paillette *f*.

Serbia [ˈsɜːbjə] *n* Serbien *nt*.

serenade [sɛrəˈneɪd] **1.** *n* Serenade *f*; **2.** *vt* ein Ständchen bringen +*dat*.

serene [səˈriːn], **serenely** *adv* [səˈriːn, -lɪ] heiter, gelassen, ruhig; **serenity** [sɪˈrɛnɪtɪ] *n* Heiterkeit *f*, Gelassenheit *f*, Ruhe *f*.

sergeant [ˈsɑːdʒənt] *n* Feldwebel(in) *m(f)*; (*police*) Polizeiwachtmeister(in) *m(f)*.

serial [ˈsɪərɪəl] **1.** *n* Fortsetzungsroman *m*; (*TV*) Fernsehserie *f*; **2.** *adj* (*number*) fortlaufend; (*COMPUT*) seriell; **serialize** *vt* in Fortsetzungen veröffentlichen/senden.

series [ˈsɪərɪz] *n sing* Serie *f*, Reihe *f*.

serious [ˈsɪərɪəs] *adj* ernst; (*injury*) schwer; (*development*) ernstzunehmend; **I'm** ~ das meine ich ernst; **seriously** *adv* ernsthaft, im Ernst; (*hurt*) schwer; **seriousness** *n* Ernst *m*, Ernsthaftigkeit *f*.

sermon [ˈsɜːmən] *n* Predigt *f*.

serpent [ˈsɜːpənt] *n* Schlange *f*.

serrated [sɛˈreɪtɪd] *adj* gezackt; ~ **knife** Sägemesser *nt*.

serum [ˈsɪərəm] *n* Serum *nt*.

servant [ˈsɜːvənt] *n* Dienstbote(-botin) *m(f)*, Diener(in) *m(f)*; *s. a.* **civil**.

serve [sɜːv] **1.** *vt* dienen +*dat*; (*guest, customer*) bedienen; (*food*) servieren; (*writ*) zustellen (*on sb* jdm); **2.** *vi* dienen, nützen; (*at table*) servieren; (*TENNIS*) aufschlagen; **it** ~**s him right** das geschieht ihm recht; **that'll** ~ **the purpose** das reicht; **that'll** ~ **as a table** das geht als Tisch; **serve out** *vt* (*also:* ~ **up**) (*food*) auftragen, servieren.

service [ˈsɜːvɪs] **1.** *n* (*help*) Dienst *m*, Dienstleistung *f*; (*trains etc*) Verkehrsverbindungen *pl*; (*in hotel*) Service *m*, Bedienung *f*; (*set of dishes*) Service *nt*; (*REL*) Gottesdienst *m*; (*MIL*) Waffengattung *f*; (*for car*) Inspektion *f*; (*for TVs*) Kundendienst *m*; (*TENNIS*) Aufschlag *m*; **2.** *vt* (*AUTO, TECH*) warten, überholen; **the Services** *pl* (*armed forces*) die Streitkräfte *pl*; **to be of** ~ **to sb** jdm einen großen Dienst erweisen; **can I be of** ~? kann ich Ihnen behilflich sein?; **serviceable** *adj* brauchbar; **service area** *n* (*on motorway*) Raststätte *f*; **service charge** *n* Bedienung *f*; **service industry** *n* Dienstleistungsindustrie *f*; **serviceman** *n* (*servicemen*) (*soldier*) Soldat *m*; **service station** *n* Großtankstelle *f*; **servicing** *n* Wartung *f*.

serviette [sɜːvɪˈɛt] *n* Serviette *f*.

servile [ˈsɜːvaɪl] *adj* sklavisch, unterwürfig.

session [ˈsɛʃən] *n* Sitzung *f*; (*POL*) Sitzungsperiode *f*; **to be in** ~ tagen.

set [sɛt] (*set, set*) **1.** *vt* (*place*) setzen, stellen, legen; (*arrange*) anordnen; (*table*) decken; (*time, price*) festsetzen; (*alarm, watch*) stellen; (*jewels*) einfassen; (*task*) stellen; (*exam*) ausarbeiten; **2.** *vi* (*sun*) untergehen; (*become hard*) fest werden; (*bone*) zusammenwachsen; **3.** *n* (*collection of things*) Satz *m*, Set *nt*; (*construction*) Baukasten *m*; (*RADIO, TV*) Apparat *m*; (*TENNIS*) Satz *m*; (*group of people*) Kreis *m*; (*CINE*) Szene *f*; (*THEAT*) Bühnenbild *nt*; **4.** *adj* festgelegt; (*ready*) bereit; ~ **phrase** feststehender Ausdruck; **to** ~ **one's hair** die Haare eindrehen; **to** ~ **on fire** anstecken; **to** ~ **free** freilassen; **to** ~ **sth going** etw in Gang bringen; **to** ~ **sail** losfahren; **set about** *vt* (*task*) anpacken; **set aside** *vt* beiseite legen; **set back** *vt* zurückwerfen; **set down** *vt* absetzen; **set off** **1.** *vi* sich auf den Weg machen; **2.** *vt* (*explode*) zur Explosion bringen; (*alarm*) auslösen; (*show up well*) hervorheben; **set out** **1.** *vi* aufbrechen; **2.** *vt* (*arrange*) anlegen, arrangieren; (*state*) darlegen; **set up** *vt* (*organization*) gründen; (*record*) aufstellen; (*monument*) erstellen; **setback** n Rückschlag m; **set square** n Zeichendreieck nt.

settee [se'ti:] n Sofa nt.

setting ['setɪŋ] n (MUS) Vertonung f; (*scenery*) Hintergrund m; ~ **lotion** (for hair) Haarfestiger m.

settle ['setl] **1.** vt beruhigen; (*pay*) begleichen, bezahlen; (*agree*) regeln; (*argument*) beilegen, schlichten; **2.** vi (*also:* ~ **down**) sich einleben; (*come to rest*) sich niederlassen; (*sink*) sich setzen; (*calm down*) sich beruhigen; **settlement** n Regelung f; (*payment*) Begleichung f; (*of quarrel*) Schlichtung f; (*of colony*) Siedlung f, Niederlassung f; **settler** n Siedler(in) m(f).

setup ['setʌp] n (*arrangement*) Aufbau m, Gliederung f; (*situation*) Situation f, Lage f.

seven ['sevn] num sieben.

seventeen ['sevn'ti:n] num siebzehn.

seventh ['sevnθ] **1.** adj siebte(r, s); **2.** adv an siebter Stelle; **3.** n (*person*) Siebte(r) mf; (*part*) Siebtel nt.

seventy ['sevntɪ] num siebzig.

sever ['sevə*] vt abtrennen.

several ['sevrəl] **1.** adj mehrere, verschiedene; **2.** pron mehrere.

severance ['sevərəns] n Abtrennung f; (*fig*) Abbruch m.

severe [sɪ'vɪə*] adj (*strict*) streng; (*serious*) schwer; (*climate*) rauh; (*plain*) streng, schmucklos; **severely** adv (*strictly*) streng, strikt; (*harshly*) hart; (*seriously*) schwer, ernstlich; **severity** [sɪ'verɪtɪ] n Strenge f; Schwere f; Ernst m.

sew [səʊ] ⟨sewed, sewn⟩ vt, vi nähen; **sew up** vt zunähen.

sewage ['su:ɪdʒ] n Abwässer pl.

sewer ['sʊə*] n Abwasserkanal m.

sewing ['səʊɪŋ] n Näharbeit f; **sewing machine** n Nähmaschine f; **sewn** [səʊn] pp of **sew**.

sex [seks] n Sex m; (*gender*) Geschlecht nt; **sex act** n Geschlechtsakt m; **sex discrimination** n Diskriminierung f, aufgrund des Geschlechts; **sexism** ['seksɪzəm] n Sexismus m; **sexist 1.** adj sexistisch; **2.** n Sexist(in) m(f).

sextant ['sekstənt] n Sextant m.

sextet [seks'tet] n Sextett nt.

sexual ['seksjʊəl] adj sexuell, geschlechtlich; (*intercourse*) Geschlechts-; **sexually** adv geschlechtlich, sexuell.

sexy ['seksɪ] adj sexy.

shabbily ['ʃæbɪlɪ] adv schäbig.

shabbiness ['ʃæbɪnəs] n Schäbigkeit f.

shabby ['ʃæbɪ] adj schäbig.

shack [ʃæk] n Hütte f.

shade [ʃeɪd] **1.** n Schatten m; (for lamp)

Lampenschirm m; (*colour*) Farbton m; (*small quantity*) Spur f, Idee f; **2.** vt abschirmen.

shadow ['ʃædəʊ] **1.** n Schatten m; **2.** vt (*follow*) beschatten; **3.** adj: ~ **cabinet** (POL) Schattenkabinett nt; **shadowy** adj schattig.

shady ['ʃeɪdɪ] adj schattig; (*fig*) zwielichtig.

shaft [ʃɑ:ft] n (of spear etc) Schaft m; (in mine) Schacht m; (TECH) Welle f; (of light) Strahl m.

shaggy ['ʃægɪ] adj struppig.

shake [ʃeɪk] ⟨shook, shaken⟩ **1.** vt schütteln, rütteln; (*shock*) erschüttern; **2.** vi (*move*) schwanken; (*tremble*) zittern, beben; **to ~ hands with sb** jdm die Hand geben; **they shook hands** sie gaben sich die Hand; **to ~ one's head** den Kopf schütteln; **shake off** vt abschütteln; **shake up** vt aufschütteln; (*fig*) aufrütteln; **shaken** pp of **shake**; **shake-up** n Aufrüttelung f; (POL) Umgruppierung f; **shakily** ['ʃeɪkɪlɪ] adv zitternd, unsicher; **shakiness** n Wackeligkeit f; **shaky** adj zittrig; (*weak*) unsicher.

shale [ʃeɪl] n Schieferton m.

shall [ʃæl] ⟨should⟩ aux vb werden; (*must*) sollen.

shallow ['ʃæləʊ] adj (a. fig) flach, seicht; **shallows** n pl flache Stellen pl.

sham [ʃæm] **1.** n Täuschung f, Trug m, Schein m; **2.** adj unecht, falsch.

shambles ['ʃæmblz] n sing Durcheinander nt.

shame [ʃeɪm] **1.** n Scham f; (*disgrace, pity*) Schande f; **2.** vt beschämen; **what a ~!** wie schade!; ~ **on you!** schäm dich!; **shamefaced** adj beschämt; **shameful** adj, **shamefully** adv schändlich; **shameless** adj schamlos.

shampoo [ʃæm'pu:] **1.** n Schampoo nt; (for hair also) Haarwaschmittel nt; **2.** vt schampunieren; ~ **and set** Waschen und Legen.

shamrock ['ʃæmrɒk] n Kleeblatt nt.

shandy ['ʃændɪ] n Radlermaß f, Alsterwasser nt.

shan't [ʃɑ:nt] = **shall not**.

shanty ['ʃæntɪ] n (*cabin*) Hütte f, Baracke f; **shanty town** n Elendsviertel nt.

shape [ʃeɪp] **1.** n Form f, Gestalt f; **2.** vt formen, gestalten; **to take** ~ Gestalt annehmen; **shapeless** adj formlos; **shapely** adj wohlgeformt, wohlproportioniert.

share [ʃeə*] **1.** n Anteil m; (FIN) Aktie f; **2.** vt teilen; **shareholder** n Aktionär(in) m(f).

shark [ʃɑ:k] n Haifisch m; (fam: swindler) Gauner(in) m(f); (*profiteer*) Wucherer m, Wucherin f.

sharp [ʃɑ:p] **1.** adj scharf; (*pin*) spitz; (*person*) clever; (*child*) aufgeweckt; (*unscrupulous*) gerissen, raffiniert; (MUS) erhöht;

2. n (MUS) Kreuz nt; **3.** adv (MUS) zu hoch; **~ practices** pl unsaubere Geschäfte pl; **nine o'clock ~** Punkt neun; **look ~!** mach schnell!; **sharpen** vt schärfen; (pencil) spitzen; **sharpener** n (pencil ~) [Bleistift-] spitzer m; **sharp-eyed** adj scharfsichtig; **sharpness** n Schärfe f; **sharp-witted** adj scharfsinnig, aufgeweckt.

shatter [ˈʃætə*] **1.** vt zerschmettern; (hopes) zerstören; (nerves) zerrütten; (time) erledigen; (emotionally) mitnehmen; (flabbergast) erschüttern; **2.** vi zerspringen, kaputtgehen; **shattered** adj kaputt; **shattering** adj (experience) furchtbar.

shave [ʃeɪv] ⟨shaved, shaved o shaven⟩ **1.** vt rasieren; **2.** vi sich rasieren; **3.** n Rasur f, Rasieren nt; **to have a ~** sich rasieren lassen; **shaven** adj. pp of shave; **2.** adj (head) geschoren; **shaver** n (ELEC) Rasierapparat m, Rasierer m; **shaving** n (action) Rasieren nt; **~s** pl (of wood etc) Späne pl; **shaving brush** n Rasierpinsel m; **shaving cream** n Rasierkrem f; **shaving foam** n Rasierschaum m; **shaving point** n Rasiersteckdose f; **shaving soap** n Rasierseife f.

shawl [ʃɔːl] n Schal m, Umhang m.

she [ʃiː] **1.** pron sie; **2.** adj weiblich.

sheaf [ʃiːf] n ⟨sheaves⟩ Garbe f.

shear [ʃɪə*] ⟨sheared, shorn o sheared⟩ vt scheren; **shear off** vt abscheren; **shears** n pl große Schere; (for hedges) Heckenschere f.

sheath [ʃiːθ] n (for sword) Scheide f; (contraceptive) Kondom m o nt; **sheathe** [ʃiːð] vt einstecken; (TECH) verkleiden.

shed [ʃed] ⟨shed, shed⟩ **1.** vt (leaves etc) abwerfen, verlieren; (tears) vergießen; **2.** n Schuppen m; (for animals) Stall m.

she'd [ʃiːd] = **she had; she would.**

sheep [ʃiːp] n ⟨-⟩ Schaf nt; **sheepdog** n Schäferhund m; **sheepish** adj verschämt, betreten; **sheepskin** n Schaffell nt.

sheer [ʃɪə*] **1.** adj bloß, rein; (steep) steil; (transparent) hauchdünn, durchsichtig; **2.** adv (directly) direkt.

sheet [ʃiːt] n Bettuch nt, Bettlaken nt; (of paper) Blatt nt; (of metal etc) Platte f; (of ice) Fläche f; **sheet lightning** n Wetterleuchten nt.

sheikh [ʃeɪk] n Scheich m.

shelf [ʃelf] n ⟨shelves⟩ Bord nt, Regal nt.

she'll [ʃiːl] = **she will; she shall.**

shell [ʃel] **1.** n Schale f; (sea~) Muschel f; (explosive) Granate f; (of building) Rohbau m; **2.** vt (peas) schälen; (fire on) beschießen; **shellfish** n Schalentier nt; (as food) Meeresfrüchte pl.

shelter [ˈʃeltə*] **1.** n Schutz m; (air-raid ~) Bunker m, Schutzraum m; **2.** vt schützen,

bedecken; (refugees) aufnehmen; **3.** vi sich unterstellen; **sheltered** adj (life) behütet; (spot) geschützt; **sheltered housing** n Wohnungen pl für Behinderte/Senioren.

shelve [ʃelv] **1.** vt aufschieben; **2.** vi abfallen; **shelving** [ˈʃelvɪŋ] n Regale pl.

shepherd [ˈʃepəd] **1.** n Schäfer m; **2.** vt treiben, führen; **shepherdess** n Schäferin f.

sheriff [ˈʃerɪf] n Sheriff m.

sherry [ˈʃerɪ] n Sherry m.

she's [ʃiːz] = **she is; she has.**

Shetland [ˈʃetlənd] n (also: **~ Islands**) Shetlandinseln pl.

shield [ʃiːld] **1.** n Schild m; (fig) Schirm m, Schutz m; **2.** vt beschirmen; (TECH) abschirmen.

shift [ʃɪft] **1.** n Veränderung f, Verschiebung f; (work) Schicht f; (on keyboard) Hochstelltaste f; **2.** vt verrücken, verschieben; (office) verlegen; (arm) wegnehmen; **3.** vi sich verschieben; (fam) schnell fahren; **shift work** n Schichtarbeit f; **shifty** adj verschlagen; (character) fragwürdig.

shilling [ˈʃɪlɪŋ] n (HIST) Shilling m.

shilly-shally [ˈʃɪlɪʃælɪ] vi zögern.

shimmer [ˈʃɪmə*] **1.** n Schimmer m; **2.** vi schimmern.

shin [ʃɪn] n Schienbein nt.

shine [ʃaɪn] ⟨shone, shone⟩ **1.** vt polieren; **2.** vi scheinen; (fig) glänzen; **3.** n Glanz m, Schein m; **to ~ a torch on sb** jdn mit einer Lampe anleuchten.

shingle [ˈʃɪŋgl] n Schindel f; (on beach) Kies m; **shingles** n sing (MED) Gürtelrose f.

shining [ˈʃaɪnɪŋ] adj (light) strahlend.

shiny [ˈʃaɪnɪ] adj glänzend.

ship [ʃɪp] **1.** n Schiff nt; **2.** vt an Bord bringen, verladen; (transport as cargo) verschiffen; **ship-building** n Schiffbau m; **shipment** n Verladung f; (goods) Schiffsladung f; **shipper** n Verschiffer m; **shipping** n (act) Verschiffung f; (ships) Schiffahrt f; **shipshape** adj in Ordnung; **shipwreck** n Schiffbruch m; (destroyed ship) Wrack nt; **shipyard** n Werft f.

shirk [ʃɜːk] vt scheuen, sich drücken vor +dat.

shirt [ʃɜːt] n Oberhemd nt; **in ~-sleeves** in Hemdsärmeln; **shirty** adj (fam) mürrisch.

shiver [ˈʃɪvə*] **1.** n Schauer m; **2.** vi frösteln, zittern.

shoal [ʃəʊl] n Fischschwarm m.

shock [ʃɒk] **1.** n Stoß m, Erschütterung f; (mental) Schock m; (ELEC) Schlag m; **2.** vt erschüttern; (offend) schockieren; **shock absorber** n Stoßdämpfer m; **shocking** adj unerhört, schockierend; **shockproof** adj (watch) stoßsicher.

shod [ʃɒd] pt, pp of shoe.

shoddy [ˈʃɒdɪ] adj schäbig.

shoe [ʃuː] ⟨shod, shod⟩ **1.** vt (horse) beschlagen; **2.** n Schuh m; (of horse) Hufeisen nt; **shoebrush** n Schuhbürste f; **shoehorn** n Schuhlöffel m; **shoelace** n Schnürsenkel m; **shoemaker** n Schuster(in) m(f); **shoe polish** n Schuhcreme f.

shone [ʃɒn] pt, pp of **shine**.

shook [ʃʊk] pt of **shake**.

shoot [ʃuːt] ⟨shot, shot⟩ **1.** vt (gun) abfeuern; (goal, arrow) schießen; (kill) erschießen; (CINE) drehen, filmen; **2.** vi (gun, move quickly) schießen; (fam: heroin) fixen, drücken; **3.** n (branch) Schößling m; **shot in the leg** ins Bein getroffen; **don't ~!** nicht schießen!; **shoot down** vt abschießen; **shooting** n Schießerei f; **shooting star** n Sternschnuppe f.

shop [ʃɒp] **1.** n Geschäft nt, Laden m; (workshop) Werkstatt f; **2.** vi (also: **go ~ping**) einkaufen gehen; **shop assistant** n Verkäufer(in) m(f); **shopkeeper** n Geschäftsinhaber(in) m(f); **shoplifter** n Ladendieb(in) m(f); **shoplifting** n Ladendiebstahl m; **shopper** n Käufer(in) m(f); **shopping** n Einkaufen nt, Einkauf m; **shopping bag** n Einkaufstasche f; **shopping center** (US), **shopping centre** n Einkaufszentrum nt; **shop-soiled** adj angeschmutzt; **shop steward** n Betriebsrat(-rätin) m(f); **shop window** n Schaufenster nt.

shore [ʃɔː*] **1.** n Ufer nt; (of sea) Strand m, Küste f; **2.** vt: to ~ **up** abstützen.

shorn [ʃɔːn] pp of **shear**.

short [ʃɔːt] **1.** adj kurz; (person) klein; (curt) kurz angebunden; (measure) zu knapp; **2.** n (ELEC: ~-circuit) Kurzschluß m; **3.** adv (suddenly) plötzlich; **4.** vi (ELEC) einen Kurzschluß haben; **to be ~ of** zu wenig ... haben; **to cut ~** abkürzen; **to fall ~** nicht erreichen; **two ~** zwei zu wenig; **for ~** kurz; **shortage** n Knappheit f, Mangel m; **shortbread** n Buttergebäck nt; **short-circuit 1.** n Kurzschluß m; **2.** vi einen Kurzschluß haben; **shortcoming** n Fehler m, Mangel m; **short cut** n Abkürzung f; **shorten** vt abkürzen; (clothes) kürzer machen; **shorthand** n Stenographie f, Kurzschrift f; **shorthand typist** n Stenotypist(in) m(f); **shortlist** n engere Wahl; **short-lived** adj kurzlebig; **shortly** adv bald; **shortness** n Kürze f; **short-range missile** n Kurzstreckenrakete f; **shorts** n pl Shorts pl; **short-sighted** adj (a. fig) kurzsichtig; **short-sightedness** n Kurzsichtigkeit f; **short story** n Kurzgeschichte f; **short-tempered** adj unbeherrscht; **short-term** adj (effect) kurzfristig; ~ **memory** Kurzzeitgedächtnis nt; **short wave** n (RADIO) Kurzwelle f.

shot [ʃɒt] **1.** pt, pp of **shoot**; **2.** n (from gun) Schuß m; (person) Schütze m, Schützin f; (try) Versuch m; (injection) Spritze f; (PHOT) Aufnahme f, Schnappschuß m; **like a ~** wie der Blitz; **let me have a ~** laß mich mal; **shotgun** n Schrotflinte f.

should [ʃʊd] **1.** pt of **shall; 2.** aux vb: **I ~ go now** ich sollte jetzt gehen; **I ~ say** ich würde sagen; **I ~ like to** ich möchte gerne, ich würde gerne.

shoulder [ˈʃəʊldə*] **1.** n Schulter f; **2.** vt (rifle) schultern; (fig) auf sich akk nehmen; **shoulder blade** n Schulterblatt nt.

shouldn't [ˈʃʊdnt] = **should not**.

shout [ʃaʊt] **1.** n Schrei m; (call) Ruf m; **2.** vt rufen; **3.** vi schreien, laut rufen; **to ~ at** anbrüllen; **shouting** n Geschrei nt.

shove [ʃʌv] **1.** n Schubs m, Stoß m; **2.** vt schieben, stoßen, schubsen; **shove off** vi (NAUT) abstoßen; (fig fam) abhauen.

shovel [ˈʃʌvl] **1.** n Schaufel f; **2.** vt schaufeln.

show [ʃəʊ] ⟨showed, shown⟩ **1.** vt zeigen; (kindness) erweisen; **2.** vi zu sehen sein; **3.** n (display) Schau f; (exhibition) Ausstellung f; (CINE, THEAT) Vorstellung f, Show f; **to ~ sb in** jdn hereinführen; **to ~ sb out** jdn hinausbegleiten; **show off 1.** vi (pej) angeben, protzen; **2.** vt (display) ausstellen; **show up 1.** vi (stand out) sich abheben; (arrive) erscheinen; **2.** vt aufzeigen; (unmask) bloßstellen; **show business** n Showbusineß nt; **showdown** n Kraftprobe f, endgültige Auseinandersetzung.

shower [ˈʃaʊə*] **1.** n (of rain) Schauer m; (of stones) [Stein]hagel m; (of sparks) [Funken]regen m; (~ bath) Dusche f; **2.** vt (fig) überschütten (sth on sb, sb with sth jdn mit etw); **to have a ~** duschen; **showerproof** adj wasserabstoßend; **showery** adj (weather) regnerisch.

showground [ˈʃəʊɡraʊnd] n Ausstellungsgelände nt; **showing** [ˈʃəʊɪŋ] n (of film) Vorführung f; **show jumping** n Turnierreiten nt; **showmanship** [ˈʃəʊmənʃɪp] n Talent nt als Showman; **shown** [ʃəʊn] pp of **show; show-off** [ˈʃəʊɒf] n Angeber(in) m(f); **showpiece** n Muster nt; (fine example) Paradestück nt; **showroom** n Ausstellungsraum m.

shrank [ʃræŋk] pt of **shrink**.

shred [ʃred] **1.** n Fetzen m; **2.** vt zerfetzen; (GASTR) raspeln; **in ~s** in Fetzen; **shredder** n (vegetable ~) Gemüseschneider m; (document ~) Reißwolf m, Aktenvernichter m.

shrewd adj, **shrewdly** adv [ʃruːd, -lɪ] scharfsinnig, clever; **shrewdness** n Scharfsinn m.

shriek [ʃriːk] **1.** n Schrei m; **2.** vt, vi kreischen, schreien.

shrill [ʃrɪl] *adj* schrill, gellend.

shrimp [ʃrɪmp] *n* Krabbe *f*, Garnele *f*.

shrine [ʃraɪn] *n* Schrein *m*.

shrink [ʃrɪŋk] ⟨shrank, shrunk⟩ **1.** *vi* schrumpfen, eingehen; (*of person*) zurückweichen; (*fig*) sich scheuen (*from* vor +*dat*); **shrinkage** *n* Schrumpfung *f*; **shrinkwrap** *vt* einschweißen.

shrivel [ˈʃrɪvl] *vi* (*also*: ~ **up**) schrumpfen, schrumpeln.

shroud [ʃraʊd] **1.** *n* Leichentuch *nt*; **2.** *vt* umhüllen, [ein]hüllen.

Shrove Tuesday [ˈʃrəʊvˈtjuːzdeɪ] *n* Fastnachtsdienstag *m*.

shrub [ʃrʌb] *n* Busch *m*, Strauch *m*; **shrubbery** *n* Gebüsch *nt*.

shrug [ʃrʌg] **1.** *n* Achselzucken *nt*; **2.** *vi* die Achseln zucken; **shrug off** *vt* auf die leichte Schulter nehmen.

shrunk [ʃrʌŋk] *pp* of **shrink**; **shrunken** *adj* eingelaufen.

shudder [ˈʃʌdə*] **1.** *n* Schauder *m*; **2.** *vi* schaudern.

shuffle [ˈʃʌfl] **1.** *n* (*change*) Umstellung *f*; (*of jobs*) Umbesetzung *f*; (*of cabinet*) Umbildung *f*; (*CARDS*) [Karten]mischen *nt*; (*dance*) Shuffle *m*; **2.** *vt* (*CARDS*) mischen; (*cabinet*) umbilden; **3.** *vi* (*walk*) schlurfen.

shun [ʃʌn] *vt* (ver)scheuen, [ver]meiden.

shunt [ʃʌnt] *vt* rangieren.

shut [ʃʌt] ⟨shut, shut⟩ **1.** *vt* schließen, zumachen; **2.** *vi* sich schließen [lassen]; **shut down** *vt*, *vi* schließen; **shutdown** *n* Stillegung *f*; **shut off** *vt* (*supply*) abdrehen; **shut up 1.** *vi* (*keep quiet*) den Mund halten; **2.** *vt* (*close*) zuschließen; (*silence*) zum Schweigen bringen; ~ **!** halt den Mund!; **shutter** *n* Fensterladen *m*, Rolladen *m*; (*PHOT*) Verschluß *m*.

shuttlecock [ˈʃʌtlkɒk] *n* Federball *m*, Federballspiel *nt*.

shuttle service [ˈʃʌtlsɜːvɪs] *n* Pendelverkehr *m*.

shy *adj*, **shyly** *adv* [ʃaɪ, -lɪ] schüchtern, scheu; **we are 3** ~ **1** (*US*) wir haben 3 zuwenig; **shyness** *n* Schüchternheit *f*, Zurückhaltung *f*.

Siamese [saɪəˈmiːz] *adj*: ~ **cat** Siamkatze *f*; ~ **twins** *pl* siamesische Zwillinge *pl*.

Sicily [ˈsɪsɪlɪ] *n* Sizilien *nt*.

sick [sɪk] *adj* krank; (*humour*) schwarz; (*joke*) makaber; **I feel** ~ mir ist schlecht; **I was** ~ ich habe gebrochen; **to be** ~ **of sb/ sth** jdn/etw satt haben; **sick bay** *n* Krankenrevier *nt*; **sickbed** *n* Krankenbett *nt*; **sicken 1.** *vt* (*disgust*) krank machen; **2.** *vi* krank werden; **sickening** *adj* (*sight*) widerlich; (*annoying*) zum Weinen.

sickle [ˈsɪkl] *n* Sichel *f*.

sick leave [ˈsɪkliːv] *n*: **to be on** ~ krank geschrieben sein; **sick list** *n* Krankenliste *f*; **sickly** [ˈsɪklɪ] *adj* kränklich, blaß; (*causing nausea*) widerlich; **sickness** [ˈsɪknəs] *n* Krankheit *f*; (*vomiting*) Übelkeit *f*, Erbrechen *nt*; **sick pay** *n* Krankengeld *nt*.

side [saɪd] **1.** *n* Seite *f*; **2.** *adj* (*door, entrance*) Seiten-, Neben-; **3.** *vi*: **to** ~ **with sb** es mit jdm halten; **to take** ~**s** [with] Partei nehmen [für]; **by the** ~ **of** neben; **on all** ~**s** von allen Seiten; **sideboard** *n* Anrichte *f*, Sideboard *nt*; **sideboards, sideburns** *n pl* Koteletten *pl*; **side effect** *n* Nebenwirkung *f*; **sidelight** *n* (*AUTO*) Parkleuchte *f*, Standlicht *nt*; **sideline** *n* (*SPORT*) Seitenlinie *f*; (*fig: hobby*) Nebenbeschäftigung *f*; **side mirror** *n* Außenspiegel *m*; **side road** *n* Nebenstraße *f*; **side show** *n* Nebenvorstellung *f*; (*exhibition*) Sonderausstellung *f*; **side street** *n* Seitenstraße *f*; **sidetrack** *vt* (*fig*) ablenken; **sidewalk** *n* (*US*) Bürgersteig *m*; **sideways** *adv* seitwärts.

siding [ˈsaɪdɪŋ] *n* Nebengleis *nt*.

sidle up [ˈsaɪdl ʌp] *vi* sich heranmachen (*to* an +*akk*).

siege [siːdʒ] *n* Belagerung *f*.

sieve [sɪv] **1.** *n* Sieb *nt*; **2.** *vt* sieben.

sift [sɪft] *vt* sieben; (*fig*) sichten.

sigh [saɪ] **1.** *n* Seufzer *m*; **2.** *vi* seufzen.

sight [saɪt] **1.** *n* (*power of seeing*) Sehvermögen *nt*, Augenlicht *nt*; (*view, thing seen*) Anblick *m*; (*scene*) Aussicht *f*, Blick *m*; (*of gun*) Zielvorrichtung *f*, Korn *nt*; **2.** *vt* sichten; ~**s** *pl* (*of city etc*) Sehenswürdigkeiten *pl*; **in** ~ in Sicht; **out of** ~ außer Sicht; **sightseeing** *n* Sightseeing *nt*; **to go** ~ Sehenswürdigkeiten besichtigen; **sightseer** *n* Tourist(in) *m(f)*.

sign [saɪn] **1.** *n* Zeichen *nt*; (*notice, road* ~) Schild *nt*; **2.** *vt* unterschreiben; **sign out** *vi* sich austragen; **sign up 1.** *vi* (*MIL*) sich verpflichten; **2.** *vt* verpflichten.

signal [ˈsɪgnl] **1.** *n* Signal *nt*; **2.** *vt* ein Zeichen geben +*dat*.

signatory [ˈsɪgnətrɪ] *n* Unterzeichner(in) *m(f)*.

signature [ˈsɪgnətʃə*] *n* Unterschrift *f*; **signature tune** *n* Erkennungsmelodie *f*.

signet ring [ˈsɪgnətrɪŋ] *n* Siegelring *m*.

significance [sɪgˈnɪfɪkəns] *n* Bedeutung *f*; **significant** *adj* (*meaning sth*) bedeutsam; (*important*) bedeutend, wichtig; **significantly** *adv* bezeichnenderweise.

signify [ˈsɪgnɪfaɪ] *vt* bedeuten; (*show*) andeuten, zu verstehen geben.

sign language [ˈsaɪnlæŋgwɪdʒ] *n* Zeichensprache *f*; **signpost** *n* Wegweiser *m*, Schild *nt*.

silence [ˈsaɪləns] **1.** *n* Stille *f*, Ruhe *f*; (*of* *person*) Schweigen *nt;* **2.** *vt* zum Schweigen bringen; **silencer** *n* (*on gun*) Schalldämpfer *m;* (*AUTO*) Auspufftopf *m;* **silent** [*adj*] still; (*person*) schweigsam; **silently** *adv* schweigend, still.

silhouette [sɪluːˈet] **1.** *n* Silhouette *f,* Umriß *m;* (*picture*) Schattenbild *nt;* **2.** *vt:* to ~**d against** sth sich [als Silhouette] gegen etw abheben.

silk [sɪlk] **1.** *n* Seide *f;* **2.** *adj* seiden, Seiden-; **silky** *adj* seidig.

silliness [ˈsɪlɪnəs] *n* Albernheit *f,* Dummheit *f.*

silly [ˈsɪlɪ] *adj* dumm, albern.

silo [ˈsaɪləʊ] *n* ⟨-s⟩ Silo *m.*

silt [sɪlt] *n* Schlamm *m,* Schlick *m.*

silver [ˈsɪlvə*] **1.** *n* Silber *nt;* **2.** *adj* silbern, Silber-; **silver paper** *n* Silberpapier *nt;* **silver-plate** *n* Silber[geschirr] *nt;* **silver-plated** *adj* versilbert; **silversmith** *n* Silberschmied(in) *m(f);* **silverware** *n* Silber *nt;* **silvery** *adj* silbern.

similar [ˈsɪmɪlə*] *adj* ähnlich (*to dat*); **similarity** [sɪmɪˈlærɪtɪ] *n* Ähnlichkeit *f;* **similarly** *adv* in ähnlicher Weise.

simile [ˈsɪmɪlɪ] *n* Vergleich *m.*

simmer [ˈsɪmə*] *vt, vi* sieden (lassen).

simple [ˈsɪmpl] *adj* einfach; (*dress also*) schlicht; **simple[-minded]** *adj* naiv, einfältig; **simplicity** [sɪmˈplɪsɪtɪ] *n* Einfachheit *f;* (*of person*) Einfältigkeit *f;* **simplification** [sɪmplɪfɪˈkeɪʃən] *n* Vereinfachung *f;* **simplify** [ˈsɪmplɪfaɪ] *vt* vereinfachen; **simply** *adv* einfach; (*only*) bloß, nur.

simulate [ˈsɪmjʊleɪt] *vt* simulieren; **simulation** [sɪmjʊˈleɪʃən] *n* Simulation *f.*

simultaneous *adj* [sɪmǝlˈteɪnɪəs] gleichzeitig; **simultaneous interpreting** *n* Simultandolmetschen *nt.*

sin [sɪn] **1.** *n* Sünde *f;* **2.** *vi* sündigen.

since [sɪns] **1.** *adv* seither; **2.** *prep* seit, seitdem; **3.** *conj* (*time*) seit; (*because*) da, weil.

sincere [sɪnˈsɪə*] *adj* aufrichtig, ehrlich, offen; **sincerely** *adv* aufrichtig; **yours** ~ mit freundlichen Grüßen; **sincerity** [sɪnˈserɪtɪ] *n* Aufrichtigkeit *f.*

sinew [ˈsɪnjuː] *n* Sehne *f.*

sinful [ˈsɪnfʊl] *adj* sündig.

sing [sɪŋ] ⟨sang, sung⟩ *vt, vi* singen.

Singapore [sɪŋgəˈpɔː*] *n* Singapur *nt.*

singe [sɪndʒ] *vt* versengen.

singer [ˈsɪŋə*] *n* Sänger(in) *m(f);* **singing** *n* Singen *nt,* Gesang *m.*

single [ˈsɪŋgl] **1.** *adj* (*one only*) einzig; (*bed, room*) Einzel-, einzeln; (*unmarried*) ledig; (*Brit: ticket*) einfach; (*having one part only*) einzeln; **2.** *n* (*Brit: ticket*) einfache Fahrkarte; ~**s** *sing* o *pl* (*TENNIS*) Einzel *nt;* **in** ~ **file** hintereinander, im Gänsemarsch; ~ **parents** *pl* alleinerziehende Eltern *pl;* ~ **parent**

family Einelternfamilie *f;* ~ **ticket** (*Brit*) einfache Fahrkarte; **single out** *vt* aussuchen, auswählen; **single-breasted** *adj* einreihig; **single-handed** *adj* allein **Single Market** *n* Binnenmarkt *m;* **single-minded** *adj* zielstrebig; **singly** *adv* einzeln, allein.

singular [ˈsɪŋgjʊlə*] **1.** *adj* (*LING*) Singular-(*odd*) merkwürdig, seltsam; **2.** *n* (*LING*) Einzahl *f,* Singular *m;* **singularly** *adv* besonders, höchst.

sinister [ˈsɪnɪstə*] *adj* (*evil*) böse; (*ghostly*) unheimlich.

sink [sɪŋk] ⟨sank, sunk⟩ **1.** *vt* (*ship*) versenken; (*lower*) senken; **2.** *vi* sinken; **3.** *n* Spülbecken *nt,* Ausguß *m;* **sink in** *vi* (*news etc*) kapiert werden?; **has it sunk** ~? hast du's kapiert?; **sinking** *adj* (*feeling*) flau.

sinner [ˈsɪnə*] *n* Sünder(in) *m(f).*

sinuous [ˈsɪnjʊəs] *adj* gewunden, sich schlängelnd.

sinus [ˈsaɪnəs] *n* (*ANAT*) Stirnhöhle *f.*

sip [sɪp] **1.** *n* Schlückchen *nt;* **2.** *vt* nippen an +*dat.*

siphon [ˈsaɪfən] *n* Siphon[flasche *f*] *m;* **siphon off** *vt* absaugen; (*fig*) abschöpfen.

sir [sɜː*] *n* (*respect*) Herr *m;* (*knight*) Sir *m;* **yes Sir** ja[wohl, mein Herr].

siren [ˈsaɪrən] *n* Sirene *f.*

sirloin [ˈsɜːlɔɪn] *n* Lendenstück *nt.*

sirocco [sɪˈrɒkəʊ] *n* ⟨-s⟩ Schirokko *m.*

sissy [ˈsɪsɪ] *n* (*fam*) Weichling *m.*

sister [ˈsɪstə*] *n* Schwester *f;* (*nurse*) Oberschwester *f;* (*nun*) Ordensschwester *f;* **sister-in-law** *n* ⟨sisters-in-law⟩ Schwägerin *f.*

sit [sɪt] ⟨sat, sat⟩ **1.** *vi* sitzen; (*hold session*) tagen; **2.** *vt* (*exam*) machen; **to** ~ **tight** abwarten; **sit down** *vi* sich hinsetzen; **sit out** *vt* aussitzen; **sit up** *vi* (*after lying*) sich aufsetzen; (*straight*) sich gerade setzen; (*at night*) aufbleiben.

sitcom [ˈsɪtkɒm] *n* Situationskomik *f.*

site [saɪt] **1.** *n* Platz *m;* **2.** *vt* plazieren, legen.

sit-in [ˈsɪtɪn] *n* Sit-in *nt;* (*on road*) Sitzblockade *f.*

siting [ˈsaɪtɪŋ] *n* (*location*) Platz *m,* Lage *f.*

sitting [ˈsɪtɪŋ] *n* (*meeting*) Sitzung *f,* Tagung *f;* **sitting room** *n* Wohnzimmer *nt.*

situated [ˈsɪtjʊeɪtɪd] *adj:* **to be** ~ liegen.

situation [sɪtjʊˈeɪʃən] *n* Situation *f,* Lage *f;* (*place*) Lage *f;* (*employment*) Stelle *f.*

six [sɪks] *num* sechs.

sixteen [ˈsɪksˈtiːn] *num* sechzehn.

sixth [sɪksθ] **1.** *adj* sechste(r, s); **2.** *adv* an sechster Stelle; **3.** *n* (*person*) Sechste(r) *mf;* (*part*) Sechstel *nt.*

sixty [ˈsɪkstɪ] *num* sechzig.

size [saɪz] *n* Größe *f;* (*of project*) Umfang *m;* (*glue*) Kleister *m;* **size up** *vt* (*assess*) abschätzen, einschätzen; **sizeable** *adj* ziemlich groß, ansehnlich.

sizzle [ˈsɪzl] *vi* (*GASTR*) brutzeln.

skate [skeɪt] **1.** *n* Schlittschuh *m*; **2.** *vi* Schlittschuh laufen; **skateboard** *n* Skateboard *nt*, Rollbrett *nt*; **skatepark** *n* Skateboardanlage *f*; **skater** *n* Schlittschuhläufer(in) *m(f)*; **skating** *n* Eislauf *m*; **to go ~** Eislaufen gehen; **skating rink** *n* Eisbahn *f*.

skeleton [ˈskelɪtn] *n* Skelett *nt*; (*fig*) Gerüst *nt*; **skeleton key** *n* Dietrich *m*.

skeptic [ˈskeptɪk] *n* (*US*) *s.* **sceptic**.

sketch [sketʃ] **1.** *n* Skizze *f*; (*THEAT*) Sketch *m*; **2.** *vt* skizzieren, eine Skizze machen von; **sketchbook** *n* Skizzenbuch *nt*; **sketch pad** *n* Skizzenblock *m*; **sketchy** *adj* skizzenhaft.

skewer [ˈskjʊə*] *n* Fleischspieß *m*.

ski [skiː] **1.** *n* Ski *m*, Schi *m*; **2.** *vi* Ski [*o* Schi] laufen; **ski boot** *n* Skistiefel *m*.

skid [skɪd] *vi* rutschen; (*AUTO*) schleudern; **skidmark** *n* Reifenspur *f*.

skier [ˈskiːə*] *n* Skiläufer(in) *m(f)*; **skiing** *n*: **to go ~** Skilaufen gehen; **ski-jump** *n* Sprungschanze *f*.

skilful *adj*, **skilfully** *adv* [ˈskɪlfʊl, -fəlɪ] geschickt.

ski-lift [ˈskiːlɪft] *n* Skilift *m*.

skill [skɪl] *n* Können *nt*, Geschicklichkeit *f*; **skilled** *adj* geschickt; (*worker*) Fach-, gelernt.

skim [skɪm] *vt* (*liquid*) abschöpfen; (*milk*) entrahmen; (*read*) überfliegen; (*glide over*) gleiten über +*akk*; **~med milk** Magermilch *f*.

skimp [skɪmp] *vt* (*do carelessly*) oberflächlich tun; **skimpy** *adj* (*work*) schlecht gemacht; (*dress*) knapp.

skin [skɪn] **1.** *n* Haut *f*; (*peel*) Schale *f*; **2.** *vt* abhäuten; schälen; **skin-deep** *adj* oberflächlich; **skin diving** *n* Sporttauchen *nt*; **skinhead** *n* Skinhead *m*; **skinny** *adj* dünn; **skintight** *adj* (*dress etc*) hauteng.

skip [skɪp] **1.** *n* Sprung *m*, Hopser *m*; **2.** *vi* hüpfen, springen; (*with rope*) Seil springen; **3.** *vt* (*chapter*) überspringen; (*school*) schwänzen.

ski pants [ˈskiːpænts] *n pl* Skihose *f*.

skipper [ˈskɪpə*] *n* (*NAUT*) Schiffer *m*, Kapitän *m*; (*SPORT*) Mannschaftskapitän *m*.

skipping rope [ˈskɪpɪŋrəʊp] *n* Hüpfseil *nt*.

ski rack [ˈskiːræk] *n* Skiträger *m*.

skirmish [ˈskɜːmɪʃ] *n* Scharmützel *nt*.

skirt [skɜːt] **1.** *n* Rock *m*; **2.** *vt* herumgehen um; (*fig*) umgehen.

ski run [ˈskiːrʌn] *n* (Ski)abfahrt *f*; **ski school** *n* Skischule *f*; **ski suit** *n* Skianzug *m*; **ski tow** *n* Schlepplift *m*.

skittle [ˈskɪtl] *n* Kegel *m*; **~s** (*game*) Kegeln

skive [skaɪv] *vi* (*Brit fam*) schwänzen.

skull [skʌl] *n* Schädel *m*; **~ and crossbones** Totenkopf *m*.

skunk [skʌŋk] *n* Stinktier *m*.

sky [skaɪ] *n* Himmel *m*; **sky-blue** *adj* himmelblau; **skylight** *n* Dachfenster *nt*, Oberlicht *nt*; **skyscraper** *n* Wolkenkratzer *m*.

slab [slæb] *n* (*of stone*) Platte *f*; (*of chocolate*) Tafel *f*.

slack [slæk] **1.** *adj* (*loose*) lose, schlaff, locker; (*business*) flau; (*careless*) nachlässig, lasch; **2.** *vi* nachlässig sein; **3.** *n* (*in rope etc*) durchhängendes Teil; **to take up the ~** straffziehen; **slacken 1.** *vi* (*also: ~ off*) schlaff/locker werden; (*become slower*) nachlassen, stocken; **2.** *vt* (*loosen*) lockern; **slackness** *n* Schlaffheit *f*; **slacks** *n pl* Hose[n *pl*] *f*.

slag [slæg] *n* Schlacke *f*; **slag heap** *n* Halde *f*.

slalom [ˈslɑːləm] *n* Slalom *m*.

slam [slæm] **1.** *vt* (*door*) zuschlagen, zuknallen; (*throw down*) knallen; **2.** *vi* zuschlagen.

slander [ˈslɑːndə*] **1.** *n* Verleumdung *f*; **2.** *vt* verleumden; **slanderous** *adj* verleumderisch.

slang [slæŋ] *n* Slang *m*; (*MIL*) Jargon *m*.

slant [slɑːnt] **1.** *n* Schräge *f*; (*fig*) Tendenz *f*, Einstellung *f*; **2.** *vt* schräg legen; **3.** *vi* schräg liegen; **slanting** *adj* schräg.

slap [slæp] **1.** *n* Schlag *m*, Klaps *m*; **2.** *vt* schlagen, einen Klaps geben +*dat*; **3.** *adv* (*directly*) geradewegs; **slapdash** *adj* salopp; **slapstick** *n* (*comedy*) Klamauk *m*, Slapstick *m*; **slap-up** *adj* (*meal*) erstklassig, prima.

slash [slæʃ] **1.** *n* Hieb *m*; (*gash*) Schnittwunde *f*; **2.** *vt* [auf]schlitzen; (*expenditure*) radikal kürzen.

slate [sleɪt] **1.** *n* (*stone*) Schiefer *m*; (*roofing*) Dachziegel *m*; **2.** *vt* (*criticize*) verreißen.

slaughter [ˈslɔːtə*] **1.** *n* (*of animals*) Schlachten *nt*; (*of people*) Gemetzel *nt*; **2.** *vt* schlachten; (*people*) niedermetzeln.

slave [sleɪv] **1.** *n* Sklave *m*, Sklavin *f*; **2.** *vi* schuften, sich schinden; **slavery** *n* Sklaverei *f*; (*work*) Schinderei *f*; **slavish** *adj*, **slavishly** *adv* sklavisch.

sleazy [ˈsliːzɪ] *adj* (*place*) schmierig.

sledge [sledʒ] *n* Schlitten *m*; **sledgehammer** *n* Vorschlaghammer *m*.

sleek [sliːk] *adj* glatt, glänzend; (*shape*) rassig.

sleep [sliːp] (*slept, slept*) **1.** *vi* schlafen; **2.** *n* Schlaf *m*; **to go to ~** einschlafen; **sleep in** *vi* ausschlafen; (*oversleep*) verschlafen; **sleeper** *n* (*person*) Schläfer(in) *m(f)*; (*RAIL*) Schlafwagen *m*; (*beam*) Schwelle *f*;

sleepily adv schläfrig; **sleepiness** n Schläfrigkeit f; **sleeping bag** n Schlafsack m; **sleeping car** n Schlafwagen m; **sleeping pill** n Schlaftablette f; **sleepless** adj (night) schlaflos; **sleeplessness** n Schlaflosigkeit f; **sleepwalker** n Schlafwandler(in) m(f); **sleepy** adj schläfrig.

sleet [sli:t] n Schneeregen m.

sleeve [sli:v] n Ärmel m; (of record) Umschlag m; **sleeveless** adj (garment) ärmellos.

sleigh [sleɪ] n Pferdeschlitten m.

sleight [slaɪt] n: ~ of hand Fingerfertigkeit f; (trick) Taschenspielertrick m.

slender ['slɛndə*] adj schlank; (fig) gering.

slept [slɛpt] pt, pp of **sleep**.

slice [slaɪs] 1. n Scheibe f; 2. vt in Scheiben schneiden.

slick [slɪk] 1. adj (clever) raffiniert, aalglatt; 2. n Ölteppich m.

slid [slɪd] pt, pp of **slide**.

slide [slaɪd] ⟨slid, slid⟩ 1. vt schieben; 2. vi (slip) gleiten, rutschen; 3. n Rutschbahn f; (PHOT) Dia[positiv] nt; (for hair) [Haar-] spange f; (fall in prices) [Preis]rutsch m; **to let things ~** die Dinge schleifen lassen; **slide rule** n Rechenschieber m; **sliding** adj (door) Schiebe-.

slight [slaɪt] 1. adj zierlich; (trivial) geringfügig; (small) leicht, gering; 2. n Kränkung f; 3. vt (offend) kränken; **slightly** adv etwas, ein bißchen.

slim [slɪm] 1. adj schlank; (book) dünn; (chance) gering; 2. vi abnehmen.

slime [slaɪm] n Schleim m.

slimming ['slɪmɪŋ] n Schlankheitskur f.

slimness ['slɪmnəs] n Schlankheit f.

slimy ['slaɪmɪ] adj glitschig; (dirty) schlammig; (person) schmierig.

sling [slɪŋ] ⟨slung, slung⟩ 1. vt werfen; (hurl) schleudern; 2. n Schlinge f; (weapon) Schleuder f.

slip [slɪp] 1. n (slipping) Ausgleiten nt, Rutschen nt; (mistake) Flüchtigkeitsfehler m; (petticoat) Unterrock m; (of paper) Zettel m; 2. vt (put) stecken, schieben; 3. vi (lose balance) ausrutschen; (move) gleiten, rutschen; (make mistake) einen Fehler machen; (decline) nachlassen; **it ~ped my mind** das ist mir entfallen, ich habe es vergessen; **to let things ~** die Dinge schleifen lassen; **to give sb the ~** jdm entwischen; **~ of the tongue** Versprecher m; **slip away** vi sich wegstehlen; **slip by** vi (time) verstreichen; **slip in** 1. vt hineingleiten lassen; 2. vi (errors) sich einschleichen; **slip out** vi hinausschlüpfen; **slipper** n Hausschuh m; **slippery** adj glatt; (tricky) aalglatt, gerissen; **slip-road** n Auffahrt f, Ausfahrt f; **slipshod** adj schlampig; **slipstream** n

Windschatten m; **slip-up** n Panne f.

slit [slɪt] ⟨slit, slit⟩ 1. vt aufschlitzen; 2. n Schlitz m.

slither ['slɪðə*] vi schlittern; (snake) sich schlängeln.

slog [slɒg] 1. n (great effort) Plackerei f; 2. vi (work hard) schuften.

slogan ['sləʊgən] n Schlagwort nt; (COMM) Werbespruch m.

slope [sləʊp] n Neigung f, Schräge f; (of mountains) [Ab]hang m; **slope down** vi sich senken; **slope up** vi ansteigen; **sloping** adj schräg; (shoulders) hängend; (ground) abschüssig.

sloppily ['slɒpɪlɪ] adv schlampig; **sloppiness** n (of work) Nachlässigkeit f; **sloppy** adj (careless) schlampig; (silly) rührselig.

slot [slɒt] 1. n Schlitz m; (COMPUT) Steckplatz m; 2. vt: **to ~ sth in** etw einlegen; **slot machine** n Spielautomat m.

slouch [slaʊtʃ] vi krumm dasitzen [o dastehen], sich lümmeln.

Slovak ['sləʊvæk] 1. n Slowake m, Slowakin f; 2. adj slowakisch; **Slovakia** [sləʊ'vækɪə] n Slowakei f.

Slovenia [sləʊ'vi:nɪə] n Slowenien; **Slovene** ['sləʊvi:n], **Slovenian** [sləʊ'vi:nɪən] 1. n Slowene m, Slowenin f; 2. adj slowenisch.

slovenly ['slʌvnlɪ] adj schlampig, schluderig.

slow [sləʊ] adj langsam; **to be ~** (clock) nachgehen; (stupid) begriffsstutzig sein; **in ~ motion** in Zeitlupe; **slow down** 1. vi langsamer werden; 2. vt aufhalten, langsamer machen, verlangsamen; **~ ~!** mach langsamer!; **slow up** 1. vi sich verlangsamen; 2. vt aufhalten, langsamer machen; **slowly** adv langsam; (gradually) allmählich; **slowpoke** n (US fam) Transuse f.

sludge [slʌdʒ] n Schlamm m, Matsch m.

slug [slʌg] n Nacktschnecke f; (fam: bullet) Kugel f; **sluggish** adj träge; (COMM) schleppend; **sluggishly** adv träge; **sluggishness** n Langsamkeit f, Trägheit f.

sluice [slu:s] n Schleuse f.

slum [slʌm] n Elendsviertel nt, Slum m.

slumber ['slʌmbə*] n Schlummer m.

slump [slʌmp] 1. n Rückgang m; 2. vi fallen, stürzen.

slung [slʌŋ] pt, pp of **sling**.

slur [slɜ:*] 1. n Undeutlichkeit f; (insult) Verleumdung f; 2. vt (also: ~ over) hinweggehen über +akk; **slurred** [slɜ:d] adj (pronunciation) undeutlich.

slush [slʌʃ] n (snow) Schneematsch m; (mud) Schlamm m; **slushy** adj matschig; (fig: sentimental) schmalzig.

slut [slʌt] n Schlampe f.

sly adj, **slyly** adv [slaɪ, -lɪ] schlau, verschlagen; **slyness** *n* Schlauheit *f*.

smack [smæk] **1.** *n* Klaps *m*; **2.** *vt* einen Klaps geben +*dat*; **3.** *vi*: **to ~ of** riechen nach; **to ~ one's lips** schmatzen, sich *dat* die Lippen lecken.

small [smɔːl] *adj* klein; **~ change** Kleingeld *nt*; **~ hours** *pl* frühe Morgenstunden *pl*; **smallholding** *n* Kleinlandbesitz *m*; **smallish** *adj* ziemlich klein; **smallness** *n* Kleinheit *f*; **smallpox** *n* Pocken *pl*; **small-scale** *adj* klein, in kleinem Maßstab; **small talk** *n* Konversation *f*, Geplauder *nt*.

smarmy ['smɑːmɪ] *adj* (*fam*) schmierig.

smart [smɑːt] **1.** *adj* (*fashionable*) elegant, schick; (*neat*) adrett; (*clever*) clever; (*quick*) scharf; **2.** *vi* brennen, schmerzen; **smarten up 1.** *vi* sich in Schale werfen; **2.** *vt* herausputzen; **smartly** *adv* elegant; clever; **smartness** *f* Gescheitheit *f*; Eleganz *f*.

smash [smæʃ] **1.** *n* Zusammenstoß *m*; (*TENNIS*) Schmetterball *m*; **2.** *vt* (*break*) zerschmettern; (*destroy*) vernichten; **3.** *vi* (*break*) zersplittern, zerspringen; **smashing** *adj* (*fam*) toll, phantastisch.

smattering ['smætərɪŋ] *n* oberflächliche Kenntnis.

smear [smɪə*] **1.** *n* Fleck *m*; (*MED*: **~-test**) Abstrich *m*; **2.** *vt* beschmieren.

smell [smel] (*smelt o smelled*, *smelt o smelled*) **1.** *vt*, *vi* riechen (*of* nach); **2.** *n* Geruch *m*; (*sense*) Geruchssinn *m*; **smelly** *adj* übelriechend.

smelt [smelt] *pt*, *pp* of **smell**.

SMEs *n abbr* of **small and medium-sized enterprises**.

smile [smaɪl] **1.** *n* Lächeln *nt*; **2.** *vi* lächeln.

smirk [smɜːk] **1.** *n* blödes Grinsen; **2.** *vi* blöde grinsen.

smith [smɪθ] *n* Schmied(in) *m(f)*; **smithy** ['smɪðɪ] *n* Schmiede *f*.

smock [smɒk] *n* Kittel *m*.

smog [smɒg] *n* Smog *m*; **smog alert** *n* Smogalarm *m*.

smoke [sməʊk] **1.** *n* Rauch *m*; **2.** *vt* rauchen; (*food*) räuchern; **3.** *vi* rauchen; **smoker** *n* Raucher(in) *m(f)*; (*RAIL*) Raucherabteil *nt*; **smoke screen** *n* Rauchwand *f*; **smoking** *nt* Rauchen *nt*; **"no ~"** „Rauchen verboten"; **smoky** *adj* rauchig; (*room*) verraucht; (*taste*) geräuchert.

smolder ['sməʊldə*] (*US*) *s.* **smoulder**.

smooth [smuːð] **1.** *adj* glatt; (*movement*) geschmeidig; (*person*) glatt, gewandt; **2.** *vt* (*also*: **~ out**) glätten; glattstreichen; **smoothly** *adv* glatt, eben; (*fig*) reibungslos, glatt; **smoothness** *n* Glätte *f*.

smother ['smʌðə*] *vt* ersticken.

smoulder ['sməʊldə*] *vi* glimmen, schwe-

len.

smudge [smʌdʒ] **1.** *n* Schmutzfleck *m*; **2.** *vt* beschmieren.

smug [smʌg] *adj* selbstgefällig.

smuggle ['smʌgl] *vt* schmuggeln; **smuggler** *n* Schmuggler(in) *m(f)*; **smuggling** *n* Schmuggel *m*.

smugly ['smʌglɪ] *adv* selbstgefällig.

smugness ['smʌgnəs] *n* Selbstgefälligkeit *f*.

smutty ['smʌtɪ] *adj* (*obscene*) obszön, schmutzig.

snack [snæk] *n* Imbiß *m*; **snack bar** *n* Snackbar *f*, Imbißstube *f*.

snag [snæg] *n* Haken *m*; (*in stocking*) gezogener Faden.

snail [sneɪl] *n* Schnecke *f*.

snake [sneɪk] *n* Schlange *f*.

snap [snæp] **1.** *n* Schnappen *nt*; (*photograph*) Schnappschuß *m*; **2.** *adj* (*decision*) schnell; **3.** *vt* (*break*) zerbrechen; (*PHOT*) knipsen; **4.** *vi* (*break*) brechen; (*bite*) schnappen; (*speak*) anfauchen (*at sb* jdn); **to ~ one's fingers** mit den Fingern schnipsen; **~ out of it!** raff dich auf!, reiß dich zusammen!; **snap off** *vt* (*break*) abbrechen; **snap up** *vt* aufschnappen; **snappy** *adj* flott; **snapshot** *n* Schnappschuß *m*.

snare [snɛə*] *n* Schlinge *f*.

snarl [snɑːl] **1.** *n* Zähnefletschen *nt*; **2.** *vi* (*dog*) knurren; (*engine*) brummen, dröhnen.

snatch [snætʃ] *vt* schnappen, packen.

sneak [sniːk] *vi* schleichen; **sneakers** *n pl* (*US*) Freizeitschuhe *pl*.

sneer [snɪə*] *vi* höhnisch grinsen; spötteln.

sneeze [sniːz] *vi* niesen.

snide [snaɪd] *adj* (*fam*: *sarcastic*) abfällig.

sniff [snɪf] **1.** *vi* schniefen; (*smell*) schnüffeln; **2.** *vt* schnuppern.

sniffer dog ['snɪfə dɒg] *n* Spürhund *m*.

snigger ['snɪgə*] *vi* hämisch kichern.

snip [snɪp] **1.** *n* Schnippel *m*, Schnipsel *m*; **2.** *vt* schnippeln.

sniper ['snaɪpə*] *n* Heckenschütze *m*.

snippet ['snɪpɪt] *n* Schnipsel *m*; (*of conversation*) Fetzen *m*.

snivelling ['snɪvlɪŋ] *adj* weinerlich.

snob [snɒb] *n* Snob *m*; **snobbery** *n* Snobismus *m*; **snobbish** *adj* versnobt; **snobbishness** *n* Versnobtheit *f*, Snobismus *m*.

snooker ['snuːkə*] *n* Snooker *nt* (*Art Billardspiel*).

snoop [snuːp] *vi*: **to ~ about** herumschnüffeln.

snooty ['snuːtɪ] *adj* (*fam*) hochnäsig; (*restaurant*) stinkfein.

snooze [snuːz] **1.** *n* Nickerchen *nt*; **2.** *vi* ein Nickerchen machen, dösen.

snore [snɔː*] *vi* schnarchen; **snoring** *n*

Schnarchen nt.

snorkel ['snɔːkl] n Schnorchel m.

snort [snɔːt] vi schnauben.

snotty ['snɒtɪ] adj (fam) rotzig.

snout [snaʊt] n Schnauze f; (of pig) Rüssel m.

snow [snəʊ] 1. n Schnee m; 2. vi schneien; **snowball** n Schneeball m; **snow-blind** adj schneeblind; **snowbound** adj eingeschneit; **snowdrift** n Schneewehe f; **snowdrop** n Schneeglöckchen nt; **snowfall** n Schneefall m; **snowflake** n Schneeflocke f; **snowline** n Schneegrenze f; **snowman** n ⟨snowmen⟩ Schneemann m; **snowplough, snowplow** (US) n Schneepflug m; **snowshoe** n Schneeschuh m; **snowstorm** n Schneesturm m.

snub [snʌb] 1. vt schroff abfertigen; 2. n Verweis m, schroffe Abfertigung; **snub-nosed** adj stupsnasig.

snuff [snʌf] n Schnupftabak m; **snuffbox** n Schnupftabakdose f.

snug [snʌg] adj gemütlich, behaglich.

so [səʊ] 1. adv so; 2. conj daher, folglich, also; ~ **as to** um zu; **or** ~ so etwa; ~ **long!** (goodbye) tschüs!; ~ **many** so viele; ~ **much** soviel; ~ **that** damit.

soak [səʊk] vt durchnässen; (leave in liquid) einweichen; **soak in** vi einsickern; **soaking** n Einweichen nt; **soaking wet** adj klatschnaß.

soap [səʊp] n Seife f; **soapflakes** n pl Seifenflocken pl; **soap opera** n Seifenoper f; **soap powder** n Waschpulver nt; **soapy** adj seifig, Seifen-.

soar [sɔː*] vi aufsteigen; (prices) in die Höhe schnellen.

sob [sɒb] 1. n Schluchzen nt; 2. vi schluchzen.

sober ['səʊbə*] adj (a. fig) nüchtern; **sober up** vi nüchtern werden; **soberly** adv nüchtern.

so-called ['səʊ'kɔːld] adj sogenannt.

soccer ['sɒkə*] n Fußball m.

sociability [səʊʃə'bɪlɪtɪ] n Umgänglichkeit f; **sociable** ['səʊʃəbl] adj umgänglich, gesellig.

social ['səʊʃəl] adj sozial; (friendly, living with others) gesellig; **social democrat** n Sozialdemokrat(in) m(f); **socialism** n Sozialismus m; **socialist** 1. n Sozialist(in) m(f); 2. adj sozialistisch; **socially** adv gesellschaftlich, privat; **social science** n Sozialwissenschaft f; **social security** n Sozialversicherung f; (benefit) Sozialhilfe f; **social services** n Sozialdienste pl; **social welfare** n Fürsorge f; **social work** n Sozialarbeit f; **social worker** n Sozialarbeiter(in) m(f).

society [sə'saɪətɪ] n Gesellschaft f; (fashion-

able world) die große Welt.

sociological [səʊsɪə'lɒdʒɪkəl] adj soziologisch; **sociologist** [səʊsɪ'ɒlədʒɪst] n Soziologe(-login) m(f); **sociology** [səʊsɪ'ɒlədʒɪ] n Soziologie f.

sock [sɒk] 1. n Socke f; 2. vt (fam) schlagen

socket ['sɒkɪt] n (ELEC) Steckdose f; (of eye) Augenhöhle f; (TECH) Rohransatz m.

sod [sɒd] n Rasenstück nt; (fam!) Saukerl m

soda ['səʊdə] n Soda f; **soda pop** n (US) Brause f, Limo f; **soda water** n Mineral wasser nt, Soda[wasser] nt.

sodden ['sɒdn] adj durchweicht.

sofa ['səʊfə] n Sofa nt.

soft [sɒft] adj weich; (not loud) leise, ge dämpft; (kind) weichherzig, gutmütig; (weak) weich, nachgiebig; ~ **drink** alkoho freies Getränk; ~ **sell** zurückhaltende Ver kaufsstrategie; **soften** ['sɒfn] 1. vt weich machen; (blow) abschwächen, mildern; 2. vi weich werden; **soft-hearted** adj weich herzig; **softly** adv sanft; leise; **softness** Weichheit f; (fig) Sanftheit f; **software** (COMPUT) Software f.

soggy ['sɒgɪ] adj (ground) sumpfig; (bread aufgeweicht.

soil [sɔɪl] 1. n Erde f, Boden m; 2. vt be schmutzen; **soiled** adj beschmutzt schmutzig; **soil pipe** n Abflußrohr nt.

solace ['sɒləs] n Trost m.

solar ['səʊlə*] adj Sonnen-; ~ **cell** Solarzelle f; ~ **panel** Sonnenkollektor m; ~ **powe** Sonnenenergie f; ~ **power station** Solar kraftwerk nt; ~ **system** Sonnensystem nt.

sold [səʊld] pt, pp of **sell**.

solder ['səʊldə*] 1. vt löten; 2. n Lötmetal nt.

soldier ['səʊldʒə*] n Soldat(in) m(f).

sole [səʊl] 1. n Sohle f; (fish) Seezunge f; 2 vt besohlen; 3. adj alleinig, Allein-; **solely** adv ausschließlich, nur.

solemn ['sɒləm] adj feierlich; (serious) fei erlich, ernst.

solicitor [sə'lɪsɪtə*] n Rechtsanwal /(-anwältin) m(f).

solid ['sɒlɪd] adj (hard) fest; (of same ma terial) rein, massiv; (not hollow) massiv stabil; (without break) voll, ganz; (reliable solide, zuverlässig; (sensible) solide, gut (united) eins, einig; (meal) kräftig; ~ **figure** (MATH) Körper m.

solidarity [sɒlɪ'dærɪtɪ] n Solidarität f, Zu sammenhalt m; **declare/show** ~ **sich solida** risieren mit.

solidify [sə'lɪdɪfaɪ] 1. vi fest werden, erstar ren; 2. vt fest machen, verdichten.

solidity [sə'lɪdɪtɪ] n Festigkeit f.

solidly ['sɒlɪdlɪ] adv (fig: behind) einmütig (work) ununterbrochen.

soliloquy [sə'lɪləkwɪ] n Monolog m.

solitaire [sɒlɪˈtɛə*] n (CARDS) Patience f; (gem) Solitär m.

solitary [ˈsɒlɪtərɪ] adj einsam, einzeln.

solitude [ˈsɒlɪtjuːd] n Einsamkeit f.

solo [ˈsəʊləʊ] n ⟨-s⟩ Solo nt; **soloist** n Solist(in) m(f).

solstice [ˈsɒlstɪs] n Sonnenwende f.

soluble [ˈsɒljʊbl] adj (substance) löslich; (problem) lösbar.

solution [səˈluːʃən] n (a. fig) Lösung f; (of mystery) Erklärung f.

solve [sɒlv] vt (auf)lösen.

solvent [ˈsɒlvənt] adj (FIN) zahlungsfähig.

sombre adj, **sombrely** adv [ˈsɒmbə*, -əlɪ] düster.

some [sʌm] 1. adj (people etc) einige, (water etc) etwas; (unspecified) irgendein; (remarkable) toll, enorm; 2. pron (amount) etwas; (number) einige; **that's ~ house** das ist vielleicht ein Haus; **somebody** pron [ˈsʌmbədɪ] irgend jemand; **he is ~** er ist jemand [o wer]; **someday** adv irgendwann; **somehow** adv (in a certain way) irgendwie; (for a certain reason) aus irgendeinem Grunde; **someone** pron s. **somebody**; **someplace** adv (US) s. **somewhere**.

somersault [ˈsʌməsɔːlt] 1. n Purzelbaum m; (SPORT) Salto m; 2. vi Purzelbäume schlagen; einen Salto machen.

something [ˈsʌmθɪŋ] pron [irgend] etwas; **sometime** adv [irgend]einmal; **sometimes** adv manchmal, gelegentlich; **somewhat** adv etwas, ein wenig, ein bißchen; **somewhere** adv irgendwo; (to a place) irgendwohin.

son [sʌn] n Sohn m.

song [sɒŋ] n Lied nt; **songwriter** n Texter(in) m(f).

sonic [ˈsɒnɪk] adj Schall-; **~ boom** Überschallknall m.

son-in-law [ˈsʌnɪnlɔː] n ⟨sons-in-law⟩ Schwiegersohn m.

sonnet [ˈsɒnɪt] n Sonett nt.

sonny [ˈsʌnɪ] n (fam) Kleine(r) m.

soon [suːn] adv bald; **too ~** zu früh; **as ~ as possible** so bald wie möglich, möglichst bald; **sooner** adv (time) eher, früher; (for preference) lieber; **no ~** kaum.

soot [sʊt] n Ruß m.

soothe [suːð] vt (person) beruhigen; (pain) lindern; **soothing** adj (for person) beruhigend; (for pain) lindernd.

sophisticated [səˈfɪstɪkeɪtɪd] adj (person) kultiviert, weltgewandt; (machinery) differenziert, hochentwickelt; (plan) ausgeklügelt; **sophistication** [səfɪstɪˈkeɪʃən] n Weltgewandtheit f, Kultiviertheit f; (TECH) technische Verfeinerung.

sophomore [ˈsɒfəmɔː*] n (US) College-Student(in) m(f) im zweiten Jahr.

soporific [sɒpəˈrɪfɪk] adj einschläfernd, Schlaf-.

sopping [ˈsɒpɪŋ] adj (very wet) patschnaß, triefend.

soppy [ˈsɒpɪ] adj (fam) schmalzig.

soprano [səˈprɑːnəʊ] n ⟨-s⟩ Sopran m.

sordid [ˈsɔːdɪd] adj (dirty) schmutzig, eklig; (mean) niederträchtig.

sore [sɔː*] 1. adj schmerzend; (point) wund; (angry) böse; 2. n Wunde f; **to be ~** wund tun; **sorely** adv (tempted) stark, sehr; **soreness** n Schmerzhaftigkeit f, Empfindlichkeit f.

sorrow [ˈsɒrəʊ] n Kummer m, Leid nt; **sorrowful** adj sorgenvoll; **sorrowfully** adv traurig, betrübt, kummervoll.

sorry [ˈsɒrɪ] adj traurig, erbärmlich; **[I'm] ~** es tut mir leid; **I feel ~ for him** er tut mir leid.

sort [sɔːt] 1. n Art f, Sorte f; 2. vt (also: ~ out) (papers) sortieren, sichten; (problems) in Ordnung bringen; (COMPUT) sortieren; **sorter** n Sortierer m; (machine) Sortiermaschine f; **sorting code** n Bankleitzahl f; **sort run** n Sortierlauf m.

so-so [ˈsəʊˈsəʊ] adv sol-so la-la, mäßig.

soufflé [ˈsuːfleɪ] n Auflauf m, Soufflé nt.

sought [sɔːt] pt, pp of **seek**.

soul [səʊl] n Seele f; (music) Soul m; **soul-destroying** adj trostlos; **soulful** adj seelenvoll; **soulless** adj seelenlos, gefühllos.

sound [saʊnd] 1. adj (healthy) gesund; (safe) sicher, solide; (sensible) vernünftig; (theory) stichhaltig; (thorough) tüchtig, gehörig; 2. n (noise) Geräusch nt; (LING) Laut m; (MUS) Klang m; (RADIO, TV, CINE, verbal) Ton m; (GEO) Meerenge f, Sund m; 3. vt erschallen lassen; (MED) abhorchen; 4. vi (make a sound) schallen, tönen; (seem) klingen, sich anhören; **to ~ the alarm** Alarm schlagen; **to ~ one's horn** hupen; **sound out** vt (opinion) erforschen; (person) auf den Zahn fühlen +dat; **sound barrier** n Schallmauer f; **sounding** n (NAUT) Lotung f; **soundly** adv (sleep) fest, tief; (beat) tüchtig; **soundproof** 1. adj (room) schalldicht; 2. vt schalldicht machen; **~ barrier** Lärmschutzwall m; **sound-track** n Tonstreifen m; (of film) Filmmusik f.

soup [suːp] n Suppe f; **in the ~** (fam) in der Tinte; **soupspoon** n Suppenlöffel m.

sour [ˈsaʊə*] adj (a. fig) sauer.

source [sɔːs] n (a. fig) Quelle f.

sourness [ˈsaʊənəs] n Säure f; (fig) Bitterkeit f.

south [saʊθ] 1. n Süden m; 2. adj Süd-, südlich; 3. adv nach Süden; **~ of** südlich von; **the South** (GEO) der Süden; **the South of France** Südfrankreich; **South Africa** n

Südafrika nt; **South America** n Südamerika nt; **South American 1.** adj südamerikanisch; **2.** n Südamerikaner(in) m(f);

southerly ['sʌðəlɪ] adj südlich; **southern** ['sʌðən] adj südlich; **southward[s]** adv südwärts, nach Süden.

souvenir [suːvə'nɪə*] n Andenken nt, Souvenir nt.

sovereign ['sɒvrɪn] **1.** n (ruler) Herrscher(in) m(f); **2.** adj (independent) souverän; **sovereignty** n Oberhoheit f; (self-determination) Souveränität f.

Soviet Union n ['səʊvɪət'juːnjən] (HIST) Sowjetunion f.

sow [səʊ] ⟨sowed, sown o sowed⟩ **1.** vt säen; **2.** [saʊ] n Sau f; **sown** [səʊn] pp of **sow**.

soya bean n ['sɔɪə'biːn] n Sojabohne f.

spa [spɑː] n (spring) Mineralquelle f; (place) Kurort m, Bad nt.

space [speɪs] n Platz m, Raum m; (universe) Weltraum m, All nt; (length of time) Abstand m; **space out** vt Platz lassen zwischen; (typing) gesperrt schreiben; **space armament** n Weltraumrüstung f; **spacecraft** n Raumschiff nt; **space lab** n Raumlabor nt; **spaceman** n ⟨spacemen⟩ Raumfahrer m; **space module** n Kommandokapsel f; **space probe** n Raumsonde f; **space shuttle** n Raumfähre f; **space station** n Raumstation f; **space weapon** n Weltraumwaffe f.

spacious ['speɪʃəs] adj geräumig, weit.

spade [speɪd] n Spaten m; (CARDS) Pik nt; **to play ∼s** Pik spielen; **spadework** n (fig) Vorarbeit f.

spaghetti [spə'getɪ] n Spaghetti pl.

Spain [speɪn] n Spanien nt.

span [spæn] **1.** n Spanne f, Spannweite f; **2.** vt überspannen.

Spaniard ['spænɪəd] n Spanier(in) m(f).

spaniel ['spænjəl] n Spaniel m.

Spanish ['spænɪʃ] **1.** adj spanisch; **2.** n: the ∼ pl die Spanier pl.

spank [spæŋk] vt verhauen, versohlen.

spanner ['spænə*] n Schraubenschlüssel m.

spar [spɑː*] **1.** n (NAUT) Sparren m; **2.** vi (boxing) ein Sparring machen.

spare [spɛə*] **1.** adj Ersatz-; **2.** n Ersatzteil nt; **3.** vt (lives, feelings) verschonen; (trouble) ersparen; **4 to** ∼ 4 übrig; ∼ **part** Ersatzteil nt; ∼ **time** Freizeit f.

spark [spɑːk] n Funken m; **spark[ing] plug** n Zündkerze f.

sparkle ['spɑːkl] **1.** n Funkeln nt, Glitzern nt; (gaiety) Lebhaftigkeit f, Schwung m; **2.** vi funkeln, glitzern; **sparkling** adj funkelnd, sprühend; (wine) Schaum-; (conversation) spritzig, geistreich.

sparrow ['spærəʊ] n Spatz m.

sparse adj, **sparsely** adv [spɑːs, -lɪ] spärlich, dünn.

spasm ['spæzəm] n (MED) Krampf m; (fig) Anfall m; **spasmodic** [spæz'mɒdɪk] adj krampfartig, spasmodisch; (fig) sprunghaft.

spastic ['spæstɪk] adj spastisch.

spat [spæt] pt, pp of **spit**.

spate [speɪt] n (fig) Flut f, Schwall m; **in** ∼ (river) angeschwollen.

spatter ['spætə*] **1.** n Spritzer m; **2.** vt bespritzen, verspritzen; **3.** vi spritzen.

spatula ['spætjʊlə] n Spatel m; (for building) Spachtel f.

spawn [spɔːn] vt laichen.

speak [spiːk] ⟨spoke, spoken⟩ **1.** vt sprechen; (truth) sagen; **2.** vi sprechen (to mit, zu), reden (to mit); **not to be on ∼ing terms** nicht miteinander sprechen [o reden]; **speak for** vt sprechen [o eintreten] für; **speak up** vi lauter sprechen; (fig) etwas sagen, seine Meinung äußern; **speaker** n Sprecher(in) m(f), Redner(in) m(f); (loud∼) Lautsprecher[box f] m.

spear [spɪə*] **1.** n Speer m, Lanze f, Spieß m; **2.** vt aufspießen, durchbohren.

spec [spek] n (fam): **on** ∼ auf gut Glück.

special ['speʃəl] **1.** adj besondere(r, s); speziell; **2.** n (RAIL) Sonderzug m; **specialist** n Spezialist(in) m(f); (TECH) Fachmann(-frau) m(f); (MED) Facharzt(-ärztin) m(f); **speciality** [speʃɪ'ælɪtɪ] n Spezialität f; (study) Spezialgebiet nt; **specialize** vi sich spezialisieren (in auf +akk); **specially** adv besonders; (explicitly) extra, ausdrücklich.

species ['spiːʃiːz] n sing Art f.

specific [spə'sɪfɪk] adj spezifisch, eigentümlich, besondere(r, s); **specifically** adv genau, spezifisch.

specifications [spesɪfɪ'keɪʃənz] n pl genaue Angaben pl; (TECH) technische Daten pl.

specify ['spesɪfaɪ] vt genau angeben.

specimen ['spesɪmən] n Probe f, Muster nt.

speck [spek] n Fleckchen nt; **speckled** adj gesprenkelt.

specs [speks] n pl (fam) Brille f.

spectacle ['spektəkl] n Schauspiel nt; ∼**s** n pl Brille f.

spectacular [spek'tækjʊlə*] adj aufsehenerregend, spektakulär.

spectator [spek'teɪtə*] n Zuschauer(in) m(f).

specter (US), **spectre** ['spektə*] n Geist m, Gespenst nt.

spectrum ['spektrəm] n Spektrum nt.

speculate ['spekjʊleɪt] vi vermuten; (a. FIN) spekulieren; **speculation** [spekjʊ'leɪʃən]

n Vermutung *f*; (*a. FIN*) Spekulation *f*;
speculative [ˈspekjʊlətɪv] *adj* spekulativ.

ped [sped] *pt, pp of* **speed**.

speech [spiːtʃ] *n* Sprache *f*; (*address*) Rede *f*, Ansprache *f*; (*manner of speaking*) Sprechweise *f*; **speech day** *n* (*SCH*) [Jahres]schlußfeier *f*; **speechless** *adj* sprachlos; **speech therapy** *n* Sprachtherapie *f*.

speed [spiːd] ⟨sped *o* speeded, sped *o* speeded⟩ 1. *vi* rasen; (*JUR*) [zu] schnell fahren; 2. *n* Geschwindigkeit *f*; (*gear*) Gang *m*; **speed up** 1. *vt* beschleunigen; 2. *vi* schneller werden/fahren; **speedboat** *n* Schnellboot *nt*; **speedily** *adv* schnell, schleunigst; **speeding** *n* zu schnelles Fahren; **speed limit** *n* Geschwindigkeitsbegrenzung *f*; (*general*) Tempolimit *nt*; **speed merchant** *n* Raser(in) *m(f)*; **speedometer** [spɪˈdɒmɪtə*] *n* Tachometer *m*; **speed trap** *n* Radarfalle *f*; **speedway** *n* (*bike racing*) Motorradrennstrecke *f*; **speedy** *adj* schnell, zügig.

spell [spel] ⟨spelt *o* spelled, spelt *o* spelled⟩ 1. *vt* buchstabieren; (*imply*) bedeuten; 2. *n* (*magic*) Bann *m*, Zauber *m*; (*period of time*) Zeit *f*, Zeitlang *f*, Weile *f*; **how do you ~ …?** wie schreibt man …?; **sunny ~s** *pl* Aufheiterungen *pl*; **rainy ~s** *pl* vereinzelte Schauer *pl*; **spellbound** *adj* [wie] gebannt; **spell-checker** *n* (*COMPUT*) Rechtschreibprogramm *nt*; **spelling** *n* Buchstabieren *nt*; **spelling mistake** *n* Rechtschreibfehler *m*; **English ~** die englische Rechtschreibung.

spend [spend] ⟨spent, spent⟩ *vt* (*money*) ausgeben; (*time*) verbringen; **spending money** *n* Taschengeld *nt*; **spent** [spent] 1. *pt, pp of* **spend**; 2. *adj* (*patience*) erschöpft.

sperm [spɜːm] *n* (*BIO*) Samenflüssigkeit *f*.

spew [spjuː] *vt* [er]brechen.

sphere [sfɪə*] *n* (*globe*) Kugel *f*; (*fig*) Sphäre *f*, Gebiet *nt*; **spherical** [ˈsferɪkəl] *adj* kugelförmig.

sphinx [sfɪŋks] *n* Sphinx *f*.

spice [spaɪs] 1. *n* Gewürz *nt*; 2. *vt* würzen; **spiciness** *n* Würze *f*.

spick-and-span [ˈspɪkənˈspæn] *adj* blitzblank, tipptopp.

spicy [ˈspaɪsɪ] *adj* würzig, pikant.

spider [ˈspaɪdə*] *n* Spinne *f*; **spidery** *adj* (*writing*) krakelig.

spike [spaɪk] *n* Dorn *m*, Spitze *f*; **~s** *pl* Spikes *pl*.

spill [spɪl] ⟨spilt *o* spilled, spilt *o* spilled⟩ 1. *vt* verschütten; 2. *vi* sich ergießen; **spilt** [spɪlt] *pt, pp of* **spill**.

spin [spɪn] ⟨spun, spun⟩ 1. *vt* (*thread*) spinnen; (*turn fast*) schnell drehen, [herum]wir-

beln; 2. *vi* sich drehen; 3. *n* Umdrehung *f*; (*trip in car*) Spazierfahrt *f*; (*AVIAT*) [Ab]trudeln *nt*; (*on ball*) Drall *m*; **spin out** *vt* in die Länge ziehen; (*story*) ausmalen.

spinach [ˈspɪnɪtʃ] *n* Spinat *m*.

spinal [ˈspaɪnl] *adj* Rückgrat-, Rückenmark-; **~ column** Wirbelsäule *f*; **~ cord** Rückenmark *nt*.

spindly [ˈspɪndlɪ] *adj* spindeldürr.

spin-drier [ˈspɪndraɪə*] *n* Wäscheschleuder *f*; **spin-dry** *vt* schleudern.

spine [spaɪn] *n* Rückgrat *nt*; (*thorn*) Stachel *m*; **spineless** *adj* (*a. fig*) ohne Rückgrat.

spinning [ˈspɪnɪŋ] *n* (*of thread*) [Faden]spinnen *nt*; **spinning wheel** *n* Spinnrad *nt*.

spinster [ˈspɪnstə*] *n* unverheiratete Frau; (*pej*) alte Jungfer.

spiral [ˈspaɪərəl] 1. *n* Spirale *f*; 2. *adj* gewunden, spiralförmig, Spiral-; 3. *vi* sich ringeln; **~ staircase** Wendeltreppe *f*.

spire [ˈspaɪə*] *n* Turm *m*.

spirit [ˈspɪrɪt] *n* Geist *m*; (*humour, mood*) Stimmung *f*; (*courage*) Mut *m*; (*verve*) Elan *m*; (*alcohol*) Alkohol *m*; **~s** *pl* Spirituosen *pl*; **in good ~s** gut aufgelegt; **spirited** *adj* beherzt; **spirit level** *n* Wasserwaage *f*.

spiritual [ˈspɪrɪtjʊəl] 1. *adj* geistig, seelisch; (*REL*) geistlich; 2. *n* Spiritual *nt*; **spiritualism** *n* Spiritismus *m*.

spit [spɪt] ⟨spat, spat⟩ 1. *vi* spucken; (*rain*) sprühen; (*make a sound*) zischen; (*cat*) fauchen; 2. *n* (*for roasting*) [Brat]spieß *m*; (*saliva*) Spucke *f*.

spite [spaɪt] 1. *n* Gehässigkeit *f*; 2. *vt* ärgern, kränken; **in ~ of** trotz *+gen o dat*; **spiteful** *adj* gehässig.

splash [splæʃ] 1. *n* Spritzer *m*; (*of colour*) [Farb]fleck *m*; 2. *vt* bespritzen; 3. *vi* spritzen; **splashdown** *n* Wasserlandung *f*, Wasserung *f*.

spleen [spliːn] *n* (*ANAT*) Milz *f*; (*fig*) Ärger *m*.

splendid *adj*, **splendidly** *adv* [ˈsplendɪd, -lɪ] glänzend, großartig.

splendor (*US*), **splendour** [ˈsplendə*] *n* Pracht *f*.

splint [splɪnt] *n* Schiene *f*.

splinter [ˈsplɪntə*] 1. *n* Splitter *m*; 2. *vi* [zer]splittern.

split [splɪt] ⟨split, split⟩ 1. *vt* spalten; 2. *vi* (*divide*) reißen; sich spalten; (*fam: depart*) abhauen; 3. *n* Spalte *f*; (*fig*) Spaltung *f*; (*division*) Trennung *f*; **split up** 1. *vi* sich trennen; 2. *vt* aufteilen, teilen; **splitting** *adj* (*headache*) rasend, wahnsinnig.

splutter [ˈsplʌtə*] *vi* spritzen; (*person, engine*) stottern.

spoil [spɔɪl] ⟨spoiled *o* spoilt, spoiled *o* spoilt⟩ 1. *vt* (*ruin*) verderben; (*child*) verwöhnen, verziehen; 2. *vi* (*food*) verderben; **you are ~ing me** du verwöhnst mich;

spoils *n pl* Beute *f;* **spoilsport** *n* Spielverderber(in) *m(f);* **spoilt** [spɔɪlt] *pt, pp of* **spoil.**

spoke [spəʊk] **1.** *pt of* **speak; 2.** *n* Speiche *f.*

spoken ['spəʊkən] *pp of* **speak; spokesman** *n* 〈spokesmen〉 Sprecher *m,* Vertreter *m;* **spokesperson** *n* 〈spokespeople〉 Sprecher(in) *m(f).*

sponge [spʌndʒ] **1.** *n* Schwamm *m;* **2.** *vt* mit dem Schwamm abwaschen; **3.** *vi* schmarotzen, auf Kosten leben (*on gen*); **to throw in the ~** das Handtuch werfen; **sponge bag** *n* Kulturbeutel *m;* **sponge cake** *n* Rührkuchen *m;* **sponger** *n* (*fam*) Schmarotzer(in) *m(f);* **spongy** ['spʌndʒɪ] *adj* schwammig.

sponsor ['spɒnsə*] **1.** *n* Bürge *m,* Bürgin *f;* (*COMM*) Sponsor(in) *m(f);* **2.** *vt* bürgen für; (*COMM*) sponsern; **sponsorship** *n* Bürgschaft *f;* (*public*) Schirmherrschaft *f.*

spontaneity [spɒntə'neɪɪtɪ] *n* Spontanität *f;* **spontaneous** *adj.* **spontaneously** *adv* [spɒn'teɪnɪəs, -lɪ] spontan.

spooky ['spuːkɪ] *adj* (*fam*) gespenstisch.

spool [spuːl] *n* Spule *f,* Rolle *f.*

spoon [spuːn] *n* Löffel *m;* **spoon-feed** *irr vt* mit dem Löffel füttern; (*fig*) gängeln, denken für; **spoonful** *n* Löffel[voll] *m.*

sporadic [spə'rædɪk] *adj* vereinzelt, sporadisch.

sport [spɔːt] *n* Sport *m;* (*fun*) Spaß *m;* (*person*) feiner Kerl; **sporting** *adj* (*fair*) sportlich, fair; **sports car** *n* Sportwagen *m;* **sport[s] coat, sport[s] jacket** *n* Sportjackett *nt;* **sportsman** *n* 〈sportsmen〉 Sportler *m;* (*fig*) anständiger Kerl; **sportsmanship** *n* Sportlichkeit *f;* (*fig*) Anständigkeit *f;* **sports page** *n* Sportseite *f;* **sportswear** *n* Sportkleidung *f;* **sportswoman** *n* 〈sportswomen〉 Sportlerin *f;* **sporty** *adj* sportlich.

spot [spɒt] **1.** *n* Punkt *m;* (*dirty*) Fleck[en] *m;* (*place*) Stelle *f,* Platz *m;* (*MED*) Pickel *m,* Pustel *f;* (*small amount*) Schluck *m,* Tropfen *m;* (*TV*) Werbespot *m;* (*fig*) Makel *m;* **2.** *vt* erspähen; (*mistake*) bemerken; **spot check** *n* Stichprobe *f;* **spotless** *adj,* **spotlessly** *adv* fleckenlos; **spotlight** *n* Scheinwerferlicht *nt;* (*lamp*) Scheinwerfer *m;* **spotted** *adj* gefleckt; (*dress*) gepunktet; **spotty** *adj* pickelig.

spouse [spaʊs] *n* Gatte *m,* Gattin *f.*

spout [spaʊt] **1.** *n* (*of pot*) Tülle *f;* (*jet*) Wasserstrahl *m;* **2.** *vi* speien, spritzen.

sprain [spreɪn] **1.** *n* Verrenkung *f;* **2.** *vt* verrenken.

sprang [spræŋ] *pt of* **spring.**

sprawl [sprɔːl] **1.** *n* (*of city*) Ausbreitung *f;* **2.** *vi* sich erstrecken.

spray [spreɪ] **1.** *n* Spray *nt o m;* (*off sea*)

Gischt *f;* (*instrument*) Zerstäuber *m;* (*~can*) Spraydose *f;* (*of flowers*) Zweig *m;* **2.** *vt* besprühen, sprayen.

spread [spred] 〈spread, spread〉 **1.** *vt* ausbreiten; (*scatter*) verbreiten; (*butter*) streichen; **2.** *n* (*extent*) Verbreitung *f;* (*of wings*) Spannweite *f;* (*fam: meal*) Schmaus *m;* (*for bread*) Aufstrich *m.*

spreadsheet ['spredʃiːt] *n* (*COMPUT*) Tabellenkalkulation[sprogramm *nt*] *f.*

spree [spriː] *n* lustiger Abend; (*shopping*) Einkaufsbummel *m;* **to go out on a ~** eine draufmachen.

sprig [sprɪg] *n* kleiner Zweig.

sprightly ['spraɪtlɪ] *adj* munter, lebhaft.

spring [sprɪŋ] 〈sprang, sprung〉 **1.** *vi* (*leap*) springen; **2.** *n* (*leap*) Sprung *m;* (*metal*) Feder *f;* (*season*) Frühling *m;* (*water*) Quelle *f;* **in ~** im Frühling; **spring up** *vi* (*problem*) entstehen, auftauchen; **springboard** *n* Sprungbrett *nt;* **springclean** *vt* Frühjahrsputz machen in *+dat;* **spring-cleaning** *n* Frühjahrsputz *m;* **springiness** *n* Elastizität *f;* **springtime** *n* Frühling *m;* **springy** *adj* federnd, elastisch.

sprinkle ['sprɪŋkl] **1.** *n* Prise *f;* **2.** *vt* (*salt*) streuen; (*liquid*) sprenkeln; **sprinkler** [**system**] *n* (*horticulture*) Berieselungsanlage *f;* (*fire-prevention*) Sprinkleranlage *f;* **sprinkling** *n* Spur *f,* ein bißchen.

sprint [sprɪnt] **1.** *n* Kurzstreckenlauf *m,* Sprint *m;* **2.** *vi* sprinten; **sprinter** *n* Sprinter(in) *m(f),* Kurzstreckenläufer(in) *m(f).*

sprite [spraɪt] *n* Kobold *m.*

spritzer ['sprɪtsə*] *n* (*US*) Weinschorle *f,* Gespritzte(r) *m.*

sprout [spraʊt] **1.** *n* (*of plant*) Trieb *m;* (*from seed*) Keim *m;* **2.** *vt* treiben; **3.** *vi* (*grow*) wachsen, sprießen; (*seeds*) keimen; (*fig*) wie die Pilze aus dem Boden schießen; **sprouts** *pl* Rosenkohl *m.*

spruce [spruːs] **1.** *n* Fichte *f;* **2.** *adj* schmuck, adrett.

sprung [sprʌŋ] *pp of* **spring.**

spry [spraɪ] *adj* flink, rege.

spud [spʌd] *n* (*fam*) Kartoffel *f.*

spun [spʌn] *pt, pp of* **spin.**

spur [spɜː*] **1.** *n* Sporn *m;* (*fig*) Ansporn *m;* **2.** *vt* (*also:* **~ on**) (*fig*) anspornen; **on the ~ of the moment** spontan.

spurious ['spjʊərɪəs] *adj* falsch, unecht, Pseudo-.

spurn [spɜːn] *vt* verschmähen.

spurt [spɜːt] **1.** *n* (*jet*) Strahl *m;* (*acceleration*) Spurt *m;* **2.** *vi* (*jet*) steigen; (*liquid*) schießen, spritzen; (*run*) spurten.

spy [spaɪ] **1.** *n* Spion(in) *m(f);* **2.** *vt* erspähen; **to ~ on sb** jdm nachspionieren; **spying** *n* Spionage *f.*

Sq n abbr of **square** Platz, Pl. m.

quabble [ˈskwɒbl] vi sich zanken; **squabbling** n Zankerei f.

quad [skwɒd] n (MIL) Abteilung f; (police) Kommando nt.

quadron [ˈskwɒdrən] n (cavalry) Schwadron f; (NAUT) Geschwader nt; (air force) Staffel f.

qualid [ˈskwɒlɪd] adj schmutzig, verkommen.

quall [skwɔːl] n Bö f, Windstoß m; **squally** adj (weather) stürmisch; (wind) böig.

qualor [ˈskwɒlə*] n Verwahrlosung f, Schmutz m.

quander [ˈskwɒndə*] vt verschwenden.

quare [skwɛə*] 1. n (MATH) Quadrat nt; (open space) Platz m; (instrument) Winkel m; (fam: person) Spießer(in) m(f); 2. adj viereckig, quadratisch; (fair) ehrlich, reell; (meal) reichlich; (fam: ideas, tastes) spießig; 3. adv (exactly) direkt, gerade; 4. vt (arrange) ausmachen, aushandeln; (MATH) ins Quadrat erheben; (bribe) schmieren; 5. vi (agree) übereinstimmen; **all ~** quitt; **2 metres ~** 2 Meter im Quadrat; **2 ~ metres** 2 Quadratmeter; **squarely** adv fest, gerade.

quash [skwɒʃ] 1. n (drink) Saft m; (SPORT) Squash nt; 2. vt zerquetschen.

quat [skwɒt] 1. adj untersetzt, gedrungen; 2. vi hocken; **squatter** n Hausbesetzer(in) m(f); **squatting** n Hausbesetzung f.

quaw [skwɔː] n Squaw f.

quawk [skwɔːk] vi kreischen.

queak [skwiːk] vi quiek(s)en; (spring, door etc) quietschen; **squeaky** adj quiek(s)end; quietschend.

queal [skwiːl] vi schrill schreien; (brakes) quietschen.

queamish [ˈskwiːmɪʃ] adj empfindlich; **that made me ~** davon wurde mir übel; **squeamishness** n Überempfindlichkeit f.

queeze [skwiːz] 1. n Pressen nt; (POL) Geldknappheit f, wirtschaftlicher Engpaß; 2. vt pressen, drücken; (orange) auspressen; **squeeze out** vt ausquetschen.

quid [skwɪd] n Tintenfisch m.

quint [skwɪnt] vi schielen.

quire [ˈskwaɪə*] n Gutsherr m.

quirm [skwɜːm] vi sich winden.

quirrel [ˈskwɪrəl] n Eichhörnchen nt.

quirt [skwɜːt] 1. n Spritzer m, Strahl m; 2. vt, vi spritzen.

Sri Lanka [sriːˈlæŋkə] n Sri Lanka nt.

st n abbr of **stone** Gewichtseinheit (6,35 kg).

St 1. n abbr of **saint** St.; 2. n abbr of **street** Straße, Str. f.

tab [stæb] 1. n (blow) Stoß m, Stich m; (fam: try) Versuch m; 2. vt erstechen; **stab-**

bing n Messerstecherei f.

stability [stəˈbɪlɪtɪ] n Festigkeit f, Stabilität f.

stabilization [steɪbəlaɪˈzeɪʃən] n Festigung f, Stabilisierung f.

stabilize [ˈsteɪbɪlaɪz] vt festigen, stabilisieren; **stabilizer** n Stabilisator m.

stable [ˈsteɪbl] 1. n Stall m; 2. adj fest, stabil; (person) gefestigt.

stack [stæk] 1. n Stoß m, Stapel m; 2. vt [auf]stapeln.

stadium [ˈsteɪdɪəm] n Stadion nt.

staff [stɑːf] 1. n (stick, MIL) Stab m; (personnel) Personal nt; (SCH) Lehrkräfte pl; 2. vt (with people) besetzen.

stag [stæg] n Hirsch m.

stage [steɪdʒ] 1. n Bühne f; (of journey) Etappe f; (degree) Stufe f; (point) Stadium nt; 2. vt (put on) aufführen; (play) inszenieren; (demonstration) veranstalten; **in ~s** etappenweise; **stagecoach** n Postkutsche f; **stage door** n Bühneneingang m; **stage manager** n Spielleiter(in) m(f), Intendant(in) m(f).

stagger [ˈstægə*] 1. vi wanken, taumeln; 2. vt (amaze) verblüffen; (hours) staffeln; **staggering** adj (amazing) atemberaubend.

stagnant [ˈstægnənt] adj stagnierend; (water) stehend; **stagnate** [stægˈneɪt] vi stagnieren; **stagnation** [stægˈneɪʃən] n Stillstand m, Stagnation f.

staid [steɪd] adj gesetzt.

stain [steɪn] 1. n Fleck m; (colouring for wood) Beize f; 2. vt beflecken, Flecken machen auf +akk; (wood) beizen; **~ed glass window** buntes Glasfenster; **stainless** adj (steel) rostfrei, nichtrostend; **stain remover** n Fleckentferner m.

stair [stɛə*] n [Treppen]stufe f; **~s** pl Treppe f; **staircase** n Treppenhaus nt, Treppe f; **stairway** n Treppenaufgang m.

stake [steɪk] 1. n (post) Pfahl m, Pfosten m; (money) Einsatz m; 2. vt (bet money) setzen; **to be at ~** auf dem Spiel stehen.

stalactite [ˈstæləktaɪt] n Stalaktit m.

stalagmite [ˈstæləgmaɪt] n Stalagmit m.

stale [steɪl] adj alt; (beer) schal; (bread) altbacken; **stalemate** n (CHESS fig) Patt nt.

stalk [stɔːk] 1. n Stengel m, Stiel m; 2. vt (game) sich anpirschen an +akk, jagen; 3. vi (walk) stolzieren.

stall [stɔːl] 1. n (in stable) Stand m, Box f; (in market) [Verkaufs]stand m; 2. vt (AUT: engine) abwürgen; (progress) blockieren; 3. vi (AUTO) stehenbleiben; (avoid) Ausflüchte machen, ausweichen.

stallion [ˈstælɪən] n Zuchthengst m.

stalls [stɔːlz] n pl (THEAT) Parkett nt.

stalwart [ˈstɔːlwət] 1. adj standhaft; 2. n

treuer Anhänger, treue Anhängerin.

stamina ['stæmɪnə] n Durchhaltevermögen nt, Zähigkeit f.

stammer ['stæmə*] vt, vi stottern, stammeln.

stamp [stæmp] **1.** n Briefmarke f; (with foot) Stampfen nt; (for document) Stempel m; **2.** vi stampfen; **3.** vt (mark) stempeln; (mail) frankieren; (foot) stampfen mit; **stamp album** n Briefmarkenalbum nt; **stamp collecting** n Briefmarkensammeln nt.

stampede [stæm'pi:d] n panische Flucht.

stance [stæns] n (posture) Haltung f, Stellung f; (opinion) Einstellung f.

stand [stænd] (stood, stood) **1.** vi stehen; (rise) aufstehen; (decision) feststehen; **2.** vt setzen; stellen; (endure) aushalten; (person) ausstehen, leiden können; (nonsense) dulden; **3.** n Standort m, Platz m; (for objects) Gestell nt; (seats) Tribüne f; **it ~s to reason** es ist einleuchtend; **to make a ~** Widerstand leisten; **to ~ still** still stehen; **stand by 1.** vi (be ready) bereitstehen; **2.** vt (opinion) treu bleiben +dat; **stand for** vt (signify) stehen für; (permit, tolerate) hinnehmen; **stand in for** vt einspringen für; **stand out** vi (be prominent) hervorstechen; **stand up** vi (rise) aufstehen; **stand up for** vt sich einsetzen für.

standard ['stændəd] **1.** n (measure) Standard m, Norm f; (flag) Standarte f, Fahne f; **2.** adj (size etc) Normal-, Durchschnitts-; **~ of living** Lebensstandard m; **standardization** [stændədaɪ'zeɪʃən] n Vereinheitlichung f; **standardize** ['stændədaɪz] vt vereinheitlichen, normen; **standard lamp** n Stehlampe f; **standard time** n Ortszeit f.

stand-by ['stændbaɪ] n Reserve f; **stand-by flight** n Standby-Flug m; **stand-in** n Ersatz[mann] m, Hilfskraft f.

standing ['stændɪŋ] **1.** adj (erect) stehend; (permanent) ständig, dauernd; (invitation) offen; **2.** n (duration) Dauer f; (reputation) Ansehen nt; **~ room only** nur Stehplatz; **standing jump** n Sprung m aus dem Stand; **standing order** n (at bank) Dauerauftrag m; **standing orders** n pl (MIL) Vorschrift f.

stand-offish [stænd'ɒfɪʃ] adj zurückhaltend, sehr reserviert.

standpoint ['stændpɔɪnt] n Standpunkt m.

standstill ['stændstɪl] n Stillstand m; **to be at a ~** stillstehen; **to come to a ~** zum Stillstand kommen.

stank [stæŋk] pt of **stink**.

stanza ['stænzə] n Strophe f.

staple ['steɪpl] **1.** n (clip) Krampe f; (in paper) Heftklammer f; (article) Haupter-

zeugnis nt; **2.** adj Grund-; Haupt-; **3.** vt [fest]klammern; **stapler** n Heftmaschine f.

star [stɑ:*] **1.** n Stern m; (person) Star m; **2.** vi die Hauptrolle spielen; **3.** vt (actor) in der Hauptrolle zeigen; **Star Wars** pl Krieg m der Sterne.

starboard ['stɑ:bəd] **1.** n Steuerbord nt; **2.** adj Steuerbord-.

starch [stɑ:tʃ] **1.** n Stärke f; **2.** vt stärken; **starchy** adj stärkehaltig; (formal) steif.

stardom ['stɑ:dəm] n Berühmtheit f.

stare [steə*] **1.** n starrer Blick; **2.** vi starren (at auf +akk); **stare at** vt anstarren.

starfish ['stɑ:fɪʃ] n Seestern m.

stark [stɑ:k] **1.** adj öde; **2.** adv: **~ naked** splitternackt.

starless ['stɑ:ləs] adj sternlos; **starlight** n Sternenlicht nt.

starling ['stɑ:lɪŋ] n Star m.

starlit ['stɑ:lɪt] adj sternklar.

starring ['stɑ:rɪŋ] adj mit ... in der Hauptrolle.

starry ['stɑ:rɪ] adj Sternen-; **starry-eyed** adj (innocent) blauäugig.

star-studded ['stɑ:stʌdɪd] adj mit Spitzenstars.

start [stɑ:t] **1.** n Beginn m, Anfang m, Start m; (SPORT) Start m; (lead) Vorsprung m; **2.** vt in Gang setzen, anfangen; (car) anlassen; (COMPUT) starten; **3.** vi anfangen; (car) anspringen; (on journey) aufbrechen; (SPORT) starten; **to give a ~** zusammenzucken; **to give sb a ~** jdn zusammenzucken lassen; **start over** vi (US) wieder anfangen; **start up 1.** vi anfangen; (startled) auffahren; **2.** vt beginnen; (car) anlassen; (engine) starten; **starter** n (AUTO) Anlasser m; (for race) Starter(in) m(f); **starting handle** n Anlaßkurbel f; **starting point** n Ausgangspunkt m.

startle ['stɑ:tl] vt erschrecken; **startling** adj erschreckend.

start-up ['stɑ:tʌp] adj Start-.

starvation [stɑ:'veɪʃən] n Verhungern nt; **to die of ~** verhungern.

starve [stɑ:v] **1.** vi hungern; (die) verhungern; **2.** vt verhungern lassen; **to be ~d of affection** unter Mangel an Liebe leiden; **starve out** vt aushungern; **starving** adj [ver]hungernd.

state [steɪt] **1.** n (condition, COMPUT) Zustand m; (POL) Staat m; (fam: anxiety) [schreckliche] Verfassung f; **2.** vt erklären; (facts) angeben; **state control** n staatliche Kontrolle; **stated** adj festgesetzt.

stateliness ['steɪtlɪnəs] n Pracht f, Würde f; **stately** adj würdevoll, erhaben; **~ home** herrschaftliches Anwesen.

statement ['steɪtmənt] n Aussage f; (POL) Erklärung f; (bank) Kontoauszug m.

statesman ['steɪtsmən] n ⟨statesmen⟩ Staatsmann m.

static ['stætɪk] **1.** n Statik f; **2.** adj statisch.

station ['steɪʃən] **1.** n (RAIL) Bahnhof m; (police etc) Station f, Wache f; (in society) gesellschaftliche Stellung; **2.** vt aufstellen; **to be ~ed** stationiert sein.

stationary ['steɪʃənərɪ] adj stillstehend; (car) parkend, haltend.

stationer ['steɪʃənə*] n Schreibwarenhändler(in) m(f); **~'s** [**shop**] Schreibwarengeschäft nt; **stationery** n Schreibwaren pl.

station wagon ['steɪʃənwægən] n Kombiwagen m.

statistic [stə'tɪstɪk] n Statistik f; **~s** sing (as subject) Statistik f; **statistical** adj statistisch.

statue ['stætjuː] n Statue f.

stature ['stætʃə*] n Wuchs m, Statur f; (fig) Größe f.

status ['steɪtəs] n Stellung f, Status m; **the ~ quo** der Status quo; **status symbol** n Statussymbol nt.

statute ['stætjuːt] n Gesetz nt; **statutory** ['stætjʊtərɪ] adj gesetzlich.

staunch adj, **staunchly** adv [stɔːntʃ, -lɪ] treu, zuverlässig, (Catholic) standhaft, erz-.

stay [steɪ] **1.** n Aufenthalt m; (support) Stütze f; (for tent) Schnur f; **2.** vi bleiben; (reside) wohnen; **to ~ put** an Ort und Stelle bleiben; **to ~ with friends** bei Freunden untergebracht sein; **to ~ the night** übernachten; **stay behind** vi zurückbleiben; **stay in** vi (at home) zu Hause bleiben; **stay on** vi (continue) länger bleiben; **stay up** vi (at night) aufbleiben.

steadfast ['stedfəst] adj standhaft, treu.

steadily ['stedɪlɪ] adv stetig, regelmäßig.

steadiness ['stedɪnəs] n Festigkeit f; (fig) Beständigkeit f.

steady ['stedɪ] **1.** adj (firm) fest, stabil; (regular) gleichmäßig; (reliable) zuverlässig, beständig; (hand) ruhig; (job, boyfriend) fest; **2.** vt festigen; **to ~ oneself** sich stützen.

steak [steɪk] n Steak nt; (fish) Filet nt.

steal [stiːl] ⟨stole, stolen⟩ **1.** vt, vi stehlen; **2.** vi sich [fort]stehlen.

stealth [stelθ] n Heimlichkeit f; **stealthy** adj verstohlen, heimlich.

steam [stiːm] **1.** n Dampf m; **2.** vt (GASTR) dünsten; **3.** vi dampfen; (ship) dampfen, fahren; **steam engine** n Dampfmaschine f; **steamer** n Dampfer m; **steam iron** n Dampfbügeleisen nt; **steamroller** n Dampfwalze f; **steamy** adj dampfig.

steel [stiːl] **1.** n Stahl m; **2.** adj Stahl-; (fig) stählern; **steelworks** n pl o sing Stahlwerke pl.

steep [stiːp] **1.** adj steil; (price) gepfeffert; **2.** vt einweichen.

steeple ['stiːpl] n Kirchturm m; **steeplechase** n Hindernisrennen nt; **steeplejack** n Turmarbeiter(in) m(f).

steeply ['stiːplɪ] adv steil.

steepness ['stiːpnəs] n Steilheit f.

steer [stɪə*] **1.** n Mastochse m; **2.** vt, vi steuern; (car etc) lenken; **steering** n (AUTO) Steuerung f; **steering column** n Lenksäule f; **steering wheel** n Steuer nt, Lenkrad nt.

stellar ['stelə*] adj Stern[en]-.

stem [stem] **1.** n (BIO) Stengel m, Stiel m; (of glass) Stiel m; **2.** vt aufhalten; **stem from** vi abstammen von.

stench [stentʃ] n Gestank m.

stencil ['stensl] **1.** n Schablone f; (paper) Matrize f; **2.** vt [auf]drucken.

stenographer [ste'nɒgrəfə*] n Stenograph(in) m(f).

step [step] n Schritt m; (stair) Stufe f; **2.** vi treten, schreiten; **to take ~s** Schritte unternehmen; **~s** pl (stepladder) Trittleiter f; **step down** vi (fig) abtreten; **step up** vt steigern; **step-brother** n Stiefbruder m; **stepchild** n ⟨stepchildren⟩ Stiefkind nt; **stepfather** n Stiefvater m; **stepladder** n Trittleiter f; **stepmother** n Stiefmutter f.

steppe [step] n Steppe f.

stepping stone ['stepɪŋstəʊn] n Stein m; (fig) Sprungbrett nt.

stereo ['stɪərɪəʊ] n ⟨-s⟩ Stereoanlage f; **stereophonic** [sterɪəʊ'fɒnɪk] adj stereophonisch.

stereotype ['sterɪətaɪp] **1.** n Klischee nt; **2.** vt (TYP) stereotypieren; (fig) klischeehaft darstellen.

sterile ['steraɪl] adj steril, keimfrei; (person) unfruchtbar; (after operation) steril; **sterility** [ste'rɪlɪtɪ] n Unfruchtbarkeit f, Sterilität f; **sterilization** [sterɪlaɪ'zeɪʃən] n Sterilisation f; **sterilize** ['sterɪlaɪz] vt sterilisieren.

sterling ['stɜːlɪŋ] adj (FIN) Sterling-; (silver) von Standardwert; (character) bewährt, gediegen; **£ ~** Pfund Sterling; **sterling area** n Sterlingblock m.

stern [stɜːn] **1.** adj streng; **2.** n Heck nt, Achterschiff nt; **sternly** adv streng; **sternness** n Strenge f.

stethoscope ['steθəskəʊp] n Stethoskop nt, Hörrohr nt.

stevedore ['stiːvədɔː*] n Schauermann m.

stew [stjuː] **1.** n Eintopf m; **2.** vt, vi schmoren.

steward ['stjuːəd] n Steward m; (in club) Kellner m; (at meeting) Ordner m; (on estate) Verwalter m; **stewardess** n Stewardeß f.

stick [stɪk] ⟨stuck, stuck⟩ **1.** vt (stab) stechen; (fix) stecken; (put) stellen; (gum) [an]kleben; (fam: tolerate) vertragen; **2.** vi (stop) steckenbleiben; (get stuck) klemmen; (hold fast) kleben, haften; **3.** n Stock m; (of chalk etc) Stück nt; **stick out** (project) vorstehen; **stick up** vi (project) in die Höhe stehen; **stick up for** vt (defend) eintreten für; **sticker** n Klebezettel m, Aufkleber m.

stickleback ['stɪklbæk] n Stichling m.

stickler ['stɪklə*] n Pedant(in) m(f); **Herbert is a ~ for rules** Herbert hält sich stur an die Vorschriften.

stick-up ['stɪkʌp] n (fam) [Raub]überfall m.

sticky ['stɪkɪ] adj klebrig; (atmosphere) stickig.

stiff [stɪf] adj steif; (difficult) schwierig, hart; (paste) dick, zäh; (drink) stark; **stiffen 1.** vt versteifen, [ver]stärken; **2.** vi sich versteifen; **stiffness** n Steifheit f.

stifle ['staɪfl] vt (yawn etc) unterdrücken; **stifling** adj (atmosphere) drückend.

stigma ['stɪgmə] n (disgrace) Stigma nt.

still [stɪl] **1.** adj still; **2.** adv (immer] noch; (anyhow) immerhin; **stillborn** adj totgeboren; **still life** n ⟨lives⟩ Stilleben nt; **stillness** n Stille f.

stilt [stɪlt] n Stelze f; **stilted** adj gestelzt.

stimulant ['stɪmjʊlənt] n Anregungsmittel nt, Stimulans nt; **stimulate** ['stɪmjʊleɪt] vt anregen, stimulieren; **stimulating** adj anregend, stimulierend; **stimulation** [stɪmjʊ'leɪʃən] n Anregung f, Stimulation f; **stimulus** ['stɪmjʊləs] n Anregung f, Anreiz m.

sting [stɪŋ] ⟨stung, stung⟩ **1.** vt, vi stechen; (on skin) brennen; **2.** n Stich m; (organ) Stachel m.

stingily ['stɪndʒɪlɪ] adv knickerig, geizig.

stinginess ['stɪndʒɪnəs] n Geiz m.

stinging nettle ['stɪŋɪŋnetl] n Brennessel f.

stingy ['stɪndʒɪ] adj geizig, knauserig.

stink [stɪŋk] ⟨stank, stunk⟩ **1.** vi stinken; **2.** n Gestank m; **stinker** n (fam: person) Ekel nt; (problem) harte Nuß; **stinking** adj (fig) widerlich; **~ rich** steinreich.

stint [stɪnt] **1.** n Pensum nt; (period) Betätigung f; **2.** vt einschränken, knapphalten.

stipend ['staɪpend] n Gehalt nt.

stipulate ['stɪpjʊleɪt] vt festsetzen; **stipulation** [stɪpjʊ'leɪʃən] n Bedingung f.

stir [stɜ:*] **1.** n Bewegung f; (sensation) Aufsehen nt; **2.** vt [um]rühren; **3.** vi sich rühren; **to give sth a ~** etw umrühren; **stir up** vt (mob) aufhetzen; (fire) entfachen; (mixture) umrühren; (dust) aufwirbeln; **to ~ things ~** Ärger machen; **stirring** adj ergreifend.

stirrup ['stɪrəp] n Steigbügel m.

stitch [stɪtʃ] **1.** n (with needle) Stich m; (of knitting) Masche f; (pain) Seitenstechen nt; **2.** vt nähen.

stoat [stəʊt] n Wiesel nt.

stock [stɒk] **1.** n Vorrat m; (COMM) [Waren-]lager nt; (live ~) Vieh nt; (GASTR) Brühe f; (FIN) Grundkapital nt; **2.** adj stets vorrätig; (standard) Normal-; **3.** vt versehen, versorgen; (in shop) führen; **in ~** auf Vorrat; **to take ~** Inventur machen; (fig) Bilanz ziehen; **to ~ up with** Reserven anlegen von.

stockade [stɒ'keɪd] n Palisade f.

stockbroker ['stɒkbrəʊkə*] n Börsenmakler(in) m(f); **stock cube** n [Fleisch]brühwürfel m; **stock exchange** n Börse f.

stocking ['stɒkɪŋ] n Strumpf m.

stock market ['stɒkmɑːkɪt] n Börse f, Effektenmarkt m.

stockpile ['stɒkpaɪl] **1.** n Vorrat m; **2.** vt aufstapeln; **nuclear ~** Atomwaffenlager nt.

stocktaking ['stɒkteɪkɪŋ] n Inventur f, Bestandsaufnahme f.

stocky ['stɒkɪ] adj untersetzt.

stodgy ['stɒdʒɪ] adj (food) pappig; (fig) langweilig, trocken.

stoic ['stəʊɪk] n Stoiker(in) m(f); **stoical** adj stoisch; **stoicism** ['stəʊɪsɪzəm] n Stoizismus m; (fig) Gelassenheit f.

stoke [stəʊk] vt schüren; **stoker** n Heizer m.

stole [stəʊl] **1.** pt of steal; **2.** n Stola f; **stolen** ['stəʊlən] pp of steal.

stolid ['stɒlɪd] adj schwerfällig; (silence) stur.

stomach ['stʌmək] **1.** n Bauch m, Magen m; **2.** vt vertragen; **I have no ~ for it** das ist nichts für mich; **stomach-ache** n Magenschmerzen pl, Bauchschmerzen pl.

stone [stəʊn] **1.** n Stein m; (seed) Stein m, Kern m; (weight) Gewichtseinheit (6,35 kg); **2.** adj steinern, Stein-; **3.** vt entkernen; (kill) steinigen; **stone-cold** adj eiskalt; **stone-deaf** adj stocktaub; **stone erosion** n Steinfraß m; **stonemason** n Steinmetz(in) m(f); **stonewall** vi (fig) mauern; **stonework** n Mauerwerk nt; **stony** ['stəʊnɪ] adj steinig.

stood [stʊd] pt, pp of **stand**.

stool [stuːl] n Hocker m.

stoop [stuːp] vi sich bücken; (walk with a ~) gebeugt gehen.

stop [stɒp] **1.** n Halt m; (bus ~) Haltestelle f; (punctuation) Punkt m; **2.** vt stoppen, anhalten; (bring to end) aufhören [mit], sein lassen; **3.** vi aufhören; (clock) stehenbleiben; (remain) bleiben; **to ~ doing sth** aufhören, etw zu tun; **~ it!** hör auf [damit]!; **~ dead** plötzlich aufhören, innehalten; **stop in** vi (at home) zu Hause bleiben; **stop off** vi kurz haltmachen; **stop over** vi übernachten, über Nacht bleiben; **stop up 1.** *vi* (*at night*) aufbleiben; **2.** *vt* (*hole*) zustopfen, verstopfen; **stop-lights** *n pl* (AUTO) Bremslichter *pl*; **stopover** *n* (*on journey*) Zwischenstation *f*; **stoppage** ['stɒpɪdʒ] *n* [An]halten *nt*; (*traffic*) Verkehrsstockung *f*; (*strike*) Arbeitseinstellung *f*; **stopper** *n* Propfen *m*, Stöpsel *m*; **stop-press** *n* letzte Meldung; **stopwatch** *n* Stoppuhr *f*.

storage ['stɔ:rɪdʒ] *n* Lagerung *f*; **final** [*o* **ultimate**] ~ Endlagerung *f*; **working** ~ (COMPUT) Arbeitsspeicher *m*; ~ **heater** Speicherofen *m*.

store [stɔ:*] **1.** *n* Vorrat *m*; (*place*) Lager *nt*, Warenhaus *nt*; (*large shop*) Kaufhaus *nt*; (COMPUT) Speicher *m*; **2.** *vt* lagern; (COMPUT) speichern; **store up** *vt* sich eindecken mit; **storeroom** *n* Lagerraum *m*, Vorratsraum *m*.

storey ['stɔ:rɪ] *n* (*Brit*) Stock *m*, Stockwerk *nt*.

stork [stɔ:k] *n* Storch *m*.

storm [stɔ:m] **1.** *n* Sturm *m*; **2.** *vt*, *vi* stürmen; **to take by** ~ im Sturm nehmen; **storm-cloud** *n* Gewitterwolke *f*; **stormy** *adj* stürmisch.

story ['stɔ:rɪ] *n* Geschichte *f*, Erzählung *f*; (*lie*) Märchen *nt*; (US: storey) Stock *m*, Stockwerk *nt*; **storybook** *n* Geschichtenbuch *nt*; **storyteller** *n* Geschichtenerzähler(in) *m(f)*.

stout [staut] *adj* (*bold*) mütig, tapfer; (*too fat*) beleibt, korpulent; **stoutness** *n* Festigkeit *f*; (*of body*) Korpulenz *f*.

stove [stəʊv] *n* [Koch]herd *m*; (*for heating*) Ofen *m*.

stow [stəʊ] *vt* verstauen; **stowaway** *n* blinder Passagier.

straddle ['strædl] *vt* (*horse, fence*) rittlings sitzen auf *+dat*; (*fig*) überbrücken.

strafe [strɑ:f] *vt* beschießen, bombardieren.

straggle ['strægl] *vi* (*branches etc*) wuchern; (*people*) herumlaufen; **straggler** *n* Nachzügler(in) *m(f)*.

straight [streɪt] **1.** *adj* gerade; (*honest*) offen, ehrlich; (*in order*) in Ordnung; (*drink*) pur, unverdünnt; **2.** *adv* (*direct*) direkt, geradewegs; **3.** *n* (SPORT) Gerade *f*; ~ **off** sofort; direkt nacheinander; ~ **on** geradeaus; **straightaway** *adv* sofort, unverzüglich; **straighten** *vt* (*also:* ~ **out**) gerade machen; (*fig*) in Ordnung bringen, klarstellen; **straightforward** *adj* einfach, unkompliziert.

strain [streɪn] **1.** *n* Belastung *f*; (*streak, trace*) Zug *m*; (*of music*) Fetzen *m*; **2.** *vt* überanstrengen; (*stretch*) anspannen; (*muscle*) zerren; (*filter*) [durch]sieben; **3.** *vi* (*make effort*) sich anstrengen; **don't** ~ **yourself** überanstrenge dich nicht; **strained** *adj*

(*laugh*) gezwungen; (*relations*) gespannt; **strainer** *n* Sieb *nt*.

strait [streɪt] *n* Straße *f*, Meerenge *f*.

straitened ['streɪtnd] *adj* (*circumstances*) beschränkt.

strait-jacket ['streɪtdʒækɪt] *n* Zwangsjacke *f*; **strait-laced** *adj* prüde.

strand [strænd] **1.** *n* Faden *m*; (*of hair*) Strähne *f*; **2.** *vi:* **to be** ~**ed** (*a. fig*) gestrandet sein.

strange [streɪndʒ] *adj* fremd; (*unusual*) merkwürdig, seltsam; **strangely** *adv* merkwürdig; fremd; ~ **enough** merkwürdigerweise; **strangeness** *n* Fremdheit *f*; **stranger** *n* Fremde(r) *mf*; **I'm a** ~ **here** ich bin hier fremd.

strangle ['stræŋgl] *vt* erdrosseln, erwürgen; **stranglehold** *n* (*fig*) Würgegriff *m*; **strangulation** [stræŋgjʊ'leɪʃən] *n* Erdrosseln *nt*.

strap [stræp] **1.** *n* Riemen *m*; (*on clothes*) Träger *m*; **2.** *vt* (*fasten*) festschnallen; **strapless** *adj* (*dress*) trägerlos; **strapping** *adj* stramm.

stratagem ['strætədʒəm] *n* [Kriegs]list *f*.

strategic *adj*, **strategically** *adv* [strə'ti:dʒɪk, -əlɪ] strategisch; **strategist** ['strætədʒɪst] *n* Stratege *m*, Strategin *f*; **strategy** ['strætədʒɪ] *n* Kriegskunst *f*; (*fig*) Strategie *f*.

stratosphere ['strætəʊsfɪə*] *n* Stratosphäre *f*.

stratum ['strɑ:təm] *n* Schicht *f*.

straw [strɔ:] **1.** *n* Stroh *nt*; (*single stalk, drinking* ~) Strohhalm *m*; **2.** *adj* Stroh-; **strawberry** *n* Erdbeere *f*.

stray [streɪ] **1.** *n* verirrtes Tier; **2.** *vi* herumstreunen; **3.** *adj* (*animal*) verirrt; (*thought*) zufällig.

streak [stri:k] **1.** *n* Streifen *m*; (*in character*) Einschlag *m*; (*in hair*) Strähne *f*; **2.** *vt* streifen; ~ **of bad luck** Pechsträhne *f*; **streaky** *adj* gestreift; (*bacon*) durchwachsen.

stream [stri:m] **1.** *n* (*brook*) Bach *m*; (*fig*) Strom *m*; (*flow of liquid*) Strom *m*, Flut *f*; **2.** *vi* strömen, fluten; **streamer** *n* (*pennon*) Wimpel *m*; (*of paper*) Luftschlange *f*; (COMPUT) Streamer *m*; **streamlined** *adj* stromlinienförmig; (*effective*) rationell.

street [stri:t] *n* Straße *f*; **streetcar** *n* (US) Straßenbahn *f*; **street lamp** *n* Straßenlaterne *f*; **street lighting** *n* Straßenbeleuchtung *f*; **street map** *n* Stadtplan *m*; **streetwise** *adj* clever.

strength [streŋθ] *n* Stärke *f*; (*a. fig*) Kraft *f*; **strengthen** *vt* [ver]stärken.

strenuous ['strenjʊəs] *adj* anstrengend; **strenuously** *adv* angestrengt.

stress [stres] **1.** *n* Druck *m*; (*mental*) Streß *m*; (LING) Betonung *f*; **2.** *vt* betonen; (*put* *under* ~) stressen; **stressful** *adj* stressig.

stretch [stretʃ] **1.** *n* Stück *nt*, Strecke *f*; **2.** *vt* ausdehnen, strecken; **3.** *vi* sich erstrecken; (*person*) sich strecken; **at a** ~ (*continuously*) ununterbrochen; **stretch out 1.** *vi* sich ausstrecken; **2.** *vt* ausstrecken; **stretcher** *n* Tragbahre *f*.

stricken [ˈstrɪkən] **1.** *pp of* **strike**; **2.** *adj* (*person*) leidgeprüft; (*city, country*) heimgesucht.

strict [strɪkt] *adj* (*exact*) genau; (*severe*) streng; **strictly** *adv* streng, genau; ~ **speaking** streng [*o* genau] genommen; **strictness** *n* Strenge *f*.

stridden [ˈstrɪdn] *pp of* **stride**.

stride [straɪd] ⟨strode, stridden⟩ **1.** *vi* schreiten; **2.** *n* langer Schritt.

strident [ˈstraɪdənt] *adj* schneidend, durchdringend.

strife [straɪf] *n* Streit *m*.

strike [straɪk] ⟨struck, struck *o* stricken⟩ **1.** *vt* (*hit*) schlagen; (*not miss*) treffen; (*collide*) stoßen gegen; (*come to mind*) einfallen +*dat*; (*stand out*) auffallen; (*find*) stoßen auf +*akk*, finden; (*impress*) beeindrucken; **2.** *vi* (*stop work*) streiken; (*attack*) zuschlagen; (*clock*) schlagen; **3.** *n* Streik *m*, Ausstand *m*; (*discovery*) Fund *m*; (*attack*) Schlag *m*; **to be on** ~ streiken; **strike down** *vt* (*lay low*) niederschlagen; **strike out** *vt* (*cross out*) ausstreichen; **strike up** *vt* (*MUS*) anstimmen; (*friendship*) schließen; **strike pay** *n* Streikgeld *nt*; **striker** *n* Streikende(r) *mf*; **striking** *adj*, **strikingly** *adv* auffallend, bemerkenswert.

string [strɪŋ] *n* Schnur *f*, Kordel *f*, Bindfaden *m*; (*row*) Reihe *f*; (*MUS*) Saite *f*; **pull ~s** (*fig fam*) Fäden ziehen; **string bean** *n* grüne Bohne.

stringency [ˈstrɪndʒənsɪ] *n* Strenge *f*; **stringent** *adj* streng.

strip [strɪp] **1.** *n* Streifen *m*; **2.** *vt* (*uncover*) abstreifen, abziehen; (*TECH*) auseinandernehmen; **3.** *vi* (*undress*) sich ausziehen; **strip cartoon** *n* Comic[strip] *m*.

stripe [straɪp] *n* Streifen *m*; **striped** *adj* gestreift.

strip light [ˈstrɪplaɪt] *n* Leuchtröhre *f*.

stripper [ˈstrɪpə*] *n* Stripteasetänzer(in) *m(f)*; **striptease** [ˈstrɪptiːz] *n* Striptease *nt o m*.

strive [straɪv] ⟨strove, striven⟩ *vi* streben (*for* nach); **striven** [ˈstrɪvn] *pp of* **strive**.

strode [strəʊd] *pt of* **stride**.

stroke [strəʊk] **1.** *n* Schlag *m*, Hieb *m*; (*swim, row*) Stoß *m*; (*TECH*) Hub *m*; (*MED*) Schlaganfall *m*; (*caress*) Streicheln *nt*; **2.** *vt* streicheln; **at a** ~ mit einem Schlag; **on the** ~ **of 5** Schlag 5.

stroll [strəʊl] **1.** *n* Spaziergang *m*; **2.** *vi* spa-

zierengehen, schlendern; **stroller** *n* (*US: for babies*) Sportwagen *m*.

strong [strɒŋ] *adj* stark; (*firm*) fest; **they are 50** ~ sie sind 50 Mann stark; **stronghold** *n* Hochburg *f*; **strongly** *adv* stark; **strongroom** *n* Tresor *m*.

strove [strəʊv] *pt of* **strive**.

struck [strʌk] *pt, pp of* **strike**.

structural [ˈstrʌktʃərəl] *adj* strukturell.

structure [ˈstrʌktʃə*] *n* Struktur *f*, Aufbau *m*; (*building*) Gebäude *nt*, Bau *m*; **structuring** *n* (*a. COMPUT*) Strukturierung *f*.

struggle [ˈstrʌgl] **1.** *n* Kampf *m*; (*effort*) Anstrengung *f*; **2.** *vi* (*fight*) kämpfen; **to** ~ **to do sth** sich [ab]mühen, etw zu tun.

strum [strʌm] *vt* (*guitar*) klimpern auf +*dat*.

strut [strʌt] **1.** *n* Strebe *f*, Stütze *f*; **2.** *vi* stolzieren.

strychnine [ˈstrɪkniːn] *n* Strychnin *nt*.

stub [stʌb] *n* Stummel *m*; (*of cigarette*) Kippe *f*.

stubble [ˈstʌbl] *n* Stoppel *f*; **stubbly** *adj* stoppelig, Stoppel-.

stubborn *adj*, **stubbornly** *adv* [ˈstʌbən, -lɪ] stur, hartnäckig; **stubbornness** *n* Sturheit *f*, Hartnäckigkeit *f*.

stubby [ˈstʌbɪ] *adj* untersetzt.

stucco [ˈstʌkəʊ] *n* ⟨-[e]s⟩ Stuck *m*.

stuck [stʌk] *pt, pp of* **stick**; **stuck-up** [stʌkˈʌp] *adj* (*fam*) hochnäsig.

stud [stʌd] *n* (*nail*) Beschlagnagel *m*; (*button*) Kragenknopf *m*; (*number of horses*) Stall *m*; (*place*) Gestüt *nt*; **~ded with** übersät mit.

student [ˈstjuːdənt] *n* Student(in) *m(f)*; (*US a.*) Schüler(in) *m(f)*; **fellow** ~ Kommilitone *m*, Kommilitonin *f*; **student driver** *n* (*US*) Fahrschüler(in) *m(f)*.

studied [ˈstʌdɪd] *adj* absichtlich.

studio [ˈstjuːdɪəʊ] *n* ⟨-s⟩ Studio *nt*; (*for artist*) Atelier *nt*.

studious *adj*, **studiously** *adv* [ˈstjuːdɪəs, -lɪ] lernbegierig.

study [ˈstʌdɪ] **1.** *n* Studium *nt*; (*investigation*) Untersuchung *f*; (*room*) Arbeitszimmer *nt*; (*essay etc*) Studie *f*; **2.** *vt* studieren; (*face*) erforschen; (*evidence*) prüfen; **3.** *vi* studieren; **study group** *n* Arbeitsgruppe *f*.

stuff [stʌf] **1.** *n* Stoff *m*; (*fam*) Zeug *nt*; **2.** *vt* stopfen, füllen; (*animal*) ausstopfen; **that's hot ~!** das ist das große Klasse!; **to ~ oneself** sich vollstopfen; **~ed full** vollgepfropft.

stuffiness [ˈstʌfɪnəs] *n* Schwüle *f*; (*of person*) Spießigkeit *f*.

stuffing [ˈstʌfɪŋ] *n* Füllung *f*.

stuffy [ˈstʌfɪ] *adj* (*room*) schwül; (*person*) spießig.

stumble [ˈstʌmbl] *vi* stolpern; **to** ~ **on** zufällig stoßen auf +*akk*; **stumbling block**

n Hindernis *nt*, Stein *m* des Anstoßes.

stump [stʌmp] **1.** *n* Stumpf *m*; **2.** *vt* umwerfen.

stun [stʌn] *vt* betäuben; (*shock*) erschüttern; (*amaze*) verblüffen, umwerfen.

stung [stʌŋ] *pt, pp* of **sting**.

stunk [stʌŋk] *pp* of **stink**.

stunning [ˈstʌnɪŋ] *adj* betäubend; (*news*) überwältigend, umwerfend; **~ly beautiful** traumhaft schön.

stunt [stʌnt] **1.** *n* Kunststück *nt*, Trick *m*; **2.** *vt* verkümmern lassen; **to do ~s** ein Stuntman sein; **stunted** *adj* verkümmert.

stupefy [ˈstjuːpɪfaɪ] *vt* betäuben; (*amaze*) verblüffen.

stupendous [stjuˈpendəs] *adj* erstaunlich, enorm.

stupid *adj* [ˈstjuːpɪd] dumm; **stupidity** [stjuːˈpɪdɪtɪ] *n* Dummheit *f*.

stupor [ˈstjuːpəˀ] *n* (*MED*) Betäubung *f*; **in a drunken ~** sturzbesoffen, sinnlos betrunken.

sturdily [ˈstɜːdɪlɪ] *adv* kräftig, stabil.

sturdiness [ˈstɜːdɪnəs] *n* Robustheit *f*.

sturdy [ˈstɜːdɪ] *adj* kräftig, robust.

stutter [ˈstʌtəˀ] *vi* stottern.

sty [staɪ] *n* (*a. fig*) Schweinestall *m*.

stye [staɪ] *n* Gerstenkorn *nt*.

style [staɪl] **1.** *n* Stil *m*; (*fashion*) Mode *f*; **2.** *vt* (*hair*) frisieren; **hair ~** Frisur *f*; **in ~** in großem Stil, großartig; **styling** *n* (*of car etc*) Formgebung *f*, Styling *nt*; **styling mousse** *n* Schaumfestiger *m*; **stylish** *adj*, **stylishly** *adv* [ˈstaɪlɪʃ, -lɪ] modisch, schick.

stylized [ˈstaɪlaɪzd] *adj* stilisiert.

stylus [ˈstaɪləs] *n* [Grammophon]nadel *f*; **stylus printer** *n* Nadeldrucker *m*.

styptic [ˈstɪptɪk] *adj:* **~ pencil** blutstillender Stift, Alaunstift *m*.

suave [swɑːv] *adj (pej)* aalglatt.

sub- [sʌb] *pref* Unter-.

subconscious [sʌbˈkɒnʃəs] **1.** *adj* unterbewußt; **2.** *n:* **the ~** das Unterbewußte.

subdirectory [sʌbdɪˈrektərɪ] *n* (*COMPUT*) Unterverzeichnis *nt*.

subdivide [sʌbdɪˈvaɪd] *vt* unterteilen; **subdivision** [ˈsʌbdɪvɪʒən] *n* Unterteilung *f*; (*department*) Unterabteilung *f*.

subdue [səbˈdjuː] *vt* unterwerfen; (*fig*) zähmen; **subdued** *adj* (*lighting*) gedämpft; (*person*) still.

subject 1. [ˈsʌbdʒɪkt] **1.** *n* (*of kingdom*) Untertan(in) *m(f)*; (*citizen*) Staatsangehörige(r) *mf*; (*topic*) Thema *nt*; (*SCH*) Fach *nt*; (*LING*) Subjekt *nt*, Satzgegenstand *m*; **2.** [səbˈdʒekt] *vt* (*subdue*) unterwerfen, abhängig machen; (*expose*) aussetzen; **to be ~ to** unterworfen sein +*dat*; (*exposed*) ausgesetzt sein +*dat*; **subjection** [səbˈdʒekʃən] *n* (*conquering*) Unterwerfung *f*; (*being controlled*) Abhängigkeit *f*;

subjective *adj*, **subjectively** *adv* [səbˈdʒektɪv, -lɪ] subjektiv; **subject matter** *n* Thema *nt*.

subjunctive [səbˈdʒʌŋktɪv] **1.** *n* Konjunktiv *m*, Möglichkeitsform *f*; **2.** *adj* Konjunktiv-, konjunktivisch.

sublet [sʌbˈlet] *irr vt* untervermieten.

sublime [səˈblaɪm] *adj* erhaben.

submarine [sʌbməˈriːn] *n* Unterseeboot *nt*, U-Boot *nt*.

submenu [ˈsʌbmenjuː] *n* (*COMPUT*) Untermenü *nt*.

submerge [səbˈmɜːdʒ] **1.** *vt* untertauchen; (*flood*) überschwemmen; **2.** *vi* untertauchen.

submission [səbˈmɪʃən] *n* (*obedience*) Ergebenheit *f*, Gehorsam *m*; (*claim*) Behauptung *f*; (*of plan*) Unterbreitung *f*.

submit [səbˈmɪt] **1.** *vt* behaupten; (*plan*) unterbreiten; **2.** *vi* (*give in*) sich ergeben.

subnormal [sʌbˈnɔːməl] *adj* minderbegabt.

subordinate [səˈbɔːdɪnət] **1.** *adj* untergeordnet; **2.** *n* Untergebene(r) *mf*.

subpoena [səˈpiːnə] **1.** *n* (*JUR*) Vorladung *f*; **2.** *vt* vorladen.

subscribe [səbˈskraɪb] *vi* spenden, Geld geben; (*to view etc*) unterstützen, beipflichten +*dat*; (*to newspaper*) abonnieren (*to akk*); **subscriber** *n* (*to periodical*) Abonnent(in) *m(f)*; (*TEL*) Telefonteilnehmer(in) *m(f)*; **subscription** [səbˈskrɪpʃən] *n* Abonnement *nt*; (*to club*) [Mitglieds]beitrag *m*.

subsequent [ˈsʌbsɪkwənt] *adj* folgend, später; **subsequently** *adv* später.

subside [səbˈsaɪd] *vi* sich senken; **subsidence** [sʌbˈsaɪdəns] *n* Senkung *f*.

subsidiarity [səbsɪˈdjærɪtɪ] *n* Subsidiarität *f*; **subsidiary 1.** *n* Neben-; **2.** *n* (*company*) Tochtergesellschaft *f*.

subsidize [ˈsʌbsɪdaɪz] *vt* subventionieren; **subsidy** [ˈsʌbsɪdɪ] *n* Subvention *f*.

subsistence [səbˈsɪstəns] *n* Unterhalt *m*; **subsistence level** *n* Existenzminimum *nt*.

substance [ˈsʌbstəns] *n* Substanz *f*, Stoff *m*; (*most important part*) Hauptbestandteil *m*.

substandard [sʌbˈstændəd] *adj* minderwertig; (*achievement*) unzulänglich.

substantial [səbˈstænʃəl] *adj* (*strong*) fest, kräftig; (*important*) wesentlich; **substantially** *adv* erheblich.

substantiate [səbˈstænʃɪeɪt] *vt* begründen, belegen.

substation [ˈsʌbsteɪʃən] *n* (*ELEC*) Umspannwerk *nt*.

substitute [ˈsʌbstɪtjuːt] **1.** *n* Ersatz *m*; **2.** *vt* ersetzen; **substitution** [sʌbstɪˈtjuːʃən] *n*

Ersetzen nt.
subterfuge [ˈsʌbtəfjuːdʒ] n (trickery) Täuschung f.
subterranean [sʌbtəˈreɪnɪən] adj unterirdisch.
subtitle [ˈsʌbtaɪtl] n Untertitel m.
subtle [ˈsʌtl] adj fein; (sly) raffiniert; **subtlety** n subtile Art, Raffinesse f; (subtle distinction) Feinheit f; **subtly** adv fein, raffiniert.
subtract [səbˈtrækt] vt abziehen, subtrahieren; **subtraction** [səbˈtrækʃən] n Abziehen nt, Subtraktion f.
subtropical [sʌbˈtrɒpɪkəl] adj subtropisch.
suburb [ˈsʌbɜːb] n Vorort m; **suburban** [səˈbɜːbən] adj Vorort[s]-, Stadtrand-; **suburbia** [səˈbɜːbɪə] n Vororte pl; **typical of ~** typisch Spießbürger.
subvention [səbˈvenʃən] n (US) Unterstützung f, Subvention f.
subversive [səbˈvɜːsɪv] adj subversiv.
subway [ˈsʌbweɪ] n (US) U-Bahn f, Untergrundbahn f; (Brit) Unterführung f.
sub-zero [ˈsʌbˈzɪərəʊ] adj unter Null, unter dem Gefrierpunkt.
succeed [səkˈsiːd] 1. vi gelingen; (person) Erfolg haben; 2. vt [nach]folgen +dat; **he ~ed** es gelang ihm; **succeeding** adj [nach]folgend.
success [səkˈses] n Erfolg m; **successful** adj, **successfully** adv erfolgreich.
succession [səkˈseʃən] n [Aufeinander]folge f; (to throne) Nachfolge f; **successive** adj [səkˈsesɪv] aufeinanderfolgend; **successively** adv nacheinander, hintereinander; **successor** n Nachfolger(in) m(f).
succinct [səkˈsɪŋkt] adj kurz und bündig, knapp.
succulent [ˈsʌkjʊlənt] adj saftig.
succumb [səˈkʌm] vi zusammenbrechen (to unter +dat); (yield) nachgeben; (die) erliegen (to dat).
such [sʌtʃ] 1. adj solche(r, s); 2. pron solch; **~ a** so ein; **~ a lot** so viel; **~ is life** so ist das Leben; **~ is my wish** das ist mein Wunsch; **~ as** wie; **~ as I have** die, die ich habe; **suchlike** 1. adj derartig; 2. pron dergleichen.
suck [sʌk] 1. vt saugen; (ice cream etc) lecken; (toffee etc) lutschen; 2. vi saugen; **sucker** n (fam) Idiot(in) m(f), Dummkopf m.
suckle [ˈsʌkl] 1. vt säugen; (child) stillen; 2. vi saugen.
suction [ˈsʌkʃən] n Saugen nt, Saugkraft f.
sudden adj, **suddenly** adv [ˈsʌdn, -lɪ] plötzlich; **all of a ~** ganz plötzlich, auf einmal; **suddenness** n Plötzlichkeit f; (of movement) Abruptheit f.
sue [suː] vt verklagen.

suede [sweɪd] n Wildleder nt.
suet [suɪt] n Nierenfett nt.
suffer [ˈsʌfə*] 1. vt [er]leiden; (allow) zulassen, dulden; 2. vi leiden; **sufferer** n Leidende(r) mf; **suffering** n Leiden nt.
suffice [səˈfaɪs] vi genügen.
sufficient adj, **sufficiently** adv [səˈfɪʃənt, -lɪ] ausreichend.
suffix [ˈsʌfɪks] n Nachsilbe f.
suffocate [ˈsʌfəkeɪt] vt, vi ersticken; **suffocation** [sʌfəˈkeɪʃən] n Ersticken nt.
suffragette [sʌfrəˈdʒet] n Suffragette f.
sugar [ˈʃʊɡə*] 1. n Zucker m; 2. vt zuckern; **sugar beet** n Zuckerrübe f; **sugar cane** n Zuckerrohr nt; **sugary** adj süß.
suggest [səˈdʒest] vt vorschlagen; (show) schließen lassen auf +akk; **what does this painting ~ to you?** was drückt das Bild für dich aus?; **suggestion** [səˈdʒestʃən] n Vorschlag m; **suggestive** adj anregend; (indecent) zweideutig; **to be ~ of sth** an etw akk erinnern.
suicidal [sʊɪˈsaɪdl] adj selbstmörderisch; **that's ~** das ist Selbstmord; **suicide** [ˈsʊɪsaɪd] n Selbstmord m; **to commit ~** Selbstmord begehen.
suit [suːt] 1. n Anzug m; (CARDS) Farbe f; 2. vt passen +dat; (clothes) stehen +dat; (adapt) anpassen; **~ yourself** mach doch, was du willst; **suitability** [suːtəˈbɪlɪtɪ] n Eignung f; **suitable** adj geeignet, passend; **suitably** adv passend, angemessen; **suitcase** n [Hand]koffer m.
suite [swiːt] n (of rooms) Zimmerflucht f; (of furniture) Einrichtung f; (MUS) Suite f; **three-piece ~** Couchgarnitur f.
sulfur [ˈsʌlfə*] n (US) s. **sulphur.**
sulk [sʌlk] vi schmollen; **sulky** adj schmollend.
sullen [ˈsʌlən] adj (gloomy) düster; (badtempered) mürrisch, verdrossen.
sulphur [ˈsʌlfə*] n Schwefel m; **sulphuric** [sʌlˈfjʊərɪk] adj: **~ acid** Schwefelsäure f.
sultan [ˈsʌltən] n Sultan m; **sultana** [sʌlˈtɑːnə] n (woman) Sultanin f; (raisin) Sultanine f.
sultry [ˈsʌltrɪ] adj schwül.
sum [sʌm] n Summe f; (money also) Betrag m; (arithmetic) Rechenaufgabe f; **~s** pl Rechnen nt; **sum up** vt, vi zusammenfassen; **summarize** [ˈsʌmməraɪz] vt kurz zusammenfassen; **summary** n Zusammenfassung f; (of book etc) Inhaltsangabe f.
summer [ˈsʌmə*] 1. n Sommer m; 2. adj Sommer-; **in ~** im Sommer; **summerhouse** n (in garden) Gartenhaus nt; **summertime** n Sommerzeit f.
summing-up [ˈsʌmɪŋˈʌp] n Zusammenfassung f.
summit [ˈsʌmɪt] n Gipfel m; **summit con-**

ference n Gipfelkonferenz f.

summon [ˈsʌmən] vt bestellen, kommen lassen; (JUR) vorladen; (gather up) aufbieten, aufbringen; **summons** n sing (JUR) Vorladung f.

sump [sʌmp] n Ölwanne f.

sumptuous [ˈsʌmptjʊəs] adj prächtig; **sumptuousness** n Pracht f.

sun [sʌn] n Sonne f; **sunbathe** vi sich sonnen; **sunbathing** n Sonnenbaden nt; **sunburn** n Sonnenbrand m; **to be ~t** einen Sonnenbrand haben.

Sunday [ˈsʌndeɪ] n Sonntag m; **on ~ [am]** Sonntag; **on ~s, on a ~** sonntags.

sundial [ˈsʌndaɪəl] n Sonnenuhr f.

sundown [ˈsʌndaʊn] n Sonnenuntergang m.

sundry [ˈsʌndrɪ] **1.** adj verschieden; **2.** n: **~s** pl Verschiedene(s) nt; **all and ~** jedermann.

sunflower [ˈsʌnflaʊə*] n Sonnenblume f.

sung [sʌŋ] pp of **sing**.

sunglasses [ˈsʌnglɑːsɪz] n pl Sonnenbrille f.

sunk [sʌŋk] pp of **sink**.

sunken [ˈsʌŋkən] adj versunken; (eyes) eingesunken.

sunlight [ˈsʌnlaɪt] n Sonnenlicht nt; **sunlit** adj sonnenbeschienen; **sunny** [ˈsʌnɪ] adj sonnig; **sun protection factor** n Lichtschutzfaktor m; **sunrise** n Sonnenaufgang m; **sunset** n Sonnenuntergang m; **sunshade** n Sonnenschirm m; **sunshine** n Sonnenschein m; **sunspot** n Sonnenfleck m; **sunstroke** n Hitzschlag m; **suntan** n [Sonnen]bräune f; **to get a ~** braun werden; **suntrap** n sonniger Platz; **sunup** n (fam) Sonnenaufgang m.

super [ˈsuːpə*] **1.** adj (fam) super, klasse; **2.** pref Super-, Über-.

superannuation [suːpərænjʊˈeɪʃən] n Pension f.

superb adj, **superbly** adv [suːˈpɜːb, -lɪ] ausgezeichnet, hervorragend.

supercilious [suːpəˈsɪlɪəs] adj herablassend.

superficial adj, **superficially** adv [suːpəˈfɪʃəl, -ɪ] oberflächlich.

superfluous [sʊˈpɜːflʊəs] adj überflüssig.

superglue [ˈsuːpəgluː] n Sekundenkleber m.

superhuman [suːpəˈhjuːmən] adj (effort) übermenschlich.

superimpose [suːpərɪmˈpəʊz] vt übereinanderlegen.

superintendent [suːpərɪnˈtendənt] n (police) Kommissar(in) m(f).

superior [sʊˈpɪərɪə*] **1.** adj (higher) höher [-stehend]; (better) besser; (proud) überlegen; **2.** n Vorgesetzte(r) mf; **superiority** [sʊpɪərɪˈɒrɪtɪ] n Überlegenheit f.

superlative [sʊˈpɜːlətɪv] **1.** adj höchste(r, s); **2.** n (LING) Superlativ m.

superman [ˈsuːpəmæn] n ⟨supermen⟩ Übermensch m; **Superman** (in comics) Supermann m.

supermarket [ˈsuːpəmɑːkɪt] n Supermarkt m.

supernatural [suːpəˈnætʃərəl] adj übernatürlich.

superpower [ˈsuːpəpaʊə*] n Weltmacht f, Supermacht f.

supersede [suːpəˈsiːd] vt ersetzen.

supersonic [suːpəˈsɒnɪk] n Überschall-.

superstition [suːpəˈstɪʃən] n Aberglaube m; **superstitious** [suːpəˈstɪʃəs] adj abergläubisch.

supervise [ˈsuːpəvaɪz] vt beaufsichtigen, kontrollieren; **supervision** [suːpəˈvɪʒən] n Aufsicht f; **supervisor** [ˈsuːpəvaɪzə*] n Aufsichtsperson f; **supervisory** adj Aufsichts-.

supper [ˈsʌpə*] n Abendessen nt.

supple [ˈsʌpl] adj gelenkig, geschmeidig; (wire) biegsam.

supplement [ˈsʌplɪmənt] **1.** n Ergänzung f; (in book) Nachtrag m; **2.** vt ergänzen; **supplementary** [sʌplɪˈmentərɪ] adj ergänzend, Ergänzungs-, Zusatz-; **~ benefit** Sozialhilfe f.

supplier [səˈplaɪə*] n Lieferant(in) m(f).

supply [səˈplaɪ] **1.** vt liefern; **2.** n Vorrat m; (supplying) Lieferung f; **supplies** pl (food) Vorräte pl; (MIL) Nachschub m; **~ and demand** Angebot und Nachfrage.

support [səˈpɔːt] **1.** n Unterstützung f; (TECH) Stütze f; **2.** vt (hold up) stützen, tragen; (provide for) ernähren; (speak in favour of) befürworten, unterstützen; **supporter** n Anhänger(in) m(f); (of theory) Befürworter(in) m(f); (SPORT) Fan m; **supporting** adj (programme) Bei-; (role) Neben-.

suppose [səˈpəʊz] vt, vi annehmen, denken, glauben; **I ~ so** ich glaube schon; **~ he comes ...** angenommen, er kommt ...; **supposedly** [səˈpəʊzɪdlɪ] adv angeblich; **supposing** conj angenommen; **supposition** [sʌpəˈzɪʃən] n Mutmaßung f, Spekulation f; (thing supposed) Annahme f.

suppress [səˈpres] vt unterdrücken; **suppression** [səˈpreʃən] n Unterdrückung f; **suppressor** n (ELEC) Entstörungselement nt.

supra- [ˈsuːprə] pref Über-.

supremacy [sʊˈpreməsɪ] n Vormachtstellung f.

supreme adj, **supremely** adv [sʊˈpriːm, -lɪ] oberste(r, s), höchste(r, s).

surcharge [ˈsɜːtʃɑːdʒ] n Zuschlag m.

sure [ʃʊə*] **1.** adj sicher, gewiß; **2.** adv sicher;

~! *(of course)* ganz bestimmt!, natürlich!, klar!; **we are ~ to win** wir werden ganz sicher gewinnen; **to be ~** sicher sein; **to be ~ about sth** sich *dat* einer Sache *gen* sicher sein; **to make ~** sich vergewissern *+gen*; **surely** *adv (certainly)* sicherlich, gewiß; **~ it's wrong** das ist doch wohl falsch; **~ not!** das ist doch wohl nicht wahr!; **surety** *n* Bürgschaft *f*, Sicherheit *f*; *(person)* Bürge *m*, Bürgin *f*.

surf [s3:f] **1.** *n* Brandung *f*; **2.** *vi (SPORT)* [wind]surfen.

surface ['s3:fɪs] **1.** *n* Oberfläche *f*; **2.** *vt (roadway)* teeren; **3.** *vi* auftauchen; **surface mail** *n* auf dem Landweg beförderte Post.

surfboard ['s3:fbɔːd] *n* [Wind]surfbrett *nt*; **surfer** *n* [Wind]surfer(in) *m(f)*; **surfing** *n* [Wind]surfen *nt*.

surgeon ['s3:dʒən] *n* Chirurg(in) *m(f)*.

surgery ['s3:dʒərɪ] *n* Praxis *f*; *(room)* Sprechzimmer *nt*; *(consultation)* Sprechstunde *f*; *(treatment)* operativer Eingriff, Operation *f*; **he needs ~** er muß operiert werden.

surgical ['s3:dʒɪkəl] *adj* chirurgisch; **surgicenter** *n (US)* Poliklinik *f*.

surly ['s3:lɪ] *adj* verdrießlich, grob.

surmount [s3:'maʊnt] *vt* überwinden.

surname ['s3:neɪm] *n* Nachname *m*.

surpass [s3:'pɑːs] *vt* übertreffen.

surplus ['s3:pləs] **1.** *n* Überschuß *m*; **2.** *adj* überschüssig, Über[schuß]-.

surprise [sə'praɪz] **1.** *n* Überraschung *f*; **2.** *vt* überraschen; **surprising** *adj* überraschend; **surprisingly** *adv* überraschend[erweise].

surrealism [sə'rɪəlɪzəm] *n* Surrealismus *m*.

surrender [sə'rendə*] **1.** *n* Übergabe *f*, Kapitulation *f*; **2.** *vi* sich ergeben, kapitulieren; **3.** *vt* übergeben.

surreptitious, surreptitiously *adv* [sʌrəp'tɪʃəs, -lɪ] verstohlen.

surrogate ['sʌrəgɪt] *n* Ersatz *m*; **~ mother** Leihmutter *f*.

surround [sə'raʊnd] *vt* umgeben; *(come all round)* umringen; **~ed by** umgeben von; **surrounding 1.** *adj (countryside)* umliegend; **2.** *n:* **~s** *pl* Umgebung *f*; *(environment)* Umwelt *f*.

surveillance [s3:'veɪləns] *n* Überwachung *f*.

survey ['s3:veɪ] **1.** *n* Übersicht *f*; *(opinion poll)* Umfrage *f* *(of, on* über *+akk)*; **2.** [s3:'veɪ] *vt* überblicken; *(land)* vermessen; *(building)* inspizieren, begutachten; **surveying** [sə'veɪɪŋ] *n (of land)* [Land-]vermessung *f*; *(building)* [Be]gutachten *nt*; **surveyor** [sə'veɪə*] *n* Land[ver]messer(in) *m(f)*; *(of building)* Baugutachter(in)

m(f).

survival [sə'vaɪvəl] *n* Überleben *nt*; *(sth from earlier times)* Überbleibsel *nt*; **survive** [sə'vaɪv] *vt, vi* überleben; **survivor** [sə'vaɪvə*] *n* Überlebende(r) *mf*.

susceptible [sə'septəbl] *adj* empfindlich *(to* gegen); *(NIL)* empfänglich *(to* für).

suspect 1. *n* Verdächtige(r) *mf*; **2.** *adj* verdächtig; **3.** [sə'spekt] *vt* verdächtigen; *(think)* vermuten.

suspend [sə'spend] *vt* verschieben; *(from work)* suspendieren; *(hang up)* aufhängen; *(SPORT)* sperren; **suspenders** *n pl* Strumpfhalter *m*, Straps *m*; *(men's)* Sockenhalter *m*; *(US)* Hosenträger *m*.

suspense [sə'spens] *n* Spannung *f*.

suspension [sə'spenʃən] *n* *(hanging)* [Auf]hängen *nt*, Aufhängung *f*; *(postponing)* Aufschub *m*; *(from work)* Suspendierung *f*; *(SPORT)* Sperrung *f*; *(AUTO)* Federung *f*; *(of wheels)* Aufhängung *f*; **suspension bridge** *n* Hängebrücke *f*.

suspicion [sə'spɪʃən] *n* Mißtrauen *nt*; Verdacht *m*; **suspicious** *adj*, **suspiciously** *adv* [sə'spɪʃəs, -lɪ] mißtrauisch; *(causing suspicion)* verdächtig; **suspiciousness** *n* Mißtrauen *nt*.

sustain [sə'steɪn] *vt (hold up)* stützen, tragen; *(maintain)* aufrechterhalten; *(confirm)* bestätigen; *(JUR)* anerkennen; *(injury)* davontragen; **sustainable development** *n* nachhaltige Entwicklung; **sustained** *adj (effort)* anhaltend.

sustenance ['sʌstɪnəns] *n* Nahrung *f*.

swab [swɒb] **1.** *n (MED)* Tupfer *m*; **2.** *vt (decks)* schrubben; *(wound)* abtupfen.

swagger ['swægə*] *vi* stolzieren; *(behave)* prahlen, angeben.

swallow ['swɒləʊ] **1.** *n (bird)* Schwalbe *f*; *(of food etc)* Schluck *m*; **2.** *vt* [ver]schlucken; **swallow up** *vt* verschlingen.

swam [swæm] *pt of* **swim**.

swamp [swɒmp] **1.** *n* Sumpf *m*; **2.** *vt* überschwemmen; **swampy** *adj* sumpfig.

swan [swɒn] *n* Schwan *m*; **swan song** *n* Schwanengesang *m*.

swap [swɒp] **1.** *n* Tausch *m*; **2.** *vt* [ein]tauschen *(for* gegen); **3.** *vi* tauschen; **swap meet** *n (US)* ≈ Flohmarkt *m*.

swarm [swɔːm] **1.** *n* Schwarm *m*; **2.** *vi* wimmeln *(with* von).

swarthy ['swɔːðɪ] *adj* dunkel, braun.

swastika ['swɒstɪkə] *n (Nazism)* Hakenkreuz *nt*.

swat [swɒt] *vt* totschlagen.

sway [sweɪ] **1.** *vi* schwanken; *(branches)* schaukeln, sich wiegen; **2.** *vt* schwenken; *(influence)* beeinflussen, umstimmen.

swear [sweə*] ⟨swore, sworn⟩ *vi (promise)* schwören; *(curse)* fluchen; **to ~ to sth** auf etw *akk* schwören; **swearword** *n* Fluch *m*.

sweat [swet] **1.** *n* Schweiß *m*; **2.** *vi* schwitzen; **sweater** *n* Pullover *m*; **sweatshirt** *n* Sweatshirt *nt*; **sweaty** *adj* verschwitzt.

swede [swi:d] *n* Steckrübe *f*.

Swede [swi:d] *n* Schwede *m*, Schwedin *f*; **Sweden** *n* Schweden *nt*; **Swedish** *adj* schwedisch.

sweep [swi:p] ⟨swept, swept⟩ **1.** *vt* fegen, kehren; **2.** *vi* (*road*) sich dahinziehen; (*go quickly*) rauschen; **3.** *n* (*cleaning*) Kehren *nt*; (*wide curve*) Bogen *m*; (*with arm*) schwungvolle Bewegung; (*chimney* ∼) Schornsteinfeger(in) *m(f)*; **sweep away** *vt* wegfegen; (*river*) wegspülen; **sweep past** *vi* vorbeirauschen; **sweep up** *vt* zusammenkehren; **sweeping** *adj* (*gesture*) schwungvoll; (*statement*) pauschal; **sweepstake** *n* Toto *nt*.

sweet [swi:t] **1.** *n* (*course*) Nachtisch *m*; (*candy*) Bonbon *nt*; **2.** *adj* süß; **to have a ∼ tooth** ein Leckermaul sein, gerne Süßes essen; **sweetcorn** *n* Zuckermais *m*; **sweeten** *vt* süßen; (*fig*) versüßen; **sweetener** *n* artificial ∼ Süßstoff *m*; **sweetheart** *n* Liebste(r) *mf*; **sweetness** *n* Süße *f*; **sweet pea** *n* Gartenwicke *f*.

swell [swel] ⟨swelled, swollen *o* swelled⟩ **1.** *vt* (*numbers*) vermehren; **2.** *vi* (*also*: ∼ **up**) [an]schwellen; **3.** *n* Seegang *m*; **4.** *adj* (*fam*) todschick; **swelling** *n* Schwellung *f*.

sweltering ['sweltərɪŋ] *adj* drückend.

swept [swept] *pt, pp of* **sweep**.

swerve [swɜːv] *vi* ausscheren, zur Seite schwenken.

swift [swɪft] **1.** *adj* geschwind, schnell, rasch; **2.** *n* Mauersegler *m*; **swiftly** *adv* geschwind, schnell, rasch; **swiftness** *n* Schnelligkeit *f*.

swig [swɪg] *n* Zug *m*.

swill [swɪl] **1.** *n* (*for pigs*) Schweinefutter *nt*; **2.** *vt* spülen.

Swiss [swɪs] **1.** *adj* schweizerisch, Schweizer; **2.** *n* Schweizer(in) *m(f)*; ∼ **German** Schweizerdeutsch *nt*; **the** ∼ *pl* die Schweizer *pl*.

swim [swɪm] ⟨swam, swum⟩ **1.** *vi* schwimmen; **2.** *vt* (*cross*) [durch]schwimmen; **3.** *n*: **to go for a** ∼ schwimmen gehen; **my head is** ∼**ming** mir dreht sich der Kopf; **swimmer** *n* Schwimmer(in) *m(f)*; **swimming** *n* Schwimmen *nt*; **to go** ∼ schwimmen gehen; **swimming cap** *n* Badehaube *f*, Badekappe *f*; **swimming costume** *n* Badeanzug *m*; **swimming pool** *n* Schwimmbad, Schwimmbecken *nt*; (*private*) Swimming-Pool *m*; **swimsuit** *n* Badeanzug *m*.

swindle ['swɪndl] **1.** *n* Schwindel *m*, Betrug *m*; **2.** *vt* betrügen; **swindler** *n* Schwind-

swine [swaɪn] *n* (*a. fig*) Schwein *nt*.

swing [swɪŋ] ⟨swung, swung⟩ **1.** *vt* schwingen, [herum]schwenken; **2.** *vi* schwingen, pendeln, schaukeln; (*turn quickly*) schwenken; **3.** *n* (*child's*) Schaukel *f*; (*swinging*) Schwingen *nt*, Schwung *m*; (*MUS*) Swing *m*; **in full ∼** in vollem Gange; **swing bridge** *n* Drehbrücke *f*; **swing door** *n* Schwingtür *f*, Pendeltür *f*.

swipe [swaɪp] **1.** *n* Hieb *m*; **2.** *vt* (*fam: hit*) hart schlagen; (*steal*) klauen.

switch [swɪtʃ] **1.** *n* (*ELEC*) Schalter *m*; (*change*) Wechsel *m*; **2.** *vt, vi* (*ELEC*) schalten; (*change*) wechseln; **switch off** *vt* abschalten, ausschalten; **switch on** *vt* anschalten, einschalten; **switchback** *n* Achterbahn *f*; **switchboard** *n* Vermittlung *f*, Zentrale *f*; (*board*) Schaltbrett *nt*.

Switzerland ['swɪtsələnd] *n* die Schweiz; **in** ∼ in der Schweiz; **to go to** ∼ in die Schweiz fahren.

swivel ['swɪvl] *vt, vi* (*also*: ∼ **round**) [sich] drehen.

swollen ['swəʊlən] *pp of* **swell**.

swoop [swu:p] **1.** *n* Sturzflug *m*; (*esp by police*) Razzia *f*; **2.** *vi* (*also*: ∼ **down**) stürzen.

swop [swɒp] *s.* **swap**.

sword [sɔːd] *n* Schwert *nt*; **swordfish** *n* Schwertfisch *m*; **swordsman** *n* ⟨swordsmen⟩ Fechter *m*.

swore [swɔː*] *pt of* **swear**; **sworn** [swɔːn] **1.** *pp of* **swear**; **2.** *adj*: ∼ **enemies** *pl* Todfeinde *pl*.

swum [swʌm] *pp of* **swim**.

swung [swʌŋ] *pt, pp of* **swing**.

sycamore ['sɪkəmɔː*] *n* (*US*) Platane *f*; (*Brit*) Bergahorn *m*.

sycophantic [sɪkə'fæntɪk] *adj* schmeichlerisch, kriecherisch.

syllable ['sɪləbl] *n* Silbe *f*.

syllabus ['sɪləbəs] *n* Lehrplan *m*.

symbol ['sɪmbəl] *n* Symbol *nt*; **symbolic[al]** [sɪm'bɒlɪk[əl]] *adj* symbolisch; **symbolism** *n* symbolische Bedeutung; (*ART*) Symbolismus *m*; **symbolize** *vt* versinnbildlichen, symbolisieren.

symmetrical *adj*, **symmetrically** *adv* [sɪ'metrɪkəl, -ɪ] symmetrisch, gleichmäßig; **symmetry** ['sɪmɪtrɪ] *n* Symmetrie *f*.

sympathetic *adj*, **sympathetically** *adv* [sɪmpə'θetɪk, -əlɪ] mitfühlend; **sympathize** ['sɪmpəθaɪz] *vi* sympathisieren; mitfühlen; **sympathizer** *n* Mitfühlende(r) *mf*; (*POL*) Sympathisant(in) *m(f)*; **sympathy** ['sɪmpəθɪ] *n* Mitleid *nt*, Mitgefühl *nt*; (*condolence*) Beileid *nt*.

symphonic [sɪm'fɒnɪk] *adj* sinfonisch; **symphony** ['sɪmfənɪ] *n* Sinfonie *f*; **sym-**

phony orchestra *n* Sinfonieorchester *nt*.

symposium [sɪm'pəʊzɪəm] *n* Tagung *f*.

symptom ['sɪmptəm] *n* Symptom *nt*, Anzeichen *nt*; **symptomatic** [sɪmptə'mætɪk] *adj* (*fig*) symptomatisch (*of* für).

synagogue ['sɪnəgɒg] *n* Synagoge *f*.

synchromesh ['sɪŋkrəʊmeʃ] *n* Synchrongetriebe *nt*.

synchronize ['sɪŋkrənaɪz] **1.** *vt* synchronisieren; **2.** *vi* gleichzeitig sein [*o* ablaufen].

syndicate ['sɪndɪkət] *n* Konsortium *nt*, Verband *m*, Ring *m*.

syndrome ['sɪndrəʊm] *n* Syndrom *nt*.

synonym ['sɪnənɪm] *n* Synonym *nt*; **synonymous** [sɪ'nɒnɪməs] *adj* synonym.

synopsis [sɪ'nɒpsɪs] *n* Abriß *m*, Zusammenfassung *f*.

syntactic [sɪn'tæktɪk] *adj* syntaktisch; **syntax** ['sɪntæks] *n* Syntax *f*.

synthesis ['sɪnθəsɪs] *n* Synthese *f*.

synthetic *adj*, **synthetically** *adv* [sɪn'θetɪk, -əlɪ] synthetisch, künstlich.

syphilis ['sɪfɪlɪs] *n* Syphilis *f*.

syphon ['saɪfən] *s*. **siphon**.

Syria ['sɪrɪə] *n* Syrien *nt*.

syringe [sɪ'rɪndʒ] **1.** *n* (*MED*) Spritze *f*; **2.** *vt* [aus]spülen.

syrup ['sɪrəp] *n* Sirup *m*; (*of sugar*) Melasse *f*.

system ['sɪstəm] *n* System *nt*; (*COMPUT A.*) Anlage *f*; **systematic** *adj*, **systematically** *adv* [sɪstə'mætɪk] systematisch, planmäßig; **system disk** *n* (*COMPUT*) Systemdiskette *f*; **system error** *n* (*COMPUT*) Systemfehler *m*; **systems analysis** *n* (*COMPUT*) Systemanalyse *f*; **systems analyst** *n* (*COMPUT*) Systemanalytiker(in) *m(f)*.

T

T, t [tiː] *n* T *nt*, t *nt*; **to a ~** genau.

ta [taː] *interj* (*Brit fam*) danke.

tab [tæb] *n* Schlaufe *f*, Aufhänger *m*; (*name ~*) Schild *nt*; (*tabulator*) Tabulator *m*.

tabby ['tæbɪ] **1.** *n* (*female cat*) weibliche Katze *f*; **2.** *adj* (*black-striped*) getigert.

table ['teɪbl] **1.** *n* Tisch *m*; (*list*) Tabelle *f*, Tafel *f*; **2.** *vt* (*POL: propose*) vorlegen, einbringen; **to lay sth on the ~** (*fig*) etw zur Diskussion stellen; **tablecloth** *n* Tischtuch *nt*, Tischdecke *f*; **tablemat** *n* Untersetzer *m*; **tablespoon** *n* Eßlöffel *m*.

tablet ['tæblət] *n* (*MED*) Tablette *f*; (*for writing*) Täfelchen *nt*; (*of paper*) Schreibblock *m*; (*of soap*) Riegel *m*.

table talk ['teɪbltɔːk] *n* Tischgespräch *nt*;

table tennis *n* Tischtennis *nt*; **table wine** *n* Tafelwein *m*.

tabloid ['tæblɔɪd] *n* (*Brit*) Boulevardzeitung *f*.

taboo [tə'buː] **1.** *n* Tabu *nt*; **2.** *adj* tabu.

tabulate ['tæbjʊleɪt] *vt* tabellarisch ordnen; **tabulator** *n* Tabulator *m*.

tachograph ['tækəʊgrɑːf] *n* Fahrtenschreiber *m*.

tacit *adj*, **tacitly** *adv* ['tæsɪt, -lɪ] stillschweigend.

taciturn ['tæsɪtɜːn] *adj* schweigsam, wortkarg.

tack [tæk] *n* (*small nail*) Stift *m*; (*US: thumb ~*) Reißzwecke *f*; (*stitch*) Heftstich *m*; (*NAUT*) Lavieren *nt*; (*course*) Kurs *m*.

tackle ['tækl] **1.** *n* Ausrüstung *f*; (*for lifting*) Flaschenzug *m*; (*NAUT*) Takelage *f*; (*SPORT*) Tackling *nt*; **2.** *vt* (*deal with*) anpacken, in Angriff nehmen; (*person*) festhalten; (*player*) angehen; **he couldn't ~ it** er hat es nicht geschafft.

tacky ['tækɪ] *adj* (*sticky*) klebrig; (*fam pej: in bad taste*) geschmacklos.

tact [tækt] *n* Takt *m*; **tactful** *adj*, **tactfully** *adv* taktvoll.

tactical ['tæktɪkəl] *adj* taktisch.

tactics ['tæktɪks] *n sing* Taktik *f*.

tactless *adj*, **tactlessly** *adv* ['tæktləs, -lɪ] taktlos.

tadpole ['tædpəʊl] *n* Kaulquappe *f*.

taffeta ['tæfɪtə] *n* Taft *m*.

taffy ['tæfɪ] *n* (*US*) Sahnebonbon *nt*.

tag [tæg] *n* (*label*) Schild *nt*, Anhänger *m*; (*maker's name*) Etikett *nt*; (*phrase*) Floskel *f*, Spruch *m*; **tag along** *vi* mitkommen; **tag question** *n* Bestätigungsfrage *f*.

tail [teɪl] **1.** *n* Schwanz *m*; (*of coat*) Schluß *m*; (*of comet*) Schweif *m*; **2.** *vt* folgen +*dat*; (*suspect*) beschatten; **~s** (*of coin*) Zahlseite *f*; **tailback** *n* Rückstau *m*; **tail off** *vi* abfallen, schwinden; **tail end** *n* Schluß *m*, Ende *nt*; **tailgate** *n* (*AUTO*) Heckklappe *f*.

tailor ['teɪlə*] *n* Schneider(in) *m(f)*; **tailoring** *n* Schneidern *nt*, Schneiderarbeit *f*; **tailor-made** *adj* maßgeschneidert; (*fig*) wie auf den Leib geschnitten (*for sb* jdm).

tailwind ['teɪlwɪnd] *n* Rückenwind *m*.

tainted ['teɪntɪd] *adj* verdorben.

Taiwan [taɪ'wæn] *n* Taiwan *nt*.

take [teɪk] 〈took, taken〉 *vt* nehmen; (*prize*) entgegennehmen; (*trip, exam*) machen; (*capture: person*) fassen; (*town*) einnehmen; (*disease*) bekommen; (*carry to a place*) bringen; (*MATH: subtract*) abziehen (*from* von); (*extract, quotation*) entnehmen (*from dat*); (*get for oneself*) sich *dat* nehmen; (*gain, obtain*) bekommen; (*FIN, COMM*) einnehmen; (*record*) aufnehmen; (*consume*) zu sich nehmen; (*PHOT*) aufnehmen; (*picture*) machen; (*put up with*) hinnehmen; (*respond to*) aufnehmen; (*understand, interpret*) auffassen; (*assume*) annehmen; (*contain*) fassen; Platz haben für; (*LING*) stehen mit; **it ~s 4 hours** man braucht 4 Stunden; **it ~s him 4 hours** er braucht 4 Stunden; **to ~ sth from sb** jdm etw wegnehmen; **to ~ part in** teilnehmen an +*dat*; **to ~ place** stattfinden; **to be ~n with** begeistert sein von; **take after** *vt* ähnlich sein +*dat*; **take back** *vt* (*return*) zurückbringen; (*retract*) zurücknehmen; (*remind*) zurückversetzen (*to* in +*akk*); **take down** *vt* (*pull down*) abreißen; (*write down*) aufschreiben; **take in** *vt* (*deceive*) hereinlegen; (*understand*) begreifen; (*include*) einschließen; **take off** 1. *vi* (*plane*) starten, abheben; 2. *vt* (*remove*) wegnehmen, abmachen; (*clothing*) ausziehen; (*imitate*) nachmachen; **take on** *vt* (*undertake*) übernehmen; (*engage*) einstellen; (*opponent*) antreten gegen; **take out** *vt* (*person, dog*) ausführen; (*extract*) herausnehmen; (*insurance*) abschließen; (*licence*) sich geben lassen; (*book*) ausleihen; (*remove*) entfernen; **to ~ sth ~ on sb** etw an jdm auslassen; **take over** 1. *vt* übernehmen; 2. *vi* ablösen (*from sb* jdn); **take to** *vt* (*like*) mögen; (*adopt as practice*) sich *dat* angewöhnen; **take up** *vt* (*raise*) aufnehmen; (*hem*) kürzer machen; (*occupy*) in Anspruch nehmen; (*absorb*) aufsaugen; (*engage in*) sich befassen mit; **to ~ sb ~ on sth** jdn beim Wort nehmen; **takeaway** [ˈteɪkəweɪ] *n* Essen *nt* zum Mitnehmen; **taken** [ˈteɪkən] *pp of* **take**; **takeoff** *n* (*AVIAT*) Abflug *m*, Start *m*; (*imitation*) Nachahmung *f*; **takeover** *n* (*COMM*) Übernahme *f*; **~ bid** Übernahmeangebot *nt*; **takings** *n pl* (*COMM*) Einnahmen *pl*.

talc [tælk] *n* (*also:* **talcum powder**) Talkumpuder *m*.

tale [teɪl] *n* Geschichte *f*, Erzählung *f*.

talent [ˈtælənt] *n* Talent *nt*, Begabung *f*; **talented** *adj* talentiert, begabt.

talk [tɔːk] 1. *n* (*conversation*) Gespräch *nt*; (*rumour*) Gerede *nt*; (*speech*) Vortrag *m*; 2. *vi* sprechen, reden; (*gossip*) klatschen, reden; **~ing of …** da wir gerade von … sprechen; **~ about impertinence!** so eine Frechheit!; **to ~ sb into doing sth** jdn überreden, etw zu tun; **to ~ shop** fachsimpeln; **talk over** *vt* besprechen; **talkative** *adj* redselig, gesprächig; **talker** *n* Schwätzer(in) *m(f)*; **talk show** *n* (*TV*) Talkshow *f*.

tall [tɔːl] *adj* groß; (*building*) hoch; **a ~ story** ein Märchen; **tallboy** *n* Kommode *f*; **tallness** *n* Größe *f*, Höhe *f*.

tally [ˈtælɪ] 1. *n* Abrechnung *f*; 2. *vi* übereinstimmen; 3. *vt* (*also:* **~ up**) zusammenrechnen.

talon [ˈtælən] *n* Kralle *f*.

tambourine [tæmbəˈriːn] *n* Tamburin *nt*.

tame [teɪm] 1. *adj* zahm; (*fig*) fade, langweilig; 2. *vt* zähmen; **tameness** *n* Zahmheit *f*; (*fig*) Langweiligkeit *f*.

tamper [ˈtæmpə*] *vi*: **to ~ with** herumpfuschen an +*dat*; (*documents*) fälschen; **tamper-proof** *adj* einbruchsicher.

tampon [ˈtæmpɒn] *n* Tampon *m*.

tan [tæn] 1. *n* (*on skin*) Sonnenbräune *f*; (*colour*) Gelbbraun *nt*; 2. *adj* (*colour*) gelbbraun; 3. *vt* gerben; (*Sonne*) bräunen.

tandem [ˈtændəm] *n* Tandem *nt*.

tang [tæŋ] *n* Schärfe *f*, scharfer Geschmack/ Geruch.

tangent [ˈtændʒənt] *n* Tangente *f*; **to go off at a ~** vom Thema abkommen.

tangerine [tændʒəˈriːn] *n* Mandarine *f*.

tangible [ˈtændʒəbl] *adj* greifbar; (*real*) handgreiflich.

tangle [ˈtæŋgl] 1. *n* Durcheinander *nt*; (*trouble*) Schwierigkeiten *pl*; 2. *vt* verwirren.

tango [ˈtæŋgəʊ] *n* ⟨-s⟩ Tango *m*.

tank [tæŋk] *n* (*container*) Tank *m*, Behälter *m*; (*MIL*) Panzer *m*.

tankard [ˈtæŋkəd] *n* Seidel *nt*, Deckelkrug *m*.

tanker [ˈtæŋkə*] *n* (*ship*) Tanker *m*; (*vehicle*) Tankwagen *m*.

tanned [tænd] *adj* (*skin*) gebräunt, sonnenverbrannt.

tantalizing [ˈtæntəlaɪzɪŋ] *adj* verlockend; (*annoying*) quälend.

tantamount [ˈtæntəmaʊnt] *adj* gleichbedeutend (*to* mit).

tantrum [ˈtæntrəm] *n* Wutanfall *m*.

Tanzania [tænzəˈnɪə] *n* Tansania *nt*.

tap [tæp] 1. *n* Hahn *m*; (*gentle blow*) leichter Schlag, Klopfen *nt*; 2. *vt* (*strike*) klopfen; (*supply*) anzapfen; (*telephone*) abhören; **tap-dance** *vi* steppen.

tape [teɪp] 1. *n* Band *nt*; (*magnetic*) Tonband *nt*; (*adhesive*) Klebstreifen *m*; 2. *vt* (*record*) auf Band aufnehmen; **tape measure** *n* Maßband *nt*.

taper [ˈteɪpə*] 1. *n* dünne Wachskerze *f*; 2. *vi* spitz zulaufen.

tape recorder [ˈteɪprɪkɔːdə*] *n* Tonbandgerät *nt*.

tapestry [ˈtæpɪstrɪ] *n* Wandteppich *m*, Gobelin *m*.

tapioca [tæpɪˈəʊkə] *n* Tapioka *f*.

tar [tɑː*] *n* Teer *m*.

tarantula [təˈræntjʊlə] *n* Tarantel *f*.

tardy [ˈtɑːdɪ] *adj* langsam, spät.

target [ˈtɑːgɪt] *n* Ziel *nt*; (*board*) Zielscheibe *f*.

tariff [ˈtærɪf] *n* (*duty paid*) Zoll *m*; (*list*) Tarif *m.*

tarmac ['tɑːmæk] *n* (AVIAT) Rollfeld *nt.*

tarnish ['tɑːnɪʃ] *vt* matt machen; (*fig*) beflecken.

tarpaulin [tɑː'pɔːlɪn] *n* Plane *f*, Persenning *f.*

tart [tɑːt] **1.** *n* Obsttorte *f*; (*fam*) Nutte *f*; **2.** *adj* scharf, sauer; (*remark*) scharf, spitz.

tartan ['tɑːtən] *n* Schottenkaro *nt*; (*material*) Schottenstoff *m.*

tartar ['tɑːtə*] *n* Zahnstein *m*; Weinstein *m*; Kesselstein *m*; **tartare sauce** *n* Remouladensoße *f.*

tartly ['tɑːtlɪ] *adv* spitz.

task [tɑːsk] *n* Aufgabe *f*; (*duty*) Pflicht *f*; **task force** *n* (*esp police*) Sondertrupp *m.*

Tasmania [tæz'meɪnɪə] *n* Tasmanien *nt.*

tassel ['tæsəl] *n* Quaste *f.*

taste [teɪst] **1.** *n* Geschmack *m*; (*sense*) Geschmackssinn *m*; (*small quantity*) Kostprobe *f*; (*liking*) Vorliebe *f*; **2.** *vt* schmecken; (*try*) versuchen; **3.** *vi* schmecken (*of* nach); **tasteful** *adj*, **tastefully** *adv* geschmackvoll; **tasteless** *adj* (*insipid*) ohne Geschmack, fade; (*in bad taste*) geschmacklos; **tastelessly** *adv* geschmacklos; **tastily** *adv* schmackhaft; **tastiness** *n* Schmackhaftigkeit *f*; **tasty** *adj* schmackhaft.

tattered ['tætəd] *adj* zerrissen, zerlumpt; **tatters** ['tætəz] *n pl*: **in ~** in Fetzen.

tattoo [tə'tuː] **1.** *n* (MIL) Zapfenstreich *m*; (*on skin*) Tätowierung *f*; **2.** *vt* tätowieren.

tatty ['tætɪ] *adj* (*fam*) schäbig.

taught [tɔːt] *pt, pp of* **teach**.

taunt [tɔːnt] **1.** *n* höhnische Bemerkung; **2.** *vt* verhöhnen.

Taurus ['tɔːrəs] *n* (ASTR) Stier *m.*

taut [tɔːt] *adj* straff.

tavern ['tævən] *n* Taverne *f.*

tawdry ['tɔːdrɪ] *adj* billig und geschmacklos.

tawny ['tɔːnɪ] *adj* gelbbraun.

tax [tæks] **1.** *n* Steuer *f*; **2.** *vt* besteuern; (*strain*) strapazieren; (*strength*) angreifen; **taxation** [tæk'seɪʃən] *n* Besteuerung *f*; **tax avoidance** *n* Steuerumlegung *f*; **tax collector** *n* Finanzbeamte(r) *m*, -beamtin *f*; **tax-deductible** *adj* [von der Steuer] absetzbar; **tax disc** *n* (*Brit*) Autosteuerplakette *f*; **tax evasion** *n* Steuerhinterziehung *f*; **tax-free** *adj* steuerfrei; **tax haven** *n* Steuerparadies *nt.*

taxi ['tæksɪ] **1.** *n* Taxi *nt*; **2.** *vi* (*plane*) rollen.

taxidermist ['tæksɪdɜːmɪst] *n* Tierpräparator(in) *m(f).*

taxi driver ['tæksɪdraɪvə*] *n* Taxifahrer(in) *m(f)*; **taxi rank** *n* Taxistand *m.*

taxpayer ['tækspeɪə*] *n* Steuerzahler(in) *m(f)*; **tax relief** *n* Steuererleichterung *f*, Steuervergünstigung *f*; **tax return** *n* Steuererklärung *f.*

tea [tiː] *n* Tee *m*; (*meal*) frühes Abendessen *nt*; **tea bag** *n* Teebeutel *m*; **tea break** *n* [Tee]pause *f*; **tea cake** *n* Rosinenbrötchen *nt.*

teach [tiːtʃ] 〈taught, taught〉 *vt, vi* lehren; (SCH A) unterrichten; (*show*) zeigen, beibringen (*sb sth* jdm etw); **that'll ~ him!** das hat er nun davon!; **teacher** *n* Lehrer(in) *m(f)*; **teaching** *n* (*teacher's work*) Unterricht *m*, Lehren *nt*; (*doctrine*) Lehre *f.*

tea cosy ['tiːkəʊzɪ] *n* Teewärmer *m*; **teacup** *n* Teetasse *f.*

teak [tiːk] **1.** *n* Teakbaum *m*; **2.** *adj* Teakholz-.

tea leaves ['tiːliːvz] *n pl* Teeblätter *pl*; **to read the ~** aus dem Kaffeesatz wahrsagen.

team [tiːm] *n* (*workers*) Team *nt*; (SPORT) Mannschaft *f*; (*animals*) Gespann *nt*; **team spirit** *n* Gemeinschaftsgeist *m*; (SPORT) Mannschaftsgeist *m*; **teamwork** *n* Zusammenarbeit *f*, Teamwork *nt.*

tea party ['tiːpɑːtɪ] *n* ≈ Kaffeeklatsch *m*; **teapot** *n* Teekanne *f.*

tear [tɛə*] 〈tore, torn〉 **1.** *vt* zerreißen; (*muscle*) zerren; **2.** *vi* zerreißen; (*rush*) rasen, sausen; **3.** *n* Riß *m*; **I am torn between ...** ich bin hin und her gerissen.

tear [tɪə*] *n* Träne *f*; **in ~s** in Tränen aufgelöst.

tearaway ['tɛərəweɪ] *n* Rabauke *m.*

tearful ['tɪəful] *adj* weinend; (*voice*) weinerlich; **tear gas** *n* Tränengas *nt.*

tearing ['tɛərɪŋ] *adj*: **to be in a ~ hurry** es schrecklich eilig haben; **tear-jerker** ['tɪədʒɜːkə*] *n* (*fam*) Schnulze *f.*

tearoom ['tiːrʊm] *n* Teestube *f.*

tease [tiːz] **1.** *n* Schäker(in) *m(f)*; **2.** *vt* necken, aufziehen; (*animal*) quälen; **I was only teasing** ich habe nur Spaß gemacht.

tea set ['tiːset] *n* Teeservice *nt*; **teashop** *n* Café *nt*; **teaspoon** *n* Teelöffel *m*; **tea strainer** *n* Teesieb *nt.*

teat [tiːt] *n* (*of woman*) Brustwarze *f*; (*of animal*) Zitze *f*; (*of bottle*) Sauger *m.*

tea towel ['tiːtaʊəl] *n* Geschirrtuch *nt*; **tea urn** *n* Teemaschine *f.*

technical ['teknɪkəl] *adj* technisch; (*knowledge, terms*) Fach-; **technicality** [teknɪ'kælɪtɪ] *n* technische Einzelheit; (JUR) Formsache *f*; **technically** *adv* technisch; (*speak*) spezialisiert; (*fig*) genau genommen.

technician [tek'nɪʃən] *n* Techniker(in) *m(f).*

technique [tek'niːk] *n* Technik *f.*

technological [teknə'lɒdʒɪkəl] *adj* technologisch; **technologist** [tek'nɒlədʒɪst] *n* Technologe(-login) *m(f)*; **technology** [tek'nɒlədʒɪ] *n* Technologie *f*; **technology transfer** *n* Technologietransfer *m.*

teddy bear ['tedɪbɛə*] n Teddybär m.

tedious adj, **tediously** adv ['tiːdɪəs, -lɪ] langweilig, ermüdend.

tee [tiː] n (GOLF) Abschlagstelle f; (object) Tee nt.

teem [tiːm] vi (swarm) wimmeln (with von); (pour) gießen.

teenage ['tiːneɪdʒ] adj (fashions etc) Teenager-, jugendlich; **teenager** n Teenager m, Jugendliche(r) mf.

teens [tiːnz] n pl Jugendjahre pl; **to be in one's ~** im Teenageralter sein.

teeter ['tiːtə*] vi schwanken, taumeln.

teeth [tiːθ] n pl of **tooth**.

teethe [tiːð] vi zahnen; **teething ring** n Beißring m; **teething troubles** n pl (fig) Anfangsschwierigkeiten pl.

teetotal ['tiːtəʊtl] adj abstinent; **teetotaler** (US), **teetotaller** n Antialkoholiker(in) m(f), Abstinenzler(in) m(f).

telecommunications [telɪkəmjuːnɪ'keɪʃənz] n pl Fernmeldewesen nt.

tele|fax ['telɪfæks] n Telefax nt.

telegram ['telɪgræm] n Telegramm nt.

telegraph ['telɪgrɑːf] n Telegraph m; **telegraphic** [telɪ'græfɪk] adj (address) Telegramm-; **telegraph pole** n Telegraphenmast m.

telemessage ['telɪmesɪdʒ] n Telebrief m.

telepathic [telɪ'pæθɪk] adj telepathisch; **telepathy** [tɪ'lepəθɪ] n Telepathie f, Gedankenübertragung f.

telephone ['telɪfəʊn] **1.** n Telefon nt, Fernsprecher m; **2.** vi telefonieren; **3.** vt anrufen; (message) telefonisch mitteilen; **telephone booth**, **telephone box** n Telefonhäuschen nt, Fernsprechzelle f; **telephone call** n Telefongespräch nt, Anruf m; **telephone directory** n Telefonbuch nt; **telephone exchange** n Telefonvermittlung f, Telefonzentrale f; **telephone number** n Telefonnummer f.

telephonist [tə'lefənɪst] n Telefonist(in) m(f).

telephoto lens ['telɪfəʊtəʊ'lenz] n Teleobjektiv nt.

teleprinter ['telɪprɪntə*] n Fernschreiber m.

telescope ['telɪskəʊp] **1.** n Teleskop nt, Fernrohr nt; **2.** vt ineinanderschieben; **telescopic** [telɪ'skɒpɪk] adj teleskopisch; (aerial etc) ausziehbar.

telethon ['teliθɒn] n Wohltätigkeitsprogramm nt.

televiewer ['telɪvjuːə*] n Fernsehteilnehmer(in) m(f); **televise** ['telɪvaɪz] vt im Fernsehen übertragen; **television** ['telɪvɪʒən] n Fernsehen nt; **on ~** im Fernsehen; **to watch ~** fernsehen; **television set** n Fernsehapparat m, Fernseher m.

telex ['teleks] **1.** n Telex nt; **2.** vt telexen.

tell [tel] (told, told) **1.** vt (story) erzählen; (secret) sagen; (make known) sagen (sth to sb jdm etw); (distinguish) erkennen (sb by sth jdn an etw dat); (be sure) wissen; (order) sagen, befehlen (sb jdm); **2.** vi (be sure) wissen; (divulge) es verraten; (have effect) sich auswirken; **to ~ a lie** lügen; **to ~ sb about sth** jdm von etw erzählen; **tell off** vt schimpfen; **tell on** vt verraten, verpetzen; **teller** n (in bank) Kassierer(in) m(f); **telling** adj verräterisch; (blow) hart; **the ~ moment** der Augenblick der Wahrheit; **telltale** adj verräterisch.

telly ['telɪ] n (fam) Fernseher m, Glotze f.

temerity [tɪ'merɪtɪ] n Tollkühnheit f.

temp [temp] n Aushilfe f; **~ work** Zeitarbeit f.

temper ['tempə*] **1.** n (disposition) Temperament nt, Gemütsart f; (anger) Gereiztheit f, Zorn m; **2.** vt (tone down) mildern; (metal) härten; **quick ~ed** jähzornig, aufbrausend; **to be in a bad ~** wütend [o gereizt] sein; **temperament** ['temprəmənt] n Temperament nt, Veranlagung f; **temperamental** [temprə'mentl] adj (moody) launisch.

temperance ['tempərəns] n Mäßigung f; (abstinence) Enthaltsamkeit f; **~ hotel** alkoholfreies Hotel.

temperate ['tempərət] adj gemäßigt.

temperature ['temprɪtʃə*] n Temperatur f; (MED: high ~) Fieber nt; **to have a ~** Fieber haben; **to take sb's ~** bei jdm Fieber messen.

tempest ['tempɪst] n Sturm m; **tempestuous** [tem'pestjʊəs] adj stürmisch; (fig) ungestüm.

template ['templət] n Schablone f.

temple ['templ] n Tempel m; (ANAT) Schläfe f.

tempo ['tempəʊ] n ⟨-s⟩ Tempo nt.

temporal ['tempərəl] adj (of time) zeitlich; (worldly) irdisch, weltlich.

temporarily ['tempərərɪlɪ] adv zeitweilig, vorübergehend.

temporary ['tempərərɪ] adj vorläufig; (road, building) provisorisch.

tempt [tempt] vt (persuade) verleiten, in Versuchung führen; (attract) reizen, verlocken; **temptation** [temp'teɪʃən] n Versuchung f; **tempting** adj (person) verführerisch; (object, situation) verlockend.

ten [ten] num zehn.

tenable ['tenəbl] adj haltbar; **to be ~** (post) vergeben werden.

tenacious adj, **tenaciously** adv [tə'neɪʃəs, -lɪ] zäh, hartnäckig; **tenacity** [tə'næsɪtɪ] n Zähigkeit f, Hartnäckigkeit f.

tenancy ['tenənsɪ] n Mietverhältnis nt;

Pachtverhältnis *nt;* **tenant** [ˈtenənt] *n* Mieter(in) *m(f); (of larger property)* Pächter(in) *m(f).*

tend [tend] **1.** *vt (look after)* sich kümmern um; **2.** *vi* neigen, tendieren *(to* zu); **to ~ to do sth** *(things)* etw gewöhnlich tun; **tendency** *n* Tendenz *f; (of person also)* Neigung *f.*

tender [ˈtendə*] **1.** *adj (soft)* weich, zart; *(delicate)* zart; *(loving)* liebevoll, zärtlich; **2.** *n (COMM: offer)* Kostenvoranschlag *m,* Angebot *nt;* **tenderize** *vt* weich machen; **tenderly** *adv* liebevoll; *(touch also)* zart; **tenderness** *n* Zartheit *f; (being loving)* Zärtlichkeit *f.*

tendon [ˈtendən] *n* Sehne *f.*

tenement [ˈtenəmənt] *n* Mietshaus *nt.*

tennis [ˈtenɪs] *n* Tennis *nt;* **tennis ball** *n* Tennisball *m;* **tennis court** *n* Tennisplatz *m;* **tennis racket** *n* Tennisschläger *m.*

tenor [ˈtenə*] *n (MUS)* Tenor *m; (meaning)* Sinn *m,* wesentlicher Inhalt.

tense [tens] **1.** *adj* angespannt; *(stretched tight)* gespannt, straff; **2.** *n* Zeitform *f;* **tensely** *adv* angespannt; **tenseness** *n* Spannung *f; (strain)* Angespanntheit *f;* **tension** [ˈtenʃən] *n* Spannung *f; (strain)* Angespanntheit *f.*

tent [tent] *n* Zelt *nt.*

tentacle [ˈtentəkl] *n* Fühler *m; (of sea animals)* Fangarm *m.*

tentative [ˈtentətɪv] *adj (movement)* unsicher; *(offer)* Probe-; *(arrangement)* vorläufig; *(suggestion)* unverbindlich; **tentatively** *adv* versuchsweise; *(try, move)* vorsichtig.

tenterhooks [ˈtentəhʊks] *n pl:* **to be on ~** auf die Folter gespannt sein.

tenth [tenθ] **1.** *adj* zehnte(r, s); **2.** *adv* an zehnter Stelle; **3.** *n (person)* Zehnte(r) *mf; (part)* Zehntel *nt.*

tent peg [ˈtentpeg] *n* Hering *m;* **tent pole** *n* Zeltstange *f.*

tenuous [ˈtenjʊəs] *adj* fein; *(air)* dünn; *(connection, argument)* schwach.

tenure [ˈtenjʊə*] *n (of land)* Besitz *m; (of office)* Amtszeit *f.*

tepid [ˈtepɪd] *adj* lauwarm.

term [tɜːm] **1.** *n (period of time)* Zeitraum *m; (limit)* Frist *f; (SCH)* Quartal *nt,* Trimester *nt; (expression)* Ausdruck *m;* **2.** *vt* benennen; **~s** *pl (conditions)* Bedingungen *pl; (relationship)* Beziehungen *pl;* **to be on good ~s with sb** mit jdm gut auskommen.

terminal [ˈtɜːmɪnl] **1.** *n (RAIL, bus* ~) Endstation *f; (AVIAT)* Terminal *m; (COMPUT)* Terminal *nt,* Endgerät *nt;* **2.** *adj* Schluß-; *(MED)* unheilbar; **~ cancer** Krebs im Endstadium.

terminate [ˈtɜːmɪneɪt] **1.** *vt* beenden; **2.** *vi* enden, aufhören *(in* auf +*dat);* **termina-**

tion [tɜːmɪˈneɪʃən] *n* Ende *nt; (act)* Beendigung *f.*

terminology [tɜːmɪˈnɒlədʒɪ] *n* Terminologie *f.*

terminus [ˈtɜːmɪnəs] *n (RAIL, bus terminal)* Endstation *f.*

termite [ˈtɜːmaɪt] *n* Termite *f.*

terrace [ˈterəs] *n (of houses)* Häuserreihe *f; (in garden etc)* Terrasse *f;* **terraced** *adj (garden)* terrassenförmig angelegt; *(house)* Reihen-.

terrible [ˈterəbl] *adj* schrecklich, entsetzlich, fürchterlich; **terribly** *adv* fürchterlich.

terrier [ˈterɪə*] *n* Terrier *m.*

terrific *adj,* **terrifically** *adv* [təˈrɪfɪk, -lɪ] un wahrscheinlich, sagenhaft; **~!** klasse!

terrify [ˈterɪfaɪ] *vt* erschrecken, entsetzen; **terrifying** *adj* erschreckend, grauenvoll.

territorial [terɪˈtɔːrɪəl] *adj* Gebiets-, territorial; **~ waters** *pl* Hoheitsgewässer *pl.*

territory [ˈterɪtərɪ] *n* Gebiet *nt.*

terror [ˈterə*] *n* Schrecken *m; (POL)* Terror *m;* **terrorism** *n* Terrorismus *m;* **terrorist** *n* Terrorist(in) *m(f);* **terrorize** *vt* terrorisieren.

test [test] **1.** *n* Probe *f; (examination)* Prüfung *f; (PSYCH, TECH)* Test *m;* **2.** *vt* prüfen *(PSYCH, TECH)* testen.

testament [ˈtestəmənt] *n* Testament *nt.*

test bed [ˈtestbed] *n* Prüfstand *m.*

test card [ˈtestkɑːd] *n (TV)* Testbild *nt;* **test case** *n (JUR)* Präzedenzfall *m; (fig)* Musterbeispiel *nt;* **test flight** *n* Probeflug *m.*

testicle [ˈtestɪkl] *n* Hoden *m.*

testify [ˈtestɪfaɪ] *vi* aussagen; bezeugen *(to* akk).

testimonial [testɪˈməʊnɪəl] *n (of character)* Referenz *f.*

testimony [ˈtestɪmənɪ] *n (JUR)* Zeugenaussage *f; (fig)* Zeugnis *nt.*

test match [ˈtestmætʃ] *n (SPORT)* Länderkampf *m;* **test paper** *n* schriftliche Klassenarbeit; **test pilot** *n* Testpilot(in) *m(f);* **test tube** *n* Reagenzglas *nt; ~* **baby** Retortenbaby *nt.*

testy [ˈtestɪ] *adj* gereizt; reizbar.

tetanus [ˈtetənəs] *n* Wundstarrkrampf *m,* Tetanus *m.*

tether [ˈteðə*] *vt* anbinden; **to be at the end of one's ~** völlig am Ende sein.

text [tekst] *n* Text *m; (of document)* Wortlaut *m;* **textbook** *n* Lehrbuch *nt.*

textile [ˈtekstaɪl] *n* Gewebe *nt; ~s* *pl* Textilien *pl.*

texture [ˈtekstʃə*] *n* Beschaffenheit *f,* Struktur *f.*

Thailand [ˈtaɪlænd] *n* Thailand *nt.*

Thames [temz] *n* Themse *f.*

than [ðæn] *prep, conj* als.

thank [θæŋk] *vt* danken +*dat;* **you've him to ~ for your success** Sie haben Ihren Erfolg ihm zu verdanken; **thankful** *adj* dankbar; **thankfully** *adv (luckily)* zum Glück; **thankless** *adj* undankbar; **thanks** *n pl* Dank *m;* **~ to** danke +*gen;* **~s, thank you** danke, dankeschön; **Thanksgiving** *n (US)* Thanksgiving Day *m (4. Donnerstag im November)*.

that [ðæt] **1.** *adj* der/die/das, jene(r, s); **2.** *pron* das; **3.** *conj* daß; **and ~'s ~** und damit Schluß; **~ is** das heißt; **after ~** danach; **at ~** dazu noch; **~ big** so groß.

thatched [θætʃt] *adj* strohgedeckt.

thaw [θɔː] **1.** *n* Tauwetter *nt;* **2.** *vi* tauen; *(frozen food, fig: people)* auftauen; **3.** *vt* auftauen lassen.

the [ðiː, ðə] *art* der/die/das; **to play ~ piano** Klavier spielen; **~ sooner ~ better** je eher desto besser.

theater *(US),* **theatre** [ˈθɪətə*] *n* Theater *nt; (for lectures etc)* Saal *m; (MED)* Operationssaal *m;* **theatregoer** *n* Theaterbesucher(in) *m(f);* **theatrical** [θɪˈætrɪkəl] *adj* Theater-; *(career)* Schauspieler-; *(showy)* theatralisch.

theft [θeft] *n* Diebstahl *m.*

their [ðɛə*] *pron (adjektivisch)* ihr; **theirs** *pron (substantivisch)* ihre(r, s).

them [ðem, ðəm] *pron direct/indirect object of they* sie/ihnen; **it's ~** sie sind's.

theme [θiːm] *n* Thema *nt; (MUS)* Motiv *nt;* **~ park** thematisch gestalteter Vergnügungspark; **~ song** Titelmusik *f.*

themselves [ðəmˈselvz] *pron* sich; **they ~** sie selbst.

then [ðen] **1.** *adv (at that time)* damals; *(next)* dann; **2.** *conj* also, folglich; *(furthermore)* ferner; **3.** *adj* damalig; **from ~ on** von da an; **before ~** davor; **by ~** bis dahin; **not till ~** erst dann.

theologian [θɪəˈləʊdʒən] *n* Theologe(-login) *m(f);* **theological** [θɪəˈlɒdʒɪkəl] *adj* theologisch; **theology** [θɪˈɒlədʒɪ] *n* Theologie *f.*

theorem [ˈθɪərəm] *n* Lehrsatz *m,* Theorem *nt.*

theoretical *adj,* **theoretically** *adv* [θɪəˈretɪkəl, -ɪ] theoretisch.

theorize [ˈθɪəraɪz] *vi* theoretisieren.

theory [ˈθɪərɪ] *n* Theorie *f;* **in ~** theoretisch.

therapeutical [θerəˈpjuːtɪkəl] *adj (MED)* therapeutisch; erholsam.

therapist [ˈθerəpɪst] *n* Therapeut(in) *m(f).*

therapy [ˈθerəpɪ] *n* Therapie *f,* Behandlung *f.*

there [ðɛə*] **1.** *adv* dort; *(to a place)* dorthin; **2.** *interj (see)* na also; *(to child)* sei ruhig, na na; **~ is** es gibt; **~ are** es sind, es gibt; **thereabouts** *adv* so ungefähr;

thereafter [ðɛərˈɑːftə*] *adv* danach, später; **thereby** *adv* dadurch; **therefore** *adv* daher, deshalb; **there's = there is.**

thermal [ˈθɜːməl] *adj (springs)* Thermal-; *(PHYS)* thermisch; **~ printer** Thermodrucker *m.*

thermometer [θəˈmɒmɪtə*] *n* Thermometer *nt.*

thermonuclear [θɜːməʊˈnjuːklɪə*] *adj* thermonuklear.

Thermos® [ˈθɜːməs] *n* Thermosflasche *f.*

thermostat [ˈθɜːməstæt] *n* Thermostat *m.*

thesaurus [θɪˈsɔːrəs] *n* Synonymwörterbuch *nt.*

these [ðiːz] *pron, adj* diese.

thesis [ˈθiːsɪs] *n (for discussion)* These *f; (SCH)* Dissertation *f,* Doktorarbeit *f.*

they [ðeɪ] *pron pl* sie; *(people in general)* man; **they'd = they had; they would; they'll = they shall; they will; they're = they are; they've = they have.**

thick [θɪk] **1.** *adj* dick; *(forest)* dicht; *(liquid)* dickflüssig; *(slow, stupid)* dumm, schwer von Begriff; **2.** *n:* **in the ~ of** mitten in +*dat;* **thicken 1.** *vi (fog)* dichter werden; **2.** *vt (sauce)* eindicken; **thickness** *n (of object)* Dicke *f;* Dichte *f;* Dickflüssigkeit *f; (of person)* Dummheit *f;* **thickset** *adj* untersetzt; **thickskinned** *adj* dickhäutig.

thief [θiːf] *n (thieves)* Dieb(in) *m(f);* **thieving** [ˈθiːvɪŋ] **1.** *n* Stehlen *nt;* **2.** *adj* diebisch.

thigh [θaɪ] *n* Oberschenkel *m;* **thighbone** *n* Oberschenkelknochen *m.*

thimble [ˈθɪmbl] *n* Fingerhut *m.*

thin [θɪn] *adj* dünn; *(person also)* mager; *(face)* schmal; *(not abundant)* spärlich; *(fog, rain)* leicht; *(excuse)* schwach.

thing [θɪŋ] *n* Ding *nt; (affair)* Sache *f;* **my ~s** *pl* meine Sachen *pl.*

think [θɪŋk] ⟨thought, thought⟩ *vt, vi* denken; *(believe)* meinen, denken; **to ~ of doing sth** vorhaben (o beabsichtigen), etw zu tun; **think over** *vt* überdenken; **think up** *vt* sich etw ausdenken; **thinking** *adj* denkend; **think-tank** *n* Expertenkommission *f.*

thinly [ˈθɪnlɪ] *adv* dünn; *(disguised)* kaum.

thinness [ˈθɪnnəs] *n* Dünnheit *f;* Magerkeit *f;* Spärlichkeit *f.*

third [θɜːd] **1.** *adj* dritte(r, s); **2.** *adv* an dritter Stelle; **3.** *n (person)* Dritte(r) *mf; (part)* Drittel *nt;* **the Third World** die Dritte Welt; **thirdly** *adv* drittens; **third party insurance** *n* Haftpflichtversicherung *f;* **third-rate** *adj* minderwertig.

thirst [θɜːst] *n* Durst *m; (fig)* Verlangen *nt;* **thirsty** *adj (person)* durstig; *(work)* durstig machend; **to be ~** Durst haben.

thirteen [ˈθɜːˈtiːn] *num* dreizehn.

thirty [ˈθɜːtɪ] *num* dreißig.

this [ðɪs] **1.** *adj* diese(r, s); **2.** *pron* dies/das; **it was ~ long** es war so lang.

thistle [ˈθɪsl] *n* Distel *f*.

thong [θɒŋ] *n* Lederriemen *m*.

thorn [θɔːn] *n* Dorn *m*, Stachel *m*; *(plant)* Dornbusch *m*; **thorny** *adj* dornig; *(problem)* schwierig.

thorough [ˈθʌrə] *adj* gründlich; *(contempt)* tief; **thoroughbred 1.** *n* Vollblut *nt*; **2.** *adj* reinrassig, Vollblut-; **thoroughfare** *n* Hauptstraße *f*; **thoroughly** *adv* gründlich; *(extremely)* vollkommen, äußerst; **thoroughness** *n* Gründlichkeit *f*.

those [ðəʊz] **1.** *pron* die da, jene; **2.** *adj* die, jene; **~ who** diejenigen, die.

though [ðəʊ] **1.** *conj* obwohl; **2.** *adv* trotzdem; **as ~** als ob.

thought [θɔːt] **1.** *pt, pp of* **think**; **2.** *n (idea)* Gedanke *m*; *(opinion)* Auffassung *f*; *(thinking)* Denken *nt*, Denkvermögen *nt*; **thoughtful** *adj (thinking)* gedankenvoll, nachdenklich; *(kind)* rücksichtsvoll, aufmerksam; **thoughtless** *adj* gedankenlos, unbesonnen; *(unkind)* rücksichtslos; **thought-provoking** *adj* nachdenklich stimmend.

thousand [ˈθaʊzənd] *num (also:* **one ~, a ~)** tausend.

thrash [θræʃ] *vt* verdreschen, verprügeln; *(fig)* vernichtend schlagen.

thread [θred] **1.** *n* Faden *m*, Garn *nt*; *(on screw)* Gewinde *nt*; *(in story)* Faden *m*, Zusammenhang *m*; **2.** *vt (needle)* einfädeln; **3.** *vi:* **to ~ one's way** sich hindurchschlängeln; **threadbare** *adj* abgewetzt; *(fig)* fadenscheinig.

threat [θret] *n* Drohung *f*; *(danger)* Bedrohung *f*, Gefahr *f*; **threaten 1.** *vt* bedrohen; **2.** *vi* drohen; **to ~ sb with sth** jdm etw androhen; **threatening** *adj* drohend; *(letter)* Droh-.

three [θriː] *num* drei; **three-dimensional** *adj* dreidimensional; **threefold** *adj* dreifach; **three-piece suit** *n* Anzug mit Weste *m*; **three-piece suite** *n* dreiteilige Polstergarnitur; **three-ply** *adj (wool)* dreifach; *(wood)* dreischichtig; **three-quarter** [θriːˈkwɔːtə*] *adj* dreiviertel; **three-wheeler** *n* Dreiradwagen *m*.

thresh [θreʃ] *vt, vi* dreschen; **threshing machine** *n* Dreschmaschine *f*.

threshold [ˈθreʃhəʊld] *n* Schwelle *f*.

threw [θruː] *pt of* **throw**.

thrift [θrɪft] *n* Sparsamkeit *f*; **thrifty** *adj* sparsam.

thrill [θrɪl] **1.** *n* Reiz *m*, Erregung *f*; **2.** *vt* begeistern, packen; **3.** *vi* beben, zittern; **it gave me quite a ~ to ...** es war ein wahn-

sinniges Erlebnis für mich zu ...; **thriller** *n* Krimi *m*; **thrilling** *adj* spannend, packend; *(news)* aufregend.

thrive [θraɪv] *vi* gedeihen *(on* bei); **thriving** *adj* blühend, gut gedeihend.

throat [θrəʊt] *n* Hals *m*, Kehle *f*.

throb [θrɒb] *vi* klopfen, pochen.

throes [θrəʊz] *n pl:* **in the ~ of** mitten in +*dat.*

thrombosis [θrɒmˈbəʊsɪs] *n* Thrombose *f*.

throne [θrəʊn] *n* Thron *m*.

throttle [ˈθrɒtl] **1.** *n* Gashebel *m*; **2.** *vt* erdrosseln; **to open the ~** Gas geben.

through [θruː] **1.** *prep* durch; *(time)* während +*gen*; *(because of)* aus, durch; **2.** *adv* durch; **3.** *adj (ticket, train)* durchgehend, *(finished)* fertig; **we're ~** es ist aus zwischen uns; **to put sb ~** *(TEL)* jdn verbinden *(to* mit); **throughout** [θruːˈaʊt] **1.** *prep (place)* überall in +*dat*; *(time)* während +*gen*; **2.** *adv* überall; die ganze Zeit.

throw [θrəʊ] *(threw, thrown)* **1.** *vt* werfen; **2.** *n* Wurf *m*; **throw out** *vt* hinauswerfen; *(rubbish)* wegwerfen; *(plan)* verwerfen; **throw up** *vt, vi (vomit)* speien; **throwaway** *adj (disposable)* Wegwerf-; *(bottle)* Einweg-; **~ society** Wegwerfgesellschaft *f*; **throw-in** *n* Einwurf *m*; **thrown** [θrəʊn] *pp of* **throw**.

thru [θruː] *prep (US)* s. **through**.

thrush [θrʌʃ] *n* Drossel *f*.

thrust [θrʌst] *(thrust, thrust)* **1.** *vt, vi (push)* stoßen; *(fig)* sich drängen; **2.** *n (TECH)* Schubkraft *f*; **to ~ oneself on sb** sich jdm aufdrängen; **thrusting** *adj (person)* aufdringlich, unverfroren.

thug [θʌg] *n* Schläger[typ] *m*.

thumb [θʌm] **1.** *n* Daumen *m*; **2.** *vt (book)* durchblättern; **a well-thumbed book** ein abgegriffenes Buch; **to ~ a lift** per Anhalter fahren wollen; **thumb index** *n* Daumenregister *nt*; **thumbnail** *n* Daumennagel *m*; **thumbtack** *n (US)* Reißzwecke *f*.

thump [θʌmp] **1.** *n (blow)* Schlag *m*; *(noise)* Bums *m*; **2.** *vi* hämmern; **3.** *vt* schlagen auf +*akk*.

thunder [ˈθʌndə*] **1.** *n* Donner *m*; **2.** *vi* donnern; **3.** *vt* brüllen; **thunderous** *adj* stürmisch; **thunderstorm** *n* Gewitter *nt*, Unwetter *nt*; **thunderstruck** *adj* wie vom Donner gerührt; **thundery** *adj* gewitterschwül.

Thuringia [θjʊəˈrɪndʒɪə] *n* Thüringen *nt*.

Thursday [ˈθɜːzdeɪ] *n* Donnerstag *m*; **on ~** am Donnerstag; **on ~s, on a ~** donnerstags.

thus [ðʌs] *adv (in this way)* so; *(therefore)* somit, also, folglich.

thwart [θwɔːt] *vt* vereiteln, durchkreuzen; *(person)* hindern.

thyme [taɪm] n Thymian m.
thyroid [ˈθaɪrɔɪd] n Schilddrüse f.
tiara [tɪˈɑːrə] n Diadem nt; (pope's) Tiara f.
Tibet [tɪˈbet] n Tibet nt.
tic [tɪk] n (MED) Muskelzucken nt.
tick [tɪk] **1.** n (sound) Ticken nt; (mark) Häkchen nt, Zecke nt; **2.** vi ticken; **3.** vi abhaken; **in a ~** (fam) sofort; **tick off** vt abhaken; (fam) ausschimpfen; **tick over** vi im Leerlauf laufen; (fig) gut laufen.
ticket [ˈtɪkɪt] n (for travel) Fahrkarte f; (for entrance) Eintrittskarte f; (price ~) Preisschild nt; (luggage ~) Gepäckschein m; (raffle ~) Los nt; (parking ~) Strafzettel m; (permission) Parkschein m; **ticket collector** n Fahrkartenkontrolleur(in) m(f); **ticket holder** n (THEAT) jdm, der eine Eintrittskarte hat(in) m(f); **ticket machine** n Fahrscheinautomat m; **ticket office** n (RAIL) Fahrkartenschalter m; (THEAT) Kasse f.
ticking-off [ˈtɪkɪŋˈɒf] n (fam) Anschnauzer m.
tickle [ˈtɪkl] **1.** n Kitzeln nt; **2.** vt kitzeln; (amuse) amüsieren; **that ~d her fancy** das gefiel ihr; **ticklish** [ˈtɪklɪʃ] adj (a. fig) kitzlig.
tidal [ˈtaɪdl] adj Flut-, Tide-; **tidal power station** n Gezeitenkraftwerk nt.
tidbit [ˈtɪdbɪt] n (US) Leckerbissen m.
tiddlywinks [ˈtɪdlɪwɪŋks] n sing Flohhüpfspiel nt.
tide [taɪd] n Gezeiten pl, Ebbe und Flut f; **the ~ is in/out** es ist Flut/Ebbe.
tidily [ˈtaɪdɪlɪ] adv sauber, ordentlich.
tidiness [ˈtaɪdɪnəs] n Ordnung f.
tidy [ˈtaɪdɪ] **1.** adj ordentlich; **2.** vt aufräumen, in Ordnung bringen.
tie [taɪ] **1.** n (necktie) Krawatte f, Schlips m; (sth connecting) Band nt; (SPORT) Unentschieden nt; **2.** vt (fasten, restrict) binden; (knot) schnüren; **3.** vi (SPORT) unentschieden spielen; (in competition) punktgleich sein; **tie down** vt festbinden; (fig) binden; **tie up** vt (dog) anbinden; (parcel) verschnüren; (boat) festmachen; (person) fesseln; **I am ~d ~ right now** ich bin im Moment beschäftigt; **tiebreaker** n (TENNIS) Tie-Break m o nt.
tier [tɪə*] n Reihe f, Rang m; (of cake) Etage f.
tiff [tɪf] n kleine Meinungsverschiedenheit.
tiger [ˈtaɪgə*] n Tiger m.
tight [taɪt] **1.** adj (close) eng, knapp; (schedule) gedrängt; (firm) fest, dicht; (screw) festsitzend; (control) streng; (stretched) stramm angespannt; (fam) blau, stramm; **tighten 1.** vt anziehen, anspannen; (restrictions) verschärfen; **2.** vi sich spannen; **tight-fisted** adj knauserig; **tightly** adv eng;

fest, dicht; (stretched) straff; **tightness** n Enge f; Festigkeit f; Straffheit f; (of money) Knappheit f; **tight-rope** n Seil nt (des Seiltänzers); **tights** n pl Strumpfhose f.
tile [taɪl] n (on roof) Dachziegel m; (on wall o floor) Fliese f; **tiled** adj (roof) gedeckt, Ziegel-; (floor, wall) mit Fliesen belegt.
till [tɪl] **1.** n Kasse f; **2.** vt bestellen; **3.** prep, conj bis; **not ~** (in future) nicht vor; (in past) erst.
tiller [ˈtɪlə*] n Ruderpinne f.
tilt [tɪlt] **1.** vt kippen, neigen; **2.** vi sich neigen.
timber [ˈtɪmbə*] n Holz nt; (trees) Baumbestand m.
time [taɪm] **1.** n Zeit f; (occasion) Mal nt; (rhythm) Takt m; **2.** vt (choose right ~) den richtigen Zeitpunkt wählen für; (bomb) einstellen; (with stop-watch) stoppen; **at all ~s** immer; **at one ~** früher; **at no ~** nie; **at ~s** manchmal; **by the ~** bis; **for the ~ being** vorläufig; **in ~** (soon enough) rechtzeitig; (after some) mit der Zeit; (MUS) im Takt; **in 2 weeks' ~** in 2 Wochen; **on ~** pünktlich, rechtzeitig; **local ~** Ortszeit; **to have a good ~** viel Spaß haben, sich amüsieren; **this ~** diesmal, dieses Mal; **five ~s** fünfmal; **what ~ is it?** wieviel Uhr ist es?, wie spät ist es?; **I have no ~ for people like him** für Leute wie ihn habe ich nichts übrig f; **time-consuming** adj zeitraubend; **time-honored** (US), **time-honoured** adj althergebracht; **timekeeper** n Zeitnehmer(in) m(f); **time-lag** n (in travel) Verzögerung f; (difference) Zeitunterschied m; **time-lapse** adj Zeitraffer-; **timeless** adj (beauty) zeitlos; **time limit** n Frist f; **timely** adj rechtzeitig; **time-saving** adj zeitsparend; **time-share** n Anteil m an einer Ferienwohnung; **time-sharing** n Timesharing nt, Anteile pl an einer Ferienwohnung; **time switch** n Zeitschalter m; **timetable** n Fahrplan m; (SCH) Stundenplan m; **time zone** n Zeitzone f.
timid [ˈtɪmɪd] adj ängstlich, schüchtern; **timidity** [tɪˈmɪdɪtɪ] n Ängstlichkeit f; **timidly** adv ängstlich.
timing [ˈtaɪmɪŋ] n Wahl f des richtigen Zeitpunkts, Timing nt; (AUTO) Einstellung f.
tin [tɪn] n (metal) Blech nt; (container) Büchse f, Dose f; **tinfoil** n Alufolie f.
tinge [tɪndʒ] **1.** n (colour) Färbung f; (fig) Anflug m; **2.** vt färben, einen Anstrich geben +dat.
tingle [ˈtɪŋgl] vi prickeln.
tinker [ˈtɪŋkə*] n Kesselflicker(in) m(f); **tinker with** vt herumbasteln an +dat.
tinkle [ˈtɪŋkl] vi klingeln.
tinned [tɪnd] adj (food) Dosen-, Büchsen-; **tinny** [ˈtɪnɪ] adj Blech-, blechern; **tin open-**

er *n* Dosenöffner *m*, Büchsenöffner *m.*

tinsel [ˈtɪnsəl] *n* Rauschgold *nt;* Lametta *nt.*

tint [tɪnt] *n* Farbton *m;* (*slight colour*) Anflug *m;* (*hair*) Tönung *f.*

tiny [ˈtaɪnɪ] *adj* winzig.

tip [tɪp] **1.** *n* (*pointed end*) Spitze *f;* (*money*) Trinkgeld *nt;* (*hint*) Wink *m,* Tip *m;* **2.** *vt* (*slant*) kippen; (*hat*) antippen; (~ *over*) umkippen; (*waiter*) ein Trinkgeld geben +*dat;* **it's on the ~ of my tongue** es liegt mir auf der Zunge; **tip-off** *n* Hinweis *m,* Tip *m;* **tipped** *adj* (*cigarette*) Filter-.

tipple [ˈtɪpl] *n* (*drink*) Schnäpschen *nt.*

tipsy [ˈtɪpsɪ] *adj* beschwipst.

tiptoe [ˈtɪptəʊ] *n:* **on ~** auf Zehenspitzen.

tiptop [tɪpˈtɒp] *adj:* **in ~ condition** tipptopp, erstklassig.

tire [ˈtaɪə*] **1.** *n* (*US*) *siehe* **tyre. 2.** *vt, vi* ermüden, müde machen/werden; **tired** *adj* müde; **to be ~ of sth** etw satt haben; **tiredness** *f* Müdigkeit *f;* **tireless** *adj,* **tirelessly** *adv* unermüdlich; **tiresome** *adj* lästig; **tiring** *adj* ermüdend.

tissue [ˈtɪʃuː] *n* Gewebe *nt;* (*paper handkerchief*) Papiertaschentuch *nt;* **tissue paper** *n* Seidenpapier *nt.*

tit [tɪt] *n* (*bird*) Meise *f;* (*fam: breast*) Titte *f;* **~ for tat** wie du mir, so ich dir.

titbit [ˈtɪtbɪt] *n* (*esp Brit*) Leckerbissen *m.*

titillate [ˈtɪtɪleɪt] *vt* (*interest*) erregen.

titivate [ˈtɪtɪveɪt] *vt* schniegeln.

title [ˈtaɪtl] *n* Titel *m;* (*in law*) Rechtstitel *m,* Eigentumsrecht *nt;* **title deed** *n* Eigentumsurkunde *f;* **title role** *n* Hauptrolle *f.*

to [tuː, tə] **1.** *prep* (*towards*) zu; (*with countries, towns*) nach; (*indirect object*) dat; (*as far as*) bis; (*next to, attached to*) an +*dat;* (*per*) pro; **2.** *conj* (*in order to*) um . . . zu; **3.** *adv:* **~ and fro** hin und her; **to go ~ school/the theatre/bed** in die Schule/ins Theater/ins Bett gehen; **I have never been ~ Germany** ich war noch nie in Deutschland; **to give sth ~ sb** jdm etw geben; **~ this day** bis auf den heutigen Tag; **20 minutes ~ 4** 20 Minuten vor 4; **superior ~ sth** besser als etw; **they tied him ~ a tree** sie banden ihn an einen Baum.

toad [təʊd] *n* Kröte *f;* (*fig*) Ekel *nt;* **toadstool** *n* Giftpilz *m;* **toady 1.** *n* Speichellecker(in) *m(f);* **2.** *vi* kriechen (*to* vor +*dat*).

toast [təʊst] **1.** *n* (*bread*) Toast *m;* (*drinking*) Trinkspruch *m;* **2.** *vt* trinken auf +*akk;* (*bread*) toasten; (*warm*) wärmen; **toaster** *n* Toaster *m;* **toastmaster** *n* Zeremonienmeister *m;* **toastrack** *n* Toastständer *m.*

tobacco [təˈbækəʊ] *n* ⟨-es⟩ Tabak *m;* **tobacconist** [təˈbækənɪst] *n* Tabakhändler(in) *m(f);* **~'s shop** Tabakladen *m.*

toboggan [təˈbɒgən] *n* Rodelschlitten *m.*

today [təˈdeɪ] **1.** *adv* heute; (*at the present time*) heutzutage; **2.** *n* (*day*) heutiger Tag; (*time*) Heute *nt,* heutige Zeit.

toddle [ˈtɒdl] *vi* watscheln; **toddler** *n* Kleinkind *nt.*

toddy [ˈtɒdɪ] *n* Whiskygrog *m.*

to-do [təˈduː] *n* ⟨-s⟩ (*fam*) Aufheben *nt,* Theater *nt.*

toe [təʊ] **1.** *n* Zehe *f;* (*of sock, shoe*) Spitze *f;* **2.** *vt:* **to ~ the line** (*fig*) sich einfügen; **toenail** *n* Zehennagel *m.*

toffee [ˈtɒfɪ] *n* Sahnebonbon *nt;* **toffee apple** *n* kandierter Apfel; **toffee-nosed** *adj* (*Brit fam*) eingebildet, hochnäsig.

together [təˈgeðə*] *adv* zusammen; (*at the same time*) gleichzeitig; **togetherness** *n* (*company*) Beisammensein *nt;* (*feeling*) Zusammengehörigkeitsgefühl *nt.*

toggle [ˈtɒgl] *n* Knebel *m;* (*on clothes*) Knebelknopf *m;* (*on tent*) Seilzug *m;* **~ switch** Kipphebelschalter *m.*

toil [tɔɪl] **1.** *n* harte Arbeit, Plackerei *f;* **2.** *vi* sich abmühen, sich plagen.

toilet [ˈtɔɪlət] **1.** *n* Toilette *f;* **2.** *adj* Toiletten-; **toilet bag** *n* Kulturbeutel *m;* **toilet paper** *n* Toilettenpapier *nt;* **toiletries** [ˈtɔɪlətrɪz] *n pl* Toilettenartikel *pl;* **toilet roll** *n* Rolle *f* Toilettenpapier; **toilet soap** *n* Toilettenseife *f;* **toilet water** *n* Toilettenwasser *nt.*

token [ˈtəʊkən] **1.** *n* Zeichen *nt;* (*gift* ~) Gutschein *m;* **2.** *adj* Alibi-, pro forma; **~ payment** symbolische Bezahlung; **~ strike** Warnstreik *m.*

Tokyo [ˈtəʊkɪəʊ] *n* Tokio *nt.*

told [təʊld] *pt, pp of* **tell.**

tolerable [ˈtɒlərəbl] *adj* (*bearable*) erträglich; (*fairly good*) leidlich; **tolerably** *adv* ziemlich, leidlich.

tolerance [ˈtɒlərəns] *n* Toleranz *f;* **tolerant** *adj,* **tolerantly** *adv* tolerant; (*patient*) geduldig.

tolerate [ˈtɒləreɪt] *vt* dulden; (*noise*) ertragen.

toll [təʊl] **1.** *n* Gebühr *f;* (*for road*) Autobahngebühr *f;* **2.** *vi* (*bell*) läuten; **it took a heavy ~ of human life** es forderte [*o* kostete] viele Menschenleben; **tollbridge** *n* gebührenpflichtige Brücke; **toll road** *n* gebührenpflichtige Straße.

tomato [təˈmɑːtəʊ] *n* ⟨-es⟩ Tomate *f.*

tomb [tuːm] *n* Grabmal *nt.*

tombola [tɒmˈbəʊlə] *n* Tombola *f.*

tomboy [ˈtɒmbɔɪ] *n* Wildfang *m;* **she's a ~** sie ist sehr burschikos.

tombstone [ˈtuːmstəʊn] *n* Grabstein *m.*

tomcat [ˈtɒmkæt] *n* Kater *m.*

tome [təʊm] *n* (*volume*) Band *m;* (*big book*) Wälzer *m.*

tomograph [ˈtɒməgrɑːf] *n* Tomograph *m;*

tomography [təˈmɒgrəft] n Computer-tomographie f.

tomorrow [təˈmɔrəʊ] **1.** n Morgen nt; **2.** adv morgen.

ton [tʌn] n Tonne f (1.016 kg); ~s of (fam) eine Unmenge von.

tone [təʊn] **1.** n Ton m; **2.** vi (harmonize) zusammenpassen, harmonieren; **3.** vt eine Färbung geben +dat; **tone down** vt (criticism, demands) mäßigen; (colours) abtonen; **tone-deaf** adj ohne musikalisches Gehör.

toner [ˈtəʊnə] n Toner m.

tongs [tɒŋz] n pl Zange f; (curling ~) Lockenstab m.

tongue [tʌŋ] n Zunge f; (language) Sprache f; **with ~ in cheek** ironisch, scherzhaft; **tongue-tied** adj stumm, sprachlos; **tongue-twister** n Zungenbrecher m.

tonic [ˈtɒnɪk] n (MED) Stärkungsmittel nt; (MUS) Grundton m, Tonika f; **tonic water** n Tonicwater nt m.

tonight [təˈnaɪt] **1.** n heutiger Abend; diese Nacht; **2.** adv heute abend; heute nacht.

tonnage [ˈtʌnɪdʒ] n Tonnage f.

tonsil [ˈtɒnsl] n Mandel f; **tonsillitis** [tɒnsɪˈlaɪtɪs] n Mandelentzündung f.

too [tuː] adv zu; (also) auch.

took [tʊk] pt of **take**.

tool [tuːl] n (a. fig) Werkzeug nt; **toolbox** n Werkzeugkasten m; **toolkit** n Werkzeug nt.

toot [tuːt] vi tuten; (AUTO) hupen.

tooth [tuːθ] n (teeth) Zahn m; **toothache** n Zahnschmerzen pl, (inf); **toothbrush** n Zahnbürste f; **toothpaste** n Zahnpasta f; **toothpick** n Zahnstocher m.

top [tɒp] **1.** n Spitze f; (of mountain) Gipfel m; (of tree) Wipfel m; (toy) Kreisel m; (~ gear) vierter Gang; **2.** adj oberste(r, s); **3.** vt (list) an erster Stelle stehen auf +dat; **to ~ it all, he said ...** und er setzte dem noch die Krone auf, indem er sagte ...; **from ~ to toe** von Kopf bis Fuß; **topcoat** n Mantel m; **topflight** adj erstklassig, prima; **top hat** n Zylinder m; **top-heavy** adj oben schwerer als unten, kopflastig.

topic [ˈtɒpɪk] n Thema nt, Gesprächsgegenstand m; **topical** adj aktuell.

topless [ˈtɒpləs] adj (dress) oben ohne.

top-level [ˈtɒpˈlevl] adj auf höchster Ebene.

topmost [ˈtɒpməʊst] adj oberste(r, s), höchste(r, s).

topple [ˈtɒpl] vt, vi stürzen, kippen.

top-secret [ˈtɒpˈsiːkrət] adj streng geheim; **top-security** adj Hochsicherheits-.

topsy-turvy [ˈtɒpsɪˈtɜːvɪ] **1.** adv durcheinander; **2.** adj auf den Kopf gestellt.

torch [tɔːtʃ] n (ELEC) Taschenlampe f; (with flame) Fackel f.

tore [tɔː*] pt of **tear**.

torment [ˈtɔːment] **1.** n Qual f; **2.** [tɔːˈment] vt (annoy) plagen; (distress) quälen.

torn [tɔːn] **1.** pp of **tear**; **2.** adj hin- und hergerissen.

tornado [tɔːˈneɪdəʊ] n (-es) Tornado m, Wirbelsturm m.

torpedo [tɔːˈpiːdəʊ] n (-es) Torpedo m.

torrent [ˈtɒrənt] n Sturzbach m; **torrential** [təˈrenʃəl] adj wolkenbruchartig.

tortoise [ˈtɔːtəs] n Schildkröte f.

tortuous [ˈtɔːtjʊəs] adj (winding) gewunden; (deceitful) krumm, unehrlich.

torture [ˈtɔːtʃə*] **1.** n Folter f; **2.** vt foltern.

Tory [ˈtɔːrɪ] **1.** n Tory m, Konservative(r) mf; **2.** adj Tory-, konservativ.

toss [tɒs] vt werfen, schleudern; **to ~ a coin**, **to ~ up for sth** etw mit einer Münze auslosen.

tot [tɒt] n (small quantity) bißchen nt; (child) Knirps m; **tot up** vt (Brit fam) zusammenrechnen.

total [ˈtəʊtl] **1.** n Gesamtheit f, Ganze(s) nt; **2.** adj ganz, gesamt, total; **3.** vt (add up) zusammenzählen; (amount to) sich belaufen auf +akk.

totalitarian [təʊtælɪˈteərɪən] adj totalitär.

totality [təʊˈtælɪtɪ] n Gesamtheit f; **totally** adv gänzlich, total.

totem pole [ˈtəʊtəmpəʊl] n Totempfahl m.

totter [ˈtɒtə*] vi wanken, schwanken, wackeln.

touch [tʌtʃ] **1.** n Berührung f; (sense of feeling) Tastsinn m; (small amount) Spur f; (style) Stil m; **2.** vt (feel) berühren; (come against) leicht anstoßen; (emotionally) bewegen, rühren; **in ~ with** in Verbindung mit; **to give sth a personal ~** einer Sache dat eine persönliche Note geben; **touch on** vt (topic) berühren, erwähnen; **touch up** vt (paint) auffrischen; **touch-and-go** adj riskant, knapp; **touchdown** n Landen nt, Niedergehen nt; **touchiness** n Empfindlichkeit f; **touching** adj rührend, ergreifend; **touchline** n Seitenlinie f; **touchy** adj empfindlich, reizbar.

tough [tʌf] **1.** adj (strong) zäh, widerstandsfähig; (difficult) schwierig, hart; (meat) zäh; **2.** n Schlägertyp m; **~ luck** Pech nt; **toughen** **1.** vt zäh machen; (make strong) abhärten; **2.** vi zäh werden; **toughness** n Zähigkeit f; Härte f.

toupée [ˈtuːpeɪ] n Toupet nt.

tour [ˈtʊə*] **1.** n Reise f, Tour f, Fahrt f; **2.** vi umherreisen; (THEAT) auf Tour sein/gehen; **touring** n Umherreisen nt; (THEAT) Tournee f.

tourism ['tʊərɪzəm] n Fremdenverkehr m, Tourismus m; **tourist 1.** n Tourist(in) m(f); **2.** adj (class) Touristen-; **tourist guide** n (book) Reiseführer m; (person) Fremdenführer(in) m(f); **tourist office** n Verkehrsamt nt.

tournament ['tʊənəmənt] n Tournier nt.

tour operator ['tʊərɒpəreɪtə*] n Reiseveranstalter(in) m(f).

tousled ['taʊzld] adj zerzaust.

tout [taʊt] **1.** n Anreißer(in) m(f); (ticket tout) Kartenschwarzhändler(in) m(f); **2.** vt anreißen; (tickets) schwarz verkaufen.

tow [təʊ] vt abschleppen.

towards [tə'wɔ:dz] prep (with time) gegen; (in direction of) nach; **he walked ~ me/the town** er kam auf mich zu/er ging auf die Stadt zu; **my feelings ~ him** meine Gefühle ihm gegenüber.

towel ['taʊəl] n Handtuch nt; **to throw in the ~** das Handtuch werfen.

tower ['taʊə*] n Turm m; **tower block** n Hochhaus nt; **tower over** vt (a. fig) überragen; **towering** adj hochragend; (rage) rasend.

town [taʊn] n Stadt f; **town clerk** n Stadtdirektor(in) m(f); **town hall** n Rathaus nt; **town house** n (US) Reihenhaus nt; **town planner** n Stadtplaner(in) m(f); **town twinning** n Städtepartnerschaft f.

towpath ['təʊpɑ:θ] n Leinpfad m, Treidelpfad m; **towrope** n Abschleppseil nt.

toxic ['tɒksɪk] adj giftig, Gift-; **~ waste** Giftmüll m; **toxicological** [tɒksɪkə'lɒdʒɪkəl] adj toxikologisch.

toy [tɔɪ] n Spielzeug nt; **toy with** vt spielen mit; **toyshop** n Spielwarengeschäft nt.

trace [treɪs] **1.** n Spur f; **2.** vt (follow a course) nachspüren +dat; (find out) aufspüren; (copy) nachzeichnen, durchpausen.

track [træk] **1.** n (mark) Spur f; (path) Weg m, Pfad m; (race-track) Rennbahn f; (RAIL) Gleis nt; **2.** vt verfolgen; **to keep ~ of sb** jdn im Auge behalten; **to keep ~ of an argument** einer Argumentation folgen können; **to keep ~ of the situation** die Lage verfolgen; **to make ~s for** gehen nach; **trackball** ['trækbɔ:l] n (COMPUT) Trackball m; **track down** vt aufspüren; **tracker dog** n Spürhund m.

tract [trækt] n (of land) Gebiet nt; (booklet) Abhandlung f, Traktat nt.

tractor ['træktə*] n Traktor m.

trade [treɪd] **1.** n (COMM) Handel m; (business) Geschäft nt, Gewerbe nt; (people) Geschäftsleute pl; (skilled manual work) Handwerk nt; **2.** vi handeln (in mit); **3.** vt tauschen; **trade deficit** n Handelsbilanzdefizit nt; **trade fair** n [Fach]messe f; **trade in** vt in Zahlung geben; **trademark**

n Warenzeichen nt; **trade name** n Handelsbezeichnung f; **trader** n Händler(in) m(f); **tradesman** n (tradesmen) (shopkeeper) Geschäftsmann m; (workman) Handwerker m; (delivery man) Lieferant m; **trade union** n Gewerkschaft f; **trade unionist** n Gewerkschaftler(in) m(f); **trading** n Handel m; **~ estate** Industriegelände nt; **~ stamp** Rabattmarke f.

tradition [trə'dɪʃən] n Tradition f; **traditional** adj traditionell, herkömmlich; **traditionally** adv üblicherweise, schon immer.

traffic ['træfɪk] **1.** n Verkehr m; (esp in drugs) Handel m (in mit); **2.** vi (esp drugs) handeln, dealen (in mit); **traffic circle** n (US) Kreisverkehr m; **traffic jam** n Verkehrsstauung f; **traffic lights** n pl Verkehrsampel f; **traffic warden** n Verkehrspolizist(in) m(f) (ohne polizeiliche Befugnisse).

tragedy ['trædʒədɪ] n (a. fig) Tragödie f; **tragic** ['trædʒɪk] adj tragisch; **tragically** adv tragisch, auf tragische Weise.

trail [treɪl] **1.** n (track) Spur f, Fährte f; (of meteor) Schweif m; (of smoke) Rauchfahne f; (of dust) Staubwolke f; (road) Pfad m, Weg m; **2.** vt (animal) verfolgen; (person) folgen +dat; (drag) schleppen; **3.** vi (hang loosely) schleifen; (plants) sich ranken; (be behind) hinterherhinken; (SPORT) weit zurückliegen; (walk) zuckeln; **on the ~** auf der Spur; **trail behind** vi zurückbleiben; **trailer** n Anhänger m; (US: caravan) Wohnwagen m; (CINE) Vorschau f.

train [treɪn] **1.** n Zug m; (of dress) Schleppe f; (series) Folge f, Kette f; **2.** vt (teach: person) ausbilden; (animal) abrichten; (mind) schulen; (SPORT) trainieren; (aim) richten (on auf +akk); (plant) wachsen lassen, ziehen; **3.** vi (exercise) trainieren; (study) ausgebildet werden; **trained** adj (eye) geschult; (person, voice) ausgebildet; **trainee** n Auzubildende(r) mf, Praktikant(in) m(f); (management) Trainee mf; **trainer** n (SPORT) Trainer(in) m(f), Ausbilder(in) m(f); **training** n (for occupation) Ausbildung f; (SPORT) Training m; **in ~** im Training; **training college** n Pädagogische Hochschule; Lehrerseminar nt; (for priests) Priesterseminar m.

traipse [treɪps] vi latschen.

trait [treɪ(t)] n Zug m, Merkmal nt.

traitor ['treɪtə*] n Verräter m; **traitress** ['treɪtrɪs] n Verräterin f.

trajectory [trə'dʒektərɪ] n Flugbahn f.

tramcar ['træmkɑ:*] n Straßenbahn f; **tram line** n Straßenbahnschiene f; (route) Straßenbahnlinie f.

tramp [træmp] **1.** n Landstreicher(in) m(f);

2. vi (walk heavily) stampfen, stapfen; (travel on foot) wandern.

trample [ˈtræmpl] **1.** vt niedertrampeln; **2.** vi herumtrampeln.

trampoline [ˈtræmpəlɪn] n Trampolin nt.

trance [trɑːns] n Trance f.

tranquil [ˈtræŋkwɪl] adj ruhig, friedlich; **tranquility** [træŋˈkwɪlɪtɪ] n Ruhe f; **tranquilizer** n Beruhigungsmittel nt.

trans- [trænz] pref Trans-.

transact [trænˈzækt] vt durchführen, abwickeln; **transaction** n Durchführung f, Abwicklung f; (piece of business) Geschäft nt, Transaktion f.

transatlantic [ˈtrænzətˈlæntɪk] adj transatlantisch.

transcend [trænˈsend] vt übersteigen.

transcendent [trænˈsendənt] adj transzendent.

transcribe [trænˈskraɪb] vt (MUS) transcribieren.

transcript [ˈtrænskrɪpt] n Abschrift f, Kopie f; (JUR) Protokoll nt; **transcription** [trænˈskrɪpʃən] n Transkription f; (product) Abschrift f.

transept [ˈtrænsept] n (ARCHIT) Querschiff nt.

transfer [ˈtrænsfə*] **1.** n (transferring) Übertragung f; (of business) Umzug m; (being transferred) Versetzung f; (design) Abziehbild nt; (SPORT) Transfer m; (player) Transferspieler(in) m(f); **2.** [trænsˈfɜ:*] vt (business) verlegen; (person) versetzen; (prisoner) überführen; (drawing) übertragen; (money) überweisen; **transferable** [trænsˈfɜ:rəbl] adj übertragbar.

transform [trænsˈfɔ:m] vt umwandeln, verändern; verwandeln; **transformation** [trænsfəˈmeɪʃən] n Umwandlung f, Veränderung f, Verwandlung f; **transformer** n (ELEC) Transformator m.

transfusion [trænsˈfju:ʒən] n Blutübertragung f, Transfusion f.

transgress [trænsˈgres] vi verstoßen gegen.

transient [ˈtrænzɪənt] adj kurzlebig.

transistor [trænˈzɪstə*] n (ELEC) Transistor m; (RADIO) Transistorradio nt.

transit [ˈtrænzɪt] n: **in ~** unterwegs, auf dem Transport.

transition [trænˈzɪʃən] n Übergang m; **transitional** adj Übergangs-.

transitive adj, **transitively** adv [ˈtrænzɪtɪv, -lɪ] transitiv.

transitory [ˈtrænzɪtərɪ] adj vorübergehend.

translate [trænzˈleɪt] vt, vi übersetzen; **translation** [trænzˈleɪʃən] n Übersetzung f; **translator** [trænzˈleɪtə*] n Übersetzer(in) m(f).

translucent [trænsˈlu:snt] adj lichtdurch-

lässig.

transmission [trænzˈmɪʃən] n (of information) Übermittlung f; (ELEC, MED, TV, RADIO) Übertragung f; (AUTO) Getriebe nt; (process) Übersetzung f; **transmit** [trænzˈmɪt] vt (message) übermitteln; (ELEC, MED, TV) übertragen; **transmitter** n Sender m.

transparency [trænsˈpærənsɪ] n Durchsichtigkeit f, Transparenz f; (PHOT) Diapositiv nt; **transparent** [trænsˈpærənt] adj durchsichtig, (fig) offenkundig.

transplant [trænsˈplɑ:nt] **1.** vt umpflanzen; (MED) verpflanzen; (fig: person) verpflanzen; **2.** [ˈtrænsplɑ:nt] n (MED) Transplantation f; (organ) Transplantat nt.

transport [ˈtrænspɔ:t] **1.** n Transport m, Beförderung f; (vehicle) fahrbarer Untersatz; **2.** [trænsˈpɔ:t] vt befördern, transportieren; **means of ~** Transportmittel nt; **transportable** [trænsˈpɔ:təbl] adj transportabel, transportierbar; **transportation** [trænspɔ:ˈteɪʃən] n Transport m, Beförderung f; (means) Beförderungsmittel nt; (cost) Transportkosten pl.

transsexual [trænsˈseksjʊəl] n Transsexuelle(r) mf.

transverse [ˈtrænzvɜ:s] adj Quer-; (position) horizontal; (engine) querliegend.

transvestite [trænzˈvestaɪt] n Transvestit m.

trap [træp] **1.** n Falle f; (carriage) zweirädriger Einspänner; (fam: mouth) Klappe f; **2.** vt fangen; (person) in eine Falle locken; **the miners were ~ped** die Bergleute waren eingeschlossen; **trapdoor** n Falltür f.

trapeze [trəˈpi:z] n Trapez nt.

trapper [ˈtræpə*] n Fallensteller(in) m(f), Trapper(in) m(f).

trappings [ˈtræpɪŋz] n pl Aufmachung f.

trash [træʃ] n (rubbish) wertloses Zeug, Plunder m; (nonsense) Mist m, Blech nt; **trash can** n (US) Mülleimer m; **trashy** adj wertlos; (novel etc) Schund-.

trauma [ˈtrɔ:mə] n Trauma nt; **traumatic** [trɔ:ˈmætɪk] adj traumatisch.

travel [ˈtrævl] **1.** n Reisen nt; **2.** vi reisen, eine Reise machen; **3.** vt (distance) zurücklegen; (country) bereisen; **travel agent** n Reisebüro nt; **traveler** (US) s. **traveller**; **traveler's check** (US) s. **tarveller's cheque**; **traveling** (US) s. **travelling**; **traveller** n Reisende(r) m(f); (salesperson) Handlungsreisende(r) m(f); **traveller's cheque** n Reisescheck m; **travelling** n Reisen nt; **travelling bag** n Reisetasche f; **travel sickness** n Reisekrankheit f.

traverse [ˈtrævəs] vt (cross) durchqueren; (lie across) überspannen.

travesty [ˈtrævəstɪ] n Zerrbild nt, Travestie f; **a ~ of justice** ein Hohn auf die Gerechtigkeit.

trawl [trɔ:l] *vi* mit dem Schleppnetz fischen.

trawler ['trɔ:lə*] *n* Fischdampfer *m*, Trawler *m*.

tray [treɪ] *n* (*tea ~*) Tablett *nt*; (*receptacle*) Schale *f*; (*for mail*) Ablage *f*.

treacherous ['tretʃərəs] *adj* verräterisch; (*memory*) unzuverlässig; (*road*) gefährlich; **treachery** ['tretʃərɪ] *n* Verrat *m*.

treacle ['tri:kl] *n* Sirup *m*; Melasse *f*.

tread [tred] ⟨trod, trodden⟩ **1.** *vi* treten; (*walk*) gehen; **2.** *n* Schritt *m*, Tritt *m*; (*of stair*) Stufe *f*; (*on tyre*) Profil *nt*.

treadmill ['tredmɪl] *n* (*fig*) Tretmühle *f*; **tread on** *vt* treten auf +*akk*.

treason ['tri:zn] *n* Verrat *m* (*to an* +*dat*).

treasure ['treʒə*] **1.** *n* Schatz *m*; **2.** *vt* schätzen; **treasure hunt** *n* Schatzsuche *f*; **treasurer** *n* Kassenverwalter(in) *m(f)*; (*of club*) Schatzmeister(in) *m(f)*; (*business*) Leiter(in) *m(f)*, Finanzabteilung *m*; **treasury** ['treʒərɪ] *n* (*POL*) Finanzministerium *nt*.

treat [tri:t] **1.** *n* besondere Freude; (*school ~ etc*) Fest *nt*; (*outing*) Ausflug *m*; **2.** *vt* (*deal with*) behandeln; (*entertain*) bewirten; **to ~ sb to sth** jdn zu etw einladen, jdm etw spendieren.

treatise ['tri:tɪz] *n* Abhandlung *f*.

treatment ['tri:tmənt] *n* Behandlung *f*.

treaty ['tri:tɪ] *n* Vertrag *m*.

treble ['trebl] **1.** *adj* dreifach; **2.** *vt* verdreifachen; **3.** *n* (*voice*) Sopran *m*; (*of piano*) Diskant *m*; **~ clef** Violinschlüssel *m*.

tree [tri:] *n* Baum *m*; **tree-lined** *adj* baumbestanden; **tree trunk** *n* Baumstamm *m*.

trellis ['trelɪs] *n* Gitter *nt*; (*for gardening*) Spalier *nt*.

tremble ['trembl] *vi* zittern; (*ground*) beben.

tremendous [trə'mendəs] *adj* gewaltig, kolossal; (*fam: very good*) prima; **tremendously** *adv* ungeheuer, enorm; (*fam*) unheimlich.

tremor ['tremə*] *n* Zittern *nt*; (*of earth*) Beben *nt*.

trench [trentʃ] *n* Graben *m*; (*MIL*) Schützengraben *m*.

trend [trend] **1.** *n* Richtung *f*, Tendenz *f*; **2.** *vi* sich neigen, tendieren; **trendsetter** *n* Trendsetter(in) *m(f)*; **trendy** *adj* modisch; (*fam*) Schickimicki.

trepidation [trepɪ'deɪʃən] *n* Beklommenheit *f*.

trespass ['trespəs] *vi* widerrechtlich betreten (*on akk*); **trespasser** *n*: "**~s will be prosecuted**" „Betreten verboten".

trestle ['tresl] *n* Bock *m*; **trestle table** *n* Klapptisch *m*.

tri- [traɪ] *pref* Drei-, drei-.

trial ['traɪəl] *n* (*JUR*) Prozeß *m*, Verfahren *nt*; (*test*) Versuch *m*, Probe *f*; (*hardship*) Prüfung *f*; **by ~ and error** durch Ausprobieren.

triangle ['traɪæŋgl] *n* Dreieck *nt*; (*MUS*) Triangel *m*; **triangular** [traɪ'æŋgjʊlə*] *adj* dreieckig.

tribal ['traɪbəl] *adj* Stammes-.

tribe [traɪb] *n* Stamm *m*; **tribesman** *n* ⟨tribesmen⟩ Stammesangehörige(r) *m*.

tribulation [trɪbjʊ'leɪʃən] *n* Not *f*, Mühsal *f*.

tribunal [traɪ'bju:nl] *n* Gericht *nt*; (*inquiry*) Untersuchungsausschuß *m*.

tributary ['trɪbjʊtərɪ] *n* Nebenfluß *m*.

tribute ['trɪbju:t] *n* (*admiration*) Zeichen *nt* der Hochachtung.

trice [traɪs] *n*: **in a ~** im Nu.

trick [trɪk] **1.** *n* Trick *m*; (*mischief*) Streich *m*; (*habit*) Angewohnheit *f*; (*CARDS*) Stich *m*; **2.** *vt* überlisten, beschwindeln; **trickery** *n* Betrügerei *f*, Tricks *pl*.

trickle ['trɪkl] **1.** *n* Tröpfeln *nt*; (*small river*) Rinnsal *nt*; **2.** *vi* tröpfeln; (*seep*) sickern.

tricky ['trɪkɪ] *adj* (*problem*) schwierig; (*situation*) kitzlig.

tricycle ['traɪsɪkl] *n* Dreirad *nt*.

tried [traɪd] *adj* erprobt, bewährt.

trifle ['traɪfl] **1.** *n* Kleinigkeit *f*; (*GASTR*) Trifle *m* (*Süßspeise aus Früchten und Löffelbiskuits*); **2.** *adv*: **a ~** ein bißchen; **trifle with** *vi* spielen mit; **she is not someone to be ~d with** mit ihr ist nicht zu spaßen; **trifling** *adj* geringfügig.

trigger ['trɪgə*] *n* Abzug *m*, Drücker *m*; **trigger off** *vt* auslösen.

trigonometry [trɪgə'nɒmətrɪ] *n* Trigonometrie *f*.

trill [trɪl] *n* (*MUS*) Triller *m*.

trim [trɪm] **1.** *adj* ordentlich, gepflegt; (*figure*) schlank; **2.** *n* Verfassung *f*; (*embellishment, on car*) Verzierung *f*; **3.** *vt* (*clip*) schneiden; (*trees, beard*) stutzen; (*decorate*) besetzen; (*sails*) trimmen; **to give sb's hair a ~** jdm die Haare etwas nachschneiden; **trimmings** *n pl* (*decorations*) Verzierungen *pl*; (*extras*) Zubehör *nt*.

Trinity ['trɪnɪtɪ] *n*: **the ~** die Dreieinigkeit.

trinket ['trɪŋkɪt] *n* kleines Schmuckstück.

trio ['trɪəʊ] *n* ⟨-s⟩ Trio *nt*.

trip [trɪp] **1.** *n* Reise *f*; (*outing*) Ausflug *m*; **2.** *vi* (*walk quickly*) trippeln; (*stumble*) stolpern; **trip over** *vt* stolpern über +*akk*; **trip up** *vi* stolpern; (*fig*) einen Fehler machen; **2.** *vt* zu Fall bringen; (*fig*) hereinlegen.

tripe [traɪp] *n* (*food*) Kutteln *pl*; (*rubbish*) Mist *m*.

triple ['trɪpl] *adj* dreifach; **triplets** ['trɪpləts] *n pl* Drillinge *pl*; **triplicate** ['trɪplɪkət] *n*: **in ~** in dreifacher Ausfertigung.

tripod ['traɪpɒd] n Dreifuß m; (PHOT) Stativ nt.

tripper ['trɪpə*] n Ausflügler(in) m(f).

trite [traɪt] adj banal.

triumph ['traɪʌmf] **1.** n Triumph m; **2.** vi triumphieren; **triumphal** [traɪ'ʌmfəl] adj triumphal, Sieges-; **triumphant** [traɪ'ʌmfənt] adj triumphierend; (victorious) siegreich; **triumphantly** adv triumphierend; siegreich.

trivial ['trɪvɪəl] adj geringfügig, trivial; **triviality** [trɪvɪ'ælɪt] n Trivialität f, Nebensächlichkeit f.

trod [trɒd] pt of **tread**; **trodden** pp of **tread**.

trolley ['trɒlɪ] n Handwagen m; (in shop) Einkaufswagen m; (for luggage) Kofferkuli m; (table) Teewagen m; **trolley bus** n Oberleitungsbus m.

trombone [trɒm'bəʊn] n Posaune f.

troop [truːp] n Schar f; (MIL) Trupp m; ~s pl Truppen pl; **troop in/out** vi hinein-/hinausströmen; **trooper** n Kavallerist m; (US: state ~) Polizist(in) m(f).

trophy ['trəʊfɪ] n Trophäe f.

tropic ['trɒpɪk] n Wendekreis m; **the** ~s pl die Tropen pl; **tropical** adj tropisch.

trot [trɒt] **1.** n Trott m; **2.** vi trotten.

trouble ['trʌbl] **1.** n (worry) Sorge f, Kummer m; (in country, industry) Unruhen pl; (effort) Umstand m, Mühe f; **2.** vt (disturb) beunruhigen, stören, belästigen; **to take the** ~ **to do sth** sich die Mühe machen, etw zu tun; **to make** ~ Schwierigkeiten [o Ärger] machen; **to have** ~ **with** Ärger haben mit; **to be in** ~ Probleme [o Ärger] haben; **troubled** adj (person) beunruhigt; (country) geplagt; **trouble-free** adj sorglos; **troublemaker** n Unruhestifter(in) m(f); **troubleshooter** n (TECH) Störungssucher(in) m(f); (POL, COMM) Vermittler(in) m(f); **troublesome** adj lästig, unangenehm; (child) schwierig.

trough [trɒf] n (vessel) Trog m; (channel) Rinne f, Kanal m; (METEO) Tief nt.

trousers ['traʊzəz] n pl Hose f, Hosen pl.

trout [traʊt] n Forelle f.

trowel ['traʊəl] n Kelle f.

truant ['trʊənt] n: **to play** ~ die Schule schwänzen.

truce [truːs] n Waffenstillstand m.

truck [trʌk] n Lastwagen m, Lastauto nt; (small) Lieferwagen m; (RAIL) offener Güterwagen; (barrow) Gepäckkarren m; **truck driver** n Lastwagenfahrer(in) m(f); **truck farm** n (US) Gemüsegärtnerei f.

truculent ['trʌkjʊlənt] adj trotzig.

trudge [trʌdʒ] vi sich mühselig dahinschleppen.

true [truː] adj (exact) wahr; (genuine) echt;

(friend) treu.

truffle ['trʌfl] n Trüffel f.

truly ['truːlɪ] adv (really) wirklich; (exactly) genau; (faithfully) treu; **yours** ~ ... Hochachtungsvoll.

trump [trʌmp] n (CARDS) Trumpf m; **trumped-up** adj erfunden.

trumpet ['trʌmpɪt] **1.** n Trompete f; **2.** vt ausposaunen; **3.** vi trompeten.

truncated [trʌŋ'keɪtɪd] adj verstümmelt.

truncheon ['trʌntʃən] n Gummiknüppel m.

trunk [trʌŋk] n (of tree) Baumstamm m; (ANAT) Rumpf m; (box) Truhe f; Überseekoffer m; (of elephant) Rüssel m; ~s pl Badehose f; **trunk call** n Ferngespräch nt.

trust [trʌst] **1.** n (confidence) Vertrauen nt; (for property etc) Treuhandvermögen nt; **2.** vt vertrauen +dat; (rely on) sich verlassen auf +akk; (hope) hoffen; ~ **him to break it!** er muß es natürlich kaputt machen, typisch!; **to** ~ **sb with sth** jdm etw anvertrauen; **trusted** adj treu; **trustee** [trʌ'stiː] n Vermögensverwalter(in) m(f); **trustful**, **trusting** adj vertrauensvoll; **trustworthy** adj vertrauenswürdig; (account) glaubwürdig; **trusty** adj treu, zuverlässig.

truth [truːθ] n Wahrheit f; **truthful** adj ehrlich; **truthfully** adv wahrheitsgemäß; **truthfulness** n Ehrlichkeit f; (of statement) Wahrheit f.

try [traɪ] **1.** n Versuch m; **2.** vt (attempt) versuchen; (test) ausprobieren; (JUR: person) unter Anklage stellen; (case) verhandeln; (strain) anstrengen; (courage, patience) auf die Probe stellen; **3.** vi (make effort) versuchen, sich bemühen; **to have a** ~ es versuchen; **try on** vt (dress) anprobieren; (hat) aufprobieren; **try out** vt ausprobieren; **trying** adj schwierig; ~ **for** anstrengend für.

tsar [zɑː*] n Zar m; **tsarina** [tsɑː'riːnə] n Zarin f.

T-shirt ['tiːʃɜːt] n T-shirt nt; **T-square** n Reißschiene f.

tub [tʌb] n Wanne f, Kübel m; (for margarine etc) Becher m.

tubby ['tʌbɪ] adj rundlich, klein und dick.

tube [tjuːb] n (pipe) Röhre f, Rohr nt; (for toothpaste etc) Tube f; (in London) U-Bahn f; (AUTO: for tyre) Schlauch m; **tubeless** adj (tyre) schlauchlos.

tuber ['tjuːbə*] n Knolle f.

tuberculosis [tjʊbɜːkjʊ'ləʊsɪs] n Tuberkulose f.

tube station ['tjuːbsteɪʃən] n U-Bahn-Station f.

tubular ['tjuːbjʊlə*] adj röhrenförmig.

tuck [tʌk] **1.** n Saum m; (ornamental) Biese f; **2.** vt (put) stecken; (gather) fälteln; **tuck away** vt wegstecken; **tuck in 1.** vt hineinstecken; (*blanket etc*) feststecken; (*person*) zudecken; **2.** *vi* (*eat*) zulangen; **tuck up** *vt* (*child*) warm zudecken; **tuck shop** *n* Süßwarenladen *m*.

Tuesday [ˈtjuːzdeɪ] *n* Dienstag *m*; **on ~** am Dienstag; **on ~s, on a ~** dienstags.

tuft [tʌft] *n* Büschel *m*.

tug [tʌg] **1.** *n* (*jerk*) Zerren *nt*, Ruck *m*; (NAUT) Schleppdampfer *m*; **2.** *vt, vi* zerren, ziehen; (*boat*) schleppen; **tug-of-war** *n* Tauziehen *nt*.

tuition [tjuˈɪʃən] *n* Unterricht *m*.

tulip [ˈtjuːlɪp] *n* Tulpe *f*.

tumble [ˈtʌmbl] **1.** *n* (*fall*) Sturz *m*; **2.** *vi* (*fall*) fallen, stürzen; **tumble to** *vt* kapieren; **tumbledown** *adj* baufällig; **tumbler** *n* (*glass*) Trinkglas *nt*, Wasserglas *nt*; (*for drying*) Trockenautomat *m*.

tummy [ˈtʌmɪ] *n* (*fam*) Bauch *m*.

tumour [ˈtjuːmə*] *n* Tumor *m*, Geschwulst *f*.

tumult [ˈtjuːmʌlt] *n* Tumult *m*; **tumultuous** [tjuːˈmʌltjʊəs] *adj* lärmend, turbulent.

tumulus [ˈtjuːmjʊləs] *n* Grabhügel *m*.

tuna [ˈtjuːnə] *n* Thunfisch *m*.

tune [tjuːn] **1.** *n* Melodie *f*; **2.** *vt* (*put in tune*) stimmen; (AUTO) richtig einstellen; **to sing in/out of ~** richtig/falsch singen; **to be out of ~ with** nicht harmonieren mit; **tune in** *vi* einstellen (*to akk*); **tune up** *vi* (MUS) stimmen; **tuneful** *adj* melodisch; **tuner** *n* (*person*) Instrumentenstimmer(in) *m(f)*; (*radio set*) Empfangsgerät *nt*, Steuergerät *nt*; **tuner-amplifier** *n* Steuergerät *nt*, Tuner *m*.

Tunesia [tjuːˈnɪzɪə] *n* Tunesien *nt*.

tungsten [ˈtʌŋstən] *n* Wolfram *nt*.

tunic [ˈtjuːnɪk] *n* Waffenrock *m*; (*loose garment*) Kasack *m*; (*of school uniform*) Kittel *m*.

tuning [ˈtjuːnɪŋ] *n* (RADIO, AUT) Einstellen *nt*; (MUS) Stimmen *nt*.

tunnel [ˈtʌnl] *n* Tunnel *m*; (*under road, railway*) Unterführung *f*.

tunny [ˈtʌnɪ] *n* Thunfisch *m*.

turban [ˈtɜːbən] *n* Turban *m*.

turbid [ˈtɜːbɪd] *adj* trübe; (*fig*) verworren.

turbine [ˈtɜːbaɪn] *n* Turbine *f*; **turbine-engine** *n* (AUTO) Turbomotor *m*.

turbocharger [ˈtɜːbəʊtʃɑːdʒə*] *n* Turbolader *m*.

turbot [ˈtɜːbət] *n* Steinbutt *m*.

turbulence [ˈtɜːbjʊləns] *n* (AVIAT) Turbulenz *f*; **turbulent** *adj* stürmisch.

tureen [təˈriːn] *n* Terrine *f*.

turf [tɜːf] *n* (*-s o* turves) Rasen *m*; (*piece*) Sode *f*.

Turk [tɜːk] *n* Türke *m*, Türkin *f*.

turkey [ˈtɜːkɪ] *n* Puter *m*, Truthahn *m*.

Turkey [ˈtɜːkɪ] *n* die Türkei; **Turkish** *adj* türkisch.

turmoil [ˈtɜːmɔɪl] *n* Aufruhr *m*, Tumult *m*.

turn [tɜːn] **1.** *n* (*rotation*) Umdrehung *f*; (*performance*) Programmnummer *f*; (MED) Schock *m*; **2.** *vt* (*rotate*) drehen; (*change position of*) umdrehen, wenden; (*page*) umblättern; (*transform*) verwandeln; (*direct*) zuwenden; **3.** *vi* (*rotate*) sich drehen; (*change direction: in car*) abbiegen; (*wind*) drehen; (*~ round*) umdrehen, wenden; (*become*) werden; (*leaves*) sich verfärben; (*milk*) sauer werden; (*weather*) umschlagen; **the ~ of the tide** der Gezeitenwechsel; **the ~ of the century** die Jahrhundertwende; **in ~, by ~s** abwechselnd; **to make a ~ to the left** nach links abbiegen; **to take a ~ for the worse** sich zum Schlechteren wenden; **to take ~s** sich abwechseln; **to ~ sb loose** jdn loslassen, jdn freilassen; **to do sb a good/bad ~** jdm einen guten/schlechten Dienst erweisen; **it's your ~** du bist dran [o an der Reihe]; **it gave me quite a ~** das hat mich schön erschreckt; **turn back 1.** *vt* umdrehen; (*person*) zurückschicken; (*clock*) zurückstellen; **2.** *vi* umkehren; **turn down 1.** *vt* (*refuse*) ablehnen; (*fold down*) umschlagen; **turn in 1.** *vi* (*go to bed*) ins Bett gehen; **2.** *vt* (*fold inwards*) einwärts biegen; (*give in*) sich verwandeln *+akk*; **turn off 1.** *vi* abbiegen; **2.** *vt* ausschalten; (*tap*) zudrehen; (*machine, electricity*) abstellen; **turn on** *vt* (*light*) anschalten, einschalten; (*tap*) aufdrehen; (*machine*) anstellen; (*fam: person*) anmachen, anturnen; **turn out 1.** *vi* (*prove to be*) sich herausstellen, sich erweisen; (*people*) sich entwickeln; **2.** *vt* (*light*) ausschalten; (*gas*) abstellen; (*produce*) produzieren; **how did the cake ~ ~?** wie ist der Kuchen geworden?; **turn to** *vt* sich zuwenden *+dat*; **turn up 1.** *vi* auftauchen; (*happen*) passieren, sich ereignen; **2.** *vt* (*collar*) hochklappen, hochstellen; (*nose*) rümpfen; (*radio*) lauter stellen; (*heat*) höher drehen; **turnabout** *n* Kehrtwendung *f*; **turned-up** *adj* (*nose*) Stups-; **turning** *n* (*in road*) Abzweigung *f*; **~ point** Wendepunkt *m*.

turnip [ˈtɜːnɪp] *n* Steckrübe *f*.

turnout [ˈtɜːnaʊt] *n* Besucherzahl *f*; (COMM) Produktion *f*.

turnover [ˈtɜːnəʊvə*] *n* Umsatz *m*; (*of staff*) Fluktuation *f*; **~ tax** Unsatzsteuer *f*.

turnpike [ˈtɜːnpaɪk] *n* (US) gebührenpflichtige Autobahn; (*place*) Mautschranke *f*.

turnstile [ˈtɜːnstaɪl] *n* Drehkreuz *nt*.

turntable [ˈtɜːnteɪbl] *n* (*of record-player*) Plattenteller *m*; (RAIL) Drehscheibe *f*.

turn-up [ˈtɜːnʌp] *n* (*on trousers*) Aufschlag *m*.

turpentine ['tɜ:pəntaɪn] *n* Terpentin *nt*.

turquoise ['tɜ:kwɔɪz] **1.** *n* (*gem*) Türkis *m*; (*colour*) Türkis *nt*; **2.** *adj* türkisfarben.

turret ['tʌrɪt] *n* Turm *m*.

turtle ['tɜ:tl] *n* Schildkröte *f*.

Tuscany ['tʌskənɪ] *n* die Toskana.

tusk [tʌsk] *n* Stoßzahn *m*.

tutor ['tju:tə*] *n* (*teacher*) Privatlehrer(in) *m(f)*; (*Brit: university*) Tutor(in) *m(f)*; **tutorial** [tju:'tɔ:rɪəl] *n* (*SCH*) Kolloquium *nt*, Seminarübung *f*.

tuxedo [tʌk'si:dəʊ] *n* (*-s*) (*US*) Smoking *m*.

TV ['ti:'vi:] **1.** *n* Fernseher *m*; **2.** *adj* Fernseh-; ~ **satellite** Fernsehsatellit *m*.

twang [twæŋ] **1.** *n* scharfer Ton; (*of voice*) Näseln *nt*; **2.** *vt* zupfen; **3.** *vi* klingen; (*talk*) näseln.

tweed [twi:d] *n* Tweed *m*.

tweezers ['twi:zəz] *n pl* Pinzette *f*.

twelfth [twelfθ] *adj* zwölfte(r, s); **Twelfth Night** Dreikönigsabend *m*.

twelve [twelv] *num* zwölf.

twenty ['twentɪ] *num* zwanzig; **twenty-one** *num* einundzwanzig; **twenty-two** *num* zweiundzwanzig.

twerp [twɜ:p] *n* (*fam*) Hollkopf *m*.

twice [twaɪs] *adv* zweimal; ~ **as much** doppelt soviel; ~ **my age** doppelt so alt wie ich.

twig [twɪg] **1.** *n* dünner Zweig; **2.** *vt* (*fam*) kapieren, merken.

twilight ['twaɪlaɪt] *n* Dämmerung *f*, Zwielicht *nt*.

twin [twɪn] **1.** *n* Zwilling *m*; **2.** *adj* Zwillings-; (*very similar*) Doppel-.

twinge [twɪndʒ] *n* stechender Schmerz, Stechen *nt*.

twinkle ['twɪŋkl] **1.** *n* Funkeln *nt*, Blitzen *nt*; **2.** *vi* funkeln.

twinning ['twɪnɪŋ] Städtepartnerschaft *f*; **twin town** *n* Partnerstadt *f*.

twirl [twɜ:l] **1.** *n* Wirbel *m*; **2.** *vt*, *vi* herumwirbeln.

twist [twɪst] **1.** *n* (*twisting*) Biegen *nt*, Drehung *f*; (*bend*) Kurve *f*; **2.** *vt* (*turn*) drehen; (*make crooked*) verbiegen; (*distort*) verdrehen; **3.** *vi* (*wind*) sich drehen; (*curve*) sich winden.

twit [twɪt] *n* (*fam*) Idiot *m*.

twitch [twɪtʃ] *vi* zucken.

two [tu:] *num* zwei; **to break in** ~ in zwei Teile brechen; ~ **by** ~ zu zweit; **to be in** ~ **minds** nicht genau wissen; **to put** ~ **and** ~ **together** seine Schlüsse ziehen; **two-door** *adj* zweitürig; **two-faced** *adj* falsch; **twofold** *adj*, *adv* zweifach, doppelt; **two-piece** *adj* zweiteilig; **two-seater** *n* (*plane, car*) Zweisitzer *m*; **twosome** *n* Paar *nt*; **in a** ~ zu zweit; **two-way** *adj* in beide Richtungen; (*traffic*) Gegen-; (*street*) mit Gegenverkehr; (*switch*) Wechsel-; ~

adaptor Doppelstecker *m*; ~ **radio** Funksprechgerät *nt*.

tycoon [taɪ'ku:n] *n* Magnat *m*.

type [taɪp] **1.** *n* Typ *m*, Art *f*; (*TYP*) Type *f*; **in** ~ gedruckt; **2.** *vt*, *vi* maschineschreiben, tippen; **type-cast** *adj* (*THEAT. TV*) auf eine Rolle festgelegt; **typeface** *n* Schriftart *f*; **typescript** *n* maschinegeschriebener Text, Typoskript *nt*; **typewriter** *n* Schreibmaschine *f*; **typewritten** *adj* maschinegeschrieben.

typhoid ['taɪfɔɪd] *n* Typhus *m*.

typhoon [taɪ'fu:n] *n* Taifun *m*.

typhus ['taɪfəs] *n* Flecktyphus *m*.

typical *adj*, **typically** *adv* ['tɪpɪkəl, -klɪ] typisch (*of* für).

typify ['tɪpɪfaɪ] *vt* typisch sein für.

typing ['taɪpɪŋ] *n* Maschineschreiben *nt*; **typist** ['taɪpɪst] *n* Schreibkraft *f*.

typography [taɪ'pɒgrəfɪ] *n* Typographie *f*; (*subject also*) Buchdruckerkunst *f*.

tyranny ['tɪrənɪ] *n* Tyrannei *f*, Gewaltherrschaft *f*; **tyrant** ['taɪərənt] *n* Tyrann(in) *m(f)*.

tyre [taɪə*] *n* Reifen *m*.

U

U, u [ju:] *n* U *nt*, u *nt*.

ubiquitous [ju:'bɪkwɪtəs] *adj* überall zu finden; allgegenwärtig.

udder ['ʌdə*] *n* Euter *nt*.

UFO ['ju:fəʊ] *n acr of* **unidentified flying object** Ufo *nt*.

Uganda [ju:'gændə] *n* Uganda *nt*.

Ugandan [ju:'gændən] **1.** *adj* ugandisch; **2.** *n* Ugander(in) *m(f)*.

ugliness ['ʌglɪnəs] *n* Häßlichkeit *f*.

ugly ['ʌglɪ] *adj* häßlich; (*bad*) böse, schlimm.

UK *n abbr of* **United Kingdom** Vereinigtes Königreich.

ukulele [ju:kə'leɪlɪ] *n* Ukulele *f*.

ulcer ['ʌlsə*] *n* Geschwür *nt*.

ulterior [ʌl'tɪərɪə*] *adj*: ~ **motive** Hintergedanke *m*.

ultimate ['ʌltɪmət] *adj* äußerste(r, s), allerletzte(r, s); (*perfect*) vollendet, perfekt; **ultimately** *adv* schließlich, letzten Endes.

ultimatum [ʌltɪ'meɪtəm] *n* Ultimatum *nt*.

ultra- ['ʌltrə] *pref* ultra-.

ultrasound ['ʌltrəsaʊnd] *n* (*US MED*) Ultraschallaufnahme *f*.

ultraviolet [ʌltrə'vaɪələt] *adj* ultraviolett.

umbilical cord [ʌm'bɪlɪkl'kɔ:d] *n* Nabelschnur *f*.

umbrage ['ʌmbrɪdʒ] *n*: **to take** ~ Anstoß nehmen (*at* an +*dat*).

umbrella [ʌmˈbrelə] *n* Schirm *m*.

umpire [ˈʌmpaɪə*] **1.** *n* Schiedsrichter(in) *m(f)*; **2.** *vt, vi* schiedsrichtern.

umpteen [ˈʌmptiːn] *num* (*fam*) zig.

un- [ʌn] *pref* un-.

UN *n sing abbr of* **United Nations** UNO *f*.

unabashed [ʌnəˈbæʃt] *adj* unerschrocken.

unabated [ʌnəˈbeɪtɪd] *adj* unvermindert.

unable [ʌnˈeɪbl] *adj* außerstande; **to be ~ to do sth** etw nicht tun können.

unaccompanied [ʌnəˈkʌmpənɪd] *adj* ohne Begleitung.

unaccountably [ʌnəˈkaʊntəblɪ] *adv* unerklärlicherweise.

unaccustomed [ʌnəˈkʌstəmd] *adj* nicht gewöhnt (*to an* +*akk*); (*unusual*) ungewohnt.

unadulterated [ʌnəˈdʌltəreɪtɪd] *adj* rein, unverfälscht.

unaided [ʌnˈeɪdɪd] *adj* selbständig, ohne Hilfe.

unanimity [juːnəˈnɪmɪtɪ] *n* Einstimmigkeit *f*; **unanimous** *adj*, **unanimously** *adv* [juːˈnænɪməs, -lɪ] einmütig; (*vote*) einstimmig.

unattached [ʌnəˈtætʃt] *adj* ungebunden.

unattended [ʌnəˈtendɪd] *adj* (*person*) unbeaufsichtigt; (*thing*) unbewacht.

unattractive [ʌnəˈtræktɪv] *adj* unattraktiv.

unauthorized [ʌnˈɔːθəraɪzd] *adj* unbefugt.

unavoidable *adj*, **unavoidably** *adv* [ʌnəˈvɔɪdəbl, -blɪ] unvermeidlich.

unaware [ʌnəˈwɛə*] *adj*: **to be ~ of sth** *dat* einer Sache nicht bewußt sein; **unawares** *adv* unversehens.

unbalanced [ʌnˈbælənst] *adj* unausgeglichen; (*mentally*) gestört.

unbearable [ʌnˈbɛərəbl] *adj* unerträglich.

unbeatable [ʌnˈbiːtəbl] *adj* unschlagbar.

unbecoming [ʌnbɪˈkʌmɪŋ] *adj* (*dress*) unkleidsam; (*behaviour*) unpassend, unschicklich.

unbelievable [ʌnbɪˈliːvəbl] *adj* unglaublich.

unbend [ʌnˈbend] *irr* **1.** *vt* geradebiegen, gerademachen; **2.** *vi* aus sich herausgehen.

unbreakable [ʌnˈbreɪkəbl] *adj* unzerbrechlich.

unbridled [ʌnˈbraɪdld] *adj* ungezügelt.

unbroken [ʌnˈbrəʊkən] *adj* (*period*) ununterbrochen; (*spirit*) ungebrochen; (*record*) unübertroffen.

unburden [ʌnˈbɜːdn] *vr*: **~ oneself** sein Herz ausschütten.

unbutton [ʌnˈbʌtn] *vt* aufknöpfen.

uncalled-for [ʌnˈkɔːldfɔː*] *adj* unnötig.

uncanny [ʌnˈkænɪ] *adj* unheimlich.

unceasing [ʌnˈsiːsɪŋ] *adj* unaufhörlich.

uncertain [ʌnˈsɜːtn] *adj* unsicher; (*doubtful*) ungewiß; (*unreliable*) unbeständig;

(*vague*) undeutlich, vage; **uncertainty** *n* Ungewißheit *f*.

unchanged [ʌnˈtʃeɪndʒd] *adj* unverändert.

uncharitable [ʌnˈtʃærɪtəbl] *adj* hartherzig; (*remark*) unfreundlich, lieblos.

uncharted [ʌnˈtʃɑːtɪd] *adj* nicht verzeichnet.

unchecked [ʌnˈtʃekt] *adj* ungeprüft; (*not stopped: advance*) ungehindert.

uncivil [ʌnˈsɪvɪl] *adj* unhöflich, grob.

uncle [ˈʌŋkl] *n* Onkel *m*.

uncomfortable [ʌnˈkʌmfətəbl] *adj* unbequem, ungemütlich.

uncompromising [ʌnˈkɒmprəmaɪzɪŋ] *adj* kompromißlos, unnachgiebig.

unconditional [ʌnkənˈdɪʃənl] *adj* bedingungslos.

uncongenial [ʌnkənˈdʒiːnɪəl] *adj* unangenehm.

unconscious [ʌnˈkɒnʃəs] *adj* (*MED*) bewußtlos; (*not aware*) nicht bewußt (*of gen*) (*not meant*) unbeabsichtigt; **the ~** das Unbewußte; **unconsciously** *adv* unwissentlich, unbewußt; **unconsciousness** *n* Bewußtlosigkeit *f*.

uncontrollable [ʌnkənˈtrəʊləbl] *adj* unkontrollierbar, unbändig.

uncork [ʌnˈkɔːk] *vt* entkorken.

uncouth [ʌnˈkuːθ] *adj* grob, ungehobelt.

uncover [ʌnˈkʌvə*] *vt* aufdecken.

unctuous [ˈʌŋktjʊəs] *adj* salbungsvoll.

undaunted [ʌnˈdɔːntɪd] *adj* unerschrocken.

undecided [ʌndɪˈsaɪdɪd] *adj* unschlüssig.

undeniable [ʌndɪˈnaɪəbl] *adj* unleugbar, unbestreitbar; **undeniably** *adv* unbestreitbar.

under [ˈʌndə*] **1.** *prep* unter; **2.** *adv* darunter; **~ repair** in Reparatur; **under-age** *adj* minderjährig.

undercarriage [ˈʌndəkærɪdʒ] *n* Fahrgestell *nt*.

underclothes [ˈʌndəkləʊðz] *n pl* Unterwäsche *f*.

undercoat [ˈʌndəkəʊt] *n* (*paint*) Grundierung *f*.

undercover [ˈʌndəkʌvə*] *adj* Geheim-.

undercut [ˈʌndəkʌt] *irr vt* unterbieten.

underdeveloped [ʌndədɪˈveləpt] *adj* Entwicklungs-, unterentwickelt.

underdog [ˈʌndədɒg] *n* Unterlegene(r) *mf*; (*in society*) Benachteiligte(r) *mf*.

underdone [ʌndəˈdʌn] *adj* (*GASTR*) nicht gar, nicht durchgebraten.

underestimate [ʌndərˈestɪmeɪt] *vt* unterschätzen.

underexposed [ʌndərɪksˈpəʊzd] *adj* unterbelichtet.

underfed [ʌndəˈfed] *adj* unterernährt.

undergo [ʌndəˈgəʊ] *irr vt* (*experience*) durchmachen; (*operation, test*) sich unter ziehen +dat.

undergraduate [ʌndə'grædjʊət] n Student(in) m(f).

underground ['ʌndəgraʊnd] **1.** n Untergrundbahn f, U-Bahn f; **2.** adj (press etc) Untergrund-.

undergrowth ['ʌndəgrəʊθ] n Gestrüpp nt, Unterholz nt.

underhand [ʌndə'hænd] adj hinterhältig.

underlie [ʌndə'laɪ] irr vt (form the basis of) zugrundeliegen +dat.

underline [ʌndə'laɪn] vt unterstreichen; (emphasize) betonen.

underling ['ʌndəlɪŋ] n (pej) Untergebene(r) mf; (subordinate) Befehlsempfänger(in) m(f).

undermine [ʌndə'maɪn] vt unterhöhlen; (fig) unterminieren, untergraben.

underneath [ʌndə'niːθ] **1.** adv darunter; **2.** prep unter.

underpaid [ʌndə'peɪd] adj unterbezahlt.

underpants ['ʌndəpænts] n pl Unterhose f.

underpass ['ʌndəpɑːs] n Unterführung f.

underprice [ʌndə'praɪs] vt zu niedrig ansetzen.

underprivileged [ʌndə'prɪvɪlɪdʒd] adj benachteiligt, unterprivilegiert.

underrate [ʌndə'reɪt] vt unterschätzen.

undershirt ['ʌndəʃɜːt] n (US) Unterhemd nt.

undershorts ['ʌndəʃɔːts] n pl (US) Unterhose f.

underside ['ʌndəsaɪd] n Unterseite f.

underskirt ['ʌndəskɜːt] n Unterrock m.

understand [ʌndə'stænd] irr vt verstehen; **I ~ that ...** ich habe gehört, daß ...; **am I to ~ that ...** soll das etwa heißen, daß ...; **what do you ~ by that?** was verstehen Sie darunter?; **it is understood that ...** es wurde vereinbart, daß ...; **to make oneself understood** sich verständlich machen; **is that understood?** ist das klar?; **understandable** adj verständlich; **understanding 1.** n Verständnis nt; **2.** adj verständnisvoll.

understatement ['ʌndəsteɪtmənt] n Untertreibung f, Understatement nt.

understudy ['ʌndəstʌdɪ] n (THEAT) zweite Besetzung f, Stellvertreter(in) m(f).

undertake [ʌndə'teɪk] irr **1.** vt unternehmen; **2.** vi (promise) sich verpflichten; **undertaker** n Leichenbestatter(in) m(f); **~'s** Beerdigungsinstitut nt; **undertaking** n (enterprise) Unternehmen nt; (promise) Verpflichtung f.

underwater [ʌndə'wɔːtə*] **1.** adv unter Wasser, **2.** adj Unterwasser-.

underwear ['ʌndəweə*] n Unterwäsche f.

underweight [ʌndə'weɪt] adj: **to be ~** Un-

tergewicht haben.

underworld ['ʌndəwɜːld] n (of crime) Unterwelt f.

underwrite [ʌndə'raɪt] vt (shares) garantieren; (enterprise) finanzieren.

underwriter ['ʌndəraɪtə*] n Assekurant(in) m(f).

undesirable [ʌndɪ'zaɪərəbl] adj unerwünscht.

undies ['ʌndɪz] n pl (fam) Damenunterwäsche f.

undiscovered [ʌndɪs'kʌvəd] adj unentdeckt.

undisputed [ʌndɪ'spjuːtɪd] adj unbestritten.

undo [ʌn'duː] irr vt (unfasten) öffnen, aufmachen; (work) zunichte machen; **undoing** n Verderben nt.

undoubted [ʌn'daʊtɪd] adj unbezweifelt; **undoubtedly** adv zweifellos, ohne Zweifel.

undress [ʌn'drɛs] vt, vi ausziehen.

undue [ʌn'djuː] adj übermäßig.

undulating ['ʌndjʊleɪtɪŋ] adj wellenförmig; (country) wellig, hügelig.

unduly [ʌn'djuːlɪ] adv übermäßig.

unearth [ʌn'ɜːθ] vt (dig up) ausgraben; (discover) ans Licht bringen; **unearthly** adj schauerlich.

unease [ʌn'iːz] n Unbehagen nt; (public) Unruhe f; **uneasy** adj (worried) unruhig; (feeling) ungut; (embarrassed) unbequem; **I feel ~ about it** mir ist nicht wohl dabei; **to make sb ~** jdm beunruhigen.

uneconomical [ʌniːkə'nɒmɪkəl] adj unwirtschaftlich.

uneducated [ʌn'edjʊkeɪtɪd] adj ungebildet.

unemployed [ʌnɪm'plɔɪd] adj arbeitslos; **the ~** pl die Arbeitslosen pl; **unemployment** [ʌnɪm'plɔɪmənt] n Arbeitslosigkeit f; **~ benefit** Arbeitslosenhilfe f.

unending [ʌn'endɪŋ] adj endlos.

unenviable [ʌn'envɪəbl] adj wenig beneidenswert.

unerring [ʌn'ɜːrɪŋ] adj unfehlbar.

uneven [ʌn'iːvən] adj (surface) uneben; (quality) ungleichmäßig.

unfair adj, **unfairly** adv [ʌn'fɛə*, -əlɪ] ungerecht, unfair.

unfaithful [ʌn'feɪθfʊl] adj untreu.

unfasten [ʌn'fɑːsn] vt öffnen, aufmachen.

unfavorable (US), **unfavourable** [ʌn'feɪvərəbl] adj ungünstig.

unfeeling [ʌn'fiːlɪŋ] adj gefühllos, kalt.

unfinished [ʌn'fɪnɪʃt] adj unvollendet; (business) unerledigt.

unfit [ʌn'fɪt] adj ungeeignet (for zu, für); (in bad health) nicht fit.

unflagging [ʌn'flægɪŋ] adj unermüdlich.

unflappable [ʌn'flæpəbl] adj unerschütterlich.

unflinching [ʌnˈflɪntʃɪŋ] adj unerschrocken.

unfold [ʌnˈfəʊld] **1.** vt entfalten; (paper) auseinanderfalten; **2.** vi (develop) sich entfalten.

unforeseen [ʌnfɔːˈsiːn] adj unvorhergesehen.

unforgivable [ʌnfəˈgɪvəbl] adj unverzeihlich.

unfortunate [ʌnˈfɔːtʃnət] adj unglücklich, bedauerlich; **unfortunately** adv leider.

unfounded [ʌnˈfaʊndɪd] adj unbegründet.

unfriendly [ʌnˈfrendlɪ] adj unfreundlich.

unfurnished [ʌnˈfɜːnɪʃt] adj unmöbliert.

ungainly [ʌnˈgeɪnlɪ] adj linkisch, unbeholfen.

ungodly [ʌnˈgɒdlɪ] adj (hour) unchristlich; (row) heillos.

unguarded [ʌnˈgɑːdɪd] adj (moment) unbewacht.

unhappiness [ʌnˈhæpɪnəs] n Unglück nt, Unglückseligkeit f; **unhappy** adj unglücklich.

unharmed [ʌnˈhɑːmd] adj wohlbehalten, unversehrt.

unhealthy [ʌnˈhelθɪ] adj ungesund.

unheard-of [ʌnˈhɜːdɒv] adj unerhört.

unhurt [ʌnˈhɜːt] adj unverletzt.

unicorn [ˈjuːnɪkɔːn] n Einhorn nt.

unidentified [ʌnaɪˈdentɪfaɪd] adj unbekannt, nicht identifiziert; ~ **flying object** unbekanntes Flugobjekt.

unification [juːnɪfɪˈkeɪʃən] n Vereinigung f.

uniform [ˈjuːnɪfɔːm] **1.** n Uniform f; **2.** adj einheitlich; **uniformity** [juːnɪˈfɔːmɪtɪ] n Einheitlichkeit f.

unify [ˈjuːnɪfaɪ] vt vereinigen.

unilateral [juːnɪˈlætərəl] adj einseitig.

unimaginable [ʌnɪˈmædʒɪnəbl] adj unvorstellbar.

uninjured [ʌnˈɪndʒəd] adj unverletzt.

unintentional [ʌnɪnˈtenʃənl] adj unabsichtlich.

union [ˈjuːnjən] n (uniting) Vereinigung f; (alliance) Bund m, Union f; (trade ~) Gewerkschaft f; **Union Jack** Union Jack m (britische Flagge).

unique [juːˈniːk] adj einzigartig, einmalig.

unisex [ˈjuːnɪseks] n Unisexmode f.

unison [ˈjuːnɪsn] n Einstimmigkeit f; **in** ~ einstimmig.

unit [ˈjuːnɪt] n Einheit f.

unite [juːˈnaɪt] **1.** vt vereinigen; **2.** vi sich vereinigen; **united** adj vereinigt; (together) vereint; **United Kingdom** Vereinigtes Königreich; **United Nations** pl Vereinte Nationen pl; **United States of America** pl Vereinigte Staaten von Amerika pl.

unity [ˈjuːnɪtɪ] n Einheit f; (agreement) Einigkeit f.

universal adj, **universally** ad [juːnɪˈvɜːsəl, -ɪ] allgemein.

universe [ˈjuːnɪvɜːs] n All nt, Universum n

university [juːnɪˈvɜːsɪtɪ] n Universität f.

unjust [ʌnˈdʒʌst] adj ungerecht.

unjustifiable [ʌndʒʌstɪˈfaɪəbl] adj ung rechtfertigt.

unkempt [ʌnˈkempt] adj ungepflegt, ve wahrlost.

unkind [ʌnˈkaɪnd] adj unfreundlich.

unknown [ʌnˈnəʊn] adj unbekannt (dat).

unleaded [ʌnˈledɪd] adj bleifrei, unverble

unleash [ʌnˈliːʃ] vt entfesseln.

unleavened [ʌnˈlevnd] adj ungesäuert.

unless [ənˈles] conj wenn nicht, es sei der . . .

unlicensed [ʌnˈlaɪsənst] adj (to sell alc hol) unkonzessioniert.

unlike [ʌnˈlaɪk] **1.** adj unähnlich; **2.** prep i Gegensatz zu.

unlimited [ʌnˈlɪmɪtɪd] adj unbegrenzt.

unlisted [ʌnˈlɪstɪd] adj: **to have an** ~ **nur ber** nicht im Telefonbuch stehen, eine G heimnummer haben.

unload [ʌnˈləʊd] vt entladen.

unlock [ʌnˈlɒk] vt aufschließen.

unmannerly [ʌnˈmænəlɪ] adj unmanic lich.

unmarried [ʌnˈmærɪd] adj unverheirate ledig.

unmask [ʌnˈmɑːsk] vt demaskieren; (fig entlarven.

unmistakable [ʌnmɪˈsteɪkəbl] adj unve kennbar; **unmistakably** [ʌnmɪˈsteɪkəb adv unverwechselbar, unverkennbar.

unmitigated [ʌnˈmɪtɪgeɪtɪd] adj ungem dert, ganz.

unnecessary [ʌnˈnesəsərɪ] adj unnötig.

unobtainable [ʌnəbˈteɪnəbl] adj: **this nur ber is** ~ kein Anschluß unter dieser Nur mer.

unoccupied [ʌnˈɒkjʊpaɪd] adj (seat) frei.

unopened [ʌnˈəʊpənd] adj ungeöffnet.

unorthodox [ʌnˈɔːθədɒks] adj unorth dox.

unpack [ʌnˈpæk] vt, vi auspacken.

unpalatable [ʌnˈpælətəbl] adj (foo drink) ungenießbar; (truth) bitter.

unparalleled [ʌnˈpærəleld] adj beispiellos

unpleasant [ʌnˈpleznt] adj unangenehm.

unplug [ʌnˈplɒg] vt den Stecker herauszi hen von.

unpopular [ʌnˈpɒpjʊlə*] adj unbeliebt, u populär.

unprecedented [ʌnˈpresɪdəntɪd] adj noc nie dagewesen; beispiellos.

unqualified [ʌnˈkwɒlɪfaɪd] adj (success uneingeschränkt, voll; (person) unqualifi ziert.

unravel [ʌnˈrævəl] vt entwirren; (knitting) aufziehen; (fig) entwirren.

unreal [ʌnˈrɪəl] adj unwirklich.

unreasonable [ʌnˈriːznəbl] adj unvernünftig; (demand) übertrieben; **that's ~** das ist zuviel verlangt.

unrelenting [ʌnrɪˈlentɪŋ] adj unerbittlich.

unrelieved [ʌnrɪˈliːvd] adj (monotony) ungemildert.

unrepeatable [ʌnrɪˈpiːtəbl] adj nicht zu wiederholen.

unrest [ʌnˈrest] n (discontent) Unruhe f; (fighting) Unruhen pl.

unruly [ʌnˈruːlɪ] adj (child) wild, ungebärdig.

unsafe [ʌnˈseɪf] adj nicht sicher.

unsaid [ʌnˈsed] adj: **to leave sth ~** etw ungesagt sein lassen.

unsatisfactory [ʌnsætɪsˈfæktərɪ] adj unbefriedigend; unzulänglich.

unsavory (US), **unsavoury** [ʌnˈseɪvərɪ] adj (fig) widerwärtig; (details) unerfreulich.

unscrew [ʌnˈskruː] vt aufschrauben.

unscrupulous [ʌnˈskruːpjʊləs] adj skrupellos.

unselfish [ʌnˈselfɪʃ] adj selbstlos, uneigennützig.

unsettled [ʌnˈsetld] adj unstet; (person) rastlos; (weather) wechselhaft; (dispute) nicht beigelegt.

unshaven [ʌnˈʃeɪvn] adj unrasiert.

unsightly [ʌnˈsaɪtlɪ] adj unansehnlich.

unskilled [ʌnˈskɪld] adj ungelernt.

unsophisticated [ʌnsəˈfɪstɪkeɪtɪd] adj (person) natürlich; (style) natürlich.

unspeakable [ʌnˈspiːkəbl] adj (joy) unsagbar; (crime) scheußlich.

unstuck [ʌnˈstʌk] adj: **to come ~** sich lösen; (plan) schiefgehen; (speaker) steckenbleiben; (in exam) ins Schwimmen kommen.

unsuccessful [ʌnsəkˈsesfʊl] adj erfolglos.

unsuitable [ʌnˈsuːtəbl] adj unpassend.

unsuspecting [ʌnsəˈspektɪŋ] adj nichtsahnend.

untangle [ʌnˈtæŋgl] vt entwirren.

untapped [ʌnˈtæpt] adj (resources) ungenützt.

unthinkable [ʌnˈθɪŋkəbl] adj unvorstellbar.

untidy [ʌnˈtaɪdɪ] adj unordentlich.

untie [ʌnˈtaɪ] vt aufmachen, aufschnüren.

until [ənˈtɪl] prep, conj bis.

untimely [ʌnˈtaɪmlɪ] adj (death) vorzeitig.

untold [ʌnˈtəʊld] adj unermeßlich.

untoward [ʌntəˈwɔːd] adj (unfortunate) unglücklich, bedauerlich; (unseemly) unpassend.

untranslatable [ʌntrænsˈleɪtəbl] adj unübersetzbar.

untried [ʌnˈtraɪd] adj (plan) noch nicht ausprobiert.

unused [ʌnˈjuːzd] adj unbenutzt.

unusual adj, **unusually** adv [ʌnˈjuːʒəl, -ɪ] ungewöhnlich.

unveil [ʌnˈveɪl] vt enthüllen.

unwell [ʌnˈwel] adj unpäßlich.

unwilling [ʌnˈwɪlɪŋ] adj unwillig; **to be ~ to do sth** nicht gewillt sein, etw zu tun.

unwind [ʌnˈwaɪnd] irr **1.** vt abwickeln; **2.** vi (relax) sich entspannen.

unwitting [ʌnˈwɪtɪŋ] adj unwissentlich.

unwrap [ʌnˈræp] vt aufwickeln, auspacken.

unwritten [ʌnˈrɪtn] adj ungeschrieben.

up [ʌp] **1.** prep auf; **2.** adv nach oben, hinauf; (out of bed) auf; **~ there** dort oben; **it is ~ to you** es liegt bei Ihnen; **what is he ~ to?** was hat er vor?; **he is not ~ to it** er kann es nicht tun; **what's ~?** was ist los?; **~ to** (temporally) bis; **the ~s and downs** das Auf und Ab; **up-and-coming** adj im Aufstieg; **upbeat** adj (fam) optimistisch.

upbringing [ˈʌpbrɪŋɪŋ] n Erziehung f.

update [ʌpˈdeɪt] vt auf den neuesten Stand bringen, aktualisieren.

upgrade [ʌpˈgreɪd] vt höher einstufen.

upheaval [ʌpˈhiːvəl] n Umbruch m.

uphill [ʌpˈhɪl] **1.** adj ansteigend, bergauf führend; (fig) mühsam; **2.** adv bergauf.

uphold [ʌpˈhəʊld] irr vt unterstützen; (tradition) wahren.

upholstery [ʌpˈhəʊlstərɪ] n Polster nt, Polsterung f.

upkeep [ˈʌpkiːp] n Instandhaltung f.

up-market [ʌpˈmɑːkɪt] adj (product) für den anspruchsvollen Kunden; (house, hotel) luxuriös.

upon [əˈpɒn] prep auf.

upper [ˈʌpə*] **1.** n (on shoe) Oberleder nt; (fam) Aufputschmittel nt; **2.** adj obere(r, s), höhere(r, s); **the ~ class** die Oberschicht; **upper-class** adj vornehm; **uppermost** adj oberste(r, s), höchste(r, s).

upright [ˈʌpraɪt] **1.** adj (erect) aufrecht; (honest) aufrecht, rechtschaffen; **2.** n Pfosten m; **~ freezer** Gefrierschrank m.

uprising [ˈʌpraɪzɪŋ] n Aufstand m.

uproar [ˈʌprɔː*] n Aufruhr m.

upset [ˈʌpset] **1.** n Aufregung f; **2.** [ʌpˈset] irr vt (overturn) umwerfen; (disturb) aufregen, bestürzen; (plans) durcheinanderbringen; **upsetting** adj bestürzend; (annoying) störend, unangenehm; (offending) beleidigend.

upshot [ˈʌpʃɒt] n Endergebnis nt, Ausgang m.

upside-down [ʌpsaɪdˈdaʊn] adv verkehrt herum; (fig) drunter und drüber.

upstairs [ʌpˈsteəz] **1.** adv oben, im oberen Stockwerk; (go) nach oben; **2.** adj (room) obere(r, s), Ober-; **3.** n oberes Stockwerk.

upstart [ˈʌpstɑːt] n Emporkömmling m.

upstream [ʌpˈstriːm] adv stromaufwärts.

uptake [ˈʌpteɪk] n: **to be quick on the ~** schnell begreifen; **to be slow on the ~** schwer von Begriff sein.

uptight [ʌpˈtaɪt] adj (fam: nervous) nervös; (inhibited) verklemmt.

up-to-date [ʌptəˈdeɪt] adj (clothes) modisch, modern; (information) neueste(r, s); **to bring sth ~** etw auf den neuesten Stand bringen.

upwards [ˈʌpwədz] **1.** adj nach oben gerichtet; **2.** adv aufwärts.

uranium [jʊəˈreɪnɪəm] n Uran nt.

urban [ˈɜːbən] adj städtisch, Stadt-.

urbane [ɜːˈbeɪn] adj höflich, weltgewandt.

urchin [ˈɜːtʃɪn] n (boy) Schlingel m; (sea ~) Seeigel m.

urge [ɜːdʒ] **1.** n Drang m; **2.** vt drängen, dringen in +akk; **urge on** vt antreiben.

urgency [ˈɜːdʒənsɪ] n Dringlichkeit f; **urgent** adj, **urgently** adv dringend.

urinal [jʊəˈraɪnl] n (MED) Urinflasche f; (public) Pissoir nt.

urinate [ˈjʊərɪneɪt] vi urinieren, Wasser lassen.

urine [ˈjʊərɪn] n Urin m, Harn m.

urn [ɜːn] n Urne f; (tea ~) Teemaschine f.

us [ʌs] pron direct/indirect object of **we** uns; **it's ~** wir sind's.

USA n sing abbr of **United States of America** USA pl.

usage [ˈjuːsɪdʒ] n Gebrauch m; (LING) Sprachgebrauch m.

use [juːs] **1.** n Verwendung f; (custom) Brauch m, Gewohnheit f; (employment) Gebrauch m; (point) Zweck m; **2.** [juːz] vt gebrauchen; **~d to** gewöhnt an +akk; **she ~d to live here** sie lebte früher mal hier gewohnt; **in ~** in Gebrauch; **out of ~** außer Gebrauch; **it's no ~** es hat keinen Zweck; **what's the ~?** was soll's?; **use up** [juːzˈʌp] vt aufbrauchen, verbrauchen; **used** [juːzd] adj (car) Gebraucht-; **useful** adj nützlich; **usefulness** n Nützlichkeit f; **useless** adj nutzlos, unnütz; **uselessly** adv nutzlos; **uselessness** n Nutzlosigkeit f; **user** [ˈjuːzə*] n Benutzer(in) m(f); (COMPUT:) Anwender(in) m(f); **~ program** Anwenderprogramm nt; **userfriendly** adj benutzerfreundlich.

usher [ˈʌʃə*] n Platzanweiser m; **usherette** [ʌʃəˈret] n Platzanweiserin f.

USSR n (HIST) abbr of **Union of Soviet Socialist Republics** UdSSR f.

usual [ˈjuːʒʊəl] adj gewöhnlich, üblich; **usually** adv gewöhnlich.

usurp [juːˈzɜːp] vt an sich reißen; **usurper** n Usurpator(in) m(f).

usury [ˈjuːʒʊrɪ] n Wucher m.

utensil [juːˈtensl] n Gerät nt, Utensil nt.

uterus [ˈjuːtərəs] n Gebärmutter f, Uterus m.

utilitarian [juːtɪlɪˈtɛərɪən] adj Nützlichkeits-

utility [juːˈtɪlɪtɪ] n (usefulness) Nützlichkeit f; (also public ~) öffentlicher Versorgungsbetrieb; **~ room** Abstellraum m.

utilization [juːtɪlaɪˈzeɪʃən] n Benutzung f, Verwendung f; (of old things) Verwertung f.

utilize [ˈjuːtɪlaɪz] vt benützen, verwenden; (old things) verwerten.

utmost [ˈʌtməʊst] **1.** adj äußerste(r, s); **2.** n: **to do one's ~** sein möglichstes tun.

utter [ˈʌtə*] **1.** adj äußerste(r, s) höchste(r, s), völlig; **2.** vt äußern, aussprechen; **utterance** n Äußerung f; **utterly** adv äußerst, absolut, völlig.

U-turn [ˈjuːˈtɜːn] n (AUTO) Kehrtwendung f; **"no ~s"** „Wenden verboten".

V

V, v [viː] n V nt, v nt.

vacancy [ˈveɪkənsɪ] n (job) offene Stelle; (room) freies Zimmer; **vacant** [ˈveɪkənt] adj leer; (unoccupied) frei; (house) leerstehend, unbewohnt; (stupid) gedankenleer; **"~"** (on door) „frei".

vacate [vəˈkeɪt] vt (seat) frei machen; (room) räumen.

vacation [vəˈkeɪʃən] n Ferien pl, Urlaub m; **vacationist** n (US) Urlauber(in) m(f).

vaccinate [ˈvæksɪneɪt] vt impfen; **vaccination** [væksɪˈneɪʃən] n Impfung f; **vaccine** [ˈvæksiːn] n Impfstoff m.

vacuum [ˈvækjʊm] n luftleerer Raum, Vakuum nt; **vacuum bottle** (US) n Thermosflasche f; **vacuum cleaner** n Staubsauger m; **vacuum flask** (Brit) n Thermosflasche f; **vacuum-packed** adj vakuumverpackt.

vagary [ˈveɪgərɪ] n Laune f.

vagina [vəˈdʒaɪnə] n Scheide f, Vagina f.

vagrant [ˈveɪgrənt] n Landstreicher(in) m(f).

vague [veɪg] adj unbestimmt, vage; (outline) verschwommen; (absent-minded) geistesabwesend; **vaguely** adv unbestimmt, vage; (understand, correct) ungefähr; **vagueness** n Unbestimmtheit f, Verschwommenheit f.

vain [veɪn] adj (worthless) eitel, nichtig; (attempt) vergeblich; (conceited) eitel, eingebildet; **in ~** vergebens, umsonst; **vainly** adv vergebens, vergeblich; eitel, eingebildet.

valentine ['væləntaɪn] n Freund(in), dem (der) man am Valentinstag einen Gruß schickt.

valerian [və'lɪərɪən] n Baldrian m.

valiant adj, **valiantly** adv ['vælɪənt, -lɪ] tapfer.

valid ['vælɪd] adj gültig; (argument) stichhaltig; (objection) berechtigt; **validity** [və'lɪdɪtɪ] n Gültigkeit f; Stichhaltigkeit f.

valley ['vælɪ] n Tal nt.

valuable ['væljʊəbl] adj wertvoll; (time) kostbar; **valuables** n pl Wertsachen pl.

value ['vælju:] **1.** n Wert m; (usefulness) Nutzen m; **2.** vt (FIN: estimate) schätzen; **valued** adj hochgeschätzt; **valueless** adj wertlos; **valuer** n Schätzer(in) m(f).

valve [vælv] n Ventil nt; (BIO) Klappe f; (RADIO) Röhre f.

vampire ['væmpaɪə*] n Vampir m.

van [væn] n Lieferwagen m, Kombiwagen m.

vandal ['vændəl] n Rowdy m; **vandalism** n mutwillige Beschädigung, Vandalismus m.

vanilla [və'nɪlə] n Vanille f.

vanish ['vænɪʃ] vi verschwinden.

vanity ['vænɪtɪ] n Eitelkeit f, Einbildung f; **vanity case** n Schminkkoffer m.

vantage ['vɑ:ntɪdʒ] n: ~ **point** guter Aussichtspunkt.

vapor (US), **vapour** ['veɪpə*] n (mist) Dunst m; (gas) Dampf m.

variable ['vɛərɪəbl] adj wechselhaft, veränderlich; (speed, height) regulierbar.

variance ['vɛərɪəns] n: **to be at** ~ uneinig sein.

variant ['vɛərɪənt] n Variante f.

variation [vɛərɪ'eɪʃən] n Variation f, Veränderung f; (of temperature, prices) Schwankung f.

varicose ['værɪkəʊs] adj: ~ **veins** pl Krampfadern pl.

varied ['vɛərɪd] adj verschieden, unterschiedlich; (life) abwechslungsreich.

variety [və'raɪətɪ] n (difference) Abwechslung f; (varied collection) Vielfalt f; (COMM) Auswahl f; (sort) Sorte f, Art f; **variety show** n Varieté nt.

various ['vɛərɪəs] adj verschieden; (several) mehrere.

varnish ['vɑ:nɪʃ] **1.** n Lack m; (on pottery) Glasur f; **2.** vt lackieren; (truth) beschönigen.

vary ['vɛərɪ] **1.** vt (alter) verändern; (give variety to) abwechslungsreicher gestalten; **2.** vi sich verändern; (prices) schwanken; (weather) unterschiedlich sein; **to** ~ **from sth** sich von etw unterscheiden; **varying** adj unterschiedlich; veränderlich.

vase [vɑ:z] n Vase f.

vast [vɑ:st] adj weit, groß, riesig; **vastly** adv wesentlich; (grateful, amused) äußerst; **vastness** n Unermeßlichkeit f, Weite f.

vat [væt] n großes Faß.

VAT [væt] n abbr of **value added tax** Mehrwertsteuer, MwSt f.

Vatican ['vætɪkən] n: **the** ~ der Vatikan.

vaudeville ['vɔ:dəvɪl] n (US) Varieté nt.

vault [vɔ:lt] **1.** n (of roof) Gewölbe nt; (tomb) Gruft f; (in bank) Tresorraum m; (leap) Sprung m; **2.** vt überspringen.

vaunted ['vɔ:ntɪd] adj gerühmt, gepriesen.

VCR n abbr of **video cassette recorder** Videorecorder m.

VD n abbr of **venereal disease** Geschlechtskrankheit f.

VDU n abbr of **visual display unit** [Daten]-sichtgerät nt.

veal [vi:l] n Kalbfleisch nt.

veer [vɪə*] vi sich drehen; (car) ausscheren.

vegetable ['vedʒətəbl] n Gemüse nt; (plant) Pflanze f.

vegetarian [vedʒɪ'tɛərɪən] **1.** n Vegetarier(in) m(f); **2.** adj vegetarisch.

vegetate ['vedʒɪteɪt] vi dahinvegetieren.

vegetation [vedʒɪ'teɪʃən] n Vegetation f.

vehemence ['vi:ɪməns] n Heftigkeit f; **vehement** adj heftig; (feelings) leidenschaftlich.

vehicle ['vi:ɪkl] n Fahrzeug nt; (fig) Mittel nt; **vehicular** [vɪ'hɪkjʊlə*] adj Fahrzeug-; (traffic) Kraft-.

veil [veɪl] **1.** n (a. fig) Schleier m; **2.** vt verschleiern.

vein [veɪn] n Ader f; (ANAT) Vene f; (mood) Stimmung f.

Velcro® ['velkrəʊ] n ⟨-s⟩ Klettenverschluß m.

velocity [vɪ'lɒsɪtɪ] n Geschwindigkeit f.

velvet ['velvɪt] n Samt m.

vendetta [ven'detə] n Fehde f; (in family) Blutrache f.

vending machine ['vendɪŋməʃi:n] n Automat m.

vendor ['vendɔ:*] n (COMM) Verkäufer(in) m(f).

veneer [və'nɪə*] n Furnierholz nt; (fig) äußerer Anstrich.

venerable ['venərəbl] adj ehrwürdig.

venereal [vɪ'nɪərɪəl] adj (disease) Geschlechts-.

venetian [vɪ'ni:ʃən] adj: ~ **blind** Jalousie f.

vengeance ['vendʒəns] n Rache f; **with a** ~ gewaltig.

venison ['venɪsn] n Rehfleisch nt.

venom ['venəm] n Gift nt; **venomous** adj, **venomously** adv giftig, gehässig.

vent [vent] **1.** n Öffnung f; (in coat) Schlitz m; (fig) Ventil nt; **2.** vt (emotion) abreagieren.

ventilate [ˈventɪleɪt] vt belüften; (*question*) erörtern; **ventilation** [ventɪˈleɪʃən] n Belüftung f, Ventilation f; **ventilator** [ˈventɪleɪtə*] n Ventilator m.

ventriloquist [venˈtrɪləkwɪst] n Bauchredner(in) m(f).

venture [ˈventʃə*] **1.** n Unternehmung f, Projekt nt; **2.** vt wagen; (*life*) aufs Spiel setzen; **3.** vi sich wagen; **venture capital** n Beteiligungskapital nt, Risikoanlagekapital nt.

venue [ˈvenjuː] n Schauplatz m; (*meeting place*) Treffpunkt m.

verandah [vəˈrændə] n Veranda f.

verb [vɜːb] n Zeitwort nt, Verb nt; **verbal** adj (*spoken*) mündlich; (*translation*) wörtlich; (*of a verb*) verbal, Verbal-; **verbally** adv mündlich; (*as a verb*) verbal; **verbatim** [vɜːˈbeɪtɪm] **1.** adv wörtlich; **2.** adj wortwörtlich.

verbose [vɜːˈbəʊs] adj wortreich, langatmig.

verdict [ˈvɜːdɪkt] n Urteil nt.

verge [vɜːdʒ] **1.** n [Straßen]rand m; **2.** vi: to ~ **on** grenzen an +akk; **on the ~ of doing sth** im Begriff, etw zu tun.

verger [ˈvɜːdʒə*] n Kirchendiener m, Küster m.

verification [verɪfɪˈkeɪʃən] n Bestätigung f; (*checking*) Überprüfung f; (*proof*) Beleg m.

verify [ˈverɪfaɪ] vt überprüfen; (*confirm*) bestätigen; (*theory*) beweisen.

vermin [ˈvɜːmɪn] n Ungeziefer nt.

vermouth [ˈvɜːməθ] n Wermut m.

vernacular [vəˈnækjʊlə*] n Landessprache f; (*dialect*) Dialekt m, Mundart f; (*jargon*) Fachsprache f.

versatile [ˈvɜːsətaɪl] adj vielseitig; **versatility** [vɜːsəˈtɪlɪtɪ] n Vielseitigkeit f.

verse [vɜːs] n (*poetry*) Poesie f; (*stanza*) Strophe f; (*of Bible*) Vers m; **in ~** in Versform; **versed** adj: ~ **in** bewandert in +dat, beschlagen in +dat.

version [ˈvɜːʃən] n Version f; (*of car*) Modell nt.

versus [ˈvɜːsəs] prep gegen.

vertebra [ˈvɜːtɪbrə] n Rückenwirbel m; **vertebrate** [ˈvɜːtɪbrət] adj (*animal*) Wirbel-.

vertical adj, **vertically** adv [ˈvɜːtɪkəl, -lɪ] senkrecht, vertikal.

vertigo [ˈvɜːtɪgəʊ] n ⟨-s⟩ Schwindel m, Schwindelgefühl nt.

verve [vɜːv] n Schwung m.

very [ˈverɪ] **1.** adv sehr; **2.** adj (*extreme*) äußerste(r, s); **the ~ book** genau das Buch; **at that ~ moment** gerade in [o genau] in dem Augenblick; **at the ~ latest** allerspätestens; **the ~ same day** noch am selben Tag; **the ~**

thought der Gedanke allein, der bloße Gedanke.

vespers [ˈvespəz] n pl (REL) Vesper f.

vessel [ˈvesl] n (*ship*) Schiff nt; (*container, blood* ~) Gefäß nt.

vest [vest] **1.** n (*Brit*) Unterhemd nt; (*US: waistcoat*) Weste f; **2.** vt: **to ~ sb with sth** [o **sth in sb**] jdm etw verleihen; **vested** adj: ~ **interests** pl finanzielle Beteiligung; (*people*) finanziell Beteiligte pl; (*fig*) persönliches Interesse.

vestibule [ˈvestɪbjuːl] n Vorhalle f.

vestige [ˈvestɪdʒ] n Spur f.

vestry [ˈvestrɪ] n Sakristei f.

vet [vet] **1.** n Tierarzt(-ärztin) m(f); **2.** vt genau prüfen.

veteran [ˈvetərən] **1.** n Veteran(in) m(f); **2.** adj altgedient.

veterinary [ˈvetɪnərɪ] adj Veterinär-; ~ **surgeon** Tierarzt(-ärztin) m(f).

veto [ˈviːtəʊ] **1.** n ⟨-es⟩ Veto nt; **2.** vt sein Veto einlegen gegen; **power of ~** Vetorecht nt.

vex [veks] vt ärgern; **vexed** adj verärgert; **vexing** adj ärgerlich.

VGA n abbr of **video graphics array** (COMPUT); **VGA card** VGA-Karte f; **VGA monitor** VGA-Monitor m.

VHF n abbr of **very high frequency** UKW.

via [ˈvaɪə] prep über +akk.

viability [vaɪəˈbɪlɪtɪ] n (*of plan, scheme*) Durchführbarkeit f; (*of company*) Rentabilität f; (*of life forms*) Lebensfähigkeit f; **viable** [ˈvaɪəbl] adj (*plan*) realisierbar; (*company*) rentabel; (*plant, economy*) lebensfähig.

viaduct [ˈvaɪədʌkt] n Viadukt m.

vibrate [vaɪˈbreɪt] vi zittern, beben; (*machine, string*) vibrieren; (*notes*) schwingen; **vibration** [vaɪˈbreɪʃən] n Schwingung f; (*of machine*) Vibrieren nt; (*of voice, ground*) Beben nt.

vicar [ˈvɪkə*] n Pfarrer(in) m(f); **vicarage** n Pfarrhaus nt.

vice [vaɪs] **1.** n (*evil*) Laster nt; (TECH) Schraubstock m; **2.** pref: ~-**chairman** stellvertretender Vorsitzender; ~-**president** Vizepräsident(in) m(f).

vice versa [ˈvaɪs ˈvɜːsə] adv umgekehrt.

vicinity [vɪˈsɪnɪtɪ] n Umgebung f; (*closeness*) Nähe f.

vicious [ˈvɪʃəs] adj gemein, böse; ~ **circle** Teufelskreis m; **viciousness** n Bösartigkeit f, Gemeinheit f.

vicissitudes [vɪˈsɪsɪtjuːdz] n pl Wandel m.

victim [ˈvɪktɪm] n Opfer nt; **victimization** [vɪktɪmaɪˈzeɪʃən] n Benachteiligung f; **victimize** vt benachteiligen.

victor [ˈvɪktə*] n Sieger(in) m(f).

Victorian [vɪkˈtɔːrɪən] adj viktorianisch; (*fig*) sittenstreng.

victorious [vɪk'tɔːrɪəs] adj siegreich.

victory ['vɪktərɪ] n Sieg m.

video ['vɪdɪəʊ] **1.** adj Video-; **2.** n ⟨-s⟩ Video nt; (recorder) Videogerät nt, Videorecorder m; **video camera** n Videokamera f; **video cassette** n Videokassette f; **video clip** n Videoclip m; **video disc** n Bildplatte f; **~ player** Bildplattenspieler m; **video game** n Videospiel nt, Telespiel nt; **video nasty** n Video mit grausamen Gewaltszenen und/oder pornographischen Inhalts; **video player** n Videogerät nt; **video-record** vt auf Video aufnehmen; **video recorder** n Videorecorder m; **videotape 1.** n Videoband nt; **2.** vt auf Video aufnehmen; **~ library** Videothek f; **videotex®** n Bildschirmtext m.

vie [vaɪ] vi wetteifern.

Vietnam [vjet'næm] n Vietnam nt.

view [vjuː] **1.** n (sight) Sicht f, Blick m; (scene) Aussicht f; (opinion) Ansicht f, Meinung f; (intention) Absicht f; **2.** vt (situation) betrachten; (house) besichtigen; **to have sth in ~** etw beabsichtigen; **in ~ of** wegen +gen, angesichts +gen; **viewdata** n Bildschirmtext m; **viewer** n (viewfinder) Sucher m; (PHOT small projector) Gucki m; (TV) Zuschauer m; **viewfinder** n Sucher m; **viewpoint** n Standpunkt m.

vigil ['vɪdʒɪl] n Nachtwache f.

vigilance ['vɪdʒɪləns] n Wachsamkeit f; **vigilant** adj wachsam; **vigilantly** adv aufmerksam.

vigor ['vɪɡə*] (US) s. **vigour**.

vigorous ['vɪɡərəs] adj, **vigorously** adv ['vɪɡərəs, -lɪ] kräftig; (protest) energisch, heftig.

vigour ['vɪɡə*] n Kraft f, Vitalität f; (of protest) Heftigkeit f.

vile [vaɪl] adj (mean) gemein; (foul) abscheulich.

vilify ['vɪlɪfaɪ] vt verleumden.

villa ['vɪlə] n Villa f.

village ['vɪlɪdʒ] n Dorf nt; **villager** n Dorfbewohner(in) m(f).

villain ['vɪlən] n Schurke m, Schurkin f, Bösewicht m.

vindicate ['vɪndɪkeɪt] vt rechtfertigen; (clear) rehabilitieren.

vindictive [vɪn'dɪktɪv] adj nachtragend; rachsüchtig.

vine [vaɪn] n Rebstock m, Rebe f.

vinegar ['vɪnɪɡə*] n Essig m.

vineyard ['vɪnjəd] n Weinberg m.

vintage ['vɪntɪdʒ] n (of wine) Jahrgang m; **vintage car** n Vorkriegsmodell nt; **vintage wine** n edler Wein; **vintage year** n besonderes Jahr.

vinyl ['vaɪnɪl] n Vinyl nt, PVC nt.

viola [vɪ'əʊlə] n Bratsche f.

violate ['vaɪəleɪt] vt (promise) brechen; (law) übertreten; (rights, rule, neutrality) verletzen; (sanctity, woman) schänden; **violation** [vaɪə'leɪʃən] n Verletzung f, Übertretung f; (rape) Vergewaltigung f.

violence ['vaɪələns] n (force) Heftigkeit f; (brutality) Gewalttätigkeit f; **violent** adj, **violent crime** n Gewaltverbrechen nt; **violently** adv (strong) heftig; (brutal) gewalttätig, brutal; (contrast) kraß; (death) gewaltsam.

violet ['vaɪələt] **1.** n Veilchen nt; **2.** adj veilchenblau, violett.

violin [vaɪə'lɪn] n Geige f, Violine f.

VIP n abbr of **very important person** prominente Persönlichkeit, VIP mf.

viper ['vaɪpə*] n Viper f; (fig) Schlange f.

virgin ['vɜːdʒɪn] **1.** n Jungfrau f; **2.** adj jungfräulich, unberührt; **virginity** [vɜː'dʒɪnɪtɪ] n Unschuld f.

Virgo ['vɜːɡəʊ] adj eigentlich: **it was a ~ disaster** es war geradezu eine Katastrophe; **virtually** adv praktisch, fast; **virtual reality** n (COMPUT) virtuelle Realität.

Virgo ['vɜːɡəʊ] n ⟨-s⟩ Virtuose m, Virtuosin f.

virtue ['vɜːtjuː] n (moral goodness) Tugend f; (good quality) Vorteil m, Vorzug m; **by ~ of** aufgrund +gen.

virtuoso [vɜːtjʊ'əʊzəʊ] n ⟨-s⟩ Virtuose m, Virtuosin f.

virtuous ['vɜːtjʊəs] adj tugendhaft.

virulence ['vɪrjʊləns] n Bösartigkeit f; **virulent** adj (poisonous) bösartig; (bitter) scharf, geharnischt.

virus ['vaɪrəs] n Virus nt.

visa ['viːzə] n Visum nt, Sichtvermerk m.

vis-à-vis ['viːzaˈviː] prep gegenüber.

visibility [vɪzɪ'bɪlɪtɪ] n Sichtbarkeit f; (METEO) Sichtweite f; **visible** ['vɪzəbl] adj sichtbar; **visibly** adv sichtlich.

vision ['vɪʒən] n (ability) Sehvermögen nt; (foresight) Weitblick m; (in dream, image) Vision f; **visionary 1.** n Hellseher(in) m(f); (dreamer) Phantast(in) m(f); **2.** adj phantastisch.

visit ['vɪzɪt] **1.** n Besuch m; **2.** vt besuchen; (town, country) fahren nach; **visiting** adj (professor) Gast-; **~ card** Visitenkarte f; **~ hours** pl Besuchszeiten pl; **visitor** n (in house) Besucher(in) m(f); (in hotel) Gast m; **~'s book** Gästebuch nt.

visor ['vaɪzə*] n Visier nt; (on cap) Schirm m; (AUTO) Blende f.

vista ['vɪstə] n Aussicht f.

visual ['vɪzjʊəl] adj Seh-, visuell; **~ aid** Anschauungsmaterial nt; **~ display unit** Bildschirm m, Datensichtgerät nt; **visualize** vt (imagine) sich dat vorstellen; (expect) erwarten; **visually** adv visuell.

vital [ˈvaɪtl] adj (important) unerläßlich; (necessary for life) Lebens-, lebenswichtig; (lively) vital; **vitality** [vaɪˈtælɪtɪ] n Vitalität f, Lebendigkeit f; **vitally** adv äußerst, ungeheuer.

vitamin [ˈvɪtəmɪn] n Vitamin nt.

vivacious [vɪˈveɪʃəs] adj lebhaft; **vivacity** [vɪˈvæsɪtɪ] n Lebhaftigkeit f, Lebendigkeit f.

vivid, **vividly** adv [ˈvɪvɪd, -lɪ] (graphic) lebendig; deutlich; (memory) lebhaft; (bright) leuchtend.

vivisection [vɪvɪˈsekʃən] n Vivisektion f.

vocabulary [vəʊˈkæbjʊlərɪ] n Wortschatz m, Vokabular nt.

vocal [ˈvəʊkəl] adj Stimm-; (music) Vokal-; (group) Gesangs-; (fig) lautstark; ~ **cord** Stimmband nt; **vocalist** n Sänger(in) m(f).

vocation [vəʊˈkeɪʃən] n (calling) Berufung f; **vocational** adj Berufs-.

vociferous adj, **vociferously** adv [vəʊˈsɪfərəs, -lɪ] lautstark.

vodka [ˈvɒdkə] n Wodka m.

vogue [vəʊg] n Mode f.

voice [vɔɪs] **1.** n Stimme f; (fig) Mitspracherecht nt; **2.** vt äußern; **active/passive** ~ (LING) Aktiv nt/Passiv nt; **with one** ~ einstimmig; **voiced consonant** n stimmhafter Konsonant; **voiceless consonant** n stimmloser Konsonant.

void [vɔɪd] **1.** n Leere f; **2.** adj (empty) leer; (lacking) ohne (+akk), bar (of gen); (JUR) ungültig; s. a. **null**.

volatile [ˈvɒlətaɪl] adj (gas) flüchtig; (person) impulsiv; (situation) brisant.

volcanic [vɒlˈkænɪk] adj vulkanisch, Vulkan-.

volcano [vɒlˈkeɪnəʊ] n ⟨-es⟩ Vulkan m.

volition [vəˈlɪʃən] n Wille m; **of one's own** ~ aus freiem Willen.

volley [ˈvɒlɪ] n (of guns) Salve f; (of stones) Hagel m; (of words) Schwall m; (TENNIS) Flugball m; **volleyball** n Volleyball m.

volt [vəʊlt] n Volt nt; **voltage** n Voltspannung f; ~ **detector** Spannungsprüfer m.

voluble [ˈvɒljʊbl] adj (pej) redselig.

volume [ˈvɒljuːm] n (book) Band m; (size) Umfang m; (space) Rauminhalt m, Volumen nt; (of sound) Lautstärke f.

voluntarily adv [ˈvɒləntərɪlɪ] freiwillig; **voluntary** adj [ˈvɒləntərɪ] freiwillig; ~ **service overseas** (Brit) Entwicklungsdienst m.

volunteer [vɒlənˈtɪə*] **1.** n Freiwillige(r) mf; **2.** vi sich freiwillig melden; **3.** vt anbieten.

voluptuous [vəˈlʌptjʊəs] adj sinnlich, wollüstig.

vomit [ˈvɒmɪt] **1.** n Erbrochene(s) nt; (act) Erbrechen nt; **2.** vt speien; **3.** vi sich übergeben.

vote [vəʊt] **1.** n Stimme f; (ballot) Wahl f, Abstimmung f; (result) Wahlergebnis nt, Abstimmungsergebnis nt; (right to vote) Wahlrecht nt; **2.** vt, vi wählen; **voter** n Wähler(in) m(f); **voting** n Wahl f; **low** ~ geringe Wahlbeteiligung.

voucher [ˈvaʊtʃə*] n Gutschein m.

vouch for [ˈvaʊtʃ fɔ:*] vt bürgen für.

vow [vaʊ] **1.** n Versprechen nt; (REL) Gelübde nt; **2.** vt geloben; (vengeance) schwören.

vowel [ˈvaʊəl] n Vokal m, Selbstlaut m.

voyage [ˈvɔɪdʒ] n Reise f.

VR n abbr of **virtual reality**.

vulgar [ˈvʌlgə*] adj (rude) vulgär; (of common people) allgemein, Volks-; **vulgarity** [vʌlˈgærɪtɪ] n Gewöhnlichkeit f, Vulgarität f.

vulnerability [vʌlnərəˈbɪlɪtɪ] n Verletzlichkeit f; **vulnerable** [ˈvʌlnərəbl] adj (easily injured) verwundbar; (sensitive) verletzlich.

vulture [ˈvʌltʃə*] n (a. fig) Geier m.

W

W, w [ˈdʌblju:] n W nt, w nt.

wad [wɒd] n (bundle) Bündel nt; (of paper) Stoß m; (of money) Packen m.

wade [weɪd] vi waten.

wafer [ˈweɪfə*] n Waffel f; (REL) Hostie f; (COMPUT) Chip m, Siliziumplättchen nt.

waffle [ˈwɒfl] **1.** n Waffel f; (fam: empty talk) Geschwafel nt; **2.** vi (fam) schwafeln.

waft [wɒft] vt, vi wehen.

wag [wæg] **1.** vt (tail) wedeln mit; **2.** vi (tail) wedeln; **her tongue never stops** ~**ging** ihr Mund steht nie still.

wage [weɪdʒ] **1.** n Arbeitslohn m; **2.** vt (war) führen; ~**s** pl Lohn m; **wage claim** n Lohnforderung f; **wage earner** n Lohnempfänger(in) m(f); **wage freeze** n Lohnstopp m.

wager [ˈweɪdʒə*] **1.** n Wette f; **2.** vt, vi wetten.

waggle [ˈwægl] **1.** vt (tail) wedeln mit; **2.** vi wedeln.

waggon [ˈwægən] n (horse-drawn) Fuhrwerk nt; (US AUTO) Wagen m; (Brit RAIL) Waggon m.

wail [weɪl] **1.** n Wehgeschrei nt; **2.** vi wehklagen, jammern.

waist [weɪst] n Taille f; **waistcoat** n Weste f; **waistline** n Taille f.

wait [weɪt] **1.** n Wartezeit f; **2.** vi warten (for auf +akk); **~ and see!** abwarten!; **to** ~ **for**

sb to do sth darauf warten, daß jd etw tut; **~ at table** servieren; **waiter** _n_ Kellner _m_; _(as address)_ Herr Ober; **waiting list** _n_ Warteliste _f_; **waiting room** _n_ (_MED_) Wartezimmer _nt_; (_RAIL_) Wartesaal _m_; **waitress** _n_ Kellnerin _f_; _(as address)_ Fräulein _nt_.

`aive [weıv] _vt_ verzichten auf +_akk_.

`ake [weık] ⟨woke _o_ waked, woken _o_ waked⟩ **1.** _vt_ wecken; **2.** _vi_ aufwachen; **3.** _n_ (_NAUT_) Kielwasser _nt_; (_for dead_) Totenwache _f_; the **~ of** unmittelbar nach; **to ~ up to sth** (_fig_) sich _dat_ einer Sache _gen_ bewußt werden; **waken** _vt_ aufwecken.

`ales ['weılz] _n_ Wales _nt_.

`alk [wɔːk] **1.** _n_ Spaziergang _m_; (_way of walking_) Gang _m_; (_route_) Weg _m_; **2.** _vi_ gehen; (_stroll_) spazierengehen; (_longer_) wandern; **to take sb for a ~** mit jdm einen Spaziergang machen; **a 10-minute ~** 10 Minuten zu Fuß; **~s of life** _pl_ Lebensbereiche _pl_; **walkabout** _n_ Bad _nt_ in der Menge; **walker** _n_ Spaziergänger(in) _m(f)_; (_hiker_) Wanderer _m_, Wandrerin _f_; **walkie-talkie** _n_ Hand-Funksprechgerät _nt_, Walkie-talkie _f_; **walking 1.** _n_ Gehen _nt_; Spazierengehen _nt_; Wandern _nt_; **2.** _adj_ Wander-; **~ stick** Spazierstock _m_; **walkout** _n_ Streik _m_; **walkover** _n_ (_fam_) leichter Sieg.

`all [wɔːl] _n_ (_inside_) Wand _f_; (_outside_) Mauer _f_; **walled** _adj_ von Mauern umgeben.

`allet ['wɔlıt] _n_ Brieftasche _f_.

`allow ['wɔləʊ] _vi_ sich wälzen [_o_ suhlen].

`allpaper ['wɔːlpeıpə*] _n_ Tapete _f_.

`alnut ['wɔːlnʌt] _n_ Walnuß _f_; (_tree_) Walnußbaum _m_; (_wood_) Nußbaumholz _nt_.

`alrus ['wɔːlrəs] _n_ Walroß _nt_.

`altz [wɔːlts] **1.** _n_ Walzer _m_; **2.** _vi_ Walzer tanzen.

`an [wɒn] _adj_ bleich.

`and [wɒnd] _n_ Stab _m_.

`ander ['wɒndə*] _vi_ (_roam_) herumwandern; (_fig_) abschweifen; **wanderer** _n_ Wanderer _m_, Wandrerin _f_; **wandering** _adj_ umherziehend; (_thoughts_) abschweifend.

`ane [weın] _vi_ abnehmen; (_fig_) schwinden.

`ant [wɒnt] **1.** _n_ (_lack_) Mangel _m_ (_of_ an +_dat_); (_need_) Bedürfnis _nt_; **2.** _vt_ (_need_) brauchen; (_desire_) wollen; (_lack_) haben; **I ~ to go** ich will gehen; **he ~s confidence** ihm fehlt das Selbstvertrauen; **for ~ of** aus Mangel an +_dat_, mangels +_gen_.

`anton ['wɒntən] _adj_ mutwillig, zügellos.

`ar [wɔː*] _n_ Krieg _m_.

`ard [wɔːd] _n_ (_in hospital_) Station _f_; (_child_) Mündel _nt_; (_of city_) Bezirk _m_; **ward off** _vt_ abwenden, abwehren.

`arden ['wɔːdən] _n_ (_guard_) Wache _f_, Wachposten _m_; (_in youth hostel_) Herbergsvater(-mutter) _m(f)_; (_traffic_ ~) Verkehrspolizist(in) _m(f)_, Politesse _f_; (_SCH_) Heimlei-

---

ter(in) _m(f)_.

warder ['wɔːdə*] _n_ Gefängniswärter(in) _m(f)_.

wardrobe ['wɔːdrəʊb] _n_ Kleiderschrank _m_; (_clothes_) Garderobe _f_.

warehouse ['wɛəhaʊs] _n_ Lagerhaus _nt_.

warfare ['wɔːfɛə*] _n_ Krieg _m_, Kriegsführung _f_; **warhead** _n_ Sprengkopf _m_, Gefechtskopf _m_.

warily ['wɛərılı] _adv_ vorsichtig.

warlike ['wɔːlaık] _adj_ kriegerisch.

warm [wɔːm] **1.** _adj_ warm; (_welcome_) herzlich; **2.** _vt_, _vi_ wärmen; **warm up 1.** _vt_ aufwärmen; **2.** _vi_ warm werden; **warmhearted** _adj_ warmherzig; **warmly** _adv_ warm; herzlich; **warm start** _m_ (_COMPUT_) Warmstart _m_; **warmth** _n_ Wärme _f_; Herzlichkeit _f_.

warn [wɔːn] _vt_ warnen (_of_, _against_ vor +_dat_); **warning** _n_ Warnung _f_; (_without_ ~) unerwartet; **warning light** _n_ Warnlicht _nt_; **warning triangle** _n_ (_AUTO_) Warndreieck _nt_.

warp [wɔːp] _vt_ verziehen; **warped** _adj_ wellig; (_fig_) pervers.

warrant ['wɒrənt] _n_ Haftbefehl _m_.

warranty ['wɒrəntı] _n_ Garantie _f_.

warrior ['wɒrıə*] _n_ Krieger _m_.

warship ['wɔːʃıp] _n_ Kriegsschiff _nt_.

wart [wɔːt] _n_ Warze _f_.

wartime ['wɔːtaım] _n_ Kriegszeit _f_, Krieg _m_.

wary ['wɛərı] _adj_ vorsichtig; (_suspicious_) mißtrauisch.

was [wɒz, wəz] _pt of_ **be**.

wash [wɒʃ] **1.** _n_ Wäsche _f_; **2.** _vt_ waschen; (_dishes_) abwaschen; **3.** _vi_ sich waschen; (_do washing_) waschen; **to give sth a ~** etw waschen; **to have a ~** sich waschen; **wash away** _vt_ abwaschen, wegspülen; **washable** _adj_ waschbar; **washbag** _n_ (_US_) Kulturbeutel _m_; **washbasin** _n_ Waschbecken _nt_; **wash cloth** _n_ (_US_) Waschlappen _m_; **washer** _n_ (_TECH_) Dichtungsring _m_; (_machine_) Waschmaschine _f_; (_dish_~) Spülmaschine _f_; **washing** _n_ Wäsche _f_; **washing machine** _n_ Waschmaschine _f_; **washing powder** _n_ Waschpulver _nt_; **washing-up** _n_ Abwasch _m_; **washing-up liquid** _n_ Geschirrspülmittel _nt_; **wash-out** _n_ (_fam: event_) Reinfall _m_; (_person_) Niete _f_; **washroom** _n_ Waschraum _m_.

wasn't ['wɒznt] = **was not**.

wasp [wɒsp] _n_ Wespe _f_.

WASP [wɒsp] _n_ (_US_) _acr of_ **White Anglo-Saxon Protestant**.

wastage ['weıstıdʒ] _n_ Verlust _m_; **natural ~** Verschleiß _m_.

waste [weıst] **1.** _n_ (_wasting_) Verschwendung _f_; (_materials_) Abfall _m_; **2.** _adj_ (_useless_) überschüssig, Abfall-; **3.** _vt_ (_materials_) verschwenden; (*time, life*) vergeuden; **4.** *vi* (*also:* ~ **away**) verfallen; **~s** *pl* Einöde *f*; **wasteful** *adj*, **wastefully** *adv* verschwenderisch; (*process*) aufwendig; **wasteland** *n* Ödland *nt*; **waste management** *n* Entsorgung *f*; **wastepaper basket** *n* Papierkorb *m*; **waste water** *n* Abwasser *nt*.

watch [wɒtʃ] **1.** *n* Wache *f*; (*for time*) Uhr *f*; **2.** *vt* ansehen; (*observe*) beobachten; (*be careful of*) aufpassen auf +*akk*; (*guard*) bewachen; **3.** *vi* zusehen; (*guard*) Wache halten; **to ~ for sb/sth** nach jdm/etw Ausschau halten; **to ~ TV** fernsehen; **to ~ sb doing sth** jdm bei etw zuschauen; **~ it!** paß bloß auf!; **~ out!** paß auf!; **to be on the ~ for sth** auf etw *akk* aufpassen; **watchdog** *n* Wachhund *m*; (*fig*) Aufpasser(in) *m(f)*; **watchful** *adj* wachsam; **watchmaker** *n* Uhrmacher(in) *m(f)*; **watchman** *n* ⟨watchmen⟩ Nachtwächter *m*; **watch strap** *n* Uhrarmband *nt*.

water [ˈwɔːtə*] **1.** *n* Wasser *nt*; **2.** *vt* begießen; (*river*) bewässern; (*horses*) tränken; **3.** *vi* (*eye*) tränen; **my mouth is ~ing** mir läuft das Wasser im Mund zusammen; **~s** *pl* Gewässer *nt*; **water down** *vt* verwässern; **water cannon** *n* Wasserwerfer *m*; **water closet** *n* Wasserklosett *nt*; **watercolor** (*US*), **watercolour** *n* (*painting*) Aquarell *nt*; (*paint*) Wasserfarbe *f*; **watercress** *n* Brunnenkresse *f*; **waterfall** *n* Wasserfall *m*; **water hole** *n* Wasserloch *nt*; **watering can** *n* Gießkanne *f*; **water level** *n* Wasserstand *m*; **waterlily** *n* Seerose *f*; **waterline** *n* Wasserlinie *f*; **waterlogged** *adj* (*ground*) voll Wasser; (*wood*) mit Wasser vollgesogen; **watermelon** *n* Wassermelone *f*; **water polo** *n* Wasserballspiel *nt*; **waterproof** *adj* wasserdicht; **watershed** *n* Wasserscheide *f*; **waterskiing** *n* Wasserschilaufen *nt*; **to go ~** wasserschilaufen gehen; **watertight** *adj* wasserdicht; **waterworks** *n pl o sing* Wasserwerk *nt*; **watery** *adj* wässerig.

watt [wɒt] *n* Watt *nt*.

wave [weɪv] **1.** *n* Welle *f*; (*with hand*) Winken *nt*; **2.** *vt* (*move to and fro*) schwenken; (*hand, flag*) winken mit; (*hair*) wellen; **3.** *vi* (*person*) winken; (*flag*) wehen; (*hair*) sich wellen; **to ~ to sb** jdm zuwinken; **to ~ sb goodbye** jdm zum Abschied winken; **wavelength** *n* (*a. fig*) Wellenlänge *f*; **wave power** *n* Wellenkraft *f*.

waver [ˈweɪvə*] *vi* (*hesitate*) schwanken; (*flicker*) flackern.

wavy [ˈweɪvɪ] *adj* wellig.

wax [wæks] **1.** *n* Wachs *nt*; (*sealing ~*) Siegellack *m*; (*in ear*) Ohrenschmalz *nt*; **2.** *vt* (*floor*) einwachsen; **3.** *vi* (*moon*) zuneh-

men; **waxworks** *n pl o sing* Wachsfigur... kabinett *nt*.

way [weɪ] *n* Weg *m*; (*road also*) Straße... (*method*) Art und Weise *f*, Methode... (*direction*) Richtung *f*; (*habit*) Eigenart... Gewohnheit *f*; (*distance*) Entfernung... (*condition*) Zustand *m*; **a long ~ away**... **off**] weit weg; **to lose one's ~** sich verirren... **to make ~ for sb/sth** jdm/einer Sache Pla... machen; **to be in a bad ~** schlecht dranse... **to get one's own ~** seinen Willen beko... men; **do it this ~** machen Sie es so; (*AUTO*) Vorfahrt achten!; **~ of thinking** M... nung *f*; **one ~ or another** irgendwie; **und** ~ im Gange; **in a ~** in gewisser Weise; **the ~** im Wege; **by the ~** übrigens; **by ~** (*via*) über +*akk*; (*in order to*) um .... **z** (*instead of*) als; **"~ in"** „Eingang"; **"~ ou** „Ausgang"; **waylay** *irr vt* auflauern +*d*... **wayward** *adj* eigensinnig.

we [wiː] *pron* wir.

weak *adj* [wiːk] schwach; **weaken 1.** schwächen, entkräften; **2.** *vi* schwäch... werden; nachlassen; **weakling** *n* Schwächling *m*; **weakly** *adv* [wiːk... schwach; **weakness** *n* Schwäche *f*.

wealth [welθ] *n* Reichtum *m*; (*abundan*... Fülle *f*; **wealthy** *adj* reich.

wean [wiːn] *vt* entwöhnen.

weapon [ˈwepən] *n* Waffe *f*.

wear [wɛə*] ⟨wore, worn⟩ **1.** *vt* (*have o*... tragen; (*smile etc*) haben; (*use*) abnutz... **2.** *vi* (*last*) halten; (*become old*) verschl... ßen; (*clothes*) sich abtragen; **3.** *n* (*clothin*... Kleidung *f*; (*use*) Verschleiß *m*; **~ and te** Abnutzung *f*, Verschleiß *m*; **wear awa** **1.** *vt* verbrauchen; **2.** *vi* schwinden; **we** **down** *vt* (*people*) zermürben; **wear off** sich verlieren; **wear out** *vt* verschleiße... (*person*) erschöpfen; **wearer** *n* Träger(*m(f)*.

wearily [ˈwɪərɪlɪ] *adv* müde; **weariness** Müdigkeit *f*; **weary 1.** *adj* (*tired*) müc... (*tiring*) ermüdend; **2.** *vt* ermüden; **3.** *v* überdrüssig werden (*of gen*).

weasel [ˈwiːzl] *n* Wiesel *nt*.

weather [ˈweðə*] **1.** *n* Wetter *nt*; **2.** *vt* w... wittern lassen; (*resist*) überstehen; **und** **the ~** (*fig: ill*) angeschlagen, mitgeno... men; **weather-beaten** *adj* verwitte... (*skin*) wettergegerbt; **weathercock** Wetterhahn *m*; **weather forecast** *n* W... tervorhersage *f*.

weave [wiːv] ⟨wove *o* weaved, woven *o*... weaved⟩ *vt* weben; **to ~ one's way throu** **sth** sich durch etw durchschlängeln... **weaver** *n* Weber(in) *m(f)*; **weaving** Weben *nt*, Weberei *f*.

web [web] *n* Netz *nt*; (*membrane*) Schwim... haut *f*; **webbed** *adj* Schwimm-, schwim...

häutig; **webbing** n Gewebe nt.

wed [wed] ⟨wed o wedded, wed o wedded⟩ vt heiraten.

we'd [wi:d] = **we had; we would**.

wedding [ˈwedɪŋ] n Hochzeit f; **wedding day** n Hochzeitstag m; **wedding present** n Hochzeitsgeschenk nt; **wedding ring** n Trauring m, Ehering m.

wedge [wedʒ] **1.** n Keil m; (of cheese etc) Stück nt; **2.** vt (fasten) festklemmen; (pack tightly) einkeilen.

Wednesday [ˈwenzdeɪ] n Mittwoch m; **on** ~ am Mittwoch; **on** ~**s, on a** ~ mittwochs.

wee [wi:] adj (esp Scot) klein, winzig.

weed [wi:d] **1.** n Unkraut nt; **2.** vt jäten; **weed-killer** n Unkrautvertilgungsmittel nt.

week [wi:k] n Woche f; **a** ~ **today** heute in einer Woche; **weekday** n Wochentag m; **weekend** n Wochenende nt; **weekly** adj, adv wöchentlich; (wages, magazine) Wochen-.

weep [wi:p] ⟨wept, wept⟩ vi weinen.

weigh [weɪ] vt, vi wiegen; **weigh down** vt niederdrücken; **weigh up** vt prüfen, abschätzen; **weighbridge** n Brückenwaage f.

weight [weɪt] n Gewicht nt; **to lose/put on** ~ ab-/zunehmen; **weighting** n (allowance) Zulage f; **weightlessness** n Schwerelosigkeit f; **weight-lifter** n Gewichtheber(in) m(f); **weighty** adj (heavy) gewichtig; (important) schwerwiegend.

weir [wɪə*] n Stauwehr nt.

weird [wɪəd] adj seltsam.

welcome [ˈwelkəm] **1.** n Willkommen nt, Empfang m; **2.** vt begrüßen; **welcoming** adj Begrüßungs-; (nice) freundlich.

weld [weld] **1.** n Schweißnaht f; **2.** vt schweißen; **welder** n Schweißer(in) m(f); **welding** n Schweißen nt.

welfare [ˈwelfɛə*] n Wohl nt; (social) Fürsorge f; **welfare state** n Wohlfahrtsstaat m.

well [wel] **1.** n Brunnen m; (oil ~) Quelle f; **2.** adj (in good health) gesund; **3.** interj nun, na schön; (starting conversation) nun, tja; **4.** adv gut; ~**, ~!** na, na!; **are you** ~? geht es Ihnen gut?; ~ **over 40** weit über 40; **it may** ~ **be** es kann wohl sein; **it would be as** ~ **to** ... es wäre wohl gut, zu ...; **you did** ~ **not to** ... Sie haben gut daran getan, nicht zu ...; **very** ~ (O.K.) nun gut.

we'll [wi:l] = **we will; we shall**.

well-behaved [welbɪˈheɪvd] adj wohlerzogen; **well-being** n Wohl nt, Wohlergehen nt; **well-built** adj kräftig gebaut; **well-developed** adj (muscle) gut entwickelt; (economy) hochentwickelt; (sense) [gut] ausgeprägt; **well-earned** adj (rest) wohl-

verdient; **well-heeled** adj (fam: wealthy) betucht.

wellingtons [ˈwelɪŋtənz] n pl Gummistiefel pl.

well-known [welˈnəʊn] adj (person) weithin bekannt; **well-meaning** adj (person) wohlmeinend; (action) gutgemeint; **well-off** adj gut situiert; **well-read** [welˈred] adj belesen; **well-to-do** adj wohlhabend.

Welsh [welʃ] **1.** adj walisisch; **2.** n: **the** ~ pl die Waliser pl; ~ **rarebit** überbackene Käseschnitte; **Welshman** n ⟨Welshmen⟩ Waliser m; **Welshwoman** n ⟨Welshwomen⟩ Waliserin f.

went [went] pt of **go**.

wept [wept] pt, pp of **weep**.

were [wɜ:*] pt pl of **be**.

we're [wɪə*] = **we are**.

weren't [wɜ:nt] = **were not**.

west [west] **1.** n Westen m; **2.** adj West-, westlich; **3.** adv nach Westen; ~ **of** westlich von; **the West** (POL. GEO) der Westen; **the West Bank** (in the Middle East) das Westjordanland nt, West Bank f; **westerly** adj westlich; **western 1.** adj westlich; **Western Germany** Westdeutschland nt, die alten Bundesländer pl; **Western Europe** Westeuropa nt; **Western European Time** Westeuropäische Zeit, WEZ f; **2.** n (CINE) Western m; **westwards** [ˈwestwədz] adv nach Westen, westwärts.

wet [wet] adj naß; ~ **blanket** (fig) Miesmacher(in) m(f); **"~ paint"** „frisch gestrichen"; **wetness** n Nässe f, Feuchtigkeit f.

we've [wi:v] = **we have**.

whack [wæk] **1.** n Schlag m; **2.** vt schlagen.

whale [weɪl] n Wal m.

wharf [wɔ:f] n ⟨-s o wharves⟩ Kai m.

what [wɒt] **1.** pron, interj was; **2.** adj welche(r, s); ~ **a hat!** was für ein Hut!; ~ **money I had** das Geld, das ich hatte; ~ **about** ... (suggestion) wie wär's mit ...; ~ **about it?, so** ~? na und?; **well,** ~ **about him?** was ist mit ihm?; **and** ~ **about me?** und ich?; ~ **for?** wozu?; **whatever** adj: ~ **he says** egal, was er sagt; **no reason** ~ überhaupt kein Grund.

wheat [wi:t] n Weizen m.

wheedle [ˈwi:dl] vt: **to** ~ **sb into doing sth** jdn herumkriegen, etw zu tun; **to** ~ **sth out of sb** jdm etw abschmeicheln.

wheel [wi:l] **1.** n Rad nt; (steering ~) Lenkrad nt; (disc) Scheibe f; **2.** vt schieben; **3.** vi (revolve) sich drehen; **wheelbarrow** n Schubkarren m; **wheel brace** n Kreuzschlüssel m; **wheelchair** n Rollstuhl m; **wheel clamp** n Parkkralle f.

wheeze [wi:z] vi keuchen.

when [wen] **1.** adv wann; **2.** adv, conj (with present tense) wenn; (with past tense) als;

(*with indirect question*) wann; **whenever** *adv* wann immer; immer wenn.

where [weəʳ] **1.** *adv* (*place*) wo; (*direction*) wohin; ~ **from** woher; **whereabouts** [ˈwɛərəˈbaʊts] **1.** *adv* wo; **2.** *n pl* Aufenthalt *m*, Verbleib *m*; **whereas** [wɛərˈæz] *conj* während, wo ... doch; **whereby** [wɛərˈbaɪ] *adv* wonach; wodurch; woran; **wherever** [wɛərˈevəʳ] *adv* wo immer.

whet [wet] *vt* (*appetite*) anregen.

whether [ˈweðəʳ] *conj* ob.

which [wɪtʃ] **1.** *adj* (*from selection*) welche(r, s); **2.** *pron* (*relative*) der/die/das; (*which fact*) was; (*interrogative*) welche(r, s); ~**ever book he takes** welches Buch er auch nimmt.

whiff [wɪf] *n* Hauch *m*.

while [waɪl] **1.** *n* Weile *f*; **2.** *conj* während; **for a** ~ eine Zeitlang.

whim [wɪm] *n* Laune *f*.

whimper [ˈwɪmpəʳ] *vi* wimmern.

whimsical [ˈwɪmzɪkəl] *adj* launisch.

whine [waɪn] **1.** *n* Gewinsel *nt*, Gejammer *nt*; **2.** *vi* heulen, winseln.

whip [wɪp] **1.** *n* Peitsche *f*; (*POL*) Einpeitscher(in) *m(f)*; **2.** *vt* (*beat*) peitschen; (*snatch*) reißen; ~**ped cream** Schlagsahne *f*; **whip-round** *n* (*fam*) Geldsammlung *f*.

whirl [wɜ:l] **1.** *n* Wirbel *m*; **2.** *vt*, *vi* herumwirbeln; **whirlpool** *n* Strudel *m*; ~ **bath** Whirlpool *m*; **whirlwind** *n* Wirbelwind *m*.

whisk [wɪsk] **1.** *n* Schneebesen *m*; **2.** *vt* (*cream etc*) schlagen.

whisker [ˈwɪskəʳ] *n* (*of animal*) Schnurrhaar *m*; ~**s** *pl* (*of man*) Backenbart *m*.

whiskey [ˈwɪskɪ] *n* Whisky *m*.

whisper [ˈwɪspəʳ] **1.** *vi* flüstern; (*leaves*) rascheln; **2.** *vt* flüstern, munkeln.

whistle [ˈwɪsl] **1.** *n* Pfiff *m*; (*instrument*) Pfeife *f*; **2.** *vt*, *vi* pfeifen.

white [waɪt] **1.** *n* Weiß *nt*; (*of egg*) Eiweiß *nt*; (*of eye*) Weiße(s) *nt*; **2.** *adj* weiß; (*with fear*) blaß; **white-collar crimes** *pl* Wirtschaftskriminalität *f*; **white-collar worker** *n* Angestellte(r) *mf*; **white lie** *n* Notlüge *f*; **whiteness** *n* Weiß *nt*; **whiteout** *n* (*US*) Korrekturflüssigkeit *f*, Tipp-Ex® *nt*; **whitewash** **1.** *n* (*paint*) Tünche *f*; (*fig*) Schönfärberei *f*; **2.** *vt* weißen, tünchen; (*fig*) beschönigen; (*person*) reinwaschen.

whiting [ˈwaɪtɪŋ] *n* Weißfisch *m*.

Whitsun [ˈwɪtsn] *n* Pfingsten *nt*.

whizz [wɪz] *vi* sausen, zischen, schwirren; **whizz kid** *n* (*fam*) Kanone *f*.

who [hu:] *pron* (*interrogative*) wer; (*relative*) der/die/das; **whoever** [hu:ˈevəʳ] *pron* wer immer; jeder, der/jede, die/jedes, das.

whole [həʊl] **1.** *adj* ganz; (*uninjured*) heil; **2.** *n* Ganze(s) *nt*; **the** ~ **of the year** das ganze Jahr; **on the** ~ im großen und ganzen;

wholefood *n* Vollwertkost *f*; **wholehearted** *adj* rückhaltlos; **wholeheartedly** *adv* von ganzem Herzen, voll und ganz; **wholemeal** *adj* Vollkorn-; **wholesale** **1.** *n* Großhandel *m*; **2.** *adj* (*trade*) Großhandels-; (*destruction*) vollkommen, Massen-; **wholesaler** *n* Großhändler(in) *m(f)*; **wholesome** *adj* bekömmlich, gesund; **wholly** [ˈhəʊlɪ] *adv* ganz, völlig.

whom [hu:m] *pron* (*interrogative*) wen; (*relative*) den/die/das/die *pl*.

whooping cough [ˈhu:pɪŋkɒf] *n* Keuchhusten *m*.

whopper [ˈwɒpəʳ] *n* (*fam*) Mordsding *nt*; (*lie*) faustdicke Lüge; **whopping** *adj* (*fam*) kolossal, Riesen-.

whore [hɔ:ʳ] *n* Hure *f*.

whose [hu:z] *pron* (*interrogative*) wessen; (*relative*) dessen/deren/dessen/deren *pl*.

why [waɪ] **1.** *adv* warum; **2.** *interj* nanu; **that's** ~ deshalb.

wick [wɪk] *n* Docht *m*.

wicked [ˈwɪkɪd] *adj* böse; **wickedness** *n* Bosheit *f*, Schlechtigkeit *f*.

wicker [ˈwɪkəʳ] *n* Weidengeflecht *nt*, Korbgeflecht *m*.

wicket [ˈwɪkɪt] *n* Tor *nt*, Dreistab *m*; (*playing pitch*) Spielfeld *nt*.

wide [waɪd] **1.** *adj* breit; (*plain*) weit; (*in firing*) daneben; **2.** *adv* weit; daneben; ~ **of** weitab von; **wide-angle** *adj* (*lens*) Weitwinkel-; **wide-awake** *adj* hellwach; **widely** *adv* weit; (*known*) allgemein; **widen** *vt* erweitern; **wideness** *n* Breite *f*, Ausdehnung *f*; **wide-open** *adj* weit geöffnet; **widespread** *adj* weitverbreitet.

widow [ˈwɪdəʊ] *n* Witwe *f*; **widowed** *adj* verwitwet; **widower** *n* Witwer *m*.

width [wɪdθ] *n* Breite *f*; Weite *f*.

wife [waɪf] *n* (*wives*) Ehefrau *f*, Gattin *f*.

wig [wɪg] *n* Perücke *f*.

wiggle [ˈwɪgl] **1.** *vt* wackeln mit; **2.** *vi* wackeln.

wigwam [ˈwɪgwæm] *n* Wigwam *m*.

wild [waɪld] *adj* wild; (*violent*) heftig; (*plan, idea*) verrückt; **the** ~**s** *pl* die Wildnis; **wilderness** [ˈwɪldənəs] *n* Wildnis *f*; (*fig*) Wüste *f*; **wild-goose chase** *n* fruchtloses Unternehmen; **wildlife** *n* Tierwelt *f*; **wildly** *adv* wild, ungestüm; (*exaggerated*) irrsinnig.

wilful [ˈwɪlfʊl] *adj* (*intended*) vorsätzlich; (*obstinate*) eigensinnig.

will [wɪl] **1.** *aux vb:* **he** ~ **come** er wird kommen; **I** ~ **do it!** ich werde es tun; **2.** *vt* wollen; **3.** *n* (*power to choose*) Wille *m*; (*wish*) Wunsch *m*, Bestreben *nt*; (*JUR*) Testament *nt*; **willing** *adj* gewillt, bereit; **willingly** *adv* bereitwillig, gern; **willingness** *n* Bereitwilligkeit *f*.

willow ['wɪləʊ] n Weide f.

will power ['wɪlpaʊə*] n Willenskraft f.

willy-nilly ['wɪlɪ'nɪlɪ] adv nolens volens, wohl oder übel.

wilt [wɪlt] vi verwelken.

win [wɪn] ⟨won, won⟩ **1.** vt gewinnen; **2.** vi (be successful) siegen; **3.** n Sieg m; **to ~ sb over** jdn gewinnen, jdn dazu bringen.

winch [wɪntʃ] n Winde f.

wind [waɪnd] ⟨wound, wound⟩ **1.** vt (rope) winden; (bandage) wickeln; **2.** vi (turn) sich winden; (change direction) wenden; **to ~ one's way** sich schlängeln; **wind up 1.** vt (clock) aufziehen; (debate) abschließen; **2.** vi (fam) enden, landen.

wind [wɪnd] n Wind m; (MED) Blähungen pl; **windbreak** n Windschutz m; **windfall** n unverhoffter Glücksfall.

winding ['waɪndɪŋ] adj (road) gewunden, sich schlängelnd.

wind instrument ['wɪndɪnstrʊmənt] n Blasinstrument nt; **windmill** n Windmühle f.

window ['wɪndəʊ] n (a. COMPUT) Fenster nt; (fig) Realisationsmöglichkeit f; **window box** n Blumenkasten m; **window cleaner** n Fensterputzer(in) m(f); **window envelope** n Fensterumschlag m; **window ledge** n Fenstersims m; **window pane** n Fensterscheibe f; **window-shopping** n Schaufensterbummel m; **windowsill** n Fensterbank f.

windpipe ['wɪndpaɪp] n Luftröhre f; **wind power** n Windkraft f.

windscreen ['wɪndskriːn] n Windschutzscheibe f; **windscreen wiper** n Scheibenwischer m; **windshield** (US) ['wɪndʃiːld] n Windschutzscheibe f.

windsurfer ['wɪndsɜːfə*] n Windsurfer(in) m(f); (board) Windsurfbrett nt; **windsurfing** n Windsurfen nt.

windswept ['wɪndswept] adj vom Wind gepeitscht; (person) zerzaust.

windy ['wɪndɪ] adj windig.

wine [waɪn] n Wein m; **wineglass** n Weinglas nt; **wine list** n Weinkarte f, Getränkekarte f; **wine merchant** n Weinhändler(in) m(f); **winery** n (US) Weingut nt; **wine tasting** n Weinprobe f; **wine waiter** n Weinkellner m.

wing [wɪŋ] n Flügel m; (MIL) Gruppe f; ~**s** pl (THEAT) Seitenkulisse f; **winger** n (SPORT) Flügelspieler(in) m(f).

wink [wɪŋk] **1.** n Zwinkern nt; **2.** vi zwinkern, blinzeln; **to ~ at sb, to give sb a ~** jdm zublinzeln; **forty ~s** Nickerchen nt.

winner ['wɪnə*] n Gewinner(in) m(f); (SPORT) Sieger(in) m(f); **winning 1.** adj (team) siegreich, Sieger-; (goal) entscheidend; **2.** n: ~**s** pl Gewinn m; ~ **post** Ziel nt.

winter ['wɪntə*] **1.** n Winter m; **2.** adj (clothes) Winter-; **3.** vi überwintern; **in ~** im Winter; **nuclear ~** nuklearer Winter; ~ **sports** pl Wintersport m; **wintry** ['wɪntrɪ] adj Winter-, winterlich.

wipe [waɪp] vt wischen, abwischen; **wipe out** vt (debt) löschen; (destroy) auslöschen.

wire [waɪə*] **1.** n Draht m; (telegram) Telegramm nt; **2.** vt telegrafieren (sb sth jdm etw); **wireless** n (esp Brit: dated) Radioapparat m; **wireman** n ⟨wiremen⟩ (US) Abhörspezialist m; **wiretapping** n Abhören nt.

wiry ['waɪərɪ] adj drahtig.

wisdom ['wɪzdəm] n Weisheit f; (of decision) Klugheit f; **wisdom tooth** n ⟨teeth⟩ Weisheitszahn m.

wise [waɪz] adj klug, weise; **wisecrack** n (esp US) Witzelei f; (pej) Stichelei f; **wisely** adv klug, weise.

wish [wɪʃ] **1.** n Wunsch m; **2.** vt wünschen; **he ~es us to do it** er möchte, daß wir es tun; **with best ~es** herzliche Grüße; **to ~ sb goodbye** jdn verabschieden; **to ~ to do sth** etw tun wollen; **wishful thinking** n Wunschdenken nt.

wishy-washy ['wɪʃɪwɒʃɪ] adj nichtssagend; (colour) verwaschen; (ideas, argument) wischiwaschi.

wistful ['wɪstfʊl] adj sehnsüchtig.

wit [wɪt] n (also: ~**s**) Verstand m; (amusing ideas) Witz m; (person) Witzbold m; **at one's ~s' end** mit seinem Latein am Ende; **to have one's ~s about one** auf dem Posten sein.

witch [wɪtʃ] n Hexe f; **witchcraft** n Hexerei f.

with [wɪð, wɪθ] prep mit; (in spite of) trotz +gen o dat; ~ **him it's ...** bei ihm ist es ...; **to stay ~ sb** bei jdm wohnen; **I have no money ~ me** ich habe kein Geld bei mir; **shaking ~ fright** vor Angst zitternd.

withdraw [wɪð'drɔː] irr **1.** vt (money) abheben; (remark) zurücknehmen; **2.** vi sich zurückziehen; **withdrawal** n Zurückziehung f; Abheben nt; Zurücknahme f; (from nuclear energy, from society) Ausstieg m; ~ **symptoms** pl Entzugserscheinungen pl.

wither ['wɪðə*] vi verwelken; **withered** adj verwelkt, welk.

withhold [wɪθ'həʊld] irr vt vorenthalten (from sb jdm).

within [wɪð'ɪn] prep innerhalb +gen.

without [wɪð'aʊt] prep ohne; **it goes ~ saying** es ist selbstverständlich.

withstand [wɪð'stænd] irr vt widerstehen +dat.

witness ['wɪtnəs] **1.** n Zeuge m, Zeugin f; **2.** vt (see) sehen, miterleben; (sign docu-

ment) beglaubigen; **3.** *vi* aussagen; **witness box, witness stand** (*US*) *n* Zeugenstand *m*.

witticism ['wɪtɪsɪzəm] *n* witzige Bemerkung.

witty *adj*, **wittily** *adv* ['wɪtɪ, -lɪ] witzig, geistreich.

wizard ['wɪzəd] *n* Zauberer *m*, Zauberin *f*.

wobble ['wɒbl] *vi* wackeln.

woe [wəʊ] *n* Weh *nt*, Leid *nt*, Kummer *m*.

woke [wəʊk] *pt of* **wake; woken** *pp of* **wake.**

wolf [wʊlf] *n* ⟨wolves⟩ Wolf *m*.

woman ['wʊmən] *n* ⟨women⟩ Frau *f*; **a ~ teacher/doctor** eine Lehrerin/Ärztin.

womb [wuːm] *n* Gebärmutter *f*.

women ['wɪmɪn] *pl of* **woman; women's lib** *n* Frauenbewegung *f*; **women's libber** *n* Emanze *f*.

won [wʌn] *pt, pp of* **win.**

wonder ['wʌndə*] **1.** *n* (*marvel*) Wunder *nt*; (*surprise*) Staunen *nt*, Verwunderung *f*; **2.** *vi* sich wundern; **I ~ whether ...** ich frage mich, ob ...; **wonderful** *adj* wunderbar, herrlich; **wonderfully** *adv* wunderbar.

won't [wəʊnt] = **will not.**

wood [wʊd] **1.** *n* Holz *nt*; (*forest*) Wald *m*; **wood carving** *n* Holzschnitzerei *f*; **wooded** *adj* bewaldet, waldig, Wald-; **wooden** *adj* hölzern; **woodpecker** *n* Specht *m*; **woodwind** *n* Blasinstrumente *pl*; **woodwork** *n* Holz *nt*; (*craft*) Holzarbeiten *pl*, Tischlerei *f*; **woodworm** *n* Holzwurm *m*.

wool [wʊl] *n* Wolle *f*; **woollen, woolen** (*US*) *adj* Woll-; **woolly, wooly** (*US*) *adj* wollig; (*fig*) schwammig.

word [wɜːd] **1.** *n* Wort *nt*; (*news*) Bescheid *m*; **2.** *vt* formulieren; **to have a ~ with sb** mit jdm reden; **to have ~s with sb** Worte wechseln mit jdm; **by ~ of mouth** mündlich; **wording** *n* Wortlaut *m*, Formulierung *f*; **word processing** *n* Textverarbeitung *f*; **word processor** *n* Textverarbeitungsanlage *f*; (*program*) Textverarbeitungsprogramm *nt*.

wore [wɔː*] *pt of* **wear.**

work [wɜːk] **1.** *n* Arbeit *f*; (*ART, LITER*) Werk *nt*; **2.** *vi* arbeiten; (*machine*) funktionieren; (*medicine*) wirken; (*succeed*) klappen; **to get ~ed up** sich aufregen; **I ~ in** a (*factory*) Fabrik *f*, Werk *nt*; (*of watch*) Werk *nt*; **work off** *vt* (*debt*) abarbeiten; (*anger*) abreagieren; **work on 1.** *vi* weiterarbeiten; **2.** *vt* (*be engaged in*) arbeiten an +*dat*; (*influence*) bearbeiten; **work out 1.** *vi* (*sum*) aufgehen; (*plan*) klappen; **2.** *vt* (*problem*) lösen; (*plan*) ausarbeiten; **work up to** *vt* hinarbeiten auf +*akk*; **workable** *adj* (*soil*) bearbeitbar; (*plan*) ausführbar;

workaholic [wɜːkə'hɒlɪk] *n* Arbeitstier *nt*; **worker** *n* Arbeiter(in) *m(f)*; **working class** *n* Arbeiterklasse *f*; **working-class** *adj* Arbeiter-; **workman** *n* ⟨workmen⟩ Arbeiter *m*; **workmanship** *n* Arbeit *f*, Ausführung *f*; **workmate** *n* Arbeitskollege (-kollegin) *m(f)*; **workshop** *n* Werkstatt *f*; **work station** *n* Bildschirmarbeitsplatz *m*, Computerarbeitsplatz *m*.

world [wɜːld] *n* Welt *f*; (*animal ~ etc*) Reich *nt*; **out of this ~** himmlisch; **to come into the ~** auf die Welt kommen; **to do sb/sth the ~ of good** jdm/einer Sache sehr guttun; **to be the ~ to sb** jds ein und alles sein; **to think the ~ of sb** große Stücke auf jdn halten; **world-famous** *adj* weltberühmt; **worldly** *adj* weltlich, irdisch; **worldwide** *adj* weltweit.

worm [wɜːm] *n* Wurm *m*.

worn [wɔːn] **1.** *pp of* **wear; 2.** *adj* (*clothes*) abgetragen; **worn-out** *adj* (*object*) abgenutzt; (*person*) völlig erschöpft.

worried ['wʌrɪd] *adj* besorgt, beunruhigt.

worrier ['wʌrɪə*] *n*: **he is a ~** er macht sich dat ewig Sorgen.

worry ['wʌrɪ] **1.** *n* Sorge *f*, Kummer *m*; **2.** *vt* quälen, beunruhigen; **3.** *vi* (*feel uneasy*) sich sorgen, sich *dat* Gedanken machen; **worrying** *adj* beunruhigend.

worse [wɜːs] **1.** *adj comp of* **bad** schlechter, schlimmer; **2.** *adv comp of* **badly** schlimmer; **3.** *n* Schlimmere(s) *nt*, Schlechtere(s) *nt*; **worsen 1.** *vt* verschlimmern; **2.** *vi* sich verschlechtern.

worship ['wɜːʃɪp] **1.** *n* Anbetung *f*, Verehrung *f*; (*religious service*) Gottesdienst *m*; **2.** *vt* anbeten; **worshipper** *n* Gottesdienstbesucher(in) *m(f)*.

worst [wɜːst] **1.** *adj superl of* **bad** schlimmste(r, s), schlechteste(r, s); **2.** *adv superl of* **badly** am schlimmsten, am ärgsten; **3.** *n* Schlimmste(s) *nt*, Ärgste(s) *nt*.

worth [wɜːθ] **1.** *n* Wert *m*; **2.** *adj* wert; **~ seeing** sehenswert; **£10 ~ of food** Essen für 10 £; **it's ~ £10** es ist 10 £ wert; **worthless** *adj* wertlos; (*person*) nichtsnutzig; **worthwhile 1.** *adj* lohnend, der Mühe wert; **2.** *adv*: **it's not ~ going** es lohnt sich nicht dahin zu gehen; **worthy** ['wɜːðɪ] *adj* (*having worth*) wertvoll; (*deserving*) wert (*of gen*), würdig (*of gen*).

would [wʊd] *aux vb*: **she ~ come** sie würde kommen; **if you asked he ~ come** wenn du ihn fragtest, würde er kommen; **~ you like a drink?** möchten Sie etwas trinken? **would-be** *adj* angeblich; **wouldn't** = **would not.**

wound [wuːnd] **1.** *pt, pp of* **wind; 2.** *n* Wunde *f*; **3.** *vt* verwunden, verletzen.

wove [wəʊv] *pt of* **weave; woven** *pp of*

weave.

wrap [ræp] **1.** n (stole) Umhang m, Schal m; **2.** vt (also: ~ **up**) einwickeln; (deal) abschließen; **wrapper** n Umschlag m, Schutzhülle f; **wrapping paper** n Packpapier nt; (decorative) Geschenkpapier nt.

wreak [ri:k] vt (havoc) anrichten; (vengeance) üben.

wreath [ri:θ] n Kranz m.

wreck [rek] **1.** n Schiffbruch m; (ship) Wrack nt; (sth ruined) Ruine f, Trümmerhaufen m; **2.** vt zerstören; **a nervous** ~ ein Nervenbündel; **wreckage** ['rekɪdʒ] n Wrack nt, Trümmer pl.

wren [ren] n Zaunkönig m.

wrench [rentʃ] **1.** n (spanner) Schraubenschlüssel m; (twist) Ruck m, heftige Drehung f; **2.** vt reißen, zerren.

wrestle ['resl] vi ringen; **wrestling** n Ringen nt; ~ **match** Ringkampf m.

wretched ['retʃɪd] adj (hovel) elend; (fam) verflixt; **I feel** ~ mir ist elend.

wriggle ['rɪgl] vi sich winden.

wring [rɪŋ] ⟨wrung, wrung⟩ vt wringen.

wrinkle ['rɪŋkl] **1.** n Falte f, Runzel f; **2.** vt runzeln; **3.** vi sich runzeln; (material) knittern.

wrist [rɪst] n Handgelenk nt; **wristwatch** n Armbanduhr f.

writ [rɪt] n gerichtlicher Befehl.

write [raɪt] ⟨wrote, written⟩ vt, vi schreiben; **write down** vt niederschreiben, aufschreiben; **write off** vt (dismiss) abschreiben; **write out** vt (notes) ausarbeiten; (cheque) ausstellen; **write up** vt schreiben; **write-off** n: **it is a** ~ das kann man abschreiben; **writer** n Verfasser(in) m(f); (author) Schriftsteller(in) m(f); (of TV commercials, subtitles) Texter(in) m(f); **write-up** n Besprechung f; **writing** n (act) Schreiben nt; (hand-) Handschrift f; ~**s** pl Schriften pl, Werke pl; **writing paper** n Schreibpapier nt; **written** ['rɪtən] pp of **write**.

wrong [rɒŋ] **1.** adj (incorrect) falsch; (morally) unrecht; (out of order) nicht in Ordnung; **2.** n Unrecht nt; **3.** vt Unrecht tun +dat; **he was** ~ **in doing that** es war nicht recht von ihm, das zu tun; **what's** ~ **with your leg?** was ist mit deinem Bein los?; **to go** ~ (plan) schiefgehen; (person) einen Fehler machen; **wrongful** adj unrechtmäßig; **wrongly** adv falsch; (accuse) zu Unrecht.

wrote [rəʊt] pt of **write**.

wrought [rɔːt] adj: ~ **iron** Schmiedeeisen nt.

wrung [rʌŋ] pt, pp of **wring**.

wry [raɪ] adj schief, krumm; (ironical) trocken; **to make a** ~ **face** das Gesicht verziehen.

X

X, x [eks] n X nt, x nt.

xenophobia [zenə'fəʊbɪə] n Ausländerfeindlichkeit f.

XL adj abbr of **extra large**.

Xmas ['eksməs] n (fam) Weihnachten nt.

X-ray ['eks'reɪ] **1.** n Röntgenaufnahme f; **2.** vt röntgen.

xylophone ['zaɪləfəʊn] n Xylophon nt.

Y

Y, y [waɪ] n Y nt, y nt.

yacht [jɒt] n Jacht f; **yachting** n Sportsegeln nt; **yachtsman** n ⟨yachtsmen⟩ Sportsegler m.

Yank, Yankee [jæŋk, -ɪ] n (fam) Ami m.

yap [jæp] vi (dog) kläffen; (people) quasseln.

yard [jɑːd] n Hof m; (measure) englische Elle f, Yard nt (0,91 m); **yardstick** n (fig) Maßstab m.

yarn [jɑːn] n (thread) Garn nt; (story) Seemannsgarn nt.

yawn [jɔːn] **1.** n Gähnen nt; **2.** vi gähnen.

yeah [jeə] adv (fam) ja.

year ['jɪə*] n Jahr nt; **yearly** adj, adv jährlich.

yearn [jɜːn] vi sich sehnen (for nach); **yearning** n Verlangen nt, Sehnsucht f.

yeast [ji:st] n Hefe f.

yell [jel] **1.** n gellender Schrei; **2.** vi laut schreien.

yellow ['jeləʊ] adj gelb; ~ **fever** Gelbfieber nt; ~ **lines** pl ≈ Parkverbot nt; **double** ~ **lines** pl ≈ Halteverbot nt; ~ **pages** pl Gelbe Seiten pl, Branchentelefonbuch nt.

yelp [jelp] vi kläffen.

yeoman ['jəʊmən] n ⟨yeomen⟩: **Yeoman of the Guard** königlicher Leibgardist m.

yes [jes] **1.** adv ja; **2.** n Ja nt, Jawort nt; **yes-man** n ⟨yesmen⟩ Jasager m.

yesterday ['jestədeɪ] **1.** adv gestern; **2.** n Gestern nt; **the day before** ~ vorgestern.

yet [jet] **1.** adv noch; (in question) schon; (up to now) bis jetzt; **2.** conj doch, dennoch; **and** ~ **again** und wieder [o noch] einmal; **as** ~ bis jetzt; (in past) bis dahin.

yew [ju:] n Eibe f.

Yiddish ['jɪdɪʃ] n Jiddisch nt.

yield [ji:ld] **1.** n Ertrag m; **2.** vt (result, crop) hervorbringen; (interest, profit) abwerfen; (concede) abtreten; **3.** vi nachgeben; (MIL) sich ergeben; "~„ (AUTO) „Vorfahrt achten!".

YMCA *n abbr of* **Young Men's Christian Association** CVJM *m*.

yodel [ˈjəʊdl] *vi* jodeln.

yoga [ˈjəʊgə] *n* Joga *m*.

yoghurt [ˈjɒgət] *n* Joghurt *m*.

yoke [jəʊk] *n* (*a. fig*) Joch *nt*.

yolk [jəʊk] *n* Eidotter *m*, Eigelb *nt*.

yonder [ˈjɒndə*] **1.** *adv* dort drüben, da drüben; **2.** *adj* jene(r, s) dort.

you [juː] **1.** *pron (2nd person sing)* du; (*polite form*) Sie; (*indefinite*) man; **2.** *pron (2nd person pl)* ihr; (*polite form*) Sie; **3.** *pron direct/indirect object of sing* **you** dich/dir; (*polite form*) Sie/Ihnen; (*indefinite*) einen/ einem; **4.** *pron direct/indirect object of pl* **you** euch; (*polite form*) Sie/Ihnen; **it's ~** du bist's; ihr seid's; Sie sind's.

you'd [juːd] = **you had; you would.**

you'll [juːl] = **you will; you shall.**

young [jʌŋ] **1.** *adj* jung; **2.** *n*: **the ~** *pl* die Jungen *pl*; **youngish** *adj* ziemlich jung; **youngster** *n* Junge *m*, junger Bursche, junges Mädchen.

your [ˈjɔː*] **1.** *pron (adjektivisch sing)* dein; (*polite form*) Ihr; **2.** *pron (adjektivisch pl)* euer; (*polite form*) Ihr.

you're [ˈjʊə*] = **you are.**

yours [ˈjɔːz] **1.** *pron (substantivisch sing)* deine(r, s); (*polite form*) Ihre(r, s); **2.** *pron (substantivisch pl)* eure(r, s); (*polite form*) Ihre(r, s); **~ sincerely/faithfully** mit freundlichen Grüßen/hochachtungsvoll.

yourself [jɔːˈself] *pron sing* dich; (*polite form*) sich; **you ~** du/Sie selbst; **you are not ~** mit dir/Ihnen ist etwas nicht in Ordnung; **yourselves** *pron pl* euch; (*polite form*) sich; **you ~** ihr/Sie selbst.

youth [juːθ] *n* Jugend *f*; (*young man*) junger Mann; (*young people*) Jugend *f*; **youth club** *n* Jugendclub *m*; **youthful** *adj* jugendlich; **youth hostel** *n* Jugendherberge *f*.

you've [juːv] = **you have.**

YTS *n abbr of* **youth training scheme** Ausbildungsförderungsprogramm *nt*.

Yugoslav [ˈjuːgəʊˈslɑːv] **1.** *adj* jugoslawisch; **2.** *n* Jugoslawe *m*, Jugoslawin *f*; **Yugoslavia** [ˈjuːgəʊˈslɑːvɪə] *n* Jugoslawien *nt*; **former ~** das ehemalige Jugoslawien; **Yugoslavian** *adj* jugoslawisch.

yuppie, yuppy [ˈjʌpɪ] *n acr of* **young urban professional** Yuppie *mf*.

YWCA *n abbr of* **Young Women's Christian Association** CVJF *m*.

Z

Z, z [zɛd, zi: *US*] *n* Z *nt*, z *nt*.

Zaire [zaːˈɪə*] *n* Zaire *nt*.

Zambia [ˈzæmbɪə] *n* Sambia *nt*.

zany [ˈzeɪnɪ] *adj* komisch.

zap [zæp] *vt* (*COMPUT*) löschen.

zapping [ˈzæpɪŋ] *n* (*TV*) ständiges Umschalten.

zeal [ziːl] *n* Eifer *m*; **zealous** [ˈzɛləs] *adj* eifrig.

zebra [ˈzebrə, ˈziːbrə *US*] *n* Zebra *nt*; **zebra crossing** *n* Zebrastreifen *m*.

zero [ˈzɪərəʊ] *n* ⟨-es⟩ Null *f*; (*on scale*) Nullpunkt *m*; **~ economic growth** Nullwachstum *m*; **~ hour** die Stunde X; **~ option** (*POL*) Nullösung *f*.

zest [zest] *n* Begeisterung *f*.

zigzag [ˈzɪgzæg] **1.** *n* Zickzack *m*; **2.** *vi* im Zickzack laufen/fahren.

Zimbabwe [zɪmˈbɑːbwɪ] *n* Zimbabwe *nt*, Simbabwe *nt*.

zinc [zɪŋk] *n* Zink *nt*.

Zionism [ˈzaɪənɪzəm] *n* Zionismus *m*.

zip [zɪp] **1.** *n* (*also:* **~ fastener, ~per**) Reißverschluß *m*; **2.** *vt* (*also:* **~ up**) den Reißverschluß zumachen von.

ZIP-code [ˈzɪpkəʊd] *n* (*US*) Postleitzahl, PLZ *f*.

zither [ˈzɪðə*] *n* Zither *f*.

zodiac [ˈzəʊdɪæk] *n* Tierkreis *m*.

zombie [ˈzɒmbɪ] *n* Zombie *m*; (*fam a.*) Trantüte *f*; **like a ~** total im Tran.

zone [zəʊn] *n* Zone *f*; (*area*) Gebiet *nt*.

zoo [zuː] *n* Zoo *m*; **zoological** [zəʊəˈlɒdʒɪkəl] *adj* zoologisch; **zoologist** [zəʊˈɒlədʒɪst] *n* Zoologe-(login) *m(f)*; **zoology** [zəʊˈɒlədʒɪ] *n* Zoologie *f*.

zoom [zuːm] *vi* (*engine*) surren; (*plane*) aufsteigen; (*move fast*) brausen, sausen; (*prices*) hochschnellen; **zoom lens** *n* Zoomobjektiv *nt*.

zucchini [zuːˈkiːnɪ] *n* (*US*) Zucchini *f*.

Zululand [ˈzuːluːlænd] *n* Kwazulu *nt*.

Deutsch — Englisch

A

A, a nt A. a.

Aal m ⟨-[e]s, -e⟩ eel.

Aas nt ⟨-es, -e o Äser⟩ carrion; **Aasgeier** m vulture.

ab 1. präp +dat from; **2.** adv off; **links ~ to** the left; **~ und zu** [o **an**] now and then [o again]; **von da ~** from then on; **der Knopf ist ~** the button has come off.

Abänderung f alteration.

Abart f ⟨BIO⟩ variety; **abartig** adj abnormal.

Abbau m ⟨-[e]s⟩ dismantling; (Verminderung) reduction (gen in); (Verfall) decline (gen in); (MIN) mining; (über Tage) quarrying; (CHEM) decomposition; **abbauen** vt dismantle; (MIN) mine; (über Tage) quarry; (verringern) reduce; (CHEM) break down.

abbeißen irr vt bite off.

abbekommen irr vt get; **etwas ~** (Auto) be damaged; (Mensch) be hurt.

abberufen irr vt recall.

abbestellen vt cancel.

abbezahlen vt pay off.

abbiegen irr **1.** vi turn off; (Straße) bend; **2.** vt bend; (verhindern) ward off.

Abbiegespur f turn-off lane.

Abbild nt portrayal; (eines Menschen) image, likeness; **abbilden** vt portray; **Abbildung** f illustration.

Abbitte f: **~ leisten** [o **tun**] make one's apologies (bei to).

abblasen irr vt blow off; (fig) call off.

abblenden vt, vi (AUTO) dip, dim US; **Abblendlicht** nt dipped [o dimmed US] headlights pl.

abbrechen irr **1.** vt break off; (Gebäude) pull down; (Zelt) take down; (aufhören) stop; **2.** vi break off.

abbrennen irr **1.** vt burn off; (Feuerwerk) let off; **2.** vi burn down; **abgebrannt sein** (umg) to be broke.

abbringen irr vt: **jdn von etw ~** dissuade sb from sth; **jdn vom Weg ~** divert sb; **ich bringe den Verschluß nicht ab** (umg) I can't get the top off.

abbröckeln vi crumble off [o away]; (fig) fall off.

Abbruch m (von Verhandlungen etc) breaking off; (von Haus) demolition; **jdm/einer Sache ~ tun** harm sb/sth; **abbruchreif** adj only fit for demolition.

abbuchen vt debit.

abdanken vi resign; (König) abdicate.

abdecken vt uncover; (Tisch) clear; (Loch) cover.

abdichten vt seal; (NAUT) caulk.

abdrängen vt push off.

abdrehen 1. vt (Gas) turn off; (Licht) switch off; (Film) shoot; **2.** vi (Schiff) change course.

Abdruck 1. m ⟨Abdrucke pl⟩ (Nachdrucken) reprinting; (Gedrucktes) reprint; **2.** m ⟨Abdrücke pl⟩ (Gips~, Wachs~) impression; (Finger~) print; **abdrucken** vt print.

abdrücken 1. vt make an impression of; (Waffe) fire; (umg: jdn) hug, squeeze; **2.** vr: **sich ~** leave imprints.

abebben vi ebb away.

Abend m ⟨-s, -e⟩ evening; **zu ~ essen** have dinner [o supper]; **abend** adv evening; **Abendbrot** nt, **Abendessen** nt dinner, supper; **abendfüllend** adj taking up the whole evening; **Abendkleid** nt evening dress; **Abendkurs** m evening classes pl; **Abendland** nt West; **abendlich** adj evening; **Abendmahl** nt Holy Communion; **Abendrot** nt sunset; **abends** adv in the evening.

Abenteuer nt ⟨-s, -⟩ adventure; **Abenteuerferien** pl adventure holidays pl; **abenteuerlich** adj adventurous; **Abenteurer** m ⟨-s, -⟩ adventurer; **Abenteurerin** f adventuress.

aber 1. konj but; (jedoch) however; **2.** adv: **tausend und ~ tausend** thousands upon thousands; **das ist ~ schön** that's really nice; **nun ist ~ Schluß!** now that's enough!; **Aber** nt ⟨-s, -⟩ but.

Aberglaube m superstition; **abergläubisch** adj superstitious.

aberkennen irr vt: **jdm etw ~** deprive sb of sth, take sth [away] from sb.

abermals adj repeated; **abermals** adv once again.

aberwitzig adj crazy.

abfackeln vt (Gas) burn off, flare off.

abfahren irr **1.** vi leave, depart; **2.** vt (Strecke) drive; (Reifen) wear; (Fahrkarte) use.

Abfahrt f departure; (SKI) downhill; (Piste) run; **Abfahrtslauf** m (SKI) downhill; **Abfahrtstag** m day of departure; **Abfahrtszeit** f departure time.

Abfall m waste; (Müll) rubbish, garbage US; (Neigung) slope; (Verschlechterung) decline; **Abfallbeseitigung** f refuse disposal; **Abfalleimer** m rubbish bin, garbage can US.

abfallen irr vi (a. fig) fall [o drop] away; (vom Glauben, POL) break away; (sich neigen) fall [o drop] away.

abfällig adj disparaging.

Abfallprodukt nt waste product; **Abfallvermeidung** f waste reduction.

abfangen irr vt intercept; (jdn) catch; (unter Kontrolle bringen) check.

abfärben vi (*Wäsche*) run; (*fig*) rub off.
abfassen vt write; (*Erstentwurf*) draft.
abfertigen vt (*Pakete*) prepare for dispatch, process; (*an der Grenze*) clear; (*Kundschaft*) attend to; (*jdn kurz* ~ give sb short shrift; **Abfertigung** f preparing for dispatch, processing; clearance; **Abfertigungsschalter** m check-in desk.
abfinden irr **1.** vt pay off; **2.** vr: **sich mit etw** ~ come to terms with sth; **sich mit etw nicht** ~ be unable to accept sth; **Abfindung** f (*von Gläubigern*) payment; (*Geld*) sum in settlement.
abflachen 1. vt flatten; **2.** vr: **sich** ~ flatten out, become flatter.
abflauen vi (*Wind, Erregung*) die away; (*Nachfrage, Geschäft*) fall [*o* drop] off.
abfliegen irr **1.** vi (*Flugzeug*) take off; (*Passagier a.*) fly; **2.** vt (*Gebiet*) fly over.
abfließen irr vi drain away.
Abflug m departure; (*Start*) take-off; **Abflughalle** f departure lounge; **Abflugzeit** f departure time.
Abfluß m (*Öffnung*) outlet; (*Rohr*) drainpipe; (*Abwasser*) waste-pipe.
Abfolge f sequence.
abfragen vt test; (*INFORM*) call up; **jdn** [*o* **jdm**] **etw** ~ question sb on sth.
Abfuhr f ‹-, -en› removal; (*fig*) snub, rebuff; **jdn eine** ~ **erteilen** snub sb.
abführen 1. vt lead away; (*Gelder, Steuern*) pay; **2.** vi (*MED*) have a laxative effect; **Abführmittel** nt laxative.
abfüllen vt draw off; (*in Flaschen*) bottle.
Abgabe f handing in; (*von Ball*) pass; (*Steuer*) tax; (*einer Erklärung*) giving; **abgabenfrei** adj tax-free; **abgabenpflichtig** adj liable to tax.
Abgang m (*von Schule*) leaving; (*THEAT*) exit; (*MED: Ausscheiden*) passing; (*Fehlgeburt*) miscarriage; (*der Post, von Waren*) dispatch.
Abgas nt waste gas; (*AUTO*) exhaust; **abgasarm** adj with low exhaust emission; **Abgassonderuntersuchung** f exhaust emission test.
abgeben irr **1.** vt (*Gegenstand*) hand [*o* give] in; (*Ball*) pass; (*Schuß*) fire; (*Erklärung, Urteil*) give; (*darstellen, sein*) make; **2.** vr: **sich mit jdm/etw** ~ associate with sb/bother with sth; **jdm etw** ~ (*überlassen*) let sb have sth.
abgebrüht adj (*umg*) hard-boiled.
abgedroschen adj hackneyed; (*Witz*) corny.
abgefeimt adj cunning.
abgegriffen adj (*Buch*) well-thumbed; (*Redensart*) hackneyed.
abgehen irr **1.** vi (*THEAT*) exit; (*Post*) go; (*Eiter*) be discharged; (*Fötus*) be aborted;

(*Knopf etc*) come off; (*abgezogen werden*) be taken off; (*Straße*) branch off; **2.** vt (*Strecke*) go [*o* walk] along; **etw geht jdm ab** (*umg: fehlen*) sb lacks sth.
abgelegen adj remote.
abgemacht interj OK, that's settled.
abgeneigt adj averse to, disinclined.
Abgeordnete(r) mf member of parliament.
Abgesandte(r) mf delegate; (*POL*) envoy.
abgeschmackt adj tasteless.
abgesehen adj: **es auf jdn/etw** ~ **haben** be after sb/sth; ~ **von ...** apart from ...
abgespannt adj tired.
abgestanden adj stale; (*Bier a.*) flat.
abgestorben adj numb; (*BIO, MED*) dead.
abgewinnen irr vt: **einer Sache etw/Geschmack** ~ get sth/pleasure from sth.
abgewöhnen vt: **jdm/sich etw** ~ cure sb of sth/give sth up.
abgleiten irr vi slip, slide.
Abgott m idol; **abgöttisch** adv: ~ **lieben** idolize.
abgrenzen vt mark off; (*mit Zaun*) fence off; (*unterscheiden*) differentiate.
Abgrund m (*a. fig*) abyss; **abgründig** adj unfathomable; (*Lächeln*) cryptic.
abhaken vt tick off.
abhalten irr vt (*Versammlung*) hold; **jdn von etw** ~ (*fernhalten*) keep sb away from sth; (*hindern*) keep sb from sth.
abhandeln vt (*Thema*) deal with.
abhanden adj: ~ **kommen** get lost.
Abhandlung f treatise, discourse.
Abhang m slope.
abhängen 1. vt (*Bild*) take down; (*Anhänger*) uncouple; (*Verfolger*) shake off; **2.** vi (*Fleisch*) hang; **von jdm/etw** ~ depend on sb/sth.
abhängig adj dependent (*von* on); **Abhängigkeit** f dependence (*von* on).
abhärten vr: **sich** ~ toughen [oneself] up; **sich gegen etw** ~ harden oneself to sth.
abhauen irr **1.** vt cut off; **2.** vi (*umg: verschwinden*) clear off.
abheben irr **1.** vt (*Geld*) withdraw; (*Masche*) slip; **2.** vi (*Flugzeug*) take off; (*Rakete*) lift off; (*KARTEN*) cut; **3.** vr: **sich** ~ stand out (*von* from), contrast (*von* with).
abhelfen irr vi +dat remedy.
abhetzen vr: **sich** ~ wear [*o* tire] oneself out.
Abhilfe f remedy; ~ **schaffen** put things right.
abholen vt collect; (*am Bahnhof etc*) pick up, meet.
Abholmarkt m cash and carry.
abhorchen vt sound.
abhören vt (*Vokabeln*) test; (*Telefongespräch*) tap; (*Tonband etc*) listen to; (*MED*) sound; **Abhörgerät** nt bug.

Abitur nt ⟨-s, -e⟩ German school leaving examination, ≈ A-levels *Brit*; **Abiturient(in)** m(f) person who is doing/has done the Abitur.

Abk. f abk von **Abkürzung** abbr.

abkämmen vt (*Gegend*) comb, scour.

abkanzeln vt (*umg*): **jdn** ~ give sb a dressing-down.

abkapseln vr: **sich** ~ shut oneself off.

abkaufen vt: **jdm etw** ~ buy sth from sb.

abkehren 1. vt (*Blick*) avert, turn away; **2.** vr: **sich** ~ turn away.

abklären vt clear up.

Abklatsch m ⟨-es, -e⟩ (*pej*) poor copy.

abklingen irr vi die away.

abknöpfen vt unbutton; **jdm etw** ~ (*umg*) get sth off sb.

abkochen vt boil.

abkommen irr vi get away; **von der Straße/ einem Plan** ~ leave the road/give up a plan.

Abkommen nt ⟨-s, -⟩ agreement.

abkömmlich adj available.

abkratzen 1. vt scrape off; **2.** vi (*umg*) kick the bucket.

abkühlen 1. vt cool down; **2.** vr: **sich** ~ (*umg!*) cool down; (*Wetter*) get cool; (*Zuneigung*) cool.

abkupfern vt (*umg*) crib, copy.

abkürzen vt shorten; (*Wort a.*) abbreviate; **den Weg** ~ take a short cut; **Abkürzung** f (*Wort*) abbreviation; (*Weg*) short cut.

abladen irr vt unload.

Ablage f (*für Akten*) tray; (*Aktenordnung*) filing.

ablagern 1. vt deposit; **2.** vr: **sich** ~ be deposited; **3.** vi mature.

Ablagerung f deposit.

ablassen irr **1.** vt (*Wasser, Dampf*) let off; (*vom Preis*) knock off; **2.** vi: **von etw** ~ abandon sth.

Ablauf m (*Abfluß*) drain; (*von Ereignissen*) course; (*einer Frist, Zeit*) expiry; **ablaufen** irr **1.** vi (*abfließen*) drain away; (*Ereignisse*) happen; (*Frist, Zeit, Paß*) expire; **2.** vt (*Sohlen*) wear [o down/out].

ablegen 1. vt put down; (*Kleider*) take off; (*Gewohnheit*) get rid of; (*Prüfung*) take, sit; (*Zeugnis*) give.

Ableger m ⟨-s, -⟩ (*BOT*) layer; (*fig*) branch, offshoot.

ablehnen 1. vt reject; (*Einladung*) decline, refuse; **2.** vi decline, refuse; **Ablehnung** f rejection; refusal.

ableiten 1. vt (*Wasser*) divert; (*deduzieren*) deduce; (*Wort*) derive; **Ableitung** f diversion; deduction; derivation; (*Wort*) derivative.

ablenken 1. vt turn away, deflect; (*zerstreuen*) distract; **2.** vi change the subject; **Ablenkungsma-** **növer** nt diversionary tactic.

ablesen irr vt read out; (*Meßgeräte*) read.

abliefern vt deliver; **etw bei jdm/einer Dienststelle** ~ hand sth over to sb/in at an office; **Ablieferung** f delivery.

abliegen irr vi be some distance away.

ablösen vt (*abtrennen*) take off, remove; (*in Amt*) take over from; (*Wache*) relieve; **Ablösung** f removal; relieving.

abmachen vt take off; (*vereinbaren*) agree; **Abmachung** f agreement.

abmagern vi get thinner; **Abmagerungskur** f diet; **eine** ~ **machen** go on a diet.

Abmarsch m departure; **abmarschbereit** adj ready to start; **abmarschieren** vi march off.

abmelden 1. vt (*Zeitungen*) cancel; (*Auto*) deregister, take off the road; **2.** vr: **sich** ~ give notice of one's departure; (*im Hotel*) check out; **jdn bei der Polizei** ~ register sb's departure with the police.

abmessen irr vt measure; **Abmessung** f measurement.

abmontieren vt take off.

abmühen vr: **sich** ~ wear oneself out.

abnabeln vr: **sich** ~ cut oneself loose.

Abnäher m ⟨-s, -⟩ dart.

Abnahme f ⟨-, -n⟩ removal; (*WIRTS*) buying; (*Verringerung*) decrease (*gen* in).

abnehmen irr **1.** vt take off, remove; (*Führerschein*) take away; (*Geld*) get (*jdm* out of sb); (*kaufen, umg: glauben*) buy (*jdm* from sb); (*Prüfung*) hold; (*Maschen*) decrease; **2.** vi decrease; (*schlanker werden*) lose weight; **jdm Arbeit** ~ take work off sb's shoulders.

Abnehmer(in) m(f) ⟨-s, -⟩ purchaser, customer.

Abneigung f aversion, dislike.

abnutzen vt wear out; **Abnutzung** f wear [and tear].

Abonnement nt ⟨-s, -s⟩ subscription; **Abonnent(in)** m(f) subscriber; **abonnieren** vt subscribe to.

Abort m ⟨-[e]s, -e⟩ lavatory.

abpacken vt pack.

abpassen vt (*jdn, Gelegenheit*) wait for.

abpfeifen irr vi, vt: **[das Spiel]** ~ (*SPORT*) blow the whistle [for the end of the game]; **Abpfiff** m final whistle.

abplagen vr: **sich** ~ wear oneself out.

abprallen vi bounce off; (*Kugel*) ricochet.

abputzen vt clean.

abquälen vr: **sich** ~ drive oneself frantic; **sich mit etw** ~ struggle with sth.

abrackern vr: **sich** ~ slave [away].

abraten irr vt advise, warn (*jdm von etw* sb against sth).

abräumen vt clear up [o away].

abreagieren 1. vt (*Wut*) work off; **2.** vr: **sich**

~ calm down; **seinen Ärger an jdm** ~ take it out on sb.

abrechnen 1. *vt* deduct, take off; **2.** *vi* settle up; *(fig)* get even; **Abrechnung** *f* settlement; *(Rechnung)* bill.

abregen *vr:* **sich** ~ *(umg)* calm [*o* cool] down.

abreiben *irr vt* rub off; *(säubern)* wipe; **jdn mit einem Handtuch** ~ towel sb down.

Abreise *f* departure; **abreisen** *vi* leave, set off.

abreißen *irr vt (Haus)* tear down; *(Blatt)* tear off.

abrichten *vt* train.

abriegeln *vt (Tür)* bolt; *(Straße, Gebiet)* seal off.

Abriß *m* ⟨Abrisses, Abrisse⟩ *(Übersicht)* outline.

Abruf *m:* **auf** ~ on call; **abrufen** *irr vt (jdn)* call away; *(INFORM)* retrieve; *(WIRTS: Ware)* request delivery of.

abrunden *vt* round off; *(Zahl)* round down.

abrüsten *vi* disarm; **Abrüstung** *f* disarmament.

Abs. *abk von* **Absender.**

ABS *f (AUTO) abk von* **Antiblockiersystem** ABS.

Absage *f* refusal; **absagen 1.** *vt* cancel, call off; *(Einladung)* turn down; **2.** *vi* cry off; *(ablehnen)* decline.

absägen *vt* saw off.

absahnen 1. *vi* make a killing; **2.** *vt* skim; **das Beste für sich** ~ take the cream.

Absatz *m (WIRTS)* sales *pl;* *(neuer Abschnitt)* paragraph; *(Treppen~)* landing; *(Schuh~)* heel; **Absatzflaute** *f* slump in the market; **Absatzgebiet** *nt (WIRTS)* market.

abschaben *vt* scrape off; *(Möhren)* scrape.

abschaffen *vt* abolish, do away with; **Abschaffung** *f* abolition.

abschalten *vt, vi (a. fig)* switch off.

abschätzen *vt* estimate; *(Lage)* assess; *(jdn)* size up.

abschätzig *adj* disparaging, derogatory.

Abschaum *m* scum.

Abscheu *m* ⟨-[e]s⟩ loathing, repugnance; **abscheuerregend** *adj* repulsive, loathsome; **abscheulich** *adj* abominable.

abschicken *vt* send off.

abschieben *irr vt* push away; *(jdn)* pack off; *(ausweisen)* deport.

Abschied *m* ⟨-[e]s, -e⟩ parting; ~ **nehmen** say good-bye *(von jdm* to sb), take one's leave *(von jdm* of sb); **zum** ~ on parting; **Abschiedsbrief** *m* farewell letter; **Abschiedsfeier** *f* farewell party.

abschießen *irr vt (Flugzeug)* shoot down; *(Geschoß)* fire; *(umg)* get rid of.

abschirmen *vt* screen.

abschlagen *irr vt (abhacken, WIRTS)* knock

off; *(ablehnen)* refuse.

abschlägig *adj* negative.

Abschlagszahlung *f* interim payment.

abschleifen *irr vt* grind down; *(Rost)* polish off; **2.** *vr:* **sich** ~ wear off.

Abschleppdienst *m (AUTO)* breakdown service; **abschleppen** *vt* take in tow; **Abschleppseil** *nt* towrope.

abschließen *irr vt* **1.** *(Tür)* lock; *(beenden)* conclude, finish; *(Vertrag, Handel)* conclude; **2.** *vr:* **sich** ~ *(sich isolieren)* cut oneself off.

Abschluß *m (Beendigung)* close, conclusion; *(WIRTS: Rechnungs~)* balancing; *(von Vertrag, Handel)* conclusion; **zum** ~ in conclusion; **Abschlußfeier** *f* end-of-term party; **Abschlußrechnung** *f* final account.

abschmieren *vt (AUTO)* grease, lubricate.

abschminken *vr:* **sich** ~ remove one's make-up.

abschnallen 1. *vt* undo; **2.** *vi:* **da schnallste ab!** *(umg)* it blows your mind!

abschneiden *irr vt* **1.** *vt* cut off; **2.** *vi* do, come off.

Abschnitt *m* section; *(MIL)* sector; *(Kontroll~)* counterfoil; *(MATH)* segment; *(Zeit~)* period.

abschöpfen *vt* skim off.

abschotten *vt* seal off.

abschrauben *vt* unscrew.

abschrecken *vt* deter, put off; *(mit kaltem Wasser)* plunge in cold water; **abschreckend** *adj* deterrent; **~es Beispiel** warning; **Abschreckung** *f* deterrence.

abschreiben *irr vt* copy; *(verlorengeben)* write off; *(WIRTS)* deduct; **Abschreibung** *f (WIRTS)* deduction; *(Wertverminderung)* depreciation.

Abschrift *f* copy.

abschürfen *vt* graze.

Abschuß *m (eines Geschützes)* firing; *(Herunterschießen)* shooting down; *(Tötung)* shooting.

abschüssig *adj* steep.

abschwächen 1. *vt* lessen; *(Behauptung, Kritik)* tone down; **2.** *vr:* **sich** ~ lessen.

abschweifen *vi* wander; **Abschweifung** *f* digression.

abschwellen *irr vi (Geschwulst)* go down; *(Lärm)* die down.

abschwören *vi* +*dat* renounce.

absehbar *adj* foreseeable; **in ~er Zeit** in the foreseeable future; **das Ende ist** ~ the end is in sight; **absehen** *irr vt* **1.** *vt (Ende, Folgen)* foresee; **2.** *vi:* **von etw** ~ refrain from sth; *(nicht berücksichtigen)* leave sth out of consideration.

abseits 1. *adv* out of the way; **2.** *präp* +*gen* away from; **Abseits** *nt* ⟨-⟩ *(SPORT)* offside.

im ~ stehen be offside.

absenden irr vt send off, dispatch; **Absender(in)** m(f) ⟨-s, -⟩ sender.

absetzbar adj (Beamter) dismissible; (Waren) saleable; (Mißstand, Unsitte) stop; (ausrichten) gear **setzen 1.** vt (niederstellen, aussteigen lassen) put down; (abnehmen) take off; (WIRTS) sell; (FIN) deduct; (entlassen) dismiss; (König) depose; (streichen) drop; (hervorheben) pick out; **2.** vr: **sich** ~ (sich entfernen) clear off; (sich ablagern) be deposited.

absichern vt make safe; (schützen) safeguard.

Absicht f intention; **mit** ~ on purpose; **absichtlich** adj intentional, deliberate.

absitzen irr **1.** vi dismount; **2.** vt (Strafe) serve.

absolut adj absolute; **Absolutismus** m absolutism.

absolvieren vt (SCH) complete.

absondern 1. vt separate; (ausscheiden) give off, secrete; **2.** vr: **sich** ~ cut oneself off.

absparen vt: **sich** dat etw ~ scrimp and save for sth.

abspecken vi (umg) lose weight.

abspeichern vt (INFORM) save, file.

abspeisen vt (fig) fob off.

abspenstig adj: ~ **machen** lure away (jdm from sb).

absperren vt block [o close] off; (Tür) lock; **Absperrung** f (Vorgang) blocking [o closing] off; (Sperre) barricade.

abspielen 1. vt (Platte, Tonband) play; (SPORT) pass; **2.** vr: **sich** ~ happen.

Absprache f arrangement.

absprechen irr vt (vereinbaren) arrange; **jdm etw** ~ deny sb sth.

abspringen irr vi jump down/off; (Farbe, Lack) flake off; (FLUG) bale out; (sich distanzieren) back out; **Absprung** m jump.

abspülen vt rinse; (Geschirr) wash up.

abstammen vi be descended; (Wort) be derived; **Abstammung** f descent; derivation.

Abstand m distance; (zeitlich) interval; **davon** ~ **nehmen, etw zu tun** refrain from doing sth; ~ **halten** (AUTO) keep one's distance; **mit** ~ **der Beste** by far the best; **Abstandssumme** f compensation.

abstatten vt (Dank) give; (Besuch) pay.

abstauben vt, vi dust; (umg: stehlen) pinch; **[den Ball]** ~ (SPORT) tuck the ball away.

Abstecher m ⟨-s, -⟩ detour; (fig) digression.

abstehen irr vi (Ohren, Haare) stick out.

absteigen irr vi (vom Rad etc) get off, dismount; (in Gasthof) put up (in +dat at); (SPORT) be relegated (in +akk to).

abstellen vt (niederstellen) put down; (ent-

fernt stellen) pull out; (hinstellen: Auto) park; (ausschalten) turn [o switch] off; (Mißstand, Unsitte) stop; (ausrichten) gear (auf +akk to); **Abstellgleis** nt siding.

abstempeln vt stamp.

absterben irr vi die; (Körperteil) go numb.

Abstieg m ⟨-[e]s, -e⟩ descent; (SPORT) relegation; (fig) decline.

abstimmen 1. vi vote; **2.** vt (Instrument) tune (auf +akk to); (Interessen) match (auf +akk with); (Termine, Ziele) fit in (auf +akk with); **3.** vr: **sich** ~ come to an agreement; **Abstimmung** f vote.

abstinent adj abstemious; (von Alkohol) teetotal; **Abstinenz** f abstinence; teetotalism; **Abstinenzler(in)** m(f) ⟨-s, -⟩ teetotaller.

abstoßen irr vt push off [o away]; (verkaufen) get rid of; (anekeln) repel, repulse; **abstoßend** adj repulsive.

abstrakt 1. adj abstract; **2.** adv abstractly, in the abstract; **Abstraktion** f abstraction; **Abstraktum** nt ⟨-s, Abstrakta⟩ abstract concept/noun.

abstreiten irr vt deny.

Abstrich m (Abzug) cut; (MED) smear; **~e machen** lower one's sights.

abstufen vt (Hang) terrace; (Farben) shade; (Gehälter) grade.

abstumpfen 1. vt (a. fig) dull, blunt; **2.** vi (a. fig) become dulled.

Absturz m fall; (FLUG, INFORM) crash; **abstürzen** vi fall; (FLUG, INFORM) crash.

absuchen vt scour, search.

absurd adj absurd.

Abszeß m ⟨Abzesses, Abzesse⟩ abscess.

Abt m ⟨-[e]s, Äbte⟩ abbot.

abtasten vt feel, probe.

abtauen vt, vi thaw.

Abtei f ⟨-, -en⟩ abbey.

Abteil nt ⟨-[e]s, -e⟩ compartment.

abteilen vt divide up; (abtrennen) divide off.

Abteilung f (in Firma, Kaufhaus) department, section; (MIL) unit; **Abteilungsleiter(in)** m(f) head of department, section.

Äbtissin f abbess.

abträglich adj harmful (dat to).

abtreiben irr **1.** vt (Boot, Flugzeug) drive off course; (Kind) abort; **2.** vi be driven off course; abort; **Abtreibung** f abortion; **Abtreibungsversuch** m attempted abortion.

abtrennen vt (lostrennen) detach; (entfernen) take off; (abteilen) separate off.

abtreten irr **1.** vt wear out; (überlassen) hand over, cede (jdm to sb); **2.** vi go off; (zurücktreten) step down.

abtrocknen vt, vi dry.

abtrünnig adj renegade.

abwägen ⟨wägte ab, abgewogen⟩ vt weigh

up.

abwählen *vt* vote out [of office].

abwandeln *vt* adapt.

Abwärme *f* waste heat.

abwarten 1. *vt* wait for; **2.** *vi* wait.

abwärts *adv* down.

Abwasch *m* ⟨-[e]s⟩ washing-up; **abwaschbar** *adj* washable; **abwaschen** *irr vt* (*Schmutz*) wash off; (*Geschirr*) wash [up].

Abwasser *nt* ⟨-s, Abwässer⟩ sewage.

abwechseln *vr:* **sich ~** alternate; (*Menschen*) take turns; **abwechselnd** *adv* alternately; **wir haben das ~ gemacht** we took turns.

Abwechslung *f* change; (*Zerstreuung*) diversion; **abwechslungsreich** *adj* varied.

Abweg *m:* **auf ~e geraten/führen** go/lead astray; **abwegig** *adj* wrong.

Abwehr *f* ⟨-⟩ defence; (*Schutz*) protection; (*~dienst*) counter intelligence [service]; **abwehren** *vt* ward off; (*Ball*) stop; **~de Geste** dismissive gesture.

abweichen *irr vi* deviate; (*Meinung*) differ; **abweichend** *adj* deviant; differing.

abweisen *irr vt* turn away; (*Antrag*) turn down; **abweisend** *adj* (*Haltung*) cold.

abwenden *irr* **1.** *vt* avert; **2.** *vr:* **sich ~** turn away.

abwerben *irr vt* woo away (*jdm* from sb).

abwerfen *irr* throw off; (*Profit*) yield; (*aus Flugzeug*) drop; (*Spielkarte*) discard.

abwerten *vt* (*FIN*) devalue.

abwesend *adj* absent; **Abwesenheit** *f* absence.

abwickeln *vt* (*Geschäft*) complete.

abwiegen *irr vt* weigh out.

abwimmeln *vt* (*umg*) get rid of; (*Auftrag*) get out of.

abwischen *vt* wipe off [o away]; (*putzen*) wipe.

Abwurf *m* throwing off; (*von Bomben etc*) dropping; (*von Reiter, SPORT*) throw.

abwürgen *vt* (*umg*) scotch; (*Motor*) stall.

abzahlen *vt* pay off.

abzählen *vt, vi* count [up].

Abzahlung *f* repayment; **auf ~ kaufen** buy on hire purchase.

Abzeichen *nt* badge; (*Orden*) decoration.

abzeichnen 1. *vt* draw, copy; (*Dokument*) initial; **2.** *vr:* **sich ~** stand out; (*fig: bevorstehen*) loom.

Abziehbild *nt* transfer.

abziehen *irr* **1.** *vt* take off; (*Tier*) skin; (*Bett*) strip; (*subtrahieren*) take away, subtract; (*kopieren*) run off; **2.** *vi* go away; (*Truppen*) withdraw.

abzielen *vi* be aimed (*auf +akk* at).

Abzug *m* departure; (*von Truppen*) withdrawal; (*Kopie*) copy; (*Subtraktion*) subtraction; (*Betrag*) deduction; (*Rauch~*) flue; (*von Waffen*) trigger.

abzüglich *präp* +gen less.

abzweigen 1. *vi* branch off; **2.** *vt* set aside; **Abzweigung** *f* junction.

Accessoires *pl* accessories *pl*.

ach *interj* oh; **mit Ach und Krach** by the skin of one's teeth.

Achse *f* ⟨-, -n⟩ axis; (*AUTO*) axle; **auf ~ sein** be on the move.

Achsel *f* ⟨-, -n⟩ shoulder; **Achselhöhle** *f* armpit; **Achselzucken** *nt* shrug [of one's shoulders].

Achsenbruch *m* (*AUTO*) broken axle.

acht *num* eight; **~ Tage** a week.

Acht *f* ⟨-⟩ attention; (*HIST*) proscription; **sich in acht nehmen** be careful (*vor +dat* of), watch out (*vor +dat* for); **etw außer acht lassen** disregard sth.

achtbar *adj* worthy.

achte(r, s) *adj* eighth; **der ~ September** the eighth of September; **Stuttgart, den 8. September** Stuttgart, September 8th; **Achte(r)** *mf* eighth.

Achtel *nt* ⟨-s, -⟩ (*Bruchteil*) eighth.

achten 1. *vt* respect; **2.** *vi* pay attention (*auf +akk* to); **darauf ~, daß ...** be careful that ...

ächten *vt* outlaw, ban.

achtens *adv* in the eighth place.

Achterbahn *f* big dipper, roller coaster.

achtfach 1. *adj* eightfold; **2.** *adv* eight times.

achtgeben *irr vi* take care (*auf +akk* of).

achthundert *num* eight hundred; **achtjährig** *adj* (*8 Jahre alt*) eight-year-old; (*8 Jahre dauernd*) eight-year.

achtlos *adj* careless.

achtmal *adv* eight times.

achtsam *adj* attentive.

Achtung 1. *f* attention; (*Ehrfurcht*) respect; **2.** *interj* look out; (*MIL*) attention; **~ Lebensgefahr/Stufe!** danger/mind the step!

achtzehn *num* eighteen.

achtzig *num* eighty.

ächzen *vi* groan (*vor +dat* with).

Acker *m* ⟨-s, Äcker⟩ field; **Ackerbau** *m* agriculture.

Acryl *nt* ⟨-s⟩ acrylic.

Adapter *m* ⟨-s, -⟩ adapter, adaptor.

addieren *vt* add [up]; **Addition** *f* addition.

ade *interj* farewell, adieu.

Adel *m* ⟨-s⟩ nobility; **adelig** *adj* noble.

Ader *f* ⟨-, -n⟩ vein.

Adjektiv *nt* adjective.

Adler *m* ⟨-s, -⟩ eagle.

adlig *adj* noble.

Admiral(in) *m(f)* ⟨-s, -e⟩ admiral.

adoptieren *vt* adopt; **Adoption** *f* adoption; **Adoptiveltern** *pl* adoptive parents *pl*; **Adoptivkind** *nt* adopted child.

Adrenalin nt ⟨-s⟩ adrenalin.

Adresse f ⟨-, -n⟩ (a. INFORM) address; **adressieren** vt address (an +akk to).

Advent m ⟨-[e]s, -e⟩ Advent; **Adventskranz** m Advent wreath.

Adverb nt adverb; **adverbial** adj adverbial.

Aerobic nt ⟨-s⟩ aerobics sing.

aerodynamisch adj aerodynamic.

Affäre f ⟨-, -n⟩ affair.

Affe m ⟨-n, -n⟩ monkey.

affektiert adj affected.

affenartig adj like a monkey; **mit ~er Geschwindigkeit** (like a flash); **Affenhitze** f (umg) incredible heat; **Affenschande** f (umg) crying shame.

affig adj affected.

Afghanistan nt Afghanistan.

Afrika nt Africa; **Afrikaner(in)** m(f) ⟨-s, -⟩ African; **afrikanisch** adj African.

After m ⟨-s, -⟩ anus.

AG f ⟨-, -s⟩ abk für **Aktiengesellschaft** plc, Ltd, inc.

Agent(in) m(f) agent; **Agentur** f agency.

Aggregat nt ⟨-[e]s, -e⟩ aggregate; (TECH) unit; **Aggregatzustand** m (PHYS) state.

Aggression f aggression; **aggressiv** adj aggressive; **Aggressivität** f aggressiveness.

Agitation f agitation.

Agrarpolitik f agricultural policy; **Agrarstaat** m agrarian state.

Ägypten nt Egypt.

aha interj aha; **Aha-Erlebnis** nt sudden insight.

Ahn m ⟨-s, -⟩ forebear.

ähneln 1. vi +dat be like, resemble; **2.** vr: **sich ~** be alike [o similar].

ahnen vt suspect; (Tod, Gefahr) have a presentiment of; **du ahnst es nicht** you have no idea.

ähnlich adj similar (dat to); **Ähnlichkeit** f similarity.

Ahnung f idea, suspicion; (Vor~) presentiment; **ahnungslos** adj unsuspecting.

Ahorn m ⟨-s, -e⟩ maple.

Ähre f ⟨-, -n⟩ ear.

Aids nt ⟨-⟩ aids, AIDS; **Aids-Hilfe** f aidscentre; **Aids-krank** adj aids-infected; **Aids-positiv** adj tested positive for aids; **Aidstest** m aids test.

Airbag m ⟨-s, -s⟩ (AUTO) airbag.

Airbus m airbus.

Akademiker(in) m(f) ⟨-s, -⟩ university graduate; **akademisch** adj academic.

akklimatisieren vr: **sich ~** become acclimatized.

Akkord m ⟨-[e]s, -e⟩ (MUS) chord; **im ~ arbeiten** do piecework; **Akkordarbeit** f piecework.

Akkordeon nt ⟨-s, -s⟩ accordion.

Akkusativ m accusative [case].

Akrobat(in) m(f) ⟨-en, -en⟩ acrobat.

Akt m ⟨-[e]s, -e⟩ act; (KUNST) nude.

Akte f ⟨-, -n⟩ file; **etw zu den ~n legen** (a. fig) file sth away; **Aktenkoffer** m attaché case; **aktenkundig** adj on the files; **Aktenschrank** m filing cabinet; **Aktentasche** f briefcase.

Aktie f ⟨-, -n⟩ share; **Aktiengesellschaft** f joint-stock company; **Aktienkurs** m share price.

Aktion f campaign; (Polizei~, Such~) action.

Aktionär(in) m(f) ⟨-s, -e⟩ shareholder.

aktiv adj active; (MIL) regular; **Aktiv** nt ⟨-s⟩ (LING) active [voice]; **Aktiva** pl assets pl; **aktivieren** vt activate; **Aktivität** f activity.

aktualisieren vt (a. INFORM) update; **Aktualität** f topicality; (einer Mode) up-to-dateness; **aktuell** adj topical; up-to-date.

Akupressur f acupressure.

Akupunktur f acupuncture.

Akustik f acoustics sing; **Akustikkoppler** m ⟨-s, -⟩ (INFORM) acoustic coupler.

akut adj acute.

AKW nt ⟨-s, -s⟩ abk von **Atomkraftwerk** nuclear power station.

Akzent m ⟨-[e]s, -e⟩ accent; (Betonung) stress.

Akzeptanz f acceptance; **akzeptieren** vt accept.

Albanien nt Albania.

albern adj silly.

Album nt ⟨-s, Alben⟩ album.

Algebra f ⟨-⟩ algebra.

Algerien nt Algeria.

algorithmisch adj algorithmic; **Algorithmus** m algorithm.

Alibi nt ⟨-s, -s⟩ alibi; **Alibifunktion** f: **~ haben** be used as an alibi.

Alimente pl alimony.

Alkohol m ⟨-s, -e⟩ alcohol; **alkoholfrei** adj non-alcoholic, alcohol-free; **Alkoholiker(in)** m(f) ⟨-s, -⟩ alcoholic; **alkoholisch** adj alcoholic; **Alkoholismus** m alcoholism; **Alkoholverbot** nt ban on alcohol.

All nt ⟨-s⟩ universe.

allabendlich adj every evening.

alle(r, s) 1. adj all; **2.** adv (umg: zu Ende) finished; **wir ~** all of us; **~ beide** both of us/ you; **~ vier Jahre** every four years; **etw ~ machen** finish sth up.

Allee f ⟨-, -n⟩ avenue.

allein 1. adv alone; (ohne Hilfe) on one's own, by oneself; **2.** konj but, only; **nicht ~**

(*nicht nur*) not only; **alleinerziehend** *adj:* ~e **Eltern** *pl* single parents *pl;* **Alleinerziehende(r)** *mf* ⟨-n, -n⟩ single mother/father/parent; **Alleingang** *m:* **im** ~ on one's own; **alleinstehend** *adj* single.

allerbeste(r, s) *adj* very best; **allerdings** *adv* (*zwar*) admittedly; (*gewiß*) certainly.

Allergie *f* allergy; **Allergiker(in)** *m(f)* ⟨-s, -⟩ person suffering from an allergy; **er ist** ~ he suffers from an allergy; **allergisch** *adj* allergic.

allerhand *adj inv* all sorts of; **das ist doch** ~! that's a bit thick; ~! (*lobend*) good show!

Allerheiligen *nt* All Saints' Day.

allerhöchste(r, s) *adj* very highest; **allerhöchstens** *adv* at the very most.

allerlei *adj inv* all sorts of.

allerletzte(r, s) *adj* very last.

allerseits *adv* on all sides; **prost** ~! cheers everyone!

allerwenigste(r, s) *adj* very least.

alles *pron* everything; ~ **in allem** all in all.

allgegenwärtig *adj* ever-present, ubiquitous.

allgemein *adj* general; **Allgemeinbildung** *f* general knowledge; **allgemeingültig** *adj* generally accepted; **Allgemeinheit** *f* (*Menschen*) general public; ~**en** *pl* (*Redensarten*) general remarks *pl;* **Allgemeinmedizin** *f* general medicine.

Alliierte(r) *mf* ally.

alljährlich *adj* annual.

allmählich *adj* gradual.

Allradantrieb *m* all-wheel drive.

Alltag *m* everyday life; **alltäglich** *adj* daily; (*gewöhnlich*) commonplace.

allwissend *adj* omniscient.

allzu *adv* all too; **allzuoft** *adv* all too often; **allzuviel** *adv* too much.

Almosen *nt* ⟨-s, -⟩ alms *pl;* (*geringer Lohn*) pittance.

Alpen *pl* Alps *pl;* **Alpenblume** *f* alpine flower.

Alphabet *nt* ⟨-[e]s, -e⟩ alphabet; **alphabetisch** *adj* alphabetical.

alphanumerisch *adj* alphanumeric.

Alptraum *m* nightmare.

als *konj* (*zeitlich*) when; (*bei Komparativ*) than; (*Gleichheit*) as; **nichts** ~ nothing but; ~ **ob** as if.

also *konj* so; (*folglich*) therefore; **ich komme** ~ **morgen** so I'll come tomorrow; ~ **gut** [*o* **schön**]! okay then!; ~**, so was!** well really!; **na** ~! there you are then!

alt *adj* old; ~ **aussehen** (*umg*) look a right fool; **ich bin nicht mehr der** ~**e** I am not the man I was; **alles beim** ~**en lassen** leave everything as it was.

Alt *m* ⟨-s, -e⟩ (*MUS*) alto.

Altar *m* ⟨-[e]s, Altäre⟩ altar.

Alteisen *nt* scrap iron.

Alter *nt* ⟨-s, -⟩ age; (*hohes*) old age; **im** ~ **von** at the age of; **altern** *vi* grow old, age.

alternativ *adj* (*Weg, Methode, Lebensweise, Energiegewinnung*) alternative; (*POL*) unconventional; (*umweltbewußt*) ecologically minded.

Alternativ- *in Zusammensetzungen* alternative; (*Bäckerei, Landwirtschaft*) organic.

Alternative *f* alternative.

Alternative(r) *mf* (*POL*) member of the alternative movement.

altersbedingt *adj* age-related.

Altersgrenze *f* age limit; **Altersheim** *nt* old people's home; **Altersversorgung** *f* old age pension.

Altertum *nt* antiquity.

Altglascontainer *m* bottle bank; **altklug** *adj* precocious; **Altlasten** *pl* (*Boden*) contaminated soil; (*fig*) inherited problems; **altmodisch** *adj* old-fashioned; **Altpapier** *nt* waste paper; **Altstadt** *f* old town; **Altweibersommer** *m* Indian summer.

Alufolie *f* tin foil, kitchen foil.

Aluminium *nt* ⟨-s⟩ aluminium, aluminum *US*.

Alzheimer-Krankheit *f* Alzheimer's disease.

am = **an dem**: ~ **Sterben** on the point of dying; ~ **15. März** on March 15th; ~ **besten/schönsten** best/most beautiful.

Amalgam *nt* ⟨-s, -e⟩ amalgam.

Amateur(in) *m(f)* amateur.

Amboß *m* ⟨Ambosses, Ambosse⟩ anvil.

ambulant *adj* outpatient.

Ameise *f* ⟨-, -n⟩ ant.

Amerika *nt* America; **in** ~ in America; **nach** ~ **fahren** go to America; **Amerikaner(in)** *m(f)* ⟨-s, -⟩ American; **amerikanisch** *adj* American.

Ampel *f* ⟨-, -n⟩ traffic lights *pl.*

amputieren *vt* amputate.

Amsel *f* ⟨-, -n⟩ blackbird.

Amt *nt* ⟨-[e]s, Ämter⟩ office; (*Pflicht*) duty; (*TEL*) exchange; **amtieren** *vi* hold office; **amtlich** *adj* official; **Amtszeichen** *nt* (*TEL*) dial tone *US*, dialling tone *Brit;* **Amtszeit** *f* period of office.

amüsant *adj* amusing; **amüsieren 1.** *vt* amuse; **2.** *vr:* **sich** ~ enjoy oneself; **Amüsierviertel** *nt* nightclub district.

an 1. *präp +dat* (*räumlich*) at; (*auf, bei*) on; (*nahe bei*) near; (*zeitlich*) on; **2.** *präp +akk* (*räumlich*) [on]to; **3.** *adv:* **von ... ~** from ... on; ~ **die 5 DM** around 5 marks; **das Licht ist** ~ the light is on; ~ **Ostern** at Easter; ~ **diesem Ort/Tag** at this place/on this day; ~ **und für sich** actually.

Anabolikum *nt* ⟨-s, Anabolika⟩ anabolic

steroid.

analog *adj* analogous; (*INFORM*) analog; **Analogrechner** *m* analog computer.

Analyse *f* ⟨-, -n⟩ analysis; **analysieren** *vt* analyse.

Ananas *f* ⟨-, -*o* -se⟩ pineapple.

Anarchie *f* anarchy.

Anarcho *m* ⟨-s, -s⟩ (*umg*) anarchist.

Anatomie *f* anatomy.

anbändeln *vi* (*umg*) flirt.

Anbau 1. *m* ⟨AGR⟩ cultivation; **2.** *m* ⟨Anbauten *pl*⟩ (*Gebäude*) extension; **anbauen** *vt* ⟨AGR⟩ cultivate; (*Gebäudeteil*) build on.

anbehalten *irr vt* keep on.

anbei *adv* enclosed.

anbeißen *irr* **1.** *vt* bite into; **2.** *vi* bite; (*fig*) swallow the bait; **zum Anbeißen** (*umg*) nice enough to eat.

anbelangen *vt* concern; **was mich anbelangt** as far as I am concerned.

anbeten *vt* worship.

Anbetracht *m*: **in ~** +*gen* in view of.

anbiedern *vr*: **sich ~** make up (*bei* to).

anbieten *irr* **1.** *vt* offer; **2.** *vr*: **sich ~** volunteer.

anbinden *irr vt* tie up; **kurz angebunden** (*fig*) curt.

Anblick *m* sight; **anblicken** *vt* look at.

anbrechen *irr* **1.** *vt* start; (*Vorräte*) break into; **2.** *vi* start; (*Tag*) break; (*Nacht*) fall.

anbrennen *irr vi* catch fire; (*GASTR*) burn.

anbringen *irr vt* bring; (*Ware*) sell; (*festmachen*) fasten.

Anbruch *m* beginning; **~ des Tages/der Nacht** dawn/nightfall.

anbrüllen *vt* roar at.

Andacht *f* ⟨-, -en⟩ devotion; (*Gottesdienst*) prayers *pl*; **andächtig** *adj* devout.

andauern *vi* last, go on; **andauernd** *adj* (*ständig*) continuous; (*anhaltend*) continual; **sie beklagt sich ~** she keeps on complaining.

Andenken *nt* ⟨-s, -⟩ memory; souvenir.

andere(r, s) *adj* other; (*verschieden*) different; **am ~n Tage** the next day; **ein ~s Mal** another time; **kein ~r** nobody else; **von etwas ~m sprechen** talk about something else; **andererteils, andererseits** *adv* on the other hand.

ändern **1.** *vt* alter, change; **2.** *vr*: **sich ~** change.

anders *adv* differently (*als* from); **wer ~?** who else?; **jd/irgendwo ~** sb/somewhere else; **~ aussehen/klingen** look/sound different; **andersartig** *adj* different; **andersherum** *adv* the other way round; **anderswo** *adv* elsewhere.

anderthalb *num* one and a half.

Änderung *f* alteration, change.

anderweitig *adv* otherwise; (*anderswo*) elsewhere.

andeuten *vt* indicate; (*Wink geben*) hint at; **Andeutung** *f* indication; hint.

Andorra *nt* Andorra.

Andrang *m* crush.

andrehen *vt* turn [*o* switch] on; **jdm etw ~** (*umg*) unload sth onto sb.

androhen *vt*: **jdm etw ~** threaten sb with sth.

aneignen *vt*: **sich** *dat* **etw ~** acquire sth; (*widerrechtlich*) appropriate sth.

aneinander *adv* at/on/to one another [*o* each other]; **aneinandergeraten** *irr vi* clash; **aneinanderlegen** *vt* put together.

anekeln *vt* disgust.

Anemone *f* ⟨-, -n⟩ anemone.

anerkannt *adj* recognized, acknowledged.

anerkennen *irr vt* recognize, acknowledge; (*würdigen*) appreciate; **anerkennend** *adj* appreciative; **anerkennenswert** *adj* praiseworthy; **Anerkennung** *f* recognition, acknowledgement; appreciation.

anfahren *irr* **1.** *vt* deliver; (*fahren gegen*) hit; (*Hafen*) put into; (*fig*) bawl out; **2.** *vi* drive up; (*losfahren*) drive off.

Anfall *m* ⟨MED⟩ attack.

anfallen *irr* **1.** *vt* attack; (*fig*) overcome; **2.** *vi* (*Arbeit*) come up; (*Produkt*) be obtained.

anfällig *adj* delicate; **~ für etw** prone to sth.

Anfang *m* ⟨-(e)s, Anfänge⟩ beginning, start; **von ~ an** right from the beginning; **zu ~** at the beginning; **~ Mai** at the beginning of May; **anfangen** *irr vt, vi* begin, start; (*machen*) do.

Anfänger(in) *m(f)* ⟨-s, -⟩ beginner.

anfangs *adv* at first; **Anfangsbuchstabe** *m* initial [*o* first] letter; **Anfangsstadium** *nt* initial stages *pl*.

anfassen **1.** *vt* handle; (*berühren*) touch; **2.** *vi* lend a hand; **3.** *vr*: **sich ~** feel; **zum Anfassen** accessible; (*Mensch*) approachable.

anfechten *irr vt* dispute; (*beunruhigen*) trouble.

anfertigen *vt* make.

anfeuern *vt* (*fig*) spur on.

anflehen *vt* implore.

anfliegen *irr* **1.** *vt* fly to; **2.** *vi* fly up; **Anflug** *m* ⟨FLUG⟩ approach; (*Spur*) trace.

anfordern *vt* demand; **Anforderung** *f* demand (*gen* for).

Anfrage *f* inquiry; **anfragen** *vi* inquire.

anfreunden *vr*: **sich ~ mit etw** get to like sth; **sich ~ mit jdm** make [*o* become] friends with sb.

anfügen *vt* add; (*beifügen*) enclose.

anführen *vt* lead; (*zitieren*) quote; **Anführer(in)** *m(f)* leader; **Anführungsstriche** *pl*, **Anführungszeichen** *pl* quotation marks *pl*.

Angabe *f* statement; (*TECH*) specification;

(*umg*) boasting; (*SPORT*) service; **~n** *pl* (*Auskunft*) particulars *pl*.

angeben *irr* **1.** *vt* give; (*bestimmen*) set; **2.** *vi* (*umg*) boast; (*SPORT*) serve; **Angeber(in)** *m(f)* ⟨-s, -⟩ (*umg*) show-off; **Angeberei** *f* (*umg*) showing off.

angeblich *adj* alleged.

angeboren *adj* inborn, innate (*jdm* in sb).

Angebot *nt* offer; (*WIRTS*) supply (*an +dat* of).

angebracht *adj* appropriate, in order.

angeheitert *adj* tipsy.

angehen *irr* **1.** *vt* concern; (*bitten*) approach (*um* for); **2.** *vi* (*Feuer*) light; (*beginnen*) begin; **angehend** *adj* prospective; **er ist ein ~er Vierziger** he is approaching forty.

angehören *vi* belong (*dat* to).

Angehörige(r) *mf* relative.

Angeklagte(r) *mf* accused.

Angel *f* ⟨-, -n⟩ fishing rod; (*Tür~*) hinge.

Angelegenheit *f* affair, matter.

Angelhaken *m* fish hook; **angeln 1.** *vt* catch; **2.** *vi* fish; **Angeln** *nt* ⟨-s⟩ angling, fishing; **Angelrute** *f* fishing rod.

angemessen *adj* appropriate, suitable.

angenehm *adj* pleasant; **~!** (*bei Vorstellung*) pleased to meet you; **jdm ~ sein** be welcome to sb.

angenommen *adj* assumed; **~, wir …** assuming we …

angesehen *adj* respected.

angesichts *präp +gen* in view of, considering.

angespannt *adj* (*Mensch*) tense; (*Markt*) tight.

Angestellte(r) *mf* employee, white-collar worker.

angestrengt *adv* as hard as one can.

angetan *adj*: **von jdm/etw ~ sein** be impressed by sb/sth; **es jdm ~ haben** appeal to sb.

angewiesen *adj*: **auf jdn/etw ~ sein** be dependent on sb/sth.

angewöhnen *vt*: **jdm/ sich etw ~** get sb/ become accustomed to sth.

Angewohnheit *f* habit.

Angler(in) *m(f)* ⟨-s, -⟩ angler.

angreifen *irr* *vt* attack; (*anfassen*) touch; (*Arbeit*) tackle; (*beschädigen*) damage; **Angreifer(in)** *m(f)* ⟨-s, -⟩ attacker; **Angriff** *m* attack; **etw in ~ nehmen** make a start on sth; **angriffslustig** *adj* aggressiv.

Angst *f* ⟨-, Ängste⟩ fear; **~ haben** be afraid [*o* scared] (*vor +dat* of); **~ um jdn/etw haben** be worried about sb/sth; **nur keine ~!** don't be scared; **angst** *adj*: **jdm ist ~** sb is afraid [*o* scared]; **jdm ~ machen** scare sb; **Angsthase** *m* (*umg*) chicken, scaredy-cat; **ängstigen 1.** *vt* frighten; **2.** *vr*: **sich ~** worry [oneself] (*um, vor +dat* about);

ängstlich *adj* nervous; (*besorgt*) worried; **Ängstlichkeit** *f* nervousness.

anhaben *irr* *vt* have on; **er kann mir nichts ~** he can't hurt me.

anhalten *irr* **1.** *vt* stop; (*gegen etw halten*) hold up (*jdm* against sb); **2.** *vi* stop; (*andauern*) persist; **jdn zur Arbeit/Höflichkeit ~** make sb work/be polite; **anhaltend** *adj* persistent; **Anhalter(in)** *m(f)* ⟨-s, -⟩ hitch-hiker; **per ~ fahren** hitch-hike.

Anhaltspunkt *m* clue.

anhand *präp +gen* with.

Anhang *m* appendix; (*Leute*) family; (*Fans*) supporters *pl*.

anhängen 1. *vt* hang up; (*Wagen*) couple up; (*Zusatz*) add [on]; **2.** *vr*: **sich an jdn ~** attach oneself to sb; **Anhänger** *m* ⟨-s, -⟩ (*AUTO*) trailer; (*am Koffer*) tag; (*Schmuck*) pendant; **Anhänger(in)** *m(f)* ⟨-s, -⟩ supporter; **Anhängerkupplung** *f* tow-bar; **Anhängerschaft** *f* supporters *pl*.

anhänglich *adj* devoted; **Anhänglichkeit** *f* devotion.

Anhängsel *nt* ⟨-s, -⟩ appendage.

Anhäufung *f* accumulation.

anheben *irr* *vt* lift up; (*Preise*) raise.

anheimelnd *adj* comfortable, cosy.

anheimstellen *vt*: **jdm etw ~** leave sth up to sb.

Anhieb *m*: **auf ~** at the very first go; (*kurz entschlossen*) on the spur of the moment.

anhören 1. *vt* listen to; (*anmerken*) hear; **2.** *vr*: **sich ~** sound.

Animateur(in) *m(f)* host/hostess.

animieren *vt* encourage, urge on.

Anis *m* ⟨-es, -e⟩ aniseed.

ankaufen *vt* purchase, buy.

Anker *m* ⟨-s, -⟩ anchor; **vor ~ gehen** drop anchor; **ankern** *vt, vi* anchor; **Ankerplatz** *m* anchorage.

Anklage *f* accusation; (*JUR*) charge; **Anklagebank** *f* ⟨Anklagebänke *pl*⟩ dock; **anklagen** *vt* accuse; (*JUR*) charge (*gen* with).

Anklang *m*: **bei jdm ~ finden** meet with sb's approval.

Ankleidekabine *f* changing cubicle.

anklopfen *vi* knock.

anknüpfen 1. *vt* fasten [*o* tie] on; (*fig*) start; **2.** *vi* (*anschließen*) refer (*an +akk* to).

ankommen *irr* *vi* arrive; (*näherkommen*) approach; (*Anklang finden*) go down (*bei* with); **es kommt darauf an** it depends; (*wichtig*) that [is what] matters; **es kommt auf ihn an** it depends on him; **es darauf ~ lassen** let things take their course; **gegen jdn/etw ~** cope with sb/sth.

ankündigen *vt* announce.

Ankunft *f* ⟨-, Ankünfte⟩ arrival; **Ankunftszeit** *f* time of arrival.

Anlage *f* disposition; (*Begabung*) talent;

(*Park*) gardens *pl*; (*Beilage*) enclosure; (*TECH*) plant; (*EDV*~) system; (*FIN*) investment; (*Entwurf*) layout.

Anlaß *m* ⟨Anlasses, Anlässe⟩ cause (*zu für*); (*Ereignis*) occasion; **aus** ~ +*gen* on the occasion of; ~ **zu etw geben** give rise to sth; **etw zum** ~ **nehmen** take the opportunity of sth.

anlassen *irr* **1.** *vt* leave on; (*Motor*) start; **2.** *vr:* **sich** ~ (*umg*) start off.

Anlasser *m* ⟨-s, -⟩ (*AUTO*) starter.

Anlauf *m* run-up; **anlaufen** *irr* **1.** *vi* begin; (*Film*) show; (*SPORT*) run up; (*Fenster*) mist up; (*Metall*) tarnish; **2.** *vt* call at; **rot** ~ colour; **gegen etw** ~ run into [*o* up against] sth; **angelaufen kommen** come running up; **Anlaufstelle** *f* shelter, refuge.

anläuten *vt* ring.

anlegen 1. *vt* put (*an* +*akk* against/on); (*anziehen*) put on; (*gestalten*) lay out; (*Geld*) invest; (*Gewehr*) aim (*auf* +*akk* at); **2.** *vi* dock; **es auf etw** *akk* ~ be out for sth/to do sth; **sich mit jdm** ~ (*umg*) quarrel with sb; **Anlegestelle** *f* landing place.

anlehnen 1. *vt* lean (*an* +*akk* against); (*Tür*) leave ajar; **2.** *vr:* **sich** ~ lean (*an* +*akk* on).

anleiern *vt* (*umg*) launch, get on the road.

anleiten *vt* instruct; **Anleitung** *f* instructions *pl*.

Anliegen *nt* ⟨-s, -⟩ matter; (*Wunsch*) wish.

Anlieger(in) *m(f)* ⟨-s, -⟩ resident.

anlügen *irr vt* lie to.

anmachen *vt* attach; (*Elektrisches*) put on; (*Salat*) dress; (*umg: aufreizen*) give the come-on to; (*umg: ansprechen*) chat up; (*umg: beschimpfen*) slam.

anmaßen *vt:* **sich** *dat* **etw** ~ lay claim to sth; **anmaßend** *adj* arrogant; **Anmaßung** *f* presumption.

Anmeldeformular *nt* registration form; **anmelden 1.** *vt* announce; **2.** *vr:* **sich** ~ (*sich ankündigen*) make an appointment; (*polizeilich, für Kurs etc*) register; **Anmeldung** *f* announcement; appointment; registration.

anmerken *vt* observe; (*anstreichen*) mark; **jdm etw** ~ notice sb's sth; **sich** *dat* **nichts** ~ **lassen** not give anything away; **Anmerkung** *f* note.

Anmut *f* ⟨-⟩ grace; **anmutig** *adj* charming.

annähen *vt* sew on.

annähernd *adj* approximate.

Annäherung *f* approach; **Annäherungsversuch** *m* advances *pl*.

Annahme *f* ⟨-, -n⟩ acceptance; (*Vermutung*) assumption.

annehmbar *adj* acceptable; **annehmen** *irr* **1.** *vt* accept; (*Namen*) take; (*Kind*) adopt; (*vermuten*) suppose, assume; **2.** *vr:* **sich** ~ take care (*gen* of); **angenommen, das ist so** assuming that is so.

Annehmlichkeit *f* comfort.

annektieren *vt* annex.

Annonce *f* ⟨-, -n⟩ advertisement; **annoncieren** *vt, vi* advertise.

annullieren *vt* annul.

Anode *f* ⟨-, -n⟩ anode.

anöden *vt* (*umg*) bore stiff.

anonym *adj* anonymous.

Anonymität *f* anonymity.

Anorak *m* ⟨-s, -s⟩ anorak.

anordnen *vt* arrange; (*befehlen*) order; **Anordnung** *f* arrangement; order.

anorganisch *adj* inorganic.

anpacken *vt* grasp; (*fig*) tackle; **mit** ~ lend a hand.

anpassen 1. *vt* fit (*jdm* on sb); (*fig*) adapt (*dat* to); **2.** *vr:* **sich** ~ adapt, conform; **Anpassung** *f* fitting; adaptation; **anpassungsfähig** *adj* adaptable.

Anpfiff *m* (*SPORT*) [starting] whistle; (*Beginn*) kick-off; (*umg*) rocket.

anpöbeln *vt* abuse.

anprangern *vt* denounce.

anpreisen *irr vt* extol.

Anprobe *f* trying on; **anprobieren** *vt* try on.

anrechnen *vt* charge; (*fig*) count; **jdm etw hoch** ~ value sb's sth greatly.

Anrecht *nt* right (*auf* +*akk* to).

Anrede *f* form of address; **anreden** *vt* address; (*belästigen*) accost.

anregen *vt* stimulate; **angeregte Unterhaltung** lively conversation; **anregend** *adj* stimulating; **Anregung** *f* stimulation; (*Vorschlag*) suggestion.

anreichern *vt* enrich.

Anreise *f* journey; **anreisen** *vi* arrive.

Anreiz *m* incentive.

Anrichte *f* ⟨-, -n⟩ sideboard; **anrichten** *vt* serve up; **Unheil** ~ make mischief.

anrüchig *adj* dubious.

Anruf *m* call; **Anrufbeantworter** *m* ⟨-s, -⟩ [telephone] answering machine; **anrufen** *irr vt* call out to; (*bitten*) call on; (*TEL*) ring up, phone, call.

anrühren *vt* touch; (*mischen*) mix.

ans = an das

Ansage *f* announcement; **ansagen 1.** *vt* announce; **2.** *vr:* **sich** ~ say one will come; **angesagt sein** be recommended, be suggested; (*modisch*) be the in thing; **Spannung ist angesagt** we are in for a bit of excitement; **Ansager(in)** *m(f)* ⟨-s, -⟩ announcer.

Ansammlung *f* collection; (*Leute*) crowd.

ansässig *adj* resident.

Ansatz *m* start; (*fig*) approach; (*Haar*~) hairline; (*Hals*~) base; (*Verlängerungsstück*) extension; **die ersten Ansätze zu etw**

the beginnings of sth; **Ansatzpunkt** *m* starting point.

anschaffen *vt* buy, purchase; **Anschaffung** *f* purchase.

anschalten *vt* switch on.

anschauen *vt* look at; **anschaulich** *adj* illustrative; **Anschauung** *f* (*Meinung*) view; **aus eigener ~** from one's own experience; **Anschauungsmaterial** *nt* illustrative material.

Anschein *m* appearance; **allem ~ nach** to all appearances; **den ~ haben** seem, appear; **anscheinend** *adj* apparent.

Anschlag *m* notice; (*Attentat*) attack; (*WIRTS*) estimate; (*auf Klavier*) touch; (*auf Schreibmaschine*) character; **anschlagen** *irr* **1.** *vt* put up; (*beschädigen*) chip; (*Akkord*) strike; (*Kosten*) estimate; **2.** *vi* hit (*an +akk* against); (*wirken*) have an effect; (*Hund*) bark.

anschließen *irr* **1.** *vt* connect up; (*Sender*) link up; **2.** *vi, vr*: [**sich**] **an etw** *akk* **~** adjoin sth; (*zeitlich*) follow sth; **3.** *vr*: **sich ~** join (*jdm/einer Sache* sb/sth); (*beipflichten*) agree (*jdm/einer Sache* with sb/sth); **anschließend 1.** *adj* adjacent; (*zeitlich*) subsequent; **2.** *adv* afterwards; **~ an** *+akk* following.

Anschluß *m* (*ELEK. EISENB*) connection; (*von Wasser etc*) supply; **im ~ an** *+akk* following; **~ finden** make friends; **Anschlußflug** *m* connecting flight.

anschmiegsam *adj* affectionate.

anschnallen 1. *vt* buckle on; **2.** *vr*: **sich ~** fasten one's seat belt.

anschneiden *irr vt* cut into; (*Thema*) broach.

anschreiben *irr vt* write [up]; (*WIRTS*) charge up; (*benachrichtigen*) write to; **bei jdm gut/schlecht angeschrieben sein** be well/badly thought of by sb, be in sb's good/bad books.

anschreien *irr vt* shout at.

Anschrift *f* address.

anschwellen *irr vi* swell [up].

anschwindeln *vt* lie to.

ansehen *irr vt* look at; **jdm etw ~** see sth [from sb's face]; **jdn/etw als etw ~** look on sb/sth as sth; **~ für** consider.

Ansehen *nt* ⟨-s⟩ respect; (*Ruf*) reputation.

ansehnlich *adj* fine-looking; (*beträchtlich*) considerable.

ansein *irr vi* (*umg*) be on.

ansetzen 1. *vt* (*anfügen*) fix on (*an +akk* to); (*Trompete*) put (*an +akk* to); (*Termin*) fix; (*Fett*) put on; (*zubereiten*) prepare; **2.** *vi* (*anfangen*) start, begin; (*Entwicklung*) set in; (*dick werden*) put on weight; **3.** *vr*: **sich ~** (*Rost etc*) start to develop; **jdn/etw auf jdn/etw ~** set sb/sth on sb/sth; **zu etw ~**

prepare to do sth.

Ansicht *f* (*Anblick*) sight; (*Meinung*) view, opinion; **zur ~** on approval; **meiner ~ nach** in my opinion; **Ansichtskarte** *f* picture postcard; **Ansichtssache** *f* matter of opinion.

Anspannung *f* strain.

Anspiel *nt* (*SPORT*) start; **anspielen** *vi* (*SPORT*) start play; **auf etw** *akk* **~** refer [*o* allude] to sth; **Anspielung** *f* reference, allusion (*auf +akk* to).

Ansporn *m* ⟨-[e]s⟩ incentive.

Ansprache *f* address.

ansprechen *irr* **1.** *vt* speak to; (*bitten, gefallen*) appeal to; **2.** *vi* react (*auf +akk* to); **jdn auf etw** *akk* **hin ~** ask sb about sth; **etw als etw ~** regard sth as sth; **ansprechend** *adj* attractive; **Ansprechpartner(in)** *m(f)* person to talk to, contact.

anspringen *irr vi* (*AUTO*) start.

Anspruch *m* (*Recht*) claim (*auf +akk* to); **hohe Ansprüche stellen/haben** demand/ expect a lot; **jdn/ etw in ~ nehmen** occupy sb/take up sth; **anspruchslos** *adj* undemanding; **anspruchsvoll** *adj* demanding.

anspucken *vt* spit at.

anstacheln *vt* spur on.

Anstalt *f* ⟨-, -en⟩ institution; **~en machen, etw zu tun** prepare to do sth.

Anstand *m* decency; **anständig** *adj* decent; (*umg*) proper; (*groß*) considerable; **anstandslos** *adv* without any ado.

anstarren *vt* stare at.

anstatt 1. *präp +gen* instead of; **2.** *konj*: **~ etw zu tun** instead of doing sth.

anstechen *irr vt* prick; (*Faß*) tap.

anstecken 1. *vt* pin on; (*MED*) infect; (*Pfeife*) light; (*Haus*) set fire to; **2.** *vr*: **ich habe mich bei ihm angesteckt** I caught it from him; **3.** *vi* (*fig*) be infectious; **ansteckend** *adj* infectious; **Ansteckung** *f* infection.

anstehen *irr vi* queue [up], line up *US*.

anstelle *präp +gen* in place of.

anstellen 1. *vt* (*einschalten*) turn on; (*Arbeit geben*) employ; (*machen*) do; **2.** *vr*: **sich ~** queue [up], line up *US*; (*umg*) act; **stell dich nicht so an!** don't be stupid!

Anstellung *f* employment; (*Posten*) post, position.

Anstieg *m* ⟨-[e]s, -e⟩ climb; (*von Preisen*) increase (*gen* in).

anstiften *vt* (*Unglück*) cause; **jdn zu etw ~** put sb up to sth.

anstimmen 1. *vt* (*Lied*) strike up with; (*Geschrei*) set up; **2.** *vi* strike up.

Anstoß *m* impetus; (*Ärgernis*) offence; (*SPORT*) kick-off; **der erste ~** the initiative; **~ nehmen an** *+dat* take offence at.

anstoßen *irr* **1.** *vt* push; (*mit Fuß*) kick; **2.** *vi* knock, bump; (*mit der Zunge*) lisp; (*mit*

Gläsern) drink [a toast] (*auf* +*akk* to).

anstößig *adj* offensive, indecent.

anstreben *vt* strive for.

anstreichen *irr vt* paint; **Anstreicher(in)** *m(f)* ⟨-s, -⟩ painter.

anstrengen 1. *vt* strain; (*JUR*) bring; **2.** *vr*: **sich ~** make an effort; **anstrengend** *adj* tiring; **Anstrengung** *f* effort.

Anstrich *m* coat of paint.

Ansturm *m* rush; (*MIL*) attack.

Antagonismus *m* antagonism.

antasten *vt* touch; (*Recht*) infringe upon.

Anteil *m* share (*an* +*dat* in); (*Mitgefühl*) sympathy; **~ nehmen an** +*dat* share in; (*sich interessieren*) take an interest in; **Anteilnahme** *f* ⟨-⟩ sympathy.

Antenne *f* ⟨-, -n⟩ aerial; (*ZOOL*) antenna; **eine/keine ~ haben für etw** (*fig umg*) have a/no feeling for sth.

Anthrazit *m* ⟨-s, -e⟩ anthracite.

Anti- *in Zusammensetzungen* anti; **Antialkoholiker(in)** *m(f)* teetotaller; **antiautoritär** *adj* antiauthoritarian; **Antibiotikum** *nt* ⟨-s, Antibiotika⟩ antibiotic; **Antiblockiersystem** *nt* anti-lock braking system; **Antihistamin** *nt* ⟨-s, -e⟩ (*MED*) antihistamine.

antik *adj* antique; **Antike** *f* ⟨-, -n⟩ (*Zeitalter*) ancient world.

Antikörper *m* antibody.

Antilope *f* ⟨-, -n⟩ antelope.

Antipathie *f* antipathy.

Antiquariat *nt* secondhand bookshop.

Antiquitäten *pl* antiques *pl*; **Antiquitätenhandel** *m* antique business; **Antiquitätenhändler(in)** *m(f)* antique dealer.

Antrag *m* ⟨-[e]s, Anträge⟩ proposal; (*POL*) motion; (*Gesuch*) application.

antreffen *irr vt* meet.

antreiben 1. *irr vt* drive on; (*Motor*) drive; (*anschwemmen*) wash up; **2.** *vi* be washed up.

antreten *irr* **1.** *vt* (*Amt*) take up; (*Erbschaft*) come into; (*Beweis*) offer; (*Reise*) start, begin; **2.** *vi* (*MIL*) fall in; (*SPORT*) line up; **gegen jdn ~** play/fight against sb.

Antrieb *m* (*a. fig*) drive; **aus eigenem ~** of one's own accord.

antrinken *irr vt* (*Flasche, Glas*) start to drink from; **sich** *dat* **Mut/einen Rausch ~** give oneself Dutch courage/get drunk; **angetrunken sein** be tipsy.

Antritt *m* beginning, commencement; (*eines Amts*) taking up.

antun *irr vt*: **jdm etw ~** do sth to sb; **sich** *dat* **etw ~** force oneself.

anturnen *vt* (*umg*) to turn on.

Antwort *f* ⟨-, -en⟩ answer, reply; **um ~ wird gebeten** RSVP; **antworten** *vi* answer, reply.

anvertrauen 1. *vt*: **jdm etw ~** entrust sb with sth; **2.** *vr*: **sich jdm ~** confide in sb.

anwachsen *irr vi* grow; (*Pflanze*) take root.

Anwalt *m* ⟨-[e]s, Anwälte⟩, **Anwältin** *f* solicitor; lawyer.

Anwandlung *f* caprice; **eine ~ von etw** a fit of sth.

Anwärter(in) *m(f)* candidate.

anweisen *irr vt* instruct; (*zuteilen*) assign (*jdm etw* sth to sb); **Anweisung** *f* instruction; (*WIRTS*) remittance; (*Post~, Zahlungs~*) money order.

anwendbar *adj* practicable, applicable; **anwenden** *vt* use, employ; (*Gesetz, Regel*) apply; **Anwender(in)** *m(f)* ⟨-s, -⟩ user; **Anwenderprogramm** *nt* user program; **Anwendung** *f* use; application.

anwesend *adj* present; **die Anwesenden** *pl* those present *pl*; **Anwesenheit** *f* presence; **Anwesenheitsliste** *f* attendance register.

anwidern *vt* disgust.

Anzahl *f* number (*an* +*dat* of).

anzahlen *vt* pay on account; **Anzahlung** *f* deposit, payment on account.

anzapfen *vt* tap; **jdn (um Geld) ~** (*umg*) touch sb (for money).

Anzeichen *nt* sign, indication.

Anzeige *f* ⟨-, -n⟩ (*Zeitungs~*) announcement; (*Werbung*) advertisement; (*INFORM*) display; (*bei Polizei*) report; **~ gegen jdn erstatten** report sb [to the police]; **anzeigen** *vt* (*zu erkennen geben*) show; (*bekanntgeben*) announce; (*bei Polizei*) report; **Anzeigenteil** *m* advertisements *pl*; **Anzeiger** *m* ⟨-s, -⟩ indicator.

anziehen *irr* **1.** *vt* attract; (*Kleidung*) put on; (*jdn*) dress; (*Schraube, Seil*) pull tight; (*Knie*) draw up; (*Feuchtigkeit*) absorb; **2.** *vr*: **sich ~** get dressed; **anziehend** *adj* attractive; **Anziehung** *f* (*Reiz*) attraction; **Anziehungskraft** *f* power of attraction; (*PHYS*) force of gravitation.

Anzug *m* suit; **im ~ sein** be approaching.

anzüglich *adj* personal; (*anstößig*) offensive; **Anzüglichkeit** *f* offensiveness; (*Bemerkung*) personal remark.

anzünden *vt* light; **Anzünder** *m* lighter.

anzweifeln *vt* doubt.

apart *adj* distinctive.

Apathie *f* apathy; **apathisch** *adj* apathetic.

Apfel *m* ⟨-s, Äpfel⟩ apple; **Apfelsaft** *m* apple juice; **Apfelsine** *f* orange; **Apfelwein** *m* cider.

Apostel *m* ⟨-s, -⟩ apostle.

Apostroph *m* ⟨-s, -e⟩ apostrophe.

Apotheke *f* ⟨-, -n⟩ chemist's [shop], drugstore *US*; **Apotheker(in)** *m(f)* ⟨-s, -⟩ chemist, druggist *US*.

Apparat *m* ⟨-[e]s, -e⟩ piece of apparatus;

camera; telephone; (*RADIO, TV*) set; **am ~ bleiben** hold the line.

Appartement *nt* ⟨-s, -s⟩ flat *Brit*, apartment.

Appell *m* ⟨-s, -e⟩ (*MIL.*) muster, parade; (*fig*) appeal; **appellieren** *vi* appeal (*an* +*akk* to).

Appetit *m* ⟨-[e]s, -e⟩ appetite; **guten ~!** enjoy your meal!; **appetitlich** *adj* appetizing; **Appetitlosigkeit** *f* lack of appetite.

Applaus *m* ⟨-es, -e⟩ applause.

Appretur *f* finish.

Aprikose *f* ⟨-, -n⟩ apricot.

April *m* ⟨-[s], -e⟩ April; **im ~** in April; **13. ~ 1958** April 13th, 1958, 12th April 1958; **~! ~!** April fool!; **Aprilwetter** *nt* April showers *pl*.

Aquaplaning *nt* ⟨-[s]⟩ aquaplaning.

Aquarell *nt* ⟨-s, -e⟩ watercolour.

Aquarium *nt* ⟨-s, Aquarien⟩ aquarium.

Äquator *m* ⟨-s⟩ equator.

Araber(in) *m(f)* ⟨-s, -⟩ Arab; **Arabien** *nt* ⟨-⟩ Arabia; **arabisch** *adj* Arabian; **Arabisch** *nt* Arabic.

Arbeit *f* ⟨-, -en⟩ work (*kein Artikel*); (*Stelle*) job; (*Erzeugnis*) piece of work; (*wissenschaftliche ~*) dissertation; (*Klassen~*) test; **das war eine ~** that was a hard job; **arbeiten** *vi* work; **Arbeiter(in)** *m(f)* ⟨-s, -⟩ worker; (*ungelernt*) labourer; **Arbeiterschaft** *f* workers *pl*, labour force; **Arbeitgeber(in)** *m(f)* ⟨-s, -⟩ employer; **Arbeitnehmer(in)** *m(f)* ⟨-s, -⟩ employee.

Arbeits- *in Zusammensetzungen* labour; **Arbeitsamt** *nt* employment exchange; **Arbeitsbeschaffungsmaßnahme** *f* job-creation scheme; **arbeitsfähig** *adj* fit for work, able-bodied; **Arbeitsgang** *m* operation; **Arbeitsgemeinschaft** *f* study group; **Arbeitskräfte** *pl* workers *pl*, labour; **arbeitslos** *adj* unemployed, out-of-work; **Arbeitslose(r)** *mf* ⟨-n, -n⟩ unemployed person; **die ~n** *pl* the unemployed; **Arbeitslosengeld** *nt* earnings-related benefit; **Arbeitslosenhilfe** *f* unemployment benefit; **Arbeitslosigkeit** *f* unemployment; **Arbeitsmarkt** *m* labour market; **Arbeitsplatz** *m* job; (*Ort*) place of work; **Arbeitsspeicher** *m* working storage; **Arbeitstag** *m* work[ing] day; **Arbeitsteilung** *f* division of labour; **arbeitsunfähig** *adj* unfit for work; **Arbeitszeit** *f* working hours *pl*; **gleitende ~** flexible working hours *pl*, flex[i]time; **Arbeitszeitverkürzung** *f* reduction in working hours.

Archäologe *m* ⟨-n, -n⟩, **Archäologin** *f* archaeologist.

Architekt(in) *m(f)* ⟨-en, -en⟩ architect; **Architektur** *f* architecture.

Archiv *nt* ⟨-s, -e⟩ archive.

arg 1. *adj* bad, awful; **2.** *adv* awfully, very.

Argentinien *nt* Argentina, the Argentine.

Ärger *m* ⟨-s⟩ (*Wut*) anger; (*Unannehmlichkeit*) trouble; **ärgerlich** *adj* (*zornig*) angry; (*lästig*) annoying, aggravating; **ärgern 1.** *vt* annoy; **2.** *vr:* **sich ~** get annoyed; **Ärgernis** *nt* annoyance; **öffentliches ~ erregen** be a public nuisance.

Argument *nt* argument.

Argwohn *m* ⟨-[e]s⟩ suspicion; **argwöhnisch** *adj* suspicious.

Arie *f* ⟨-, -n⟩ aria.

Aristokrat(in) *m(f)* ⟨-en, -en⟩ aristocrat; **Aristokratie** *f* aristocracy; **aristokratisch** *adj* aristocratic.

arithmetisch *adj* arithmetical.

Arktis *f* ⟨-⟩ Arctic.

arm *adj* poor.

Arm *m* ⟨-[e]s, -e⟩ arm; (*Fluß~*) branch.

Armatur *f* (*ELEK.*) armature; **Armaturenbrett** *nt* instrument panel; (*AUTO*) dashboard.

Armband *nt* ⟨Armbänder *pl*⟩ bracelet; **Armbanduhr** *f* [wrist] watch.

Arme(r) *mf* poor man/woman; **die ~n** *pl* the poor *pl*.

Armee *f* ⟨-, -n⟩ army.

Ärmel *nt* ⟨-s, -⟩ sleeve; **etw aus dem ~ schütteln** (*fig*) produce sth just like that.

ärmlich *adj* poor.

armselig *adj* wretched, miserable.

Armut *f* ⟨-⟩ poverty.

Aroma *nt* ⟨-s, Aromen⟩ aroma; **Aromatherapie** *f* aromatherapy; **aromatisch** *adj* aromatic.

arrangieren 1. *vt* arrange; **2.** *vr:* **sich ~** come to an arrangement.

Arrest *m* ⟨-[e]s, -e⟩ detention.

arrogant *adj* arrogant; **Arroganz** *f* arrogance.

Arsch *m* ⟨-es, Ärsche⟩ (*umg*) arse, bum.

Art *f* ⟨-, -en⟩ (*Weise*) way; (*Sorte*) kind, sort; (*BIO*) species *sing*; **eine ~ [von] Frucht** a kind of fruit; **Häuser aller ~en** houses of all kinds; **es ist nicht seine ~, das zu tun** it's not like him to do that; **ich mache das auf meine ~** I do that my [own] way; **nach ~ des Hauses** à la maison; **Artenschutz** *m* protection of species; **Artenschwund** *m* disappearance of species.

Arterie *f* artery; **Arterienverkalkung** *f* arteriosclerosis.

artig *adj* good, well-behaved.

Artikel *m* ⟨-s, -⟩ article.

Arznei *f* medicine; **Arzneimittel** *nt* medicine, medicament.

Arzt *m* ⟨-es, Ärzte⟩, **Arzthelfer(in)** *m(f)* doctor's [o surgery] assistant; **Ärztin** *f* doctor; **ärztlich** *adj* medical.

As nt ⟨-ses, -se⟩ ace.

Asbest m ⟨-[e]s, -e⟩ asbestos.

Asche f ⟨-, -n⟩ ash, cinder; **Aschenbahn** f cinder track; **Aschenbecher** m ashtray; **Aschenbrödel** nt ⟨-s, -⟩ Cinderella; **Aschermittwoch** m Ash Wednesday.

ASCII-Code m ⟨-s, -s⟩ ASCII.

Asiat(in) m(f) ⟨-en, -en⟩ Asian; **asiatisch** adj Asian; **Asien** nt Asia.

asozial adj antisocial; (Familie) asocial.

Aspekt m ⟨-[e]s, -e⟩ aspect.

Asphalt m ⟨-[e]s, -e⟩ asphalt; **asphaltieren** vt asphalt.

aß imperf von **essen**.

Assembler m ⟨-s, -⟩ (INFORM) assembler.

Assistent(in) m(f) ⟨-en, -en⟩ assistant; (Universität) junior lecturer.

Assoziation f association.

Ast m ⟨-[e]s, Äste⟩ bough, branch.

Aster f ⟨-, -n⟩ aster.

ästhetisch adj aesthetic.

Asthma nt ⟨-s⟩ asthma; **Asthmatiker(in)** m(f) ⟨-s, -⟩ asthmatic.

Astrologe m ⟨-n, -n⟩ astrologer; **Astrologie** f astrology; **Astrologin** f astrologer; **Astronaut(in)** m(f) ⟨-en, -en⟩ astronaut; **Astronautik** f astronautics sing; **Astronomie** f astronomy.

ASU f ⟨-, -s⟩ abk von **Abgassonderuntersuchung** anti-pollution test of exhaust fumes.

Asyl nt ⟨-s, -e⟩ asylum; (Heim) home; (Obdachlosen~) shelter; **Asylant(in)** m(f), **Asylbewerber(in)** m(f) person seaking political asylum; **Asylrecht** nt right of [political] asylum.

Atelier nt ⟨-s, -s⟩ studio.

Atem m ⟨-s⟩ breath; **den ~ anhalten** hold one's breath; **außer ~** out of breath; **atemberaubend** adj breath-taking; **atemlos** adj breathless; **Atempause** f breather; **Atemzug** m breath.

Atheismus m atheism; **Atheist(in)** m(f) atheist; **atheistisch** adj atheistic.

Äther m ⟨-s, -⟩ ether.

Äthiopien nt Ethiopia.

Athlet(in) m(f) ⟨-en, -en⟩ athlete; **Athletik** f athletics sing; **athletisch** adj athletic.

Atlantik m ⟨-s⟩ Atlantic [Ocean].

Atlas m ⟨- o Atlasses, Atlanten⟩ atlas.

atmen vt, vi breathe.

Atmosphäre f ⟨-, -n⟩ atmosphere.

Atmung f respiration.

Atom nt ⟨-s, -e⟩ atom.

Atom- in Zusammensetzungen atomic, nuclear.

atomar adj atomic.

Atombombe f atom bomb; **Atomenergie** f atomic [o nuclear] energy; **Atomkraft** f nuclear [o atomic] energy; **Atomkraftwerk** nt nuclear power station; **Atomkrieg** m nuclear [o atomic] war; **Atommacht** f nuclear [o atomic] power; **Atommüll** m atomic waste; **Atomsperrvertrag** m (POL) [nuclear] non-proliferation treaty; **Atomversuch** m atomic test; **Atomwaffen** pl atomic weapons pl; **atomwaffenfrei** adj nuclear-free; **Atomzeitalter** nt atomic age.

Attentat nt ⟨-[e]s, -e⟩ [attempted] assassination (auf +akk of); **Attentäter(in)** m(f) [would-be] assassin.

Attest nt ⟨-[e]s, -e⟩ certificate; **ärztliches ~** medical certificate; (umg) doctor's note.

attraktiv adj attractive.

Attrappe f ⟨-, -n⟩ dummy.

Attribut nt ⟨-[e]s, -e⟩ (LING) attribute.

ätzen vi be caustic; **ätzend** adj (umg) revolting, sickening, nauseating.

auch konj also, too, as well; (selbst, sogar) even; (wirklich) really; **oder ~** or; **~ das ist schön** that's nice too [o as well]; **das habe ich ~ nicht gemacht** I didn't do it either; **~ nicht** nor I, me neither; **~ wenn das Wetter schlecht ist** even if the weather is bad; **wer/was ~** whoever/whatever; **so sieht es ~ aus** it looks like it too; **~ das noch!** that's all we needed!

audiovisuell adj audio-visual.

auf 1. präp +akk o dat (räumlich) on; **2.** präp +akk (hinauf) up; (in Richtung to) on; **3.** adv: **~ und ab** up and down; **~ und davon** up and away; **~ [los]** come on!; **~ daß** so that; **~ der Reise** on the way; **~ der Post/dem Fest** at the post office/party; **~ das Land** into the country; **~ der Straße** on the road; **~ dem Land/der ganzen Welt** in the country/the whole world; **~ deutsch** in German; **~ Lebenszeit** for sb's lifetime; **bis ~ ihn** except for him; **~ einmal** at once.

aufatmen vi heave a sigh of relief.

Aufbau 1. m (Bauen) building, construction; **2.** m (Aufbauten pl) (Struktur) structure; (aufgebautes Teil) superstructure; (AUTO) body; **aufbauen** vt erect, build [up] (Existenz) make; (gestalten) construct; (gründen) found, base (auf +akk on).

aufbauschen vt (fig) exaggerate.

Aufbaustudium nt postgraduate studies pl.

aufbehalten irr vt keep on.

aufbekommen irr vt (öffnen) get open; (Hausaufgaben) be given.

aufbereiten vt (Daten) edit.

aufbessern vt (Gehalt) increase.

aufbewahren vt keep; (Gepäck) put in the left-luggage office; **Aufbewahrung** f [safe]keeping; (Gepäck~) left-luggage office; **jdm etw zur ~ geben** give sb sth for safekeeping; **Aufbewahrungsort** m storage place.

aufbieten irr vt (Kraft) summon [up], exert;

(*Armee, Polizei*) mobilize.

aufblasen *irr vt* blow up, inflate.

aufbleiben *irr vi* (*Laden*) remain open; (*Mensch*) stay up.

aufblenden *vt* (*Scheinwerfer*) turn on full beam.

aufbrauchen *vt* use up.

aufbrausen *vi* (*fig*) flare up.

aufbrechen *irr* **1.** *vt* break [*o* prize] open; **2.** *vi* burst open; (*gehen*) start, set off.

aufbringen *irr vt* (*öffnen*) open; (*in Mode*) bring into fashion; (*beschaffen*) procure; (*FIN*) raise; (*ärgern*) irritate; **Verständnis für etw** ~ be able to understand sth.

Aufbruch *m* departure.

aufbürden *vt* burden (*jdm etw* sb with sth).

aufdecken *vt* uncover.

aufdrängen 1. *vt* force (*jdm* on sb); **2.** *vr:* **sich** ~ intrude (*jdm* on sb).

aufdringlich *adj* pushy.

aufeinander *adv* (*achten*) after each other; (*schießen*) at each other; (*vertrauen*) each other; **aufeinanderfolgen** *vi* follow one another; **aufeinanderlegen** *vt* lay on top of one another; **aufeinanderprallen** *vi* hit one another.

Aufenthalt *m* stay; (*Verzögerung*) delay; (*EISENB*) stop; (*Ort*) haunt; **Aufenthaltsgenehmigung** *f* residence permit; **Aufenthaltsort** *m* [place of] residence.

Auferstehung *f* resurrection.

aufessen *irr vt* eat up.

auffahren *irr* **1.** *vi* (*Auto*) run, crash (*auf* +*akk* into); (*herankommen*) draw up; (*hochfahren*) jump up; (*wütend werden*) flare up; **2.** *vt* (*Kanonen, Geschütz*) bring up; **Auffahrt** *f* (*Haus*~) drive; (*Autobahn*~) slip road; **Auffahrunfall** *m* pile-up.

auffallen *irr vi* be noticeable; **jdm** ~ strike sb; **auffallend** *adj* striking; **auffällig** *adj* conspicuous, striking.

auffangen *irr vt* catch; (*Funkspruch*) intercept; (*Preise*) peg; **Auffanglager** *nt* refugee camp.

auffassen *vt* understand, comprehend; (*auslegen*) see, view; **Auffassung** *f* (*Meinung*) opinion; (*Auslegung*) view, concept; (*Auffassungsgabe*) grasp.

auffindbar *adj* to be found.

auffordern *vt* (*befehlen*) call upon, order; (*bitten*) ask; **Aufforderung** *f* (*Befehl*) order; (*Einladung*) invitation.

auffrischen 1. *vt* freshen up; (*Kenntnisse*) brush up; (*Erinnerungen*) reawaken; **2.** *vi* (*Wind*) freshen.

aufführen 1. *vt* (*THEAT*) perform; (*in einem Verzeichnis*) list, specify; **2.** *vr:* **sich** ~ (*sich benehmen*) behave; **Aufführung** *f* (*THEAT*) performance; (*Liste*) specification.

Aufgabe *f* task; (*SCH*) exercise; (*Haus*~) homework; (*Verzicht*) giving up; (*von Gepäck*) registration; (*von Post*) posting; (*von Inserat*) insertion.

Aufgabenbereich *m* area of responsibility.

Aufgang *m* ascent; (*Sonnen*~) rise; (*Treppe*) staircase.

aufgeben *irr* **1.** *vt* (*verzichten auf*) give up; (*Paket*) send, post; (*Gepäck*) register; (*Bestellung*) give; (*Inserat*) insert; (*Rätsel, Problem*) set; **2.** *vi* give up.

aufgedreht *adj* (*umg*) excited.

aufgedunsen *adj* swollen, puffed up.

aufgehen *irr vi* (*Sonne, Teig*) rise; (*sich öffnen*) open; (*klarwerden*) become clear (*jdm* to sb); (*MATH*) come out exactly; (*sich widmen*) be absorbed (*in* +*dat* in); **in Rauch/ Flammen** ~ go up in smoke/flames.

aufgeklärt *adj* enlightened; (*sexuell*) knowing the facts of life.

aufgelegt *adj:* **gut/ schlecht** ~ **sein** be in a good/bad mood; **zu etw** ~ **sein** be in the mood for sth.

aufgeregt *adj* excited.

aufgeschlossen *adj* open, open-minded.

aufgeschmissen *adj* (*umg*) in a fix.

aufgeweckt *adj* bright, intelligent.

aufgrund *präp* +*gen* on the basis of; (*wegen*) because of.

aufhaben *irr* **1.** *vt* have on; (*Arbeit*) have to do; **2.** *vi* (*Geschäft*) be open.

aufhalten *irr* **1.** *vt* (*jdn*) detain; (*Entwicklung*) check; (*Tür, Hand*) hold open; (*Augen*) keep open; **2.** *vr:* **sich** ~ (*wohnen*) live; (*bleiben*) stay; **sich über etw/jdn** ~ go on about sth/sb; **sich mit etw** ~ waste time over sth.

aufhängen 1. *vt* (*Wäsche*) hang up; (*jdn*) hang; **2.** *vr:* **sich** ~ hang oneself; **Aufhänger** *m* ⟨-s, -⟩ (*am Mantel*) tab, loop; (*fig*) peg.

aufheben *irr* **1.** *vt* (*hochheben*) raise, lift; (*Sitzung*) wind up; (*Urteil*) annul; (*Gesetz*) repeal, abolish; (*aufbewahren*) keep; **2.** *vr:* **sich** ~ cancel oneself out; **bei jdm gut aufgehoben sein** be well looked after at sb's.

Aufheben *nt* ⟨-s⟩: **viel Aufheben[s] machen** make a fuss (*von* about).

aufheitern 1. *vt* (*jdn*) cheer up; **2.** *vr:* **sich** ~ (*Himmel, Miene*) brighten.

aufhellen *vt* clear up; (*Farbe, Haare*) lighten.

aufhetzen *vt* incite.

aufholen 1. *vt* make up; **2.** *vi* catch up.

aufhorchen *vi* prick up one's ears.

aufhören *vi* stop; ~, **etw zu tun** stop doing sth.

aufklären 1. *vt* (*Geheimnis etc*) clear up; (*jdn*) enlighten; (*sexuell*) tell the facts of life to; **2.** *vr:* **sich** ~ clear up; **Aufklärung**

f (*von Geheimnis*) clearing up; (*Unterrichtung, Zeitalter*) enlightenment; (*sexuell*) sex education; (*MIL. FLUG*) reconnaissance.

aufkleben *vt* stick on; **Aufkleber** *m* ⟨-s, -⟩ sticker.

aufkommen *irr vi* (*Wind*) come up; (*Zweifel, Gefühl*) arise; (*Mode*) start; **für jdn/etw** ~ be liable (*o* responsible) for sb/sth.

aufladen *irr vt* load.

Auflage *f* edition; (*von Zeitung*) circulation; (*Bedingung*) condition; **jdm etw zur** ~ **machen** make sth a condition for sb.

auflassen *irr vt* (*offen lassen*) leave open; (*aufgesetzt lassen*) leave on.

auflauern *vi*: **jdm** ~ lie in wait for sb.

Auflauf *m* (*GASTR*) pudding; (*Menschen*~) crowd.

aufleben *vi* revive.

auflegen *vt* put on; (*Telefon*) hang up; (*TYP*) print.

auflehnen 1. *vt* lean on; **2.** *vr*: **sich** ~ rebel (*gegen* against).

auflesen *irr vt* pick up.

aufleuchten *vi* light up.

aufliegen *vi* lie on; (*WIRTS*) be available.

Auflistung *f* (*INFORM*) listing.

auflockern *vt* loosen; (*fig*) liven up.

auflösen *vt* dissolve; (*Mißverständnis*) sort out; **[in Tränen] aufgelöst sein** be in tears.

aufmachen 1. *vt* open; (*Kleidung*) undo; **2.** *vr*: **sich** ~ set out; **Aufmachung** *f* (*Kleidung*) outfit, get-up; (*Gestaltung*) format.

aufmerksam *adj* attentive; **jdn auf etw** *akk* ~ **machen** point sth out to sb; **Aufmerksamkeit** *f* attention, attentiveness.

aufmuntern *vt* (*ermutigen*) encourage; (*erheitern*) cheer up.

Aufnahme *f* ⟨-, -n⟩ reception; (*Beginn*) beginning; (*in Verein etc*) admission; (*in Liste etc*) inclusion; (*Notieren*) taking down; (*FOTO*) shot; (*auf Tonband etc*) recording; **Aufnahmeprüfung** *f* entrance test.

aufnehmen *irr vt* receive; (*hochheben*) pick up; (*beginnen*) take up; (*in Verein etc*) admit; (*in Liste etc*) include; (*fassen*) hold; (*notieren*) take down; (*fotografieren*) photograph; (*auf Tonband, Platte*) record; (*FIN*) take out; **es mit jdm** ~ **können** be able to compete with sb.

aufpassen *vi* (*aufmerksam sein*) pay attention; **auf jdn/etw** ~ look after sb/sth, watch sb/sth; **aufgepaßt!** look out!

Aufprall *m* ⟨-s, -e⟩ impact; **aufprallen** *vi* hit, strike.

Aufpreis *m* extra charge.

aufpumpen *vt* pump up.

aufputschen *vt* (*aufhetzen*) inflame; (*erregen*) stimulate.

Aufputschmittel *nt* stimulant; (*umg*) upper.

aufraffen *vr*: **sich** ~ rouse oneself.

aufräumen *vt, vi* (*Dinge*) clear away; (*Zimmer*) tidy up.

aufrecht *adj* (*a. fig*) upright; **aufrechterhalten** *irr vt* maintain.

aufregen 1. *vt* excite; **2.** *vr*: **sich** ~ get excited; **aufregend** *adj* exciting; **Aufregung** *f* excitement.

aufreiben *irr vt* (*Haut*) rub open; (*erschöpfen*) exhaust; **aufreibend** *adj* strenuous.

aufreißen *irr vt* (*Umschlag*) tear open; (*Augen*) open wide; (*Tür*) throw open; (*Straße*) take up.

aufrichtig *adj* sincere, honest.

Aufruf *m* summons sing; (*zur Hilfe, FLUG. IN-FORM*) call; (*des Namens*) calling out; **aufrufen** *irr vt* (*auffordern*) call upon (*zu* for); (*Namen*) call out; (*FLUG*) call; (*INFORM*) call up.

Aufruhr *m* ⟨-[e]s, -e⟩ uprising, revolt; **in** ~ **sein** be in uproar.

aufrunden *vt* (*Summe*) round up.

Aufrüstung *f* rearmament.

aufs = **auf das**.

aufsässig *adj* rebellious.

Aufsatz *m* (*Geschriebenes*) essay; (*auf Schrank etc*) top.

aufsaugen *vt* soak up.

aufschauen *vi* look up.

aufschieben *irr vt* push open; (*verzögern*) put off, postpone.

Aufschlag *m* (*Ärmel*~) cuff; (*Jacken*~) lapel; (*Hosen*~) turn-up; (*Aufprall*) impact; (*Preis*~) surcharge; (*TENNIS*) service; **aufschlagen** *irr* **1.** *vt* (*öffnen*) open; (*verwunden*) cut; (*hochschlagen*) turn up; (*Zelt, Lager*) pitch, erect; (*Wohnsitz*) take up; **2.** *vi* (*aufprallen*) hit; (*teurer werden*) go up; (*TENNIS*) serve.

aufschließen *irr* **1.** *vt* open up, unlock; **2.** *vi* (*aufrücken*) close up.

Aufschluß *m* information; **aufschlußreich** *adj* informative, illuminating.

aufschneiden *irr* **1.** *vt* (*Geschwür*) cut open; (*Brot*) cut up; (*MED*) lance; **2.** *vi* brag.

Aufschnitt *m* [slices of] cold meat.

aufschrecken 1. *vt* startle; **2.** *irr vi* start up.

Aufschrei *m* cry.

aufschreiben *irr vt* write down.

aufschreien *irr vi* cry out.

Aufschrift *f* (*Inschrift*) inscription; (*auf Etikett*) label.

Aufschub *m* delay, postponement.

aufschwatzen *vt*: **jdm etw** ~ talk sb into [getting/having] sth.

Aufschwung *m* (*Elan*) boost; (*wirtschaftlich*) upturn, boom; (*SPORT*) circle.

aufsehen *irr vi* (*a. fig*) look up (*zu* at, *fig* to).

Aufsehen nt ⟨-s⟩ sensation, stir; **aufsehenerregend** adj sensational.

Aufseher(in) m(f) ⟨-s, -⟩ guard; (im Betrieb) supervisor; (Museums~) attendant; (Park~) keeper.

aufsein irr vi (umg) be open; (Mensch) be up.

aufsetzen 1. vt put on; (Flugzeug) put down; (Dokument) draw up; **2.** vr: **sich ~** sit upright; **3.** vi (Flugzeug) touch down.

Aufsicht f supervision; **die ~ haben** be in charge.

Aufsichtsrat m supervisory board.

aufsitzen irr vi (aufrecht hinsitzen) sit up; (aufs Pferd, Motorrad) mount, get on; **jdm ~** (umg) be taken in by sb.

aufsperren vt unlock; (Mund) open wide.

aufspielen vr: **sich ~** show off; **sich als etw ~** try to come on as sth.

aufspringen irr vi jump (auf +akk onto); (hochspringen) jump up; (sich öffnen) spring open; (Hände, Lippen) become chapped.

aufstacheln vt incite.

Aufstand m insurrection, rebellion.

aufstechen irr vt prick open, puncture.

aufstehen irr vi get up; (Tür) be open.

aufstellen vt (aufrecht stellen) put up; (aufreihen) line up; (nominieren) put up; (formulieren: Programm) draw up; (Rekord) set up; **Aufstellung** f (SPORT) line-up; (Liste) list.

Aufstieg m ⟨-[e]s, -e⟩ (auf Berg) ascent; (Fortschritt) rise; (beruflich, SPORT) promotion.

aufstoßen irr **1.** vt push open; **2.** vi belch.

Aufstrich m spread.

aufstützen 1. vr: **sich ~** lean (auf +akk on); **2.** vt (Körperteil) prop, lean; (jdn) prop up.

aufsuchen vt (besuchen) visit; (konsultieren) consult.

auftakeln vr: **sich ~** (umg) deck oneself out.

Auftakt m (MUS) upbeat; (fig) prelude.

auftanken 1. vi get petrol; **2.** vt refuel.

auftauchen vi appear; (aus Wasser etc) emerge; (U-Boot) surface; (Zweifel) arise.

auftauen vt, vi thaw; (fig) relax.

aufteilen vt divide up; (Raum) partition; **Aufteilung** f division; partition.

auftischen vt serve [up]; (fig) tell.

Auftrag m ⟨-[e]s, Aufträge⟩ order; (Arbeit) job; (Anweisung) commission; (Aufgabe) task; **im ~ von** on behalf of.

auftragen irr **1.** vt (Essen) serve; (Farbe) put on; **2.** vi (dick machen) make you/me look fat; **jdm etw ~** tell sb sth; **dick ~** (fig) exaggerate.

Auftraggeber(in) m(f) ⟨-s, -⟩ (WIRTS) purchaser; (Kunde) customer.

auftreiben irr vt (umg: beschaffen) raise.

auftreten irr vi appear; (mit Füßen) tread; (sich verhalten) behave; **Auftreten** nt ⟨-s⟩ (Vorkommen) appearance; (Benehmen) behaviour.

Auftrieb m (PHYS) buoyancy, lift; (fig) impetus.

Auftritt m (des Schauspielers) entrance; (a. fig: Szene) scene.

aufwachen vi wake up.

aufwachsen irr vi grow up.

Aufwand m ⟨-[e]s⟩ expenditure; (Kosten a.) expense; (Luxus) show; **bitte, keinen ~!** please don't go out of your way.

aufwärmen vt warm up; (alte Geschichten) rake up.

aufwärts adv upwards; **aufwärtsgehen** irr vi look up.

aufwecken vt wake[n] up.

aufweisen irr vt show.

aufwenden irr vt expend; (Geld) spend; (Sorgfalt) devote; **aufwendig** adj costly.

aufwerfen irr **1.** vt (Fenster etc) throw open; (Probleme) throw up, raise; **2.** vr: **sich zu etw ~** make oneself out to be sth.

aufwerten vt (FIN) revalue; (fig) raise in value.

aufwiegeln vt stir up, incite.

aufwiegen irr vt make up for.

Aufwind m up-current; (fig) impetus.

aufwirbeln vt whirl up; **Staub ~** (fig) create a stir.

aufwischen vt wipe up.

aufzählen vt count out.

aufzeichnen vt sketch; (schriftlich) jot down; (auf Band) record; **Aufzeichnung** f (schriftlich) note; (Tonband~) recording; (Film) record.

aufzeigen vt show, demonstrate.

aufziehen irr vt (hochziehen) raise, draw up; (öffnen) pull open; (Uhr) wind; (umg: necken) tease; (Kinder) raise, bring up; (Tiere) rear.

Aufzug m (Fahrstuhl) lift, elevator; (Kleidung) get-up; (THEAT) act.

aufzwingen irr vt: **jdm etw ~** force sth upon sb.

Auge nt ⟨-s, -n⟩ eye; (Fett~) globule; **jdm etw aufs ~ drücken** impose sth on sb; **ins ~ gehen** go wrong; **unter vier ~n** in private.

Augenarzt m, **Augenärztin** f eye specialist.

Augenblick m moment; **im ~** at the moment; **augenblicklich** adj (sofort) instantaneous; (gegenwärtig) present.

Augenbraue f ⟨-, -n⟩ eyebrow; **Augenweide** f sight for sore eyes; **Augenzeuge** m, **Augenzeugin** f eye witness.

August m ⟨-[e]s o -, -e⟩ August; **im ~** in August; **21. ~ 1964** August 21st, 1964, 21st

August 1964.

Auktion f auction.

Aula f ⟨-, Aulen o -s⟩ assembly hall.

aus 1. präp +dat out of: (von … her) from; (Material) made of; **2.** adv out; (beendet) finished, over; (ausgezogen) off; ~ **ihr wird nie etwas** she'll never get anywhere; **bei jdm ~ und ein gehen** visit sb frequently; **weder ~ noch ein wissen** be at sixes and sevens; **auf etw** akk **~ sein** be after sth; **vom Fenster ~** out of the window; **von Rom ~** from Rome; **von sich ~** of one's own accord; **Aus** nt ⟨-⟩ (SPORT) touch, offside; (fig) end, finish; **ins ~ gehen** go out.

ausarbeiten vt work out.

ausarten vi degenerate; (Kind) become overexcited.

ausatmen vi breathe out.

ausbaden vt: **etw ~ müssen** (umg) carry the can for sth.

Ausbau 1. m (Herausnahme) removal; **2.** m ⟨Ausbauten pl⟩ extension, expansion; **ausbauen** vt extend, expand; (herausnehmen) take out, remove; **ausbaufähig** adj (fig) worth developing.

ausbedingen irr vt: **sich dat etw ~** insiston sth.

ausbessern vt mend, repair.

ausbeulen vt beat out.

Ausbeute f yield; **ausbeuten** vt exploit; (MIN) work.

ausbilden vt educate; (Lehrling, Soldat) instruct, train; (Fähigkeiten) develop; (Geschmack) cultivate; **Ausbildung** f education; training; instruction; development.

ausbleiben irr vi (Menschen) stay away, not come; (Ereignisse) fail to happen, not happen.

Ausblick m (a. fig) outlook, view.

ausbomben vt bomb out.

ausbrechen irr vi **1.** vi break out; **2.** vt break off; **in Tränen/Gelächter ~** burst into tears/out laughing.

ausbreiten 1. vt spread [out]; (Arme) stretch out; **2.** vr: **sich ~** spread; (über Thema) expand, enlarge (über +akk on).

Ausbruch m outbreak; (von Vulkan) eruption; (Gefühls~) outburst; (von Gefangenen) escape.

ausbrüten vt (a. fig) hatch.

ausbuhen vt boo.

ausbürsten vt brush out.

Ausdauer f perseverance, stamina.

ausdehnen vt (räumlich) expand; (Gummi) stretch; (zeitlich) stretch; (fig: Macht) extend.

ausdenken irr vt (zu Ende denken) think through; **sich** dat **etw ~** think sth up.

ausdiskutieren vt talk out.

Ausdruck 1. m ⟨Ausdrücke pl⟩ expression, phrase; (Kundgabe, Gesichts~) expression; **2.** m ⟨Ausdrucke pl⟩ (Computer~) printout.

ausdrucken vt (INFORM) print [out].

ausdrücken 1. vt (formulieren, zeigen) express; (Zigarette) put out; (Zitrone) squeeze; **2.** vr: **sich ~** express oneself.

ausdrücklich adj express, explicit.

ausdruckslos adj expressionless, blank; **Ausdrucksweise** f mode of expression.

auseinander adv (getrennt) apart; ~ **schreiben** write as separate words; **auseinandergehen** irr vi (Menschen) separate; (Meinungen) differ; (Gegenstand) fall apart; (umg: dick werden) put on weight; **auseinanderhalten** irr vt tell apart; **auseinandersetzen 1.** vt (erklären) set forth, explain; **2.** vr: **sich ~** (sich verständigen) come to terms; (sich befassen) concern oneself; **Auseinandersetzung** f argument, controversy.

auserlesen adj select, choice.

ausfahren irr **1.** vi drive out; (NAUT) put out [to sea]; **2.** vt take out; (TECH: Fahrwerk) drive out.

Ausfahrt f (des Zuges etc) leaving, departure; (Autobahn~, Garagen~) exit, way out; (Spazierfahrt) drive, excursion.

Ausfall m loss; (Nichtstattfinden) cancellation; **ausfallen** irr vi (Zähne, Haare) fall [o come] out; (nicht stattfinden) be cancelled; (wegbleiben) be omitted; (Mensch) drop out; (Lohn) be stopped; (nicht funktionieren) break down; (Resultat haben) turn out; **wie ist das Spiel ausgefallen?** what was the result of the game?

ausfallend adj impertinent.

Ausfallstraße f road leading out of a town.

ausfertigen vt draw up; (Rechnung) make out; **doppelt ~** duplicate; **Ausfertigung** f drawing up; making out; (Exemplar) copy.

ausfindig machen vt discover.

ausfliegen irr vt, vi fly away; **sie sind ausgeflogen** (umg) they're out.

ausflippen vi (umg) freak out.

Ausflucht f ⟨-, Ausflüchte⟩ excuse.

Ausflug m excursion, outing; **Ausflügler(in)** m(f) ⟨-s, -⟩ tripper.

Ausfluß m outlet; (MED) discharge.

ausfragen vt interrogate, question.

ausfransen vi fray.

ausfressen irr vt eat up; (aushöhlen) corrode; (umg: anstellen) be up to.

Ausfuhr 1. f ⟨-, -en⟩ export, exportation; **2.** in Zusammensetzungen export.

ausführen vt (verwirklichen) carry out; (jdn) take out; (Hund) take for a walk; (WIRTS) export; (erklären) give details of.

ausführlich 1. adj detailed; **2.** adv in detail.

Ausführung f execution, performance; (*Durchführung*) completion; (*Herstellungsart*) version; (*Erklärung*) explanation.

ausfüllen vt fill up; (*Fragebogen etc*) fill in; (*Beruf*) be fulfilling for.

Ausgabe f (*Geld~*) expenditure, outlay; (*Aushändigung*) giving out; (*Gepäck~*) left-luggage office; (INFORM) output; (*Buch*) edition; (*Nummer*) issue.

Ausgang m way out, exit; (*Ende*) end; (*Ausgangspunkt*) starting point; (*Ergebnis*) result; (*Ausgehtag*) free time, time off; **kein ~** no exit.

ausgeben irr 1. vt (*Geld*) spend; (*austeilen*) issue, distribute; 2. vr: **sich für etw/jdn ~** pass oneself off as sth/sb.

ausgebucht adj fully booked.

ausgebufft adj (*umg: erledigt*) washed-up; (*erschöpft*) knackered; (*trickreich*) shrewd, fly.

ausgedient adj (*Soldat*) discharged; (*verbraucht*) no longer in use; **~ haben** have done good service.

ausgefallen adj (*ungewöhnlich*) exceptional.

ausgeglichen adj [well-]balanced; **Ausgeglichenheit** f balance; (*von Mensch*) even-temperedness.

ausgehen irr vi go out; (*zu Ende gehen*) come to an end; (*Benzin*) run out; (*Haare, Zähne*) fall [o come] out; (*Feuer, Ofen, Licht*) go out; (*Strom*) go off; (*Resultat haben*) turn out; **von etw ~** (*wegführen*) lead away from sth; (*herrühren*) come from sth; (*zugrunde legen*) proceed from sth; **wir können davon ~, daß ...** we can proceed from the assumption that ..., we can take as our starting point that ...; **leer ~** get nothing; **schlecht ~** turn out badly; **mir ging das Benzin aus** I ran out of petrol.

ausgelassen adj boisterous, high-spirited.

ausgelastet adj fully occupied.

ausgelernt adj trained, qualified.

ausgemacht adj (*umg*) settled; (*Dummkopf etc*) out-and-out, downright; **es gilt als ~, daß ...** it is settled that ...; **es war eine ~e Sache, daß ...** it was a foregone conclusion that ...

ausgenommen konj, präp +gen o dat except; **Anwesende sind ~** present company excepted.

ausgeprägt adj (*Gesicht*) distinctive; (*Eigenschaft*) distinct; (*Charakter, Interesse*) marked; pronounced.

ausgerechnet adv just, precisely; **~ du/heute** you of all people/today of all days.

ausgereift adj (*fig*) well- [o highly-] developed.

ausgeschlossen adj (*unmöglich*) impossible, out of the question; **es ist nicht ~,**

daß ... it cannot be ruled out that ...

ausgesprochen 1. adj (*Faulheit, Lüge etc*) out-and-out; (*unverkennbar*) marked; **2.** adv decidedly.

ausgezeichnet adj excellent.

ausgiebig adj (*Gebrauch*) thorough, good; (*Essen*) generous, lavish; **~ schlafen** have a good sleep.

Ausgleich m ⟨-[e]s, -e⟩ balance; (*Vermittlung*) reconciliation; (SPORT) equalization; **zum ~ +gen** in order to offset; **das ist ein guter ~** that's very relaxing; **ausgleichen** irr 1. vt balance [out]; (*Höhe*) even up; 2. vi (SPORT) equalize; **Ausgleichssport** m sport for fitness; **Ausgleichstor** nt equalizer.

ausgraben irr vt dig up; (*Leichen*) exhume; (*fig*) unearth; **Ausgrabung** f excavation.

ausgrenzen vt exclude.

Ausguß m (*Spüle*) sink; (*Abfluß*) outlet; (*Tülle*) spout.

aushaben irr vt (*umg: Kleidung*) have taken off; (*Buch*) have finished.

aushalten irr 1. vt bear, stand; (*Geliebte*) keep; 2. vi hold out; **das ist nicht zum Aushalten** that is unbearable.

aushandeln vt negotiate.

aushändigen vt: **jdm etw ~** hand sth over to sb.

Aushang m notice.

aushängen 1. vt (*Meldung*) put up; (*Fenster*) take off its hinges; **2.** irr vi be displayed; **3.** vr: **sich ~** hang over; **Aushängeschild** nt [shop] sign.

aushecken vt (*umg*) concoct, think up.

aushelfen irr vi: **jdm ~** help sb out.

Aushilfe f help, assistance; (*Mensch*) [temporary] worker; **Aushilfskraft** f temporary worker; **aushilfsweise** adv temporarily, as a stopgap.

ausholen vi swing one's arm back; (*zur Ohrfeige*) raise one's hand; (*beim Gehen*) take long strides; **weit ~** (*fig*) be expansive.

aushorchen vt sound out, pump.

aushungern vt starve out.

auskennen irr vr: **sich ~** know thoroughly; (*an einem Ort*) know one's way about; (*in Fragen etc*) be knowledgeable.

Ausklang m end.

ausklingen irr vi (*Ton, Lied*) die away; (*Fest*) peter out.

auskochen vt boil; (MED) sterilize; **ausgekocht** (*fig*) cunning.

auskommen irr vi: **mit jdm ~** get on with sb; **mit etw ~** get by with sth; **Auskommen** nt: **sein ~ haben** get by.

auskugeln vt (*umg: Arm*) dislocate.

auskundschaften vt spy out; (*Gebiet*) reconnoitre.

Auskunft f ⟨-, Auskünfte⟩ information; (*nä-*)

here) details *pl*, particulars *pl*; (*Stelle*) information office; (*TEL*) [directory] inquiries *sing* (*kein Artikel*); **jdm ~ erteilen** give sb information.

auskuppeln *vi* disengage the clutch.

auslachen *vt* laugh at, mock.

ausladen *irr vt* unload; (*umg: Gäste*) cancel an invitation to.

Auslage *f* shop window [display]; **~n** *pl* outlay, expenditure.

Ausland *nt* foreign countries *pl*; **im/ins ~** abroad; **Ausländer(in)** *m(f)* ⟨-s, -⟩ foreigner; **ausländerfeindlich** *adj* hostile to foreigners, xenophobic; **Ausländerfeindlichkeit** *f* hostility towards foreigners, xenophobia; **ausländisch** *adj* foreign; **Auslandsgespräch** *nt* international call; **Auslandskorrespondent(in)** *m(f)* foreign correspondent.

auslassen *irr* **1.** *vt* leave out; (*Wort etc a.*) omit; (*Fett*) melt; (*Wut, Ärger*) vent (*an +dat* on); **2.** *vr*: **sich über etw** *akk* **~** speak one's mind about sth.

Auslauf *m* (*für Tiere*) run; (*Ausfluß*) outflow, outlet; **der Hund braucht ~** the dog needs exercise; **auslaufen** *irr vi* run out; (*Behälter*) leak; (*NAUT*) put out [to sea]; (*langsam aufhören*) run down.

Ausläufer *m* (*von Gebirge*) foothill; (*von Pflanze*) runner; (*METEO: von Hoch*) ridge; (*von Tief*) trough.

ausleeren *vt* empty.

auslegen *vt* (*Waren*) lay out; (*Köder*) put down; (*Geld*) lend; (*bedecken*) cover; (*Text etc*) interpret; (*technisch ausstatten*) design (*für, auf +akk* for); **Auslegung** *f* interpretation.

Ausleihe *f* ⟨-, -n⟩ issuing; (*Stelle*) issue desk; **ausleihen** *irr vt* (*verleihen*) lend; **sich** *dat* **etw ~** borrow sth.

Auslese *f* selection; (*Elite*) elite; (*Wein*) wine made of selected grapes; **auslesen** *irr vt* select; (*umg: zu Ende lesen*) finish.

ausliefern 1. *vt* deliver [up], hand over; (*WIRTS*) deliver; **2.** *vr*: **sich jdm ~** give oneself up to sb; **jdm/einer Sache ausgeliefert sein** be at the mercy of sb/sth.

auslosen *vt* draw lots for.

auslösen *vt* (*Explosion, Schuß*) set off; (*hervorrufen*) cause, produce; **Auslöser** *m* ⟨-s, -⟩ (*FOTO*) release.

ausmachen *vt* (*Licht, Radio*) turn off; (*Feuer*) put out; (*entdecken*) make out; (*vereinbaren*) agree; (*beilegen*) settle; (*Anteil darstellen, betragen*) represent; (*bedeuten*) matter; **das macht ihm nichts aus** it doesn't matter to him; **macht es Ihnen etwas aus, wenn …?** would you mind if …?

ausmalen *vt* paint; (*fig*) describe; **sich** *dat* **etw ~** imagine sth.

Ausmaß *nt* dimension; (*fig a.*) scale, extent.

ausmerzen *vt* eliminate.

ausmessen *irr vt* measure.

Ausnahme *f* ⟨-, -n⟩ exception; **eine ~ machen** make an exception; **Ausnahmefall** *m* exceptional case; **Ausnahmezustand** *m* state of emergency; **ausnahmslos** *adv* without exception; **ausnahmsweise** *adv* by way of exception, for once.

ausnehmen *irr* **1.** *vt* take out, remove; (*Tier*) gut; (*Nest*) rob; (*umg: Geld abnehmen*) clean out; (*ausschließen*) make an exception of; **2.** *vr*: **sich ~** look, appear; **ausnehmend** *adv* exceptionally.

ausnützen *vt* (*Zeit, Gelegenheit*) use, turn to good account; (*Einfluß*) use; (*jdn, Gutmütigkeit*) take advantage of.

auspacken *vt* unpack.

auspfeifen *irr vt* hiss/boo at.

ausplaudern *vt* (*Geheimnis*) blab.

ausprobieren *vt* try [out].

Auspuff *m* ⟨-[e]s, -e⟩ (*TECH*) exhaust; **Auspuffrohr** *nt* exhaust [pipe]; **Auspufftopf** *m* (*AUTO*) silencer.

ausradieren *vt* erase, rub out.

ausrangieren *vt* (*umg*) chuck out.

ausrasten *vi* (*TECH*) disengage; (*umg*) flip one's lid.

ausrauben *vt* rob.

ausräumen *vt* (*Dinge*) clear away; (*Schrank, Zimmer*) empty; (*Bedenken*) put aside.

ausrechnen *vt* calculate, reckon.

Ausrede *f* excuse; **ausreden 1.** *vi* have one's say; **2.** *vt*: **jdm etw ~** talk sb out of sth.

ausreichend *adj* sufficient, adequate; (*SCH*) adequate.

Ausreise *f* departure; **bei der ~** when leaving the country; **Ausreiseerlaubnis** *f* exit visa; **ausreisen** *vi* leave the country.

ausreißen *irr* **1.** *vt* tear [*o* pull] out; **2.** *vi* (*Riß bekommen*) tear; (*umg*) make off, scram.

ausrenken *vt* dislocate.

ausrichten *vt* (*Botschaft*) deliver; (*Gruß*) pass on; (*Hochzeit etc*) arrange; (*erreichen*) get anywhere (*bei* with); (*in gerade Linie bringen*) get in a straight line; (*angleichen*) bring into line; **jdm etw ~** take a message for sb; **ich werde es ihm ~** I'll tell him.

ausrotten *vt* stamp out, exterminate.

ausrücken *vi* (*MIL*) move off; (*Feuerwehr, Polizei*) be called out; (*umg: weglaufen*) run away.

Ausruf *m* (*Schrei*) cry, exclamation; (*Verkünden*) proclamation; **ausrufen** *irr vt* exclaim; (*Schlagzeilen*) cry out; (*verkünden*) call out; (*Haltestelle, Streik*) call; **Ausrufezeichen** *nt* exclamation mark.

ausruhen vi, vr: sich ~ rest.
ausrüsten vt equip, fit out; **Ausrüstung** f equipment.
ausrutschen vi slip.
Aussage f statement; **aussagen 1.** vt say, state; **2.** vi (JUR) give evidence.
ausschalten vt switch off; (fig) eliminate.
Ausschank m ⟨-[e]s, Ausschänke⟩ dispensing, giving out; (WIRTS) selling; (Theke) bar.
Ausschau f: ~ **halten** look out, watch (nach for); **ausschauen** vi look out (nach for), be on the look-out.
ausscheiden irr **1.** vt separate; (MED) give off, secrete; **2.** vi leave (aus etw sth); (SPORT) be eliminated, be knocked out; **er scheidet für den Posten aus** he can't be considered for the job.
ausschenken vt pour out; (WIRTS) sell.
ausschimpfen vt scold, tell off.
ausschlachten vt (Auto) cannibalize; (fig) make a meal of.
ausschlafen irr **1.** vi, vr: sich ~ have a long lie [in]; **2.** vt sleep off; **ich bin nicht ausgeschlafen** I didn't have [o get] enough sleep.
Ausschlag m (MED) rash; (Pendel~) deflection; (von Nadel) deflection; **den ~ geben** (fig) tip the balance; **ausschlagen** irr **1.** vt knock out; (auskleiden) deck out; (verweigern) decline; **2.** vi (Pferd) kick out; (BOT) sprout; (Zeiger) be deflected; **ausschlaggebend** adj decisive.
ausschließen irr vt shut out, lock out; (fig) exclude; **ich will mich nicht ~** myself not excepted.
ausschließlich 1. adv exclusively; **2.** präp +gen excluding, exclusive of.
Ausschluß m exclusion.
ausschmücken vt decorate; (fig) embellish.
ausschneiden irr vt cut out; (Büsche) trim.
Ausschnitt m (Teil) section; (von Kleid) neckline, décolleté; (Zeitungs~) cutting; (aus Film) excerpt.
ausschreiben irr vt (ganz schreiben) write out [in full]; (ausstellen) write [out]; (Stelle, Wettbewerb etc) announce, advertise.
Ausschreitung f excess.
Ausschuß m committee, board; (Abfall) waste, scraps pl; (WIRTS ~ware) reject.
ausschütten 1. vt pour out; (Eimer) empty; (Geld) pay; **2.** vr: sich ~ shake [with laughter].
ausschweifend adj (Leben) dissipated, debauched; (Phantasie) extravagant; **Ausschweifung** f excess.
ausschweigen irr vr: sich ~ keep silent.
ausschwitzen vt exude; (Mensch) sweat out.
aussehen irr vi look; **das sieht nach nichts aus** that doesn't look anything special; **es**

sieht nach Regen aus it looks like rain; **es sieht schlecht aus** things look bad; **Aussehen** nt ⟨-s⟩ appearance.
aussein irr vi (umg) be out; (zu Ende) be over.
außen adv outside; (nach ~) outwards; ~ **ist es rot** it's red [on the] outside; ~ **vor sein** be out of it; **Außenantenne** f exterior aerial; **Außenbordmotor** m outboard motor.
aussenden irr vt send out, emit.
Außendienst m outside [o field] service; (von Diplomat) foreign service; **Außenhandel** m foreign trade; **Außenminister(in)** m(f) foreign minister; **Außenministerium** nt foreign office; **Außenpolitik** f foreign policy; **Außenseite** f outside; **Außenseiter(in)** m(f) ⟨-s, ⟩; **Außenspiegel** m exterior [o side] mirror; **Außenstehende(r)** mf outsider.
außer 1. präp +dat (räumlich) out of; (abgesehen von) except; **2.** konj (ausgenommen) except; ~ **Gefahr sein** be out of danger; ~ **Zweifel** beyond any doubt; ~ **Betrieb** out of order; ~ **sich** dat **sein** be beside oneself; ~ **Dienst** retired; ~ **Landes** abroad; ~ **wenn** unless; ~ **daß** except.
außerdem konj besides, in addition.
äußere(r, s) adj outer, external.
außerehelich adj extramarital; **außergewöhnlich** adj unusual; **außerhalb** präp +gen outside; **Außerkraftsetzung** f putting out of action.
äußerlich adj external.
äußern 1. vt utter, express; (zeigen) show; **2.** vr: sich ~ give one's opinion; (sich zeigen) show itself.
außerordentlich adj extraordinary; **außerplanmäßig** adj unscheduled.
äußerst adv extremely, most.
außerstande adv not in a position, unable; **äußerste(r, s)** adj utmost; (räumlich) farthest; (Termin) last possible; (Preis) highest; **äußerstenfalls** adv if the worst comes to the worst.
Äußerung f remark.
aussetzen 1. vt (Kind, Tier) abandon; (Boote) lower; (Belohnung) offer; (Urteil, Verfahren) postpone; **2.** vi (aufhören) stop; (Pause machen) drop out; **jdn/sich einer Sache** dat ~ lay sb/oneself open to sth; **jdm/einer Sache ausgesetzt sein** be exposed to sb/sth; **an jdm/etw etwas ~** find fault with sb/sth.
Aussicht f view; (in Zukunft) prospect; **in ~ sein** be in view; **etw in ~ haben** have sth in view; **aussichtslos** adj hopeless; **Aussichtspunkt** m viewpoint; **aussichtsreich** adj promising; **Aussichtsturm** m observation tower.
aussitzen irr vt sit out.

aussöhnen 1. vt reconcile; **2.** vr: **sich ~** reconcile oneself, become reconciled; **Aussöhnung** f reconciliation.

aussondern vt separate, select.

aussortieren vt sort out.

ausspannen 1. vt spread [o stretch] out; (Pferd) unharness; (umg) steal (jdm from sb); **2.** vi relax.

aussparen vt leave open.

aussperren vt lock out.

ausspielen 1. vt (Karte) play; (Geldprämie) offer as a prize; **2.** vi (KARTEN) lead; **jdn gegen jdn ~** play sb off against sb; **ausgespielt haben** be finished.

Aussprache f pronunciation; (Unterredung) [frank] discussion.

aussprechen irr **1.** vt pronounce; (zu Ende sprechen) speak; (äußern) say, express; **2.** vr: **sich ~** talk (über +akk about); (sich anvertrauen) unburden oneself; (diskutieren) discuss; **3.** vi (zu Ende sprechen) finish speaking.

Ausspruch m saying, remark.

ausspülen vt wash out; (Mund) rinse.

Ausstand m strike; **in den ~ treten** go on strike.

ausstatten vt (Zimmer etc) furnish; **jdn mit etw ~** equip sb with sth, kit sb out with sth; **Ausstattung** f (Ausstatten) provision; (Kleidung) outfit; (Aufmachung) make-up; (Einrichtung) furnishing.

ausstechen irr vt (Augen, Rasen, Graben) dig out; (Kekse) cut out; (übertreffen) outshine.

ausstehen irr **1.** vt stand, endure; **2.** vi (noch nicht dasein) be outstanding; **ich kann ihn/das nicht ~** I can't stand him/that.

aussteigen irr vi get out, alight.

ausstellen vt exhibit, display; (umg: ausschalten) switch off; (Rechnung etc) make out; (Paß, Zeugnis) issue; **Ausstellung** f exhibition; (FIN) drawing up; (einer Rechnung) making out; (eines Passes) issuing.

aussterben irr vi die out, become extinct.

Aussteuer f dowry.

Ausstieg m ⟨-s, -e⟩ withdrawal.

ausstopfen vt stuff.

ausstoßen irr vt (Luft, Rauch) give off, emit; (aus Verein etc) expel, exclude.

ausstrahlen vt radiate; (RADIO) broadcast; **Ausstrahlung** f radiation; (fig) charisma.

ausstrecken vt stretch out.

ausstreichen irr vt cross out; (glätten) smooth out.

ausströmen vi (Gas) pour out, escape.

aussuchen vt select, pick out.

Austausch m exchange; **austauschbar** adj exchangeable; **austauschen** vt exchange, swop; **Austauschmotor** m reconditioned engine.

austeilen vt distribute, give out.

Auster f ⟨-, -n⟩ oyster.

austoben vr: **sich ~** (Kind) run wild; (Erwachsene) sow one's wild oats.

austragen irr vt (Post) deliver; (Streit etc) decide; (Wettkämpfe) hold.

Australien nt Australia; **in ~** in Australia; **nach ~ fahren** go to Australia; **Australier(in)** m(f) ⟨-s, -⟩ Australian; **australisch** adj Australian.

austreiben irr vt drive out, expel; (Geister) exorcize.

austreten irr **1.** vi (zur Toilette) be excused; **2.** vt (Feuer) tread out, trample; (Schuhe) wear out; (Treppe) wear down; **aus etw ~** leave sth.

austrinken irr **1.** vt (Glas) drain; (Getränk) drink up; **2.** vi finish one's drink, drink up.

Austritt m emission; (aus Verein, Partei etc) retirement, withdrawal.

austrocknen vi dry up.

ausüben vt (Beruf) practise, carry out; (Funktion) perform; (Einfluß) exert; (Reiz, Wirkung) exercise, have (auf jdn on sb); **Ausübung** f practice, exercise.

Ausverkauf m sale; **ausverkaufen** vt sell out; (Geschäft) sell up; **ausverkauft** adj (Karten, Artikel) sold out; (THEAT. Haus) full.

Auswahl f selection, choice (an +dat of); **auswählen** vt select, choose.

auswandern vi emigrate; **Auswanderung** f emigration.

auswärtig adj (nicht am/vom Ort) out-of-town; (ausländisch) foreign; **Auswärtiges Amt** Foreign Office, State Department US; **auswärts** adv outside; (nach außen) outwards; **~ essen** eat out; **Auswärtsspiel** nt away game.

auswechseln vt change, substitute.

Ausweg m way out; **ausweglos** adj hopeless.

ausweichen irr vi dodge, evade; **jdm/einer Sache ~** move aside [o make way] for sb/sth; (fig) side-step sb/sth; **ausweichend** adj evasive.

ausweinen vr: **sich ~** have a [good] cry.

Ausweis m ⟨-es, -e⟩ identity card, passport; (Mitglieds~, Bibliotheks~) card; **ausweisen** irr **1.** vt expel, banish; **2.** vr: **sich ~** prove one's identity; **Ausweispapiere** pl identity papers pl; **Ausweisung** f expulsion.

auswendig adv by heart; **~ lernen** learn by heart.

auswerten vt evaluate; **Auswertung** f evaluation, analysis; (Nutzung) utilization.

auswirken vr: **sich ~** have an effect; **Auswirkung** f effect.

Auswuchs m [out]growth; (fig) excess.

auswuchten vt (AUTO) balance.

auszahlen 1. vt (Lohn, Summe) pay out; (Arbeiter) pay off; (Miterbe) buy out; **2.** vr: **sich ~** (sich lohnen) pay.

auszählen vt (Stimmen) count; (BOXEN) count out.

auszeichnen 1. vt honour; (MIL.) decorate; (WIRTS) price; **2.** vr: **sich ~** distinguish oneself; **Auszeichnung** f distinction; (WIRTS) pricing; (Ehrung) awarding of decoration; (Ehre) honour; (Orden) decoration; **mit ~** with distinction.

ausziehen irr **1.** vt (Kleidung) take off; (Haare, Zähne, Tisch etc) pull out; **2.** vr: **sich ~** undress; **3.** vi (aufbrechen) leave; (aus Wohnung) move out.

Auszubildende(r) mf trainee.

Auszug m (aus Wohnung) removal; (aus Buch etc) extract; (Konto~) statement.

Autismus m autism; **autistisch** adj autistic.

Auto nt ⟨-s, -s⟩ [motor-]car; **~ fahren** drive; **Autobahn** f motorway; **Autobahngebühr** f motorway toll; **Autobombe** f car bomb; **Autofahrer(in)** m(f) motorist, driver; **Autofahrt** f drive; **Autogas** nt liquefied petroleum gas.

autogen adj autogenous.

Autogramm nt ⟨-s, -e⟩ autograph.

Automat m ⟨-en, -en⟩ machine.

Automatikgurt m inertia-reel seat belt; **Automatikschaltung** f automatic gear change Brit, automatic gear shift US; **Automatikwagen** m automatic.

automatisch adj automatic.

Autopsie f post-mortem, autopsy.

Autor(in) m(f) ⟨-s, -en⟩ author.

Autoradio nt car radio; **Autoreifen** m car tyre; **Autoreisezug** m Motorail train, auto train US; **Autorennen** nt motor racing.

autoritär adj authoritarian.

Autorität f authority.

Autotelefon nt car phone; **Autounfall** m car [o motor] accident; **Autoverleih** m car hire.

Axt f ⟨-, Äxte⟩ axe.

Azubi m ⟨-s, -s⟩, f ⟨-, -s⟩ akr von **Auszubildende** trainee.

B

B, b nt B, b.

Baby nt ⟨-s, -s⟩ baby; **Babynahrung** f baby food; **Babysitter(in)** m(f) ⟨-s, -⟩ baby-sitter.

Bach m ⟨-[e]s, Bäche⟩ stream, brook.

Backblech nt baking tray.

Backbord nt (NAUT) port.

Backe f ⟨-, -n⟩ cheek.

backen ⟨backte, gebacken⟩ vt, vi bake.

Backenbart m sideboards pl; **Backenzahn** m molar.

Bäcker(in) m(f) ⟨-s, -⟩ baker; **Bäckerei** f bakery; (Laden) baker's [shop].

Backform f baking tin; **Backhähnchen** nt roast chicken; **Backobst** nt dried fruit; **Backofen** m oven; **Backpflaume** f prune; **Backpulver** nt baking powder; **Backstein** m brick.

backte imperf von **backen**.

Bad nt ⟨-[e]s, Bäder⟩ bath; (Schwimmen) bathe; (Ort) spa; **Badeanstalt** f [swimming] baths pl; **Badeanzug** m bathing suit, swimsuit; **Badehose** f bathing [o swimming] trunks pl; **Badekappe** f bathing cap; **Bademantel** m bath[ing] robe; **Bademeister(in)** m(f) baths attendant; **Bademütze** f bathing cap.

baden 1. vi bathe, have a bath; **2.** vt bath.

Baden-Württemberg nt ⟨-s⟩ Baden-Württemberg.

Badeort m spa; **Badetuch** nt bath towel; **Badewanne** f bath [tub]; **Badezimmer** nt bathroom.

baff adj: **~ sein** (umg) be flabbergasted.

Bafög nt ⟨-⟩ akr von **Bundesausbildungsförderungsgesetz** student grant.

Bagatelle f trifle.

Bagger m ⟨-s, -⟩ excavator; (NAUT) dredger; **baggern** vi, vt excavate; (NAUT) dredge.

Bahamas pl Bahamas pl.

Bahn f ⟨-, -en⟩ railway, railroad US; (Weg) road, way; (Spur) lane; (Renn~) track; (ASTR) orbit; (Stoff~) length; **bahnbrechend** adj pioneering; **Bahndamm** m railway embankment; **bahnen** vt: **sich/jdm einen Weg ~** clear a way/a way for sb; **Bahnfahrt** f railway journey; **Bahnhof** m station; **auf dem ~** at the station; **Bahnhofshalle** f station concourse; **Bahnhofsmission** f organisation which helps travellers in need; **Bahnhofswirtschaft** f station restaurant; **Bahnlinie** f [railway] line; **Bahnpolizei** f railway police; **Bahnsteig** m ⟨-[e]s, -e⟩ platform; **Bahnsteigkarte** f platform ticket; **Bahnstrecke** f [railway] line; **Bahnübergang** m level crossing, grade crossing *US;* **Bahnwärter(in)** *m(f)* gatekeeper, [level crossing] attendant.

Bahre *f* ⟨-, -n⟩ stretcher.

Bakterien *pl* bacteria *pl.*

Balance *f* ⟨-, -n⟩ balance, equilibrium; **balancieren** *vt, vi* balance.

bald *adv* (*zeitlich*) soon; (*beinahe*) almost; **baldig** *adj* early, speedy; **baldmöglichst** *adv* as soon as possible.

Baldrian *m* ⟨-s, -e⟩ valerian.

Balkan *m* ⟨-s⟩ Balkans *pl.*

Balken *m* ⟨-s, -⟩ beam; (*Trag~*) girder; (*Stütz~*) prop.

Balkon *m* ⟨-s, -s *o* -e⟩ balcony; (*THEAT*) [dress] circle.

Ball *m* ⟨-[e]s, Bälle⟩ ball; (*Tanz*) dance, ball.

Ballade *f* ballad.

Ballast *m* ⟨-[e]s, -e⟩ ballast; (*fig*) weight, burden; **Ballaststoffe** *pl* roughage *sing.*

ballen 1. *vt* (*formen*) make into a ball; (*Faust*) clench; **2.** *vr:* **sich ~** build up; (*Menschen*) gather.

Ballen *m* ⟨-s, -⟩ bale; (*ANAT*) ball.

Ballett *nt* ⟨-[e]s, -e⟩ ballet; **Ballettänzer(in)** *m(f)* ballet dancer.

Balljunge *m* ball boy; **Ballkleid** *nt* evening dress.

Ballon *m* ⟨-s, -s *o* -e⟩ balloon.

Ballspiel *nt* ball game.

Ballung *f* concentration; (*von Energie*) build-up; **Ballungsgebiet** *nt* conurbation; **Ballungszentrum** *nt* centre.

Baltikum *nt* ⟨-s⟩ Baltic states *pl.*

Bambus *m* ⟨-ses, -se⟩ bamboo; **Bambusrohr** *nt* bamboo cane.

banal *adj* banal; **Banalität** *f* banality.

Banane *f* ⟨-, -n⟩ banana; **Bananenrepublik** *f* (*pej*) banana republic.

Banause *m* ⟨-n, -n⟩ (*pej*) philistine.

band *imperf von* **binden**.

Band 1. *m* ⟨-[e]s, Bände⟩ (*Buch~*) volume; **2.** *nt* ⟨-[e]s, Bänder⟩ (*Stoff~*) ribbon, tape; (*Fließ~*) production line; (*Ton~*) tape; (*ANAT*) ligament; **3.** *nt* ⟨-[e]s, -e⟩ (*Freundschafts~*) bond; **4.** *f* ⟨-, -s⟩ band, group; **etw auf ~ aufnehmen** tape sth; **am laufenden ~** (*umg*) non-stop.

bandagieren *vt* bandage.

Bandbreite *f* (*RADIO*) wave band, frequency range; (*fig*) range.

Bande *f* ⟨-, -n⟩ band; (*Straßen~*) gang.

bändigen *vt* (*Tier*) tame; (*Trieb, Leidenschaft*) control, restrain.

Bandit(in) *m(f)* ⟨-en, -en⟩ bandit.

Bandmaß *nt* tape measure; **Bandsäge** *f* band saw; **Bandscheibe** *f* (*ANAT*) disc; **Bandwurm** *m* tapeworm.

bange *adj* scared; (*besorgt*) anxious; **jdm wird es ~** sb is becoming scared; **jdm ~ ma**

chen scare sb; **bangen** *vi:* **um jdn/etw ~** be anxious [*o* worried] about sb/sth.

Banjo *nt* ⟨-s, -s⟩ banjo.

Bank 1. *f* ⟨-, Bänke⟩ (*Sitz~*) bench; (*Sand~*) [sand]bank, sandbar; **2.** *f* ⟨-, -en⟩ (*Geld~*) bank; **Bankangestellte(r)** *mf* bank clerk; **Bankanweisung** *f* banker's order.

Bankett *nt* ⟨-[e]s, -e⟩ (*Essen*) banquet; (*Straßenrand*) verge.

Bankier *m* ⟨-s, -s⟩ banker.

Bankkonto *nt* bank account; **Bankleitzahl** *f* bank [*o* sorting] code number; **Banknote** *f* banknote; **Bankraub** *m* bank robbery.

bankrott *adj* bankrupt; **Bankrott** *m* ⟨-[e]s, -e⟩ bankruptcy; **~ machen** go bankrupt.

Banküberfall *m* bank hold-up.

Bankverbindung *f* banking arrangements *pl*; (*Kontonummer*) banking details *pl.*

Banner *nt* ⟨-s, -⟩ banner, flag.

bar *adj* (*unbedeckt*) bare; (*frei von*) lacking (*gen* in); (*offenkundig*) utter, sheer; **~es Geld** cash; **etw [in] ~ bezahlen** pay sth [in] cash; **etw für ~e Münze nehmen** take sth at its face value.

Bar *f* ⟨-, -s⟩ bar.

Bär *m* ⟨-en, -en⟩ bear.

Baracke *f* ⟨-, -n⟩ hut, barrack.

barbarisch *adj* barbaric, barbarous.

barfuß *adj* barefoot.

barg *imperf von* **bergen**.

Bargeld *nt* cash, ready money; **bargeldlos** *adj* non-cash; **Barkauf** *m* cash purchase.

Barkeeper *m* ⟨-s, -⟩, **Barmann** *m* (*Barmänner pl*) barman, bartender.

barmherzig *adj* merciful, compassionate; **Barmherzigkeit** *f* mercy, compassion.

Barometer *nt* ⟨-s, -⟩ barometer.

Barren *m* ⟨-s, -⟩ parallel bars *pl*; (*Gold~*) ingot.

Barriere *f* ⟨-, -n⟩ barrier.

Barrikade *f* barricade.

barsch *adj* brusque, gruff.

Barsch *m* ⟨-[e]s, -e⟩ perch.

Barscheck *m* open [*o* uncrossed] cheque.

barst *imperf von* **bersten**.

Bart *m* ⟨-[e]s, Bärte⟩ beard; (*Schlüssel~*) bit; **bärtig** *adj* bearded.

Barzahlung *f* cash payment.

Basar *m* ⟨-s, -e⟩ bazaar.

Base *f* ⟨-, -n⟩ (*CHEM*) base.

basieren 1. *vt* base (*auf +akk* on); **2.** *vi* be based (*auf +dat* on).

Basis *f* ⟨-, Basen⟩ basis.

basisch *adj* (*CHEM*) alkaline.

Baskenland *nt* Basque Country [*o* Region].

Basketball *m* basketball.

Baß *m* ⟨Basses, Bässe⟩ bass.

Bassin *nt* ⟨-s, -s⟩ pool.

Bassist(in) *m(f)* bass, bass-player.

Baßschlüssel *m* bass clef.

Bast *m* ⟨-[e]s, -e⟩ raffia.

basteln 1. *vt* make; **2.** *vi* do handicrafts.

bat *imperf von* **bitten.**

Batterie *f* battery.

Bau 1. *m* ⟨-[e]s⟩ (*Bauen*) building, construction; (*Aufbau*) structure; (*Körper~*) physique, build; (*Baustelle*) building site; **2.** *m* ⟨Baue *pl*⟩ (*Tier~*) hole, burrow; (*MIN*) workings *pl;* **3.** *m* ⟨Bauten *pl*⟩ (*Gebäude*) building; **sich im ~ befinden** be under construction; **Bauarbeiter(in)** *m(f)* building worker.

Bauch *m* ⟨-[e]s, Bäuche⟩ belly; (*ANAT*) stomach, abdomen; **Bauchfell** *nt* peritoneum; **Bauchmuskel** *m* abdominal muscle; **Bauchnabel** *m* belly button; **Bauchredner(in)** *m(f)* ventriloquist; **Bauchschmerzen** *pl* stomach-ache; **Bauchtanz** *m* belly dance; (*das Tanzen*) belly dancing; **Bauchweh** *nt* ⟨-s⟩ stomach-ache.

bauen *vt, vi* build; (*TECH*) construct; **auf jdn/etw ~** depend [*o* count] upon sb/sth.

Bauer 1. *m* ⟨-n *o* -s, -n⟩ farmer; (*SCHACH*) pawn; **2.** *m* ⟨-s, -⟩ (*Vogel~*) cage; **Bäuerin** *f* farmer; (*Frau des Bauers*) farmer's wife; **bäuerlich** *adj* rustic; **Bauernbrot** *nt* black bread; **Bauernfängerei** *f* deception; **Bauernhaus** *nt* farmhouse; **Bauernhof** *m* farm[yard].

baufällig *adj* dilapidated; **Baufälligkeit** *f* dilapidation; **Baufirma** *f* construction firm; **Baugelände** *nt* building site; **Baugenehmigung** *f* building permit; **Bauherr(in)** *m(f)* client (*for whom sth is being built*); **Baukasten** *m* building kit; **Baukastensystem** *nt* unit [*o* modular] construction system; **Baukosten** *pl* construction costs *pl;* **Bauland** *nt* building land; **baulich** *adj* structural.

Baum *m* ⟨-[e]s, Bäume⟩ tree.

baumeln *vi* dangle.

bäumen *vr:* **sich ~** rear [up].

Baumschule *f* nursery; **Baumstamm** *m* tree trunk; **Baumsterben** *nt* ⟨-s⟩ forest die-back, dying of trees; **Baumstumpf** *m* tree stump.

Baumwolle *f* cotton.

Bauplan *m* architect's plan; **Bauplatz** *m* building site.

Bausch *m* ⟨-[e]s, Bäusche⟩ (*Watte~*) ball, wad; **in ~ und Bogen** lock, stock and barrel; **bauschen** *vt, vr:* **sich ~** puff out; **bauschig** *adj* baggy, wide.

bausparen *vi* save with a building society; **Bausparkasse** *f* building society; **Bausparvertrag** *m* saving agreement with a building-society; **Baustein** *m* (*für Haus*) stone; (*Spielzeug~*) brick; (*fig*) constituent;

elektonischer ~ chip; **Baustelle** *f* building [*o* construction] site; (*Straße, Autobahn*) roadworks *pl;* **Bauteil** *nt* prefabricated part [of building]; **Bauunternehmer(in)** *m(f)* contractor, builder; **Bauweise** *f* [method of] construction; **Bauwerk** *nt* building; **Bauwirtschaft** *f* construction [*o* building] industry; **Bauzaun** *m* hoarding.

Bayer(in) *m(f)* ⟨-n, -n⟩ Bavarian; **Bayern** *nt* ⟨-s⟩ Bavaria; **bayrisch** *adj* Bavarian.

Bazillus *m* ⟨-, Bazillen⟩ bacillus.

beabsichtigen *vt* intend.

beachten *vt* take note of; (*Vorschrift*) obey; (*Vorfahrt*) observe; **beachtenswert** *adj* noteworthy; **beachtlich** *adj* considerable; **Beachtung** *f* notice, attention, observation.

Beamte(r) *m* ⟨-n, -n⟩, **Beamtin** *f* official; (*Staatsbeamte*) civil cervant.

beängstigend *adj* alarming.

beanspruchen *vt* claim; (*Zeit, Platz*) take up, occupy; **jdn ~** take up sb's time.

beanstanden *vt* complain about, object to.

beantragen *vt* apply for, ask for.

beantworten *vt* answer.

bearbeiten *vt* work; (*Material*) process; (*Thema*) deal with; (*Land*) cultivate; (*INFORM*) process; (*CHEM*) treat; (*Buch*) revise; (*umg: beeinflussen wollen*) work on; **Bearbeitung** *f* processing; treatment; cultivation; revision.

Beatmung *f* respiration.

beaufsichtigen *vt* supervise.

beauftragen *vt* instruct; **jdn mit etw ~** entrust sb with sth.

bebauen *vt* build on; (*AGR*) cultivate.

Beben *nt* ⟨-s, -⟩ earthquake.

bebildern *vt* illustrate.

Becher *m* ⟨-s, -⟩ mug; (*ohne Henkel*) tumbler.

Becken *nt* ⟨-s, -⟩ basin; (*MUS*) cymbal; (*ANAT*) pelvis.

Becquerel *nt* ⟨-, -⟩ Becquerel.

bedächtig *adj* (*umsichtig*) thoughtful, reflective; (*langsam*) slow, deliberate.

bedanken *vr:* **sich ~** say thank you (*bei jdm* to sb).

Bedarf *m* ⟨-[e]s⟩ need, requirement; (*WIRTS*) demand; **je nach ~** according to demand; **bei ~** if necessary; **~ an etw dat haben** be in need of sth; **Bedarfsfall** *m* case of need; **Bedarfsgüter** *pl* consumer goods *pl;* **Bedarfshaltestelle** *f* request stop.

bedauerlich *adj* regrettable; **bedauern** *vt* be sorry for; (*bemitleiden*) pity; **Bedauern** *nt* ⟨-s⟩ regret; **bedauernswert** *adj* (*Zustände*) regrettable; (*Mensch*) pitiable, unfortunate.

bedecken *vt* cover; **bedeckt** *adj* covered;

(*Himmel*) overcast.

bedenken *irr vt* think [over], consider; **Bedenken** *nt* ⟨-s, -⟩ (*Überlegen*) consideration; (*Zweifel*) doubt; (*Skrupel*) scruple; **bedenklich** *adj* doubtful; (*bedrohlich*) dangerous, risky; **Bedenkzeit** *f* time for reflection.

bedeuten *vt* mean; (*versinnbildlichen*) signify; (*wichtig sein*) be of importance; **bedeutend** *adj* important; (*beträchtlich*) considerable; **Bedeutung** *f* meaning, significance; (*Wichtigkeit*) importance; **bedeutungslos** *adj* insignificant, unimportant; **bedeutungsvoll** *adj* momentous, significant.

bedienen 1. *vt* serve; (*Maschine*) work, operate; **2.** *vr:* **sich ~** (*beim Essen*) help oneself; (*gebrauchen*) make use (*gen* of); **Bediener(in)** *m(f)* ⟨-s, -⟩ operator; **Bedienung** *f* service; (*Kellner*) waiter/waitress; (*Verkäufer*) shop assistant; (*Zuschlag*) service [charge]; **Bedienungsanleitung** *f* operating instructions.

bedingen *vt* (*voraussetzen*) demand, involve; (*verursachen*) cause, occasion; **bedingt** *adj* limited, conditional; (*Reflex*) conditioned; **Bedingung** *f* condition; (*Voraussetzung*) stipulation; **bedingungslos** *adj* unconditional.

bedrängen *vt* pester, harass.

bedrohen *vt* threaten; **bedrohlich** *adj* ominous, threatening; **Bedrohung** *f* threat, menace.

bedrucken *vt* print on.

bedrücken *vt* oppress, trouble.

Bedürfnis *nt* need; **~ nach etw haben** need sth; **bedürftig** *adj* in need (*gen* of); (*arm*) poor, needy.

beehren *vt* honour; **wir ~ uns** we have pleasure in.

beeilen *vr:* **sich ~** hurry.

beeindrucken *vt* impress, make an impression on; **beeindruckend** *adj* impressive.

beeinflussen *vt* influence.

beeinträchtigen *vt* affect adversely; (*Freiheit*) infringe upon.

beenden *vt* end, finish, terminate; (*INFORM*) terminate.

beengen *vt* cramp; (*fig*) hamper, oppress.

beerben *vt* inherit from.

beerdigen *vt* bury; **Beerdigung** *f* funeral, burial; **Beerdigungsunternehmer(in)** *m(f)* undertaker.

Beere *f* ⟨-, -n⟩ berry; (*Trauben~*) grape.

Beet *nt* ⟨-[e]s, -e⟩ bed.

Befähigung *f* capability; (*Begabung*) talent, aptitude.

befahl *imperf von* **befehlen**.

befahrbar *adj* passable; (*NAUT*) navigable; **befahren 1.** *irr vt* use, drive over; (*NAUT*)

navigate; **2.** *adj* used.

befallen *irr vt* come over.

befangen *adj* (*schüchtern*) shy, self-conscious; (*voreingenommen*) biased; **Befangenheit** *f* shyness; bias.

befassen *vr:* **sich ~** concern oneself.

Befehl *m* ⟨-[e]s, -e⟩ command, order; (*INFORM*) instruction, command; **befehlen** (*befahl, befohlen*) **1.** *vt* order; **jdm etw ~** order sb to do sth; **2.** *vi* give orders; **jdm etw ~** order sb to do sth; **Befehlsempfänger(in)** *m(f)* subordinate; **Befehlsform** *f* (*LING*) imperative; **Befehlshaber(in)** *m(f)* ⟨-s, -⟩ commanding officer; **Befehlsverweigerung** *f* insubordination.

befestigen *vt* fasten (*an +dat* to); (*stärken*) strengthen; (*MIL*) fortify.

befeuchten *vt* damp[en], moisten.

befinden *irr vt* **1.** *vr:* **sich ~** be; (*sich fühlen*) feel; **2.** *vi* decide (*über +akk* on); **Befinden** *nt* ⟨-s⟩ health, condition; (*Meinung*) view, opinion.

befohlen *pp von* **befehlen**.

befolgen *vt* comply with, follow.

befördern *vt* (*senden*) transport, send; (*beruflich*) promote; **Beförderung** *f* transport, conveyance; promotion.

befragen *vt* question; **Befragung** *f* questioning; (*Umfrage*) opinion poll.

befreien *vt* set free; (*erlassen*) exempt; **Befreiung** *f* liberation; release; (*Erlassen*) exemption.

befremden *vt* surprise, disturb; **Befremden** *nt* ⟨-s⟩ surprise, astonishment.

befreunden *vr:* **sich ~** make friends; **befreundet** *adj* friendly.

befriedigen *vt* satisfy; **befriedigend** *adj* satisfactory; **Befriedigung** *f* satisfaction, gratification.

befristet *adj* limited.

befruchten *vt* fertilize; (*fig*) stimulate.

Befugnis *f* authorization, powers *pl*; **befugt** *adj* authorized, entitled.

befühlen *vt* feel, touch.

Befund *m* ⟨-[e]s, -e⟩ findings *pl*; (*MED*) diagnosis.

befürchten *vt* fear; **Befürchtung** *f* fear, apprehension.

befürworten *vt* support, speak in favour of; **Befürworter(in)** *m(f)* ⟨-s, -⟩ supporter, advocate; **Befürwortung** *f* support[ing], favouring.

begabt *adj* gifted; **Begabung** *f* talent, gift.

begann *imperf von* **beginnen**.

begeben *irr vr:* **sich ~** (*gehen*) proceed (*zu, nach* to); (*geschehen*) occur; **Begebenheit** *f* occurrence.

begegnen **1.** *vi* meet (*jdm* sb), meet with (*einer Sache dat* sth); (*behandeln*) treat (*jdm* sb); **2.** *vr:* **sich ~** meet; **Begegnung**

f meeting.

begehen *irr vt* (*Straftat*) commit; (*Feier*) celebrate.

begehren *vt* desire; **begehrenswert** *adj* desirable; **begehrt** *adj* in demand; (*Junggeselle*) eligible.

begeistern 1. *vt* fill with enthusiasm, inspire; **2.** *vr:* **sich für etw ~** get enthusiastic about sth; **begeistert** *adj* enthusiastic; **Begeisterung** *f* enthusiasm.

Begierde *f* ⟨-, -n⟩ desire, passion.

begierig *adj* eager, keen.

begießen *irr vt* water; (*mit Alkohol*) drink to.

Beginn *m* ⟨-[e]s⟩ beginning; **zu ~** at the beginning; **beginnen** ⟨begann, begonnen⟩ *vt, vi* start, begin.

beglaubigen *vt* countersign; **beglaubigte Übersetzung** official translation; **Beglaubigung** *f* countersignature; **Beglaubigungsschreiben** *nt* credentials *pl.*

begleiten *vt* accompany; (*MIL*) escort; **Begleiter(in)** *m(f)* ⟨-s, -⟩ companion; (*zum Schutz*) escort; (*MUS*) accompanist; **Begleiterscheinung** *f* concomitant [occurrence]; **Begleitmusik** *f* accompaniment; **Begleitschreiben** *nt* covering letter; **Begleitung** *f* company; (*MIL*) escort; (*MUS*) accompaniment.

beglückwünschen *vt* congratulate (*zu* on).

begnadigen *vt* pardon; **Begnadigung** *f* pardon, amnesty.

begnügen *vr:* **sich ~** be satisfied, content oneself.

Begonie *f* begonia.

begonnen *pp von* **beginnen**.

begraben *irr vt* bury; **Begräbnis** *nt* burial, funeral.

begradigen *vt* straighten [out].

begreifen *irr vt* understand, comprehend; **begreiflich** *adj* understandable.

Begrenztheit *f* limitation, restriction; (*fig*) narrowness.

Begriff *m* ⟨-[e]s, -e⟩ concept, idea; **im ~ sein, etw zu tun** be about to do [*o* on the point of doing] sth; **schwer von ~** (*umg*) slow, dense; **begriffsstutzig** *adj* dense, slow.

begründen *vt* (*Gründe geben für*) justify; **begründet** *adj* well-founded, justified; **Begründung** *f* justification, reason.

begrüßen *vt* greet, welcome; **begrüßenswert** *adj* welcome; **Begrüßung** *f* greeting, welcome.

begünstigen *vt* (*jdn*) favour; (*Sache*) further, promote.

begutachten *vt* assess.

behaart *adj* hairy.

behäbig *adj* (*dick*) portly, stout; (*geruhsam*)

comfortable.

behagen *vi:* **das behagt ihm nicht** he does not like it; **Behagen** *nt* ⟨-s⟩ comfort, ease; **behaglich** *adj* comfortable, cosy; **Behaglichkeit** *f* comfort, cosiness.

behalten *irr vt* keep, retain; (*im Gedächtnis*) remember.

Behälter *m* ⟨-s, -⟩ container, receptacle.

behandeln *vt* treat; (*Thema*) deal with; (*Maschine*) handle; **Behandlung** *f* treatment; (*von Maschine*) handling.

beharren *vi:* **auf etw** *dat* **~** stick [*o* keep] to sth.

beharrlich *adj* (*ausdauernd*) steadfast, unwavering; (*hartnäckig*) tenacious, dogged; **Beharrlichkeit** *f* steadfastness; tenacity.

behaupten 1. *vt* claim, assert, maintain; **2.** *vr:* **sich ~** assert oneself; **Behauptung** *f* claim, assertion.

Behausung *f* dwelling, abode; (*armselig*) hovel.

beheimatet *adj* domiciled; (*Tier, Pflanze*) with its habitat (*in* +*dat* in).

beheizen *vt* heat.

Behelf *m* ⟨-[e]s, -e⟩ expedient, makeshift; **behelfen** *irr vr:* **sich mit etw ~** make do with sth; **behelfsmäßig** *adj* improvised, makeshift; (*vorübergehend*) temporary.

behelligen *vt* trouble, bother.

beherbergen *vt* put up, house.

beherrschen 1. *vt* (*Volk*) rule, govern; (*Situation*) control; (*Sprache, Gefühle*) master; **2.** *vr:* **sich ~** control oneself; **beherrscht** *adj* controlled; **Beherrschung** *f* rule; control; mastery.

beherzigen *vt* take to heart.

behilflich *adj* helpful; **jdm ~ sein** help sb (*bei* with).

behindern *vt* hinder, impede; **Behinderte(r)** *mf* disabled person; **behindertengerecht** *adj* suitable for handicapped people; **Behinderung** *f* hindrance; (*Körper~*) handicap.

Behörde *f* ⟨-, -n⟩ authorities *pl;* **behördlich** *adj* official.

behüten *vt* guard; **jdn vor etw** *dat* **~** preserve sb from sth.

behutsam *adj* cautious, careful.

bei *präp* +*dat* (*örtlich*) near, by; (*zeitlich*) at, on; (*während*) during; **~m Friseur** at the hairdresser's; **~ uns** at our place; (*in unserem Land*) in our country; **~ einer Firma arbeiten** work for a firm; **~ Nacht** at night; **~ Nebel** in fog; **~ Regen** if it rains; **jdn ~ sich haben** have sth on one; **jdn ~ sich haben** have sb with one; **~ Goethe** in Goethe; **~m Militär** in the army; **~m Fahren** while driving.

beibehalten *irr vt* keep, retain.

beibringen *irr vt* bring forward; (*Gründe*) adduce; **jdm etw ~** (*zufügen*) inflict sth on sb; (*zu verstehen geben*) make sb understand sth; (*lehren*) teach sb sth.

Beichte *f* ⟨-, -n⟩ confession; **beichten 1.** *vt* confess; **2.** *vi* go to confession; **Beichtgeheimnis** *nt* secret of the confessional; **Beichtstuhl** *m* confessional.

beide *pron* both; **meine ~n Brüder** my two brothers, both my brothers; **die ersten ~n** the first two; **wir ~** we two; **einer von ~n** one of the two; **alles ~s** both [of them]; **beidemal** *adv* both times; **beiderlei** *adj inv* of both; **beiderseitig** *adj* mutual, reciprocal; **beiderseits 1.** *adv* mutually; **2.** *präp +gen* on both sides of.

beieinander *adv* together.

Beifahrer(in) *m(f)* passenger; **Beifahrersitz** *m* passenger seat.

Beifall *m* ⟨-[e]s⟩ applause; (*Zustimmung*) approval.

beifügen *vt* enclose.

beige *adj inv* beige, fawn.

beigeben *irr* **1.** *vt* (*zufügen*) add; (*mitgeben*) give; **2.** *vi* (*nachgeben*) give in (*dat* to).

Beigeschmack *m* aftertaste.

Beihilfe *f* aid, assistance; (*Studien~*) grant; (*JUR*) aiding and abetting.

beikommen *irr vi* +*dat* get at; (*einem Problem*) deal with.

Beil *nt* ⟨-[e]s, -e⟩ axe, hatchet.

Beilage *f* (*Buch~*) supplement; (*GASTR*) side dish; (*Gemüse*) vegetables.

beiläufig 1. *adj* casual, incidental; **2.** *adv* casually, by the way.

beilegen *vt* (*hinzufügen*) enclose, add; (*beimessen*) attribute, ascribe; (*Streit*) settle.

beileibe *adv*: **~ nicht** by no means.

Beileid *nt* condolence, sympathy; **herzliches ~** deepest sympathy.

beiliegend *adj* (*WIRTS*) enclosed.

beim = bei dem

beimessen *irr vt* attribute, ascribe (*dat* to).

Bein *nt* ⟨-[e]s, -e⟩ leg.

beinah[e] *adv* almost, nearly.

Beinbruch *m* fracture of the leg.

beinhalten *vt* contain.

beipflichten *vi*: **jdm/einer Sache ~** agree with sb/sth.

Beirat *m* legal adviser; (*Körperschaft*) advisory council; (*Eltern~*) parents' council.

beirren *vt*: **sich nicht ~ lassen** not let oneself be confused.

beisammen *adv* together; **Beisammensein** *nt* ⟨-s⟩ get-together.

Beischlaf *m* sexual intercourse.

Beisein *nt* ⟨-s⟩ presence.

beiseite *adv* to one side, aside; (*stehen*) on one side, aside; **etw ~ legen** (*sparen*) put sth by; **jdn/etw ~ schaffen** put sb/get sth out of the way.

beisetzen *vt* bury; **Beisetzung** *f* funeral.

Beispiel *nt* ⟨-[e]s, -e⟩ example; **sich** *dat* **an jdm ein ~ nehmen** take sb as an example; **zum ~** for example; **beispielhaft** *adj* exemplary; **beispiellos** *adj* unprecedented, unexampled; **beispielsweise** *adv* for instance, for example.

beißen ⟨biß, gebissen⟩ **1.** *vi, vt* bite; (*stechen: Rauch, Säure*) burn; **2.** *vr*: **sich ~** (*Farben*) clash; **beißend** *adj* biting, caustic; (*fig a.*) sarcastic.

Beißzange *f* pliers *pl*.

Beistand *m* support, help; (*JUR*) adviser; **beistehen** *irr vi*: **jdm ~** stand by sb.

beisteuern *vt* contribute.

Beitrag *m* ⟨-[e]s, Beiträge⟩ contribution; (*Zahlung*) fee, subscription; (*Versicherungs~*) premium; **beitragen** *irr vt* contribute (*zu* to); (*mithelfen*) help (*zu* with); **beitragspflichtig** *adj* (*Arbeitnehmer*) liable to pay contributions; (*Einkommen*) on which contributions are payable; **Beitragszahlende(r)** *mf* fee-paying member.

beitreten *irr vi* join (*einem Verein* a club); **Beitritt** *m* joining, membership; **Beitrittserklärung** *f* declaration of membership.

Beiwagen *m* (*Motorrad~*) sidecar; (*Straßenbahn~*) extra carriage.

Beize *f* ⟨-, -n⟩ (*Holz~*) stain; (*GASTR*) marinade.

beizeiten *adv* in time.

bejahen *vt* (*Frage*) say yes to, answer in the affirmative; (*gutheißen*) agree with.

bekämpfen 1. *vt* (*Gegner*) fight; (*Seuche*) combat; **2.** *vr*: **sich ~** fight; **Bekämpfung** *f* fight, struggle (*gen* against).

bekannt *adj* [well-]known; (*nicht fremd*) familiar; **mit jdm ~ sein** know sb; **jdn mit jdm ~ machen** introduce sb to sb; **das ist mir ~** I know that; **es/sie kommt mir ~ vor** it/she seems familiar; **durch etw ~ werden** become famous because of sth; **Bekannte(r)** *mf* friend, acquaintance; **Bekanntenkreis** *m* circle of friends; **bekanntgeben** *irr vt* announce publicly; **bekanntlich** *adv* as is well known, as you know; **bekanntmachen** *vt* announce; **Bekanntmachung** *f* publication; announcement; **Bekanntschaft** *f* acquaintance.

bekehren 1. *vt* convert; **2.** *vr*: **sich ~** become converted; **Bekehrung** *f* conversion.

bekennen *irr vt* confess; (*Glauben*) profess; **die Bekennende Kirche** the [German] Confessional Church; **Bekennerbrief** *m* letter claiming responsibility; **Bekenntnis** *nt* admission, confession; (*Religion*) confession, denomination.

beklagen vr: **sich** ~ complain; **beklagenswert** adj lamentable, pathetic.
bekleben vt: **etw mit Bildern** ~ stick pictures onto sth.
Bekleidung f clothing.
beklemmen vt oppress; **beklommen** adj anxious, uneasy; **Beklommenheit** f anxiety, uneasiness.
bekommen irr 1. vt get, receive; (Kind) have; (Zug) catch, get; 2. vi: **jdm** ~ agree with sb.
bekräftigen vt confirm, corroborate.
bekreuzigen vr: **sich** ~ cross oneself.
bekümmern vt worry, trouble.
bekunden vt (sagen) state; (zeigen) show.
belächeln vt laugh at.
beladen irr vt load.
Belag m ⟨-[e]s, Beläge⟩ covering, coating; (Brot~) spread; (Zahn~) tartar; (auf Zunge) fur; (Brems~) lining.
belagern vt besiege; **Belagerung** f siege; **Belagerungszustand** m state of siege.
Belang m ⟨-[e]s, -e⟩ importance; **~e** pl interests pl; **belangen** vt (JUR) take to court; **belanglos** adj trivial, unimportant; **Belanglosigkeit** f triviality.
belassen irr vt (in Zustand, Glauben) leave; (in Stellung) retain; **es dabei** ~ leave it at that.
Belastbarkeit f (Mensch) resilience; (Material) load-bearing capacity.
belasten 1. vt burden; (fig: bedrücken) trouble, worry; (WIRTS Konto) debit; (JUR) incriminate; 2. vr: **sich** ~ weigh oneself down; (JUR) incriminate oneself; **belastend** adj (JUR) incriminating.
belästigen vt annoy, pester; **Belästigung** f annoyance, pestering.
Belastung f load; (fig: Sorge etc) burden; (WIRTS) charge, debit[ing]; (JUR) incriminatory evidence.
belaufen irr vr: **sich** ~ amount (auf +akk to).
belauschen vt eavesdrop on.
belebt adj (Straße) crowded.
Beleg m ⟨-[e]s, -e⟩ (WIRTS) receipt; (Beweis) documentary evidence, proof; (Beispiel) example; **belegen** vt cover; (Kuchen, Brot) spread; (Platz) reserve, book; (Kurs, Vorlesung) register for; (beweisen) verify, prove; **belegtes Brötchen** filled roll; **Belegschaft** f personnel, staff.
belehren vt instruct, teach; **jdn eines Besseren** ~ teach sb better; **Belehrung** f instruction.
beleidigen vt insult, offend; **Beleidigung** f insult; (JUR) slander, libel.
belesen adj well-read.
beleuchten vt light, illuminate; (fig) throw light on; **Beleuchtung** f lighting, illu-

mination.
Belgien nt Belgium; **Belgier(in)** m(f) ⟨-s, -⟩ Belgian; **belgisch** adj Belgian.
belichten vt expose; **Belichtung** f exposure; **Belichtungsmesser** m ⟨-s, -⟩ exposure meter.
Belieben nt: [**ganz**] **nach** ~ [just] as you wish.
beliebig adj any you like, as you like; ~ **viel** as many as you like; **ein** ~**es Thema** any subject you like [o want].
beliebt adj popular; **sich bei jdm** ~ **machen** make oneself popular with sb; **Beliebtheit** f popularity.
beliefern vt supply.
bellen vi bark.
belohnen vt reward; **Belohnung** f reward.
belügen irr vt lie to, deceive.
belustigen vt amuse; **Belustigung** f amusement.
bemalen vt paint.
bemängeln vt criticize.
bemannen vt man.
bemerkbar adj perceptible, noticeable; **sich** ~ **machen** (Mensch) make [o get] oneself noticed; (Unruhe) become noticeable.
bemerken vt (wahrnehmen) notice, observe; (sagen) say, mention; **bemerkenswert** adj remarkable, noteworthy; **Bemerkung** f remark; (schriftlich a.) note.
bemitleiden vt pity.
bemühen vr: **sich** ~ take trouble [o pains]; **Bemühung** f trouble, effort, pains pl.
bemuttern vt mother.
benachbart adj neighbouring.
benachrichtigen vt inform; **Benachrichtigung** f notification, information.
benachteiligen vt [put at a] disadvantage, victimize.
benehmen irr vr: **sich** ~ behave; **Benehmen** nt ⟨-s⟩ behaviour.
beneiden vt envy; **beneidenswert** adj enviable.
Beneluxländer pl Benelux countries pl.
benennen irr vt name.
Bengel m ⟨-s, -⟩ [little] rascal [o rogue].
benommen adj dazed.
benötigen vt need.
benutzen vt use; **Benutzer(in)** m(f) ⟨-s, -⟩ user; **benutzerfreundlich** adj user-friendly; **Benutzeroberfläche** f (INFORM) user/system interface; **Benutzung** f utilization, use.
Benzin nt ⟨-s, -e⟩ (AUTO) petrol, gas[oline] US; **Benzinkanister** m petrol can; **Benzintank** m petrol tank; **Benzinuhr** f petrol gauge; **Benzinverbrauch** m petrol consumption.
beobachten vt observe; **Beobachter(in)**

m(f) ⟨-s, -⟩ observer; (*eines Unfalls*) witness; (*PRESSE, TV*) correspondent; **Beobachtung** *f* observation.

bepacken *vt* load, pack.

bepflanzen *vt* plant.

bequem *adj* comfortable; (*Ausrede*) convenient; (*Mensch*) lazy, indolent; **Bequemlichkeit** *f* convenience, comfort; (*Faulheit*) laziness, indolence.

beraten *irr* **1.** *vt* advise; (*besprechen*) discuss, debate; **2.** *vr*: **sich ~** consult; **gut/ schlecht ~ sein** be well/ill advised; **sich ~ lassen** get advice; **Berater(in)** *m(f)* ⟨-s, -⟩ adviser, consultant; **Beratung** *f* advice, consultation; (*Besprechung*) consultation; **Beratungsstelle** *f* advice centre.

berauben *vt* rob.

berechenbar *adj* calculable.

berechnen *vt* calculate; (*WIRTS: anrechnen*) charge; **berechnend** *adj* (*Mensch*) calculating, scheming; **Berechnung** *f* calculation; (*WIRTS*) charge.

berechtigen *vt* entitle, authorize; (*fig*) justify; **berechtigt** *adj* justifiable, justified; **Berechtigung** *f* authorization; (*fig*) justification.

bereden *vt* (*besprechen*) discuss; (*überreden*) persuade.

beredt *adj* eloquent.

Bereich *m* ⟨-[e]s, -e⟩ (*Bezirk*) area; (*PHYS*) range; (*Ressort, Gebiet*) sphere.

bereichern **1.** *vt* enrich; **2.** *vr*: **sich ~** get rich.

bereinigen *vt* settle.

bereisen *vt* travel through.

bereit *adj* ready, prepared; **zu etw ~ sein** be ready for sth; **sich ~ erklären** declare oneself willing; **bereiten** *vt* prepare, make ready; (*Kummer, Freude*) cause; **bereithalten** *irr vt* keep in readiness; **bereitlegen** *vt* lay out.

bereits *adv* already.

Bereitschaft *f* readiness; (*bei Polizei*) alert; **in ~ sein** be on the alert, be on stand-by; **Bereitschaftsdienst** *m* emergency service.

bereitwillig *adj* willing, ready.

Berg *m* ⟨-[e]s, -e⟩ mountain, hill; **bergab** *adv* downhill; **Bergarbeiter** *m* miner; **bergauf** *adv* uphill; **Bergbahn** *f* mountain railway; **Bergbau** *m* mining.

bergen (*barg, geborgen*) *vt* (*retten*) rescue; (*Ladung*) salvage; (*enthalten*) contain.

Bergführer(in) *m(f)* mountain guide; **Berggipfel** *m* mountain top, peak, summit; **bergig** *adj* mountainous, hilly; **Bergkamm** *m* crest, ridge; **Bergkette** *f* mountain range; **Bergmann** *m* ⟨*Bergleute pl*⟩ miner; **Bergrutsch** *m* landslide; **Berg-**

schuh *m* walking boot; **Bergsteigen** *nt* mountaineering; **Bergsteiger(in)** *m(f)* ⟨-s, -⟩ mountaineer, climber.

Bergung *f* (*von Menschen*) rescue; (*von Material*) recovery; (*NAUT*) salvage.

Bergwacht *f* ⟨-, -en⟩ mountain rescue service; **Bergwerk** *nt* mine.

Bericht *m* ⟨-[e]s, -e⟩ report, account; **berichten** *vt, vi* report; **Berichterstatter(in)** *m(f)* ⟨-s, -⟩ reporter, [newspaper] correspondent; **Berichterstattung** *f* reporting.

berichtigen *vt* correct.

beritten *adj* mounted.

Bermudainseln *pl* Bermudas *pl*; **Bermudashorts** *pl* Bermuda shorts *pl*.

Bernstein *m* amber.

bersten ⟨barst, geborsten⟩ *vi* burst, split.

berüchtigt *adj* notorious, infamous.

berücksichtigen *vt* consider, bear in mind.

Beruf *m* ⟨-[e]s, -e⟩ occupation, profession; (*Gewerbe*) trade.

berufen *irr* **1.** *vt* (*in Amt*) appoint (*in +akk* to, *zu* as); **2.** *vr*: **sich auf jdn/etw ~** refer to sb/sth; **3.** *adj* competent, qualified.

beruflich *adj* professional.

Berufsausbildung *f* vocational [o professional] training; **Berufsberater(in)** *m(f)* careers adviser; **Berufsberatung** *f* vocational guidance; **Berufsbezeichnung** *f* job description; **Berufserfahrung** *f* work experience; **Berufskrankheit** *f* occupational disease; **Berufsleben** *nt* professional life; **Berufsrisiko** *nt* occupational hazard; **Berufsschule** *f* ≈ vocational school *US*; **Berufssoldat(in)** *m(f)* professional soldier, regular; **Berufssportler(in)** *m(f)* professional [sportsman/ sportswoman]; **berufstätig** *adj* employed; **Berufsverkehr** *m* commuter traffic; **Berufswahl** *f* choice of a job.

Berufung *f* vocation, calling; (*Ernennung*) appointment; (*JUR*) appeal; **~ einlegen** appeal.

beruhen *vi*: **auf etw** *dat* **~** be based on sth; **etw auf sich ~ lassen** leave sth at that.

beruhigen **1.** *vt* calm, pacify, soothe; **2.** *vr*: **sich ~** (*Mensch*) calm [oneself] down; (*Situation*) calm down; **Beruhigung** *f* reassurance; (*der Nerven*) calming; **zu jds ~** to reassure sb; **Beruhigungsmittel** *nt* sedative; **Beruhigungspille** *f* tranquillizer.

berühmt *adj* famous; **Berühmtheit** *f* (*Ruf*) fame; (*Mensch*) celebrity.

berühren **1.** *vt* touch; (*gefühlsmäßig bewegen*) affect; (*flüchtig erwähnen*) mention, touch on; **2.** *vr*: **sich ~** meet, touch; **Berührung** *f* contact; **Berührungsangst** *f* fear of contact; **Berührungspunkt** *m* point of contact.

besagen vt mean; **besagt** adj (Tag etc) in question.

besänftigen vt soothe, calm; **besänftigend** adj soothing; **Besänftigung** f soothing, calming.

Besatz m trimming, edging.

Besatzung f garrison; (NAUT. FLUG) crew; **Besatzungsmacht** f occupying power; **Besatzungszone** f occupation zone.

besaufen irr vr: **sich** ~ (umg) get drunk [o stoned].

beschädigen vt damage; **Beschädigung** f damage; (Stelle) damaged spot.

beschaffen 1. vt get, acquire; **2.** adj constituted; **Beschaffenheit** f constitution, nature; **Beschaffung** f acquisition.

beschäftigen 1. vt occupy; (beruflich) employ; **2.** vr: **sich** ~ occupy oneself; **sich mit etw** ~ (sich befassen, abhandeln) deal with sth; **sich mit jdm** ~ devote one's attention to sb; **beschäftigt** adj busy, occupied; **Beschäftigung** f (Beruf) employment; (Tätigkeit) occupation; (Befassen) concern; **Beschäftigungstherapie** f occupational therapy.

beschämen vt put to shame; **beschämend** adj shameful; (Hilfsbereitschaft) shaming; **beschämt** adj ashamed.

beschatten vt shade; (Verdächtige) shadow.

beschaulich adj contemplative.

Bescheid m (-[e]s, -e) information; (Weisung) directions pl; ~ **wissen** be well-informed (über +akk about); **ich weiß** ~ I know; **jdm** ~ **geben** [o **sagen**] let sb know.

bescheiden 1. irr vr: **sich** ~ content oneself; **2.** adj modest; **Bescheidenheit** f modesty.

bescheinen irr vt shine on.

bescheinigen vt certify; (bestätigen) acknowledge; **Bescheinigung** f certificate; (Quittung) receipt.

bescheißen irr vt (umg!) cheat.

beschenken vt give presents to.

bescheren vt: **jdm etw** ~ give sb sth as a present; **jdn** ~ give presents to sb; **Bescherung** f giving of presents; (umg) mess.

beschildern vt signpost.

beschimpfen vt abuse; **Beschimpfung** f abuse, insult.

Beschiß m (Beschisses): **das ist** ~ (umg!) that is a swizz [o a cheat].

beschissen adj (umg!) shitty.

Beschlag m (Metallband) fitting; (Wasserdampf) condensation; (auf Metall) tarnish; (Hufeisen) horseshoe; **jdn/etw in** ~ **nehmen**, **jdn/etw mit** ~ **belegen** monopolize sb/sth; **beschlagen** irr **1.** vt cover; (Pferd) shoe; **2.** vi, vr: **sich** ~ (Fenster etc) mist over; **3.** adj: ~ **sein** be well versed (in, auf

+dat in).

beschlagnahmen vt seize, confiscate.

beschleunigen 1. vt accelerate, speed up **2.** vi (AUTO) accelerate; **Beschleunigung** f acceleration.

beschließen irr vt decide on; (beenden) end, close.

Beschluß m decision, conclusion.

beschneiden irr vt cut, prune, trim; (REL) circumcise.

beschönigen vt gloss over.

beschränken 1. vt limit, restrict (auf +akk to); **2.** vr: **sich** ~ restrict oneself.

beschrankt adj (Bahnübergang) with gates.

beschränkt adj confined, narrow; (Mensch) limited, narrow-minded; **Beschränktheit** f narrowness; **Beschränkung** f limitation.

beschreiben irr vt describe; (Papier) write on; **Beschreibung** f description.

beschriften vt mark, label; **Beschriftung** f lettering.

beschuldigen vt accuse; **Beschuldigung** f accusation.

beschummeln vt, vi (umg) cheat.

beschützen vt protect (vor +dat from); **Beschützer(in)** m(f) (-s, -) protector.

Beschwerde f (-, -n) complaint; (Mühe) hardship; **~n** pl (Leiden) pain.

beschweren 1. vt weight down; (fig) burden; **2.** vr: **sich** ~ complain.

beschwerlich adj tiring, exhausting.

beschwichtigen vt soothe, pacify.

beschwindeln vt (betrügen) cheat; (belügen) fib to.

beschwingt adj cheery, in high spirits.

beschwipst adj tipsy.

beschwören irr vt (Aussage) swear to; (anflehen) implore; (Geister) conjure up.

besehen irr vt look at; **genau** ~ examine closely.

beseitigen vt remove; **Beseitigung** f removal.

Besen m (-s, -) broom; **Besenstiel** m broomstick.

besessen adj possessed.

besetzen vt (Haus, Land) occupy; (Platz) take, fill; (Posten) fill; (Rolle) cast; (mit Edelsteinen) set; **besetzt** adj full; (TEL) engaged, busy; (Platz) taken; (WC) engaged; **Besetztzeichen** nt engaged tone; **Besetzung** f occupation; (von Platz) filling; (von Rolle) casting; (die Schauspieler) cast.

besichtigen vt visit, look at; **Besichtigung** f visit.

besiegen vt defeat, overcome; **Besiegte(r)** mf loser.

besinnen irr vr: **sich** ~ (nachdenken) think, reflect; (sich erinnern) remember; **sich an-**

ders ~ change one's mind.

besinnlich *adj* contemplative.

Besinnung *f* consciousness; **zur ~ kommen** recover consciousness; (*fig*) come to one's senses; **besinnungslos** *adj* unconscious.

Besitz *m* ⟨-es⟩ possession; (*Eigentum*) property; **besitzanzeigend** *adj* (*LING*) possessive; **besitzen** *irr vt* possess, own; (*Eigenschaft*) have; **Besitzer(in)** *m(f)* ⟨-s, -⟩ owner, proprietor.

besoffen *adj* (*umg*) drunk, pissed.

besohlen *vt* sole.

Besoldung *f* salary, pay.

besondere(r, s) *adj* special; (*eigen*) particular; (*gesondert*) separate; (*eigentümlich*) peculiar; **Besonderheit** *f* peculiarity; **besonders** *adv* especially, particularly; (*getrennt*) separately.

besonnen *adj* sensible, level-headed; **Besonnenheit** *f* prudence.

besorgen *vt* (*beschaffen*) acquire; (*kaufen a.*) purchase; (*erledigen: Geschäfte*) deal with; (*sich kümmern um*) take care of; **es jdm ~** (*umg*) show sb what for; (*sexuell*) have it off with sb.

Besorgnis *f* anxiety, concern; **besorgt** *adj* anxious, worried.

Besorgung *f* acquisition; (*Kauf*) purchase; **~en machen** do some shopping.

bespielen *vt* record.

bespitzeln *vt* spy on.

besprechen *irr* 1. *vt* discuss; (*Tonband etc*) record, speak onto; (*Buch*) review; 2. *vr:* **sich ~** discuss, consult; **Besprechung** *f* meeting, discussion; (*von Buch*) review.

besser *adj komp von* **gut** better; **nur ein ~er ...** just a glorified ...; **bessergehen** *irr vi:* **es geht ihm besser** he feels better; **bessern** 1. *vt* make better, improve; 2. *vr:* **sich ~** improve; (*Menschen*) reform; **Besserung** *f* improvement; **gute ~!** get well soon; **Besserwisser(in)** *m(f)* ⟨-s, -⟩ know-all.

Bestand *m* (*Fortbestehen*) duration, stability; (*Kassen~*) amount, balance; (*Vorrat*) stock; **eiserner ~** iron rations *pl*; **~ haben, von ~ sein** last long, endure.

beständig *adj* (*ausdauernd*) constant; (*Wetter*) settled; (*Stoffe*) resistant; (*Klagen etc*) continual.

Bestandsaufnahme *f* stocktaking; **eine ~ machen** (*fig*) take stock; **Bestandteil** *m* part, component; (*Zutat*) ingredient.

bestärken *vt:* **jdn in etw** *dat* **~** strengthen [*o* confirm] sb in sth.

bestätigen *vt* confirm; (*anerkennen*) acknowledge; **Bestätigung** *f* confirmation; acknowledgement.

bestatten *vt* bury; **Bestattung** *f* funeral; **Bestattungsinstitut** *nt* firm of under-

takers.

bestäuben *vt* powder, dust; (*Pflanze*) pollinate.

beste(r, s) *adj superl von* **gut** best; **sie singt am ~n** she sings best; **so ist es am ~n** it's best that way; **am ~n gehst du gleich** you'd better go at once; **jdn zum ~n haben** pull sb's leg; **etw zum ~n geben** tell a joke/ story; **aufs ~** in the best possible way; **zu jds Besten** for the benefit of sb.

bestechen *irr vt* bribe; **bestechlich** *adj* corruptible; **Bestechlichkeit** *f* corruptibility; **Bestechung** *f* bribery, corruption.

Besteck *nt* ⟨-[e]s, -e⟩ knife fork and spoon, cutlery; (*MED*) set of instruments.

bestehen *irr* 1. *vi* be, exist; (*andauern*) last; 2. *vt* (*Kampf, Probe, Prüfung*) pass; **~ auf** *+dat* insist on; **~ aus** consist of.

bestehlen *irr vt* rob.

besteigen *irr vt* climb, ascend; (*Pferd*) mount; (*Thron*) ascend.

bestellen *vt* order; (*kommen lassen*) arrange to see; (*nominieren*) name; (*Acker*) cultivate; (*Grüße, Auftrag*) pass on; **Bestellschein** *m* order coupon; **Bestellung** *f* (*WIRTS*) order; (*das Bestellen*) ordering.

bestenfalls *adv* at best.

bestens *adv* very well.

besteuern *vt* tax.

Bestie *f* (*a. fig*) beast.

bestimmen *vt* (*Regeln*) lay down; (*Tag, Ort*) fix; (*beherrschen*) characterize; (*aussehen*) mean; (*ernennen*) appoint; (*definieren*) define; (*veranlassen*) induce; **bestimmt** 1. *adj* (*entschlossen*) firm; (*gewiß*) certain, definite; (*Artikel*) definite; 2. *adv* (*gewiß*) definitely, for sure; **Bestimmung** *f* (*Verordnung*) regulation; (*Festsetzen*) determining; (*Verwendungszweck*) purpose; (*Schicksal*) fate; (*Definition*) definition; **Bestimmungsort** *m* destination.

Bestleistung *f* best performance; **bestmöglich** *adj* best possible.

Best.-Nr. *abk von* **Bestellnummer** order number.

bestrafen *vt* punish; **Bestrafung** *f* punishment.

bestrahlen *vt* shine on; (*MED*) treat with X-rays; **Bestrahlung** *f* (*MED*) X-ray treatment, radiotherapy.

bestreichen *irr vt* (*Brot*) spread.

bestreiten *irr vt* (*abstreiten*) dispute; (*finanzieren*) pay for, finance.

bestreuen *vt* sprinkle, dust; (*Straße*) [spread with] grit.

Bestseller *m* best-seller.

bestürmen *vt* (*mit Fragen, Bitten etc*) overwhelm, swamp.

bestürzen *vt* dismay; **bestürzt** *adj* dis-

mayed; **Bestürzung** f consternation.
Besuch m ⟨-[e]s, -e⟩ visit; (Mensch) visitor;
einen ~ bei jdm machen pay sb a visit; ~
haben have visitors; bei jdm auf [o zu] ~
sein be visiting sb; **besuchen** vt visit;
(SCH) attend; gut besucht well-attended;
Besucher(in) m(f) ⟨-s, -⟩ visitor, guest;
Besuchserlaubnis f permission to visit;
Besuchszeit f visiting hours pl.
Betablocker m ⟨-s, -⟩ (MED) beta blocker.
betagt adj aged.
betasten vt touch, feel.
betätigen 1. vt (bedienen) work, operate; **2.**
vr: sich ~ involve oneself; sich politisch ~
be involved in politics; sich als etw ~ work
as sth; **Betätigung** f activity; (beruflich)
occupation; (TECH) operation.
betäuben vt stun; (fig: Gewissen) still;
(MED) anaesthetize; **Betäubungsmittel**
nt anaesthetic.
Bete f ⟨-, -n⟩: rote ~ beetroot.
beteiligen 1. vr: sich an etw dat ~ take part
in sth, partcipate in sth, share in sth; (finanziell) have a share in sth; **2.** vt: jdn an etw
dat ~ give sb a share in sth; **Beteiligung** f
participation; (Anteil) share, interest; (Besucherzahl) attendance.
beten vi pray.
beteuern vt assert; (Unschuld) protest; jdm
etw ~ assure sb of sth; **Beteuerung** f
assertion, protest[ation], assurance.
Beton m ⟨-s, -s⟩ concrete.
betonen vt stress.
betonieren vt concrete.
Betonung f stress, emphasis.
betören vt beguile.
Betr. abk von Betreff re.
Betracht m: in ~ kommen be concerned, be
relevant; nicht in ~ kommen be out of the
question; etw in ~ ziehen consider sth; **betrachten** vt look at; (fig a.) consider; **Be-
trachter(in)** m(f) ⟨-s, -⟩ onlooker.
beträchtlich adj considerable.
Betrachtung f (Ansehen) examination; (Erwägung) consideration.
Betrag m ⟨-[e]s, Beträge⟩ amount, sum; **betragen** irr **1.** vt amount to; **2.** vr: sich ~
behave; **Betragen** nt ⟨-s⟩ behaviour.
betrauen vt: jdn mit etw ~ entrust sb with
sth.
betreffen irr vt concern, affect; was mich
betrifft as for me; **betreffend** adj relevant, in question; **betreffs** präp +gen
concerning, regarding.
betreiben irr vt (ausüben) practise; (Politik)
follow; (Studien) pursue; (vorantreiben)
push ahead; (TECH: antreiben) drive; **Be-
treiber(in)** m(f) ⟨-s, -⟩ runner.
betreten 1. irr vt enter; (Bühne etc) step
onto; **2.** adj embarrassed; **Betreten verbo-**

ten keep off/out.
betreuen vt look after; (Reisegruppe, Abteilung) be in charge of.
Betrieb m ⟨-[e]s, -e⟩ (Firma) firm, concern;
(Anlage) plant; (Tätigkeit) operation; (Treiben) traffic; außer ~ sein be out of order; in
~ sein be in operation; **Betriebsausflug**
m firm's outing; **betriebsbereit** adj
operational; **Betriebsferien** pl company
holidays pl; **Betriebsklima** nt [working]
atmosphere; **Betriebskosten** pl running
costs pl; **Betriebsrat** m workers'[o works]
council; **betriebssicher** adj safe, reliable; **Betriebsstörung** f breakdown; **Betriebssystem** nt (INFORM) operating system; **Betriebsunfall** m industrial accident; **Betriebswirtschaft** f business
management.
betrinken irr vr: sich ~ get drunk.
betroffen adj (bestürzt) full of consternation; von etw ~ werden [o sein] be affected
by sth.
betrüben vt grieve; **betrübt** adj sorrowful,
grieved.
Betrug m ⟨-[e]s⟩ deception; (JUR) fraud; **betrügen** irr **1.** vt cheat; (JUR) defraud; (Ehe-
partner) be unfaithful to; **2.** vr: sich ~ deceive oneself; **Betrüger(in)** m(f) ⟨-s, -⟩
cheat, deceiver; **betrügerisch** adj deceitful; (JUR) fraudulent.
betrunken adj drunk.
Bett nt ⟨-[e]s, -en⟩ bed; ins [o zu] ~ gehen go
to bed; **Bettbezug** m duvet cover; **Bett-
decke** f blanket; (Daunen~) quilt; (Über-
wurf) bedspread.
bettelarm adj very poor, destitute; **Bette-
lei** f begging; **betteln** vi beg.
betten vt make a bed for; **bettlägerig** adj
bedridden; **Bettlaken** nt sheet.
Bettler(in) m(f) ⟨-s, -⟩ beggar.
Bettnässer(in) m(f) ⟨-s, -⟩ bedwetter;
Bettvorleger m bedside rug; **Bettwäsche** f, **Bettzeug** nt bedding, bedclothes
pl.
beugen 1. vt bend; (LING) inflect; **2.** vr: sich
~ (sich fügen) submit, bow (dat to).
Beule f ⟨-, -n⟩ bump, swelling.
beunruhigen 1. vt disturb, alarm; **2.** vr: sich
~ become worried; **Beunruhigung** f
worry, alarm.
beurkunden vt attest, verify.
beurlauben vt give leave [o holiday] to.
beurteilen vt judge; (Buch etc) review; **Be-
urteilung** f judgement; review; (Note)
mark.
Beute f ⟨-⟩ booty, loot.
Beutel m ⟨-s, -⟩ bag; (Geld~) purse; (Ta-
bak~) pouch.
bevölkern vt populate; **Bevölkerung** f
population; **Bevölkerungsexplosion** f

population explosion.
bevollmächtigen vt authorize; **Bevollmächtigte(r)** mf authorized agent.

bevor konj before; **bevormunden** vt treat like a child; **bevorstehen** irr vi be in store (dat for); **bevorstehend** adj imminent, approaching; **bevorzugen** vt prefer; **Bevorzugung** f preference; (bessere Behandlung) preferential treatment.

bewachen vt watch, guard; **Bewachung** f (Bewachen) guarding; (Leute) guard, watch.

Bewaffnung f (Vorgang) arming; (Ausrüstung) armament, arms pl.

bewahren vt keep; **jdn vor jdm/etw ~** save sb from sb/sth.

bewähren vr: **sich ~** prove oneself; (Maschine) prove its worth.

bewahrheiten vr: **sich ~** come true.

bewährt adj reliable, tried and tested.

Bewährung f probation; **Bewährungsfrist** f [period of] probation.

bewaldet adj wooded.

bewältigen vt overcome; (Arbeit) finish; (Portion) manage.

bewandert adj expert, knowledgeable.

bewässern vt irrigate; **Bewässerung** f irrigation.

bewegen vt, vr: **sich ~** move; **jdn zu etw ~** induce sb to [do] sth; **es bewegt sich etwas** (fig) things happen, things get going; **Beweggrund** m motive; **beweglich** adj movable, mobile; (flink) quick; **bewegt** adj (Leben) eventful; (Meer) rough; (ergriffen) touched; **Bewegung** f movement, motion; (innere ~) emotion; (körperlich) exercise; **sich dat ~ verschaffen** take exercise; **etw kommt in ~** (fig) sth gets moving; **Bewegungsfreiheit** f freedom of movement [o action]; **bewegungslos** adj motionless.

Beweis m ⟨-es, -e⟩ proof; (Zeichen) sign; **beweisbar** adj provable; **beweisen** irr vt prove; (zeigen) show; **Beweismittel** nt evidence.

bewenden irr vi: **etw dabei ~ lassen** leave sth at that.

bewerben irr vr: **sich ~** apply (um for); **Bewerber(in)** m(f) ⟨-s, -⟩ applicant; **Bewerbung** f application; **Bewerbungsunterlagen** pl application documents pl.

bewerten vt assess; **Bewertung** f assessment.

bewilligen vt grant, allow.

bewirken vt cause, bring about.

bewirten vt entertain.

bewirtschaften vt manage.

Bewirtung f hospitality.

bewohnbar adj inhabitable; **bewohnen** vt inhabit, live in; **Bewohner(in)** m(f) ⟨-s, -⟩

inhabitant; (von Haus) resident.

bewölkt adj cloudy, overcast; **Bewölkung** f clouds pl.

Bewunderer m ⟨-s, -⟩, **Bewunderin** f admirer; **bewundern** vt admire; **bewundernswert** adj admirable, wonderful; **Bewunderung** f admiration.

bewußt adj conscious; (absichtlich) deliberate; **sich dat einer Sache gen ~ sein** be aware of sth; **bewußtlos** adj unconscious; **Bewußtlosigkeit** f unconsciousness; **bewußtmachen** vt: **jdm/sich etw ~** make sb/oneself aware of sth; **Bewußtsein** nt ⟨-s⟩ consciousness; **bei ~** conscious; **bewußtseinsverändernd** adj (Droge) which alters one's [state of] awareness.

bezahlen vt pay [for]; **es macht sich bezahlt** it will pay; **Bezahlung** f payment.

bezaubern vt enchant, charm.

bezeichnen vt (kennzeichnen) mark; (nennen) call; (beschreiben) describe; (zeigen) show, indicate; **bezeichnend** adj characteristic, typical (für of); **Bezeichnung** f (Zeichen) mark, sign; (Beschreibung) description.

bezeugen vt testify to.

Bezichtigung f accusation.

beziehen irr **1.** vt (mit Überzug) cover; (Bett) put a cover on; (Haus, Position) move into; (Standpunkt) take up; (erhalten) receive; (Zeitung) subscribe to, take; **2.** vr: **sich ~** refer (auf +akk to); (Himmel) cloud over; **etw auf jdn/etw ~** relate sth to sb/sth.

Beziehung f (Verbindung) connection; (Zusammenhang) relation; (Verhältnis) relationship; (Hinsicht) respect; **~en haben** (vorteilhaft) have connections [o contacts]; **Beziehungskiste** f (umg) problematic relationship; **beziehungsweise** adv or; (genauer gesagt a.) that is, or rather.

Bezirk m ⟨-[e]s, -e⟩ district.

Bezug m ⟨-[e]s, Bezüge⟩ (Hülle) covering; (WIRTS) ordering; (Gehalt) income, salary; (Beziehung) relationship (zu to); **in bezug auf** +akk with reference to; **~ nehmen auf** +akk refer to.

bezüglich präp +gen concerning, referring to.

Bezugnahme f ⟨-, -n⟩ reference (auf +akk to); **Bezugspreis** m retail price; **Bezugsquelle** f source of supply.

bezwecken vt aim at.

bezweifeln vt doubt, query.

Bhf. abk von Bahnhof station.

Bibel f ⟨-, -n⟩ Bible.

Biber m ⟨-s, -⟩ beaver.

Bibliographie f bibliography; **Bibliothek** f ⟨-, -en⟩ library; **Bibliothekar(in)** m(f) ⟨-s, -e⟩ librarian.

biblisch adj biblical.

bieder *adj* upright, worthy; (*pej*) conventional; (*Kleid etc*) plain.
biegen ⟨bog, gebogen⟩ **1.** *vt, vr:* **sich ~** bend; **2.** *vi* turn (*in +akk* into); **biegsam** *adj* supple; **Biegung** *f* bend, curve.
Biene *f* ⟨-, -n⟩ bee; **Bienenhonig** *m* honey; **Bienenwachs** *nt* beeswax.
Bier *nt* ⟨-[e]s, -e⟩ beer; **Bierbrauer(in)** *m(f)* ⟨-s, -⟩ brewer; **Bierdeckel** *m*, **Bierfilz** *m* beer mat; **Bierkrug** *m*, **Bierseidel** *m* beer mug.
Biest *nt* ⟨-[e]s, -er (*Tier*)⟩ creature; (*Mensch*) wretch; (*Frau*) bitch.
bieten ⟨bot, geboten⟩ **1.** *vt* offer; (*bei Versteigerung*) bid; **2.** *vr:* **sich ~** (*Gelegenheit*) be open (*dat* to); **sich** *dat* **etw ~ lassen** put up with sth.
Bikini *m* ⟨-s, -s⟩ bikini.
Bilanz *f* balance; (*fig*) outcome; **~ ziehen** take stock (*aus* of).
Bild *nt* ⟨-[e]s, -er⟩ (*a. fig*) picture; photo; (*Spiegel~*) reflection; **Bildbericht** *m* pictorial report.
bilden **1.** *vt* form; (*erziehen*) educate; (*ausmachen*) constitute; **2.** *vr:* **sich ~** arise; (*kulturell*) educate oneself.
Bilderbuch *nt* picture book; **Bilderrahmen** *m* picture frame.
Bildfläche *f* screen; (*fig*) scene; **Bildhauer(in)** *m(f)* ⟨-s, -⟩ sculptor; **bildhübsch** *adj* lovely, pretty as a picture; **bildlich** *adj* pictorial; (*übertragen*) figurative; **Bildplatte** *f* video disc; **Bildplattenspieler** *m* video disc player.
Bildschirm *m* television screen; (*von Computer*) screen; visual display unit, VDU; **Bildschirmarbeitsplatz** *m* VDU, work station; **Bildschirmgerät** *nt* visual display unit, VDU; **Bildschirmschoner** *m* screen-saver; **Bildschirmtext** *m* viewdata, videotext.
bildschön *adj* lovely.
Bildtelefon *nt* video-phone.
Bildung *f* formation; (*Wissen, Benehmen*) education; **Bildungslücke** *f* gap in one's education; **Bildungspolitik** *f* educational policy; **Bildungsurlaub** *m* visual display holiday; **Bildungswesen** *nt* education system.
Bildweite *f* (*FOTO*) distance.
Billard *nt* ⟨-s, -e⟩ billiards *sing;* **Billardball** *m*, **Billardkugel** *f* billiard ball.
billig *adj* cheap; (*gerecht*) fair, reasonable.
billigen *vt* approve of; **Billigung** *f* approval.
Billion *f* billion, trillion *US.*
bimmeln *vi* tinkle.
binär *adj* binary.
Binde *f* ⟨-, -n⟩ bandage; (*Arm~*) band; (*Damen~*) sanitary towel; **Bindeglied** *nt* con-

necting link.
binden ⟨band, gebunden⟩ **1.** *vt* bind, tie; **2.** *vr:* **sich ~** commit oneself; **er will sich nicht ~** he does not want to get involved, he does not want to tie himself down.
Bindestrich *m* hyphen.
Bindfaden *m* string.
Bindung *f* bond, tie; (*Ski~*) binding.
Binnenhafen *m* inland harbour; **Binnenhandel** *m* internal trade; **Binnenmarkt** *m* domestic [*o* home] market; **europäischer ~** Single [European] Market; **Binnenschiffahrt** *f* inland navigation; **Binnensee** *m* lake; **Binnenstaat** *m* landlocked country.
Binse *f* ⟨-, -n⟩ rush, reed; **Binsenwahrheit** *f* truism.
Bio- *in Zusammensetzungen* bio-; **Biochemie** *f* biochemistry; **biodynamisch** *adj* biodynamic; **Biogas** *nt* biogas.
Biographie *f* biography.
Biologe *m* ⟨-n, -n⟩ biologist; **Biologie** *f* biology; **Biologin** *f* biologist; **biologisch** *adj* biological.
Biorhythmus *m* biorhythm; **Biotechnik** *f* biotechnology; **Biotop** *nt* ⟨-s, -e⟩ biotope.
Birke *f* ⟨-, -n⟩ birch.
Birnbaum *m* pear tree; **Birne** *f* ⟨-, -n⟩ pear; (*ELEK*) [light] bulb.
bis 1. *adv, präp +akk* (*räumlich, ~ zu/an*) to, as far as; (*zeitlich*) till, until; **2.** *konj* (*mit Zahlen*) to; (*zeitlich*) until, till; **Sie haben ~ Dienstag Zeit** you have until [*o* till] Tuesday; **~ Dienstag muß es fertig sein** it must be ready by Tuesday; **~ hierher** this far; **~ in die Nacht** into the night; **~ auf weiteres** until further notice; **~ bald/gleich** see you later/soon; **~ auf etw** *akk* (*einschließlich*) including sth; (*ausgeschlossen*) except sth; **~ zu** up to; **von ... ~ ...** from ... to ...
Bischof *m* ⟨-s, Bischöfe⟩, **Bischöfin** *f* bishop; **bischöflich** *adj* episcopal.
bisexuell *adj* bisexual.
bisher *adv* till now, hitherto.
Biskuit *nt* ⟨-[e]s, -s *o* -e⟩ biscuit; **Biskuitteig** *m* sponge mixture.
bislang *adv* hitherto.
biß *imperf von* **beißen**.
Biß *m* ⟨Bisses, Bisse⟩ bite; **~ haben** (*fig*) have bite.
bißchen *adj, adv* bit.
Bissen *m* ⟨-s, -⟩ bite, morsel.
bissig *adj* (*Hund*) snappy; (*Bemerkung*) cutting, biting.
Bistum *nt* ⟨-s, Bistümer⟩ bishopric.
Bit *nt* ⟨-s, -s⟩ bit.
bitte *interj* please; (*wie ~*) [I beg your] pardon; (*als Antwort auf Dank*) you're welcome; **~ schön!** it was a pleasure; **Bitte** *f* ⟨-, -n⟩ request; **bitten** ⟨bat, gebeten⟩ *vt, vi*

Kunsthistorisches Museum TRF
Palais Harrach
Freyung 3, 1010 Wien

Wien, am 19.7.1996
Zeit: 16:10.30
RechNr: 19960719/09-00566

St	Bezeichnung	Preis	Summe	UST
1	EINTRITT ERMÄßI	60.00	60.00	10%
1	EINTRITT ERMÄßI	60.00	60.00	10%

Summe inkl. MWST   öS: 120.00

Wir danken für Ihren Einkauf

ask (*um* for); **bittend** *adj* pleading, imploring.

bitter *adj* bitter; **bitterböse** *adj* very angry.

blähen *vt, vr:* **sich ~** swell, blow out.

Blähungen *pl* (MED) wind.

blamabel *adj* disgraceful; **Blamage** f ‹-, -n› disgrace; **blamieren 1.** *vr:* **sich ~** make a fool of oneself, disgrace oneself; **2.** *vt* let down, disgrace.

blank *adj* bright; (*unbedeckt*) bare; (*sauber*) clean, polished; (*umg: ohne Geld*) broke; (*offensichtlich*) blatant.

blanko *adv* blank; **Blankoscheck** *m* blank cheque.

Bläschen *nt* bubble; (MED) spot, blister.

Blase f ‹-, -n› bubble; (MED) blister; (ANAT) bladder.

Blasebalg *m* bellows *pl*.

blasen ‹blies, geblasen› *vi* blow; **Blasinstrument** *nt* wind instrument; **Blaskapelle** f brass band.

blaß *adj* pale; **Blässe** f ‹-› paleness, palour.

Blatt *nt* ‹-[e]s, Blätter› leaf; (*von Papier*) sheet; (*Zeitung*) newspaper; (KARTEN) hand; **vom ~ singen/spielen** sight-read.

blättern *vi* (INFORM) scroll; **in etw** *dat* **~** leaf through sth.

Blätterteig *m* flaky [*o* puff] pastry.

blau *adj* blue; (*umg: betrunken*) drunk, stoned; (GASTR) boiled; (*Auge: von Schlag etc*) black; **~er Fleck** bruise; **Fahrt ins Blaue** mystery tour; **blauäugig** *adj* blue-eyed; (*fig*) naive; **Blaulicht** *nt* flashing blue light; **blaumachen** *vi* (*umg*) skive off work; **Blaustrumpf** *m* (*fig*) bluestocking.

Blech *nt* ‹-[e]s, -e› tin, sheet metal; (*Back~*) baking tray; **Blechdose** f tin, can; **blechen** *vt, vi* (*umg*) pay; **Blechlawine** f (*umg*) road of cars; **Blechschaden** *m* (AUTO) damage to bodywork.

Blei *nt* ‹-[e]s, -e› lead.

Bleibe f ‹-, -n› roof over one's head.

bleiben ‹blieb, geblieben› *vi* stay, remain; **bleibenlassen** *irr vt* leave [alone].

bleich *adj* faded, pale; **bleichen** *vt* bleach; **Bleichmittel** *nt* bleach.

bleiern *adj* leaden.

bleifrei *adj* (*Benzin*) lead-free, unleaded; **bleihaltig** *adj* (*Benzin*) containing lead.

Bleistift *m* pencil; **Bleistiftspitzer** *m* ‹-s, -› pencil sharpener.

Blende f ‹-, -n› (FOTO) aperture.

blenden *vt* blind, dazzle; (*fig*) hoodwink; **blendend** *adj* (*umg*) grand; **~ aussehen** look smashing.

Blick *m* ‹-[e]s, -e› (*kurz*) glance, glimpse; (*Anschauen*) look, gaze; (*Aussicht*) view; **blicken** *vi* look; **sich ~ lassen** put in an appearance; **Blickfeld** *nt* range of vision.

blieb *imperf von* **bleiben**.

blies *imperf von* **blasen**.

blind *adj* blind; (*Glas etc*) dull; **~er Passagier** stowaway; **Blinddarm** *m* appendix; **Blinddarmentzündung** f appendicitis; **Blindenschrift** f braille; **Blindgänger** *m* unexploded bomb; **Blindheit** f blindness; **blindlings** *adv* blindly; **Blindschleiche** f ‹-, -n› slow worm; **blindschreiben** *irr vi* touch-type.

blinken 1. *vi* twinkle, sparkle; (*Licht*) flash, signal; (AUTO) indicate; **2.** *vt* flash, signal; **Blinker** *m* ‹-s, -› (AUTO) indicator; **Blinklicht** *nt* (AUTO) indicator.

blinzeln *vi* blink, wink.

Blitz *m* ‹-es, -e› [flash of] lightning; **Blitzableiter** *m* ‹-s, -› lightning conductor; **blitzen** *vi* (*aufleuchten*) glint, shine; **es blitzt** (METEO) there's [a flash of] lightning; **Blitzlicht** *nt* flashlight; **Blitz|licht|würfel** *m* flash cube; **blitzschnell** *adj, adv* as quick as a flash.

Block *m* ‹-[e]s, Blöcke› (*a. fig*) block; (*von Papier*) pad.

Blockade f blockade.

Blockflöte f recorder.

blockfrei *adj* (POL) unaligned.

blockieren 1. *vt* block; **2.** *vi* (*Räder*) jam.

Blockschrift f block letters *pl*.

blöd *adj* silly, stupid; **blödeln** *vi* (*umg*) fool around; **Blödheit** f stupidity; **Blödsinn** *m* nonsense; **blödsinnig** *adj* silly, idiotic.

blond *adj* blond, fair-haired.

bloß 1. *adj* (*unbedeckt*) bare; (*nackt*) naked; (*nur*) mere; **2.** *adv* only, merely; **laß das ~!** just don't do that!

Blöße f ‹-, -n› bareness; (*Nacktheit*) nakedness; (*fig*) weakness; **sich** *dat* **eine ~ geben** lay oneself open to attack.

bloßstellen *vt* show up.

blühen *vi* bloom, be in bloom; (*fig*) flourish.

Blume f ‹-, -n› flower; (*von Wein*) bouquet; **Blumenkohl** *m* cauliflower; **Blumentopf** *m* flowerpot; **Blumenzwiebel** f bulb.

Bluse f ‹-, -n› blouse.

Blut *nt* ‹-[e]s› blood; **blutarm** *adj* anaemic; **blutbefleckt** *adj* bloodstained; **Blutbuche** f copper beech; **Blutdruck** *m* blood pressure.

Blüte f ‹-, -n› blossom; (*fig*) prime.

Blutegel *m* leech.

bluten *vi* bleed.

Blütenstaub *m* pollen.

Bluter *m* ‹-s, -› (MED) haemophiliac.

Blutguß *m* haemorrhage; (*auf Haut*) bruise.

Blütezeit f flowering period; (*fig*) prime.

Blutgruppe f blood group; **blutig** *adj* bloody; **blutjung** *adj* very young; **Blutkonserve** f unit of stored blood; **Blut-**

probe f blood test; **Blutschande** f incest; **Blutspender(in)** m(f) blood donor; **Bluttransfusion** f, **Blutübertragung** f blood transfusion; **Blutung** f bleeding, haemorrhage; **Blutvergiftung** f blood poisoning; **Blutwurst** f black pudding.

BLZ abk von **Bankleitzahl**.

Bock m ⟨-[e]s, Böcke⟩ buck, ram; (Gestell) trestle, support; (SPORT) buck; **keinen ~ haben, etw zu tun** (umg) not to feel like doing sth.

Boden m ⟨-s, Böden⟩ ground; (Fuß~) floor; (Meeres~, Faß~) bottom; (Speicher) attic; **bodenlos** adj bottomless; (umg) incredible; **Bodensatz** m dregs pl; **Bodenschätze** pl mineral wealth; **Bodenturnen** nt floor exercises pl.

Body m bodystocking.

Bodybuilding nt bodybuilding.

Bö[e] f ⟨-, -en⟩ squall.

bog imperf von **biegen**.

Bogen m ⟨-s, -⟩ (Biegung) curve; (ARCHIT) arch; (Waffe, MUS) bow; (Papier~) sheet; **Bogengang** m arcade; **Bogenschütze** m, **Bogenschützin** f archer.

Bohle f ⟨-, -n⟩ plank.

Bohne f ⟨-, -n⟩ bean; **Bohnenkaffee** m real coffee.

Bohnerwachs nt floor polish.

bohren vt bore; **Bohrer** m ⟨-s, -⟩ drill; **Bohrinsel** f oil [o drilling] rig; **Bohrmaschine** f drill; **Bohrturm** m derrick.

Boiler m ⟨-s, -⟩ water-heater.

Boje f ⟨-, -n⟩ buoy.

Bolivien nt Bolivia.

Bolzen m ⟨-s, -⟩ bolt.

bombardieren vt bombard; (aus der Luft) bomb.

Bombe f ⟨-, -n⟩ bomb; **Bombenangriff** m bombing raid; **Bombenanschlag** m bomb attack; **Bombenerfolg** m (umg) huge success.

Bonbon m ⟨-s, -s⟩ sweet.

Bonus m ⟨- o -ses, -se o Boni⟩ bonus; (Punktvorteil) bonus points pl; (Schadenfreiheitsrabatt) no-claims bonus.

Boot nt ⟨-[e]s, -e⟩ boat.

Bord 1. m ⟨-[e]s, -e⟩ (FLUG, NAUT) board; **2.** nt ⟨-[e]s, -e⟩ (Brett) shelf; **an ~** on board.

Bordell nt ⟨-s, -e⟩ brothel.

Bordfunkanlage f radio; **Bordkarte** f boarding card, boarding pass.

Bordstein m kerb[stone].

borgen vt borrow; **jdm etw ~** lend sb sth.

borniert adj narrow-minded.

Börse f ⟨-, -n⟩ stock exchange; (Geld~) purse; **Börsenkrach** m stock-market crash; **Börsenkurs** m stock-market price.

Borste f ⟨-, -n⟩ bristle.

Borte f ⟨-, -n⟩ edging; (Band) trimming.

bös adj bad, evil; (zornig) angry; **bösartig** adj malicious; (MED) malignant.

Böschung f slope; (Ufer~) embankment.

boshaft adj malicious, spiteful; **Bosheit** f malice, spite.

Bosnien nt ⟨-s⟩ Bosnia; **Bosnien-Herzegowina** nt ⟨-s⟩ Bosnia-Herzegovina; **Bosnier(in)** m(f) Bosnian; **bosnisch** adj Bosnian.

böswillig adj malicious.

bot imperf von **bieten**.

Botanik f botany; **botanisch** adj botanical.

Bote m ⟨-n, -n⟩, **Botin** f messenger.

Botschaft f message, news; (POL) embassy; **Botschafter(in)** m(f) ⟨-s, -⟩ ambassador.

Bottich m ⟨-[e]s, -e⟩ vat, tub.

Bouillon f ⟨-, -s⟩ bouillon, stock.

Bowle f ⟨-, -n⟩ punch.

boxen vi box; **Boxer(in)** m(f) ⟨-s, -⟩ boxer; **Boxhandschuh** m boxing glove; **Boxkampf** m boxing match.

Boykott m ⟨-[e]s, -e⟩ boycott.

boykottieren vt boycott.

brach imperf von **brechen**.

brachte imperf von **bringen**.

Brainstorming nt ⟨-s⟩ brainstorming.

Branche f ⟨-, -n⟩ line of business; **Branchenverzeichnis** nt yellow pages pl.

Brand m ⟨-[e]s, Brände⟩ fire; (MED) gangrene.

branden vi surge; (Meer) break.

Brandenburg nt ⟨-s⟩ Brandenburg.

brandmarken vt brand; (fig) stigmatize.

Brandsalbe f ointment for burns; **Brandstifter(in)** m(f) arsonist, fire-raiser; **Brandstiftung** f arson.

Brandung f surf.

Brandwunde f burn.

brannte imperf von **brennen**.

Branntwein m brandy.

Brasilien nt Brazil.

braten ⟨briet, gebraten⟩ vt roast, fry; **Braten** m ⟨-s, -⟩ roast, joint; **Brathuhn** nt roast chicken; **Bratkartoffeln** pl fried potatoes pl; **Bratpfanne** f frying pan; **Bratrost** m grill.

Bratsche f ⟨-, -n⟩ viola.

Bratspieß m spit; **Bratwurst** f grilled sausage.

Brauch m ⟨-[e]s, Bräuche⟩ custom.

brauchbar adj usable, serviceable; (Mensch) capable.

brauchen vt (bedürfen) need; (müssen) have to; (verwenden) use.

brauen vt brew; **Brauerei** f brewery.

braun adj brown; (von Sonne a.) tanned; (pej) Nazi; **Bräune** f ⟨-, -n⟩ brownness; (Sonnen~) tan; **bräunen** vt make brown; (Sonne) tan; **braungebrannt** adj tanned.

Brause f ⟨-, -n⟩ shower bath; (von Gießkan-

ne) rose; *(Getränk)* lemonade; **Brausepulver** *nt* lemonade powder.

Braut *f* ⟨-, Bräute⟩ bride; *(Verlobte)* fiancée.

Bräutigam *m* ⟨-s, -e⟩ bridegroom; *(Verlobter)* fiancé.

Brautjungfer *f* bridesmaid; **Brautpaar** *nt* bride and bridegroom, bridal pair.

brav *adj (artig)* good; *(ehrenhaft)* worthy, honest.

BRD *f* ⟨-⟩ *abk von* **Bundesrepublik Deutschland** FRG.

Brecheisen *nt* crowbar.

brechen ⟨brach, gebrochen⟩ **1.** *vt* break; *(Licht)* refract; *(er~)* vomit; **2.** *vi* break; *(er~)* vomit, be sick; **3.** *vr:* **sich ~** break; *(Licht)* be refracted; **die Ehe ~** commit adultery; **Brechreiz** *m* nausea, retching.

Brei *m* ⟨-[e]s, -e⟩ *(Masse)* pulp; *(GASTR)* gruel; *(Hafer~)* porridge.

breit *adj* wide, broad; **Breite** *f* ⟨-, -n⟩ width; breadth; *(GEO)* latitude; **breiten** *vt:* **etw über etw** *akk* **~** spread sth over sth; **Breitengrad** *m* degree of latitude; **breitmachen** *vr:* **sich ~** spread oneself out; **breitschult[e]rig** *adj* broad-shouldered; **Breitwandfilm** *m* wide-screen film.

Bremsbelag *m* brake lining; **Bremse** *f* ⟨-, -n⟩ brake; *(ZOOL)* horsefly; **bremsen 1.** *vi* brake, apply the brakes; **2.** *vt (Auto)* brake; *(fig)* slow down; **Bremsflüssigkeit** *f* brake fluid; **Bremslicht** *nt* brake light; **Bremspedal** *nt* brake pedal; **Bremsschuh** *m* brake shoe; **Bremsspur** *f* tyre marks *pl*; **Bremstrommel** *f* brake drum; **Bremsweg** *m* braking distance.

brennbar *adj* inflammable; **Brennelement** *nt* fuel element; **brennen** ⟨brannte, gebrannt⟩ **1.** *vi* burn, be on fire; *(Licht, Kerze etc)* burn; **2.** *vt (Holz etc)* burn; *(Ziegel, Ton)* fire; *(Kaffee)* roast; **darauf ~, etw zu tun** be dying to do sth.

Brennessel *f* nettle.

Brennmaterial *nt* fuel; **Brennspiritus** *m* methylated spirits *sing o pl*; **Brennstab** *m* fuel rod; **Brennstoff** *m* liquid fuel.

brenzlig *adj* smelling of burning, burnt; *(fig)* precarious.

Brett *nt* ⟨-[e]s, -er⟩ board, plank; *(Bord)* shelf; *(Spiel~)* board; **Schwarzes ~** notice board; **~er** *pl (SKI)* skis *pl*; *(THEAT)* boards *pl*; **Bretterzaun** *m* wooden fence.

Brezel *f* ⟨-, -n⟩ bretzel, pretzel.

Brief *m* ⟨-[e]s, -e⟩ letter; **Briefbeschwerer** *m* ⟨-s, -⟩ paperweight; **Brieffreund(in)** *m(f)* pen pal, pen friend; **Briefkasten** *m* letterbox, mail box *US*; **elektronischer ~** electronic mailbox; **Briefmarke** *f* [postage] stamp; **Brieföffner** *m* letter opener; **Briefpapier** *nt* notepaper; **Brieftasche** *f* wallet; **Briefträger(in)** *m(f)* postman/-

woman; **Briefumschlag** *m* envelope; **Briefwechsel** *m* correspondence.

briet *imperf von* **braten**.

Brikett *nt* ⟨-s, -s⟩ briquette.

brillant *adj (fig)* sparkling, brilliant; **Brillant** *m* ⟨-en, -en⟩ brilliant, diamond.

Brille *f* ⟨-, -n⟩ spectacles *pl*, glasses *pl*; *(Schutz~)* goggles *pl*; *(Toiletten~)* [toilet] seat; **sie trägt keine ~** she does not wear spectacles [*o* glasses].

bringen ⟨brachte, gebracht⟩ *vt* bring; *(mitnehmen, begleiten)* take; *(einbringen: Profit)* bring in; *(veröffentlichen)* publish; *(THEAT, FILM)* show; *(RADIO, TV)* broadcast; *(in einen Zustand versetzen)* get; *(umg: tun können)* manage; **jdn dazu ~, etw zu tun** make sb do sth; **jdn nach Hause ~** take sb home; **jdn um etw ~** make sb lose sth; **jdn auf eine Idee ~** give sb an idea.

Brise *f* ⟨-, -n⟩ breeze.

Brite *m* ⟨-n, -n⟩, **Britin** *f* Briton; *(umg)* Brit; **britisch** *adj* British; **die Britischen Inseln** *pl* the British Isles *pl*.

Brocken *m* ⟨-s, -⟩ piece, bit; *(Fels~)* lump of rock.

Brokat *m* ⟨-[e]s, -e⟩ brocade.

Brokkoli *pl* broccoli *pl*.

Brombeere *f* blackberry, bramble.

Bronchien *pl* bronchial tubes *pl*, bronchia *pl*.

Bronze *f* ⟨-, -n⟩ bronze.

Brosame *f* ⟨-, -n⟩ crumb.

Brosche *f* ⟨-, -n⟩ brooch.

Broschüre *f* ⟨-, -n⟩ brochure.

Brot *nt* ⟨-[e]s, -e⟩ bread; *(~laib)* loaf.

Brötchen *nt* roll.

Bruch *m* ⟨-[e]s, Brüche⟩ breakage; *(zerbrochene Stelle)* break; *(fig)* split, breach; *(MED: Eingeweide~)* rupture, hernia; *(Knochen~)* fracture; *(MATH)* fraction; **zu ~ gehen** break; **Bruchbude** *f (umg)* shack.

brüchig *adj* brittle, fragile.

Bruchstrich *m (MATH)* line; **Bruchstück** *nt* fragment; **Bruchteil** *m* fraction.

Brücke *f* ⟨-, -n⟩ bridge; *(Teppich)* rug.

Bruder *m* ⟨-s, Brüder⟩ brother; **brüderlich** *adj* brotherly; **Brüderschaft** *f* brotherhood, fellowship; **~ trinken** fraternize, address each other as 'du'.

Brühe *f* ⟨-, -n⟩ broth, stock; *(pej)* muck.

brüllen *vi* bellow, scream.

brummen 1. *vi (Bär, Mensch etc)* growl; *(Insekt, Radio)* buzz; *(Motoren)* roar; *(murren)* grumble; **2.** *vt* growl; **jdm brummt der Kopf** sb's head is buzzing.

brünett *adj* brunette, dark-haired.

Brunnen *m* ⟨-s, -⟩ fountain; *(tief)* well; *(natürlich)* spring; **Brunnenkresse** *f* watercress.

brüsk *adj* abrupt, brusque.

Brust f ⟨-, Brüste⟩ breast; (*Männer~*) chest.
brüsten *vr:* **sich ~** boast.
Brustfellentzündung f pleurisy; **Brustkasten** m chest; **Brustschwimmen** nt breast-stroke.
Brüstung f parapet.
Brustwarze f nipple.
Brut f ⟨-, -en⟩ brood; (*Brüten*) hatching.
brutal adj brutal; **Brutalität** f brutality.
brüten vi hatch, brood; (*fig*) brood; **Brüter** m ⟨-s, -⟩: **schneller ~** fast-breeder [reactor].
Brutkasten m incubator.
brutto adv gross; **Bruttogehalt** nt gross salary; **Bruttogewicht** f gross weight; **Bruttolohn** m gross wages pl; **Bruttosozialprodukt** nt gross national product.
Btx abk von **Bildschirmtext**.
Bubikopf m bobbed hair, shingle.
Buch nt ⟨-[e]s, Bücher⟩ book; (*WIRTS*) account book; **Buchbinder(in)** m(f) ⟨-s, -⟩ bookbinder; **Buchdrucker(in)** m(f) printer.
Buche f ⟨-, -n⟩ beech tree.
buchen vt book; (*Betrag*) enter.
Bücherbrett nt bookshelf; **Bücherei** f library; **Bücherregal** nt bookshelves pl; **Bücherschrank** m bookcase.
Buchfink m chaffinch.
Buchführung f book-keeping, accounting; **Buchhalter(in)** m(f) book-keeper; **Buchhandel** m book trade; **Buchhändler(in)** m(f) bookseller; **Buchhandlung** f bookshop.
Buchse f ⟨-, -n⟩ socket.
Büchse f ⟨-, -n⟩ tin, can; (*Holz~*) box; (*Gewehr*) rifle; **Büchsenfleisch** nt tinned meat; **Büchsenöffner** m tin [o can] opener.
Buchstabe m ⟨-ns, -n⟩ letter [of the alphabet]; **buchstabieren** vt spell; **buchstäblich** adj literal.
Bucht f ⟨-, -en⟩ bay.
Buchung f booking; (*WIRTS*) entry.
Buckel m ⟨-s, -⟩ hump.
bücken vr: **sich ~** bend.
Bückling m (*Fisch*) kipper; (*Verbeugung*) bow.
Buddhismus m buddhism.
Bude f ⟨-, -en⟩ booth, stall; (*umg*) digs pl.
Budget nt ⟨-s, -s⟩ budget.
Büfett nt ⟨-s, -s⟩ (*Anrichte*) sideboard; (*Geschirrschrank*) dresser; **kaltes ~** cold buffet.
Büffel m ⟨-s, -⟩ buffalo.
Bug m ⟨-[e]s, -e⟩ (*NAUT*) bow; (*FLUG*) nose.
Bügel m ⟨-s, -⟩ (*Kleider~*) hanger; (*Steig~*) stirrup; (*Brillen~*) arm; (*von Lift*) [T-]bar.
Bügelbrett nt ironing board; **Bügeleisen** nt iron; **Bügelfalte** f crease; **bügeln** vt, vi iron.

Bühne f ⟨-, -n⟩ stage; **Bühnenbild** nt set, scenery.
Buhruf m boo.
Bulette f meatball.
Bulgarien nt Bulgaria; **bulgarisch** adj Bulgarian.
Bulldogge f bulldog.
Bulldozer m ⟨-s, -⟩ bulldozer.
Bulle m ⟨-n, -n⟩ bull; (*umg: Polizist*) cop[per].
Bummel m ⟨-s, -⟩ stroll; (*Schaufenster~*) window-shopping; **bummeln** vi wander, stroll; (*trödeln*) dawdle; (*faulenzen*) skive, loaf around; **Bummelstreik** m go-slow; **Bummelzug** m slow train; **Bummler(in)** m(f) ⟨-s, -⟩ (*langsamer Mensch*) dawdler; (*Faulenzer*) idler, loafer.
bumsen vi (*umg!*) have sex.
Bund 1. m ⟨-[e]s, Bünde⟩ (*Freundschafts~*) bond; (*Organisation*) union; (*POL*) confederacy; (*Hosen~*, *Rock~*) waistband; **2.** nt ⟨-[e]s, -e⟩ bunch; (*Stroh~*) bundle.
Bündchen nt ribbing; (*Ärmel~*) cuff.
Bündel nt ⟨-s, -⟩ bundle, bale; **bündeln** vt bundle.
Bundes- in Zusammensetzungen Federal; (*auf Deutschland bezogen a.*) West German; **Bundesbahn** f Federal Railways pl; **Bundesbank** f Federal Bank; **Bundeskanzler(in)** m(f) Federal Chancellor; **Bundesland** nt Land; **Bundespräsident(in)** m(f) Federal President; **Bundesrat** m upper house of West German Parliament; **Bundesrepublik** f Federal Republic; **Bundesstaat** m Federal state; **Bundesstraße** f Federal Highway, ≈ A road; **Bundestag** m West German Parliament; **Bundesverfassungsgericht** nt Federal Constitutional Court; **Bundeswehr** f West German Armed Forces pl.
Bundfaltenhose f pleated trousers pl.
bündig adj (*kurz*) concise.
Bündnis nt alliance.
Bunker m ⟨-s, -⟩ bunker.
bunt adj coloured; (*gemischt*) mixed; **jdm wird es zu ~** it's getting too much for sb; **Buntstift** m coloured pencil, crayon.
Burg f ⟨-, -en⟩ castle.
Bürge m ⟨-n, -n⟩ guarantor; **bürgen** vi vouch.
Bürger(in) m(f) ⟨-s, -⟩ citizen; **Bürgerinitiative** f citizens' action group; **Bürgerkrieg** m civil war; **bürgerlich** adj (*Rechte*) civil; (*Klasse*) middle-class; (*pej*) bourgeois; **gut ~e Küche** good home cooking; **Bürgermeister(in)** m(f) mayor; **Bürgerrecht** nt civil rights pl; **Bürgerrechtler(in)** m(f) civil rights activist; **Bürgerschaft** f population, citizens pl; **Bürgersteig** m ⟨-[e]s, -e⟩ pavement.

Bürgin f garantor.

Bürgschaft f surety; **~ leisten** give security.

Büro nt ⟨-s, -s⟩ office; **Büroangestellte(r)** mf office worker; **Büroklammer** f paper clip; **Bürokommunikationssystem** nt office communication system.

Bürokrat(in) m(f) ⟨-en, -en⟩ bureaucrat; **Bürokratie** f bureaucracy; **bürokratisch** adj bureaucratic.

Bursch[e] m ⟨-en, -en⟩ lad, fellow.

burschikos adj tomboyish; (unbekümmert) casual.

Bürste f ⟨-, -n⟩ brush; **bürsten** vt brush.

Bus 1. m ⟨-ses, -se⟩ bus; **2.** m ⟨-, -se⟩ (INFORM) bus.

Busbahnhof m bus station; (Reisebusse) coach station.

Busch m ⟨-[e]s, Büsche⟩ bush, shrub.

Büschel nt ⟨-s, -⟩ tuft.

buschig adj bushy.

Busen m ⟨-s, -⟩ bosom; (Meer~) inlet, bay; **Busenfreund(in)** m(f) bosom friend.

Buße f ⟨-, -n⟩ atonement, penance; (Geld~) fine; **büßen 1.** vt pay for; (Sünden) atone for; **2.** vi: **für etw ~** atone for sth; (für Leichtsinn) pay for sth; **Bußgeld** nt fine.

Büste f ⟨-, -n⟩ bust; **Büstenhalter** m bra.

Butter f ⟨-⟩ butter; **Butterberg** m butter mountain; **Butterblume** f buttercup; **Butterbrot** nt [piece of] bread and butter; **Butterbrotpapier** nt greaseproof paper; **Butterdose** f butter dish; **butterweich** adj soft as butter; (umg: Mensch) soft.

Button m ⟨-s, -s⟩ badge, button.

b.w. abk von **bitte wenden** pto.

Byte nt ⟨-s, -s⟩ byte.

bzw. adv abk von **beziehungsweise**.

C

C, c nt C, c.

Cache m ⟨-⟩ (INFORM) cache memory.

CAD nt abk von **Computer Aided Design** CAD.

Café nt ⟨-s, -s⟩ café.

Cafeteria f ⟨-, -s⟩ cafeteria.

campen vi camp; **Camper(in)** m(f) ⟨-s, -⟩ camper; **Camping** nt ⟨-s⟩ camping; **Campingbus** m camper, dormobile®; **Campingplatz** m camp[ing] site.

Caravan m ⟨-s, -s⟩ caravan.

Cäsium nt ⟨-s⟩ caesium.

CD f ⟨-, -s⟩ abk von **Compact Disc** compact disc, CD; **CD-Player** m ⟨-s, -⟩ compact disc player, CD player.

CD-ROM f ⟨-, -s⟩ abk von **Compact Disc Read Only Memory** CD-ROM; **~ Laufwerk** CD-ROM drive.

CD-Spieler m s. **CD-Player.**

CDU f ⟨-⟩ abk von **Christlich Demokratische Union** Christian Democratic Union.

Cellist(in) m(f) cellist; **Cello** nt ⟨-s, -s o Celli⟩ cello.

Celsius nt ⟨-, -⟩ centigrade.

Chamäleon nt ⟨-s, -s⟩ chameleon.

Champagner m ⟨-s, -⟩ champagne.

Champignon m ⟨-s, -s⟩ button mushroom.

Chance f ⟨-, -n⟩ chance, opportunity; **Chancengleichheit** f equality of opportunity.

Chaos nt ⟨-⟩ chaos; **Chaot(in)** m(f) ⟨-en, -en⟩ (POL) anarchist; (unordentlicher Mensch) chaotic person; **chaotisch** adj chaotic.

Charakter m ⟨-s, -e⟩ character; **charakterfest** adj of firm character; **charakterisieren** vt characterize; **Charakteristik** f characterization; **charakteristisch** adj characteristic, typical (für of); **charakterlos** adj unprincipled; **Charakterlosigkeit** f lack of principle; **Charakterschwäche** f weakness of character; **Charakterstärke** f strength of character; **Charakterzug** m characteristic, trait.

Charisma nt ⟨-s, Charismen o Charismata⟩ charisma.

charmant adj charming.

Charme m ⟨-s⟩ charm.

Charterflug m charter flight; **Charterflugzeug** nt charter plane.

Chassis nt ⟨-, -⟩ chassis.

Chauffeur(in) m(f) chauffeur.

Chauvi m ⟨-s, -s⟩ (umg) male chauvinist pig, MCP; **Chauvinismus** m (POL) chauvinism, jingoism; (männlicher ~) male chauvinism; **Chauvinist(in)** m(f) (POL) chauvinist, jingoist; (männlicher ~) male chauvinist; **chauvinistisch** adj (POL) chauvinistic; (männlich ~) chauvinist.

checken vt (überprüfen) check; (umg: verstehen) get [it].

Chef(in) m(f) ⟨-s, -s⟩ head; (umg) boss; **Chefarzt** m, **Chefärztin** f head physician.

Chemie f ⟨-⟩ chemistry; **Chemiefaser** f man-made fibre.

Chemikalie f chemical.

Chemiker(in) m(f) ⟨-s, -⟩ [industrial] chemist.

chemisch adj chemical; **~e Reinigung** dry cleaning.

Chemotherapie f chemotherapy.

Chiffre f ⟨-, -n⟩ (Geheimzeichen) cipher; (in Zeitung) box number.

Chile nt Chile.

China nt China; **Chinese** m ⟨-n, -n⟩, **Chinesin** f Chinese; **die ~n** pl the Chinese pl; **chinesisch** adj Chinese.

Chip m ⟨-s, -s⟩ (INFORM) chip; **Chips** pl (Kartoffel~) crisps pl, chips pl US.

Chirurg(in) m(f) ⟨-en, -en⟩ surgeon; **Chirurgie** f surgery; **chirurgisch** adj surgical.

Chlor nt ⟨-s⟩ chlorine.

Chloroform nt ⟨-s⟩ chloroform.

Chlorophyll nt ⟨-s⟩ chlorophyll.

Cholera f ⟨-⟩ cholera.

cholerisch adj choleric.

Cholesterin nt ⟨-s⟩ cholesterol.

Chor m ⟨-[e]s, Chöre⟩ choir; (Musikstück, THEAT) chorus.

Choral m ⟨-s, Choräle⟩ chorale.

Choreograph(in) m(f) ⟨-en, -en⟩ choreographer; **Choreographie** f choreography.

Chorgestühl nt ⟨-s⟩ choir stalls pl.

Christ(in) m(f) ⟨-en, -en⟩ Christian; **Christbaum** m Christmas tree; **Christenheit** f Christendom; **Christentum** nt Christianity; **Christkind** nt (bringer of presents at Christmas) Father Christmas; (Jesus) baby Jesus; **christlich** adj Christian; **Christus** m ⟨-⟩ Christ.

Chrom nt ⟨-s⟩ chrome; (CHEM) chromium.

Chromosom nt ⟨-s, -en⟩ (BIO) chromosome.

Chronik f chronicle.

chronisch adj chronic.

chronologisch adj chronological.

Chrysantheme f ⟨-, -n⟩ chrysanthemum.

circa adv about, approximately.

Clique f ⟨-, -n⟩ (Freundeskreis) group, set; (pej) clique.

Clown m ⟨-s, -s⟩ clown.

Compact Disc f ⟨-, -s⟩ compact disc.

Computer m ⟨-s, -⟩ computer; **Computerarbeitsplatz** m computer work station; **Computergestützt** adj computer-aided; **Computergrafik** f computer graphic[s]; **Computerspiel** nt computergame; **Computertomographie** f computerized axial tomography; **Computervirus** m computer virus.

Conférencier m ⟨-s, -s⟩ compère.

Container m ⟨-s, -⟩ (zum Transport) container; (für Bauschutt) skip; (für Pflanzen) plant box.

cool adj (umg) cool.

Coupé nt ⟨-s, -s⟩ (AUTO) coupé, sports version.

Coupon m ⟨-s, -s⟩ coupon.

Cousin m ⟨-s, -s⟩ cousin; **Cousine** f cousin.

Creme f ⟨-, -s⟩ cream; (Schuh~) polish; (Zahn~) paste; (GASTR) mousse; **cremefarben** adj cream[-coloured].

Curry[pulver] nt ⟨-s, -⟩ curry powder; **Currywurst** f fried sausage with ketchup and curry powder.

Cursor m ⟨-s, -⟩ (INFORM) cursor.

Cutter(in) m(f) ⟨-s, -⟩ (FILM) editor.

D

D, d nt D, d.

da 1. adv (dort) there; (hier) here; (dann) then; 2. konj as; ~, **wo** where; **dabehalten** irr vt keep.

dabei adv (räumlich) close to it; (noch dazu) besides; (zusammen mit) with them; (zeitlich) during this; (obwohl doch) but, however; **was ist schon ~?** what of it?; **es ist doch nichts ~, wenn ...** it doesn't matter if ...; **bleiben wir ~** let's leave it at that; **es soll nicht ~ bleiben** this isn't the end of it; **es bleibt ~** that's settled; **das Dumme/Schwierige ~** the stupid/difficult part of it; **er war gerade ~, zu gehen** he was just leaving; **dabeisein** irr vi (anwesend) be present; (beteiligt) be involved; **dabeistehen** irr vi stand around.

Dach nt ⟨-[e]s, Dächer⟩ roof; **Dachboden** m attic, loft; **Dachdecker(in)** m(f) ⟨-s, -⟩ slater, tiler; **Dachfenster** nt, **Dachluke** f skylight; **Dachpappe** f roofing felt; **Dachrinne** f gutter.

Dachs m ⟨-es, -e⟩ badger.

dachte imperf von denken.

Dachziegel m roof tile.

Dackel m ⟨-s, -⟩ dachshund.

dadurch 1. adv (räumlich) through it; (durch diesen Umstand) thereby, in that way; (deshalb) because of that, for that reason; 2. konj: ~, **daß** because.

dafür adv for it; (anstatt) instead; **er kann nichts ~** he can't help it; **er ist bekannt ~** he is well-known for that; **was bekomme ich ~?** what will I get for it?; **Dafürhalten** nt ⟨-s⟩: **nach meinem ~** in my opinion.

dagegen 1. adv against it; (im Vergleich damit) in comparison with it; (bei Tausch) for it; 2. konj however; **ich habe nichts ~** I don't mind; **ich war ~** I was against it; ~ **kann man nichts tun** one can't do anything about it.

daheim adv at home; **Daheim** nt ⟨-s⟩ home.

daher 1. adv (räumlich) from there; (Ursache) from that; 2. konj (deshalb) that's why; ~ **die Schwierigkeiten** that's what is causing the difficulties.

dahin adv (räumlich) there; (zeitlich) then; (vergangen) gone; **das tendiert ~** it is tending towards that; **er bringt es noch ~, daß ich ...** he'll make me ...; **dahingehend**

adv to this effect; **dahingestellt** *adv:* ~ **bleiben** remain to be seen; ~ **sein lassen** leave sth open [*o* undecided].

dahinter *adv* behind it; **dahinterkommen** *irr vi* find out; (*begreifen*) get it.

Dahlie *f* dahlia.

dalassen *irr vt* leave [behind].

damals *adv* at that time, then.

Damast *m* ⟨-[e]s, -e⟩ damask.

Dame *f* ⟨-, -n⟩ lady; (*SCHACH, KARTEN*) queen; (*Spiel*) draughts *sing*; **damenhaft** *adj* ladylike; **Damenwahl** *f* ladies' stet; **Damespiel** *nt* draughts *sing*.

damit 1. *adv* with it; (*begründend*) by that; **2.** *konj* in order that [*o* to]; **was meint er** ~? what does he mean by that?; **genug** ~! that's enough; ~ **basta!** and that's that; ~ **eilt es nicht** there's no hurry.

Damm *m* ⟨-[e]s, Dämme⟩ dyke; (*Stau*~) dam; (*Hafen*~) mole; (*Bahn*~, *Straßen*~) embankment.

dämmern *vi* (*Tag*) dawn; (*Abend*) fall; **Dämmerung** *f* twilight; (*Morgen*~) dawn; (*Abend*~) dusk; **dämmrig** *adj* dim, faint.

Dämon *m* ⟨-s, -en⟩ demon; **dämonisch** *adj* demoniacal.

Dampf *m* ⟨-[e]s, Dämpfe⟩ steam; (*Dunst*) vapour; **Dampfbügeleisen** *nt* steam iron; **dampfen** *vi* steam.

dämpfen *vt* (*GASTR*) steam; (*bügeln*) iron with a damp cloth; (*fig*) dampen, subdue.

Dampfer *m* ⟨-s, -⟩ steamer.

Dampfkochtopf *m* pressure cooker; **Dampflokomotive** *f* steam engine; **Dampfmaschine** *f* steam engine; **Dampfwalze** *f* steamroller.

danach *adv* after that; (*zeitlich a.*) afterwards; (*gemäß*) accordingly; according to which [*o* that]; **er sieht** ~ **aus** he looks it.

Däne *m* ⟨-n, -n⟩ Dane.

daneben *adv* beside it; (*im Vergleich*) in comparison; **danebenbenehmen** *irr vr:* **sich** ~ misbehave; **danebengehen** *irr vi* miss; (*Plan*) fail.

Dänemark *nt* Denmark.

Dänin *f* Dane; **dänisch** *adj* Danish.

dank *präp* +*dat o gen* thanks to; **Dank** *m* ⟨-[e]s⟩ thanks *pl*; **vielen** ~ many thanks; **jdm** ~ **sagen** thank sb; **dankbar** *adj* grateful; (*Aufgabe*) rewarding; **Dankbarkeit** *f* gratitude; **danke** *interj* thank you, thanks; **danken** *vi:* **jdm** ~ thank sb; **dankenswert** *adj* (*Arbeit*) worthwhile; rewarding; (*Bemühung*) kind.

dann *adv* then; ~ **und wann** now and then.

daran *adv* on it; (*stoßen*) against it; **es liegt** ~, **daß ...** the cause of it is that ...; **gut/ schlecht** ~ **sein** be well/badly off; **das Beste/Dümmste** ~ the best/stupidest thing

about it; **ich war nahe** ~, **zu ...** I was on the point of ...; **er ist** ~ **gestorben** he died from [*o* of] it; **daransetzen** *vt* stake; **er hat alles darangesetzt, von Ulm wegzukommen** he has done his utmost to get away from Ulm.

darauf *adv* (*räumlich*) on it; (*zielgerichtet*) towards it; (*danach*) afterwards; **es kommt ganz** ~ **an, ob ...** it depends whether ...; **die Tage** ~ the days following [*o* thereafter]; **am Tag** ~ the next day; **darauffolgend** *adj* (*Tag, Jahr*) next, following; **daraufhin** *adv* (*im Hinblick darauf*) in this respect; (*aus diesem Grund*) as a result.

daraus *adv* from it; **was ist** ~ **geworden?** what became of it?; ~ **geht hervor, daß ...** this means that ...

Darbietung *f* performance.

darin *adv* in [there], in it.

darlegen *vt* explain, expound, set forth.

Darlehen *nt* ⟨-s, -⟩ loan.

Darm *m* ⟨-[e]s, Därme⟩ intestine; (*Wurst*~) skin; **Darmsaite** *f* gut string.

darstellen 1. *vt* (*abbilden, bedeuten*) represent; (*THEAT*) act; (*beschreiben*) describe; **2.** *vr:* **sich** ~ appear to be; **Darsteller(in)** *m(f)* ⟨-s, -⟩ actor/actress; **Darstellung** *m* portrayal, depiction; (*Beschreibung*) description.

darüber *adv* (*räumlich*) over/above it; (*fahren*) over it; (*mehr*) more; (*währenddessen*) meanwhile; (*sprechen, streiten*) about it; ~ **geht nichts** there's nothing like it; **seine Gedanken** ~ his thoughts about [*o* on it].

darum *adv* (*räumlich*) round it; (*deshalb*) because of that; **ich tue es** ~, **weil ...** I am doing it because ...; **er bittet** ~ he is asking kindly for it; **es geht** ~, **daß ...** the thing is that ...; **er würde viel** ~ **geben, wenn ...** he would give a lot to ...

darunter *adv* (*räumlich*) under it; (*dazwischen*) among them; (*weniger*) less; **ein Stockwerk** ~ one floor below [it]; **was verstehen Sie** ~? what do you understand by that?

das 1. *art* the; **2.** *pron* that; ~ **heißt** that is.

dasein *irr vi* be there; **Dasein** *nt* ⟨-s⟩ (*Leben*) life; (*Anwesenheit*) presence; (*Bestehen*) existence.

daß *konj* that.

dasselbe *pron* the same.

dastehen *irr vi* stand there.

Datei *f* (*INFORM*) file; **Dateiname** *m* file name.

Datenaustausch *m* data exchange, data interchange; **Datenautobahn** *f* information superhighway; **Datenbank** *f* ⟨Datenbanken *pl*⟩ data bank; **Datenbasis** *f* database; **Datenbestand** *m* database; **Datenerfassung** *f* data capture; **Daten-**

fernverarbeitung f teleprocessing; **Datenmißbrauch** m data abuse; **Datenschutz** m data protection; **Datenschutzbeauftragte(r)** mf person responsible for data protection; **Datenträger** m data carrier; **Datenverarbeitung** f data processing; **Datenzentrale** f data headquarters pl; **Datenzentrum** nt data centre.

datieren vt date.

Dativ m dative.

Dattel f ⟨-, -n⟩ date.

Datum nt ⟨-s, Daten⟩ date; **Daten** pl (Angaben) data pl; **das heutige ~** today's date.

Dauer f ⟨-, -n⟩ duration; (gewisse Zeitspanne) length; (Bestand, Fortbestehen) permanence; **es war nur von kurzer ~** it didn't last long; **auf die ~** in the long run; (auf längere Zeit) indefinitely; **Dauerauftrag** m standing order; **dauerhaft** adj lasting, durable; **Dauerkarte** f season ticket; **Dauerlauf** m long-distance run; **dauern** vi last; **es hat sehr lang gedauert, bis er . . .** it took him a long time to . . .; **dauernd** adj constant; **Dauerregen** m continuous rain; **Dauerwelle** f perm[anent wave]; **Dauerwurst** f German salami; **Dauerzustand** m permanent state of affairs.

Daumen m ⟨-s, -⟩ thumb; **Daumenlutscher(in)** m(f) thumb-sucker.

Daune f ⟨-, -n⟩ down; **Daunendecke** f down duvet [o quilt].

davon adv of it; (räumlich) away; (weg von) from it; (Grund) because of it; **das kommt ~!** that's what you get; **~ abgesehen** apart from that; **~ sprechen/wissen** talk/know of [o about] it; **was habe ich ~?** what's the point?; **davonkommen** irr vi escape; **davonlaufen** irr vi run away; **davontragen** irr vi carry off; (Verletzung) receive.

davor adv (räumlich) in front of it; (zeitlich) before [that]; **~ warnen** warn about it.

dazu adv (legen, stellen) by it; (essen, singen) with it; **und ~ noch** in addition; **ein Beispiel/seine Gedanken ~** one example for/his thoughts on this; **wie komme ich denn ~?** why should I?; **~ fähig sein** be capable of it; **sich ~ äußern** say something on it; **dazugehören** vi belong to it; **dazukommen** irr vi (Ereignisse) happen too; (an einen Ort) come along.

dazwischen adv in between; (räumlich a.) between [them]; (zusammen mit) among them; **der Unterschied ~** the difference between them; **dazwischenkommen** irr vi (hineingeraten) get caught in it; **es ist etwas dazwischengekommen** something cropped up; **dazwischenreden** vi (unterbrechen) interrupt; (sich einmischen) interfere.

DDR f ⟨-⟩ abk von **Deutsche Demokratische Republik** (HIST) GDR.

Deal m ⟨-s, -s⟩ (umg) deal.

dealen vi (umg) deal in drugs; **Dealer(in)** m(f) ⟨-s, -⟩ (umg) dealer, pusher; (international) trafficker.

Debatte f debate.

Deck nt ⟨-[e]s, -s o -e⟩ deck; **an ~ gehen** go on deck.

Decke f ⟨-, -n⟩ cover; (Bett~) blanket; (Tisch~) tablecloth; (Zimmer~) ceiling; **unter einer ~ stecken** be hand in glove.

Deckel m ⟨-s, -⟩ lid.

decken 1. vt cover; **2.** vr: **sich ~** coincide; **3.** vi (Tisch ~) lay the table.

Deckmantel m: **unter dem ~ von** under the guise of; **Deckname** m assumed name.

Deckung f (Schützen) covering; (Schutz) cover; (SPORT) defence; (Übereinstimmen) agreement; **in ~ gehen** take cover; **dekkungsgleich** adj congruent.

Decoder m ⟨-s, -⟩ decoder.

defekt adj faulty; **Defekt** m ⟨-[e]s, -e⟩ fault, defect.

defensiv adj defensive.

definieren vt define; **Definition** f definition.

definitiv adj definite.

Defizit nt ⟨-s, -e⟩ deficit.

deftig adj (Essen) solid, substantial; (Witz) coarse.

Degen m ⟨-s, -⟩ sword.

degenerieren vi degenerate.

degradieren vt degrade.

dehnbar adj elastic; (fig: Begriff) loose; **dehnen** vt, vr: **sich ~** stretch; **Dehnung** f stretching.

Deich m ⟨-[e]s, -e⟩ dyke.

Deichsel f ⟨-, -n⟩ shaft.

dein pron (adjektivisch) in Briefen: your; **deine(r, s)** pron (substantivisch) yours; **deiner** pron gen von **du** of you; **deinerseits** adv as far as you are concerned; **deinesgleichen** pron people like you; (gleichrangig) your equals; **deinetwegen** adv (wegen dir) because of you; (dir zuliebe) for your sake; (um dich) about you; (für dich) on your behalf; (von dir aus) as far as you are concerned.

dekadent adj decadent; **Dekadenz** f decadence.

Dekan m ⟨-s, -e⟩ dean.

Deklination f declension; **deklinieren** vt decline.

Dekolleté nt ⟨-s, -s⟩ low neckline.

Dekorateur(in) m(f) window dresser.

Dekoration f decoration; (in Laden) window dressing; **dekorativ** adj decorative; **dekorieren** vt decorate; (Schaufenster) dress.

Delegation f delegation; **delegieren** vt, vi delegate.

delikat adj (zart, heikel) delicate; (köstlich) delicious.

Delikatesse f ⟨-, -n⟩ delicacy; **∼n** pl (Feinkost) delicatessen pl; **Delikatessengeschäft** nt delicatessen [shop] sing.

Delikt nt ⟨-[e]s, -e⟩ (JUR) offence.

Delle f ⟨-, -en⟩ (umg) dent.

Delphin m ⟨-s, -e⟩ dolphin.

Delta nt ⟨-s, -s⟩ delta.

dem dat von **der**.

Demagoge m ⟨-n, -n⟩, **Demagogin** f demagogue.

dementieren vt deny.

demgemäß, demnach adv accordingly.

demnächst adv shortly.

Demo f ⟨-, -s⟩ (umg) demo.

Demokrat(in) m(f) ⟨-en, -en⟩ democrat; **Demokratie** f democracy; **demokratisch** adj democratic; **demokratisieren** vt democratize.

demolieren vt demolish.

Demonstrant(in) m(f) demonstrator; **Demonstration** f demonstration; **demonstrativ** adj demonstrative; (Protest) pointed; **demonstrieren** vt, vi demonstrate.

Demoskopie f public opinion research.

Demut f ⟨-⟩ humility; **demütig** adj humble; **demütigen** vt humiliate; **Demütigung** f humiliation.

den akk von **der**.

denen dat von **diese**.

denkbar adj conceivable.

denken ⟨dachte, gedacht⟩ vt, vi think; **Denken** nt ⟨-s⟩ thinking; **Denker(in)** m(f) ⟨-s, -⟩ thinker; **Denkfähigkeit** f intelligence; **denkfaul** adj lazy; **Denkfehler** m logical error.

Denkmal nt ⟨-s, Denkmäler⟩ monument.

Denkmalschutz m protection of historic monuments; **unter ∼ stehen** be listed.

denkwürdig adj memorable; **Denkzettel** m: **jdm einen ∼ verpassen** teach sb a lesson.

denn 1. konj for; **2.** adv then; (nach Komparativ) than.

dennoch konj nevertheless.

Denunziant(in) m(f) computer.

Deo nt ⟨-s, -s⟩, **Deodorant** nt ⟨-s, -s⟩ deodorant; **Deoroller** m roll-on deodorant; **Deospray** o m nt deodorant spray.

Deponie f ⟨-, -n⟩ dump, landfill; **deponieren** vt dump; (WIRTS) deposit.

Depot nt ⟨-s, -s⟩ warehouse; (Bus∼, EISENB) depot; (Bank∼) strongroom.

Depression f depression; **depressiv** adj prone to depression.

deprimieren vt depress.

der 1. art the; **2.** pron (relativ) that, which; (jemand) who; (demonstrativ) this one.

derart adv so; (solcher Art) such; **derartig** adj such, this sort of.

derb adj sturdy; (grob) coarse.

dergleichen pron such.

derjenige pron he; she; it; (relativ) the one [who]; that [which].

dermaßen adv to such an extent, so.

derselbe pron the same.

des gen von **der**.

Desaster nt ⟨-s, -⟩ disaster.

Deserteur(in) m(f) deserter; **desertieren** vi desert.

desgleichen pron the same.

deshalb adv therefore, that's why.

Design nt ⟨-s, -s⟩ design; **Designer(in)** m(f) ⟨-s, -⟩ designer.

Desinfektion f disinfection; **Desinfektionsmittel** nt disinfectant; **desinfizieren** vt disinfect.

Desinteresse nt lack of interest.

dessen gen von **der**, **das**; **dessenungeachtet** adv nevertheless, regardless.

Dessert nt ⟨-s, -s⟩ dessert.

destillieren vt distil.

desto adv all the, so much the; **∼ besser** all the better.

deswegen konj therefore, hence.

Detail nt ⟨-s, -s⟩ detail; **ins ∼ gehen** go into detail; **detaillieren** vt specify, give details of.

Detektiv(in) m(f) detective.

Detektor m (TECH) detector.

deuten 1. vt interpret, explain; **2.** vi point (auf +akk to o at).

deutlich adj clear; (Unterschied) distinct; **Deutlichkeit** f clarity, distinctness.

deutsch adj German; **∼ sprechen** speak German; **∼er Schäferhund** Alsatian Brit, German shepherd US; **Deutsch** nt German; **∼ lernen** learn German; **ins ∼e übersetzen** translate into German; **Deutsche(r)** mf German; **die ∼n** pl the Germans pl; **Deutschland** nt Germany; **in ∼** in Germany; **nach ∼ fahren** go to Germany.

Deutung f interpretation.

Devise f ⟨-, -n⟩ motto, device; **∼n** pl (FIN) foreign currency [o exchange].

Dezember m ⟨-[s], -⟩ December; **im ∼** in December; **18. ∼ 1961** 18th December, 1961, December 18th 1961.

dezent adj discreet.

dezentral adj decentalized.

dezimal adj decimal; **Dezimalbruch** m decimal [fraction]; **Dezimalsystem** nt decimal system.

DFÜ f ⟨-⟩ abk von **Datenfernübertragung** data transmission.

Dia nt ⟨-s, -s⟩ slide.

Diabetes m ⟨-, -⟩ (MED) diabetes; **Diabetiker(in)** m(f) ⟨-s, -⟩ diabetic.

Diagnose f ⟨-, -n⟩ diagnosis.

diagonal adj diagonal; **Diagonale** f ⟨-, -n⟩ diagonal.

Diagramm nt ⟨-s, -e⟩ diagram.

Dialekt m ⟨-[e]s, -e⟩ dialect.

dialektisch adj dialectal; (Logik) dialectical.

Dialog m ⟨-[e]s, -e⟩ dialogue; (INFORM) dialog.

Dialyse f ⟨-, -n⟩ (MED) dialysis.

Diamant m diamond.

Diapositiv nt (FOTO) slide, transparency.

Diät f ⟨-, -en⟩ diet; **Diäten** pl (POL) allowance; **Diavortrag** m talk with slides.

dich pron akk von **du** you.

dicht 1. adj dense; (Nebel) thick; (Gewebe) close; (undurchlässig) [water]tight; (fig) concise; **2.** adv: **~ an/bei** close to; **dichtbevölkert** adj densely [o heavily] populated; **Dichte** f ⟨-, -n⟩ density; thickness; closeness; [water]tightness; (fig) conciseness.

dichten vt (LITER) compose, write; **Dichter(in)** m(f) ⟨-s, -⟩ poet; (Autor) writer; **dichterisch** adj poetical.

dichthalten irr vi (umg) keep mum.

Dichtung f (TECH) washer; (AUTO) gasket; (Gedichte) poetry; (Prosa) [piece of] writing.

dick adj thick; (fett) fat; **durch ~ und dünn** through thick and thin; **Dicke** f ⟨-, -n⟩ thickness; fatness; **dickfellig** adj thick-skinned; **dickflüssig** adj viscous.

Dickicht nt ⟨-s, -e⟩ thicket.

Dickkopf m mule; **Dickmilch** f soured milk.

die 1. art the; **2.** pron (relativ) that, which; (jemand) who; (demonstrativ) this one; **3.** pl von **der, die, das**.

Dieb(in) m(f) ⟨-[e]s, -e⟩ thief; **diebisch** adj thieving; (umg) immense; **Diebstahl** m ⟨-[e]s, Diebstähle⟩ theft; **Diebstahlsicherung[sanlage]** f burglar alarm [system].

Diele f ⟨-, -n⟩ (Brett) board; (Flur) hall, lobby; (Eis~) ice-cream parlour.

dienen vi serve (jdm sb); **Diener(in)** m(f) ⟨-s, -⟩ servant; **Dienerschaft** f servants pl.

Dienst m ⟨-[e]s, -e⟩ service; **außer ~** (Mensch) retired; **~ haben** be on duty; **der öffentliche ~** the civil service.

Dienstag m Tuesday; **[am] ~** on Tuesday; **dienstags** adv on Tuesdays, on a Tuesday.

Dienstgeheimnis nt professional secret; **Dienstgespräch** nt business call; **Dienstgrad** m rank; **diensthabend** adj (Arzt) on duty; **Dienstleistung** f service; **dienstlich** adj official; **Dienstmädchen** nt domestic servant; **Dienstreise** f business trip; **Dienststelle** f office; **Dienstweg** m official channels pl; **Dienstzeit** f office hours pl; (MIL) period of service.

diesbezüglich adj (Frage) on this matter.

diese(r, s) pron this [one].

Diesel 1. m ⟨-s, -⟩ (AUTO) diesel; **2.** nt ⟨-s⟩ (~öl) diesel [oil].

dieselbe pron the same.

diesig adj hazy, misty.

diesjährig adj this year's; **diesmal** adv this time; **diesseits** präp +gen on this side; **Diesseits** nt ⟨-⟩ this life.

Dietrich m picklock.

Differentialgetriebe nt differential gear; **Differentialrechnung** f differential calculus.

differenzieren vt make differences in; **differenziert** complex.

digital adj digital; **Digitalanzeige** f digital display; **Digitaluhr** f digital clock; (Armbanduhr) digital watch.

Diktat nt dictation.

Diktator(in) m(f) dictator; **diktatorisch** adj dictatorial; **Diktatur** f dictatorship.

diktieren vt dictate.

Dilemma nt ⟨-s, -s o Dilemmata⟩ dilemma.

Dilettant(in) m(f) dilettante; **dilettantisch** adj amateurish.

Dimension f dimension.

Ding nt ⟨-[e]s, -e⟩ thing, object; **Dingsbums** nt ⟨-⟩ (umg) thingummybob.

Dinosaurier m ⟨-s, -⟩ dinosaur.

Diode f ⟨-, -n⟩ (INFORM) diode.

Dioxin nt ⟨-s, -e⟩ dioxin.

Diözese f ⟨-, -n⟩ diocese.

Diphtherie f diphtheria.

Diplom nt ⟨-[e]s, -e⟩ diploma, certificate.

Diplomat(in) m(f) ⟨-en, -en⟩ diplomat; **Diplomatie** f diplomacy; **diplomatisch** adj diplomatic.

Diplomingenieur(in) m(f) qualified engineer.

dir pron dat von **du** [to] you.

direkt adj direct.

Direktor(in) m(f) director; (SCH) principal, headmaster/-mistress.

Direktübertragung f live broadcast; **Direktzugriffsspeicher** m (INFORM) random access memory, RAM.

Dirigent(in) m(f) conductor.

dirigieren vt direct; (MUS) conduct.

Dirne f ⟨-, -n⟩ prostitute.

Diskette f disk, diskette; **DD-~/~ mit doppelter Schreibdichte** double density diskette; **HD-~/~ mit hoher Schreibdichte** high density diskette; **Diskettenlaufwerk** m disk drive.

Disko f ⟨-, -s⟩ (umg) disco.

Diskont m ⟨-s, -e⟩ discount; **Diskontsatz**

m rate of discount.

Diskothek *f* ⟨-, -en⟩ disco[theque].

Diskrepanz *f* discrepancy.

diskret *adj* discreet; **Diskretion** *f* discretion.

diskriminieren *vt* discriminate against.

Diskussion *f* discussion; debate; **zur ~ stehen** be under discussion.

diskutabel *adj* debatable.

diskutieren *vt, vi* discuss; debate.

Display *nt* ⟨-s, -s⟩ display.

disqualifizieren *vt* disqualify.

Dissertation *f* dissertation, doctoral thesis.

Distanz *f* distance; **distanzieren** *vr:* **sich ~** distance oneself.

Distel *f* ⟨-, -n⟩ thistle.

Disziplin *f* ⟨-, -en⟩ discipline.

divers *adj* various.

Dividende *f* ⟨-, -n⟩ dividend.

dividieren *vt* divide (*durch* by).

DM *abk von* **Deutsche Mark** deutschmark.

DNS *abk von* **Desoxyribonukleinsäure** DNA.

doch **1.** *adv:* **das ist nicht wahr! – ~!** that's not true! – yes it is!; **nicht ~!** oh no!; **er kam ~ noch** he came after all; **2.** *konj* (*aber*) but; (*trotzdem*) all the same.

Docht *m* ⟨-[e]s, -e⟩ wick.

Dock *nt* ⟨-s, -s o -e⟩ dock.

Dogge *f* ⟨-, -n⟩ bulldog.

Dogma *nt* ⟨-s, Dogmen⟩ dogma; **dogmatisch** *adj* dogmatic.

Doktor(in) *m(f)* doctor; **Doktorand(in)** *m(f)* ⟨-en, -en⟩ candidate for a doctorate; **Doktorarbeit** *f* [doctoral] thesis; **Doktortitel** *m* doctorate; **Doktorvater** *m* PhD supervisor.

Dokument *nt* document; **Dokumentarfilm** *m* documentary [film]; **dokumentarisch** *adj* documentary; **dokumentieren** *vt (a. INFORM)* document.

Dolch *m* ⟨-[e]s, -e⟩ dagger.

dolmetschen *vt, vi* interpret; **Dolmetscher(in)** *m(f)* ⟨-s, -⟩ interpreter.

Dolomiten *pl* Dolomites *pl.*

Dom *m* ⟨-[e]s, -e⟩ cathedral.

dominieren **1.** *vt* dominate; **2.** *vi* predominate.

Dompfaff *m* bullfinch.

Dompteur *m,* **Dompteuse** *f* (*Zirkus~*) trainer.

Donau *f* Danube.

Donner *m* ⟨-s, -⟩ thunder; **donnern** *vi* thunder.

Donnerstag *m* Thursday; **[am] ~** on Thursday; **donnerstags** *adv* on Thursdays, on a Thursday.

Donnerwetter *nt* thunderstorm; (*fig*) dressing-down.

doof *adj* (*umg*) daft, stupid.

dopen *vt* dope; **Doping** *nt* ⟨-s⟩ doping; **Dopingkontrolle** *f* doping check.

Doppel *nt* ⟨-s, -⟩ duplicate; (*SPORT*) doubles *sing;* **Doppelbeschluß** *m* (*POL*) two-track [*o* twin-track] solution [*o* double-track]; **Doppelbett** *nt* double bed; **Doppelfenster** *nt* double glazing; **Doppelgänger(in)** *m(f)* ⟨-s, -⟩ double; **Doppelpunkt** *m* colon; **Doppelstecker** *m* two-way adaptor; **doppelt** *adj* double; **in ~er Ausführung** in duplicate; **Doppelverdiener** *pl* double-income family; (*umg*) dinkies *pl;* **Doppelzentner** *m* 100 kilograms *pl;* **Doppelzimmer** *nt* double room.

Dorf *nt* ⟨-[e]s, Dörfer⟩ village; **Dorfbewohner(in)** *m(f)* villager.

Dorn **1.** *m* ⟨-[e]s, -en⟩ (*BOT*) thorn; **2.** *m* ⟨-[e]s, -e⟩ (*Schnallen~*) tongue, pin; **dornig** *adj* thorny; **Dornröschen** *nt* Sleeping Beauty.

dörren *vt* dry; **Dörrobst** *nt* dried fruit.

Dorsch *m* ⟨-[e]s, -e⟩ cod.

dort *adv* there; **~ drüben** over there; **dorther** *adv* from there; **dorthin** *adv* [to] there; **dortig** *adj* of that place; in that town.

Dose *f* ⟨-, -n⟩ box; (*Blech~*) tin, can.

dösen *vi* (*umg*) doze.

Dosenöffner *m* tin [*o* can] opener.

Dosis *f* ⟨-, Dosen⟩ dose.

Dotter *m* ⟨-s, -⟩ egg yolk.

Down-Syndrom *nt* ⟨-(e)s, -e⟩ (*MED*) Down's syndrome.

Dozent(in) *m(f)* university lecturer.

Drache *m* ⟨-n, -n⟩ (*Tier*) dragon; **Drachen** *m* ⟨-s, -⟩ (*Spielzeug*) kite; (*SPORT*) hang-glider; **Drachenfliegen** *nt* ⟨-s⟩ hang-gliding; **Drachenflieger(in)** *m(f)* hang-glider.

Draht *m* ⟨-[e]s, Drähte⟩ wire; **auf ~ sein** be on the ball; **drahtig** *adj* wiry; **Drahtseil** *nt* cable; **Drahtseilbahn** *f* cable railway, funicular.

drall *adj* strapping; (*Frau*) buxom.

Drama *nt* ⟨-s, Dramen⟩ drama, play; **Dramatiker(in)** *m(f)* ⟨-s, -⟩ dramatist; **dramatisch** *adj* dramatic.

dran **1.** = (*umg*) **daran; 2.** *adv:* **gut/schlecht ~ sein** be well/be in a bad way.

drang *imperf von* **dringen.**

Drang *m* ⟨-[e]s, Dränge⟩ (*Trieb*) impulse, urge, desire (*nach* for); (*Druck*) pressure.

drängeln *vt, vi* push, jostle.

drängen **1.** *vt* (*schieben*) push, press; (*antreiben*) urge; **2.** *vi* (*eilig sein*) be urgent; (*Zeit*) press; **auf etw** *akk* **~** press for sth.

drastisch *adj* drastic.

drauf = (*umg*) **darauf.**

Draufgänger(in) *m(f)* ⟨-s, -⟩ daredevil.

draußen *adv* outside, out-of-doors.

Dreck m ⟨-[e]s⟩ mud, dirt; **dreckig** adj dirty, filthy.

Dreharbeiten pl (FILM) shooting; **Drehbank** f ⟨Drehbänke pl⟩ lathe; **drehbar** adj revolving; **Drehbuch** nt (FILM) script; **drehen 1.** vt, vi turn, rotate; (Zigaretten) roll; (Film) shoot; **2.** vr: sich ~ turn; (handeln von) be (um about); **Drehorgel** f barrel organ; **Drehtür** f revolving door; **Drehung** f (Rotation) rotation; (Um~, Wendung) turn; **Drehwurm** m: **den ~ haben/bekommen** (umg) be/become dizzy; **Drehzahl** f rate of revolutions; **Drehzahlmesser** m ⟨-s, -⟩ rev[olution] counter.

drei num three; **Dreieck** nt triangle; **dreieckig** adj triangular; **Dreieinigkeit** f s. **Dreifaltigkeit**; **dreifach 1.** adj threefold; **2.** adv three times; **Dreifaltigkeit** f Trinity; **dreihundert** num three hundred; **dreijährig** adj (3 Jahre alt) three-year-old; (3 Jahre dauernd) three-year; **Dreikönigsfest** nt Epiphany; **dreimal** adv three times, thrice.

dreinreden vi: **jdm ~** (dazwischenreden) interrupt sb; (sich einmischen) interfere with sb.

dreißig num thirty.

dreist adj bold, audacious; **Dreistigkeit** f boldness, audacity.

dreiviertel num three-quarters; **Dreiviertelstunde** f three-quarters of an hour.

dreizehn num thirteen.

dreschen ⟨drosch, gedroschen⟩ vt thresh.

dressieren vt train.

Dressing f ⟨-s, -s⟩ salad dressing.

Drillbohrer m [light] drill.

Drilling m triplet.

drin = (umg) **darin**.

dringen ⟨drang, gedrungen⟩ vi (Wasser, Licht, Kälte) penetrate (durch through, in +akk into); **auf etw akk ~** insist on sth; **in jdn ~** entreat sb.

dringend, dringlich adj urgent; **Dringlichkeit** f urgency.

drinnen adv inside, indoors.

dritte(r, s) adj third; **die ~ Welt** the third world; **der ~ Mai** the third of May; **Ulm, den 3. Mai** Ulm, May 3rd; **Dritte(r)** mf third; **Drittel** nt ⟨-s, -⟩ (Bruchteil) third; **drittens** adv in the third place, thirdly; **Dritte-Welt-Laden** m ≈ OXFAM shop; **Drittländer** pl third countries.

droben adv above, up there.

Droge f ⟨-, -n⟩ drug; **drogenabhängig** adj addicted to drugs; **Drogenabhängige(r)** mf drug addict.

Drogerie f chemist's shop.

Drogist(in) m(f) pharmacist, chemist.

drohen vi threaten (jdm sb).

dröhnen vi (Motor) roar; (Stimme, Musik) ring, resound.

Drohung f threat.

drollig adj droll.

drosch imperf von **dreschen**.

Droschke f ⟨-, -n⟩ cab.

Drossel f ⟨-, -n⟩ thrush.

drüben adv over there, on the other side.

drüber = (umg) **darüber**.

Druck m ⟨-[e]s, -e⟩ (Zwang, PHYS) pressure; (TYP: Vorgang) printing; (Produkt) print; (fig: Belastung) burden, weight; **Druckbuchstabe** m block letter.

Drückeberger(in) m(f) ⟨-s, -⟩ shirker, dodger.

drucken vt, vi print.

drücken 1. vt, vi (Knopf, Hand) press; (zu eng sein) pinch; (fig: Preise) keep down; (fig: belasten) oppress, weigh down; **2.** vr: **sich vor etw** dat ~ get out of [doing] sth; **jdm etw in die Hand ~** press sth into sb's hand; **drückend** adj oppressive.

Drucker m ⟨-s, -⟩ (INFORM) printer.

Drücker m ⟨-s, -⟩ button; (Tür~) handle; (am Gewehr) trigger; (umg: Abonnementverkäufer) hawker.

Druckerei f printing works pl; (Betrieb a.) printer's; (Druckwesen) printing.

Druckerschwärze f printer's ink.

Druckfehler m misprint; **Druckknopf** m press stud, snap fastener; **Druckmittel** nt leverage; **Drucksache** f printed matter; **Druckschrift** f block [o printed] letters pl.

drunten adv below, down there.

Drüse f ⟨-, -n⟩ gland; **Drüsenfieber** nt glandular fever.

Dschungel m ⟨-s, -⟩ jungle.

DTP nt ⟨-⟩ abk von **Desktop publishing** DTP.

du pron in Briefen: **Du** you.

ducken vt, vr: **sich ~** duck; **Duckmäuser** m ⟨-s, -⟩ yes-man.

Dudelsack m bagpipes pl.

Duell nt ⟨-s, -e⟩ duel.

Duett nt ⟨-[e]s, -e⟩ duet.

Duft m ⟨-[e]s, Düfte⟩ scent, odour; **dufte** adj (umg) great, smashing; **duften** vi smell, be fragrant; **duftig** adj (Stoff, Kleid) delicate, diaphanous; (Muster) fine.

dulden vt, vi suffer; (zulassen) tolerate; **duldsam** adj tolerant.

dumm adj stupid; **das wird mir zu ~** that's just too much; **der/die Dumme sein** be the loser; **dummdreist** adj impudent; **dummerweise** adv stupidly; **Dummheit** f stupidity; (Tat) blunder, stupid mistake; **Dummkopf** m blockhead.

dumpf adj (Ton) hollow, dull; (Luft) close; (Erinnerung, Schmerz) vague.

Düne f ⟨-, -n⟩ dune.

Dung m ⟨-[e]s⟩ dung, manure.

düngen vt manure; **Dünger** m ⟨-s, -⟩ fertilizer.

dunkel adj dark; (Stimme) deep; (Ahnung) vague; (rätselhaft) obscure; (verdächtig) dubious, shady; **im ~n tappen** (fig) grope in the dark.

Dünkel m ⟨-s⟩ self-conceit; **dünkelhaft** adj conceited.

Dunkelheit f darkness; (fig) obscurity; **Dunkelkammer** f (FOTO) dark room; **Dunkelziffer** f estimated number of unnotified cases.

dünn adj thin; **dünnflüssig** adj watery, thin; **dünngesät** adj scarce.

Dunst m ⟨-es, Dünste⟩ vapour; (Wetter) haze.

dünsten vt steam.

dunstig adj vaporous; (Wetter) hazy, misty.

Duplikat nt duplicate.

Dur nt ⟨-, -⟩ (MUS) major.

durch präp +akk through; (Mittel, Ursache) by; (Zeit) during; **den Sommer** ~ during the summer; **8 Uhr** ~ past 8 o'clock; ~ **und** ~ completely.

durcharbeiten 1. vt, vi work through; 2. vr: **sich** ~ work one's way through.

durchaus adv completely; (unbedingt) definitely.

durchbeißen irr 1. vt bite through; 2. vr: **sich** ~ (fig) battle on.

durchblättern vt leaf through.

Durchblick m view; (fig) comprehension; **durchblicken** vi look through; (umg: verstehen) understand (bei etw sth); **etw** ~ **lassen** (fig) hint at sth.

durchbohren vt bore through, pierce.

durchbrechen irr vt break; (Schranken) break through; (Schallmauer) break; (Gewohnheit) break free from.

durchbrennen irr vi (Draht, Sicherung) burn through; (umg) run away.

durchbringen irr 1. vt get through; (Geld) squander; 2. vr: **sich** ~ make a living.

Durchbruch m (Öffnung) opening; (von Gefühlen etc) eruption; (der Zähne) cutting; (fig) breakthrough; **zum** ~ **kommen** break through.

durchdacht adv well thought-out; **durchdenken** irr vt think out.

durchdiskutieren vt talk over, discuss.

durchdrehen 1. vt (Fleisch) mince; 2. vi (umg) crack up.

durchdringen irr 1. vi penetrate, get through; 2. vt penetrate; **mit etw** ~ get one's way with sth.

durcheinander adv in a mess, in confusion; (umg: verwirrt) confused; ~ **trinken** mix one's drinks; **Durcheinander** nt ⟨-s⟩ (Verwirrung) confusion; (Unordnung) mess; **durcheinanderbringen** irr vt mess up;

(verwirren) confuse; **durcheinanderreden** vi talk at the same time.

Durchfahrt f transit; (Verkehr) thoroughfare; **keine** ~ no through road.

Durchfall m (MED) diarrhoea; **durchfallen** irr vi fall through; (in Prüfung) fail.

durchfragen vr: **sich** ~ find one's way by asking.

durchführbar adj feasible, practicable; **durchführen** vt carry out; **Durchführung** f execution, performance.

Durchgang m passage[way]; (bei Produktion, Versuch) run; (SPORT) round; (bei Wahl) ballot; „~ **verboten**" "no thoroughfare"; **Durchgangslager** nt transit camp; **Durchgangsverkehr** m through traffic.

durchgefroren adj (See) completely frozen; (Mensch) frozen stiff.

durchgehen irr 1. vt (behandeln) go over; 2. vi go through; (ausreißen: Pferd) break loose; (Mensch) run away; **mein Temperament ging mit mir durch** my temper got the better of me; **jdm etw** ~ **lassen** let sb get away with sth; **durchgehend** adj (Zug) through; (Öffnungszeiten) continuous.

durchgreifen irr vi take strong action.

durchhalten irr 1. vi last out; 2. vt keep up.

durchhecheln vt (umg) gossip about.

durchkommen irr vi get through; (überleben) pull through.

durchkreuzen vt thwart, frustrate.

durchlassen irr vt (jdn) let through; (Wasser) let in.

Durchlauf[wasser]erhitzer m ⟨-s, -⟩ [hot water] geyser.

durchleben vt live [o go] through, experience.

durchlesen irr vt read through.

durchleuchten vt X-ray.

durchlöchern vt perforate; (mit Löchern) punch holes in; (mit Kugeln) riddle.

durchmachen vt go through; **die Nacht** ~ make a night of it.

Durchmarsch m march through.

Durchmesser m ⟨-s, -⟩ diameter.

durchnehmen irr vt go over.

durchnumerieren vt number consecutively.

durchpausen vt trace.

durchqueren vt cross.

Durchreiche f ⟨-, -n⟩ [serving] hatch.

Durchreise f transit; **auf der** ~ passing through; (Güter) in transit.

durchringen vr: **sich** ~ reach after a long struggle.

durchrosten vi rust through.

durchs = **durch das**.

Durchsage f ⟨-, -n⟩ intercom/radio announcement.

durchschauen 1. vi look [o see] through;

2. vt (jdn, Lüge) see through.
durchscheinen irr vi shine through; **durchscheinend** adj translucent.
Durchschlag m (Doppel) carbon copy; (Sieb) strainer; **durchschlagen** irr **1.** vt (entzweischlagen) split [in two]; (sieben) sieve; **2.** vi (zum Vorschein kommen) emerge, come out; **3.** vr: **sich ~** get by; **durchschlagend** adj resounding.
durchschneiden irr vt cut through.
Durchschnitt m (Mittelwert) average; **über/unter dem ~** above/below average; **im ~** on average; **durchschnittlich 1.** adj average; **2.** adv on average; **Durchschnittsgeschwindigkeit** f average speed; **Durchschnittsmensch** m average person, man in the street; **Durchschnittswert** m average.
Durchschrift f copy.
durchsehen irr vt look through.
durchsetzen 1. vt enforce; **2.** vr: **sich ~** (Erfolg haben) succeed; (sich behaupten) get one's way; **seinen Kopf ~** get one's own way; **Durchsetzungsvermögen** nt ability to assert oneself.
Durchseuchung f (MED) spread of the/an epidemic (der Bevölkerung through the population).
Durchsicht f looking through, checking; **durchsichtig** adj transparent; **Durchsichtigkeit** f transparence.
durchsickern vi seep through; (fig) leak out.
durchsprechen irr vt talk over.
durchstehen irr vt live through.
durchstöbern vt ransack, search through.
durchstreichen irr vt cross out.
durchsuchen vt search; **Durchsuchung** f search; **Durchsuchungsbefehl** m search warrant.
durchtrieben adj cunning, wily.
durchwachsen adj (Speck) streaky; (fig: mittelmäßig) so-so.
Durchwahl f direct dialling; (Nummer) number of the direct line.
durchweg adv throughout, completely.
durchzählen 1. vt count; **2.** vi count off.
durchziehen irr **1.** vt (Faden) draw through; **2.** vi pass through.
Durchzug m (Luft) draught; (von Truppen, Vögeln) passage.
dürfen (durfte, gedurft) vi be allowed; **darf ich?** may I?; **es darf gerau cht werden** you may smoke; **was darf es sein?** what can I do for you?; **das darf nicht geschehen** that must not happen; **das ~ Sie mir glauben** you can believe me; **es dürfte Ihnen bekannt sein, daß ...** as you will probably know ...
dürftig adj (ärmlich) needy, poor; (unzu-

länglich) inadequate.
dürr adj dried-up; (Land) arid; (mager) skinny, gaunt; **Dürre** f (-, -n) aridity; (Zeit) drought; (Magerkeit) skinniness.
Durst m (-[e]s) thirst; **~ haben** be thirsty; **durstig** adj thirsty.
Dusche f (-, -n) shower; **duschen** vi, vr: **sich ~** have a shower; **Duschgel** nt shower gel.
Düse f (-, -n) nozzle; (Flugzeug~) jet; **düsen** vi (umg) dash; **Düsenantrieb** m jet propulsion; **Düsenflugzeug** nt jet [plane]; **Düsenjäger** m jet fighter.
Dussel m (-s, -) (umg) twit; **dusselig** adj (umg) gormless.
düster adj dark; (Gedanken, Zukunft) gloomy; **Düsterkeit** f darkness, gloom; gloominess.
Duty-free-Shop m (-s, -s) duty free shop.
Dutzend nt (-s, -e) dozen; **dutzend[e]mal** adv a dozen times; **dutzendweise** adv by the dozen.
duzen 1. vt address sb using the familiar form; **2.** vr: **sich ~ [mit jdm]** address each other using the familiar form.
DV f (-) abk von **Datenverarbeitung** DP.
Dynamik f (PHYS) dynamics sing; (fig: Schwung) momentum; (von Mensch) dynamism; **dynamisch** adj (a. fig) dynamic.
Dynamit nt (-s) dynamite.
Dynamo m (-s, -s) dynamo.
D-Zug m through train.

E

E, e nt E, e.
Ebbe f (-, -n) low tide.
eben 1. adj level; (glatt) smooth; **2.** adv just; (bestätigend) exactly; **~ deswegen** just because of that; **ebenbürtig** adj: **jdm ~ sein** be sb's peer; **Ebene** f (-, -n) plain; (fig) level; **ebenerdig** adj at ground level; **ebenfalls** adv likewise; **Ebenheit** f levelness; smoothness; **ebenso** adv just as; **ebensogut** adv just as well; **ebensooft** adv just as often; **ebensoviel** adv just as much; **ebensoweit** adv just as far; **ebensowenig** adv just as little.
Eber m (-s, -) boar; **Eberesche** f mountain ash, rowan.
ebnen vt level.
EC m (-, -s) abk von **Euro-City-Zug**.
Echo nt (-s, -s) echo.
echt adj genuine; (typisch) typical; **Echtheit** f genuineness; **Echtzeit** f (INFORM) real time.

Eckball m corner [kick]; **Ecke** f ⟨-, -n⟩ corner; (MATH) angle; **eckig** adj angular; **Eckzahn** m eye tooth.

edel adj noble; **Edelmetall** nt precious metal; **Edelstein** m precious stone; (geschliffen) gem, jewel.

editieren vt (INFORM) edit; **Editor** m ⟨-s, -en⟩ (INFORM) editor.

EDV f ⟨-⟩ abk von **elektronische Datenverarbeitung** EDP; **EDV-Anlage** f EDP equipment.

Efeu m ⟨-s⟩ ivy.

Effekt m ⟨-s, -e⟩ effect; **Effekten** pl stocks pl; **Effektenbörse** f Stock Exchange; **Effekthascherei** f sensationalism; **effektiv** adj effective.

effizient adj efficient.

EG f ⟨-⟩ abk von **Europäische Gemeinschaft** (HIST) EC.

egal adj all the same.

Egoismus m selfishness, egoism; **Egoist(in)** m(f) egoist; **egoistisch** adj selfish, egoistic; **egozentrisch** adj egocentric, self-centred.

ehe konj before.

Ehe f ⟨-, -n⟩ marriage; **eheähnlich** adj: ~e **Gemeinschaft** coabitation; **Eheberater(in)** m(f) marriage [guidance] counsellor; **Ehebrecher(in)** m(f) ⟨-s, -⟩ adulterer/adulteress; **Ehebruch** m adultery; **Ehefrau** f married woman; wife; **Eheleute** pl married people pl; **ehelich** adj matrimonial; (Kind) legitimate.

ehemalig adj former; **ehemals** adv formerly.

Ehemann m ⟨Ehemänner pl⟩ married man; husband; **Ehepaar** nt married couple.

eher adv (früher) sooner; (lieber) rather, sooner; (mehr) more.

Ehering m wedding ring; **Ehescheidung** f divorce; **Eheschließung** f marriage.

eheste(r, s) adj (früheste) first, earliest; **am ~n** (liebsten) soonest; (meisten) most; (wahrscheinlichsten) most probably.

ehrbar adj honourable, respectable; **Ehre** f ⟨-, -n⟩ honour; **ehren** vt honour; **Ehrengast** m guest of honour; **ehrenhaft** adj honourable; **Ehrenmann** m ⟨Ehrenmänner pl⟩ man of honour; **Ehrenmitglied** nt honorary member; **Ehrenplatz** m place of honour; **Ehrenrechte** pl civic rights pl; **ehrenrührig** adj defamatory; **Ehrenrunde** f lap of honour; **Ehrensache** f point of honour; **ehrenvoll** adj honourable; **Ehrenwort** nt word of honour; **ehrerbietig** adj respectful; **Ehrfurcht** f awe, deep respect; **Ehrgefühl** nt sense of honour; **Ehrgeiz** m ambition; **ehrgeizig** adj ambitious; **ehrlich** adj honest; **Ehrlichkeit** f honesty; **ehrlos** adj dishonourable;

Ehrung f honour[ing]; **ehrwürdig** adj venerable.

ei interj well, well!; (beschwichtigend) now, now.

Ei nt ⟨-[e]s, -er⟩ egg.

Eichamt nt Office of Weights and Measures.

Eiche f ⟨-, -n⟩ oak [tree]; **Eichel** f ⟨-, -n⟩ acorn.

eichen vt calibrate.

Eichhörnchen nt squirrel.

Eichmaß nt standard; **Eichung** f calibration.

Eid m ⟨-[e]s, -e⟩ oath.

Eidechse f ⟨-, -n⟩ lizard.

eidesstattlich adj: ~e **Erklärung** affidavit; **Eidgenosse** m, **Eidgenossin** f Swiss; **eidlich** adj [sworn] upon oath.

Eidotter nt egg yolk; **Eierbecher** m eggcup; **Eierkuchen** m omelette; pancake; **Eierschale** f eggshell; **Eierstock** m ovary; **Eieruhr** f egg timer.

Eifer m ⟨-s⟩ zeal, enthusiasm; **Eifersucht** f jealousy; **eifersüchtig** adj jealous (auf +akk of).

eifrig adj zealous, enthusiastic.

Eigelb nt ⟨-[e]s, -⟩ egg yolk.

eigen adj own; (~artig) peculiar; **mit der/ dem ihm ~en ...** with that ... peculiar to him; **sich** dat **etw zu ~ machen** make sth one's own; **Eigenart** f peculiarity; (Eigenschaft) characteristic; **eigenartig** adj peculiar; **Eigenbedarf** m one's own requirements pl; **Eigengewicht** nt dead weight; **eigenhändig** adj with one's own hand; **Eigenheim** nt owner-occupied house; **Eigenheit** f peculiarity; **Eigenlob** nt self-praise; **eigenmächtig** adj high-handed; **Eigenname** m proper name; **eigens** adv expressly, on purpose; **Eigenschaft** f quality, property, attribute; **Eigenschaftswort** nt adjective; **Eigensinn** m obstinacy; **eigensinnig** adj obstinate; **eigentlich 1.** adj actual, real; **2.** adv actually, really; **Eigentor** nt own goal; **Eigentum** nt property; **Eigentümer(in)** m(f) ⟨-s, -⟩ owner, proprietor; **eigentümlich** adj peculiar; **Eigentümlichkeit** f peculiarity; **Eigentumswohnung** f owner-occupied flat Brit, condominium US.

eignen vr: **sich ~** be suited; **Eignung** f suitability.

Eilbote m courier; **per ~n** express; **Eilbrief** m express letter; **Eile** f ⟨-⟩ haste; **es hat keine ~** there's no hurry; **eilen** vi (Mensch) hurry; (dringend sein) be urgent; **eilends** adv hastily; **eilfertig** adj eager, solicitous; **Eilgut** nt express goods pl, fast freight US; **eilig** adj hasty, hurried; (dringlich) urgent; **es ~ haben** be in a hurry; **Eilzug** m semifast train, limited stop train.

Eimer *m* ⟨-s, -⟩ bucket, pail.

ein(e) 1. *num* one; **2.** *art* a, an; **3.** *adv:* **nicht ~ noch aus wissen** not know what to do.

einander *pron* one another, each other.

einarbeiten *vr:* **sich ~** familiarize oneself (*in +akk* with).

einarmig *adj* one-armed.

einatmen *vt, vi* inhale, breathe in.

einäugig *adj* one-eyed.

Einbahnstraße *f* one-way street.

Einband *m* ⟨Einbände *pl*⟩ binding, cover.

einbändig *adj* one-volume.

einbauen *vt* build in; (*Motor*) install, fit; **Einbauküche** *f* fitted kitchen; **Einbaumöbel** *pl* built-in furniture.

einberufen *irr vt* convene; (*MIL*) call up; **Einberufung** *f* convocation; call-up.

einbetten *vt* embed.

Einbettzimmer *nt* single room.

einbeziehen *irr vt* include.

einbiegen *irr vi* turn.

einbilden *vt:* **sich** *dat* **etw ~** imagine sth; **Einbildung** *f* imagination; (*Dünkel*) conceit; **Einbildungskraft** *f* imagination.

einbinden *irr vt* (*Buch*) bind; (*einbeziehen*) integrate; **Einbindung** *f* (*fig*) integration.

einblenden *vt* fade in.

Einblick *m* insight.

einbrechen *irr vi* (*in Haus*) break in; (*in Land etc*) invade (*in ein Land* a country); (*Nacht*) fall; (*Winter*) set in; (*durchbrechen*) break; **Einbrecher(in)** *m(f)* ⟨-s, -⟩ burglar.

einbringen *irr* **1.** *vt* bring in (*Geld, Vorteil*) yield; (*Gesetzesantrag*) introduce; (*mitbringen*) contribute; (*fig: integrieren*) integrate; **2.** *vr:* **sich ~** commit oneself; **jdm etw ~** bring sb sth; **das bringt nichts ein** it's not worth it.

Einbruch *m* (*Haus~*) break-in, burglary; (*Eindringen*) invasion; (*des Winters*) onset; (*Durchbrechen*) break; (*METEO*) approach; (*MIL*) penetration; **bei ~ der Nacht** at nightfall; **einbruchsicher** *adj* burglar-proof.

einbürgern **1.** *vt* naturalize; **2.** *vr:* **sich ~** become adopted; **das hat sich so eingebürgert** that's become a custom.

Einbuße *f* loss, forfeiture.

einbüßen *vt* lose, forfeit.

einchecken *vt* check in.

eindecken *vr:* **sich ~** lay in stocks (*mit* of).

eindeutig *adj* unequivocal.

eindringen *irr vi* force one's way in (*in +akk* into); (*in Haus*) break in (*in +akk* into); (*in Land*) invade (*in ein Land* a country); (*Gas, Wasser*) penetrate (*in etw* sth); (*mit Bitten*) pester (*auf jdn* sb); **eindringlich** *adj* forcible, urgent; **Eindringling** *m* intruder.

Eindruck *m* ⟨Eindrücke *pl*⟩ impression; **eindrucksvoll** *adj* impressive.

eine(r, s) *pron* one; (*jemand*) someone.

eineiig *adj* (*Zwillinge*) identical.

eineinhalb *num* one and a half.

Einelternfamilie *f* single parent family.

einengen *vt* confine, restrict.

einerlei *adj inv* (*gleichartig*) the same kind of; **es ist mir ~** it is all the same to me; **Einerlei** *nt* ⟨-s⟩ sameness; **einerseits** *adv* on one hand.

einfach **1.** *adj* (*nicht kompliziert*) simple; (*Mensch*) ordinary; (*Essen*) plain; (*nicht mehrfach*) single; **2.** *adv* simply; (*nicht mehrfach*) once; **~e Fahrkarte** one-way ticket, single ticket *Brit*; **Einfachheit** *f* simplicity.

einfädeln *vt* (*Nadel*) thread; (*fig*) contrive.

einfahren *irr* **1.** *vt* bring in; (*Barriere*) knock down; (*Auto*) run in; **2.** *vi* drive in; (*Zug*) pull in; (*MIN*) go down; **Einfahrt** *f* (*Vorgang*) driving in; pulling in; (*MIN*) descent; (*Ort*) entrance.

Einfall *m* (*Idee*) idea, notion; (*Licht~*) incidence; (*MIL*) raid; **einfallen** *irr vi* (*Licht*) fall; (*MIL*) raid; (*einstimmen*) join in (*in +akk* with); (*einstürzen*) fall in, collapse; **etw fällt jdm ein** sth occurs to sb; **das fällt mir gar nicht ein** I wouldn't dream of it; **sich** *dat* **etw ~ lassen** have a good idea; **einfallsreich** *adj* imaginative.

einfältig *adj* simple[-minded].

Einfamilienhaus *nt* detached house.

einfangen *irr vt* catch.

einfarbig *adj* all one colour; (*Stoff etc*) self-coloured.

einfassen *vt* set; (*Stoff*) edge, border; **Einfassung** *f* setting.

einfetten *vt* grease.

einfinden *irr vr:* **sich ~** come, turn up.

einfliegen *irr vt* fly in.

einfließen *irr vi* flow in.

einflößen *vt:* **jdm etw ~** give sb sth; (*fig*) instil sth in sb.

Einfluß *m* influence; **Einflußbereich** *m* sphere of influence; **einflußreich** *adj* influential.

einförmig *adj* uniform; **Einförmigkeit** *f* uniformity.

einfrieren *irr vt, vi* freeze.

einfügen *vt* fit in; (*zusätzlich*) add; (*INFORM*) insert.

Einfühlungsvermögen *nt* ability to empathize.

Einfuhr *f* ⟨-⟩ import; **Einfuhrartikel** *m* imported article.

einführen *vt* bring in; (*Mensch, Sitten*) introduce; (*Ware*) import; **Einführung** *f* introduction; **Einführungspreis** *m* introductory price.

Eingabe f petition; (Daten~) input; **Einga-betaste** f (INFORM) return [o enter] key.

Eingang m entrance; (WIRTS Ankunft) arrival; (Sendung) post; **eingangs** adv, präp +gen at the outset [of]; **Eingangsbestätigung** f acknowledgement of receipt; **Eingangshalle** f entrance hall.

eingeben irr vt (Arznei) give; (Daten etc) enter, key in; (Gedanken) inspire.

eingebildet adj imaginary; (eitel) conceited.

Eingeborene(r) mf native.

Eingebung f inspiration.

eingedenk präp +gen bearing in mind.

eingefallen adj (Gesicht) gaunt.

eingefleischt adj inveterate; **~er Junggeselle** confirmed bachelor.

eingehen irr 1. vi (Aufnahme finden) come in; (verständlich sein) be comprehensible (jdm to sb); (Sendung, Geld) be received; (Tier) die; (Firma) fold; (schrumpfen) shrink; 2. vt enter into; (Wette) make; **auf etw akk ~** go into sth; **auf jdn ~** respond to sb; **eingehend** adj exhaustive, thorough.

Eingemachte(s) nt bottled fruit and vegetables pl; (Marmelade) preserves pl; **ans ~ gehen** make inroads into one's reserves.

eingemeinden vt incorporate.

eingenommen adj fond (von of), partial (von to); (gegen) prejudiced.

eingeschrieben adj registered.

eingespielt adj: **aufeinander ~ sein** be in tune with each other.

Eingeständnis nt admission, confession.

eingestehen irr vt confess.

eingetragen adj (WIRTS) registered.

Eingeweide pl innards pl.

Eingeweihte(r) mf initiate.

eingewöhnen vr accustom.

eingießen irr vt pour [out].

eingleisig adj single-track.

eingraben irr 1. vt dig in; 2. vr: **sich ~** dig oneself in.

eingreifen irr vi intervene, interfere; (Zahnrad) mesh; **Eingriff** m intervention, interference; (Operation) operation.

einhaken 1. vt hook in; 2. vr: **sich bei jdm ~** link arms with sb; 3. vi (sich einmischen) intervene.

Einhalt m: **~ gebieten** +dat put a stop to; **einhalten** irr 1. vt (Regel) keep; 2. vi stop.

einhändig adj one-handed.

einhängen vt hang; (Telefon) hang up; **sich bei jdm ~** link arms with sb.

einheimisch adj native.

Einheimische(r) mf (-n, -n) local.

Einheit f unity; (Maß, MIL) unit; **einheitlich** adj uniform; **Einheitspreis** m standard price.

einhellig adj, adv unanimous.

einholen 1. vt (Tau) haul in; (Fahne, Segel) lower; (Vorsprung aufholen) catch up with; (Verspätung) make up; (Rat, Erlaubnis) ask; 2. vi (einkaufen) buy, shop.

Einhorn nt unicorn.

einhundert num one hundred.

einig adj (vereint) united; **sich ~ sein** in agreement; **~ werden** agree.

einige pron pl some; (mehrere) several; **einige(r, s)** adj pron some; **einigemal** adv a few times.

einigen 1. vt unite; 2. vr: **sich ~** agree (auf +akk on).

einigermaßen adv somewhat; (leidlich) reasonably.

einiges pron something; (ziemlich viel) quite some, quite a bit.

Einigkeit f unity; (Übereinstimmung) agreement; **Einigung** f agreement; (Vereinigung) unification.

einjährig adj (1 Jahr alt) one-year-old; (1 Jahr dauernd) one-year; (Pflanze) annual.

einkalkulieren vt take into account, allow for.

Einkauf m purchase; **einkaufen** 1. vt buy; 2. vi go shopping; **Einkaufsbummel** m shopping spree; **Einkaufsnetz** nt string bag; **Einkaufspreis** m cost price; **Einkaufswagen** m [shopping] trolley; **Einkaufszentrum** nt shopping centre.

einkerben vt notch.

einklammern vt put in brackets, bracket.

Einklang m harmony.

einkleiden vt clothe; (fig) express.

einklemmen vt jam.

einknicken 1. vt bend in; (Papier) fold; 2. vi give way.

einkochen vt boil down; (Obst) preserve, bottle.

Einkommen nt (-s, -) income; **einkommensschwach** adj low-income; **Einkommensteuer** f income tax.

einkreisen vt encircle.

Einkünfte pl income, revenue.

einladen irr vt (jdn) invite; (Gegenstände) load; **jdn ins Kino ~** take sb to the cinema; **Einladung** f invitation.

Einlage f (Programm~) interlude; (Spar~) deposit; (Schuh~) insole; (Fußstütze) support; (Zahn~) temporary filling; (GASTR) vegetables etc added to clear soup.

einlagern vt store.

Einlaß m (Einlasses, Einlässe) admission.

einlassen irr 1. vt let in; (einsetzen) set in; 2. vr: **sich mit jdm/auf etw akk ~** get involved with sb/sth.

Einlauf m arrival; (von Pferden) finish; (MED) enema; **einlaufen** irr 1. vi arrive, come in; (in Hafen) enter; (SPORT) finish; (Wasser) run in; (Stoff) shrink; 2. vt (Schu-

he) break in; **3.** *vr:* **sich ~** (SPORT) warm up; *(Motor, Maschine)* run in; **jdm das Haus ~** invade sb's house.

einleben *vr:* **sich ~** settle down.

Einlegearbeit *f* inlay; **einlegen** *vt* (*einfügen: Blatt, Sohle*) insert; (GASTR) pickle; (*in Holz etc*) inlay; (*Pause*) have; (*Protest*) make; (*Veto*) use; (*Berufung*) lodge; **ein gutes Wort bei jdm ~** put in a good word with sb; **Einlegesohle** *f* insole.

einleiten *vt* introduce, start; (*Geburt*) induce; **Einleitung** *f* introduction; induction.

einleuchten vi be clear [o evident] (*jdm* to sb); **einleuchtend** *adj* clear.

einliefern *vt* take (*in* +akk into).

einlösen *vt* (*Scheck*) cash; (*Schuldschein, Pfand*) redeem; (*Versprechen*) keep.

einmachen *vt* preserve.

einmal *adv* (*früher*) once; (*erstens*) first; (*in Zukunft*) some day; **nehmen wir ~ an** just let's suppose; **noch ~** once more; **nicht ~** not even; **auf ~** all at once; **es war ~** once upon a time there was/were; **Einmaleins** *nt* multiplication tables *pl;* **einmalig** *adj* unique; (*einmal geschehend*) single; (*prima*) fantastic.

Einmannbetrieb *m* one-man business; **Einmannbus** *m* one-man-operated bus.

Einmarsch *m* entry; (MIL) invasion; **einmarschieren** *vi* march in.

einmischen *vr:* **sich ~** interfere (*in* +akk with).

einmünden *vi* run (*in* +akk into), join (*in etw akk* sth).

einmütig *adj* unanimous.

Einnahme *f* ⟨-, -n⟩ (*Geld*) takings *pl;* (*von Medizin*) taking; (MIL) capture, taking; **Einnahmequelle** *f* source of income.

einnehmen *irr vt* take; (*Stellung, Raum*) take up; **~ für/gegen** persuade in favour of/ against; **einnehmend** *adj* charming.

einnicken *vi* nod off.

einnisten *vr:* **sich bei jdm ~** park oneself on sb.

Einöde *f* desert, wilderness.

einordnen **1.** *vt* arrange, fit in; **2.** *vr:* **sich ~** adapt; (AUTO) get into lane.

einpacken *vt* pack [up].

einparken *vt* park.

einpendeln *vr:* **sich ~** even out.

Einpersonenhaushalt *m* ⟨-(e)s, -e⟩ single-person household.

einpferchen *vt* pen in, coop up.

einpflanzen *vt* plant; (MED) implant.

einplanen *vt* plan for.

einprägen *vt* impress, imprint; (*beibringen*) impress (*jdm* on sb); **sich** *dat* **etw ~** memorize sth; **einprägsam** *adj* easy to remember; (*Melodie*) catchy.

einrahmen *vt* frame.

einrasten *vi* engage.

einräumen *vt* (*ordnend*) put away; (*überlassen: Platz*) give up; (*zugestehen*) admit, concede.

einrechnen *vt* include; (*berücksichtigen*) take into account.

einreden *vt:* **jdm/sich etw ~** talk sb/oneself into believing sth.

einreiben *irr vt* rub in.

einreichen *vt* hand in; (*Antrag*) submit.

Einreise *f* entry; **Einreisebestimmungen** *pl* entry regulations *pl;* **Einreiseerlaubnis** *f.* **Einreisegenehmigung** *f* entry permit; **einreisen** *vi* enter (*in ein Land* a country).

einreißen *irr* **1.** *vt* (*Papier*) tear; (*Gebäude*) pull down; **2.** *vi* tear; (*Gewohnheit werden*) catch on

einrichten **1.** *vt* (*Haus*) furnish; (*schaffen*) establish, set up; (*arrangieren*) arrange; (*möglich machen*) manage; **2.** *vr:* **sich ~** (*in Haus*) furnish one's house; (*sich vorbereiten*) prepare oneself (*auf* +akk for); (*sich anpassen*) adapt (*auf* +akk to); **Einrichtung** *f* (*Wohnungs~*) furnishings *pl;* (*öffentliche Anstalt*) organization; (*Dienste*) service; **Einrichtungshaus** *nt* furniture store.

einrosten *vi* get rusty.

einrücken **1.** *vi* (*Soldat*) join up; (*in Land*) move in; **2.** *vt* (*Anzeige*) insert; (*Zeile*) indent.

eins *num* one; **es ist mir alles ~** it's all one to me.

einsalzen *vt* salt.

einsam *adj* lonely, solitary; **Einsamkeit** *f* loneliness, solitude.

einsammeln *vt* collect.

Einsatz *m* (*Teil*) inset; (*an Kleid*) insertion; (*Tisch*) leaf; (*Verwendung*) use, employment; (*Spiel~*) stake; (*Risiko*) risk; (MUS) operation; (MUS) entry; **Einsätze bitte!** place your bets!; **im ~** in action; **einsatzbereit** *adj* ready for action.

einschalten **1.** *vt* (*einfügen*) insert; (*Pause*) make; (ELEK) switch on; (AUTO *Gang*) engage; (*Anwalt*) bring in; **2.** *vr:* **sich ~** (*dazwischentreten*) intervene.

einschärfen *vt* impress (*jdm etw* sth on sb).

einschätzen **1.** *vt* estimate, assess; **2.** *vr:* **sich ~** rate oneself.

einschenken *vt* pour out.

einschicken *vt* send in.

einschieben *irr vt* push in; (*zusätzlich*) insert.

einschiffen **1.** *vt* take on board; **2.** *vr:* **sich ~** embark, go on board.

einschlafen *irr vi* fall asleep, go to sleep

einschläfernd *adj* (MED) soporific; (*lang*

weilig) boring; (*Stimme*) lulling.

Einschlag *m* impact; (*AUTO*) lock; (*fig: Beimischung*) touch, hint; **einschlagen** *irr* **1.** *vt* knock in; (*Fenster*) smash, break; (*Zähne, Schädel*) smash in; (*Steuer*) turn; (*kürzer machen*) take up; (*Ware*) pack, wrap up; (*Weg, Richtung*) take; **2.** *vi* hit (*in etw akk* sth, *auf jdn* sb); (*sich einigen*) agree; (*Anklang finden*) work, succeed.

einschlägig *adj* relevant.

einschleichen *irr vr:* **sich ~** (*in Haus, Fehler*) creep in, steal in; (*in Vertrauen*) worm one's way in.

einschließen *irr* **1.** *vt* (*jdn*) lock in; (*Häftling*) lock up; (*Gegenstand*) lock away; (*Bergleute*) cut off; (*umgeben*) surround; (*MIL*) encircle; (*fig*) include, comprise; **2.** *vr:* **sich ~** lock oneself in; **einschließlich 1.** *adv* inclusive; **2.** *präp +gen* inclusive of, including.

einschmeicheln *vr:* **sich ~** ingratiate oneself (*bei* with).

einschnappen *vi* (*Tür*) click to; (*fig*) be touchy; **eingeschnappt sein** be in a huff.

einschneidend *adj* incisive.

Einschnitt *m* cutting; (*MED*) incision; (*Ereignis*) turning point.

einschränken 1. *vt* limit, restrict; (*Kosten*) cut down, reduce; **2.** *vr:* **sich ~** cut down [on expenditure]; **einschränkend** *adj* restrictive; **Einschränkung** *f* restriction, limitation; reduction; (*von Behauptung*) qualification.

Einschreibe|brief *m* recorded delivery letter; **einschreiben** *irr* **1.** *vt* write in; (*Post*) send recorded delivery; **2.** *vr:* **sich ~** register; (*SCH*) enrol; **Einschreiben** *nt* recorded delivery letter; **Einschreib[e]-sendung** *f* recorded delivery packet.

einschreiten *irr* *vi* step in, intervene; **~ gegen** take action against.

Einschub *m* ⟨-s, *Einschübe*⟩ insertion.

einschüchtern *vt* intimidate.

einschweißen *vt* (*in Plastik*) shrink-wrap.

einsehen *vt* (*Akten*) have a look at; (*verstehen*) see; (*Fehler*) recognize; **das sehe ich nicht ein** I don't see why; **Einsehen** *nt* ⟨-s⟩ understanding; **ein ~ haben** show understanding.

einseifen *vt* soap, lather; (*fig*) take in, cheat.

einseitig *adj* one-sided; **Einseitigkeit** *f* one-sidedness.

einsenden *irr* *vt* send in; **Einsender(in)** *m(f)* sender, contributor; **Einsendung** *f* (*bei Preisausschreiben*) entry.

einsetzen 1. *vt* put [in]; (*in Amt*) appoint, install; (*Geld*) stake; (*verwenden*) use; (*MIL*) employ; **2.** *vi* (*beginnen*) set in; (*MUS*) enter, come in; **3.** *vr:* **sich ~** work hard; **sich**

für jdn/etw ~ support sb/sth.

Einsicht *f* insight; (*in Akten*) look, inspection; **zu der ~ kommen, daß …** come to the conclusion that …; **einsichtig** *adj* (*Mensch*) reasonable; (*verständnisvoll*) understanding; (*verständlich*) understandable; **Einsichtnahme** *f* ⟨-, *-n*⟩ examination.

Einsiedler(in) *m(f)* hermit.

einsilbig *adj* (*a. fig*) monosyllabic; **Einsilbigkeit** *f* (*fig*) taciturnity.

einsinken *irr* *vi* sink in.

Einsitzer *m* ⟨-s, *-*⟩ single-seater.

einspannen *vt* put [in], insert; (*Pferde*) harness; (*umg: jdn*) rope in.

einspeisen *vt* (*Strom*) feed in; (*Daten, Programm*) enter.

einsperren *vt* lock up.

einspielen 1. *vr:* **sich ~** (*SPORT*) warm up; (*Regelung*) work out; **2.** *vt* (*Film, Geld*) bring in; (*Instrument*) play in; **sich aufeinander ~** become attuned to each other; **gut eingespielt** smoothly running.

einspringen *irr* *vi* (*aushelfen*) help out, step into the breach.

einspritzen *vt* inject; **Einspritzmotor** *m* fuel-injection engine.

Einspruch *m* protest, objection; **~ gegen etwas erheben** raise an objection to sth; **Einspruchsrecht** *nt* veto.

einspurig *adj* single-line.

einst *adv* once; (*zukünftig*) one [o some] day.

Einstand *m* (*TENNIS*) deuce; (*Antritt*) entrance [to office].

einstecken *vt* stick in, insert; (*Brief*) post; (*ELEK: Stecker*) plug in; (*Geld*) pocket; (*mitnehmen*) take; (*überlegen sein*) outclass, put in the shade; (*hinnehmen*) swallow.

einstehen *irr* *vi* guarantee (*für jdn/etw* sb/sth); (*verantworten*) answer (*für* for); **einsteigen** *irr* *vi* get in [o on]; (*in Schiff*) go on board; (*sich beteiligen*) get involved, come in; (*hineinklettern*) climb in.

Einsteiger(in) *m(f)* (*umg*) beginner.

einstellbar *adj* adjustable; **einstellen 1.** *vt* (*aufhören*) stop; (*Geräte*) adjust; (*Kamera*) focus; (*Sender, Radio*) tune in; (*unterstellen*) put; (*in Firma*) employ, take on; **2.** *vr:* **sich ~** (*anfangen*) set in; (*kommen*) arrive; **sich auf jdn/etw ~** adapt to sb/prepare oneself for sth; **Einstellung** *f* (*Aufhören*) suspension, cessation; (*von Gerät*) adjustment; (*von Kamera*) focusing; (*von Arbeiter*) appointment, taking on; (*Haltung*) attitude.

Einstieg *m* ⟨-[e]s, -e⟩ entry; (*fig*) approach.

einstig *adj* former.

einstimmen 1. *vi* join in; **2.** *vt* (*MUS*) tune; (*in Stimmung bringen*) put in the mood.

einstimmig adj unanimous; (MUS) for one voice; **Einstimmigkeit** f unanimity.

einstmalig adj former; **einstmals** adv once, formerly.

einstöckig adj single-storeyed.

einstudieren vt study, rehearse.

einstündig adj one-hour.

einstürmen vi: **auf jdn** ~ rush at sb; (Eindrücke) overwhelm sb.

Einsturz m collapse; **einstürzen** vi fall in, collapse; **Einsturzgefahr** f danger of collapse.

einstweilen adv meanwhile; (vorläufig) temporarily, for the time being; **einstweilig** adj temporary.

eintägig adj one-day.

eintauchen 1. vt immerse, dip in; 2. vi dive.

eintauschen vt exchange.

eintausend num one thousand.

einteilen vt (in Teile) divide [up]; (Menschen) assign.

einteilig adj one-piece.

eintönig adj monotonous; **Eintönigkeit** f monotony.

Eintopf m (~gericht) stew.

Eintracht f (-) concord, harmony; **einträchtig** adj harmonious.

Eintrag m (-[e]s, Einträge) entry; **amtlicher** ~ entry in the register; **eintragen** irr 1. vt (in Buch) enter; (Profit) yield; 2. vr: **sich** ~ put one's name down; **jdm etw** ~ bring sb sth; **einträglich** adj profitable.

eintreffen irr vi happen; (ankommen) arrive.

eintreten irr 1. vi occur; (hineingehen) enter (in etw akk sth); (sich einsetzen) intercede; (in Club, Partei) join (in etw akk sth); (in Stadium etc) enter; 2. vt (Tür) kick open.

Eintritt m (Betreten) entrance; (Anfang) commencement; (in Club etc) joining; **Eintrittsgeld** nt, **Eintrittskarte** f [admission] ticket; **Eintrittspreis** m charge for admission.

eintrocknen vi dry up.

einüben vt practise, drill.

einundzwanzig num twenty-one.

einverleiben vt incorporate; (Gebiet) annex; **sich** dat **etw** ~ (fig: geistig) acquire sth.

Einvernehmen nt (-s, -) agreement, understanding.

einverstanden 1. interj agreed; 2. adj: ~ **sein** agree, be agreed; **Einverständnis** nt understanding; (gleiche Meinung) agreement.

Einwand m (-[e]s, Einwände) objection.

Einwanderer m immigrant; **einwandern** vi immigrate; **Einwanderung** f immigration; **Einwanderungsland** nt immigration country.

einwandfrei adj perfect, flawless.

Einwand|r|erin f immigrant.

einwärts adv inwards.

einwecken vt bottle, preserve.

Einwegflasche f non returnable bottle.

einweichen vt soak.

einweihen vt (Kirche) consecrate; (Brücke) open; (Gebäude) inaugurate; (jdn) initiate (in +akk in); **Einweihung** f consecration; opening; inauguration; initiation.

einweisen irr vt (in Amt) install; (in Arbeit) introduce; (in Anstalt) send; **Einweisung** f installation; introduction; sending.

einwenden irr vt object, oppose (gegen to).

einwerfen irr vt throw in; (Brief) post; (Geld) put in, insert; (Fenster) smash; (äußern) interpose.

einwickeln vt wrap up; (fig umg) outsmart.

einwilligen vi consent, agree (in +akk to); **Einwilligung** f consent.

einwirken vi: **auf jdn/etw** ~ influence sb/ sth.

Einwohner(in) m(f) (-s, -) inhabitant; **Einwohnermeldeamt** nt registration office; **Einwohnerzahl** f population.

Einwurf m (Öffnung) slot; (Einwand) objection; (SPORT) throw-in.

Einzahl f singular.

einzahlen vt pay in; **Einzahlung** f payment; **Einzahlungsbeleg** m counterfoil.

einzäunen vt fence in.

einzeichnen vt draw in.

Einzel 1. nt (-s, -) (TENNIS) singles sing; 2. in Zusammensetzungen individual; single; **Einzelbett** nt single bed; **Einzelfahrschein** m single ticket Brit, one way ticket; **Einzelfall** m single instance, individual case; **Einzelgänger(in)** m(f) loner; **Einzelhaft** f solitary confinement; **Einzelhandel** m retail trade; **Einzelheit** f particular, detail; **Einzelkind** nt only child; **einzeln** 1. adj single; (vereinzelt) the odd; 2. adv singly; ~ **angeben** specify; **der/die** ~**e** the individual; **das** ~**e** the particular; **ins** ~**e gehen** go into detail[s]; **Einzelteil** nt component [part]; **Einzelzimmer** nt single room.

einziehen irr 1. vt draw in, take in; (Kopf) duck; (Fühler, Antenne, Fahrgestell) retract; (Steuern, Erkundigungen) collect; (MIL) draft, call up; (aus dem Verkehr ziehen) withdraw; (konfiszieren) confiscate; 2. vi move in[to]; (Friede, Ruhe) come; (Flüssigkeit) penetrate.

einzig adj only; (ohnegleichen) unique; **das** ~**e** the only thing; **der/die** ~**e** the only one; **einzigartig** adj unique.

Einzug m entry, moving in.

Eis nt (-es, -) ice; (Speise) ice cream; **Eisbahn** f ice [o skating] rink; **Eisbär** m polar bear; **Eisbecher** *m* sundae; **Eisbein** *nt* pig's trotters *pl*; **Eisberg** *m* iceberg; **Eisblumen** *pl* ice fern; **Eisdecke** *f* sheet of ice; **Eisdiele** *f* ice-cream parlour.

Eisen *nt* ⟨-s, -⟩ iron.

Eisenbahn *f* railway, railroad *US*; **Eisenbahner** *m* ⟨-s, -⟩ railwayman, railway employee, railroader *US*; **Eisenbahnschaffner(in)** *m(f)* railway guard; **Eisenbahnübergang** *m* level crossing, grade crossing *US*; **Eisenbahnwagen** *m* railway carriage.

Eisenerz *nt* iron ore; **eisenhaltig** *adj* containing iron; **Eisenhütte** *f* ironworks, iron foundry.

eisern *adj* iron; *(Gesundheit)* robust; *(Energie)* unrelenting; *(Reserve)* emergency.

eisfrei *adj* clear of ice; **Eishockey** *nt* ice hockey; **eisig** *adj* icy; **eiskalt** *adj* icy cold; **Eiskunstlauf** *m* figure skating; **Eislaufen** *nt* ice skating; **Eisläufer(in)** *m(f)* ice-skater; **Eispickel** *m* ice-axe; **Eisschießen** *nt* curling; **Eisschrank** *m* fridge, ice-box *US*; **Eiszapfen** *m* icicle; **Eiszeit** *f* ice age.

eitel *adj* vain; **Eitelkeit** *f* vanity.

Eiter *m* ⟨-s⟩ pus; **eiterig** *adj* suppurating; **eitern** *vi* suppurate.

Eiweiß *nt* ⟨-es, -e⟩ white of an egg; *(CHEM. BIO)* protein; **eiweißreich** *adj* high-protein; **Eizelle** *f* ovum.

Ekel **1.** *m* ⟨-s⟩ nausea, disgust; **2.** *nt* ⟨-s, -⟩ *(umg: Mensch)* nauseating person; **ekelerregend, ekelhaft, ek[e]lig** *adj* nauseating, disgusting; **ekeln 1.** *vt* disgust; **2.** *vr:* **sich ~** loathe, be disgusted *(vor +dat* at); **es ekelt jdn [o jdm]** sb is disgusted.

EKG *nt abk von* **Elektrokardiogramm** ECG.

Ekstase *f* ⟨-, -n⟩ ecstasy.

Ekzem *nt* ⟨-s, -e⟩ *(MED)* eczema.

Elan *m* ⟨-s⟩ zest, vigour.

elastisch *adj* elastic; **Elastizität** *f* elasticity.

Elch *m* ⟨-[e]s, -e⟩ elk.

Elefant *m* elephant.

elegant *adj* elegant; **Eleganz** *f* elegance.

Elektrifizierung *f* electrification; **Elektriker(in)** *m(f)* ⟨-s, -⟩ electrician; **elektrisch** *adj* electric; **elektrisieren 1.** *vt (a. fig)* electrify; *(jdn)* give an electric shock to; **2.** *vr:* **sich ~** get an electric shock; **Elektrizität** *f* electricity; **Elektrizitätsversorgung** *f* [electric] power supply; **Elektrizitätswerk** *nt* [electric] power station.

Elektroauto *nt* electric car; **Elektrode** *f* ⟨-, -n⟩ electrode; **Elektroherd** *m* electric cooker; **Elektroingenieur(in)** *m(f)* electrical engineer; **Elektrolyse** *f* ⟨-, -n⟩ electrolysis; **Elektromotor** *m* electric motor; **Elektron** *nt* ⟨-s, -en⟩ electron; **Elektro-**

nen[ge]hirn *nt* electronic brain; **Elektronenmikroskop** *nt* electron microscope; **Elektronik** *f* electronics; **elektronisch** *adj* electronic; **Elektrorasierer** *m* ⟨-s, -⟩ electric razor; **Elektrotechnik** *f* electrical engineering.

Element *nt* ⟨-s, -e⟩ element; *(ELEK)* cell, battery; **elementar** *adj* elementary; *(naturhaft)* elemental.

elend *adj* miserable; **Elend** *nt* ⟨-[e]s⟩ misery; **elendiglich** *adv* miserably; **Elendsviertel** *nt* slum.

elf *num* eleven; **Elf** *f* ⟨-, -en⟩ *(SPORT)* eleven.

Elfe *f* ⟨-, -n⟩ elf.

Elfenbein *nt* ivory.

Elfmeter *m* *(SPORT)* penalty [kick].

eliminieren *vt* eliminate.

Elite *f* ⟨-, -n⟩ elite.

Elixier *nt* ⟨-s, -e⟩ elixir.

Elle *f* ⟨-, -n⟩ ell; *(Maß)* yard; **Ell[en]bogen** *m* elbow.

Ellipse *f* ⟨-, -n⟩ ellipse.

Elsaß *nt* Alsace.

Elster *f* ⟨-, -n⟩ magpie.

elterlich *adj* parental; **Eltern** *pl* parents *pl*; **Elternhaus** *nt* home; **elternlos** *adj* parentless.

Email *nt* ⟨-s, -s⟩ enamel; **emaillieren** *vt* enamel.

Emanze *f* ⟨-, -n⟩ *(umg)* women's libber.

Emanzipation *f* emancipation.

emanzipieren *vt* emancipate.

Embargo *nt* ⟨-s, -s⟩ embargo.

Embryo *m* ⟨-s, -s *o* -nen⟩ embryo.

Emigrant(in) *m(f)* emigrant; **Emigration** *f* emigration; **emigrieren** *vi* emigrate.

emotional *adj* emotional.

empfahl *imperf von* **empfehlen**.

empfand *imperf von* **empfinden**.

Empfang *m* ⟨-[e]s, Empfänge⟩ reception; *(Erhalten)* receipt; **in ~ nehmen** receive; **empfangen** ⟨empfing, empfangen⟩ **1.** *vt* receive; **2.** *vi (schwanger werden)* conceive; **Empfänger(in)** *m(f)* ⟨-s, -⟩ receiver; *(WIRTS)* addressee, consignee; **empfänglich** *adj* receptive, susceptible; **Empfängnis** *f* conception; **Empfängnisverhütung** *f* contraception; **Empfangsbestätigung** *f* acknowledgement; **Empfangsdame** *f* receptionist; **Empfangsschein** *m* receipt.

empfehlen ⟨empfahl, empfohlen⟩ **1.** *vt* recommend; **2.** *vr:* **sich ~** take one's leave; **empfehlenswert** *adj* recommendable; **Empfehlung** *f* recommendation; **Empfehlungsschreiben** *nt* letter of recommendation.

empfinden ⟨empfand, empfunden⟩ *vt* feel; **empfindlich** *adj* sensitive; *(Stelle)* sore; *(reizbar)* touchy; *(Strafe)* severe; **Emp-**

findlichkeit f sensitiveness; (*Reizbarkeit*) touchiness; **empfindsam** adj sentimental; **Empfindung** f feeling, sentiment; **empfindungslos** adj unfeeling, insensitive.

empfing imperf von **empfangen**.

empfohlen pp von **empfehlen**.

empfunden pp von **empfinden**.

empor adv up, upwards.

empören 1. vt make indignant; shock; **2.** vr: **sich ~** become indignant; **empörend** adj outrageous.

emporkommen irr vi rise; succeed; **Emporkömmling** m upstart, parvenu.

Empörung f indignation.

emsig adj diligent, busy.

End- in *Zusammensetzungen* final; **Endauswertung** f final analysis; **Endbahnhof** m terminus; **Ende** nt ⟨-s, -n⟩ end; **am ~** at the end; (*schließlich*) in the end; **am ~ sein** be at the end of one's tether; **~ Dezember** at the end of December; **zu ~ sein** be finished; **enden** vi end; **Endgerät** nt (*INFORM*) terminal [equipment]; **endgültig** adj final, definite.

Endivie f endive.

Endlager nt final depot, permanent storage depot; **endlagern** vt put into permanent storage; **Endlagerung** f permanent [o final] storage.

endlich 1. adj final; (*MATH*) finite; **2.** adv finally; **~!** at last!

endlos adj endless, infinite; **Endlospapier** nt (*INFORM*) continuous form [o stationary]; **Endspiel** nt final[s]; **Endspurt** m (*SPORT*) final spurt; **Endstation** f terminus; **Endsumme** f total.

Endung f ending.

Energie f energy; **energiegeladen** adj energetic dynamic; **energielos** adj lacking in energy, weak; **energiesparend** adj energy-saving; **Energieträger** m energy source; **Energiewirtschaft** f energy industry.

energisch adj energetic.

eng adj narrow; (*Kleidung*) tight; (*fig: Horizont a.*) limited; (*Freundschaft, Verhältnis*) close; **~ an etw** dat close to sth; **etw ~ sehen** (*umg*) see sth narrowly.

Engagement nt ⟨-s, -s⟩ engagement; (*Verpflichtung*) commitment.

engagieren 1. vt engage; **2.** vr: **sich ~** commit oneself; **ein engagierter Schriftsteller** a committed writer.

Enge f ⟨-, -n⟩ narrowness; (*Land~*) defile; (*Meer~*) straits pl; **jdn in die ~ treiben** drive sb into a corner.

Engel m ⟨-s, -⟩ angel; **engelhaft** adj angelic; **Engelmacher(in)** m(f) ⟨-s, -⟩ (*umg*) backstreet abortionist.

engherzig adj petty.

England nt England; **in ~** in England; **nach ~ fahren** go to England; **Engländer(in)** m(f) ⟨-s, -⟩ Englishman/-woman; **die ~** pl the English pl; **englisch** adj English; **Englisch** nt English; **~ lernen** learn English; **ins ~e übersetzen** translate into English.

Engpaß m defile, pass; (*fig*) bottleneck.

en gros adv wholesale.

engstirnig adj narrow-minded.

Enkel(in) m(f) ⟨-s, -⟩ grandson/-daughter; **Enkelkind** nt grandchild.

en masse adv en masse.

enorm adj enormous.

Ensemble nt ⟨-s, -s⟩ company, ensemble.

entarten vi degenerate.

entbehren vt do without, dispense with; **entbehrlich** adj superfluous; **Entbehrung** f privation.

entbinden irr **1.** vt release (*gen* from); (*MED*) deliver; **2.** vi (*MED*) give birth; **Entbindung** f release; (*MED*) confinement; **Entbindungsheim** nt maternity hospital.

entblößen vt denude, uncover; (*berauben*) deprive (*gen* of).

entdecken vt discover; **jdm etw ~** disclose sth to sb; **Entdecker(in)** m(f) ⟨-s, -⟩ discoverer; **Entdeckung** f discovery.

Ente f ⟨-, -n⟩ duck; (*fig*) canard, false report.

entehren vt dishonour, disgrace.

enteignen vt expropriate; (*Besitzer*) dispossess; **Enteignung** f expropriation.

enteisen vt de-ice, defrost.

enterben vt disinherit.

entfachen vt kindle.

entfallen irr vi drop, fall; (*wegfallen*) be dropped; (*Gebühr*) not apply; **jdm ~** (*vergessen*) slip sb's memory; **auf jdn ~** be allotted to sb.

entfalten 1. vt unfold; (*Talente*) develop; **2.** vr: **sich ~** open; (*Mensch*) develop one's potential.

entfernen 1. vt remove; (*hinauswerfen*) expel; **2.** vr: **sich ~** go away, retire, withdraw; **entfernt** adj distant; **weit davon ~ sein, etw zu tun** be far from doing sth; **Entfernung** f distance; (*Wegschaffen*) removal; **Entfernungsmesser** m ⟨-s, -⟩ (*FOTO*) rangefinder.

entfesseln vt (*fig*) arouse.

entfetten vt take the fat from.

entfremden vt estrange, alienate; **Entfremdung** f alienation, estrangement.

entfrosten vt defrost; **Entfroster** m ⟨-s, -⟩ (*AUTO*) defroster.

entführen vt carry off, abduct; kidnap; **Entführer(in)** m(f) kidnapper; **Entführung** f abduction; kidnapping.

entgegen 1. präp +dat contrary to, against;

2. *adv* towards; **entgegenbringen** *irr vt* bring; (*fig*) show (*jdm etw* sb sth); **entgegengehen** *irr vi* +*dat* go to meet, go towards; **entgegengesetzt** *adj* opposite; (*widersprechend*) opposed; **entgegenhalten** *irr vt* (*fig*) object; **entgegenkommen** *irr vi* approach; meet (*jdm* sb); **Entgegenkommen** *nt* obligingness; **entgegenkommend** *adj* obliging; **entgegennehmen** *irr vt* receive, accept; **entgegensehen** *irr vi* +*dat* await; **entgegentreten** *irr vi* +*dat* step up to; (*fig*) oppose, counter; **entgegenwirken** *vi* +*dat* counteract.

entgegnen *vt* reply, retort; **Entgegnung** *f* reply, retort.

entgehen *irr vi* (*fig*) escape sb's notice; **sich** *dat etw* ~ **lassen** miss sth.

entgeistert *adj* thunderstruck, dumbfounded.

Entgelt *nt* ⟨-[e]s, -e⟩ compensation, remuneration; **entgelten** *irr vt*: **jdm etw** ~ repay sb for sth.

entgleisen *vi* (EISENB) be derailed; (*fig: Mensch*) misbehave; ~ **lassen** derail; **Entgleisung** *f* derailment; (*fig*) faux pas, gaffe.

entgleiten *irr vi* slip (*jdm* from sb's hand).

entgräten *vt* fillet, bone.

Enthaarungsmittel *nt* depilatory.

enthalten *irr* **1.** *vt* contain; **2.** *vr*: **sich** ~ abstain, refrain (*gen* from); **enthaltsam** *adj* abstinent, abstemious; **Enthaltsamkeit** *f* abstinence; **Enthaltung** *f* abstention.

enthemmen *vt*: **jdn** ~ free sb from his inhibitions.

enthüllen *vt* reveal, unveil; **Enthüllung** *f* revelation, disclosure.

Enthusiasmus *m* enthusiasm; **enthusiastisch** *adj* enthusiastic.

entkernen *vt* stone; core.

entkoffeiniert *adj* decaffeinated.

entkommen *irr vi* get away, escape (*dat* from).

entkorken *vt* uncork.

entkräften *vt* weaken, exhaust; (*Argument*) refute.

entladen *irr* **1.** *vt* unload; (ELEK) discharge; **2.** *vr*: **sich** ~ (*Gewehr*, ELEK) discharge; (*Ärger etc*) vent itself.

entlang *präp* +*akk o dat*: ~ **dem Fluß, den Fluß** ~ along the river; **entlanggehen** *irr vi* walk along.

entlarven *vt* unmask, expose.

entlassen *irr vt* discharge; (*Arbeiter*) dismiss; **Entlassung** *f* discharge, dismissal.

entlasten *vt* relieve; (*Achse*) relieve the load on; (*Angeklagte*) exonerate; (*Konto*) clear; **Entlastung** *f* relief; (WIRTS) crediting; **Entlastungszeuge** *m*, **Entlastungszeugin** *f* defence witness.

entledigen *vr*: **sich jds/einer Sache** ~ rid oneself of sb/sth.

entlegen *adj* remote.

entlocken *vt* elicit (*jdm etw* sth from sb).

entlüften *vt* ventilate.

entmachten *vt* deprive of power.

entmenscht *adj* inhuman, bestial.

entmilitarisiert *adj* demilitarized.

entmündigen *vt* certify.

entmutigen *vt* discourage.

Entnahme *f* ⟨-, -n⟩ removal, withdrawal.

entnehmen *irr vt* take out (*dat* of), take (*dat* from); (*folgern*) infer (*dat* from).

entpuppen *vr*: **sich** ~ (*fig*) reveal oneself, turn out (*als* to be).

entrahmen *vt* skim.

entreißen *irr vt* snatch [away] (*jdm etw* sth from sb).

entrichten *vt* pay.

entrosten *vt* derust.

entrüsten **1.** *vt* incense, outrage; **2.** *vr*: **sich** ~ be filled with indignation; **entrüstet** *adj* indignant, outraged; **Entrüstung** *f* indignation.

entsagen *vi* renounce (*einer Sache* sth).

entschädigen *vt* compensate; **Entschädigung** *f* compensation.

entschärfen *vt* defuse; (*Kritik*) tone down.

Entscheid *m* ⟨-[e]s, -e⟩ decision; **entscheiden** *irr vt, vi, vr*: **sich** ~ decide; **entscheidend** *adj* decisive; (*Stimme*) casting; (*Frage, Problem*) crucial; **Entscheidung** *f* decision; **Entscheidungsspiel** *nt* play-off; **Entscheidungsträger(in)** *m(f)* decision-maker.

entschieden *adj* decided; (*entschlossen*) resolute; **Entschiedenheit** *f* firmness, determination.

entschlacken *vt* (MED) purify.

entschließen *irr vr*: **sich** ~ decide.

entschlossen *adj* determined, resolute; **Entschlossenheit** *f* determination.

Entschluß *m* decision; **entschlußfreudig** *adj* decisive; **Entschlußkraft** *f* determination, decisiveness.

entschuldbar *adj* excusable; **entschuldigen** **1.** *vt* excuse; **2.** *vr*: **sich** ~ apologize; **Entschuldigung** *f* apology; (*Grund*) excuse); **jdn um** ~ **bitten** apologize to sb; ~! excuse me; (*Verzeihung*) sorry.

Entschwefelung *f* desulphurization; **Entschwefelungsanlage** *f* desulphurization plant.

entsetzen **1.** *vt* horrify; **2.** *vr*: **sich** ~ be horrified [o appalled]; **Entsetzen** *nt* ⟨-s⟩ horror, dismay; **entsetzlich** *adj* dreadful, appalling; **entsetzt** *adj* horrified.

entsichern *vt* release the safety catch of.

entsinnen irr vr: **sich ~** remember (einer Sache gen sth).

entsorgen vt: **eine Stadt ~** dispose of a town's refuse and sewage; **Entsorgung** f waste disposal.

entspannen vt, vr: **sich ~** (Körper) relax; (POL: Lage) ease; **Entspannung** f relaxation, rest; (POL) détente; **Entspannungspolitik** f policy of détente; **Entspannungsübungen** pl relaxation exercises pl.

entsprechen irr vi +dat correspond to; (Anforderungen, Wünschen) meet, comply with; **entsprechend 1.** adj appropriate; **2.** adv accordingly.

entspringen irr vi spring (dat from).

entstehen irr vi arise, result; **Entstehung** f genesis, origin.

entstellen vt disfigure; (Wahrheit) distort.

Entstickungsanlage f denitration plant.

entstören vt (RADIO) eliminate interference from; (AUTO) suppress.

enttäuschen vt disappoint; **Enttäuschung** f disappointment.

entwaffnen vt (a. fig) disarm.

Entwarnung f all clear [signal].

entwässern vt drain; **Entwässerung** f drainage.

entweder konj either.

entweichen irr vi escape.

entweihen vt desecrate.

entwenden irr vt purloin, steal.

entwerfen irr vt (Möbel) design; (Schreiben) draft.

entwerten vt devalue; (stempeln) cancel; **Entwerter** m ⟨-s, -⟩ ticket[-cancelling] machine.

entwickeln vt, vr: **sich ~** (a. FOTO) develop; (Mut, Energie) show, display; **Entwickler** m ⟨-s, -⟩ developer; **Entwicklung** f development; (FOTO) developing; **Entwicklungsdienst** m voluntary service overseas Brit, Peace Corps US; **Entwicklungshelfer(in)** m(f) development worker; **Entwicklungshilfe** f aid for developing countries; **Entwicklungsjahre** pl adolescence; **Entwicklungsland** nt developing country.

entwirren vt disentangle.

entwischen vi escape.

entwöhnen vt wean; (Süchtige) cure (dat of); **Entwöhnung** f weaning; cure, curing.

entwürdigend adj degrading.

Entwurf m outline, design; (Vertrags~, Konzept) draft.

entwurzeln vt uproot.

entziehen irr vt **1.** vt withdraw, take away (dat from); (Flüssigkeit) draw, extract; **2.** vr: **sich ~** escape (einer Sache dat from); (jds

Kenntnis) be outside; (der Pflicht) shirk; **Entziehungskur** f withdrawal programme.

entziffern vt decipher; decode.

entzücken vt delight; **Entzücken** nt ⟨-s⟩ delight; **entzückend** adj delightful, charming.

Entzug m withdrawal; (Behandlung) cure for drug addiction/alcoholism; **Entzugserscheinung** f withdrawal symptom.

entzünden 1. vt light, set light to; (fig) inflame; (Streit) spark off; **2.** vr: **sich ~** catch fire; (Streit) start; (MED) become inflamed; **Entzündung** f (MED) inflammation.

entzwei adv broken; in two; **entzweibrechen** irr vt, vi break in two; **entzweien 1.** vt set at odds; **2.** vr: **sich ~** fall out; **entzweigehen** irr vi break [in two].

Enzian m ⟨-s, -e⟩ gentian.

Enzyklopädie f encyclopaedia.

Enzym nt ⟨-s, -e⟩ enzyme.

Epidemie f epidemic; **Epidemiologe** m ⟨-n, -n⟩ epidemiologist; **Epidemiologie** f epidemiology; **Epidemiologin** f epidemiologist; **epidemiologisch** adj epidemiological.

Epilepsie f epilepsy; **Epileptiker(in)** m(f) epileptic.

episch adj epic.

Episode f ⟨-, -n⟩ episode.

Epoche f ⟨-, -n⟩ epoch; **epochemachend** adj epoch-making.

Epos nt ⟨-s, Epen⟩ epic [poem].

er pron he.

erachten vt: **~ für** [o **als**] consider [to be]; **meines Erachtens** in my opinion.

erbarmen vr: **sich ~** have pity [o mercy] (gen on); **Erbarmen** nt ⟨-s⟩ pity.

erbärmlich adj wretched, pitiful; **Erbärmlichkeit** f wretchedness.

erbarmungslos adj pitiless, merciless; **erbarmungsvoll** adj compassionate; **erbarmungswürdig** adj pitiable, wretched.

erbauen vt build; (fig) edify; **Erbauer(in)** m(f) ⟨-s, -⟩ builder; **erbaulich** adj edifying; **Erbauung** f construction; (fig) edification.

Erbe 1. m ⟨-n, -n⟩ heir; **2.** nt ⟨-s⟩ inheritance; (fig) heritage; **erben** vt inherit.

erbeuten vt carry off; (MIL) capture.

Erbfaktor m gene; **Erbfehler** m hereditary defect; **Erbfolge** f [line of] succession; **Erbgut** nt (BIO) genotype, genetic make-up; **erbgutschädigend** adj genenetically damaging.

Erbin f heiress.

erbittert adj (Kampf) fierce, bitter.

Erbkrankheit f hereditary disease.

erblassen, erbleichen *vi* [turn] pale.

erblich *adj* hereditary; **Erbmasse** *f* estate; (*BIO*) genotype.

erbost *adj:* ~ **sein über** +*akk* be furious at.

erbrechen *irr vt, vr:* **sich** ~ vomit.

Erbrecht *nt* right of succession, hereditary right; law of inheritance; **Erbschaft** *f* inheritance.

Erbse *f* ⟨-, -n⟩ pea.

Erbstück *nt* heirloom; **Erbteil** *nt* inherited trait; [portion of] inheritance.

Erdachse *f* earth's axis; **Erdbahn** *f* orbit of the earth; **Erdbeben** *nt* earthquake; **Erdbeere** *f* strawberry; **Erdboden** *m* ground, earth; **Erde** *f* ⟨-, -n⟩ earth; **zu ebener** ~ at ground level; **erden** *vt* (*ELEK*) earth.

erdenklich *adj* conceivable, imaginable; **alles** ~ **Gute** all the very best.

Erdgas *nt* natural gas; **Erdgeschoß** *nt* ground floor; **Erdkunde** *f* geography; **Erdnuß** *f* peanut; **Erdoberfläche** *f* surface of the earth; **Erdöl** *nt* [mineral] oil.

erdreisten *vr:* **sich** ~ dare, have the audacity [to do sth].

erdrosseln *vt* strangle, throttle.

erdrücken *vt* crush.

Erdrutsch *m* landslide; **Erdteil** *m* continent.

erdulden *vt* endure, suffer.

ereifern *vr:* **sich** ~ get excited.

ereignen *vr:* **sich** ~ happen; **Ereignis** *nt* event; **ereignisreich** *adj* eventful.

erfahren 1. *irr vt* learn, find out; (*erleben*) experience; **2.** *adj* experienced; **Erfahrung** *f* experience; **erfahrungsgemäß** *adv* according to my/our experience.

erfassen *vt* seize; (*INFORM*) capture; (*fig: einbeziehen*) include, register; (*verstehen*) grasp.

erfinden *irr vt* invent; **Erfinder(in)** *m(f)* ⟨-s, -⟩ inventor; **erfinderisch** *adj* inventive; **Erfindung** *f* invention; **Erfindungsgabe** *f* inventiveness.

Erfolg *m* ⟨-[e]s, -e⟩ success; (*Folge*) result; **erfolgen** *vi* follow; (*sich ergeben*) result; (*stattfinden*) take place; (*Zahlung*) be effected; **erfolglos** *adj* unsuccessful; **Erfolglosigkeit** *f* lack of success; **erfolgreich** *adj* successful; **Erfolgsaussicht** *f* prospect of success; **Erfolgserlebnis** *nt* feeling of achievement; **erfolgversprechend** *adj* promising.

erforderlich *adj* requisite, necessary; **erfordern** *vt* require, demand; **Erfordernis** *nt* requirement; prerequisite.

erforschen *vt* (*Land*) explore; (*Problem*) investigate; (*Gewissen*) search; **Erforscher(in)** *m(f)* ⟨-s, -⟩ explorer; investigator; **Erforschung** *f* exploration; investigation; searching.

erfragen *vt* inquire, ask.

erfreuen 1. *vr:* **sich** ~ **an** +*dat* enjoy; **sich einer Sache** *gen* ~ enjoy sth; **2.** *vt* delight; **erfreulich** *adj* pleasing, gratifying; **erfreulicherweise** *adv* happily, luckily.

erfrieren *irr vi* freeze [to death]; (*Glieder*) get frostbitten; (*Pflanzen*) be killed by frost.

erfrischen *vt* refresh; **Erfrischung** *f* refreshment; **Erfrischungsraum** *m* snack bar, cafeteria; **Erfrischungstuch** *nt* towelette.

erfüllen 1. *vt* (*Raum*) fill; (*fig: Bitte etc*) fulfil; **2.** *vr:* **sich** ~ come true.

ergänzen 1. *vt* supplement, complete; **2.** *vr:* **sich** ~ complement one another; **Ergänzung** *f* completion; (*Zusatz*) supplement.

ergattern *vt* (*umg*) get hold of, hunt up.

ergaunern *vr:* **sich** *dat* **etw** ~ (*umg*) get hold of sth by underhand methods.

ergeben *irr* **1.** *vt* yield, produce; **2.** *vr:* **sich** ~ surrender; (*sich hingeben*) give oneself up, yield (*dat* to); (*folgen*) result; **3.** *adj* devoted, humble; (*dem Trunk*) addicted [to]; **Ergebenheit** *f* devotion, humility.

Ergebnis *nt* result; **ergebnislos** *adj* without result, fruitless.

ergehen *irr* **1.** *vi* be issued, go out; **2.** *vi unpers:* **es wird ihm schlecht** ~ he will suffer; **etw über sich** ~ **lassen** put up with sth.

ergiebig *adj* productive; (*sparsam im Verbrauch*) economical.

Ergonomie *f* ergonomics *sing;* **ergonomisch** *adj* ergonomic.

ergötzen *vt* amuse, delight.

ergreifen *irr vt* seize; (*Beruf*) take up; (*Maßnahmen*) take, resort to; (*rühren*) move; **ergreifend** *adj* moving, affecting; **ergriffen** *adj* deeply moved.

erhaben *adj* raised, embossed; (*fig*) exalted, lofty; **über etw** *akk* ~ **sein** be above sth.

erhalten *irr vt* receive; (*bewahren*) preserve, maintain; **gut** ~ in good condition; **erhältlich** *adj* obtainable, available; **Erhaltung** *f* maintenance, preservation.

erhängen *vt, vr:* **sich** ~ hang.

erhärten *vt* harden; (*Behauptung*) substantiate, corroborate.

erheben *irr* **1.** *vt* raise; (*Protest, Forderungen*) make; (*Fakten*) ascertain, establish; **2.** *vr:* **sich** ~ rise [up]; **sich über etw** *akk* ~ rise above sth.

erheblich *adj* considerable.

erheitern *vt* amuse, cheer [up]; **Erheiterung** *f* amusement; **zur allgemeinen** ~ to everybody's amusement.

erhellen 1. *vt* (*a. fig*) illuminate; (*Geheimnis*) shed light on; **2.** *vr:* **sich** ~ brighten, light up.

erhitzen 1. *vt* heat; **2.** *vr:* **sich** ~ heat up;

(*fig*) become heated [*o* aroused].

erhoffen *vt* hope for.

erhöhen *vt* raise; (*verstärken*) increase.

erholen *vr:* **sich** ~ recover; (*entspannen*) have a rest; **erholsam** *adj* restful; **Erholung** *f* recovery; relaxation, rest; **erholungsbedürftig** *adj* in need of a rest, run-down; **Erholungsgebiet** *nt* recreational area; **Erholungsheim** *nt* rest home; (*Sanatorium*) convalescent home.

erhören *vt* (*Gebet*) hear; (*Bitte*) yield to.

Erika *f* ⟨-, Eriken⟩ (*BOT*) heather.

erinnern 1. *vt* remind (*an* +*akk* of); **2.** *vr:* **sich** ~ remember (*an etw akk* sth); **Erinnerung** *f* memory; (*Andenken*) reminder; **Erinnerungstafel** *f* commemorative plaque; **Erinnerungsvermögen** *nt* memory.

erkälten *vr:* **sich** ~ catch cold; **erkältet** *adj* with a cold; ~ **sein** have a cold; **Erkältung** *f* cold.

erkennbar *adj* recognizable; **erkennen** *irr vt* recognize; (*sehen, verstehen*) see; **erkenntlich** *adj:* **sich** ~ **zeigen** show one's appreciation; **Erkenntlichkeit** *f* gratitude; (*Geschenk*) token of one's gratitude; **Erkenntnis** *f* knowledge; (*das Erkennen*) recognition; (*Einsicht*) insight; **zur** ~ **kommen** realize; **Erkennung** *f* recognition; **Erkennungsmarke** *f* identity disc.

Erker *m* ⟨-s, -⟩ bay; **Erkerfenster** *nt* bay window.

erklärbar *adj* explicable; **erklären** *vt* explain; **erklärlich** *adj* explicable; (*verständlich*) understandable; **Erklärung** *f* explanation; (*Aussage*) declaration.

erklecklich *adj* considerable.

erklingen *irr vi* resound, ring out.

erkranken *vi* become [*o* fall] ill; **Erkrankung** *f* illness.

erkunden *vt* find out, ascertain; (*MIL*) reconnoitre, scout; **erkundigen** *vr:* **sich** ~ inquire (*nach* about); **Erkundigung** *f* inquiry; **Erkundung** *f* (*MIL*) reconnaissance, scouting.

erlahmen *vi* tire; (*nachlassen*) flag, wane.

erlangen *vt* attain, achieve.

Erlaß *m* ⟨Erlasses, Erlässe⟩ decree; (*Aufhebung*) remission.

erlassen *irr vt* (*Verfügung*) issue; (*Gesetz*) enact; (*Strafe*) remit; **jdm etw** ~ release sb from sth.

erlauben 1. *vt* allow, permit (*jdm etw* sb to do sth); **2.** *vr:* **sich** ~ permit oneself, venture; **Erlaubnis** *f* permission.

erläutern *vt* explain; **Erläuterung** *f* explanation.

Erle *f* ⟨-, -n⟩ alder.

erleben *vt* experience; (*Zeit*) live through; (*mit~*) witness; (*noch mit~*) live to see; **Er-**

lebnis *nt* experience.

erledigen *vt* take care of, deal with; (*Antrag etc*) process; (*umg: erschöpfen*) wear out; (*umg: ruinieren*) finish; (*umg: umbringen*) do in.

erlegen *vt* kill.

erleichtern *vt* make easier; (*fig: Last*) lighten; (*lindern, beruhigen*) relieve; **erleichtert** *adj* relieved; **Erleichterung** *f* relief.

erleiden *irr vt* suffer, endure.

erlernbar *adj* learnable; **erlernen** *vt* learn, acquire.

erlesen *adj* select, choice.

erleuchten *vt* illuminate; (*fig*) inspire; **Erleuchtung** *f* (*Einfall*) inspiration.

erlogen *adj* untrue, made-up.

Erlös *m* ⟨-es, -e⟩ proceeds *pl.*

erlöschen *vi* (*Feuer*) go out; (*Interesse*) cease, die; (*Vertrag, Recht*) expire.

erlösen *vt* redeem, save; **Erlösung** *f* release; (*REL*) redemption.

ermächtigen *vt* authorize, empower; **Ermächtigung** *f* authorization; authority.

ermahnen *vt* admonish, urge; (*warnend*) warn; **Ermahnung** *f* admonition.

ermäßigen *vt* reduce; **Ermäßigung** *f* reduction.

ermessen *irr vt* estimate, gauge; **Ermessen** *nt* ⟨-s⟩ estimation; discretion; **in jds** ~ **liegen** lie within sb's discretion.

ermitteln 1. *vt* determine; (*Täter*) trace; **2.** *vi:* **gegen jdn** ~ investigate sb; **Ermittlung** *f* determination; (*Polizei~*) investigation.

ermöglichen *vt* make possible (*dat* for).

ermorden *vt* murder; **Ermordung** *f* murder.

ermüden *vt, vi* tire; (*TECH*) fatigue; **ermüdend** *adj* tiring; (*fig*) wearisome; **Ermüdung** *f* fatigue; **Ermüdungserscheinung** *f* sign of fatigue.

ermuntern *vt* rouse; (*ermutigen*) encourage; (*beleben*) liven up; (*aufmuntern*) cheer up.

ermutigen *vt* encourage.

ernähren 1. *vt* feed, nourish; (*Familie*) support; **2.** *vr:* **sich** ~ support oneself, earn a living; **sich** ~ **von** live on; **Ernährer(in)** *m(f)* ⟨-s, -⟩ breadwinner; **Ernährung** *f* nourishment; nutrition; (*Unterhalt*) maintenance; **Ernährungswissenschaft** *f* dietetics *sing.*

ernennen *irr vt* appoint; **Ernennung** *f* appointment.

erneuern *vt* renew; (*restaurieren*) restore; (*renovieren*) renovate; (*Maschinenteile*) replace; **Erneuerung** *f* renewal; restoration; renovation; replacement; **erneut 1.** *adj* renewed, fresh; **2.** *adv* once more.

erniedrigen *vt* humiliate, degrade.

ernst *adj* serious; **Ernst** *m* ⟨-es⟩ seriousness; **das ist mein ~** I'm quite serious; **im ~** in earnest; **mit etw ~ machen** put sth into practice; **Ernstfall** m emergency; **ernstgemeint** adj meant in earnest, serious; **ernsthaft** adj serious; **Ernsthaftigkeit** f seriousness; **ernstlich** adj serious.

Ernte f ⟨-, -n⟩ harvest; **Erntedankfest** nt harvest festival; **ernten** vt harvest; (Lob etc) earn.

ernüchtern vt sober up; (fig) bring down to earth; **Ernüchterung** f sobering up; (fig) disillusionment.

Eroberer m ⟨-s, -⟩ conqueror; **erobern** vt conquer; **Eroberung** f conquest.

eröffnen 1. vt open; 2. vr: **sich ~** present itself; **jdm etw ~** disclose sth to sb; **Eröffnung** f opening; **Eröffnungsansprache** f inaugural [o opening] address; **Eröffnungsfeier** f opening ceremony.

erogen adj erogenous.

erörtern vt discuss; **Erörterung** f discussion.

Erotik f eroticism; **erotisch** adj erotic.

erpicht adj eager, keen (auf +akk on).

erpressen vt (Geld etc) extort; (jdn) blackmail; **Erpresser(in)** m(f) ⟨-s, -⟩ blackmailer; **Erpressung** f blackmail; extortion.

erproben vt test.

erraten irr vt guess.

erregbar adj excitable; (reizbar) irritable; **Erregbarkeit** f excitability; irritability; **erregen** 1. vt excite; (ärgern) infuriate; (hervorrufen) arouse, provoke; 2. vr: **sich ~** get excited [o worked up]; **Erreger** m ⟨-s, -⟩ (MED) pathogen; **Erregtheit** f excitement; (Beunruhigung) agitation; **Erregung** f excitement.

erreichbar adj accessible, within reach; **erreichen** vt reach; (Zweck) achieve; (Zug) catch.

errichten vt erect, put up; (gründen) establish, set up.

erringen irr vt gain, win.

erröten vi blush, flush.

Errungenschaft f achievement; (umg: Anschaffung) acquisition.

Ersatz m ⟨-es⟩ substitute; replacement; (Schaden~) compensation; **Ersatzbefriedigung** f vicarious satisfaction; **Ersatzdienst** m (MIL) [alternative] community service; **Ersatzmann** m ⟨Ersatzmänner o Ersatzleute pl⟩ replacement; (SPORT) substitute; **Ersatzreifen** m (AUTO) spare tyre; **Ersatzteil** nt spare [part].

ersaufen irr vi (umg) drown.

ersäufen vt drown.

erschaffen irr vt create.

erscheinen irr vi appear; **Erscheinung** f appearance; (Geist) apparition; (Gegebenheit) phenomenon; (Gestalt) figure.

erschießen irr vt shoot [dead].

erschlaffen vi go limp; (Mensch) become exhausted.

erschlagen irr vt kill, strike dead.

erschleichen irr vt obtain by stealth [o dubious methods].

erschöpfen vt exhaust; **erschöpfend** adj exhaustive, thorough; **erschöpft** adj exhausted; **Erschöpfung** f exhaustion.

erschrecken 1. vt startle, frighten; 2. ⟨erschrak, erschrocken⟩ vi be frightened [o startled]; **erschreckend** adj alarming, frightening; **erschrocken** adj frightened, startled.

erschüttern vt shake; (ergreifen) move deeply; **Erschütterung** f shaking; shock.

erschweren vt complicate.

erschwinglich adj affordable.

ersehen irr vt: **aus etw ~, daß** gather from sth that.

ersetzbar adj replaceable; **ersetzen** vt replace; **jdm Unkosten ~** pay sb's expenses.

ersichtlich adj evident, obvious.

ersparen vt (Ärger) spare; (Geld) save; **Ersparnisse** pl savings pl.

ersprießlich adj profitable, useful; (angenehm) pleasant.

erst adv [at] first; (nicht früher, nur) only; (nicht bis) not till; **~ einmal** first.

erstarren vi stiffen; (vor Furcht) grow rigid; (Materie) solidify.

erstatten vt (Kosten) [re]pay; **Anzeige gegen jdn ~** report sb; **Bericht ~** make a report.

Erstaufführung f first performance.

erstaunen vt astonish; **Erstaunen** nt ⟨-s⟩ astonishment; **erstaunlich** adj astonishing.

Erstausgabe f first edition; **erstbeste(r, s)** adj first that comes along.

erste(r, s) adj first; **der ~ Juli** the first of July; **Bonn, den 1. Juli** Bonn, July 1st; **Erste(r)** mf first.

erstechen irr vt stab [to death].

ersteigen irr vt climb, ascend.

erstellen vt erect, build.

erstemal adv [the] first time; **erstens** adv first[ly], in the first place; **erstere(r, s)** pron [the] former.

ersticken 1. vt stifle; (jdn) suffocate; (Flammen) smother; 2. vi (Mensch) suffocate; (Feuer) be smothered; **in Arbeit ~** be snowed under with work; **Erstickung** f suffocation.

erstklassig adj first-class; **Erstkommunion** f first communion; **erstmalig** adj first; **erstmals** adv for the first time.

erstrebenswert adj desirable, worthwhile.

erstrecken vr: **sich ~** extend, stretch.

Erstschlag *m* first strike; **Ersttagsstempel** *m* first-day [date] stamp.

ersuchen *vt* request.

ertappen *vt* catch, detect.

erteilen *vt* give.

ertönen *vi* sound, ring out.

Ertrag *m* ⟨-[e]s, Erträge⟩ yield; (*Gewinn*) proceeds *pl*; **ertragen** *irr vt* bear, stand; **erträglich** *adj* tolerable, bearable; **Ertragslage** *f* profit situation, profits.

ertränken *vt* drown.

erträumen *vt*: **sich** *dat* **etw ~** dream of sth, imagine sth.

ertrinken *irr vi* drown; **Ertrinken** *nt* ⟨-s⟩ drowning.

erübrigen 1. *vt* spare; 2. *vr*: **sich ~** be unnecessary.

erwachen *vi* awake.

erwachsen *adj* grown-up; **Erwachsene(r)** *mf* adult; **Erwachsenenbildung** *f* adult education.

erwägen ⟨erwog *o* erwägte, erwogen⟩ *vt* consider; **Erwägung** *f* consideration.

erwähnen *vt* mention; **erwähnenswert** *adj* worth mentioning; **Erwähnung** *f* mention.

erwärmen 1. *vt* warm, heat; 2. *vr*: **sich ~** get warm, warm up; **sich ~ für** warm to.

erwarten *vt* expect; (*warten auf*) wait for; **etw kaum ~ können** hardly be able to wait for sth; **Erwartung** *f* expectation; **erwartungsgemäß** *adv* as expected; **erwartungsvoll** *adj* expectant.

erwecken *vt* rouse, awake; **den Anschein ~** give the impression.

erweichen *vt, vi* soften.

Erweis *m* ⟨-es, -e⟩ proof; **erweisen** *irr* 1. *vt* prove; (*Ehre, Dienst*) do (*jdm* sb); 2. *vr*: **sich ~** prove (*als* to be).

Erwerb *m* ⟨-[e]s, -e⟩ acquisition; (*Beruf*) trade; **erwerben** *irr vt* acquire; **erwerbslos** *adj* unemployed; **Erwerbsquelle** *f* source of income; **erwerbstätig** *adj* [gainfully] employed; **erwerbsunfähig** *adj* unemployable.

erwidern *vt* reply; (*vergelten*) return. **Erwiderung** *f* reply.

erwiesen *adj* proven.

erwischen *vt* (*umg*) catch, get.

erwog *imperf von* **erwägen**; **erwogen** *pp von* **erwägen**.

erwünscht *adj* desired.

erwürgen *vt* strangle.

Erz *nt* ⟨-es, -e⟩ ore.

erzählen *vt* tell; **Erzähler(in)** *m(f)* ⟨-s, -⟩ narrator; (*Geschichten~*) story-teller; **Erzählung** *f* story, tale.

Erzbischof *m* archbishop; **Erzengel** *m* archangel.

erzeugen *vt* produce; (*Strom*) generate; **Erzeugnis** *nt* product, produce; **Erzeugung** *f* production; generation.

erziehen *irr vt* bring up; (*bilden*) educate, train; **Erzieher(in)** *m(f)* teacher; **Erziehung** *f* bringing up; (*Bildung*) education; **Erziehungsbeihilfe** *f* educational grant; **Erziehungsberechtigte(r)** *mf* parent; guardian; **Erziehungsheim** *nt* approved school.

erzielen *vt* achieve, obtain; (*Tor*) score.

erzwingen *irr vt* force, obtain by force.

es *pron* (*Nominativ und akk*) it.

Esche *f* ⟨-, -n⟩ ash.

Esel *m* ⟨-s, -⟩ donkey, ass; **Eselsbrücke** *f* mnemonic; **Eselsohr** *nt* dog-ear.

Eskalation *f* escalation.

eßbar *adj* eatable, edible.

essen ⟨aß, gegessen⟩ *vt, vi* eat; **gegessen sein** (*fig umg*) be history; **Essen** *nt* ⟨-s, -⟩ meal; food; **Essenszeit** *f* mealtime; dinner time.

Essig *m* ⟨-s, -e⟩ vinegar; **Essiggurke** *f* gherkin.

Eßkastanie *f* sweet chestnut; **Eßlöffel** *m* tablespoon; **Eßtisch** *m* dining table; **Eßwaren** *pl* victuals *pl*, food provisions *pl*; **Eßzimmer** *nt* dining room.

Estland *nt* ⟨-s⟩ Estonia.

etablieren *vr*: **sich ~** become established; set up business.

Etage *f* ⟨-, -n⟩ floor, storey; **Etagenbett** *nt* bunk bed; **Etagenwohnung** *f* flat, apartment *US*.

Etappe *f* ⟨-, -n⟩ stage.

Etat *m* ⟨-s, -s⟩ budget.

etepetete *adj* (*umg*) fussy.

Ethik *f* ethics *sing*; **ethisch** *adj* ethical.

ethnisch *adj* ethnic.

Etikett *nt* ⟨-[e]s, -e⟩ label.

Etikette *f* etiquette, manners *pl*.

etikettieren *vt* label.

etliche *pron* *pl* some, quite a few; **etliches** *pron* a thing or two.

Etui *nt* ⟨-s, -s⟩ case.

etwa *adv* (*ungefähr*) about; (*vielleicht*) perhaps; (*beispielsweise*) for instance; **nicht ~** by no means; **etwaig** *adj* possible.

etwas 1. *pron* something; anything; (*ein wenig*) a little; 2. *adv* a little.

Etymologie *f* etymology.

EU *f* ⟨-⟩ *abk von* **Europäische Union** EU.

euch 1. *pron akk von* **ihr** you; 2. *pron dat von* **ihr** [to] you.

euer 1. *pron* (*adjektivisch*) your; 2. *pron gen von* **ihr** of you; **euere(r, s)** *pron* (*substantivisch*) yours.

Eule *f* ⟨-, -n⟩ owl.

Euphorie *f* euphoria; **euphorisch** *adj* euphorisch.

eure(r, s) *pron* (*substantivisch*) yours; **eu-**

rerseits adv as far as you are concerned; **euresgleichen** pron people like you; (gleichrangig) your equals; **euretwegen** adv (wegen euch) because of you; (euch zuliebe) for your sakes; (um euch) about you; (für euch) on your behalf; (von euch aus) as far as you are concerned.

Euro-City-Zug m European Inter-City train.

Eurokrat(in) m(f) ⟨-en, -en⟩ eurocrat; **Europa** nt Europe; **Europäer(in)** m(f) ⟨-s, -⟩ European; **europäisch** adj European; **Europäische Gemeinschaft** f (HIST) European Community; **Europäischer Binnenmarkt** m [European] Single Market; **Europäisches Währungssystem** nt European Monetary System; **Europäische Union** f European Union; **Europameister(in)** m(f) European champion; **Europameisterschaft** f European Championship; **Euroscheck** m eurocheque.

Euter nt ⟨-s, -⟩ udder.

e.V. abk von **eingetragener Verein** registered association.

evakuieren vt evacuate.

evangelisch adj Protestant.

Evangelium nt gospel.

Eva[s]kostüm nt: **im ~** in one's birthday suit.

eventuell 1. adj possible; 2. adv possibly, perhaps.

EWG f ⟨-⟩ abk von **Europäische Wirtschaftsgemeinschaft** (HIST) EEC, Common Market.

ewig adj eternal; **Ewigkeit** f eternity.

EWS nt abk von **Europäisches Währungssystem** EMS.

exakt adj exact.

Examen nt ⟨-s, - o Examina⟩ exam[ination].

Exempel nt ⟨-s, -⟩ example.

Exemplar nt ⟨-s, -e⟩ specimen; (Buch~) copy; **exemplarisch** adj exemplary.

exerzieren vi drill.

Exhibitionist(in) m(f) exhibitionist.

Exil nt ⟨-s, -e⟩ exile.

Existenz f existence; (Unterhalt) livelihood, living; **Existenzkampf** m struggle for existence; **Existenzminimum** nt subsistence level.

existieren vi exist.

exklusiv adj exclusive; **exklusive** adv, präp +gen exclusive of, not including.

exorzieren vt exorcize.

exotisch adj exotic.

Expansion f expansion.

Expedition f expedition; (WIRTS) dispatch office.

Experiment nt experiment; **experimentell** adj experimental; **experimentieren** vi experiment.

Experte m ⟨-n, -n⟩, **Expertensystem** nt (INFORM) expert system; **Expertin** f expert, specialist.

explodieren vi explode; **Explosion** f explosion; **explosiv** adj explosive.

Exponent m exponent.

Export m ⟨-[e]s, -e⟩ export; **Exporteur(in)** m(f) exporter; **Exporthandel** m export trade; **exportieren** vt export; **Exportland** nt exporting country.

Expreßgut nt express [o freight] goods pl; **Expreßzug** m express [train].

extra 1. adj (umg: gesondert) separate; (besondere) extra; 2. adv (gesondert) separately; (speziell) specially; (absichtlich) on purpose; (vor Adjektiven, zusätzlich) extra; **Extra** nt ⟨-s, -s⟩ extra; **Extraausgabe** f, **Extrablatt** nt special edition.

Extrakt nt ⟨-[e]s, -e⟩ extract.

Extrawurst f: **eine ~ bekommen** get a special treatment.

extrem adj extreme; **extremistisch** adj (POL) extremist; **Extremitäten** pl extremities pl.

Exzellenz f excellency.

Exzentriker(in) m(f) eccentric; **exzentrisch** adj eccentric.

Exzeß m ⟨Exzesses, Exzesse⟩ excess.

F

F, f nt F, f.

Fabel f ⟨-, -n⟩ fable; **fabelhaft** adj fabulous, marvellous.

Fabrik f factory; **Fabrikant(in)** m(f) (Hersteller) manufacturer; (Besitzer) industrialist; **Fabrikarbeiter(in)** m(f) factory worker.

Fabrikat nt manufacture, product.

Fabrikation f manufacture, production.

Fabrikbesitzer(in) m(f) factory owner; **Fabrikgelände** nt factory premises pl.

Fach nt ⟨-[e]s, Fächer⟩ compartment; (Sachgebiet) subject; **ein Mann vom ~** an expert; **Facharbeiter(in)** m(f) skilled worker; **Facharzt** m, **Fachärztin** f [medical] specialist; **Fachausdruck** m ⟨Fachausdrücke pl⟩ technical term.

Fächer m ⟨-s, -⟩ fan.

fachlich adj expert [o specialist]; **Fachliteratur** f specialist literature; **Fachschule** f technical college; **fachsimpeln** vi talk shop; **Fachsprache** f specialist language; **Fachwerk** nt half-timbering; **Fachwerkhaus** nt half-timbered house.

Fackel f ⟨-, -n⟩ torch.

fad[e] *adj* insipid; (*langweilig*) dull.

Faden *m* ⟨-s, Fäden⟩ thread; **der rote** ~ (*fig*) central theme; **Fadennudeln** *pl* vermicelli *pl*; **fadenscheinig** *adj* (*a. fig*) threadbare.

fähig *adj* capable (*zu* +*gen* of), able; **Fähigkeit** *f* ability.

Fähnchen *nt* pennon, streamer.

fahnden *vi*: ~ **nach** search for; **Fahndung** *f* search; **Fahndungsliste** *f* list of wanted criminals, wanted list.

Fahne *f* ⟨-, -n⟩ flag, standard; **eine** ~ **haben** (*umg*) smell of drink.

Fahrausweis *m* ticket; **Fahrbahn** *f* carriageway *Brit*, roadway; **fahrbar** *adj* mobile.

Fähre *f* ⟨-, -n⟩ ferry.

fahren (fuhr, gefahren) **1.** *vt* drive; (*Rad*) ride; (*befördern*) drive, take; (*Rennen*) drive in; **2.** *vi* (*sich bewegen*) go; (*Schiff*) sail; (*abfahren*) leave; **mit dem Auto/Zug** ~ go [*o* travel] by car/train; **mit der Hand** ~ **über** +*akk* pass one's hand over.

Fahrer(in) *m(f)* ⟨-s, -⟩ driver; **Fahrerflucht** *f*: ~ **begehen** fail to stop after an accident.

Fahrgast *m* passenger; **Fahrgeld** *nt* fare; **Fahrgemeinschaft** *f* car pool *US*; **Fahrgestell** *nt* chassis; (*FLUG*) undercarriage; **Fahrkarte** *f* ticket; **Fahrkartenausgabe** *f*, **Fahrkartenautomat** *m* ticket machine; **Fahrkartenschalter** *m* ticket office.

fahrlässig *adj* negligent; **~e Tötung** manslaughter; **Fahrlässigkeit** *f* negligence.

Fahrlehrer(in) *m(f)* driving instructor; **Fahrplan** *m* timetable; **fahrplanmäßig** *adj* (*EISENB*) scheduled; **Fahrpreis** *m* fare; **Fahrpreisermäßigung** *f* fare reduction; **Fahrprüfung** *f* driving test; **Fahrrad** *nt* bicycle; **Fahrradfahrer(in)** *m(f)* cyclist; **Fahrradweg** *m* cycle path; **Fahrschein** *m* ticket; **Fahrscheinautomat** *m* ticket machine; **Fahrschule** *f* driving school; **Fahrschüler(in)** *m(f)* learner [driver] *Brit*, student driver *US*; **Fahrstuhl** *m* lift, elevator *US*.

Fahrt *f* ⟨-, -en⟩ journey; (*kurz*) trip; (*AUTO*) drive; (*Geschwindigkeit*) speed.

Fährte *f* ⟨-, -n⟩ track, trail.

Fahrtkosten *pl* travelling expenses *pl*; **Fahrtrichtung** *f* course, direction; **Fahrtunterbrechung** *f* break in the journey.

Fahrzeug *nt* vehicle; **Fahrzeughalter(in)** *m(f)* ⟨-s, -⟩ owner of a vehicle.

faktisch *adj* actual.

Faktor *m* factor.

Faktum *nt* ⟨-s, Fakten⟩ fact.

Fakultät *f* faculty.

Falke *m* ⟨-n, -n⟩ falcon.

Fall *m* ⟨-[e]s, Fälle⟩ (*Sturz*) fall; (*Sachverhalt*, *JUR, LING*) case; **auf jeden** ~, **auf alle Fälle** in any case; (*bestimmt*) definitely.

Falle *f* ⟨-, -n⟩ trap.

fallen ⟨fiel, gefallen⟩ *vi* fall; **etw** ~ **lassen** drop sth.

fällen *vt* (*Baum*) fell; (*Urteil*) pass.

fallenlassen *irr vt* (*Bemerkung*) make; (*Plan*) abandon, drop.

fällig *adj* due; **Fälligkeit** *f* (*WIRTS*) maturity.

Fallobst *nt* fallen fruit, windfall.

falls *adv* in case, if.

Fallschirm *m* parachute; **Fallschirmspringer(in)** *m(f)* parachutist; **Falltür** *f* trap door.

falsch *adj* false; (*unrichtig*) wrong.

fälschen *vt* forge; **Fälscher(in)** *m(f)* ⟨-s, -⟩ forger.

Falschgeld *nt* counterfeit money; **Falschheit** *f* falsity, falseness; (*Unrichtigkeit*) wrongness.

fälschlich *adj* false; **fälschlicherweise** *adv* mistakenly.

Fälschung *f* forgery; **fälschungssicher** *adj* unforgeable.

Faltblatt *nt* leaflet.

Fältchen *nt* crease, wrinkle.

Falte *f* ⟨-, -n⟩ (*Knick*) fold, crease; (*Haut*~) wrinkle; (*Rock*~) pleat.

falten *vt* fold; (*Stirn*) wrinkle.

familiär *adj* familiar.

Familie *f* family; **Familienkreis** *m* family circle; **Familienname** *m* surname; **Familienstand** *m* marital status; **Familienvater** *m* head of the family.

Fan *m* fan.

Fanatiker(in) *m(f)* ⟨-s, -⟩ fanatic; **fanatisch** *adj* fanatical; **Fanatismus** *m* fanaticism.

fand *imperf von* **finden**.

Fang *m* ⟨-[e]s, Fänge⟩ catch; (*Jagen*) hunting; (*Kralle*) talon, claw; **fangen** ⟨fing, gefangen⟩ **1.** *vt* catch; **sich** ~ get caught; (*Flugzeug*) level out; (*Mensch: nicht fallen*) steady oneself; (*fig*) compose oneself; (*in Leistung*) get back on form.

Farbabzug *m* coloured print; **Farbaufnahme** *f* colour photograph; **Farbband** *m* ⟨Farbbänder *pl*⟩ typewriter ribbon; **Farbe** *f* ⟨-, -n⟩ colour; (*zum Malen etc*) paint; (*Stoff*~) dye; **farbecht** *adj* colourfast.

färben *vt* colour; (*Stoff, Haar*) dye.

farbenblind *adj* colour-blind; **farbenfroh**, **farbenprächtig** *adj* colourful, gay.

Farbfernsehen *nt* colour television; **Farbfernseher** *m* colour television [set]; **Farbfilm** *m* colour film; **Farbfoto** *nt* colour photo; **farbig** *adj* colour; **Farbige(r)** *mf* coloured; **Farbkasten** *m* paint-box; **Farbkopierer** *m* colour copier; **farblos**

adj colourless; **Farbphotographie** *f* colour photography; **Farbstift** *m* coloured pencil; **Farbstoff** *m* dye; **Farbton** *m* hue, tone.

Färbung *f* colouring; (*Tendenz*) bias.

Farn *m* ⟨-[e]s, -e⟩ fern; (*Adler~*) bracken.

Fasan *m* ⟨-[e]s, -e[n]⟩ pheasant.

Fasching *m* ⟨-s, -e *o* -s⟩ carnival.

Faschismus *m* fascism; **Faschist(in)** *m(f)* fascist; **faschistisch** *adj* fascist.

faseln *vi* talk nonsense, drivel.

Faser *f* ⟨-, -n⟩ fibre; **fasern** *vi* fray.

Faß *nt* ⟨Fasses, Fässer⟩ vat, barrel; (*Öl~*) drum; **Bier vom ~** draught beer; **faßbar** *adj* comprehensible; **Faßbier** *nt* draught beer.

fassen 1. *vt* (*ergreifen*) grasp, take; (*inhaltlich*) hold; (*Entschluß etc*) take; (*verstehen*) understand; (*Ring etc*) set; (*formulieren*) formulate, phrase; **2.** *vr:* **sich ~** calm down; **nicht zu ~** unbelievable.

faßlich *adj* intelligible.

Fassung *f* (*Umrahmung*) mounting; (*Lampen~*) socket; (*Wortlaut*) version; (*Beherrschung*) composure; **jdn aus der ~ bringen** upset sb; **fassungslos** *adj* speechless; **Fassungsvermögen** *nt* capacity; (*Verständnis*) comprehension.

fast *adv* almost, nearly.

fasten *vi* fast; **Fasten** *nt* ⟨-s⟩ fasting; **Fastenzeit** *f* Lent.

Fastnacht *f* Shrove Tuesday; carnival.

fatal *adj* fatal; (*peinlich*) embarrassing.

faul *adj* rotten; (*Mensch*) lazy; (*Ausreden*) lame; **daran ist etwas ~** there's something fishy about it; **faulen** *vi* rot.

faulenzen *vi* idle; **Faulenzer(in)** *m(f)* ⟨-s, -⟩ idler, loafer; **Faulheit** *f* laziness.

faulig *adj* going bad; (*Geruch, Geschmack*) foul, putrid.

Fäulnis *f* decay, putrefaction.

Faust *f* ⟨-, Fäuste⟩ fist; **Fausthandschuh** *m* mitten.

Favorit(in) *m(f)* ⟨-en, -en⟩ favourite.

Fax *nt* ⟨-es, -e *o* -x⟩ fax; **faxen** *vi, vt* fax, send by fax; **Faxgerät** *nt* fax machine.

FCKW *nt abk von* **Fluorchlorkohlenwasserstoff** CFC.

Februar *m* ⟨-[s], -e⟩ February; **im ~** in February; **14. ~ 1969** February 14th, 1969, 14th February 1969.

fechten (*focht, gefochten*) *vi* fence.

Feder *f* ⟨-, -n⟩ feather; (*Schreib~*) pen nib; (*TECH*) spring; **Federball** *m* shuttlecock; **Federballspiel** *nt* badminton; **Federbett** *nt* continental quilt; **Federhalter** *m* penholder, pen; **federleicht** *adj* light as a feather; **federn 1.** *vi* (*nachgeben*) be springy; (*sich bewegen*) bounce; **2.** *vt* spring; **Federung** *f* suspension; **Feder-**

vieh *nt* poultry.

Fee *f* ⟨-, -n⟩ fairy; **feenhaft** *adj* fairylike.

Fegefeuer *nt* purgatory.

fegen *vt* sweep.

fehl *adj:* **~ am Platz** [*o* **Ort**] out of place.

fehlen *vi* be wanting, be missing; (*abwesend sein*) be absent; **etw fehlt jdm** sb lacks sth; **du fehlst mir** I miss you; **was fehlt ihm?** what's wrong with him?

Fehler *m* ⟨-s, -⟩ mistake, error; (*Mangel, Schwäche*) fault; **fehlerfrei** *adj* faultless; without any mistakes; **fehlerhaft** *adj* incorrect; faulty; **Fehlerquote** *f* error rate.

Fehlgeburt *f* miscarriage; **fehlgehen** *irr vi* go astray; **Fehlgriff** *m* blunder; **Fehlkonstruktion** *f* bad design; **Fehlschlag** *m* failure; **fehlschlagen** *irr vi* fail; **Fehlschluß** *m* wrong conclusion; **Fehlstart** *m* (*SPORT*) false start; **Fehltritt** *m* false move; (*fig*) blunder, slip; **Fehlzündung** *f* (*AUTO*) misfire, backfire.

Feier *f* ⟨-, -n⟩ celebration; **Feierabend** *m* (*Geschäftsschluß*) closing time; **~ machen** stop, knock off; **jetzt ist ~!** that's enough!; **feierlich** *adj* solemn; **Feierlichkeit** *f* solemnity; **~en** *pl* festivities *pl*; **feiern** *vt, vi* celebrate; **Feiertag** *m* holiday.

feig[e] *adj* cowardly.

Feige *f* ⟨-, -n⟩ fig.

Feigheit *f* cowardice; **Feigling** *m* coward.

Feile *f* ⟨-, -n⟩ file; **feilen** *vt, vi* file.

feilschen *vi* haggle.

fein *adj* fine; (*vornehm*) refined; (*Gehör*) keen; **~!** great!

Feind(in) *m(f)* ⟨-[e]s, -e⟩ enemy; **feindlich** *adj* hostile; **Feindschaft** *f* hostility, enmity; **feindselig** *adj* hostile; **Feindseligkeit** *f* hostility.

feinfühlig *adj* sensitive; **Feingefühl** *nt* delicacy, tact; **Feinheit** *f* fineness, refinement; keenness; **Feinkostgeschäft** *nt* delicatessen [shop] *sing*; **Feinschmecker(in)** *m(f)* ⟨-s, -⟩ gourmet.

feist *adj* fat.

Feld *nt* ⟨-[e]s, -er⟩ (*a. INFORM*) field; (*SCHACH*) square; (*SPORT*) pitch; **Feldblume** *f* wild flower; **Feldherr** *m* commander; **Feldwebel(in)** *m(f)* ⟨-s, -⟩ sergeant; **Feldweg** *m* path; **Feldzug** *m* (*a. fig*) campaign.

Felge *f* ⟨-, -n⟩ [wheel] rim; **Felgenbremse** *f* caliper brake.

Fell *nt* ⟨-[e]s, -e⟩ fur; (*von lebendem Tier a.*) coat; (*von Schaf*) fleece; (*von toten Tieren*) skin.

Fels *m* ⟨-en, -en⟩, **Felsen** *m* ⟨-s, -⟩ rock; (*von Dover etc*) cliff; **felsenfest** *adj* firm; **Felsenvorsprung** *m* ledge; **felsig** *adj* rocky; **Felsspalte** *f* crevice.

feminin *adj* feminine; (*pej*) effeminate.

Feminismus *m* feminism; **Feminist(in)** *m(f)* feminist; **feministisch** *adj* feminist.

Fenchel *m* ⟨-s, -⟩ fennel.

Fenster *nt* ⟨-s, -⟩ (*a. INFORM*) window; **Fensterbrett** *nt* windowsill; **Fensterladen** *m* shutter; **Fensterputzer(in)** *m(f)* ⟨-s, -⟩ window cleaner; **Fensterscheibe** *f* windowpane; **Fenstersims** *m* windowsill; **Fenstertechnik** *f* (*INFORM*) window technology.

Ferien *pl* holidays *pl*, vacation *US;* ~ **haben** be on holiday; **Ferienarbeit** *f* vacation work; **Ferienhaus** *nt* holiday cottage; **Ferienkurs** *m* holiday course; **Ferienreise** *f* holiday; **Ferienwohnung** *f* holiday flat; **Ferienzeit** *f* holiday/vacation *US* period.

Ferkel *nt* ⟨-s, -⟩ piglet.

fern *adj, adv* far-off, distant; ~ **von hier** a long way [away] from here; **Fernabfrage** *f* remote-control access; **Fernbedienung** *f* remote control; **Ferne** *f* ⟨-, -n⟩ distance; **ferner** *adj, adv* further; (*weiterhin*) in future; **Fernflug** *m* long-distance flight; **Ferngespräch** *nt* long distant call, trunk call *Brit;* **Fernglas** *nt* binoculars *pl;* **fernhalten** *irr vt, vr:* **sich** ~ keep away; **Fernkopie** *f* fax; **fernkopieren** *vt* fax, send by fax; **Fernkopierer** *m* fax machine; **Fernlenkung** *f* remote control; **fernliegen** *irr vi:* **jdm** ~ be far from sb's mind; **Fernrohr** *nt* telescope; **Fernschreiber** *m* teleprinter; **fernschriftlich** *adj* by telex.

Fernsehapparat *m* television set; **fernsehen** *irr vi* watch television; **Fernsehen** *nt* ⟨-s⟩ television; **im** ~ on television; **Fernseher** *m* television [set]; **Fernsehsatellit** *m* TV satellite.

Fernsprecher *m* telephone; **Fernsprechzelle** *f* telephone box, telephone booth *US*.

Ferse *f* ⟨-, -n⟩ heel.

fertig *adj* ⟨-, -n⟩ (*Nahrung*) ready; (*beendet*) finished; (*gebrauchs*~) ready-made; **Fertigbau** *m* ⟨Fertigbauten *pl*⟩ prefab[ricated house]; **fertigbringen** *irr vt* (*fähig sein*) manage, be capable of; (*beenden*) finish; **Fertigkeit** *f* skill; **fertigmachen 1.** *vt* (*beenden*) finish; (*umg: jdn*) finish; (*körperlich*) exhaust; (*moralisch*) get down; **2.** *vr:* **sich** ~ get ready; **fertigstellen** *vt* complete; **Fertigware** *f* finished product.

Fessel *f* ⟨-, -n⟩ fetter; **fesseln** *vt* bind; (*mit Fesseln*) fetter; (*fig*) spellbind; **fesselnd** *adj* fascinating, captivating.

fest 1. *adj* firm; (*Nahrung*) solid; (*Gehalt*) regular; **2.** *adv* (*schlafen*) soundly.

Fest *nt* ⟨-[e]s, -e⟩ party; festival.

festangestellt *adj* permanently employed.

Festbeleuchtung *f* illumination.

festbinden *irr vt* tie, fasten; **festbleiben** *irr vt* stand firm.

Festessen *nt* banquet.

festfahren *irr vr:* **sich** ~ get stuck; **festhalten** *irr vt* **1.** *vt* seize, hold fast; (*Ereignis*) record; **2.** *vr:* **sich** ~ hold on (*an +dat* to).

festigen *vt* strengthen; **Festigkeit** *f* strength.

festklammern *vr:* **sich** ~ cling on (*an +dat* to); **Festland** *nt* mainland; **festlegen 1.** *vt* fix; **2.** *vr:* **sich** ~ commit oneself.

festlich *adj* festive.

festmachen *vt* fasten; (*Termin etc*) fix; **Festnahme** *f* ⟨-, -n⟩ capture; **festnehmen** *irr vt* capture, arrest; **Festplatte** *f* (*INFORM*) hard disk; **Festplattenlaufwerk** *nt* (*INFORM*) hard disk drive.

Festrede *f* address.

festschnallen 1. *vt* strap down; **2.** *vr:* **sich** ~ fasten one's seat belt; **festschreiben** *irr vt* establish; **festsetzen** *irr vt* fix, settle.

Festspiel *nt* festival.

feststehen *irr vi* be certain; **feststellen** *vt* establish; (*sagen*) remark.

Festung *f* fortress.

fett *adj* fat; (*Essen etc*) greasy; **Fett** *nt* ⟨-[e]s, -e⟩ fat, grease; **fettarm** *adj* low fat; **fetten** *vt* grease; **Fettfleck** *m* grease spot [*o* stain]; **fettgedruckt** *adj* bold-type; **Fettgehalt** *m* fat content; **fettig** *adj* greasy, fatty; **Fettnäpfchen** *nt:* **ins** ~ **treten** put one's foot in it.

Fetzen *m* ⟨-s, -⟩ scrap.

fetzig *adj* (*umg*) racy.

feucht *adj* damp; (*Luft*) humid; **Feuchtigkeit** *f* dampness; humidity.

Feuer *nt* ⟨-s, -⟩ fire; (*zum Rauchen*) a light; (*fig: Schwung*) spirit; **Feueralarm** *m* fire alarm; **Feuereifer** *m* zeal; **feuerfest** *adj* fireproof; **Feuergefahr** *f* danger of fire; **feuergefährlich** *adj* inflammable; **Feuerleiter** *f* fire escape ladder; **Feuerlöscher** *m* ⟨-s, -⟩ fire extinguisher; **Feuermelder** *m* ⟨-s, -⟩ fire alarm; **feuern** *vt, vi* (*a. fig*) fire; **feuersicher** *adj* fireproof; **Feuerstein** *m* flint; **Feuerwehr** *f* ⟨-, -⟩ fire brigade; **Feuerwerk** *nt* fireworks *pl;* **Feuerzeug** *nt* [cigarette] lighter.

Fichte *f* ⟨-, -n⟩ spruce.

ficken *vt, vi* (*umg!*) fuck.

fidel *adj* jolly.

Fieber *nt* ⟨-s, -⟩ fever, temperature; **fieberhaft** *adj* feverish; **Fiebermesser** *m* ⟨-s, -⟩, **Fieberthermometer** *nt* thermometer.

fiel *imperf von* **fallen**.

fies *adj* (*umg*) nasty.

Figur *f* ⟨-, -en⟩ figure; (*Schach*~) chessman, chess piece.

Filiale *f* ⟨-, -n⟩ (*WIRTS*) branch.

Film *m* ⟨-[e]s, -e⟩ film; **Filmaufnahme** *f* shooting; **filmen** *vt, vi* film; **Filmkamera**

f cine-camera; **Filmprojektor** *m* film projector.

Filter *m* ⟨-s, -⟩ filter; **Filtermundstück** *nt* filter tip; **filtern** *vt* filter; **Filterpapier** *nt* filter paper; **Filterzigarette** *f* tipped cigarette.

Filz *m* ⟨-es, -e⟩ felt; **filzen 1.** *vt* (*umg: durchsuchen*) frisk; **2.** *vi* (*Wolle*) go felty; **Filzschreiber** *m*, **Filzstift** *m* felt[-tip] pen, felt-tip.

Finale *nt* ⟨-s, - [-s]⟩ finale; (*SPORT*) final[s].

Finanz *f* finance; **Finanzamt** *nt* Inland Revenue Office; **Finanzbeamte(r)** *m*, **Finanzbeamtin** *f* revenue officer; **finanziell** *adj* financial; **finanzieren** *vt* finance; **Finanzminister(in)** *m(f)* minister of finance, Chancellor of the Exchequer *Brit.*

finden ⟨fand, gefunden⟩ **1.** *vt* (*meinen*) think; **2.** *vr*: **sich ~** be [found]; (*sich fassen*) compose oneself; **ich finde nichts dabei, wenn …** I don't see what's wrong if …; **das wird sich ~** things will work out; **Finder(in)** *m(f)* ⟨-s, -⟩ finder; **Finderlohn** *m* reward; **findig** *adj* resourceful.

fing *imperf von* **fangen**.

Finger *m* ⟨-s, -⟩ finger; **Fingerabdruck** *m* ⟨Fingerabdrücke *pl*⟩ fingerprint; **Fingerhandschuh** *m* glove; **Fingerhut** *m* thimble; (*BOT*) foxglove; **Fingerring** *m* ring; **Fingerspitze** *f* fingertip; **Fingerspitzengefühl** *nt* feeling; **Fingerzeig** *m* ⟨-[e]s, -e⟩ hint, pointer.

fingieren *vt* feign; **fingiert** *adj* made-up, fictitious.

Fink *m* ⟨-en, -en⟩ finch.

Finne *m* ⟨-n, -n⟩, **Finnin** *f* Finn, Finnish man/woman; **finnisch** *adj* Finnish; **Finnland** *nt* Finland.

finster *adj* dark, gloomy; (*verdächtig*) dubious; (*verdrossen*) grim; (*Gedanke*) dark; **Finsternis** *f* darkness, gloom.

Finte *f* ⟨-, -n⟩ feint, trick.

Firma *f* ⟨-, Firmen⟩ firm; **Firmenschild** *nt* [shop] sign; **Firmenzeichen** *nt* registered trademark.

Firnis *m* ⟨-ses, -se⟩ varnish.

Fisch *m* ⟨-[e]s, -e⟩ fish; **-e** *pl* (*ASTR*) Pisces *sing*; **Adelheid ist ein ~** Adelheid is Pisces [*o* a Piscean]; **fischen** *vt, vi* fish; **Fischer(in)** *m(f)* ⟨-s, -⟩ fisherman/-woman; **Fischerei** *f* fishing, fishery; **Fischfang** *m* fishing; **Fischgeschäft** *nt* fishmonger's [shop]; **Fischgräte** *f* fishbone; **Fischzucht** *f* fish farming.

fit *adj* fit; **Fitneß** *f* ⟨-⟩ fitness; **Fitneßcenter** *nt* ⟨-s, -⟩ health centre.

fix *adj* fixed; (*Mensch*) alert, smart; **~ und fertig** finished; (*erschöpft*) worn out.

fixen *vi* (*umg*) fix, shoot; **Fixer(in)** *m(f)*

⟨-s, -⟩ (*umg*) fixer.

fixieren *vt* fix; (*anstarren*) stare at.

flach *adj* flat; (*Gefäß*) shallow.

Fläche *f* ⟨-, -n⟩ area; (*Ober~*) surface; **flächendeckend** *adj* complete, allover; **Flächeninhalt** *m* surface area.

Flachheit *f* flatness; shallowness; **Flachland** *nt* lowland.

flackern *vi* flare, flicker.

Flagge *f* ⟨-, -n⟩ flag.

flagrant *adj* flagrant; **in ~i** red-handed.

Flamme *f* ⟨-, -n⟩ flame.

Flanell *m* ⟨-s, -e⟩ flannel.

Flanke *f* ⟨-, -n⟩ flank; (*SPORT: Seite*) wing.

Flasche *f* ⟨-, -n⟩ bottle; **eine ~ sein** (*umg*) be useless, wash-out; **Flaschenbier** *nt* bottled beer; **Flaschenöffner** *m* bottle opener; **Flaschenzug** *m* pulley.

flatterhaft *adj* flighty, fickle.

flattern *vi* flutter.

flau *adj* weak, listless; (*Nachfrage*) slack; **jdm ist ~** sb feels queasy.

Flaum *m* ⟨-[e]s⟩ (*Feder*) down; (*Haare*) fluff.

flauschig *adj* fluffy.

Flausen *pl* silly ideas *pl*; (*Ausflüchte*) weak excuses *pl*.

Flaute *f* ⟨-, -n⟩ calm; (*WIRTS*) recession.

Flechte *f* ⟨-, -n⟩ plait; (*MED*) dry scab; (*BOT*) lichen; **flechten** ⟨flocht, geflochten⟩ *vt* plait; (*Kranz*) twine.

Fleck *m* ⟨-[e]s, -e⟩, **Flecken** *m* ⟨-s, -⟩ spot; (*Schmutz~*) stain; (*Stoff~*) patch; (*Makel*) blemish; **nicht vom ~ kommen** not get any further; **vom ~ weg** straight away; **fleckenlos** *adj* spotless; **Fleckenmittel** *nt*, **Fleckentferner** *m* stain remover; **fleckig** *adj* spotted; stained.

Fledermaus *f* bat.

Flegel *m* ⟨-s, -⟩ flail; (*Mensch*) lout; **flegelhaft** *adj* loutish, unmannerly; **Flegeljahre** *pl* adolescence; **flegeln** *vr*: **sich ~** lounge about.

flehen *vi* implore; **flehentlich** *adj* imploring.

Fleisch *nt* ⟨-[e]s⟩ flesh; (*Essen*) meat; **Fleischbrühe** *f* beef, stock; **Fleischer(in)** *m(f)* ⟨-s, -⟩ butcher; **Fleischerei** *f* butcher's [shop]; **fleischig** *adj* fleshy; **fleischlich** *adj* carnal; **Fleischpastete** *f* meat pie; **Fleischwolf** *m* mincer; **Fleischwunde** *f* flesh wound.

Fleiß *m* ⟨-es⟩ diligence, industry; **fleißig** *adj* diligent, industrious.

flektieren *vt* inflect.

flennen *vi* (*umg*) cry, blubber.

fletschen *vt*: **die Zähne ~ fletschen** bare [*o* show] ones/its teeth.

flexibel *adj* flexible.

flicken *vt* mend; **Flicken** *m* ⟨-s, -⟩ patch.

Flieder *m* ⟨-s, -⟩ lilac.

Fliege f ⟨-, -n⟩ fly; (*Kleidung*) bow tie.
fliegen ⟨flog, geflogen⟩ vt, vi fly; **auf jdn/ etw ~** (*umg*) be mad about sb/sth.
Fliegenpilz m fly agaric.
Flieger(in) m(f) ⟨-s, -⟩ flier, airman; **Fliegeralarm** m air-raid warning.
fliehen ⟨floh, geflohen⟩ vi flee.
Fliese f ⟨-, -n⟩ tile.
Fließband nt ⟨Fließbänder pl⟩ conveyorbelt; (*als Einrichtung*) production [*o* assembly] line.
fließen ⟨floß, geflossen⟩ vi flow; **fließend** adj flowing; (*Rede, Deutsch*) fluent; (*Übergänge*) smooth; **Fließheck** nt fastback; **Fließkomma** nt floating decimal point; **Fließpapier** nt blotting paper.
flimmerfrei adj (*INFORM: Monitor*) non-interlaced; **flimmern** vi glimmer.
flink adj nimble, lively.
Flinte f ⟨-, -n⟩ rifle; shotgun.
Flip-Chart f ⟨-, -s⟩ flip chart.
flippig adj (*umg*) kooky, eccentric.
Flirt m ⟨-s, -s⟩ flirtation.
flirten vi flirt.
Flitterwochen pl honeymoon.
flitzen vi (*umg*) whizz, dash.
flocht imperf von **flechten**.
Flocke f ⟨-, -n⟩ flake; **flockig** adj flaky.
flog imperf von **fliegen**.
floh imperf von **fliehen**.
Floh m ⟨-[e]s, Flöhe⟩ flea; **Flohmarkt** m flea market.
Flop m ⟨-s, -s⟩ flop.
florieren vi flourish.
Floskel f ⟨-, -n⟩ empty phrase.
floß imperf von **fließen**.
Floß nt ⟨-es, Flöße⟩ raft, float.
Flosse f ⟨-, -n⟩ fin.
Flöte f ⟨-, -n⟩ flute; (*Block~*) recorder; **flötengehen** vi (*umg*) vanish into thin air.
Flötist(in) m(f) flautist.
flott adj lively; (*elegant*) smart; (*NAUT*) afloat.
Flotte f ⟨-, -n⟩ fleet, navy.
Flöz nt ⟨-es, -e⟩ layer, seam.
Fluch m ⟨-[e]s, Flüche⟩ curse; **fluchen** vi curse, swear.
Flucht f ⟨-, -en⟩ flight; (*Fenster~*) row; (*Reihe*) range; (*Zimmer~*) suite; **fluchtartig** adj hasty.
flüchten vi, vr: **sich ~** flee, escape.
flüchtig adj fugitive; (*CHEM*) volatile; (*vergänglich*) transitory; (*oberflächlich*) superficial; (*eilig*) fleeting; **Flüchtigkeit** f transitoriness; volatility; superficiality; **Flüchtigkeitsfehler** m careless slip.
Flüchtling m fugitive, refugee.
Flüchtlingslager nt refugee camp.
Flug m ⟨-[e]s, Flüge⟩ flight; **im ~** airborne, in flight; **Flugabwehr** f anti-aircraft

defence; **Flugbegleiter(in)** m(f) flight attendant; **Flugblatt** nt leaflet; **Flugdatenschreiber** m flight recorder.
Flügel m ⟨-s, -⟩ wing; (*MUS*) grand piano.
Fluggast m airline passenger.
flügge adj [fully-]fledged.
Fluggeschwindigkeit f flying speed; **Fluggesellschaft** f airline [company]; **Flughafen** m airport; **Flughöhe** f altitude [of flight]; **Fluglotse** m air-traffic controller, flight controller; **Flugnummer** f flight number; **Flugplan** m flight schedule; **Flugplatz** m airport; (*klein*) airfield; **Flugschein** m plane ticket, air ticket; **Flugstrecke** f air route; **Flugverkehr** m air traffic; **Flugwesen** nt aviation; **Flugzeug** nt [aero]plane, airplane *US*; **Flugzeugentführung** f hijacking of a plane; **Flugzeughalle** f hangar; **Flugzeugträger** m aircraft carrier.
Flunder f ⟨-, -n⟩ flounder.
flunkern vi tell stories; **2.** vt make up.
Fluor nt ⟨-s⟩ fluorine.
Fluorchlorkohlenwasserstoff m chlorofluorocarbon.
Flur m ⟨-[e]s, -e⟩ hall; (*Treppen~*) staircase.
Fluß m ⟨Flusses, Flüsse⟩ river; (*Fließen*) flow; **im ~ sein** (*fig*) be in a state of flux; **Flußdiagramm** nt flow chart, flow diagram.
flüssig adj liquid; **Flüssigkeit** f liquid; (*Zustand*) liquidity; **Flüssigkristall** m liquid crystal; **Flüssigkristallanzeige** f liquid crystal display; **flüssigmachen** vt (*Geld*) make available.
flüstern vt, vi whisper; **Flüsterpropaganda** f whispering campaign.
Flut f ⟨-, -en⟩ flood; (*Gezeiten*) high tide; **fluten** vi flood; **Flutlicht** nt floodlight.
fl. W. abk von **fließendes Wasser** running water.
focht imperf von **fechten**.
Fohlen nt ⟨-s, -⟩ foal.
Föhn m ⟨-[e]s, -e⟩ foehn, warm south wind.
Föhre f ⟨-, -n⟩ Scots pine.
Folge f ⟨-, -n⟩ series sing, sequence; (*Fortsetzung*) instalment; (*Auswirkung*) result; **in rascher ~** in quick succession; **etw zur ~ haben** result in sth; **~n haben** have consequences; **einer Sache** dat **~ leisten** comply with sth; **Folgeerscheinung** f consequence; **folgen** vi follow (*jdm* sb); (*gehorchen*) obey (*jdm* sb); **jdm ~ können** (*fig*) be able to follow sb, understand sb; **folgend** adj following; **folgendermaßen** adv as follows, in the following way; **folgenschwer** adj momentous; **folgerichtig** adj logical.
folgern vt conclude (*aus* from); **Folgerung**

f conclusion.

folglich *adv* consequently.

folgsam *adj* obedient.

Folie *f* foil.

Folter *f* ⟨-, -n⟩ torture; (*Gerät*) rack; **foltern** *vt* torture.

Fön® *m* ⟨-[e]s, -e⟩ hair-dryer; **fönen** *vt* [blow-]dry.

Fontäne *f* ⟨-, -n⟩ fountain.

foppen *vt* tease.

Förderband *nt* ⟨Förderbänder *pl*⟩ conveyor belt; **Förderkorb** *m* pit cage; **förderlich** *adj* beneficial.

fordern *vt* demand.

fördern *vt* promote; (*unterstützen*) help; (*Kohle*) extract; **Förderung** *f* promotion; help; extraction.

Forderung *f* demand.

Forelle *f* trout.

Form *f* ⟨-, -en⟩ shape; (*Gestaltung*) form; (*Guß~*) mould; (*Back~*) baking tin; **in ~ sein** be in good form [*o* shape]; **in ~ von** in the shape of.

Formaldehyd *nt* ⟨-s⟩ formaldehyde.

formalisieren *vt* formalize.

Formalität *f* formality.

Format *nt* format; (*fig*) distinction; **formatieren** *vt* (*Diskette*) format.

Formation *f* formation.

formbar *adj* malleable.

Formel *f* ⟨-, -n⟩ formula.

formell *adj* formal.

formen *vt* form, shape.

Formfehler *m* faux-pas, gaffe; (*JUR*) irregularity.

förmlich *adj* formal; (*umg*) real; **Förmlichkeit** *f* formality.

formlos *adj* shapeless; (*zwanglos*) casual, informal.

Formular *nt* ⟨-s, -e⟩ form.

formulieren *vt* formulate.

forsch *adj* energetic, vigorous.

forschen 1. *vt* search (*nach* for); **2.** *vi* (*wissenschaftlich*) [do] research; **forschend** *adj* searching; **Forscher(in)** *m(f)* ⟨-s, -⟩ research scientist; (*Natur~*) explorer; **Forschung** *f* research; **Forschungsreise** *f* scientific expedition; **Forschungssatellit** *m* research satellite; **Forschungsvorhaben** *nt* research project.

Forst *m* ⟨-[e]s, -e⟩ forest; **Forstarbeiter(in)** *m(f)* forestry worker; **Förster(in)** *m(f)* ⟨-s, -⟩ forester; (*für Wild*) gamekeeper; **Forstwirtschaft** *f* forestry.

fort *adv* away; (*verschwunden*) gone; (*vorwärts*) on; **und so ~** and so on; **in einem ~** on and on; **fortbestehen** *irr vi* continue; **fortbewegen 1.** *vt* move away; **2.** *vi* **sich ~ move**; **fortbilden** *vr*: **sich ~ continue** one's education; **Fortbildung** *f* further

education; (*im Beruf*) further training; **fortbleiben** *irr vi* stay away; **fortbringen** *irr vt* take away; **Fortdauer** *f* continuance, continuation; **fortfahren** *irr vi* depart; (*fortsetzen*) go on, continue; **fortführen** *vi* continue, carry on; **fortgehen** *irr vi* go away; **fortgeschritten** *adj* advanced; **fortkommen** *irr vi* get on; (*wegkommen*) get away; **fortkönnen** *irr vi* be able to get away; **fortmüssen** *irr vi* have to go.

fortpflanzen *vr*: **sich ~** reproduce; **Fortpflanzung** *f* reproduction.

Fortschritt *m* advance; **~e machen** make progress; **fortschrittlich** *adj* progressive.

fortsetzen *vt* continue; **Fortsetzung** *f* continuation; (*folgender Teil*) instalment; **~ folgt** to be continued.

fortwährend *adj* incessant, continual.

fortziehen *irr* **1.** *vt* pull away; **2.** *vi* move on; (*umziehen*) move away.

fossil *adj* (*Brennstoff*) fossil.

Foto 1. *nt* ⟨-s, -s⟩ photo[graph]; **2.** *m* ⟨-s, -s⟩ (*~apparat*) camera; **Fotograf(in)** *m(f)* ⟨-en, -en⟩ photographer; **Fotografie** *f* photography; (*Bild*) photograph; **fotografieren 1.** *vt* photograph; **2.** *vi* take photographs; **Fotokopierer** *m*, **Fotokopiergerät** *nt* photocopier.

Foul *nt* ⟨-s, -s⟩ foul.

Fracht *f* ⟨-, -en⟩ freight; (*NAUT*) cargo; (*Preis*) carriage; **Frachter** *m* ⟨-s, -⟩ freighter, cargo boat; **Frachtgut** *nt* freight.

Frack *m* ⟨-[e]s, Fräcke⟩ tails *pl*.

Frage *f* ⟨-, -n⟩ question; **etw in ~ stellen** question sth; **jdm eine ~ stellen** ask sb a question, put a question to sb; **nicht in ~ kommen** be out of the question; **Fragebogen** *m* questionnaire; **fragen** *vt*, *vi* ask; **Fragezeichen** *nt* question mark; **fraglich** *adj* questionable, doubtful; **fraglos** *adv* unquestionably.

Fragment *nt* fragment; **fragmentarisch** *adj* fragmentary.

fragwürdig *adj* questionable, dubious.

Fraktion *f* parliamentary party.

frankieren *vt* stamp, frank; **franko** *adv* post-paid; carriage paid.

Frankreich *nt* France.

Franse *f* ⟨-, -n⟩ fringe; **fransen** *vi* fray.

Franzose *m* ⟨-n, -n⟩, **Französin** *f* Frenchman/-woman; **die ~n** *pl* the French *pl*; **französisch** *adj* French; **die ~e Schweiz** French-speaking Switzerland.

fraß *imperf von* **fressen**.

Fratze *f* ⟨-, -n⟩ grimace.

Frau *f* ⟨-, -en⟩ woman; (*Ehe~*) wife; (*Anrede*) Mrs; (*unverheiratet*) Ms; **~ Doktor** Doctor; **Frauenarzt** *m*, **Frauenärztin** *f* gynaecologist; **Frauenbeauftragte(r)**

mf official women's representative; **Frau-enbewegung** *f* feminist movement, women's lib; **frauenfeindlich** *adj* misogynist, anti-woman; **Frauenhaus** *nt* refuge [for battered women]; **Frauenzeitschrift** *f* women's magazine.

Fräulein *nt* young lady, (*Anrede*) Miss.

fraulich *adj* womanly.

Freak *m* ⟨-s, -s⟩ (*umg*) freak.

frech *adj* cheeky, impudent; **Frechdachs** *m* cheeky monkey; **Frechheit** *f* cheek, impudence.

Fregatte *f* frigate.

frei *adj* free; (*Stelle, Sitzplatz a.*) vacant; (*Mitarbeiter*) freelance; (*Geld*) available; (*unbekleidet*) bare; **sich** *dat* **einen Tag ~ nehmen** take a day off; **von etw ~ sein** be free of sth; **im Freien** in the open air; **~ sprechen** talk without notes; **Freibad** *nt* open-air [swimming] pool; **freibekommen** *irr vt*: **jdn/einen Tag ~** get sb freed/ get a day off; **freiberuflich** *adj* free-lance; **freigebig** *adj* generous; **Freigebigkeit** *f* generosity; **freihaben** *vi*: **Ich habe Freitag frei** I've got Friday off; **freihalten** *irr vt* keep free; **freihändig** *adv* (*fahren*) with no hands; **Freiheit** *f* freedom; **freiheitlich** *adj* liberal; **Freiheitsstrafe** *f* prison sentence; **Freikarte** *f* free ticket; **freikommen** *irr vi* get free; **freilassen** *irr vt* [set] free; **Freilauf** *m* freewheeling; **freilegen** *vt* expose.

freilich *adv* certainly, admittedly; **ja ~** yes of course.

Freilichtbühne *f* open-air theatre; **freimachen** 1. *vt* (*Post*) put a stamp on; 2. *vr*: **sich ~** arrange to be free; (*beim Arzt: sich entkleiden*) take one's clothes off; **Tage ~** take days off; **freisprechen** *irr vt* acquit (*von* of); **Freispruch** *m* acquittal; **freistellen** *vt*: **jdm etw ~** leave sth [up] to sb; **Freistoß** *m* free kick.

Freitag *m* Friday; **[am] ~** on Friday; **freitags** *adv* on Fridays, on a Friday.

freiwillig *adj* voluntary; **Freiwillige(r)** *mf* volunteer.

Freizeit *f* spare [o free] time; **Freizeitausgleich** *m* free time compensation; **Freizeitgestaltung** *f* leisure activity.

freizügig *adj* liberal, broad-minded; (*mit Geld*) generous.

fremd *adj* (*unvertraut*) strange; (*ausländisch*) foreign; (*nicht eigen*) someone else's; **etw ist jdm ~** sth is foreign to sb; **fremdartig** *adj* strange; **Fremde(r)** *mf* stranger; (*Ausländer*) foreigner; **Fremdenführer(in)** *m(f)* [tourist] guide; **Fremdenlegion** *f* foreign legion; **Fremdenverkehr** *m* tourism; **Fremdenzimmer** *nt* guest room; **fremdgehen** *vi* (*umg*) be unfaith-

ful; **Fremdkörper** *m* foreign body; **fremdländisch** *adj* foreign; **Fremdling** *m* stranger; **Fremdsprache** *f* foreign language; **fremdsprachig** *adj* foreign-language; **Fremdwort** *nt* foreign word.

Frequenz *f* (*RADIO*) frequency.

fressen ⟨fraß, gefressen⟩ *vt, vi* (*Tier*) eat; (*Mensch*) guzzle.

Freude *f* ⟨-, -n⟩ joy, delight; **freudig** *adj* joyful, happy; **freudlos** *adj* joyless.

freuen 1. *vt unpers* make happy [*o* pleased]; 2. *vr*: **sich ~** be glad, be happy; **sich auf etw** *akk* **~** look forward to sth; **sich über etw** *akk* **~** be pleased about sth.

Freund *m* ⟨-[e]s, -e⟩ friend; boyfriend; **Freundin** *f* friend; girlfriend; **freundlich** *adj* kind, friendly; **freundlicherweise** *adv* kindly; **Freundlichkeit** *f* friendliness, kindness; **Freundschaft** *f* friendship; **freundschaftlich** *adj* friendly.

Frevel *m* ⟨-s, -⟩ crime, offence (*an +dat* against); **frevelhaft** *adj* wicked.

Frieden *m* ⟨-s, -⟩ peace; **im ~** in peacetime; **Friedensbewegung** *f* peace movement; **Friedensinitiative** *f* peace initiative; **Friedensverhandlungen** *pl* peace negotiations *pl*; **Friedensvertrag** *m* peace treaty; **Friedenszeit** *f* peacetime.

Friedhof *m* cemetery.

friedlich *adj* peaceful.

frieren ⟨fror, gefroren⟩ *vt, vi* freeze; **ich friere, es friert mich** I am freezing, I'm cold.

Fries *m* ⟨-es, -e⟩ (*ARCHIT*) frieze.

frigid[e] *adj* frigid.

Frikadelle *f* meatball.

Frisbeescheibe® *f* frisbee®.

frisch *adj* fresh; (*lebhaft*) lively; **~ gestrichen!** wet paint!; **sich ~ machen** freshen [oneself] up; **Frische** *f* ⟨-⟩ freshness, liveliness; **Frischhaltefolie** *f* cling film; **Frischzellentherapie** *f* cellular therapy; live-cell therapy.

Friseur *m*, **Friseuse** *f* hairdresser.

frisieren *vt, vr*: **sich ~** do [one's hair]; (*fig: Abrechnung*) fiddle, doctor; **Frisiersalon** *m* hairdressing salon; **Frisiertisch** *m* dressing table.

Frisör *m* ⟨-s, -e⟩ hairdresser.

Frist *f* ⟨-, -en⟩ period; (*Termin*) deadline; **fristen** *vt* (*Dasein*) lead; (*kümmerlich*) eke out; **fristlos** *adj* (*Entlassung*) instant.

Frisur *f* hairdo, hairstyle.

fritieren *vt* deep-fry.

frivol *adj* frivolous.

Frl. *abk von* **Fräulein** Miss.

froh *adj* happy, cheerful; **ich bin ~, daß ...** I'm glad that ...

fröhlich *adj* merry, happy; **Fröhlichkeit** *f* merriness, gaiety.

frohlocken *vi* exult; (*hämisch*) gloat.

Frohsinn m cheerfulness.
fromm adj pious, good; (Wunsch) idle.
Frömmelei f false piety.
Frömmigkeit f piety.
frönen vi indulge (einer Sache dat in sth).
Fronleichnam m ⟨-[e]s⟩ Corpus Christi.
Front f ⟨-, -en⟩ front.
frontal adj frontal; **Frontalzusammen-stoß** m head-on collision.
fror imperf von **frieren**.
Frosch m ⟨-[e]s, Frösche⟩ frog; (Feuerwerk) squib; **Froschmann** m ⟨Froschmänner pl⟩ frogman; **Froschschenkel** m frog's leg.
Frost m ⟨-[e]s, Fröste⟩ frost; **Frostbeule** f chilblain.
frösteln vi shiver.
frostig adj frosty.
Frostschutzmittel nt anti-freeze.
Frottee m o nt ⟨-[s], -s⟩ towelling.
frottieren vt rub, towel; **Frottier[hand]-tuch** nt towel.
Frucht f ⟨-, Früchte⟩ (a. fig) fruit; (Getreide) corn; **Fruchtbarkeit** f fertility; **fruchten** vi be of use; **fruchtlos** adj fruitless; **Fruchtsaft** m fruit juice; **Fruchtzucker** m fructose.
früh adj, adv early; **heute ~** this morning; **Frühaufsteher(in)** m(f) ⟨-s, -⟩ early riser; **Frühe** f ⟨-⟩ early morning; **früher 1.** adj earlier; (ehemalig) former; **2.** adv formerly; **~ war das anders** that used to be different; **frühestens** adv at the earliest; **Frühgeburt** f premature birth/baby.
Frühjahr nt, **Frühling** m spring; **im ~** in spring.
frühreif adj precocious.
Frühstück nt breakfast; **frühstücken** vi [have] breakfast.
frühzeitig adj early.
Frust m ⟨-s⟩ (umg) frustration; **frustrieren** vt frustrate.
Fuchs m ⟨-es, Füchse⟩ fox; **fuchsen 1.** vt (umg) rile, annoy; **2.** vr: **sich ~** be annoyed; **Füchsin** f vixen; **fuchsteufelswild** adj (umg) hopping mad.
fuchteln vi gesticulate wildly.
Fuge f ⟨-, -n⟩ joint; (MUS) fugue.
fügen 1. vt place, join; **2.** vr: **sich ~** be obedient (in +akk to); (anpassen) adapt oneself (in +akk to); **3.** vr unpers: **sich ~** happen; **fügsam** adj obedient.
fühlbar adj perceptible, noticeable; **fühlen** vt, vi, vr: **sich ~** feel; **Fühler** m ⟨-s, -⟩ feeler.
fuhr imperf von **fahren**.
führen 1. vt lead; (Geschäft) run; (Name) bear; (Buch) keep; **2.** vi lead; (sich) behave; **Führer** m ⟨-s, -⟩ (Fremden~) guide; **Führerschein** m driving licence.
Fuhrmann m ⟨Fuhrleute pl⟩ carter.

Führung f leadership; (eines Unternehmens) management; (MIL) command; (Benehmen) conduct; (Museums~) conducted tour; **Führungskraft** f executive; **Führungszeugnis** nt (polizeiliches ~) certificate issued by the police, stating that the holder has no criminal record.
Fuhrwerk nt cart.
Fülle f ⟨-⟩ wealth, abundance; **füllen** vt, vr: **sich ~** fill; (GASTR) stuff.
Füllen nt ⟨-s, -⟩ foal.
Füller, Füllfederhalter m ⟨-s, -⟩ fountain pen.
Füllung f filling; (Holz~) panel.
fummeln vi (umg) fumble.
Fund m ⟨-[e]s, -e⟩ find.
Fundament nt foundation; **fundamental** adj fundamental; **Fundamentalismus** m fundamentalism; **Fundamentalist(in)** m(f) (POL) fundamentalist; **fundamentalistisch** adj (POL) fundamentalist.
Fundbüro nt lost property office, lost and found; **Fundgrube** f (fig) treasure trove.
Fundi m ⟨-s, -s⟩, f ⟨-, -s⟩ fundamentalist [of the ecology movement].
fundieren vt back up; **fundiert** adj sound.
fünf num five; **fünffach 1.** adj fivefold; **2.** adv five times; **fünfhundert** num five hundred; **fünfjährig** adj (5 Jahre alt) five-year-old; (5 Jahre dauernd) five-year; **fünfmal** adv five times; **Fünftagewoche** f five-day week.
fünfte(r, s) adj fifth; **der ~ Juni** the fifth of June; **Stuttgart, den ~n Juni** Stuttgart, June 5th; **Fünfte(r)** mf fifth.
Fünftel ⟨-s, -⟩ (Bruchteil) fifth.
fünftens adv in the fifth place.
fünfzehn num fifteen.
fünfzig num fifty.
fungieren vi function; (Mensch) act.
Funk m ⟨-s⟩ radio.
funkeln vi sparkle.
Funke[n] m ⟨-ns, -n⟩ (a. fig) spark.
funken vt radio; **Funker(in)** m(f) ⟨-s, -⟩ radio operator; **Funkgerät** nt radio set; **Funkhaus** nt broadcasting centre; **Funkspruch** m radio message; **Funkstation** f radio station; **Funktaxi** nt radio taxi, radio cab.
Funktion f function.
Funktionär(in) m(f) functionary.
funktionieren vi work, function.
Funktionstaste f (INFORM) function key.
für präp +akk for; **was ~** what kind [o sort] of; **das Für und Wider** the pros and cons pl; **Schritt ~ Schritt** step by step.
Furan nt ⟨-s, -e⟩ furan[e].
Fürbitte f intercession.
Furche f ⟨-, -n⟩ furrow; **furchen** vt furrow.
Furcht f ⟨-⟩ fear; **furchtbar** adj terrible,

frightful.

fürchten 1. *vt* be afraid of, fear; **2.** *vr:* **sich ~** be afraid (*vor* +*dat* of).

fürchterlich *adj* awful.

furchtlos *adj* fearless; **furchtsam** *adj* timid.

füreinander *adv* for each other.

Furnier *nt* ⟨-s, -e⟩ veneer.

fürs = **für das**.

Fürsorge *f* care; (*Sozial~*) welfare; **Fürsorgeamt** *nt* welfare office; **Fürsorger(in)** *m(f)* ⟨-s, -⟩ welfare worker; **Fürsorgeunterstützung** *f* social security, welfare benefit *US*.

Fürsprache *f* recommendation; (*um Gnade*) intercession; **Fürsprecher(in)** *m(f)* advocate.

Fürst(in) *m(f)* ⟨-en, -en⟩ prince/princess; **Fürstentum** *nt* principality; **fürstlich** *adj* princely.

Furt *f* ⟨-, -en⟩ ford.

Fürwort *nt* pronoun.

Furz *m* ⟨-es, -e⟩ (*umg!*) fart; **furzen** *vi* (*umg!*) fart.

Fuß *m* ⟨-es, Füße⟩ foot; (*von Glas, Säule etc*) base; (*von Möbel*) leg; **zu ~** on foot; **Fußball** *m* football; **Fußballspiel** *nt* football match; **Fußballspieler(in)** *m(f)* footballer; **Fußboden** *m* floor; **Fußbremse** *f* (*AUTO*) footbrake; **fußen** *vi* rest, be based (*auf* +*dat* on); **Fußende** *nt* foot; **Fußgänger(in)** *m(f)* ⟨-s, -⟩ pedestrian; **Fußgängerzone** *f* pedestrian precinct; **Fußnote** *f* footnote; **Fußpfleger(in)** *m(f)* chiropodist; **Fußspur** *f* footprint; **Fußtritt** *m* kick; (*Spur*) footstep; **Fußweg** *m* footpath.

Futter *nt* ⟨-s, -⟩ fodder, feed; (*Stoff*) lining.

Futteral *nt* ⟨-s, -e⟩ case.

füttern *vt* feed; (*Kleidung*) line.

Futur *nt* ⟨-s, -e⟩ future [tense].

G

G, g *nt* G, g.

gab *imperf von* **geben**.

Gabe *f* ⟨-, -n⟩ gift.

Gabel *f* ⟨-, -n⟩ fork; **Gabelung** *f* fork.

gackern *vi* cackle.

gaffen *vi* gape.

Gage *f* ⟨-, -n⟩ fee; (*regelmäßig*) salary.

gähnen *vi* yawn.

Gala *f* ⟨-⟩ formal dress.

galant *adj* gallant, courteous.

Galavorstellung *f* (*THEAT*) gala performance.

Galerie *f* gallery.

Galgen *m* ⟨-s, -⟩ gallows *pl*; **Galgenfrist** *f*

respite; **Galgenhumor** *m* macabre humour.

Galle *f* ⟨-, -n⟩ gall; (*Organ*) gall-bladder.

Galopp *m* ⟨-s⟩ gallop; **galoppieren** *vi* gallop.

galt *imperf von* **gelten**.

galvanisieren *vt* galvanize.

Gamasche *f* ⟨-, -n⟩ gaiter; (*kurz*) spat.

Gammler(in) *m(f)* ⟨-s, -⟩ loafer, layabout.

gang *adj:* **~ und gäbe** usual, normal.

Gang 1. *m* ⟨-[e]s, Gänge⟩ walk; (*Boten~*) errand; (*~art*) gait; (*Abschnitt eines Vorgangs*) operation; (*Essens~, Ablauf*) course; (*Flur etc*) corridor; (*Durch~*) passage; (*TECH*) gear; **2.** *f* ⟨-, -s⟩ gang; **in ~ bringen** start up; (*fig*) get off the ground; **in ~ sein** be in operation; (*fig*) be underway; **gangbar** *adj* passable; (*Methode*) practicable.

gängeln *vt* (*umg pej*) spoonfeed, treat like a child.

gängig *adj* common, current; (*Ware*) in demand, selling well.

Gangschaltung *f* gears *pl*.

Ganove *m* ⟨-n, -n⟩ (*umg*) crook.

Gans *f* ⟨-, Gänse⟩ goose.

Gänseblümchen *nt* daisy; **Gänsebraten** *m* roast goose; **Gänsefüßchen** *pl* (*umg*) inverted commas *pl Brit*, quotes *pl*; **Gänsehaut** *f* goose pimples *pl*; **Gänsemarsch** *m:* **im ~** in single file; **Gänserich** *m* gander.

ganz 1. *adj* whole; (*vollständig*) complete; **2.** *adv* quite; (*völlig*) completely; **~ Europa** all Europe; **sein ~es Geld** all his money; **~ und gar nicht** not at all; **es sieht ~ so aus** it really looks like it; **aufs Ganze gehen** go for the lot.

gar 1. *adj* cooked, done; **2.** *adv* quite; **~ nicht/nichts/keiner** not/nothing/nobody at all; **~ nicht schlecht** not bad at all.

Garage *f* ⟨-, -n⟩ garage.

Garantie *f* guarantee; **garantieren** *vt* guarantee.

Garbe *f* ⟨-, -n⟩ sheaf.

Garde *f* ⟨-, -n⟩ guard[s]; **die alte ~** the old guard.

Garderobe *f* ⟨-, -n⟩ wardrobe; (*Abgabe*) cloakroom; **Garderobenständer** *m* hallstand.

Gardine *f* curtain.

gären ⟨gor *o* gärte, gegoren *o* gegärt⟩ *vi* ferment.

Garn *nt* ⟨-[e]s, -e⟩ thread; (*fig a.*) yarn.

Garnele *f* ⟨-, -n⟩ shrimp.

garnieren *vt* decorate; (*Speisen*) garnish.

Garnison *f* ⟨-, -en⟩ garrison.

Garnitur *f* (*Satz*) set; (*Unterwäsche*) set of [matching] underwear; **erste ~** (*fig*) top rank; **zweite ~** second rate.

garstig adj nasty, horrid.
Garten m ⟨-s, Gärten⟩ garden; **Gartenarbeit** f gardening; **Gartenbau** m horticulture; **Gartenfest** nt garden party; **Gartenhaus** nt summerhouse; **Gartenkresse** f cress; **Gartenlokal** nt garden café; **Gartenschere** f pruning shears pl.
Gärtner(in) m(f) gardener; **Gärtnerei** f nursery; (Gemüse~) market garden Brit, truck farm US; **gärtnern** vi garden.
Gärung f fermentation.
Gas nt ⟨-es, -e⟩ gas; ~ **geben** (AUTO) accelerate, step on the gas; **gasförmig** adj gaseous; **Gasherd** m gas cooker; **Gasleitung** f gas pipe; **Gasmaske** f gas mask; **Gaspedal** nt accelerator, gas pedal.
Gasse f ⟨-, -n⟩ lane, alley; **Gassenjunge** m street urchin.
Gast m ⟨-es, Gäste⟩ guest; **Gastarbeiter(in)** m(f) foreign worker; **Gästebuch** nt visitors' book, guest book; **Gästezimmer** nt [guest] room; **gastfreundlich** adj hospitable; **Gastgeber(in)** m(f) ⟨-s, -⟩ host/hostess; **Gasthaus** nt, **Gasthof** m hotel, inn.
gastieren vi (THEAT) [appear as a] guest.
gastlich adj hospitable.
Gastronomie f (Gewerbe) catering trade; **gastronomisch** adj gastronomic[al].
Gastspiel nt (SPORT) away game; **Gaststätte** f restaurant; pub; **Gastwirt(in)** m(f) innkeeper; **Gastwirtschaft** f hotel, inn.
Gasvergiftung f gas poisoning; **Gaswerk** nt gasworks sing o pl; **Gaszähler** m gas meter.
Gatte m ⟨-n, -n⟩ husband, spouse; **die ~n** pl husband and wife.
Gatter nt ⟨-s, -⟩ railing, grating; (Eingang) gate.
Gattin f wife, spouse.
Gattung f (BIO) genus; (LITER. MUS) genre; (fig) type, kind.
Gau, GAU m ⟨-s, -s⟩ akr von **größter anzunehmender Unfall** maximum credible accident.
Gaul m ⟨-[e]s, Gäule⟩ horse; (pej) nag.
Gaumen m ⟨-s, -⟩ palate.
Gauner(in) m(f) ⟨-s, -⟩ rogue; **Gaunerei** f swindle.
Gaze f ⟨-, -n⟩ gauze.
geb. 1. adj abk von **geboren** born; **2.** adj abk von **geborene** née.
Gebäck nt ⟨-[e]s, -e⟩ pastry.
gebacken pp von **backen**.
Gebälk nt ⟨-[e]s⟩ timberwork.
gebar imperf von **gebären**.
Gebärde f ⟨-, -n⟩ gesture; **gebärden** vr: **sich ~** behave.
gebären ⟨gebar, geboren⟩ vt give birth to, bear; **Gebärmutter** f uterus, womb.

Gebäude nt ⟨-s, -⟩ building; **Gebäudekomplex** m [building] complex.
Gebein nt ⟨-[e]s, -e⟩ bones pl.
Gebell nt ⟨-[e]s⟩ barking.
geben ⟨gab, gegeben⟩ **1.** vt, vi give (jdm etw sb sth, sth to sb); (Karten) deal; **2.** vb unpers: **es gibt** there is/are; there will be; **3.** vr: **sich ~** (sich verhalten) behave, act; (aufhören) abate; **sich geschlagen ~** admit defeat; **das wird sich schon ~** that'll sort itself out; **ein Wort gab das andere** one angry word led to another.
Gebet nt ⟨-[e]s, -e⟩ prayer.
gebeten pp von **bitten**.
Gebiet nt ⟨-[e]s, -e⟩ area; (Hoheits~) territory; (fig) field.
gebieten irr vt command, demand; **gebieterisch** adj imperious.
Gebilde nt ⟨-s, -⟩ object, structure.
gebildet adj cultured, educated.
Gebirge nt ⟨-s, -⟩ mountains pl, mountain chain; **gebirgig** adj mountainous; **Gebirgskette** f mountain range.
Gebiß nt ⟨Gebisses, Gebisse⟩ teeth pl; (künstlich) dentures pl.
gebissen pp von **beißen**.
geblasen pp von **blasen**.
geblieben pp von **bleiben**.
geblümt adj flowery.
gebogen pp von **biegen**.
geboren 1. pp von **gebären**; **2.** adj born; **Manika Braun, ~e Schlüter** Manika Braun, née Schlüter.
geborgen 1. pp von **bergen**; **2.** adj secure, safe.
geborsten pp von **bersten**.
Gebot nt ⟨-[e]s, -e⟩ command; (biblisch) commandment; (bei Auktion) bid.
geboten pp von **bieten**.
gebracht pp von **bringen**.
gebrannt pp von **brennen**.
gebraten pp von **braten**.
Gebräu nt ⟨-[e]s, -e⟩ brew, concoction.
Gebrauch m ⟨-[e]s, Gebräuche⟩ use; (Sitte) custom; **gebrauchen** vt use.
gebräuchlich adj usual, customary.
Gebrauchsanweisung f directions pl for use; **Gebrauchsartikel** m article of everyday use; **gebrauchsfertig** adj ready for use; **Gebrauchsgegenstand** m commodity.
gebraucht adj used; **Gebrauchtwagen** m secondhand [o used] car.
gebrechlich adj frail.
gebrochen pp von **brechen**.
Gebrüder pl brothers pl.
Gebrüll nt ⟨-[e]s⟩ (von Mensch) yelling; (von Löwe) roaring.
Gebühr f ⟨-, -en⟩ charge; (Maut) toll; (Honorar) fee; **über ~** unduly.

gebühren 1. vi: jdm ~ be sb's due, be due to sb; **2.** vr: sich ~ be fitting.

Gebührenerlaß m remission of fees; **Gebührenermäßigung** f reduction of fees; **gebührenfrei** adj free of charge; **gebührenpflichtig** adj subject to charges.

gebunden pp von **binden.**

Geburt f ⟨-, -en⟩ birth; **Geburtenkontrolle** f birth control; **Geburtenrate** f birthrate.

gebürtig adj born in, native of; **~e Schweizerin** native of Switzerland, Swiss-born.

Geburtsanzeige f birth notice; **Geburtsdatum** nt date of birth; **Geburtsjahr** nt year of birth; **Geburtsort** m birthplace; **Geburtstag** m birthday; **herzlichen Glückwunsch zum ~** happy birthday, many happy returns; **Geburtsurkunde** f birth certificate.

Gebüsch nt ⟨-[e]s, -e⟩ bushes pl.

gedacht pp von **denken.**

Gedächtnis nt memory; **Gedächtnisschwund** m loss of memory, failing memory; **Gedächtnisverlust** m amnesia.

Gedanke m ⟨-ns, -n⟩ thought; **sich** dat **über etw** akk **~n machen** think about sth; (sich sorgen) worry about sth; **Gedankenaustausch** m exchange of ideas; **gedankenlos** adj thoughtless; **Gedankenlosigkeit** f thoughtlessness; **Gedankenstrich** m dash; **Gedankenübertragung** f thought transference, telepathy.

Gedärm nt ⟨-[e]s, -e⟩ intestines pl, bowels pl.

Gedeck nt ⟨-[e]s, -e⟩ cover[ing]; (Speisenfolge) menu; **ein ~ auflegen** lay a place.

gedeihen (gedieh, gediehen) vi thrive, prosper.

gedenken 1. irr vi (sich erinnern) remember (jds/einer Sache sb/sth); **2.** irr vt: ~, **etw zu tun** intend to do sth; (beabsichtigen) intend; **Gedenkfeier** f commemoration; **Gedenkminute** f minute's silence; **Gedenktag** m remembrance day.

Gedicht nt ⟨-[e]s, -e⟩ poem.

gediegen adj [good] quality; (Mensch) reliable, honest.

gedieh imperf von **gedeihen; gediehen** pp von **gedeihen.**

Gedränge nt ⟨-s⟩ crush, crowd; **ins ~ kommen** (fig) get into difficulties.

gedrängt adj compressed; **~ voll** packed.

gedroschen pp von **dreschen.**

gedrungen 1. pp von **dringen; 2.** adj thickset, stocky.

Geduld f ⟨-⟩ patience; **gedulden** vr: sich ~ be patient; **geduldig** adj patient, forbearing; **Geduldsprobe** f trial of [one's] patience.

gedurft pp von **dürfen.**

geeignet adj suitable.

Gefahr f ⟨-, -en⟩ danger; **~ laufen, etw zu tun** run the risk of doing sth; **auf eigene ~** at one's own risk.

gefährden vt endanger.

gefahren pp von **fahren.**

Gefahrenquelle f source of danger; **Gefahrenzulage** f danger money.

gefährlich adj dangerous.

Gefährte m ⟨-n, -n⟩, **Gefährtin** f companion.

Gefälle nt ⟨-s, -⟩ gradient, incline; (Unterschied) difference.

gefallen 1. pp von **fallen; 2.** irr vi: jdm ~ please sb; **er/es gefällt mir** I like him/it; **das gefällt mir an ihm** that's one thing I like about him; **sich** dat **etw ~ lassen** put up with sth; **Gefallen 1.** m ⟨-s, -⟩ favour; **2.** nt ⟨-s⟩ pleasure; **an etw** dat **~ finden** derive pleasure from sth; **jdm etw zu ~ tun** do sth to please sb.

gefällig adj (hilfsbereit) obliging; (erfreulich) pleasant; **Gefälligkeit** f favour; helpfulness; **etw aus ~ tun** do sth as a favour; **gefälligst** adv kindly.

gefangen 1. pp von **fangen; 2.** adj captured; (fig) captivated; **Gefangene(r)** mf prisoner, captive; **Gefangenenlager** nt prisoner-of-war camp; **gefangenhalten** irr vt keep prisoner; **Gefangennahme** f ⟨-, -n⟩ capture; **Gefangenschaft** f captivity.

Gefängnis nt prison; **Gefängnisstrafe** f prison sentence; **Gefängniswärter(in)** m(f) prison warder/wardress.

Gefasel nt ⟨-s⟩ twaddle, drivel.

Gefäß nt ⟨-es, -e⟩ (Behälter) container, receptacle; (ANAT, BOT) vessel.

gefaßt adj composed, calm; **auf etw** akk ~ **sein** be prepared [o ready] for sth.

Gefecht nt ⟨-[e]s, -e⟩ fight; (MIL) engagement.

gefeit adj: **gegen etw ~ sein** be immune to sth.

Gefieder nt ⟨-s, -⟩ plumage, feathers pl; **gefiedert** adj feathered.

gefleckt adj spotted, mottled.

geflissentlich adj, adv intentional[ly].

geflochten pp von **flechten.**

geflogen pp von **fliegen.**

geflohen pp von **fliehen.**

geflossen pp von **fließen.**

Geflügel nt ⟨-s⟩ poultry.

gefochten pp von **fechten.**

Gefolge nt ⟨-s, -⟩ retinue; **Gefolgschaft** f following; (Arbeiter) personnel; **Gefolgsmann** m ⟨Gefolgsleute pl⟩ follower.

gefragt adj in demand.

gefräßig adj voracious.

Gefreite(r) mf ⟨-n, -n⟩ lance corporal; (NAUT) able seaman, seaman apprentice;

(*FLUG*) aircraftman.

gefressen pp von **fressen**.

gefrieren irr vi freeze; **Gefrierfach** nt icebox; **Gefrierfleisch** nt frozen meat; **gefriergetrocknet** adj freeze-dried; **Gefrierpunkt** m freezing point; **Gefrierschrank** m [upright] freezer; **Gefriertruhe** f [chest] freezer.

gefroren pp von **frieren**.

Gefüge nt ⟨-s, -⟩ structure.

gefügig adj pliant; (*pej: Mensch*) obedient.

Gefühl nt ⟨-[e]s, -e⟩ feeling; **etw im ~ haben** have a feel for sth; **gefühllos** adj unfeeling; **gefühlsbetont** adj emotional; **Gefühlsduselei** f emotionalism; **gefühlsmäßig** adj instinctive.

gefunden pp von **finden**.

gegangen pp von **gehen**.

gegeben 1. pp von **geben**; 2. adj given; **zu ~er Zeit** in good time; **gegebenenfalls** adv if need be.

gegen präp +akk against; (*in Richtung auf, jdn betreffend, kurz vor*) towards; (*im Austausch für*) [in return] for; (*ungefähr*) round about; **Gegenanzeige** f contraindication; **Gegenangriff** m counter-attack; **Gegenanzeige** f contraindication; **Gegenbeweis** m counter-evidence.

Gegend f ⟨-, -en⟩ area, district.

gegeneinander adv against one another.

Gegenfahrbahn f opposite carriageway; **Gegenfrage** f counter-question; **Gegengewicht** nt counterbalance; **Gegengift** nt ⟨-[e]s, -e⟩ antidote; **Gegenleistung** f: **als ~** in return; **Gegenlichtaufnahme** f contrejour photograph; **Gegenmaßnahme** f counter-measure; **Gegenprobe** f crosscheck; **Gegensatz** m contrast; **Gegensätze überbrücken** overcome differences; **gegensätzlich** adj contrary, opposite; (*widersprüchlich*) contradictory; **Gegenschlag** m counterattack; **Gegenseite** f opposite side; (*Rückseite*) reverse; **gegenseitig** adj mutual, reciprocal; **sich ~ helfen** help each other; **Gegenseitigkeit** f reciprocity; **das beruht auf ~** it's mutual; **Gegenspieler(in)** m(f) opponent.

Gegenstand m object; **gegenständlich** adj concrete.

Gegenstimme f vote against; **Gegenstück** nt counterpart.

Gegenteil nt opposite; **im ~** on the contrary; **ins ~ umschlagen** swing to the other extreme; **gegenteilig** adj opposite, contrary.

gegenüber 1. präp +dat opposite; (*zu*) to[wards]; (*angesichts*) in the face of; 2. adv opposite; **Gegenüber** nt ⟨-s, -⟩ person opposite; (*bei Diskussion*) opposite number; **gegenüberliegen** irr vr: **sich ~** face

each other; **gegenüberstellen** vt confront (*dat* with); (*fig*) compare; **Gegenüberstellung** f confrontation; (*fig: Vergleich*) comparison; **gegenübertreten** irr vi face (*jdm* sb).

Gegenverkehr m oncoming traffic; **Gegenvorschlag** m counterproposal; **Gegenwart** f ⟨-⟩ present; **gegenwärtig** 1. adj present; 2. adv at present; **das ist mir nicht mehr ~** that has slipped my mind; **Gegenwert** m equivalent; **Gegenwind** m headwind; **Gegenwirkung** f reaction; **gegenzeichnen** vt, vi countersign; **Gegenzug** m counter-move; (*EISENB*) corresponding train in the other direction.

gegessen pp von **essen**.

geglichen pp von **gleichen**.

geglitten pp von **gleiten**.

geglommen pp von **glimmen**.

Gegner(in) m(f) ⟨-s, -⟩ opponent; **gegnerisch** adj opposing; **Gegnerschaft** f opposition.

gegolten pp von **gelten**.

gegoren pp von **gären**.

gegossen pp von **gießen**.

gegraben pp von **graben**.

gegriffen pp von **greifen**.

gehabt pp von **haben**.

Gehackte(s) nt mince[d meat].

Gehalt 1. m ⟨-[e]s, -e⟩ content; 2. nt ⟨-[e]s, Gehälter⟩ salary.

gehalten pp von **halten**.

Gehaltsempfänger(in) m(f) salary earner; **Gehaltserhöhung** f [salary] increase; **Gehaltszulage** f [salary] increment.

gehangen pp von **hängen**.

geharnischt adj forceful, angry.

gehässig adj spiteful, nasty; **Gehässigkeit** f spitefulness.

gehauen pp von **hauen**.

Gehäuse nt ⟨-s, -⟩ case; (*Radio~, Kamera~*) casing, body.

Gehege nt ⟨-s, -⟩ enclosure, preserve; **jdm ins ~ kommen** (*fig*) get under sb's feet.

geheim adj secret; **Geheimdienst** m secret service, intelligence service; **geheimhalten** irr vt keep secret; **Geheimnis** nt secret; (*rätselhaft*) mystery; **Geheimniskrämer(in)** m(f) secretive type; **geheimnisvoll** adj mysterious; **Geheimnummer** f (*Geldautomat*) PIN-number; **eine ~ haben** (*TEL*) be exdirectory *Brit*, have an unlisted number *US*; **Geheimpolizei** f secret police; **Geheimschrift** f code, secret writing.

geheißen pp von **heißen**.

gehen ⟨ging, gegangen⟩ 1. vt, vi go; (*zu Fuß ~*) walk; 2. vi unpers: **wie geht es [dir]?** how are you [o things]?; **mir/ihm geht es**

gut I'm/he's [doing] fine; **geht das?** is that possible?; **geht's noch?** can you still manage?; **es geht** not too bad, O.K.; **das geht nicht** that's not on; **es geht um etw** it concerns sth, it's about sth; **~ nach** (*Fenster*) face.

geheuer *adj:* **nicht ~** eery; (*fragwürdig*) dubious.

Geheul *nt* ⟨-[e]s⟩ howling.

Gehilfe *m* ⟨-n, -n⟩, **Gehilfin** *f* assistant.

Gehirn *nt* ⟨-[e]s, -e⟩ brain; **Gehirnerschütterung** *f* concussion; **Gehirnwäsche** *f* brainwashing.

gehoben 1. *pp von* **heben**; **2.** *adj* (*Sprache*) elevated; (*Stellung*) senior.

geholfen *pp von* **helfen**.

Gehör *nt* ⟨-[e]s⟩ hearing; **musikalisches ~** ear; **~ finden** gain a hearing; **jdm ~ schenken** listen to sb.

gehorchen *vi* obey (*jdm* sb).

gehören **1.** *vi* belong (*jdm* to sb); **2.** *vr unpers:* **sich ~** be right, be proper.

gehörig *adj* proper.

gehorsam *adj* obedient; **Gehorsam** *m* ⟨-s⟩ obedience.

Gehsteig *m* pavement, sidewalk *US.*

Geier *m* ⟨-s, -⟩ vulture; **weiß der ~** (*umg*) God knows.

geifern *vi* salivate; (*fig*) bitch.

Geige *f* ⟨-, -n⟩ violin; **Geiger(in)** *m(f)* ⟨-s, -⟩ violinist.

Geigerzähler *m* geiger counter.

geil *adj* randy, horny *US*; (*umg: toll*) fantastic, brilliant.

Geisel *f* ⟨-, -n⟩ hostage.

Geiselnahme *f* ⟨-, -n⟩ hostage-taking.

Geißel *f* ⟨-, -n⟩ scourge, whip; **geißeln** *vt* scourge.

Geist *m* ⟨-[e]s, -er⟩ spirit; (*Gespenst*) ghost; (*Verstand*) mind; **Geisterfahrer(in)** *m(f) person driving in the wrong direction on a motorway;* **geisterhaft** *adj* ghostly; **geistesabwesend** *adj* absent-minded; **Geistesblitz** *m* brainwave; **Geistesgegenwart** *f* presence of mind; **geisteskrank** *adj* mentally ill; **Geisteskranke(r)** *mf* mentally ill person; **Geisteskrankheit** *f* mental illness; **Geisteswissenschaften** *pl* arts *pl*; **Geisteszustand** *m* state of mind; **geistig** *adj* intellectual; (*PSYCH*) mental; **~ behindert** mentally handicapped.

geistlich *adj* spiritual; (*kirchlich*) religious; **Geistliche(r)** *m* clergyman; **Geistlichkeit** *f* clergy.

geistlos *adj* uninspired, dull; **geistreich** *adj* clever; (*witzig*) witty; **geisttötend** *adj* soul-destroying.

Geiz *m* ⟨-es⟩ miserliness, meanness; **geizen** *vi* be miserly; **Geizhals** *m* miser; **geizig**

adj miserly, mean; **Geizkragen** *m* miser.

gekannt *pp von* **kennen**.

Geklapper *nt* ⟨-s⟩ rattling.

geklungen *pp von* **klingen**.

geknickt *adj* (*fig*) dejected.

gekniffen *pp von* **kneifen**.

gekommen *pp von* **kommen**.

gekonnt 1. *pp von* **können**; **2.** *adj* skilful, masterly.

Gekritzel *nt* ⟨-s⟩ scrawl, scribble.

gekrochen *pp von* **kriechen**.

gekünstelt *adj* artificial, affected.

Gel *nt* ⟨-s, -s⟩ gel.

Gelächter *nt* ⟨-s, -⟩ laughter.

geladen 1. *pp von* **laden**; **2.** *adj* loaded; (*ELEK*) live; (*fig*) furious.

Gelage *nt* ⟨-s, -⟩ feast, banquet.

gelähmt *adj* paralysed.

Gelände *nt* ⟨-s, -⟩ land, terrain; (*von Fabrik, Sport~*) grounds *pl*; (*Bau~*) site; **Geländefahrzeug** *nt* cross-country [*o* all-terrain] vehicle; **geländegängig** *adj* [suitable for driving] cross-country; **Geländelauf** *m* cross-country race.

Geländer *nt* ⟨-s, -⟩ railing; (*Treppen~*) banister[s].

Geländewagen *m* cross-country vehicle.

gelang *imperf von* **gelingen**.

gelangen *vi* reach (*zu etw, an etw akk* sth); (*erwerben*) attain; **in jds Besitz ~** come into sb's possession.

gelassen 1. *pp von* **lassen**; **2.** *adj* calm, composed; **Gelassenheit** *f* calmness, composure.

Gelatine *f* gelatine.

gelaufen *pp von* **laufen**.

geläufig *adj* (*üblich*) common; **das ist mir nicht ~** I'm not familiar with that.

gelaunt *adj:* **gut/schlecht ~** in a good/bad mood; **wie ist er ~?** what sort of mood is he in?

Geläut[e] *nt* ⟨-[e]s⟩ ringing; (*Läutwerk*) chime.

gelb *adj* yellow; (*Ampellicht*) amber; **gelblich** *adj* yellowish; **Gelbsucht** *f* jaundice.

Geld *nt* ⟨-[e]s, -er⟩ money; **etw zu ~ machen** sell sth off; **Geldanlage** *f* investment; **Geldautomat** *m* cash dispenser; **Geldbetrag** *m* sum [of money]; **Geldbeutel** *m* purse; **Geldbuße** *f* fine; **Geldeinwurf** *m* slot; **Geldgeber(in)** *m(f)* ⟨-s, -⟩ financial backer; **geldgierig** *adj* avaricious; **Geldmittel** *pl* capital, means *pl*; **Geldschein** *m* banknote; **Geldschrank** *m* safe, strongbox; **Geldstrafe** *f* fine; **Geldstück** *nt* coin; **Geldverlegenheit** *f:* **in ~ sein/kommen** to be/run short of money; **Geldverschwendung** *f* waste of money; **Geldwechsel** *m* exchange [of money]; (*Ort*) bureau de change.

Gelee nt ⟨-s, -s⟩ jelly.

gelegen 1. pp von **liegen**; **2.** adj situated; (passend) convenient, opportune; **etw kommt jdm ~** sth is convenient for sb.

Gelegenheit f opportunity; (Anlaß) occasion; **bei jeder ~** at every opportunity; **Gelegenheitsarbeit** f casual work; **Gelegenheitsarbeiter(in)** m(f) casual worker; **Gelegenheitskauf** m bargain.

gelegentlich 1. adj occasional; **2.** adv occasionally; (bei Gelegenheit) some time [or other]; **3.** präp +gen on the occasion of.

gelehrig adj quick to learn, intelligent.

gelehrt adj learned; **Gelehrte(r)** mf scholar; **Gelehrtheit** f scholarliness.

Geleit nt ⟨-[e]s⟩ escort; **Geleitschutz** m escort.

Gelenk nt ⟨-[e]s, -e⟩ joint; **gelenkig** adj supple, agile.

gelernt adj skilled.

gelesen pp von **lesen**.

Geliebte(r) mf (Mann) lover; (Frau) mistress.

geliehen pp von **leihen**.

gelind[e] adj mild, light; **~e gesagt** to put it mildly.

gelingen ⟨gelang, gelungen⟩ vi succeed; **die Arbeit gelingt mir nicht** I'm not being very successful with this piece of work; **es ist mir gelungen, etw zu tun** I succeeded in doing sth.

gelitten pp von **leiden**.

geloben vt vow, swear.

gelogen pp von **lügen**.

gelten ⟨galt, gegolten⟩ **1.** vt (wert sein) be worth; **2.** vi (gültig sein) be valid; (erlaubt sein) be allowed; **3.** vb unpers: **es gilt, etw zu tun** it is necessary to do sth; **jdm ~** (gemünzt sein auf) be meant for [o aimed at] sb; **etw gilt bei jdm viel/wenig** sb values sth highly/sb doesn't value sth very highly; **jdm viel/wenig ~** mean a lot/not mean much to sb; **was gilt die Wette?** what do you bet?; **etw ~ lassen** accept sth; **als [o für] etw ~** be considered to be sth; **jdm [o für jdn] ~** (betreffen) apply to [o for] sb; **geltend** adj prevailing; **etw ~ machen** assert sth; **sich ~ machen** make itself/oneself felt; **Geltung** f: **~ haben** have validity; **sich/einer Sache** dat **~ verschaffen** establish oneself/sth; **etw zur ~ bringen** show sth to its best advantage; **zur ~ kommen** be seen/heard to its best advantage; **Geltungsbedürfnis** nt desire for recognition.

Gelübde nt ⟨-s, -⟩ vow.

gelungen 1. pp von **gelingen**; **2.** adj successful.

gemächlich adj leisurely.

Gemahl(in) m(f) ⟨-[e]s, -e⟩ husband/wife.

gemahlen pp von **mahlen**.

Gemälde nt ⟨-s, -⟩ painting, picture.

gemäß 1. präp +dat in accordance with; **2.** adj appropriate (dat to).

gemäßigt adj moderate; (Klima) temperate.

gemein adj common; (niederträchtig) mean; **etw ~ haben [mit]** have sth in common [with].

Gemeinde f ⟨-, -n⟩ district, community; (Pfarr~) parish; (Kirchen~) congregation; **Gemeinderat** m (Gremium) local council; (Mitglied) local councillor; **Gemeinderatswahl** f local council election; **Gemeindeverwaltung** f local administration; **Gemeindezentrum** nt community centre.

gemeingefährlich adj dangerous to the public; **Gemeingut** nt public property.

Gemeinheit f (Niedertracht) meanness; (Vulgarität) vulgarity; (Tat) mean trick, dirty trick; (Behandlung) mean treatment; (Worte) mean thing [to say]; (Ärgernis) nuisance.

gemeinsam 1. adj joint, common; **2.** adv together, jointly; **~e Sache mit jdm machen** be in cahoots with sb; **etw ~ haben** have sth in common.

Gemeinschaft f community; **in ~ mit** together with, jointly with; **Gemeinschaft Unabhängiger Staaten** Commonwealth of Independent States; **Gemeinschaftsarbeit** f teamwork.

Gemenge nt ⟨-s, -⟩ mixture; (Hand~) scuffle.

gemessen 1. pp von **messen**; **2.** adj measured.

Gemetzel nt ⟨-s, -⟩ slaughter, carnage, butchery.

gemieden pp von **meiden**.

Gemisch nt ⟨-es, -e⟩ mixture; **gemischt** adj mixed.

gemocht pp von **mögen**.

gemolken pp von **melken**.

Gemse f ⟨-, -n⟩ chamois.

Gemunkel nt ⟨-s⟩ gossip.

Gemüse nt ⟨-s, -⟩ vegetables pl; **Gemüsegarten** m vegetable garden; **Gemüsehändler(in)** m(f) greengrocer.

gemußt pp von **müssen**.

Gemüt nt ⟨-[e]s, -er⟩ disposition, nature; (Mensch) person; **sich** dat **etw zu ~e führen** (umg) indulge in sth; **die ~er erregen** arouse strong feelings.

gemütlich adj comfortable, cosy; (Mensch) good-natured and easy-going; **Gemütlichkeit** f comfortableness, cosiness; amiability.

Gemütsbewegung f emotion; **Gemütsmensch** m good-natured and easy-going person; **Gemütsruhe** f composure; **Ge-**

mützustand m state of mind.

Gen nt ⟨-s, -e⟩ gene.

genannt pp von **nennen**.

genas imperf von **genesen**.

genau adj, adv exact[ly], precise[ly]; **etw ~ nehmen** take sth seriously; **genauge-nommen** adv strictly speaking; **Genau-igkeit** f exactness, accuracy.

genehm adj: **jdm ~ sein** suit sb.

genehmigen vt approve, authorize; **sich** dat **etw ~** indulge in sth; **Genehmigung** f approval, authorization.

geneigt adj: **~ sein, etw zu tun** be inclined to do sth.

General(in) m(f) ⟨-s, -e o Generäle⟩ general; **Generaldirektor(in)** m(f) director general; **Generalkonsul** m consul general; **Generalkonsulat** nt consulate general; **Generalprobe** f dress rehearsal; **Generalstreik** m general strike; **gene-ralüberholen** vt thoroughly overhaul.

Generation f generation; **Generations-konflikt** m generation gap.

Generator m generator.

genesen ⟨genas, genesen⟩ vi convalesce, recover, get well; **Genesung** f recovery, convalescence.

genetisch adj genetic; **~er Fingerabdruck** genetic Fingerprint.

Genf nt Geneva.

genial adj brilliant; **Genialität** f brilliance, genius.

Genick nt ⟨-[e]s, -e⟩ [back of the] neck.

Genie nt ⟨-s, -s⟩ genius.

genieren vr: **sich ~** feel awkward, feel self-conscious.

genießbar adj edible; drinkable.

genießen ⟨genoß, genossen⟩ vt enjoy; eat; drink; **Genießer(in)** m(f) ⟨-s, -⟩ epicure; pleasure lover; **genießerisch 1.** adj appreciative; **2.** adv with relish.

Genmanipulation f genetic manipulation.

genommen pp von **nehmen**.

genoß imperf von **genießen**.

Genosse m ⟨-n, -n⟩ (POL) comrade; (Mitglied einer Genossenschaft) member of a cooperative [society].

genossen pp von **genießen**.

Genossenschaft f cooperative [association].

Genossin f s. **Genosse**.

Gentechnik f, **Gentechnologie** f genetic engineering.

genug adv enough.

Genüge f ⟨-⟩: **jdm/einer Sache ~ tun** satisfy sb/sth; **zur ~** enough; **genügen** vi be enough, be sufficient (jdm for sb), satisfy (jdm sb); **genügend** adj sufficient.

genügsam adj modest, easily satisfied; **Genügsamkeit** f moderation.

Genugtuung f satisfaction.

Genuß m ⟨Genusses, Genüsse⟩ pleasure; (Zusichnehmen) consumption; **in den ~ von etw kommen** receive the benefit of sth.

genüßlich adv with relish; **Genußmittel** pl [semi-]luxury items pl.

Geograph(in) m(f) ⟨-en, -en⟩ geographer; **Geographie** f geography; **geogra-phisch** adj geographical.

Geologe m ⟨-n, -n⟩ geologist; **Geologie** f geology; **Geologin** f geologist.

Geometrie f geometry.

Georgien nt ⟨-s⟩ Georgia.

Gepäck nt ⟨-[e]s⟩ luggage, baggage; **Ge-päckabfertigung** f luggage desk [o check-in]; **Gepäckannahme** f (zur Beför-derung) luggage office; (zur Aufbewah-rung) left-luggage office Brit, checkroom US; **Gepäckaufbewahrung** f left-lug-gage office Brit, checkroom US; **Gepäck-ausgabe** f luggage desk/office; **Ge-päcknetz** nt luggage-rack; **Gepäck-schein** m luggage ticket; **Gepäck-schließfach** nt luggage locker; **Gepäck-träger** m porter; (an Fahrrad) carrier; **Ge-päckwagen** m luggage van, baggage car US.

gepfiffen pp von **pfeifen**.

gepflegt adj well-groomed; (Park) well looked after.

Gepflogenheit f custom.

Geplapper nt ⟨-s⟩ chatter.

Geplauder nt ⟨-s⟩ chat[ting].

gepriesen pp von **preisen**.

gequollen pp von **quellen**.

gerade 1. adj straight; (Zahl) even; **2.** adv (genau) exactly; (örtlich) straight; (eben) just; **warum ~ ich?** why me?; **~ weil** pre-cisely [o just] because; **nicht ~ schön** not exactly nice; **das ist es ja ~** that's just it; **~ noch** just; **~ neben** right next to; **Gerade** f ⟨-n, -n⟩ straight line; (SPORT) straight; (BOXEN) straight right/left; **geradeaus** adv straight ahead; **geradeheraus** adv straight out, bluntly; **geradeso** adv just so; **~ dumm** just as stupid; **~ wie** just as; **geradezu** adv (beinahe) virtually, almost.

gerannt pp von **rennen**.

Gerät nt ⟨-[e]s, -e⟩ device; (Werkzeug) tool; (SPORT) apparatus; (Zubehör) equipment.

geraten 1. pp von **raten**; **2.** ⟨geriet, geraten⟩ vi (gelingen) turn out (jdm for sb); **gut/ schlecht ~** turn out well/badly; **an jdn ~** come across sb; **in etw** akk **geraten** get into sth; **in Angst ~** get frightened; **nach jdm ~** take after sb.

Geratewohl nt: **aufs ~** on the off chance; (bei Wahl) at random.

geraum adj: **seit ~er Zeit** for some consider-able time.

geräumig *adj* roomy.

Geräusch *nt* ⟨-[e]s, -e⟩ sound; noise; **geräuschlos** *adj* silent; **geräuschvoll** *adj* noisy.

gerben *vt* tan; **Gerber(in)** *m(f)* ⟨-s, -⟩ tanner; **Gerberei** *f* tannery.

gerecht *adj* fair, just; **jdm/einer Sache ~ werden** do justice to sb/sth; **Gerechtigkeit** *f* justice.

Gerede *nt* ⟨-s⟩ talk, gossip.

gereizt *adj* irritable.

Gericht *nt* ⟨-[e]s, -e⟩ court; (*Essen*) dish; **mit jdm hart ins ~ gehen** judge sb harshly; **über jdn zu ~ sitzen** sit in judgement on sb; **das Letzte ~** the Last Judgement; **Gerichtsbarkeit** *f* jurisdiction; **Gerichtshof** *m* court [of law]; **Gerichtskosten** *pl* [legal] costs *pl*; **Gerichtssaal** *m* courtroom; **Gerichtsverfahren** *nt* legal proceedings *pl*; **Gerichtsverhandlung** *f* court proceedings *pl*; **Gerichtsvollzieher(in)** *m(f)* bailiff.

gerieben 1. *pp von* **reiben; 2.** *adj* grated.

geriet *imperf von* **geraten.**

gering *adj* slight, small; (*niedrig*) low; (*Zeit*) short; **geringachten** *vt* think little of sb; **geringfügig** *adj* slight, trivial; **geringschätzig** *adj* disparaging; **Geringschätzung** *f* disdain; **geringste(r, s)** *adj* slightest, least.

gerinnen *irr vi* congeal; (*Blut*) clot; (*Milch*) curdle; **Gerinnsel** *nt* clot.

Gerippe *nt* ⟨-s, -⟩ skeleton.

gerissen 1. *pp von* **reißen; 2.** *adj* wily, smart.

geritten *pp von* **reiten.**

gern[e] *adv* willingly, gladly; **~ haben, ~ mögen** like; **etw ~ tun** like doing sth; **Gernegroß** *m* ⟨-, -e⟩ show-off.

gerochen *pp von* **riechen.**

Geröll *nt* ⟨-[e]s, -e⟩ scree.

geronnen *pp von* **rinnen.**

Gerste *f* ⟨-, -n⟩ barley; **Gerstenkorn** *nt* (*im Auge*) stye.

Gerte *f* ⟨-, -n⟩ switch, rod; **gertenschlank** *adj* willowy.

Geruch *m* ⟨-[e]s, Gerüche⟩ smell, odour; **geruchlos** *adj* odourless; **Geruchssinn** *m* sense of smell.

Gerücht *nt* ⟨-[e]s, -e⟩ rumour.

geruchtilgend *adj* deodorant.

gerufen *pp von* **rufen.**

geruhen *vi*: **~, etw zu tun** deign [*o* condescend] to do sth.

Gerümpel *nt* ⟨-s⟩ junk.

gerungen *pp von* **ringen.**

Gerüst *nt* ⟨-[e]s, -e⟩ (*Bau~*) scaffolding; (*Gestell*) trestle; (*fig*) framework (*zu* of).

gesalzen *pp von* **salzen.**

gesamt *adj* whole, entire; (*Kosten*) total; (*Werke*) complete; **im ~en** all in all; **Gesamtausgabe** *f* complete edition; **gesamtdeutsch** *adj* all-German; **Gesamteindruck** *m* general impression; **Gesamtheit** *f* totality, whole; **Gesamtschule** *f* comprehensive school.

gesandt *pp von* **senden; Gesandte(r)** *mf* envoy; **Gesandtschaft** *f* legation.

Gesang *m* ⟨-[e]s, Gesänge⟩ song; (*Singen*) singing; **Gesangbuch** *nt* (*REL*) hymn book; **Gesangverein** *m* choral society.

Gesäß *nt* ⟨-es, -e⟩ seat, bottom.

gesch. *adj abk von* **geschieden** divorced.

geschaffen *pp von* **schaffen.**

Geschäft *nt* ⟨-[e]s, -e⟩ business; (*Laden*) shop; (*~sabschluß*) deal; **Geschäftemacher(in)** *m(f)* ⟨-s, -⟩ profiteer; **geschäftig** *adj* active, busy; (*pej*) officious; **geschäftlich 1.** *adj* commercial; **2.** *adv* on business; **Geschäftsbericht** *m* financial report; **Geschäftsessen** *nt* business meal; **Geschäftsführer(in)** *m(f)* manager; (*von Klub*) secretary; **Geschäftsjahr** *nt* financial year; **Geschäftslage** *f* business situation; **Geschäftsleitung** *f* management; **Geschäftsmann** *m* ⟨Geschäftsleute *pl*⟩ businessman; **geschäftsmäßig** *adj* businesslike; **Geschäftsreise** *f* business trip; **Geschäftsschluß** *m* closing time; **Geschäftssinn** *m* business sense; **Geschäftsstelle** *f* office, place of business; (*Zweigstelle*) branch; **geschäftstüchtig** *adj* efficient.

geschehen ⟨geschah, geschehen⟩ *vi* happen; **es war um ihn ~** that was the end of him.

gescheit *adj* clever.

Geschenk *nt* ⟨-[e]s, -e⟩ present, gift; **Geschenkgutschein** *m* gift voucher; **Geschenkpackung** *f* gift pack.

Geschichte *f* ⟨-, -n⟩ story; (*Sache*) affair; (*HIST*) history; **Geschichtenerzähler(in)** *m(f)* storyteller; **geschichtlich** *adj* historical; **Geschichtsschreiber(in)** *m(f)* historian.

Geschick *nt* ⟨-[e]s, -e⟩ aptitude; (*Schicksal*) fate; **Geschicklichkeit** *f* skill, dexterity; **geschickt** *adj* skilful.

geschieden 1. *pp von* **scheiden; 2.** *adj* divorced.

geschienen *pp von* **scheinen.**

Geschirr *nt* ⟨-[e]s, -e⟩ crockery; pots and pans *pl*; (*von Pferd*) harness; **Geschirrspülmaschine** *f* dishwasher; **Geschirrspülmittel** *nt* washing-up liquid; **Geschirrtuch** *nt* dish cloth.

geschlafen *pp von* **schlafen.**

geschlagen *pp von* **schlagen.**

Geschlecht *nt* ⟨-[e]s, -er⟩ sex; (*LING*) gender; **geschlechtlich** *adj* sexual; **Geschlechtskrankheit** *f* venereal disease;

Geschlechtsteil nt genitals pl; **Geschlechtsverkehr** m sexual intercourse; **Geschlechtswort** nt (LING) article.

geschlichen pp von **schleichen**.

geschliffen pp von **schleifen**.

geschlossen pp von **schließen**.

geschlungen pp von **schlingen**.

Geschmack m ⟨-[e]s, Geschmäcke⟩ taste; **nach jds** ~ to sb's taste; **an etw** dat ~ **finden** [come to] like sth; **geschmacklos** adj tasteless; (fig) in bad taste; **Geschmacksinn** m sense of taste; **Geschmack[s]sache** f matter of taste; **geschmackvoll** adj tasteful.

geschmeidig adj supple; (formbar) malleable.

geschmissen pp von **schmeißen**.

geschmolzen pp von **schmelzen**.

geschnitten pp von **schneiden**.

geschoben pp von **schieben**.

gescholten pp von **schelten**.

Geschöpf nt ⟨-[e]s, -e⟩ creature.

geschoren pp von **scheren**.

Geschoß nt ⟨Geschosses, Geschosse⟩ (MIL) projectile, missile; (Stockwerk) floor.

geschossen pp von **schießen**.

Geschrei nt ⟨-s⟩ cries pl; (fig) noise, fuss.

geschrieben pp von **schreiben**.

geschrie[e]n pp von **schreien**.

geschritten pp von **schreiten**.

geschunden pp von **schinden**.

Geschütz nt ⟨-es, -e⟩ gun, cannon.

geschützt adj protected.

Geschwader nt ⟨-s, -⟩ (NAUT) squadron; (FLUG) group.

Geschwafel nt ⟨-s⟩ waffle.

Geschwätz nt ⟨-es⟩ chatter, gossip; **geschwätzig** adj talkative.

geschweige adv: ~ [denn] let alone, not to mention.

geschwiegen pp von **schweigen**.

geschwind adj quick, swift; **Geschwindigkeit** f speed, velocity; **Geschwindigkeitsbegrenzung** f speed limit; **Geschwindigkeitsbeschränkung** f speed restriction; **Geschwindigkeitskontrolle** f speed check; **Geschwindigkeitsmesser** m ⟨-s, -⟩ (AUTO) speedometer; **Geschwindigkeitsüberschreitung** f exceeding the speed limit.

Geschwister pl brothers and sisters pl.

geschwollen 1. pp von **schwellen**; **2.** adj (Rede) pompous.

geschwommen pp von **schwimmen**.

geschworen pp von **schwören**; **Geschworene(r)** mf juror; **die** ~**n** pl the jury.

Geschwulst f ⟨-, Geschwülste⟩ growth.

geschwunden pp von **schwinden**.

geschwungen 1. pp von **schwingen**; **2.** adj curved.

Geschwür nt ⟨-[e]s, -e⟩ ulcer.

gesehen pp von **sehen**.

Geselle m ⟨-n, -n⟩ fellow; (Handwerks~) journeyman.

gesellig adj sociable; **Geselligkeit** f sociability; (Fest) social gathering.

Gesellschaft f society; (Begleitung) company; (Abend~) party; **Gesellschafter(in)** m(f) partner; (Teilhaber) shareholder; **gesellschaftlich** adj social; **Gesellschaftsanzug** m evening dress; **gesellschaftsfähig** adj (Verhalten) socially acceptable; (Aussehen) presentable; **Gesellschaftsordnung** f social structure; **Gesellschaftsschicht** f social stratum.

gesessen pp von **sitzen**.

Gesetz nt ⟨-es, -e⟩ law; **Gesetzbuch** nt civil code; **Gesetzentwurf** m, **Gesetzesvorlage** f bill; **gesetzgebend** adj legislative; **Gesetzgeber** m ⟨-s, -⟩ legislator; **Gesetzgebung** f legislation; **gesetzlich** adj legal, lawful; **gesetzlos** adj lawless; **gesetzmäßig** adj lawful.

gesetzt adj (Mensch) sedate.

gesetztenfalls adv supposing [that].

gesetzwidrig adj illegal, unlawful.

Gesicht nt ⟨-[e]s, -er⟩ face; **das ist mir nie zu** ~ **gekommen** I've never laid eyes on that; **Gesichtsausdruck** m ⟨Gesichtsausdrücke pl⟩ [facial] expression; **Gesichtsfarbe** f complexion; **Gesichtspunkt** m point of view; **Gesichtswasser** nt facial tonic water; **Gesichtszüge** pl features pl.

Gesindel nt ⟨-s⟩ rabble.

gesinnt adj disposed, minded.

Gesinnung f disposition; (Ansicht) views pl; **Gesinnungsgenosse** m, **Gesinnungsgenossin** f like-minded person; **Gesinnungslosigkeit** f lack of conviction; **Gesinnungswandel** m change of opinion, volte-face.

gesittet adj well-mannered.

gesoffen pp von **saufen**.

gesogen pp von **saugen**.

gesonnen pp von **sinnen**.

Gespann nt ⟨-[e]s, -e⟩ team; **ein gutes** ~ **abgeben** (umg) make a good team.

gespannt adj tense, strained; (begierig) eager; **ich bin** ~, **ob** I wonder if [o whether]; **auf etw/jdn** ~ **sein** look forward to sth/meeting sb.

Gespenst nt ⟨-[e]s, -er⟩ ghost, spectre; **gespensterhaft** adj ghostly.

gespie[e]n pp von **speien**.

Gespiele m ⟨-n, -n⟩, **Gespielin** f playmate.

gesponnen pp von **spinnen**.

Gespött nt ⟨-[e]s⟩ mockery; **zum** ~ **werden** become a laughing stock.

Gespräch nt ⟨-[e]s, -e⟩ conversation; discussion[s]; (*Anruf*) call; **zum ~ werden** become a topic of conversation; **gesprächig** *adj* talkative; **Gesprächigkeit** *f* talkativeness; **Gesprächsthema** *nt* subject, topic [of conversation].

gesprochen *pp von* **sprechen**.

gesprungen *pp von* **springen**.

Gespür *nt* ⟨-s⟩ feel[ing].

Gestalt *f* ⟨-, -en⟩ form, shape; (*Mensch*) figure; **in ~ von** in the form of; **~ annehmen** take shape; **gestalten 1.** *vt* (*formen*) shape, form; (*organisieren*) arrange, organize; **2.** *vr:* **sich ~** turn out (*zu* to be); **Gestaltung** *f* formation; organization.

gestanden *pp von* **stehen**.

geständig *adj:* **~ sein** have confessed; **Geständnis** *nt* confession.

Gestank *m* ⟨-[e]s⟩ stench.

gestatten *vt* permit, allow; **~ Sie?** may I?; **sich** *dat* **~, etw zu tun** take the liberty of doing sth.

Geste *f* ⟨-, -n⟩ gesture.

gestehen *irr vt* confess.

Gestein *nt* ⟨-[e]s, -e⟩ rock.

Gestell *nt* ⟨-[e]s, -e⟩ frame; (*Regal*) rack, stand.

gestern *adv* yesterday; **~ abend/morgen** yesterday evening/morning.

gestiegen *pp von* **steigen**.

gestikulieren *vi* gesticulate.

Gestirn *nt* ⟨-[e]s, -e⟩ star.

gestochen *pp von* **stechen**.

gestohlen *pp von* **stehlen**.

gestorben *pp von* **sterben**.

gestoßen *pp von* **stoßen**.

Gesträuch *nt* ⟨-[e]s, -e⟩ shrubbery, bushes *pl*.

gestreift *adj* striped.

gestrichen *pp von* **streichen**.

gestrig *adj* yesterday's.

gestritten *pp von* **streiten**.

Gestrüpp *nt* ⟨-[e]s, -e⟩ undergrowth.

gestunken *pp von* **stinken**.

Gestüt *nt* ⟨-[e]s, -e⟩ stud farm.

Gesuch *nt* ⟨-[e]s, -e⟩ petition; (*Antrag*) application.

gesucht *adj* (*WIRTS*) in demand; (*Verbrecher*) wanted.

gesund *adj* healthy; **wieder ~ werden** get better; **Gesundheit** *f* health[iness]; **~!** bless you!; **gesundheitlich 1.** *adj* health, physical; **2.** *adv* healthwise; **wie geht es Ihnen ~?** how's your health?; **gesundheitsschädlich** *adj* unhealthy; **Gesundheitswesen** *nt* health service; **Gesundheitszustand** *m* state of health.

gesungen *pp von* **singen**.

gesunken *pp von* **sinken**.

getan *pp von* **tun**.

Getöse *nt* ⟨-s⟩ din, racket.

getragen *pp von* **tragen**.

Getränk *nt* ⟨-[e]s, -e⟩ drink.

Getränkeautomat *m* drinks machine.

getrauen *vr:* **sich ~** dare, venture.

Getreide *nt* ⟨-s, -⟩ cereal, grain; **Getreidespeicher** *m* granary.

getrennt *adj* separate.

getreten *pp von* **treten**.

Getriebe *nt* ⟨-s, -⟩ (*AUTO*) gearbox; (*von Leuten*) bustle.

getrieben *pp von* **treiben**.

Getriebeöl *nt* transmission oil.

getroffen *pp von* **treffen**.

getrogen *pp von* **trügen**.

getrost *adv* without [any] qualms; **~ sterben** die in peace.

getrunken *pp von* **trinken**.

Getue *nt* ⟨-s⟩ fuss.

geübt *adj* experienced.

Gewächs *nt* ⟨-es, -e⟩ growth; (*Pflanze*) plant.

gewachsen 1. *pp von* **wachsen**; **2.** *adj:* **jdm/einer Sache ~ sein** be sb's equal/equal to sth.

Gewächshaus *nt* greenhouse.

gewagt *adj* daring, risky.

gewählt *adj* (*Sprache*) refined, elegant.

Gewähr *f* ⟨-⟩ guarantee; **„ohne ~"** "subject to change"; **keine ~ übernehmen für** accept no responsibility for; **gewährleisten** *vt* guarantee.

Gewahrsam *m* ⟨-s, -e⟩ safekeeping; (*Polizei~*) custody.

Gewährsmann *m* ⟨Gewährsmänner *o* Gewährsleute *pl*⟩ informant, source.

Gewalt *f* ⟨-, -en⟩ power; (*große Kraft*) force; (*~taten*) violence; **mit aller ~** with all one's might; **Gewaltanwendung** *f* use of force; **Gewaltherrschaft** *f* tyranny.

gewaltig *adj* tremendous; (*Irrtum*) huge.

gewaltsam *adj* forcible; **gewalttätig** *adj* violent; **Gewalttätigkeit** *f* violence; **Gewaltverbrechen** *nt* violent crime.

Gewand *nt* ⟨-[e]s, Gewänder⟩ garment.

gewandt 1. *pp von* **wenden**; **2.** *adj* deft, skilful; (*erfahren*) experienced; **Gewandtheit** *f* dexterity, skill.

gewann *imperf von* **gewinnen**.

gewaschen *pp von* **waschen**.

Gewässer *nt* ⟨-s, -⟩ stretch of water.

Gewebe *nt* ⟨-s, -⟩ (*Stoff*) fabric; (*BIO*) tissue.

Gewehr *nt* ⟨-[e]s, -e⟩ gun; rifle; **Gewehrlauf** *m* rifle barrel.

Geweih *nt* ⟨-[e]s, -e⟩ antlers *pl*.

Gewerbe *nt* ⟨-s, -⟩ trade, occupation; **Handel und ~** trade and industry; **Gewerbegebiet** *nt* trading estate; **Gewerbeschule** *f* technical school; **Gewerbesteuer** *f* trade tax; **gewerblich** *adj* industrial; trade; **gewerbsmäßig** *adj* professional;

Gewerbszweig m line of trade.

Gewerkschaft f trade union; **Gewerkschaft[l]er(in)** m(f) ⟨-s, -⟩ trade unionist; **gewerkschaftlich** adv: ~ organisiert sein be a union member; **Gewerkschaftsbund** m trade unions federation.

gewesen pp von **sein**.

gewichen pp von **weichen**.

Gewicht nt ⟨-[e]s, -e⟩ weight; (fig) importance; **gewichtig** adj weighty.

gewieft adj shrewd, cunning.

gewiesen pp von **weisen**.

gewillt adj willing, prepared.

Gewimmel nt ⟨-s⟩ swarm.

Gewinde nt ⟨-s, -⟩ (von Schraube) thread.

Gewinn m ⟨-[e]s, -e⟩ profit; (bei Spiel) winnings pl; **etw mit ~ verkaufen** sell sth at a profit; **Gewinnbeteiligung** f profit-sharing; **gewinnbringend** adj profitable; **gewinnen** (gewann, gewonnen) **1.** vt win; (erwerben) gain; (Kohle, Öl) extract; **2.** vi win; (profitieren) gain; **an etw** dat ~ gain in sth; **gewinnend** adj winning, attractive; **Gewinner(in)** m(f) ⟨-s, -⟩ winner; **Gewinnspanne** f profit margin; **Gewinnsucht** f love of gain; **Gewinnnummer** f winning number; **Gewinnung** f winning; gaining; (von Kohle etc) extraction.

Gewirr nt ⟨-[e]s⟩ tangle; (von Straßen) maze.

gewiß 1. adj (sicher) certain, sure; (attributiv) certain; **2.** adv certainly; **eine gewisse Frau Kaiser** a certain Mrs Kaiser.

Gewissen nt ⟨-s, -⟩ conscience; **gewissenhaft** adj conscientious; **Gewissenhaftigkeit** f conscientiousness; **gewissenlos** adj unscrupulous; **Gewissensbisse** pl pangs pl of conscience; **Gewissensfrage** f matter of conscience; **Gewissensfreiheit** f freedom of conscience; **Gewissenskonflikt** m moral conflict.

gewissermaßen adv to an extent, in a way.

Gewißheit f certainty.

Gewitter nt ⟨-s, -⟩ thunderstorm; **gewittern** vi unpers: **es gewittert** there's a thunderstorm.

gewoben pp von **weben**.

gewogen pp von **wiegen**.

gewöhnen 1. vt: **jdn an etw** akk ~ accustom sb to sth; **2.** vr: **sich an jdn/etw** akk ~ get used to accustomed) to sb/sth.

Gewohnheit f habit; (Brauch) custom; **aus** ~ from habit; **zur** ~ **werden** become a habit; **Gewohnheits-** in Zusammensetzungen habitual; **Gewohnheitsmensch** m creature of habit; **Gewohnheitsrecht** nt (JUR) common law; **Gewohnheitstier** nt (umg) creature of habit.

gewöhnlich adj usual; (durchschnittlich) ordinary; (pej) common; **wie** ~ as usual.

gewohnt adj usual; **etw** ~ **sein** be used to

sth.

Gewöhnung f getting accustomed (an +akk to).

Gewölbe nt ⟨-s, -⟩ vault.

gewonnen pp von **gewinnen**.

geworben pp von **werben**.

geworden pp von **werden**.

geworfen pp von **werfen**.

gewrungen pp von **wringen**.

Gewühl nt ⟨-[e]s⟩ throng.

gewunden pp von **winden**.

Gewürz nt ⟨-es, -e⟩ spice, seasoning; **Gewürznelke** f clove.

gewußt pp von **wissen**.

Gezeiten pl tides pl; **Gezeitenkraftwerk** nt tidal power station.

Gezeter nt ⟨-s⟩ clamour, yelling.

gezielt adj with a particular aim in mind, purposeful; (Kritik) pointed.

geziert adj affected.

gezogen pp von **ziehen**.

Gezwitscher nt ⟨-s⟩ twitter[ing], chirping.

gezwungen 1. pp von **zwingen**; **2.** adj forced; **gezwungenermaßen** adv of necessity.

Gibraltar nt Gibraltar.

Gicht f ⟨-⟩ gout.

Giebel m ⟨-s, -⟩ gable.

Gier f ⟨-⟩ greed; **gierig** adj greedy.

gießen (goß, gegossen) vt pour; (Blumen) water; (Metall) cast; (Wachs) mould; **Gießerei** f foundry; **Gießkanne** f watering can.

Gift nt ⟨-[e]s, -e⟩ poison; **giftig** adj poisonous; (fig) venomous; **Giftmüll** m toxic waste; **Giftzahn** m fang.

gigantisch adj gigantic.

Gilde f ⟨-, -n⟩ guild.

ging imperf von **gehen**.

Ginster m ⟨-s, -⟩ broom.

Gipfel m ⟨-s, -⟩ summit, peak; (fig) height; **gipfeln** vi culminate; **Gipfeltreffen** nt summit [meeting].

Gips m ⟨-es, -e⟩ plaster; (MED) plaster [of Paris]; **Gipsabdruck** m ⟨Gipsabdrücke pl⟩ plaster cast; **gipsen** vt plaster; **Gipsfigur** f plaster figure; **Gipsverband** m ⟨Gipsverbände pl⟩ plaster [cast].

Giraffe f ⟨-, -n⟩ giraffe.

Girlande f ⟨-, -n⟩ garland.

Giro nt ⟨-s, -s⟩ giro; **Girokonto** nt current account.

Gischt f ⟨-[e]s⟩ spray, foam.

Gitarre f ⟨-, -n⟩ guitar.

Gitter nt ⟨-s, -⟩ grating, bars pl; (für Pflanzen) trellis; (Zaun) railing[s]; **Gitterbett** nt cot; **Gitterfenster** nt barred window.

Glace f ⟨-, -n⟩ (schweizerisch) ice cream.

Glacéhandschuh m kid glove.

Gladiole f ⟨-, -n⟩ gladiolus.

Glanz *m* ⟨-es⟩ shine, lustre; (*fig*) splendour; **glänzen 1.** *vi* (*a. fig*) shine; **2.** *vt* polish; **glänzend** *adj* shining; (*fig*) brilliant; **Glanzleistung** *f* brilliant achievement; **glanzlos** *adj* dull; **Glanzzeit** *f* heyday.

Glas *nt* ⟨-es, Gläser⟩ glass; **Glasbläser** *m* ⟨-s, -⟩ glass blower; **Glascontainer** *m* bottle bank; **Glaser(in)** *m(f)* ⟨-s, -⟩ glazier; **gläsern** *adj* (*aus Glas*) glass; (*fig: durchschaubar*) transparent; **Glasfaserkabel** *nt* fibre-optic cable.

glasieren *vt* glaze.

glasig *adj* glassy; **Glasscheibe** *f* pane.

Glasur *f* glaze; (GASTR) icing.

glatt *adj* smooth; (*rutschig*) slippery; (*Absage*) flat; (*Lüge*) downright; **Glätte** *f* ⟨-⟩ smoothness; slipperiness; **Glatteis** *nt* [black] ice; **jdn aufs ~ führen** take sb for a ride; **glätten** *vt* smooth [out].

Glatze *f* ⟨-, -n⟩ bald head; **eine ~ bekommen** go bald; **glatzköpfig** *adj* bald.

Glaube *m* ⟨-ns, -n⟩ faith (*an +akk* in), belief (*an +akk* in); **glauben** *vt, vi* believe (*an +akk* in); (*meinen*) think; **jdm ~** believe sb; **Glaubensbekenntnis** *nt* creed; **glaubhaft** *adj* credible.

gläubig *adj* (REL) religious; (*vertrauensvoll*) trustful; **Gläubige(r)** *mf* believer; **die ~n** *pl* the faithful *pl*.

Gläubiger(in) *m(f)* ⟨-s, -⟩ creditor.

glaubwürdig *adj* credible; (*Mensch*) trustworthy.

gleich 1. *adj* equal; (*identisch*) [the] same, identical; **2.** *adv* equally; (*sofort*) straight away; (*bald*) in a minute; **~ groß** the same size; **~ nach/an** right after/at; **es ist mir ~** it's all the same to me; **2 mal 2 ~ 4** 2 times 2 is [*o* equals] 4; **gleichaltrig** *adj* of the same age; **gleichartig** *adj* similar; **gleichbedeutend** *adj* synonymous; **gleichberechtigt** *adj* having equal rights; **Gleichberechtigung** *f* equal rights *pl*; **gleichbleiben** *vi* remain the same; **gleichbleibend** *adj* constant.

gleichen ⟨glich, geglichen⟩ **1.** *vi +dat/einer Sache ~** be like sb/sth; **2.** *vr:* **sich ~** be alike.

gleichfalls *adv* likewise; **danke ~!** the same to you; **gleichgesinnt** *adj* like-minded; **Gleichgewicht** *nt* equilibrium, balance; **gleichgültig** *adj* indifferent; (*unbedeutend*) unimportant; **Gleichgültigkeit** *f* indifference; **Gleichheit** *f* equality; **gleichkommen** *irr vi +dat* be equal to; **Gleichmacherei** *f* egalitarianism; **gleichmäßig** *adj* even, equal; **Gleichmut** *m* equanimity.

Gleichnis *nt* parable.

gleichsehen *irr vi:* **jdm ~** be [*o* look] like sb; **Gleichstellung** *f* equal status;

Gleichstrom *m* (ELEK) direct current.

Gleichung *f* equation.

gleichwertig *adj* of equal value.

gleichzeitig *adj* simultaneous.

Gleis *nt* ⟨-es, -e⟩ track, rails *pl*; (*Bahnsteig*) platform.

gleiten ⟨glitt, geglitten⟩ *vi* glide; (*rutschen*) slide; **~de Arbeitszeit** flex[i]time; **Gleitflug** *m* glide; gliding; **Gleitzeit** *f* flexible working hours; (*umg*) flex[i]time.

Gletscher *m* ⟨-s, -⟩ glacier; **Gletscherspalte** *f* crevasse.

glich *imperf von* **gleichen**.

Glied *nt* ⟨-[e]s, -er⟩ (*Arm, Bein*) limb; (*von Kette*) link; (MIL) rank[s].

gliedern *vt* organize, structure; **Gliederung** *f* structure, organization.

Gliedmaßen *pl* limbs *pl*.

glimmen ⟨glomm, geglommen⟩ *vi* glow, gleam; **Glimmer** *m* ⟨-s, -⟩ glow, gleam; (*Mineral*) mica; **Glimmstengel** *m* (*umg*) fag.

glimpflich *adj* mild, lenient; **~ davonkommen** get off lightly.

glitt *imperf von* **gleiten**.

glitzern *vi* glitter, twinkle.

Globus *m* ⟨-o -ses, -se *o* Globen⟩ globe.

Glöckchen *nt* [little] bell.

Glocke *f* ⟨-, -n⟩ bell; **etw an die große ~ hängen** shout sth from the rooftops; **Glockenspiel** *nt* chime[s]; (MUS) glockenspiel.

glomm *imperf von* **glimmen**.

Glosse *f* ⟨-, -n⟩ comment.

glotzen *vi* (*umg*) stare.

Glück *nt* ⟨-[e]s⟩ luck, fortune; (*Freude*) happiness; **~ haben** be lucky; **viel ~** good luck; **zum ~** fortunately; **glücken** *vi* succeed; **ihr glückt alles** everything she does is a success.

gluckern *vi* glug.

glücklich *adj* (*froh*) happy, fortunate; **glücklicherweise** *adv* fortunately.

Glücksbringer *m* ⟨-s, -⟩ lucky charm; **Glücksfall** *m* stroke of luck; **Glückskind** *nt* lucky person; **Glückssache** *f*: **das ist ~** that's a matter of luck; **Glücksspiel** *nt* game of chance; **Glücksstern** *m* lucky star.

Glückwunsch *m* congratulations *pl*, best wishes *pl*.

Glühbirne *f* light bulb; **glühen** *vi* glow; **Glühwein** *m* mulled wine; **Glühwürmchen** *nt* glow-worm.

Glut *f* ⟨-, -en⟩ (*Röte*) glow; (*Feuers~*) embers; (*Hitze*) heat; (*fig*) ardour.

GmbH *f* ⟨-, -s⟩ *abk von* **Gesellschaft mit beschränkter Haftung** plc.

Gnade *f* ⟨-, -n⟩ (*Gunst*) favour; (*Erbarmen*) mercy; (*Milde*) clemency; **Gnadenfrist** *f* reprieve, respite; **Gnadengesuch** *nt* petition for clemency; **Gnadenstoß** *m* coup de grâce.

gnädig *adj* gracious; (*voll Erbarmen*) merciful.

Gold *nt* ⟨-[e]s⟩ gold; **golden** *adj* golden; **Goldfisch** *m* goldfish; **Goldgrube** *f* goldmine; **Goldregen** *m* laburnum; **Goldschnitt** *m* gilt edging; **Goldwährung** *f* gold standard.

Golf 1. *m* ⟨-[e]s, -e⟩ gulf; **2.** *nt* ⟨-s⟩ golf; **der ~ von Biskaya** the Bay of Biscay; **Golfkrieg** *m* Gulf war; **Golfplatz** *m* golf course; **Golfschläger** *m* golf club; **Golfspieler(in)** *m(f)* golfer; **Golfstaat** *m* Gulf state; **Golfstrom** *m* Gulf Stream.

Gondel *f* ⟨-, -n⟩ gondola; (*Seilbahn*) cable-car.

gönnen *vt:* **jdm etw ~** not begrudge sb sth; **sich** *dat* **etw ~** allow oneself sth; **Gönner(in)** *m(f)* ⟨-s, -⟩ patron/patroness; **gönnerhaft** *adj* patronizing; **Gönnermiene** *f* patronizing air.

gor *imperf von* **gären.**

goß *imperf von* **gießen.**

Gosse *f* ⟨-, -n⟩ gutter.

Gott *m* ⟨-es, Götter⟩ god; **um ~es willen!** for heaven's sake!; **~ sei Dank!** thank God!; **Gottesdienst** *m* service; **Gotteshaus** *nt* place of worship; **Gottheit** *f* deity; **Göttin** *f* goddess; **göttlich** *adj* divine; **gottlos** *adj* godless; **Gottvertrauen** *nt* trust in God.

Götze *m* ⟨-n, -n⟩ idol.

Grab *nt* ⟨-[e]s, Gräber⟩ grave.

graben ⟨grub, gegraben⟩ *vt* dig; **Graben** *m* ⟨-s, Gräben⟩ ditch; (*MIL*) trench.

Grabrede *f* funeral oration; **Grabstein** *m* gravestone.

Grad *m* ⟨-[e]s, -e⟩ degree; **Gradeinteilung** *f* graduation; **gradweise** *adv* gradually.

Graf *m* ⟨-en, -en⟩ count, earl.

Graffiti *pl* graffiti *pl.*

Grafikbildschirm *m* graphics screen; **Grafikkarte** *f* graphics card; **Grafikprogramm** *nt* graphics software.

Gräfin *f* countess.

Grafschaft *f* county.

Gram *m* ⟨-[e]s⟩ grief, sorrow; **grämen** *vr:* **sich ~** grieve.

Gramm *nt* ⟨-s, -e⟩ gram[me].

Grammatik *f* grammar; (*Buch*) grammar book; **grammatisch** *adj* grammatical.

Grammophon *nt* ⟨-s, -e⟩ gramophone.

Granat *m* ⟨-[e]s, -e⟩ (*Stein*) garnet; **Granatapfel** *m* pomegranate.

Granate *f* ⟨-, -n⟩ (*MIL*) shell; (*Hand~*) grenade.

Granit *m* ⟨-s, -e⟩ granite.

Grapefruit *f* ⟨-, -s⟩ grapefruit.

Graphik *f* graphic; (*Fach*) graphic arts; (*Illustration*) diagram; **Graphiker(in)** *m(f)* graphic artist [*o* designer]; **graphisch** *adj* graphic; **~e Darstellung** graph.

Gras *nt* ⟨-es, Gräser⟩ grass; **grasen** *vi* graze; **Grashalm** *m* blade of grass; **grasig** *adj* grassy; **Grasnarbe** *f* turf.

grassieren *vi* be rampant, rage.

gräßlich *adj* horrible.

Grat *m* ⟨-[e]s, -e⟩ ridge.

Gräte *f* ⟨-, -n⟩ fishbone.

gratis *adj, adv* free [of charge]; **Gratisprobe** *f* free sample.

Gratulation *f* congratulation[s]; **gratulieren** *vi:* **jdm [zu etw] ~** congratulate sb [on sth]; **[ich] gratuliere!** congratulations!

Gratwanderung *f* (*fig*) balancing act.

grau *adj* grey.

grauen 1. *vi* (*Tag*) dawn; **2.** *vi unpers:* **es graut jdm vor etw** sb dreads sth, sb is afraid of sth; **3.** *vr:* **sich ~ vor** dread, have a horror of; **Grauen** *nt* ⟨-s⟩ horror; **grauenhaft** *adj* horrible.

grauhaarig *adj* grey-haired; **graumeliert** *adj* greying.

grausam *adj* cruel; **Grausamkeit** *f* cruelty.

gravieren *vt* engrave.

gravierend *adj* grave.

Grazie *f* grace; **graziös** *adj* graceful.

greifbar *adj* tangible, concrete; (*Nähe*) within reach.

greifen ⟨griff, gegriffen⟩ **1.** *vt* seize; grip; **2.** *vi* (*Regel etc*) have an effect (*bei* on); **nach etw ~** reach for sth; **um sich ~** (*fig*) spread; **zu etw ~** (*fig*) turn to sth.

Greis(in) *m(f)* ⟨-es, -e⟩ old man/woman; **Greisenalter** *nt* old age.

grell *adj* harsh.

Grenzbeamte(r) *m,* **Grenzbeamtin** *f* frontier official.

Grenze *f* ⟨-, -n⟩ boundary; (*Staats~*) frontier; (*Schranke*) limit; **grenzen** *vi* border (*an +akk* on); **grenzenlos** *adj* boundless; **Grenzfall** *m* borderline case; **Grenzlinie** *f* boundary; **Grenzübergang** *m* frontier crossing; **Grenzwert** *m* limit.

Greuel *m* ⟨-s, -⟩ horror, revulsion; **etw ist jdm ein ~** sb loathes sth; **Greueltat** *f* atrocity.

Grieche *m* ⟨-n, -n⟩ Greek; **Griechenland** *nt* Greece; **Griechin** *f* Greek; **griechisch** *adj* Greek.

griesgrämig *adj* grumpy.

Grieß *m* ⟨-es, -e⟩ (*GASTR*) semolina.

griff *imperf von* **greifen.**

Griff *m* ⟨-[e]s, -e⟩ grip; (*Vorrichtung*) handle; **griffbereit** *adj* handy.

Griffel *m* ⟨-s, -⟩ slate pencil; (*BOT*) style.

Grille *f* ⟨-, -n⟩ cricket; (*fig*) whim.

grillen *vt* grill.

Grimasse *f* ⟨-, -n⟩ grimace.

Grimm *m* ⟨-[e]s⟩ fury; **grimmig** *adj* furious; (*heftig*) fierce, severe.

grinsen *vi* grin.

Grippe *f* ⟨-, -n⟩ influenza, flu.

grob *adj* coarse; (*Fehler, Verstoß*) gross; **Grobheit** *f* coarseness; (*Äußerung*) coarse expression; **Grobian** *m* ⟨-s, -e⟩ brute; **grobknochig** *adj* large-boned.

Groll *m* ⟨-[e]s⟩ resentment; **grollen** *vi* bear ill will (*dat* towards); (*Donner*) rumble.

groß 1. *adj* big, large; (*hoch*) tall; (*fig*) great; **2.** *adv* greatly; im ~en und ganzen on the whole; **großartig** *adj* great, splendid; **Großaufnahme** *f* (*FILM*) close-up; **Großbritannien** *nt* [Great] Britain; in ~ in [Great] Britain; nach ~ fahren go to [Great] Britain; **Großcomputer** *m* mainframe [computer].

Größe *f* ⟨-, -n⟩ size; (*fig*) greatness; (*Länge*) height.

Großeinkauf *m* bulk purchase; **Großeltern** *pl* grandparents *pl;* **Größenordnung** *f* size, order of magnitude; **großenteils** *adv* mostly.

Größenunterschied *m* difference in size; **Größenwahn** *m* megalomania; **größenwahnsinnig** *adj* megalomaniac.

Großformat *nt* large size; **Großhandel** *m* wholesale trade; **Großhändler(in)** *m(f)* wholesaler; **großherzig** *adj* generous; **Großmacht** *f* great power; **Großmarkt** *m* hypermarket; **Großmaul** *nt* braggart; **Großmut** *f* ⟨-⟩ magnanimity; **großmütig** *adj* magnanimous; **Großmutter** *f* grandmother; **Großraumbüro** *nt* open-plan office; **großspurig** *adj* pompous; **Großstadt** *f* city, large town.

größtenteils *adv* for the most part.

Großvater *m* grandfather; **großziehen** *irr vt* raise; **großzügig** *adj* generous; (*Planung*) on a large scale.

grotesk *adj* grotesque.

Grotte *f* ⟨-, -n⟩ grotto.

grub *imperf von* **graben**.

Grübchen *nt* dimple.

Grube *f* ⟨-, -n⟩ pit; (*MIN*) mine.

grübeln *vi* brood.

Grubengas *nt* firedamp.

Grübler(in) *m(f)* ⟨-s, -⟩ brooder; **grüblerisch** *adj* brooding, pensive.

Gruft *f* ⟨-, Grüfte⟩ tomb, vault.

grün *adj* green; (*POL*) green, ecologist; **Grünanlage** *f* park.

Grund *m* ⟨-[e]s, Gründe⟩ ground; (*von See, Gefäß*) bottom; (*Ursache etc*) reason; im ~e genommen basically; **Grundausbildung** *f* basic training; **Grundbedeutung** *f* basic meaning; **Grundbedingung** *f* fundamental condition; **Grundbesitz** *m* land[ed property], real estate; **Grund-**

buch *nt* land register; **grundehrlich** *adj* thoroughly honest.

gründen 1. *vt* found; **2.** *vr:* sich ~ be based (*auf +dat* on); ~ auf +*akk* base on; **Gründer(in)** *m(f)* ⟨-s, -⟩ founder.

grundfalsch *adj* utterly wrong; **Grundgebühr** *f* basic charge; **Grundgedanke** *m* basic idea; **Grundgesetz** *nt* basic law; (*in Deutschland*) [German] Constitution; **Grundlage** *f* foundation; **grundlegend** *adj* fundamental.

gründlich *adj* thorough.

grundlos *adj* groundless; **Grundmauer** *f* foundation wall; **Grundregel** *f* basic rule; **Grundriß** *m* plan; (*fig*) outline; **Grundsatz** *m* principle; **grundsätzlich** *adj* fundamental; (*Frage*) of principle; (*prinzipiell*) on principle; **Grundschule** *f* elementary school; **Grundstein** *m* foundation stone; **Grundsteuer** *f* [local] property tax *pl;* **Grundstück** *nt* plot; (*Anwesen*) estate; (*Bau~*) site.

Gründung *f* foundation.

grundverschieden *adj* utterly different; **Grundwasser** *nt* ground water; **Grundzug** *m* characteristic.

Grüne(r) *mf* (*ÖKOL*) Ecologist, Green.

Grüner Punkt *m* green symbol on packaging showing that it can be recycled.

Grüne(s) *nt* ⟨-n⟩: im ~n in the open air; **Grünkohl** *m* kale; **Grünschnabel** *m* greenhorn; **Grünspan** *m* verdigris; **Grünstreifen** *m* central reservation.

grunzen *vi* grunt.

Gruppe *f* ⟨-, -n⟩ group; **gruppenweise** *adv* in groups.

gruppieren *vt, vr:* sich ~ group.

gruselig *adj* creepy; **gruseln 1.** *vi unpers:* es gruselt jdm vor etw sth gives sb the creeps; **2.** *vr:* sich ~ have the creeps.

Gruß *m* ⟨-es, Grüße⟩ greeting; (*MIL*) salute; viele Grüße best wishes; Grüße an +*akk* regards to; **grüßen** *vt* greet; (*MIL*) salute; jdn von jdm ~ give sb sb's regards; jdn ~ lassen send sb one's regards.

gucken *vi* look.

Gulasch *m o nt* ⟨-[e]s, -e⟩ goulash.

gültig *adj* valid; **Gültigkeit** *f* validity; **Gültigkeitsdauer** *f* period of validity.

Gummi *m o nt* ⟨-s, -s⟩ rubber; (*~harze*) gum; **Gummiband** *nt* ⟨Gummibänder *pl*⟩ rubber [*o* elastic] band; (*Hosen~*) elastic; **gummieren** *vt* gum; **Gummiknüppel** *m* rubber truncheon; **Gummistrumpf** *m* elastic stocking.

Gunst *f* ⟨-⟩ favour.

günstig *adj* favourable.

Gurgel *f* ⟨-, -n⟩ throat; **gurgeln** *vi* gurgle; (*im Mund*) gargle.

Gurke *f* ⟨-, -n⟩ cucumber; saure ~ pickled

cucumber, gherkin.

Gurt m ‹-[e]s, -e› belt.

Gürtel m ‹-s, -› belt; (GEO) zone; **Gürtelreifen** m radial tyre.

Guru m ‹-s, -s› guru.

GUS f abk von **Gemeinschaft Unabhängiger Staaten** CIS.

Guß m ‹Gusses, Güsse› casting; (Regen~) downpour; (GASTR) glazing; **Gußeisen** nt cast iron.

gut ‹besser, am besten› **1.** adj good; **2.** adv well; **laß es ~ sein** that'll do.

Gut nt ‹-[e]s, Güter› (Besitz) possession; (Land~) estate; **Güter** pl goods pl.

Gutachten nt ‹-s, -› [expert] opinion; **Gutachter(in)** m(f) ‹-s, -› expert.

gutartig adj good-natured; (MED) benign; **gutaussehend** adj good-looking; **gutbürgerlich** adj (Küche) [good] plain; **Gutdünken** nt ‹-s›: **nach ~** at one's discretion.

Güte f ‹-› goodness, kindness; (Qualität) quality.

Güterabfertigung f (EISENB) goods office; **Güterbahnhof** m goods station; **Güterwagen** m goods waggon, freight car US; **Güterzug** m goods train, freight train US.

gutgehen irr vi work, come off; **es geht jdm gut** sb's doing fine; **gutgelaunt** adj good-humoured, in a good mood; **gutgemeint** adj well meant; **gutgläubig** adj trusting; **Guthaben** nt ‹-s› credit; **gutheißen** irr vt approve [of]; **gutherzig** adj kind[-hearted].

gütig adj kind.

gütlich adj amicable.

gutmütig adj good-natured; **Gutmütigkeit** f good nature.

Gutsbesitzer(in) m(f) landowner.

Gutschein m voucher; **gutschreiben** irr vt credit (jdm etw sth to sb); **Gutschrift** f credit.

Gutsherr m squire.

guttun irr vi: **jdm ~** do sb good; **gutwillig** adj willing.

Gymnasiallehrer(in) m(f) grammar school teacher Brit, high school teacher US; **Gymnasium** nt grammar school Brit, high school US.

Gymnastik f exercises pl, keep fit; **Gymnastikanzug** m leotard.

H

H, h nt H, h.

Haar nt ‹-[e]s, -e› hair; **um ein ~** nearly; **Haarbürste** f hairbrush; **haaren** vi, vr:

sich ~ lose hair; **Haaresbreite** f: **um ~** by a hair's breadth; **haargenau** adv precisely; **haarig** adj hairy; (fig) nasty; **Haarklemme** f hair grip; **Haarnadel** f hairpin; **Haarnadelkurve** f hairpin bend; **haarscharf** adj (beobachten) very sharply; (daneben) by a hair's breadth; **Haarschnitt** m haircut; **Haarschopf** m head of hair; **Haarspalterei** f hair-splitting; **Haarspange** f hair slide; **haarsträubend** adj hair-raising; **Haarteil** nt hairpiece; **Haartrockner** m ‹-s, -› hair-drier; **Haarwaschmittel** nt shampoo.

haben ‹hatte, gehabt› vt, Hilfsverb have; **Hunger/Angst ~** be hungry/afraid; **wohet hast du das?** where did you get that from? **was hast du denn?** what's the matter [with you]?; **Haben** nt ‹-s, -› credit.

Habgier f avarice; **habgierig** adj avaricious.

Habicht m ‹-[e]s, -e› hawk.

Habseligkeiten pl belongings pl.

Hachse f ‹-, -n› (GASTR) knuckle.

Hacke f ‹-, -n› hoe; (Ferse) heel; **hacken** vt hack, chop; (Erde) hoe; **Hacker(in)** m(f) ‹-s, -› (INFORM) hacker; **Hackfleisch** nt mince, minced meat.

Häcksel m ‹-s› chopped straw, chaff.

hadern vi (unzufrieden sein) be at odds (mit with).

Hafen m ‹-s, Häfen› harbour, port; **Hafenarbeiter(in)** m(f) docker; **Hafenstadt** f port.

Hafer m ‹-s, -› oats pl; **Haferbrei** m porridge; **Haferflocken** pl porridge oats pl, **Haferschleim** m gruel.

Haft f ‹-› custody; **haftbar** adj liable, responsible; **Haftbefehl** m warrant [of arrest]; **Häftling** m prisoner; **Haftnotiz** f [removable] self-stick note; **Haftpflicht** f liability; **Haftpflichtversicherung** f third party insurance; **Haftung** f liability.

haften vi stick, cling; **~ für** be liable [o responsible] for; **haftenbleiben** irr vi stick (an +dat on).

Hagebutte f ‹-, -n› rose hip; **Hagedorn** m hawthorn.

Hagel m ‹-s› hail; **hageln** vb unpers hail.

hager adj gaunt.

Häher m ‹-s, -› jay.

Hahn m ‹-[e]s, Hähne› cock; (Wasser~) tap, faucet US; **Hähnchen** nt cockerel; (GASTR) chicken.

Hai[fisch] m ‹-[e]s, -e› shark.

Häkchen nt small hook; **Häkelnadel** f crochet hook; **Häkelarbeit** f crochet work; **häkeln** vt crochet; **Häkelnadel** f crochet hook.

Haken m ‹-s, -› hook; (fig) catch, snag; **Hakenkreuz** nt swastika; **Hakennase** f hooked nose.

halb adj half; ~ **eins** half past twelve; **ein ~es Dutzend** half a dozen; **Halbdunkel** nt semi-darkness;

halber präp +gen (wegen) on account of; (für) for the sake of.

Halbheit f half-measure; **halbieren** vt halve; **Halbinsel** f peninsula; **halbjährlich** adj half-yearly; **Halbkreis** m semicircle; **Halbkugel** f hemisphere; **halblaut** adv in an undertone, in a low voice; **Halbleiter** m semiconductor; **Halblinks** m ⟨-, -⟩ (SPORT) inside-left; **Halbmond** m (ASTR) half-moon; (Symbol) crescent; **halboffen** adj half-open; **Halbrechts** m ⟨-, -⟩ (SPORT) inside-right; **Halbschuh** m shoe; **halbtags** adv part-time; **Halbtagsarbeit** f part-time work; **halbwegs** adv half-way; ~ **besser** more or less better; **Halbwertszeit** f half-life; **Halbwüchsige(r)** mf adolescent; **Halbzeit** f (SPORT) half; (Pause) half-time.

Halde f ⟨-, -n⟩ tip; (Schlacken~) slag heap; (von Vorräten) pile.

half imperf von **helfen**.

Hälfte f ⟨-, -n⟩ half.

Halfter f ⟨-, -n⟩ halter; (Pistolen~) holster.

Halle f ⟨-, -n⟩ hall; (FLUG) hangar.

hallen vi echo, resound.

Hallenbad nt indoor swimming pool.

hallo interj hello.

Halluzination f hallucination.

Halm m ⟨-[e]s, -e⟩ blade, stalk.

Halogenlampe f halogen lamp.

Hals m ⟨-es, Hälse⟩ neck; (Kehle) throat; ~ **über Kopf** in a rush; **Halsentzündung** f sore throat; **Halskette** f necklace; **Hals-Nasen-Ohren-Arzt** m, **Hals-Nasen-Ohren-Ärztin** f ear, nose and throat specialist; **Halsschlagader** f carotid artery; **Halsschmerzen** pl sore throat; **halsstarrig** adj stubborn, obstinate; **Halstuch** nt scarf; **Halsweh** nt sore throat; **Halswirbel** m cervical vertebra.

Halt m ⟨-[e]s, -e⟩ stop; (fester ~) hold; (innerer ~) stability; **halt!** stop!, halt!

haltbar adj durable; (Lebensmittel) nonperishable; (MIL) tenable; **Haltbarkeit** f durability; [non-]perishability; tenability; **Haltbarkeitsdatum** nt sell-by date.

halten ⟨hielt, gehalten⟩ **1.** vt keep; (fest~) hold; **2.** vi hold; (frisch bleiben) keep; (stoppen) stop; **3.** vr: **sich ~** (frisch bleiben) keep; (sich behaupten) hold out; **sich rechts/links** ~ keep to the right/left; ~ **für** regard as; ~ **von** think of; **an sich** akk ~ restrain oneself.

Haltestelle f stop; **Halteverbot** nt ban on stopping; **haltlos** adj unstable; **Haltlosigkeit** f instability; **haltmachen** vi stop.

Haltung f posture; (fig) attitude; (Selbstbeherrschung) composure.

Halunke m ⟨-n, -n⟩ rascal.

hämisch adj malicious.

Hammel m ⟨-s, -⟩ wether; **Hammelfleisch** nt mutton; **Hammelkeule** f leg of mutton.

Hammer m ⟨-s, Hämmer⟩ hammer; (fig umg) bad mistake; **hämmern** vt, vi hammer.

Hämorrhoiden pl piles pl.

Hampelmann m ⟨Hampelmänner pl⟩ (a. fig) puppet.

Hamster m ⟨-s, -⟩ hamster; **hamstern** vi hoard.

Hand f ⟨-, Hände⟩ hand; **Handarbeit** f manual work; (Nadelarbeit) needlework; **Handarbeiter(in)** m(f) manual worker; **Handbesen** m brush; **Handbremse** f handbrake; **Handbuch** nt handbook, manual; **Händedruck** m handshake.

Handel m ⟨-s⟩ trade; (Geschäft) transaction.

handeln 1. vi act; (WIRTS) trade; **2.** vr unpers: **sich ~ um** be a question of, be about; ~ **von** be about; **Handeln** nt ⟨-s⟩ action.

Handelsabkommen nt trade agreement; **Handelsbilanz** f balance of trade; **handelseinig** adj: **mit jdm ~ werden** conclude a deal with sb; **Handelskammer** f chamber of commerce; **Handelskette** f sales [o marketing] chain; **Handelskorrespondenz** f business correspondence; **Handelsmarine** f merchant navy; **Handelspartner** m trading partner; **Handelsrecht** nt commercial law; **Handelsreisende(r)** mf commercial traveller; **Handelsschule** f business school; **Handelsvertreter(in)** m(f) sales representative.

Handfeger m ⟨-s, -⟩ brush; **handgearbeitet** adj handmade; **Handgelenk** nt wrist; **Handgemenge** nt scuffle; **Handgepäck** nt hand luggage; **handgeschrieben** adj handwritten; **handgreiflich** adj clear; ~ **werden** become violent; **Handgriff** m (Bewegung) movement, handle; **mit ein paar ~en** (schnell) in no time at all; **Handkarren** m handcart; **Handkuß** m kiss on the hand.

Händler(in) m(f) ⟨-s, -⟩ trader, dealer.

handlich adj handy.

Handlung f act[ion]; (in Buch) plot; (Geschäft) shop; **Handlungsbevollmächtigte(r)** mf authorized agent; **Handlungsweise** f manner of dealing.

Handpflege f manicure; **Handschelle** f handcuff; **Handschlag** m handshake; **Handschrift** f handwriting; (Text) manuscript; **Handschuh** m glove; **Handschuhfach** nt glove-compartment; **Hand-**

tasche f handbag, purse US; **Handtuch** nt towel; **das ~ werfen** throw in the towel; **Handwerk** nt trade, craft; **Handwerker(in)** m(f) ⟨-s -⟩ [skilled] manual worker; (Kunst~) craftsperson, craftsman/ -woman; **wir haben die ~ im Haus** we have workmen in the house; **Handwerkzeug** nt tools pl.

Hanf m ⟨-[e]s⟩ hemp.

Hang m ⟨-[e]s, Hänge⟩ inclination; (Ab~) slope.

Hängebrücke f suspension bridge; **Hängematte** f hammock.

hängen 1. ⟨hing, gehangen⟩ vi hang; **2.** vt hang (an +akk on[to]); **~ an** (fig) be attached to; **sich ~ an** +akk hang on to, cling to; **hängenbleiben** irr vi be caught (an +dat on); (fig) remain, stick.

Hannover m ⟨-s⟩ Hannover.

hänseln vt tease.

Hantel f ⟨-, -n⟩ dumb-bell.

hantieren vi work, be busy; **mit etw ~** handle sth.

hapern vi unpers: **es hapert an etw** dat there's a lack of sth; **es hapert [bei jdm] mit etw** (klappt nicht) sb has a problem with sth.

Happen m ⟨-s, -⟩ mouthful.

Happy-End nt ⟨-s, -s⟩ happy ending.

Hardware f ⟨-, -s⟩ hardware.

Harfe f ⟨-, -n⟩ harp.

Harke f ⟨-, -n⟩ rake; **harken** vt, vi rake.

harmlos adj harmless; **Harmlosigkeit** f harmlessness.

Harmonie f harmony; **harmonieren** vi harmonize.

Harmonika f ⟨-, -s⟩ (Zieh~) concertina.

harmonisch adj harmonious.

Harmonium nt harmony.

Harn m ⟨-[e]s, -e⟩ urine; **Harnblase** f bladder.

Harnisch m ⟨-[e]s, -e⟩ armour; **jdn in ~ bringen** infuriate sb; **in ~ geraten** become angry.

Harpune f ⟨-, -n⟩ harpoon.

harren vi wait (auf +akk for).

hart adj hard; (fig) harsh; **Härte** f ⟨-, -n⟩ hardness; (fig) harshness; **härten** vt, vr: **sich ~** harden; **hartgekocht** adj hardboiled; **hartgesotten** adj tough, hardboiled; **hartherzig** adj hard-hearted; **hartnäckig** adj stubborn.

Harz nt ⟨-es, -e⟩ resin.

Haschee nt ⟨-s, -s⟩ hash.

haschen 1. vt catch, snatch; **2.** vi (umg) smoke hash.

Haschisch nt ⟨-⟩ hashish.

Hase m ⟨-n, -n⟩ hare.

Haselnuß f hazelnut.

Hasenfuß m coward; **Hasenscharte** f

harelip.

Haß m ⟨Hasses⟩ hate, hatred; **hassen** vt hate; **hassenswert** adj hateful.

häßlich adj ugly; (gemein) nasty; **Häßlichkeit** f ugliness; nastiness.

Hast f ⟨-⟩ haste, rush; **hastig** adj hasty.

hätscheln vt pamper; (zärtlich) cuddle.

hatte imperf von **haben**.

Haube f ⟨-, -n⟩ hood; (Mütze) cap; (AUTO) bonnet, hood US.

Hauch m ⟨-[e]s, -e⟩ breath; (Luft~) breeze; (fig) trace; **hauchen** vi breathe; **hauchfein** adj very fine.

Haue f ⟨-, -n⟩ hoe, pick; (umg: Schläge) hiding; **hauen** ⟨haute o hieb, gehauen⟩ vt hew, cut; (umg) thrash.

häufen 1. vt pile up; **2.** vr: **sich ~** accumulate.

Haufen m ⟨-s, -⟩ heap; (Leute) crowd; **ein ~ [x]** loads [o a lot] [of x]; **auf einem ~** in one heap; **haufenweise** adv in heaps; **etw ~ haben** have piles of sth.

häufig adj, adv frequent[ly]; **Häufigkeit** f frequency.

Haupt nt ⟨-[e]s, Häupter⟩ head; (Ober~) chief.

Haupt- in Zusammensetzungen main; **Hauptbahnhof** m central [o main] station; **hauptberuflich** adv as one's main occupation; **Hauptbuch** nt (WIRTS) ledger; **Hauptdarsteller(in)** m(f) leading actor/ actress; **Haupteingang** m main entrance; **Hauptfach** nt main subject; **Hauptfilm** m main film; **Hauptgewinn** m first prize; **Häuptling** m chief[tain].

Hauptmann m ⟨Hauptleute pl⟩ captain; **Hauptpostamt** nt main post office; **Hauptquartier** nt headquarters pl; **Hauptreisezeit** f peak [holiday] season; **Hauptrolle** f leading part; **Hauptsache** f main thing; **hauptsächlich** adv mainly, chiefly; **Hauptsaison** f high [o peak] season; **Hauptsatz** m main clause; **Hauptschlagader** f aorta; **Hauptspeicher** m (INFORM) main storage [o memory]; **Hauptstadt** f capital; **Hauptstraße** f main street; **Hauptwort** nt noun.

Haus nt ⟨-es, Häuser⟩ house; **nach ~e** home; **zu ~e** at home; **ins ~ stehen** be forthcoming; **Hausarbeit** f housework; (SCH) homework; **Hausarzt** m, **Hausärztin** f family doctor; **Hausaufgabe[n]** f (SCH) homework; **Hausbesetzer(in)** m(f) squatter; **Hausbesetzung** f squat; **Hausbesitzer(in)** m(f), **Hauseigentümer(in)** m(f) house-owner.

hausen vi live [in poverty]; (pej) wreak havoc.

Häuserblock m block [of houses]; **Häusermakler(in)** m(f) estate agent.

Hausfrau f housewife; **Hausfreund** m family friend; (umg) lover; **hausgemacht** adj home-made; **Haushalt** m household; (POL) budget; **haushalten** irr vi keep house; (sparen) economize; **Haushälterin** f housekeeper; **Haushaltsgerät** nt housekeeping [money]; **Haushaltsgerät** nt domestic appliance; **Haushaltsplan** m budget; **Haushaltung** f housekeeping; **Hausherr(in)** m(f) host/hostess; **haushoch** (Vermieter) landlord/-lady; **haushoch** adv: ~ **verlieren** lose by a mile.

hausieren vi hawk, peddle; **Hausierer(in)** m(f) ⟨-s, -⟩ hawker, peddlar.

häuslich adj domestic; **Häuslichkeit** f domesticity.

Hausmann m ⟨Hausmänner pl⟩ house-husband; **Hausmeister(in)** m(f) caretaker, janitor; **Hausnummer** f house number; **Hausordnung** f house rules pl; **Hausputz** m house cleaning; **Hausratversicherung** f household contents insurance; **Hausschlüssel** m front-door key; **Hausschuh** m slipper; **Haussuchung** f police raid; **Haustier** nt domestic animal; (nicht Nutzier) pet; **Hausverwalter(in)** m(f) caretaker; **Hauswirt(in)** m(f) landlord/-lady; **Hauswirtschaft** f domestic science.

Haut f ⟨-, Häute⟩ skin; (Tier~) hide; **Hautarzt** m, **Hautärztin** f dermatologist; **häuten** 1. vt skin; 2. vr: **sich** ~ slough one's skin; **hauteng** adj skin-tight; **Hautfarbe** f complexion.

Haxe f ⟨-, -n⟩ knuckle.

Hbf. m abk von **Hauptbahnhof** central station.

Hebamme f ⟨-, -n⟩ midwife.

Hebel m ⟨-s, -⟩ lever.

heben ⟨hob, gehoben⟩ vt raise, lift.

hecheln vi (Hund) pant.

Hecht m ⟨-[e]s, -e⟩ pike.

Heck nt ⟨-[e]s, -e⟩ (von Boot) stern; (von Auto) rear.

Hecke f ⟨-, -n⟩ hedge; **Heckenrose** f dog rose; **Heckenschütze** m sniper.

Heckklappe f tailgate; **Heckmotor** m rear engine; **Heckscheibe** f rear window.

Heer nt ⟨-[e]s, -e⟩ army.

Hefe f ⟨-, -n⟩ yeast.

Heft nt ⟨-[e]s, -e⟩ exercise book; (Zeitschrift) number; (von Messer) haft; **heften** vt fasten (an +akk to); (nähen) tack; **Hefter** m ⟨-s, -⟩ folder.

heftig adj fierce, violent; **Heftigkeit** f fierceness, violence.

Heftklammer f paper clip; **Heftmaschine** f stapling machine; **Heftpflaster** nt sticking plaster; **Heftzwecke** f drawing pin.

hegen vt nurse; (fig) harbour, foster.

Hehl m o nt: **kein[en]** ~ **aus etw machen** make no secret of sth.

Hehler(in) m(f) ⟨-s, -⟩ receiver [of stolen goods]; fence; (umg).

Heide f ⟨-, -n⟩ heath, moor.

Heide m ⟨-n, -n⟩ heathe, pagan.

Heidekraut nt heather.

Heidelbeere f bilberry, blueberry.

Heidentum nt paganism; **Heidin** f heathen, pagan; **heidnisch** adj heathen, pagan.

heikel adj awkward, thorny; (wählerisch) fussy.

heil 1. adj in one piece, intact; **2.** interj hail; **Heil** nt ⟨-[e]s, -⟩ well-being; (Seelen~) salvation; **Heiland** m ⟨-[e]s, -e⟩ saviour; **heilbar** adj curable; **heilen 1.** vt cure; **2.** vi heal; **heilfroh** adj very relieved; **Heilgymnast(in)** m(f) physiotherapist.

heilig adj holy; **Heiligabend** m Christmas Eve; **Heilige(r)** mf saint; **Heiligenschein** m halo; **Heiligkeit** f holiness; **heiligsprechen** irr vt canonize; **Heiligtum** nt shrine; (Gegenstand) relic.

heillos adj unholy; **Heilmittel** nt remedy; **Heilpraktiker(in)** m(f) naturopath, non-medical practitioner; **heilsam** adj (fig) salutary; **Heilsarmee** f Salvation Army; **Heilung** f cure.

heim adv home; **Heim** nt ⟨-[e], -e⟩ home.

Heimat f ⟨-, -en⟩ home [town/country]; **Heimatland** nt native country; **heimatlich** adj native, home; (Gefühle) nostalgic; **heimatlos** adj homeless; **Heimatort** m home town/area; **Heimatvertriebene(r)** mf displaced person.

heimbegleiten vt accompany home; **Heimcomputer** m home computer.

heimelig adj homely, cosy.

heimfahren irr vi drive/go home; **Heimfahrt** f journey home; **heimgehen** irr vi go home; (sterben) pass away.

heimisch adj (gebürtig) native; **sich** ~ **fühlen** feel at home.

Heimkehr f ⟨-, -en⟩ homecoming; **heimkehren** vi return home.

heimlich adj secret; **Heimlichkeit** f secrecy.

Heimreise f journey home.

heimsuchen vt afflict; (Geist) haunt.

Heimtrainer m exercise bike.

heimtückisch adj malicious.

Heimvorteil m (SPORT) home advantage.

heimwärts adv homewards; **Heimweg** m way home; **Heimweh** nt homesickness; ~ **haben** be homesick; **heimzahlen** vt: **jdm etw** ~ pay back sb for sth.

Heirat f ⟨-, -en⟩ marriage; **heiraten** vt, vi marry; **Heiratsantrag** m proposal; **jdm einen** ~ **machen** propose to sb.

heiser adj hoarse; **Heiserkeit** f hoarseness.

heiß adj hot; ~**er Draht** hot line; **heißblütig** adj hot-blooded.

heißen ⟨hieß, geheißen⟩ **1.** vi be called; (*bedeuten*) mean; **2.** vt command; (*nennen*) name; **3.** vb unpers it says; (*man sagt*) it is said.

heißersehnt adj longed for; **Heißhunger** m ravenous hunger; **heißlaufen** irr vi overheat; (*Telefon*) buzz; **Heißluftherd** m convection oven.

heiter adj cheerful; (*Wetter*) bright; **Heiterkeit** f cheerfulness; (*Belustigung*) amusement.

heizbar adj (*Heckscheibe*) heated; (*Raum*) with heating; **leicht** ~ easily heated; **Heizdecke** f electric blanket; **heizen** vt heat; **Heizer** m ⟨-s, -⟩ stoker; **Heizkörper** m radiator; **Heizöl** nt fuel oil; **Heizung** f heating; **Heizungsanlage** f heating system.

hektisch adj hectic.

Held m ⟨-en, -en⟩ hero; **heldenhaft** adj heroic; **Heldin** f heroine.

helfen ⟨half, geholfen⟩ **1.** vi help (*jdm bei* sb with); (*nützen*) be of use; **2.** vi unpers: **es hilft nichts, du mußt ...** it's no use, you have to ...; **sich** dat **zu ~ wissen** be resourceful; **Helfer(in)** m(f) ⟨-s, -⟩ helper, assistant; **Helfershelfer(in)** m(f) accomplice.

hell adj clear, bright; (*Farbe*) light; **hellblau** adj light blue; **hellblond** adj ash-blond; **Helle** f ⟨-⟩ clearness, brightness; **hellhörig** adj keen of hearing; (*Wand*) poorly soundproofed; ~ **werden** prick up one's ears; **Helligkeit** f clearness, brightness; lightness; **Helligkeitsregelung** f brightness control; **Hellseher(in)** m(f) clairvoyant; **hellwach** adj wide-awake.

Helm m ⟨-[e]s, -e⟩ (*auf Kopf*) helmet.

Hemd nt ⟨-[e]s, -en⟩ shirt; (*Unter~*) vest; **Hemdbluse** f blouse; **Hemdenknopf** m shirt button.

hemmen vt check, hold up; **gehemmt sein** be inhibited; **Hemmschwelle** f inhibition threshold; **Hemmung** f check; (*PSYCH*) inhibition; **hemmungslos** adj unrestrained, without restraint.

Hengst m ⟨-es, -e⟩ stallion.

Henkel m ⟨-s, -⟩ handle.

henken vt hang; **Henker** m ⟨-s, -⟩ hangman.

Henne f ⟨-, -n⟩ hen.

her adv here; (*zeitlich*) ago; ~ **damit!** hand it over!

herab adv down, downward[s]; **herabhängen** irr vi hang down; **herablassen** irr **1.** vt let down; **2.** vr: **sich** ~ condescend; **Herablassung** f condescension; **herabsehen** irr vi look down (*auf +akk* on); **her-**

absetzen vt lower, reduce; (*fig*) belittle, disparage; **Herabsetzung** f reduction; disparagement; **herabwürdigen** vt beli tle, disparage.

heran adv: **näher** ~! come up closer!; ~ **zu mir!** come up to me!; **heranbilden** irr train; **heranbringen** irr vt bring up (*a +akk* to); **heranfahren** irr vi drive up (*a +akk* to); **herankommen** irr vi approach; come near (*an etw akk* sth); **heranma chen** vr: **sich an jdn** ~ make up to sb; **her anwachsen** irr vi grow up; **heranzie hen** irr vt pull nearer; (*aufziehen*) raise (*ausbilden*) train; **jdn zu etw** ~ call upon s to help in sth.

herauf adv up, upward[s], up here; **herauf beschwören** irr vt conjure up, evoke **heraufbringen** irr vt bring up; **herauf ziehen** irr vt **1.** vt draw [o pull] up; **2.** v approach; (*Sturm*) gather.

heraus adv out; outside; **herausarbeiten** vt work out; (*hervorheben*) bring out; **her ausbekommen** irr vt get out; (*Wechse geld*) get back; (*fig*) find out; **herausbrin gen** irr vt bring out; (*Geheimnis*) elici **herausfinden** irr vt find out; **herausfor dern** vt challenge; **Herausforderung** challenge, provocation; **herausgeben** ir vt give up, surrender; (*Geld*) give back (*Buch*) edit; (*veröffentlichen*) publish; **Her ausgeber(in)** m(f) ⟨-s, -⟩ editor; (*Verle ger*) publisher; **herausgehen** irr vi: **au sich** ~ come out of one's shell; **heraushal ten** irr vr: **sich aus etw** ~ keep out of sth **herausholen** vt get out (*aus* of); **heraus kommen** irr vi come out; **dabei komm nichts heraus** nothing will come of it; **her ausnehmen** irr vt take out; **sich** dat **Frei heiten** ~ take liberties; **herausrücken** v fork out, hand over; **mit etw** ~ (*fig*) come out with sth; **herausrutschen** vi slip out **herausschlagen** irr vt knock out; (*fig*) obtain; **herausstellen** vr: **sich** ~ turn ou (*als* to be); **herauswachsen** irr vi grow out (*aus* of); **herausziehen** irr vt pull out extract.

herb adj [slightly] bitter, acid; (*Wein*) dry (*fig: schmerzlich*) bitter; (*streng*) stern, aus tere.

Herberge f ⟨-, -n⟩ (*Unterkunft*) lodging; (*fig.* refuge, shelter; (*Jugend~*) hostel; **Her bergsmutter** f, **Herbergsvater** m war den.

herbitten irr vt ask to come [here]; **her bringen** irr vt bring here.

Herbst m ⟨-[e]s, -e⟩ autumn, fall US; **im** ~ i autumn, in fall; **herbstlich** adj autumnal.

Herd m ⟨-[e]s, -e⟩ cooker; (*fig*) focus, centre.

Herde f ⟨-, -n⟩ herd; (*Schaf~*) flock.

herein adv in [here]; here; ~**!** come in!; **her**

einbitten *irr vt* ask in; **hereinbrechen** *irr vi* set in; **hereinbringen** *irr vt* bring in; **hereindürfen** *irr vi* have permission to enter; **hereinfallen** *irr vi* be caught, taken in; ~ **auf** +*akk* fall for; **hereinkommen** *irr vi* come in; **hereinlassen** *irr vt* admit; **hereinlegen** *vt:* **jdn** ~ take sb for a ride; **hereinplatzen** *irr vi* burst in.

Herfahrt *f* journey here; **herfallen** *irr vi:* **über jdn** ~ pounce on sb; (*kritisieren*) pull to pieces; **über das Essen** ~ pounce upon the food; **Hergang** *m* course of events, circumstances *pl*; **hergeben** *irr vt* give, hand [over]; **sich zu etw** ~ lend one's name to sth; **hergehen** *irr vi:* **hinter jdm** ~ follow sb; **es geht hoch her** there's plenty going on here; **herhalten** *irr vt* hold out; ~ **müssen** (*umg*) have to suffer; **herhören** *vi* listen; **hör mal her!** listen here!

Hering *m* ⟨-s, -e⟩ herring.

herkommen *irr vi* come; **komm mal her!** come here!; **herkömmlich** *adj* conventional; **Herkunft** *f* ⟨-, Herkünfte⟩ origin; **herlaufen** *irr vi:* **hinter einer Sache/jdm** ~ run after sth/sb; **herleiten** *irr vt* derive; **hermachen** *vr:* **sich** ~ **über** +*akk* set about, set upon.

Hermelin *m* ⟨-s, -e⟩ (*Pelz*) ermine.

hermetisch *adj* hermetic.

Heroin *nt* ⟨-s⟩ heroin.

heroisch *adj* heroic.

Herold *m* ⟨-[e]s, -e⟩ herald.

Herpes *m* ⟨-⟩ (MED) herpes.

Herr *m* ⟨-[e]n, -en⟩ master; (*Mann*) gentleman; (*adliger*) Lord; (*vor Namen*) Mr.; **mein** ~! sir!; **meine** ~**en!** gentlemen!; **Herrenbekanntschaft** *f* gentleman friend; **Herrendoppel** *nt* men's doubles *sing*; **Herreneinzel** *nt* men's singles *sing*; **Herrenhaus** *nt* mansion; **herrenlos** *adj* ownerless.

herrichten *vt* prepare.

Herrin *f* mistress; **herrisch** *adj* domineering, overbearing.

herrlich *adj* marvellous, splendid; **Herrlichkeit** *f* splendour, magnificence.

Herrschaft *f* power, rule; (*Herr und Herrin*) master and mistress; **meine** ~**en!** ladies and gentlemen!

herrschen *vi* rule; (*bestehen*) prevail, be; **Herrscher(in)** *m(f)* ⟨-s, -⟩ ruler; **Herrschsucht** *f* domineering behaviour.

herrühren *vi* arise, originate (*von* from); **herstellen** *vt* make, manufacture; **Hersteller(in)** *m(f)* ⟨-s, -⟩ manufacturer; **Herstellung** *f* manufacture; **Herstellungskosten** *pl* manufacturing costs *pl*.

herüber *adv* over [here], across.

herum *adv* about, [a]round; **um etw** ~ around sth; **herumärgern** *vr:* **sich** ~ keep struggling (*mit* with); **herumführen** *vt* show around; **herumgehen** *irr vi* walk [*o* go] round (*um etw* sth), walk about; **herumirren** *vi* wander about; **herumkriegen** *vt* bring [*o* talk] around; **herumlungern** *vi* lounge about; **herumsprechen** *irr vr:* **sich** ~ get around, be spread; **herumtreiben** *irr vi, vr:* **sich** ~ (*umg*) hang about; **herumziehen** *irr vi* wander about.

herunter *adv* downward[s], down [there]; **heruntergekommen** *adj* run-down; **herunterhängen** *irr vi* hang down; **herunterholen** *vt* bring down; **herunterkommen** *irr vi* come down; (*fig*) come down in the world; **heruntermachen** *vt* take down; (*schimpfen*) abuse, criticise severely.

hervor *adv* out, forth; **hervorbringen** *irr vt* produce; (*Wort*) utter; **hervorgehen** *irr vi* emerge, result; **hervorheben** *irr vt* stress; (*als Kontrast*) set off; **hervorragend** *adj* excellent; (*vorstehend*) projecting; **hervorrufen** *irr vt* cause, give rise to; **hervortreten** *irr vi* come out.

Herz *nt* ⟨-ens, -en⟩ heart; **Herzanfall** *m* heart attack; **Herzenslust** *f:* **nach** ~ to one's heart's content; **Herzfehler** *m* heart defect; **herzhaft** *adj* hearty; **Herzinfarkt** *m* heart attack; **Herzklopfen** *nt* palpitation; **herzkrank** *adj* suffering from a heart condition; **herzlich** *adj* (*Empfang*) warm; (*Mensch*) warm-hearted; (*Lachen*) hearty; ~**en Glückwunsch** congratulations; ~**e Grüße** best wishes; ~ **wenig** precious little; **Herzlichkeit** *f* warmth; warm-heartedness; **herzlos** *adj* heartless.

Herzog *m* ⟨-[e]s, Herzöge⟩ duke; **Herzogin** *f* duchess; **herzoglich** *adj* ducal; **Herzogtum** *nt* duchy.

Herzschlag *m* heartbeat; (MED) heart attack; **Herzschrittmacher** *m* [cardiac] pacemaker; **herzzerreißend** *adj* heartrending.

Hessen *nt* ⟨-s⟩ Hessen.

heterogen *adj* heterogeneous.

Heterosexualität *f* heterosexuality; **heterosexuell** *adj* heterosexual; **Heterosexuelle(r)** *mf* heterosexual.

Hetze *f* ⟨-, -n⟩ (*Eile*) rush; **hetzen** **1.** *vt* hunt; (*verfolgen*) chase; **2.** *vi* (*eilen*) rush; ~ **gegen** stir up against; **jdn/etw auf jdn/etw** ~ set sb/sth on sb/sth; **Hetzerei** *f* (*Eile*) rush.

Heu *nt* ⟨-[e]s⟩ hay; **Heuboden** *m* hayloft.

Heuchelei *f* hypocrisy; **heucheln 1.** *vt* pretend, feign; **2.** *vi* be hypocritical; **Heuchler(in)** *m(f)* ⟨-s, -⟩ hypocrite; **heuchlerisch** *adj* hypocritical.

Heugabel *f* pitchfork.

heulen *vi* howl; cry; **das ~de Elend bekom-**

men get the blues.

heurig adj this year's.

Heuschnupfen m hay fever; **Heuschrecke** f ⟨-, -n⟩ grasshopper, locust.

heute adv today; ~ **abend/früh** this evening/morning; **das Heute** today; **heutig** adj today's; **heutzutage** adv nowadays.

Hexe f ⟨-, -n⟩ witch; **hexen** vi practise witchcraft; **ich kann doch nicht ~** I can't work miracles; **Hexenkessel** m cauldron, (fig) pandemonium; **Hexenmeister** m wizard; **Hexenschuß** m lumbago; **Hexerei** f witchcraft.

Hickhack nt ⟨-s⟩ squabbling.

hieb imperf von **hauen**; **Hieb** m ⟨-[e]s, -e⟩ blow; (Wunde) cut, gash; (Stichelei) cutting remark; ~**e bekommen** get a thrashing.

hielt imperf von **halten**.

hier adv here; **hierauf** adv thereupon; (danach) after that; **hierbehalten** irr vt keep here; **hierbei** adv herewith, enclosed; **hierbleiben** irr vi stay here; **hierdurch** adv by this means; (örtlich) through here; **hierher** adv this way, here; **hierlassen** irr vt leave here; **hiermit** adv hereby; **hiernach** adv hereafter; **hiervon** adv about this, hereof; **hierzulande** adv in this country.

hiesig adj of this place, local.

hieß imperf von **heißen**.

Hi-Fi-Anlage f hi-fi [set].

high adj (umg) high; **Highlife** nt ⟨-s⟩ high life; ~ **machen** live it up; **High Tech** nt ⟨-s⟩ high-tech.

Hilfe f ⟨-, -n⟩ help; (für Notleidende, finanziell) aid; **Erste ~** first aid; ~**!** help!; **kontextsensitive ~** (INFORM) context-sensitive help; **Hilfeleistung** f: **unterlassene ~** (JUR) denial of assistance; **hilflos** adj helpless; **Hilflosigkeit** f helplessness; **hilfreich** adj helpful.

Hilfsaktion f relief measures pl; **Hilfsarbeiter(in)** m(f) labourer; **hilfsbedürftig** adj: needy; **hilfsbereit** adj ready to help, helpful; **Hilfsbereitschaft** f helpfulness; **Hilfsdatei** f (INFORM) help file; **Hilfskraft** f assistant, helper; **Hilfsorganisation** f aid organisation; **Hilfsschule** f (umg) school for backward children; **Hilfszeitwort** nt auxiliary verb.

Himbeere f raspberry.

Himmel m ⟨-s, -⟩ sky; (REL) heaven; **himmelangst** adj: **es ist mir ~** I'm scared to death; **himmelblau** adj sky-blue; **Himmelfahrt** f Ascension; **himmelschreiend** adj outrageous; **Himmelsrichtung** f direction; **himmlisch** adj heavenly.

hin adv there; ~ **und her** to and fro; **bis zur Mauer ~** up to the wall; **Geld ~, Geld her** money or no money; **mein Glück ist ~** my happiness has gone.

hinab adv down; **hinabgehen** irr vi go down; **hinabsehen** irr vi look down.

hinauf adv up; **hinaufarbeiten** vr: **sich ~** work one's way up; **hinaufsteigen** irr vi climb (auf etw akk sth).

hinaus adv out; **hinausbefördern** vt kick/throw out; **hinausgehen** irr vi go out; ~ **über** +akk exceed; **hinauslaufen** irr vi run out; ~ **auf** +akk come to, amount to; **hinausschieben** irr vt put off, postpone; **hinauswerfen** irr vt throw out; **hinauswollen** vi want to go out; ~ **auf** +akk drive at, get at; **hinausziehen** irr **1.** vt draw out; **2.** vr: **sich ~** be protracted.

Hinblick m: **im** [o **im**] ~ **auf** +akk in view of.

hinderlich adj awkward; **hindern** vt hinder, hamper; **jdn an etw** dat ~ prevent sb from doing sth; **Hindernis** nt obstacle.

hindeuten vi point (auf +akk to).

hindurch adv through; across; (zeitlich) over.

hinein adv in; **hineinfallen** irr vi fall in; ~ **in** +akk fall into; **hineingehen** irr vi go in; ~ **in** +akk go into, enter; **hineingeraten** irr vi: ~ **in** +akk get into; **hineinpassen** vi fit in; ~ **in** +akk fit into; **hineinreden** vi: **jdm** ~ interfere in sb's affairs; **hineinschlittern** vi: **in eine Situation** ~ stumble into a situation; **hineinsteigern** vr: **sich ~** get worked up; **hineinversetzen** vr: **sich ~ in** +akk put oneself in the position of.

hinfahren irr **1.** vi go; drive; **2.** vt take; drive; **Hinfahrt** f journey there; **hinfallen** irr vi fall down; **hinfällig** adj (Regel) invalid, frail, decrepit.

hing imperf von **hängen**.

Hingabe f devotion; **hingeben** vr: **sich ~** +dat give oneself up to, devote oneself to; **hingehen** irr vi go; (Zeit) pass; **hinhalten** irr vt hold out; (warten lassen) put off, stall.

hinken vi limp; (Vergleich) be unconvincing.

hinlegen 1. vt put down; **2.** vr: **sich ~** lie down; **hinnehmen** irr vt (fig) put up with, take; **Hinreise** f journey out; **hinreißen** irr vt carry away, enrapture; **sich ~ lassen, etw zu tun** get carried away and do sth; **hinrichten** vt execute; **Hinrichtung** f execution; **hinsichtlich** präp +gen with regard to; **Hinspiel** nt (SPORT) first leg; **hinstellen 1.** vt put [down]; **2.** vr: **sich ~** place oneself.

hintanstellen vt put last; (vernachlässigen) neglect.

hinten adv at the back; behind; **hintenherum** adv at the back; (fig) secretly.

hinter präp +dat o akk behind; (nach) after; ~ **jdm hersein** be after sb; **Hinterachse** f rear axle; **Hinterbein** nt hind leg; **sich auf die ~e stellen** get tough; **Hinterbliebene(r)** mf surviving relative; **hinterdrein** adv afterwards; **hintere(r, s)** adj rear, back; **hintereinander** adv one after the other; **Hintergedanke** m ulterior motive; **hintergehen** irr vt deceive; **Hintergrund** m background; **Hinterhalt** m ambush; **hinterhältig** adj underhand, sneaky; **hinterher** adv afterwards; **Hinterhof** m backyard; **Hinterkopf** m back of one's head; **hinterlassen** irr vt leave; **Hinterlassenschaft** f (testator's) estate; **hinterlegen** vt deposit; **Hinterlist** f cunning, trickery; (Handlung) trick, dodge; **hinterlistig** adj cunning, crafty; **Hintermänner** m people behind pl; **Hinterrad** nt back wheel, rear wheel; **Hinterradantrieb** m (AUTO) rear wheel drive; **hinterrücks** adv from behind; **Hinterteil** nt behind; **Hintertreffen** nt: **ins ~ kommen** lose ground; **hintertreiben** irr vt prevent, frustrate; **Hintertür** f back door; (fig: Ausweg) escape, loophole; **hinterziehen** irr vt (Steuern) evade (paying).

hinüber adv across, over; **hinübergehen** irr vi go over (o across).

hinunter adv down; **hinunterbringen** irr vt take down; **hinunterschlucken** vt (a. fig) swallow; **hinuntersteigen** irr vi descend.

Hinweg m journey out.

hinwegsetzen vr: **sich ~ über** +akk disregard.

Hinweis m ⟨-es, -e⟩ (Andeutung) hint; (Anweisung) instruction; (Verweis) reference; **hinweisen** irr vi (anzeigen) point (auf +akk to); (sagen) point out, refer (auf +akk to).

hinzu adv in addition; **hinzufügen** vt add.

Hirn nt ⟨-[e]s, -e⟩ brain[s]; **Hirngespinst** nt ⟨-[e]s, -e⟩ fantasy; **hirnverbrannt** adj half-baked, crazy.

Hirsch m ⟨-[e]s, -e⟩ stag.

Hirse f ⟨-, -n⟩ millet.

Hirt(in) m(f) ⟨-en, -en⟩ herdsperson; (Schaf~, fig) shepherd/shepherdess.

hissen vt hoist.

Historiker(in) m(f) ⟨-s, -⟩ historian; **historisch** adj historical.

Hitparade f charts pl.

Hitze f ⟨-⟩ heat; **hitzebeständig** adj heat-resistant; **Hitzewelle** f heatwave.

hitzig adj hot-tempered; (Debatte) heated.

Hitzkopf m hothead; **Hitzschlag** m heatstroke.

HIV nt ⟨-[s], -[s]⟩ abk von **Human Immunodeficiency Virus** HIV; **HIV-negativ** adj HIV negative; **HIV-positiv** adj HIV positive.

H-Milch f long-life milk.

hob imperf von **heben**.

Hobby nt ⟨-s, -s⟩ hobby.

Hobel m ⟨-s, -⟩ plane; **Hobelbank** f ⟨Hobelbänke pl⟩ carpenter's bench; **hobeln** vt, vi plane; **Hobelspäne** pl wood shavings pl.

hoch adj ⟨höher, am höchsten⟩ high; **Hoch** nt ⟨-s, -s⟩ (Ruf) cheer; (METEO) anticyclone.

Hochachtung f respect, esteem; **hochachtungsvoll** adv (in Briefen) yours faithfully; **Hochamt** nt high mass; **hocharbeiten** vr: **sich ~** work one's way up; **hochauflösend** adj high-resolution; **hochbegabt** adj extremely gifted; **hochbetagt** adj very old, aged; **Hochbetrieb** m intense activity; (WIRTS) peak time; **hochbringen** irr vt bring up; **Hochburg** f stronghold; **Hochdeutsch** nt High German; **hochdotiert** adj highly paid; **Hochdruck** m (METEO) high pressure; **Hochebene** f plateau; **hocherfreut** adj extremely delighted; **hochfliegend** adj (fig) high-flown; **Hochform** f top form; **Hochgebirge** nt [high] mountains; **Hochgeschwindigkeitszug** m highspeed train; **hochgradig** adj intense, extreme; **hochhalten** irr vt hold up; (fig) uphold, cherish; **Hochhaus** nt multistorey building; **hochheben** irr vt lift [up]; **Hochkonjunktur** f boom; **Hochland** nt highlands pl; **hochleben** vi: **jdn ~ lassen** give sb three cheers; **Hochleistungssport** m top-level sport; **Hochmut** m pride; **hochmütig** adj proud, haughty; **hochnäsig** adj stuck-up, snooty; **Hochofen** m blast furnace; **hochprozentig** adj strong; **Hochrechnung** f projected result; **hochrüsten** vt (TECH) upgrade; **Hochsaison** f high season; **Hochschätzung** f high esteem; **Hochschulabschluß** m university degree; **Hochschule** f college; university; **hochschwanger** adj heavily pregnant; **Hochsommer** m height of summer; **Hochspannung** f high tension; **Hochspannungsleitung** f high voltage line, power line; **hochspringen** irr vi jump up; **Hochsprung** m high jump.

höchst adv highly, extremely.

Hochstapler(in) m(f) ⟨-s, -⟩ swindler; **höchste(r, s)** adj superl von **hoch** highest; (äußerste) extreme; **höchstens** adv at the most; **Höchstgeschwindigkeit** f maximum speed; **höchstpersönlich** adv in person; **Höchstpreis** m maximum price; **höchstwahrscheinlich** adv most probably.

Hochtöner m ⟨-s, -⟩ tweeter.

hochtrabend adj pompous, high-flown; **Hochverrat** m high treason; **Hochwasser** nt high water; (Überschwemmung) floods pl; **hochwertig** adj high-class, first-rate; **Hochwürden** m ⟨-s, -⟩ Reverend; **Hochzahl** f (MATH) exponent.

Hochzeit f ⟨-, -en⟩ wedding; **Hochzeitsreise** f honeymoon.

hocken vi, vr: **sich ~** squat, crouch.

Hocker m ⟨-s, -⟩ stool.

Höcker m ⟨-s, -⟩ hump.

Hoden m ⟨-s, -⟩ testicle.

Hof m ⟨-[e]s, Höfe⟩ (Hinter~) yard; (Bauern~) farm; (Königs~) court.

hoffen vi hope (auf +akk for); **hoffentlich** adv I hope, hopefully; **Hoffnung** f hope; **hoffnungslos** adj hopeless; **Hoffnungslosigkeit** f hopelessness; **Hoffnungsschimmer** m glimmer of hope; **Hoffnungsträger(in)** m(f) carrier of hope; **hoffnungsvoll** adj hopeful.

höflich adj polite, courteous; **Höflichkeit** f courtesy, politeness.

hohe(r, s) adj s. **hoch**.

Höhe f ⟨-, -n⟩ height; (An~) hill.

Hoheit f (POL) sovereignty; (Titel) Highness; **Hoheitsgebiet** nt sovereign territory; **Hoheitsgewässer** nt territorial waters pl; **Hoheitszeichen** nt national emblem.

Höhenangabe f altitude reading; (auf Karte) height marking; **Höhenmesser** m ⟨-s, -⟩ altimeter; **Höhensonne** f sun lamp; **Höhenunterschied** m difference in altitude; **Höhenzug** m mountain chain.

Höhepunkt m climax.

höher adj, adv komp von **hoch** higher.

hohl adj hollow.

Höhle f ⟨-, -n⟩ cave, hole; (Mund~) cavity; (fig) den.

Hohlheit f hollowness; **Hohlmaß** nt measure of capacity; **Hohlsaum** m hemstitch.

Hohn m ⟨-[e]s⟩ scorn; **höhnen** vt taunt, scoff at; **höhnisch** adj scornful, taunting.

holen vt get, fetch; (Atem) take; **jdn/etw ~ lassen** send for sb/sth.

Holland nt Holland; **Holländer(in)** m(f) ⟨-s, -⟩ Dutchman/-woman; **die ~** pl the Dutch pl; **holländisch** adj Dutch.

Hölle f ⟨-, -n⟩ hell; **Höllenangst** f: **eine ~ haben** be scared to death; **höllisch** adj hellish, infernal.

Hologramm nt ⟨-s, -e⟩ hologram; **Holographie** f holography.

holperig adj rough, bumpy; **holpern** vi jolt.

Holunder m ⟨-s, -⟩ elder.

Holz nt ⟨-es, Hözer⟩ wood; **hölzern** adj (a. fig) wooden; **Holzfäller(in)** m(f) ⟨-s, -⟩ lumberjack, woodcutter; **holzig** adj woody; **Holzklotz** m wooden block; **Holzkohle** f charcoal; **Holzscheit** nt log; **Holzschuh** m clog; **Holzweg** m: **auf dem ~ sein** be on the wrong track; **Holzwolle** f fine wood shavings pl; **Holzwurm** m woodworm.

Hometrainer m exerciser.

Homosexualität f homosexuality; **homosexuell** adj homosexual; **Homosexuelle(r)** mf homosexual.

Honig m ⟨-s, -e⟩ honey; **Honigmelone** f honeydew melon; **Honigwabe** f honeycomb.

Honorar nt ⟨-s, -e⟩ fee.

honorieren vt remunerate; (Scheck) honour.

Hopfen m ⟨-s, -⟩ (BOT) hop; (beim Brauen) hops pl.

hopsen vi hop.

hopsgehen vi (umg) go missing.

Hörapparat m hearing aid; **hörbar** adj audible.

horch interj listen; **horchen** vi listen; (pej) eavesdrop; **Horcher(in)** m(f) ⟨-s, -⟩ listener; eavesdropper.

Horde f ⟨-, -n⟩ horde.

hören vt, vi hear; **Hörensagen** nt: **vom ~** from hearsay; **Hörer(in)** m(f) ⟨-s, -⟩ hearer; (RADIO) listener; (SCH) student; (Telefon~) receiver.

Horizont m ⟨-[e]s, -e⟩ horizon; **horizontal** adj horizontal.

Hormon nt ⟨-s, -e⟩ hormone.

Hörmuschel f (TEL) earpiece.

Horn nt ⟨-[e]s, Hörner⟩ horn; **Hornhaut** f horny skin; (des Auges) cornea.

Hornisse f ⟨-, -n⟩ hornet.

Horoskop nt ⟨-s, -e⟩ horoscope.

Hörrohr nt ear trumpet; (MED) stethoscope; **Hörsaal** m lecture room; **Hörspiel** nt radio play.

Hort m ⟨-[e]s, -e⟩ hoard; (SCH) nursery school; **horten** vt hoard.

Hose f ⟨-, -n⟩ trousers pl Brit, pants pl US; (Damen~ auch) slacks pl; (Unter~) [under]pants pl; **eine ~** a pair of pants; **tote ~ sein** (umg: langweilig) be a drag; (erfolglos) be a dead loss; **in die ~ gehen** (umg) be a flop; **Hosenanzug** m trouser suit; **Hosenrock** m culottes pl; **Hosentasche** f [trouser] pocket; **Hosenträger** m braces pl, suspenders pl US.

Hostie f (REL) host.

Hotel nt ⟨-s, -s⟩ hotel; **Hotelier** m ⟨-s, -s⟩ hotelkeeper, hotelier.

Hub m ⟨-[e]s, Hübe⟩ lift; (TECH) stroke.

hüben adv on this side, over here.

Hubraum m (AUTO) cubic capacity.

hübsch adj pretty, nice.

Hubschrauber m ⟨-s, -⟩ helicopter.

hudeln vi (umg) be sloppy.

Huf m ⟨-[e]s, -e⟩ hoof; **Hufeisen** nt horseshoe.

Hüfte f ⟨-, -n⟩ hip; **Hüfthalter** f ⟨-s, -⟩ girdle.

Hügel m ⟨-s, -⟩ hill; **hügelig** adj hilly.

Huhn nt ⟨-[e]s, Hühner⟩ hen; (GASTR) chicken; **Hühnerauge** nt corn; **Hühnerbrühe** f chicken broth.

huldigen vi pay homage (jdm to sb); **Huldigung** f homage.

Hülle f ⟨-, -n⟩ cover; (Schallplatten~) sleeve; (für Ausweis) case; (Zellophan~) wrapping; **in ~ und Fülle** galore; **hüllen** vt cover, wrap (in +akk with).

Hülse f ⟨-, -n⟩ husk, shell; **Hülsenfrucht** f pulse.

human adj humane; **humanitär** adj humanitarian; **Humanität** f humanity.

Hummel f ⟨-, -n⟩ bumblebee.

Hummer m ⟨-s, -⟩ lobster.

Humor m ⟨-s⟩ humour; **~ haben** have a sense of humour; **Humorist(in)** m(f) humorist; **humoristisch** adj, **humorvoll** adj humorous.

humpeln vi hobble.

Humpen m ⟨-s, -⟩ tankard.

Hund m ⟨-[e]s, -e⟩ dog; **Hundehütte** f [dog] kennel; **Hundekuchen** m dog biscuit; **hundemüde** adj (umg) dog-tired.

hundert num hundred; **Hundertjahrfeier** f centenary; **hundertprozentig** adj, adv one hundred per cent.

Hündin f bitch.

Hunger m ⟨-s⟩ hunger; **~ haben** be hungry; **Hungerlohn** m starvation wages pl; **hungern** vi starve; **Hungersnot** f famine; **Hungerstreik** m hunger strike; **hungrig** adj hungry.

Hupe f ⟨-, -n⟩ horn, hooter; **hupen** vi hoot, sound one's horn.

hüpfen vi hop, jump.

Hürde f ⟨-, -n⟩ hurdle; (für Schafe) pen; **Hürdenlauf** m (Sportart) hurdling; (Wettkampf) hurdles pl.

Hure f ⟨-, -n⟩ whore.

huschen vi flit, scurry.

husten vi cough; **Husten** m ⟨-s⟩ cough; **Hustenanfall** m coughing fit; **Hustenbonbon** m o nt cough drop: **Hustensaft** m cough mixture.

Hut 1. m ⟨-[e]s, Hüte⟩ hat; 2. f ⟨-⟩ care; **auf der ~ sein** be on one's guard.

hüten 1. vt guard; 2. vr: **sich ~** watch out; **sich ~, zu** take care not to; **sich ~ vor** +dat beware of.

Hütte f ⟨-, -n⟩ hut, cottage; (Eisen~) forge; **Hüttenwerk** nt foundry.

hutzelig adj shrivelled.

Hyäne f ⟨-, -n⟩ hyena.

Hyazinthe f ⟨-, -n⟩ hyacinth.

Hydrant m hydrant.

hydraulisch adj hydraulic.

Hydrierung f hydrogenation.

Hydrokultur f hydroponics sing.

Hygiene f ⟨-⟩ hygiene; **hygienisch** adj hygienic.

Hymne f ⟨-, -n⟩ hymn, anthem.

hyper- präf hyper-.

Hypnose f ⟨-, -n⟩ hypnosis; **hypnotisch** adj hypnotic. **Hypnotiseur(in)** m(f) hypnotist; **hypnotisieren** vt hypnotize.

Hypothek f ⟨-, -en⟩ mortgage.

Hypothese f hypothesis; **hypothetisch** adj hypothetical.

Hysterie f hysteria; **hysterisch** adj hysterical.

I

I, i nt I, i.

i.A. abk von **im Auftrag** for, pp.

IC m ⟨-, -s⟩ abk von **Intercity** Intercity.

ICE m ⟨-, -s⟩ abk von **Intercity Express** German high speed train.

ich pron I; **~ bin's!** it's me!; **Ich** nt ⟨-[s], -[s]⟩ self; (PSYCH) ego.

Icon nt ⟨-s, -s⟩ (INFORM) icon.

IC-Zuschlag m Intercity supplement.

ideal adj ideal; **Ideal** nt ⟨-s, -e⟩ ideal: **Idealgewicht** nt ideal weight; **Idealismus** m idealism; **Idealist(in)** m(f) idealist; **idealistisch** adj idealistic.

Idee f ⟨-, -n⟩ idea; **ideell** adj ideal.

identifizieren vt identify; **identisch** adj identical; **Identität** f identity.

Ideologe m ⟨-n, -n⟩ ideologist; **Ideologie** f ideology; **Ideologin** f ideologist; **ideologisch** adj ideological.

idiomatisch adj idiomatic.

Idiot(in) m(f) ⟨-en, -en⟩ idiot; **idiotisch** adj idiotic.

Idylle f idyll; **idyllisch** adj idyllic.

IG f abk von **Industriegewerkschaft**.

Igel m ⟨-s, -⟩ hedgehog.

ignorieren vt ignore.

ihm 1. pron dat von **er** [to] him; 2. pron dat von **es** [to] it.

ihn pron akk von **er** him.

ihnen pron dat von **sie** [to] them.

Ihnen pron dat von **Sie** [to] you.

ihr 1. pron (2. Person pl) you; 2. pron dat von sing **sie** [to] her; 3. pron possessiv von sing **sie** (adjektivisch) her; 4. pron possessiv von pl **sie** (adjektivisch) their.

Ihr pron possessiv von **Sie** (adjektivisch) your.

ihre(r, s) 1. pron possessiv von sing **sie** (substantivisch) hers; 2. pron possessiv von pl **sie** (substantivisch) theirs.

Ihre(r, s) pron possessiv von **Sie** (substantivisch) yours.

ihrer 1. pron gen von sing **sie** of her; 2. pron

gen von pl **sie** of them.

Ihrer *pron gen von* **Sie** of you.

ihrerseits 1. *adv bezüglich auf sing* **sie** as far as she is concerned; **2.** *adv bezüglich auf pl* **sie** as far as they are concerned; **Ihrerseits** *adv* as far as you are concerned; **ihresgleichen 1.** *pron bezüglich auf sing* **sie** people like her; *(gleichrangig)* her equals; **2.** *pron bezüglich auf pl* **sie** people like them; *(gleichrangig)* their equals; **Ihresgleichen** *pron* people like you; *(gleichrangig)* your equals; **ihretwegen 1.** *adv (wegen ihr)* because of her; *(ihr zuliebe)* for her sake; *(um sie)* about her; *(für sie)* on her behalf; *(von ihr aus)* as far as she is concerned; **2.** *adv (wegen ihnen)* because of them; *(ihnen zuliebe)* for their sake; *(um sie)* about them; *(für sie)* on their behalf; *(von ihnen aus)* as far as they are concerned; **Ihretwegen** *adv (wegen Ihnen)* because of you; *(Ihnen zuliebe)* for your sake; *(um Sie)* about you; *(für Sie)* on your behalf; *(von Ihnen aus)* as far as you are concerned.

Ikone *f* ⟨-, -n⟩ icon.

illegal *adj* illegal.

Illusion *f* illusion; **illusorisch** *adj* illusory.

illustrieren *vt* illustrate; **Illustrierte** *f* ⟨-n, -n⟩ [glossy] magazine.

Iltis *m* ⟨-ses, -se⟩ polecat.

im = in dem.

imaginär *adj* imaginary.

Imbiß *m* ⟨Imbisses, Imbisse⟩ snack; **Imbißstube** *f* snack bar.

imitieren *vt* imitate.

Imker(in) *m(f)* ⟨-s, -⟩ beekeeper.

Immatrikulation *f* (SCH) registration; **immatrikulieren** *vi, vr:* **sich** ~ register.

immer *adv* always; ~ **wieder** again and again; ~ **noch** still; ~ **noch nicht** still not; **für** ~ forever; ~ **wenn ich ...** everytime I ...; ~ **schöner/trauriger** more and more beautiful/sadder and sadder; **was/wer [auch]** ~ whatever/whoever; **immerhin** *adv* all the same; **immerzu** *adv* all the time.

Immobilien *pl* real estate.

immun *adj* immune; **Immunität** *f* immunity; **Immunschwäche** *f* immunodeficiency; **Immunschwächekrankheit** *f* immune deficiency syndrom; **Immunsystem** *nt* immune system.

Imperativ *m* imperative.

Imperfekt *nt* ⟨-s, -e⟩ imperfect [tense].

imperialistisch *adj* imperialistic.

impfen *vt* vaccinate; **Impfstoff** *m* vaccine; **Impfung** *f* vaccination; **Impfzwang** *m* compulsory vaccination.

implizieren *vt* imply.

imponieren *vi* impress *(jdm* sb).

Import *m* ⟨-[e]s, -e⟩ import; **importieren** *vt* import.

imposant *adj* imposing.

impotent *adj* impotent.

imprägnieren *vt* [water]proof.

Improvisation *f* improvization; **improvisieren** *vt, vi* improvise.

Impuls *m* ⟨-es, -e⟩ impulse; **impulsiv** *adj* impulsive.

imstande *adj:* ~ **sein** be in a position; *(fähig)* be able.

in 1. *präp +akk* in[to]; to; **2.** *präp +dat* in; ~ **der/die Stadt** in/into town; ~ **der/die Schule** at/to school.

Inanspruchnahme *f* ⟨-, -n⟩ demands *pl (gen* on).

Inbegriff *m* embodiment, personification; **inbegriffen** *adv* included.

Inbetriebnahme *f:* **vor** ~ **[des Geräts]...** before use...

inbrünstig *adj* ardent.

indem *konj* while; ~ **man etw macht** *(dadurch)* by doing sth.

Inder(in) *m(f)* ⟨-s, -⟩ Indian.

Indianer(in) *m(f)* ⟨-s, -⟩ [Red] Indian; **indianisch** *adj* [Red] Indian.

Indien *nt* India.

Indikativ *m* indicative.

indirekt *adj* indirect.

indisch *adj* Indian.

indiskret *adj* indiscreet; **Indiskretion** *f* indiscretion.

indiskutabel *adj* out of the question.

Individualist(in) *m(f)* individualist; **Individualität** *f* individuality; **individuell** *adj* individual; **Individuum** *nt* ⟨-s, -en⟩ individual.

Indiz *nt* ⟨-es, -ien⟩ sign *(für* of); (JUR) clue; **Indizienbeweis** *m* circumstantial evidence.

indoktrinieren *vt* indoctrinate.

Indonesien *nt* Indonesia.

industrialisieren *vt* industrialize.

Industrie *f* industry; **Industrie-** *in Zusammensetzungen* industrial; **Industriegebiet** *nt* industrial area; **Industriewerkschaft** *f* [industrial] trade union; **industriell** *adj* industrial; **Industriezweig** *m* branch of industry.

ineinander *adv* in[to] one another [*o* each other].

Infanterie *f* infantry.

Infarkt *m* ⟨-[e]s, -e⟩ coronary [thrombosis].

Infektion *f* infection; **Infektionskrankheit** *f* infectious disease.

Infinitiv *m* infinitive.

infizieren 1. *vt* infect; **2.** *vr:* **sich** ~ be infected *(bei* by).

Inflation *f* inflation; **inflationär** *adj,* **inflationistisch** *adj* inflationary.

Info f ⟨-, -s⟩ info.

infolge *präp* +*gen* as a result of, owing to; **infolgedessen** *adv* consequently.

Informatik f computer science; **Informatiker(in)** *m(f)* ⟨-s, -⟩ information [*o* computer] scientist.

Information f information; **informationell** *adj* informational; **Informationsstand** m (*mit Material*) information stand.

informieren 1. *vt* inform; **2.** *vr:* **sich ~ find out** (*über* +*akk* about).

Infrastruktur f infrastructure.

Infusion f infusion.

Ingenieur(in) *m(f)* engineer; **Ingenieurschule** f school of engineering.

Ingwer m ⟨-s⟩ ginger.

Inhaber(in) *m(f)* ⟨-s, -⟩ owner; (*Haus~*) occupier; (*Lizenz~*) licensee, holder; (*FIN*) bearer.

inhaftieren *vt* take into custody.

inhalieren *vt, vi* inhale.

Inhalt m ⟨-[e]s, -e⟩ contents *pl*; (*eines Buchs etc*) content; (*MATH*) area; volume; **inhaltlich** *adj* as regards content; **Inhaltsangabe** f summary; **inhaltslos** *adj* empty; **inhalt[s]reich** *adj* full; **Inhaltsverzeichnis** nt table of contents.

inhuman *adj* inhuman.

Initiative f initiative.

Injektion f injection.

inklusive *adv, präp* inclusive (*gen* of).

inkognito *adv* incognito.

inkonsequent *adj* inconsistent.

inkorrekt *adj* incorrect.

Inkrafttreten nt ⟨-s⟩ coming into force.

Inland nt (*GEO*) inland; (*POL. WIRTS*) home [country]; **Inlandsporto** nt inland postage.

inmitten *präp* +*gen* in the middle of; **~ von** amongst.

innehaben *irr* *vt* hold.

innen *adv* inside; **Innenaufnahme** f indoor photograph; **Inneneinrichtung** f [interior] furnishings *pl*; **Innenminister(in)** *m(f)* minister of the interior, Home Secretary *Brit*; **Innenpolitik** f domestic policy; **Innenstadt** f town/city centre.

innere(r, s) *adj* inner; (*im Körper, inländisch*) internal; **Innere(s)** nt inside; (*Mitte*) centre; (*fig*) heart.

Innereien *pl* innards *pl*.

innerhalb *adv, präp* +*gen* within; (*räumlich*) inside.

innerlich *adj* internal; (*geistig*) inward.

innerste(r, s) *adj* innermost; **Innerste(s)** nt heart.

innig *adj* profound; (*Freundschaft*) intimate.

Innovation f innovation; **innovativ** *adj* innovative.

inoffiziell *adj* unofficial.

ins = **in das.**

Insasse m ⟨-n, -n⟩. **Insassin** f (*von Anstalt*) inmate; (*AUTO*) passenger.

insbesondere *adv* [e]specially.

Inschrift f inscription.

Insekt nt ⟨-[e]s, -en⟩ insect; **Insektenbekämpfungsmittel** nt insecticide.

Insel f ⟨-, -n⟩ island.

Inserat nt advertisement; **Inserent(in)** *m(f)* advertiser; **inserieren** *vt, vi* advertise.

insgeheim *adv* secretly.

insgesamt *adv* altogether, all in all.

Insider(in) *m(f)* ⟨-s, -⟩ insider.

insofern 1. *adv* in this respect; **2.** *konj* if; (*deshalb*) [and] so; **~ als** in so far as.

Installateur(in) *m(f)* electrician; plumber.

Installation f (*INFORM*) installation; **installieren** *vt* (*INFORM*) install.

Instandhaltung f maintenance; **Instandsetzung** f overhaul; (*eines Gebäudes*) restoration.

Instanz f authority; (*JUR*) court; **Instanzenweg** m official channels *pl*.

Instinkt m ⟨-[e]s, -e⟩ instinct; **instinktiv** *adj* instinctive.

Institut nt ⟨-[e]s, -e⟩ institute.

Instrument nt instrument.

Insulin nt ⟨-s⟩ insulin.

inszenieren *vt* direct; (*fig*) stage-manage; **Inszenierung** f production.

integrieren *vt* integrate; **integrierte Schaltung** integrated circuit; **Integrierung** f integration.

intellektuell *adj* intellectual.

intelligent *adj* intelligent; **Intelligenz** f intelligence; (*Leute*) intelligentsia *pl*.

Intendant(in) *m(f)* director.

intensiv *adj* intensive; **Intensivkurs** m intensive course; **Intensivstation** f intensive care unit.

interaktiv *adj* interactive.

Intercity m ⟨-s, -s⟩ Intercity [train].

interessant *adj* interesting; **interessanterweise** *adv* interestingly enough.

Interesse nt ⟨-s, -n⟩ interest; **~ haben** be interested (*an* +*dat* in); **Interessent(in)** *m(f)* interested party; **interessieren 1.** *vt* interest; **2.** *vr:* **sich ~** be interested (*für* in).

Interface nt ⟨-, -s⟩ (*INFORM*) interface.

Internat nt boarding school.

international *adj* international.

internieren *vt* intern.

interpretieren *vt* interpret.

Interpunktion f punctuation.

Interrailkarte f interrail ticket.

Intervall nt ⟨-s, -e⟩ interval.

Interview nt ⟨-s, -s⟩ interview; **interviewen** *vt* interview.

intim adj intimate; **Intimität** f intimacy; **Intimkontakt** m intimate contact.
intolerant adj intolerant.
intransitiv adj (LING) intransitive.
Intrige f ⟨-, -n⟩ intrigue, plot.
Invasion f invasion.
Inventar nt ⟨-s, -e⟩ inventory; (Einrichtung) fittings pl.
Inventur f stocktaking; **~ machen** stocktake.
investieren vt invest; **Investition** f investment.
inwiefern adv how far, to what extent.
inzwischen adv meanwhile.
Irak m: [der] ~ Iraq.
Iran m: [der] ~ Iran.
irdisch adj earthly.
Ire m ⟨-n, -n⟩ Irishman; **die ~n** pl the Irish pl.
irgend adv at all; **wann/was/wer ~** whenever/whatever/whoever; **~ jemand/etwas** somebody/something; anybody/anything; **irgendein(e, s)** adj some, any; **irgendeinmal** adv sometime or other; (fragend) ever; **irgendwann** adv sometime; **irgendwie** adv somehow; **irgendwo** adv somewhere; anywhere.
Irin f Irishwoman; **irisch** adj Irish; **Irland** nt Ireland; **in ~** in Ireland; **nach ~ fahren** go to Ireland.
Ironie f irony; **ironisch** adj ironic[al].
irre adj crazy, mad; **Irre(r)** mf lunatic; **irreführen** vt mislead; **irremachen** vt confuse; **irren** vi, vr: **sich ~** be mistaken; (umher~) wander, stray; **Irrenanstalt** f lunatic asylum.
irrig adj incorrect, wrong.
irrsinnig adj mad, crazy; (umg) terrific.
Irrtum m ⟨-s, Irrtümer⟩ mistake, error; **irrtümlich** adj mistaken.
Islam m ⟨-s⟩ Islam; **islamisch** adj Islamic.
Island nt Iceland; **Isländer(in)** m(f) ⟨-s, -⟩ Icelander; **isländisch** adj Icelandic.
Isolation f isolation; (ELEK) insulation; **Isolator** m insulator; **Isolierband** nt (Isolierbänder pl) insulating tape; **isolieren** vt isolate; (ELEK) insulate; **Isolierkanne** f thermos jug, insulated flask; **Isolierstation** f (MED) isolation ward; **Isolierung** f (ELEK) insulation.
Isomatte f thermomat, karrymat®.
Israel nt Israel.
Italien nt Italy; **Italiener(in)** m(f) ⟨-s, -⟩ Italian; **italienisch** adj Italian.

J

J, j nt J, j.
ja adv yes; **tu das ~ nicht!** don't do that!
Jacht f ⟨-, -en⟩ yacht.
Jacke f ⟨-, -n⟩ jacket; (Woll~) cardigan.
Jackett nt ⟨-s, -s o -e⟩ jacket.
Jagd f ⟨-, -en⟩ hunt; (Jagen) hunting; **Jagdbeute** f kill; **Jagdflugzeug** nt fighter; **Jagdgewehr** nt sporting gun.
jagen 1. vi hunt; (eilen) race; **2.** vt hunt; (weg~) drive [off]; (verfolgen) chase.
Jäger(in) m(f) ⟨-s, -⟩ hunter/huntress.
jäh adj sudden, abrupt; (steil) steep, precipitous.
Jahr nt ⟨-[e]s, -e⟩ year; **jahrelang** adv for years; **Jahresabonnement** nt annual subscription; **Jahresabschluß** m end of the year; (WIRTS) annual statement of account; **Jahresbericht** m annual report; **Jahreswechsel** m turn of the year; **Jahreszahl** f date, year; **Jahreszeit** f season; **Jahrgang** m age group; (von Wein) vintage; **Jahrhundert** nt ⟨-s, -e⟩ century; **Jahrhundertfeier** f centenary; **Jahrhundertwende** f turn of the century.
jährlich adj yearly.
Jahrmarkt m fair; **Jahrzehnt** nt ⟨-s, -e⟩ decade.
Jähzorn m sudden anger; hot temper; **jähzornig** adj hot-tempered.
Jalousie f venetian blind.
Jammer m ⟨-s⟩ misery; **es ist ein ~, daß ...** it is a crying shame that ...
jämmerlich adj wretched, pathetic.
jammern 1. vi wail; **2.** vt unpers: **es jammert jdn** it makes sb feel sorry.
jammerschade adj: **es ist ~** it is a crying shame.
Januar m ⟨-s, -e⟩ January; **im ~** in January; **17. ~ 1962** January 17th, 1962, 17th January 1962.
Japan nt Japan; **Japaner(in)** m(f) Japanese; **die ~** pl the Japanese pl; **japanisch** adj Japanese.
Jargon m ⟨-s, -s⟩ jargon.
jäten vt: **Unkraut ~** weed.
jauchzen vi rejoice, shout [with joy]; **Jauchzer** m ⟨-s, -⟩ shout of joy.
jaulen vi howl.
jawohl adv yes [of course]; **Jawort** nt: **jdm das ~ geben** consent to marry sb.
Jazz m ⟨-⟩ Jazz.
je adv ever; (jeweils) each; **~ nach** depending on; **~ nachdem** it depends; **~ ... desto** [o ~] the ... the.
Jeans f ⟨-, -⟩ jeans pl, denims pl.

jede(r, s) 1. adj every, each; **2.** pron everybody; (~ einzelne) each; **ohne ~ x** without any x; **jedenfalls** adv in any case; **jedermann** pron everyone; **jederzeit** adv at any time; **jedesmal** adv every time, each time.

jedoch adv however.

jeher adv: **von ~** all along.

jemals adv ever.

jemand pron somebody; anybody.

jene(r, s) 1. adj that; **2.** pron that one.

jenseits 1. adv on the other side; **2.** präp +gen on the other side of, beyond; **das Jenseits** the hereafter, the beyond.

jetzig adj present.

jetzt adv now.

jeweilig adj respective; **jeweils** adv: **~ zwei zusammen** two at a time; **zu ~ 5 DM** at 5 marks each; **~ das erste** the first each time.

Job m ⟨-s, -s⟩ (a. INFORM) job; **jobben** vi (umg) work, have a job; **Job-sharing** nt ⟨-s⟩ job-sharing.

Joch nt ⟨-[e]s, -e⟩ yoke.

Jockey m ⟨-s, -s⟩ jockey.

Jod nt ⟨-[e]s⟩ iodine.

jodeln vi yodel.

Joga nt ⟨-(s)⟩ yoga.

joggen vi jog; **Jogger(in)** m(f) ⟨-s, -⟩ jogger; **Jogging** nt ⟨-s⟩ jogging; **Jogginganzug** m jogging suit.

Joghurt m o nt ⟨-s, -s⟩ yoghurt.

Johannisbeere f: **rote ~** redcurrant; **schwarze ~** blackcurrant.

johlen vi yell.

Joint m ⟨-s, -s⟩ (umg) joint.

Jolle f ⟨-, -n⟩ dinghy.

jonglieren vi juggle.

Jordanien nt Jordan.

Joule nt ⟨-[s], -⟩ joule.

Journalismus m journalism; **Journalist(in)** m(f) journalist; **journalistisch** adj journalistic.

Joystick m ⟨-s, -s⟩ (INFORM) joystick.

Jubel m ⟨-s⟩ rejoicing; **jubeln** vi rejoice.

Jubiläum nt ⟨-s, Jubiläen⟩ anniversary, jubilee.

jucken 1. vi itch; **2.** vt: **es juckt mich am Arm** my arm is itching; **das juckt mich** that's itchy; **das juckt mich nicht** (umg) I couldn't care less; **Juckreiz** m itch.

Jude m ⟨-n, -n⟩ Jew; **Judentum** nt ⟨-s⟩ Judaism; Jewry; **Judenverfolgung** f persecution of the Jews; **Jüdin** f Jewess; **jüdisch** adj Jewish.

Judo nt ⟨-[s]⟩ judo.

Jugend f ⟨-⟩ youth; **Jugendherberge** f youth hostel; **Jugendkriminalität** f juvenile crime; **jugendlich** adj youthful; **Jugendliche(r)** mf teenager, young per-

son; **Jugendrichter(in)** m(f) juvenile court judge.

Jugoslawe m ⟨-n, -n⟩ Yugoslav; **Jugoslawien** nt: **das ehemalige ~** former Yugoslavia; **Jugoslawin** f Yugoslav; **jugoslawisch** adj Yugoslav[ian].

Juli m ⟨-[s], -s⟩ July; **im ~** in July; **31. ~ 1994** July 31st, 1994, 31st July 1994.

jung adj young.

Junge m ⟨-n, -n⟩ boy, lad.

Junge(s) nt ⟨-n, -n⟩ young animal; **die ~n** pl the young pl.

Jünger m ⟨-s, -⟩ disciple.

jünger adj younger.

Jungfer f ⟨-, -n⟩: **alte ~** old maid; **Jungfernfahrt** f maiden voyage.

Jungfrau f virgin; (ASTR) Virgo.

Junggeselle m, **Junggesellin** f bachelor/single woman.

Jüngling m youth.

jüngste(r, s) adj youngest; (neueste) latest.

Juni m ⟨-[s], -s⟩ June; **im ~** in June; **17. ~ 1961** June 17th, 1961, 17th June 1961.

Junior(in) m(f) ⟨-s, -en⟩ junior.

Jurist(in) m(f) jurist, lawyer; **juristisch** adj legal.

Justiz f ⟨-⟩ justice; **Justizbeamte(r)** m, **Justizbeamtin** f judicial officer; **Justizirrtum** m miscarriage of justice.

Juwel nt ⟨-s, -e⟩ jewel; **Juwelier(in)** m(f) ⟨-s, -e⟩ jeweller; **Juweliergeschäft** nt jeweller's [shop].

Jux m ⟨-es, -e⟩ joke, lark.

K

K, k nt K, k.

K abk von **Kilobyte** K.

Kabarett nt ⟨-s, -e o -s⟩ cabaret; **Kabarettist(in)** m(f) cabaret artist.

Kabel nt ⟨-s, -⟩ (ELEK) wire; (stark) cable; **Kabelfernsehen** nt cable television.

Kabeljau m ⟨-s, -e o -s⟩ cod.

Kabine f cabin; (Zelle) cubicle.

Kabinett nt ⟨-s, -e⟩ (POL) cabinet.

Kachel f ⟨-, -n⟩ tile; **kacheln** vt tile; **Kachelofen** m tiled stove.

Kadaver m ⟨-s, -⟩ carcass.

Kadett m ⟨-en, -en⟩ cadet.

Käfer m ⟨-s, -⟩ beetle.

Kaff nt ⟨-s, -s⟩ dump, hole.

Kaffee m ⟨-s, -s⟩ coffee; **Kaffeekanne** f coffeepot; **Kaffeeklatsch** m, **Kaffeekränzchen** nt ≈ coffee morning, coffee klatsch US; **Kaffeelöffel** m coffee spoon; **Kaffeemaschine** f coffee machine; **Kaffeemühle** f coffee grinder; **Kaffeepau-**

se f coffee break; **Kaffeesatz** m coffee grounds pl.

Käfig m ⟨-s, -e⟩ cage.

kahl adj bald; **kahlfressen** irr vt strip bare; **kahlgeschoren** adj shaven, shorn; **Kahlheit** f baldness; **kahlköpfig** adj bald-headed.

Kahn m ⟨-[e]s, Kähne⟩ boat, barge.

Kai m ⟨-s, -e o -s⟩ quay[side].

Kaiser(in) m(f) ⟨-s, -⟩ emperor/empress; **kaiserlich** adj imperial; **Kaiserreich** nt empire; **Kaiserschnitt** m ⟨MED⟩ Caesarian [section].

Kajüte f ⟨-, -n⟩ cabin.

Kakao m ⟨-s, -s⟩ cocoa.

Kaktee f ⟨-, -n⟩, **Kaktus** m ⟨-, -se⟩ cactus.

Kalb nt ⟨-[e]s, Käber⟩ calf; **kalben** vi calve; **Kalbfleisch** nt veal; **Kalbsleder** nt calf[skin].

Kalender m ⟨-s, -⟩ calendar; (Taschen~) diary.

Kali nt ⟨-s, -s⟩ potash.

Kaliber nt ⟨-s, -⟩ (a. fig) calibre.

Kalk m ⟨-[e]s, -e⟩ lime; (BIO) calcium; **Kalkstein** m limestone.

Kalkulation f calculation; **kalkulieren** vt calculate.

Kalorie f calorie; **kalorienarm** adj low-calorie.

kalt adj cold; **mir ist [es]** ~ I am cold; **kaltbleiben** irr vi be unmoved; **kaltblütig** adj cold-blooded; (ruhig) cool; **Kaltblütigkeit** f cold-bloodedness.

Kälte f ⟨-⟩ cold; coldness; **Kälteeinbruch** m cold snap; **Kältegrad** m degree of frost [o below zero]; **Kältewelle** f cold spell.

kaltherzig adj cold-hearted; **kaltschnäuzig** adj cold, unfeeling; **Kaltstart** m cold start; **kaltstellen** vt chill; (fig) leave out in the cold.

Kalzium nt ⟨-s⟩ calcium.

Kamel nt ⟨-[e]s, -e⟩ camel.

Kamera f ⟨-, -s⟩ camera.

Kamerad(in) m(f) ⟨-en, -en⟩ friend, companion; **Kameradschaft** f comradeship; **kameradschaftlich** adj comradely.

Kamerafrau f camerawoman; **Kameraführung** f camera work; **Kameramann** m ⟨Kameraleute o Kameramänner pl⟩ cameraman.

Kamille f ⟨-, -n⟩ camomile; **Kamillentee** m camomile tea.

Kamin m ⟨-s, -e⟩ (außen) chimney; (innen) fireside, fireplace; **Kaminfeger(in)** m(f) ⟨-s, -⟩, **Kaminkehrer(in)** m(f) ⟨-s, -⟩ chimney sweep.

Kamm m ⟨-[e]s, Kämme⟩ comb; (Berg~) ridge; (Hahnen~) crest; **alles über einen** ~ **scheren** lump everything together; **kämmen** vt comb.

Kammer f ⟨-, -n⟩ chamber; (Abstell~) box room; **Kammerdiener** m valet; **Kammerzofe** f chambermaid.

Kampf m ⟨-[e]s, Kämpfe⟩ fight, battle; (Wettbewerb) contest; (fig: Anstrengung) struggle; **kampfbereit** adj ready for action.

kämpfen vi fight.

Kampfer m ⟨-s⟩ camphor.

Kämpfer(in) m(f) ⟨-s, -⟩ fighter, combatant.

Kampfhandlung f action; **kampflos** adj without a fight; **kampflustig** adj pugnacious; **Kampfrichter(in)** m(f) ⟨SPORT⟩ referee; ⟨TENNIS⟩ umpire.

Kanada nt Canada; **Kanadier(in)** m(f) ⟨-s, -⟩ Canadian; **kanadisch** adj Canadian.

Kanal m ⟨-s, Kanäle⟩ (Fluß) canal; (Rinne, Ärmel~) channel; (für Abfluß) drain; **Kanalinseln** pl Channel Islands pl; **Kanalisation** f sewage system; **kanalisieren** vt provide with a sewage system.

Kanarienvogel m canary.

Kandidat(in) m(f) ⟨-en, -en⟩ candidate; **Kandidatur** f candidature, candidacy; **kandidieren** vi stand, run.

Kandis[zucker] m ⟨-⟩ large brown or white sugar crystals used to sweeten tea.

Känguruh nt ⟨-s, -s⟩ kangaroo.

Kaninchen nt rabbit.

Kanister m ⟨-s, -⟩ can, canister.

Kanne f ⟨-, -n⟩ (Krug) jug; (Kaffee~) pot; (Milch~) churn; (Gieß~) can.

kannte imperf von **kennen**.

Kanon m ⟨-s, -s⟩ canon.

Kanone f ⟨-, -n⟩ cannon; (fig: Mensch) ace; (umg: Revolver) gun.

Kante f ⟨-, -n⟩ edge; **kantig** adj angular.

Kantine f canteen.

Kanton m ⟨-s, -e⟩ canton.

Kanu nt ⟨-s, -s⟩ canoe.

Kanzel f ⟨-, -n⟩ pulpit.

Kanzlei f chancery; (Büro) chambers pl.

Kanzler(in) m(f) ⟨-s, -⟩ chancellor.

Kap nt ⟨-s, -s⟩ cape.

Kapazität f capacity; (Fachmann) authority.

Kapelle f (Gebäude) chapel; (MUS) band.

Kaper f ⟨-, -n⟩ caper.

kapern vt capture.

kapieren vt, vi (umg) understand.

Kapital nt ⟨-s, -e o -ien⟩ capital; **Kapitalanlage** f investment; **Kapitalismus** m capitalism; **Kapitalist(in)** m(f) capitalist; **kapitalkräftig** adj wealthy; **Kapitalmarkt** m money market.

Kapitän m ⟨-s, -e⟩ captain.

Kapitel nt ⟨-s, -⟩ chapter.

Kapitulation f capitulation; **kapitulieren** vi capitulate.

Kaplan m ⟨-s, Kapläne⟩ chaplain.

Kaposy-Sarkom m ⟨-s, -e⟩ Kaposi's sarcoma.

Kappe f ⟨-, -n⟩ cap; (*Kapuze*) hood.

kappen vt cut.

Kapsel f ⟨-, -n⟩ capsule.

kaputt adj (*umg*) smashed, broken; (*Mensch*) exhausted, finished; **kaputtgehen** irr vi break; (*Schuhe*) fall apart; (*Firma*) go bust; (*Stoff*) wear out; (*sterben*) cop it; **kaputtlachen** vr: sich ~ laugh oneself silly; **kaputtmachen** vt break; (*Mensch*) exhaust, wear out.

Kapuze f ⟨-, -n⟩ hood.

Karaffe f ⟨-, -n⟩ carafe; (*geschliffen*) decanter.

Karambolage f ⟨-, -n⟩ (*Zusammenstoß*) crash.

Karamel m ⟨-s⟩ caramel, toffee.

Karat nt carat.

Karate nt ⟨-s⟩ karate.

Karawane f ⟨-, -n⟩ caravan.

Kardinal m ⟨-s, Kardinäle⟩ cardinal; **Kardinalzahl** f cardinal number.

Karfreitag m Good Friday.

karg adj scanty, poor; (*Mahlzeit auch*) meagre; (*Boden*) barren; **kärglich** adj poor, scanty.

kariert adj checked; (*Papier*) squared.

Karies f ⟨-⟩ caries.

Karikatur f caricature; **Karikaturist(in)** m(f) cartoonist; **karikieren** vt caricature.

Karneval m ⟨-s, -e *o* -s⟩ carnival.

Karo nt ⟨-s, -s⟩ square; (*KARTEN*) diamonds pl.

Karosserie f (*AUTO*) body[work].

Karotte f ⟨-, -n⟩ carrot.

Karpfen m ⟨-s, -⟩ carp.

Karren m ⟨-s, -⟩ cart, barrow.

Karriere f ⟨-, -n⟩ career; ~ **machen** get on, get to the top; **Karrierefrau** f career woman; **Karrieremacher(in)** m(f) ⟨-s, -⟩ careerist.

Karte f ⟨-, -n⟩ (*a. INFORM*) card; (*Land~*) map; (*Speise~*) menu; (*Eintritts~, Fahr~*) ticket; **alles auf eine ~ setzen** put all one's eggs in one basket.

Kartei f card index; **Karteikarte** f index card, file card.

Kartell nt ⟨-s, -e⟩ cartel.

Kartenhaus nt (*a. fig*) house of cards; **Kartenspiel** nt card game; pack of cards; **Kartentelefon** nt cardphone; **Kartenvorverkauf** m advance ticket sales.

Kartoffel f ⟨-, -n⟩ potato; **Kartoffelbrei** m, **Kartoffelpüree** nt mashed potatoes pl; **Kartoffelsalat** m potato salad; **Kartoffelschäler** m ⟨-s, -⟩ potato peeler.

Karton m ⟨-s, -s⟩ cardboard; (*Schachtel*) cardboard box; **kartoniert** adj hardback.

Karussell nt ⟨-s, -s⟩ roundabout *Brit*, merry-go-round.

Karwoche f Holy Week.

karzinogen adj carcinogenic; **Karzinom** nt ⟨-s, -e⟩ carcinoma, malignant growth.

Kaschemme f ⟨-, -n⟩ (*pej*) dive (*umg*).

Käse m ⟨-s, -⟩ cheese; **Käseblatt** nt (*umg*) [local] rag; **Käsekuchen** m cheesecake.

Kaserne f ⟨-, -n⟩ barracks pl; **Kasernenhof** m parade ground.

Kasino nt ⟨-s, -s⟩ club; (*MIL*) officers' mess; (*Spiel~*) casino.

Kasper m ⟨-s, -⟩ Punch; (*fig*) clown.

Kasse f ⟨-, -n⟩ (*in Geschäft*) till, cash register; (*Geldkasten*) cashbox; (*Kino~, Theater~*) box office; ticket office; (*Kranken~*) health insurance; (*Spar~*) savings bank; ~ **machen** count the money; **getrennte ~ führen** pay separately; **an der ~** (*in Geschäft*) at the desk; **gut bei ~ sein** be in the money; **Kassenarzt** m, **Kassenärztin** f panel doctor *Brit*; **Kassenbestand** m cash balance; **Kassenpatient(in)** m(f) panel patient *Brit*; **Kassenprüfung** f audit; **Kassensturz** m: ~ **machen** check one's money; **Kassenzettel** m receipt.

Kasserolle f ⟨-, -n⟩ casserole.

Kassette f small box; (*Tonband*) cassette; (*Bücher~*) case; **Kassettendeck** nt cassette deck; **Kassettenrecorder** m ⟨-s, -⟩ cassette recorder.

kassieren 1. vt take; 2. vi: **darf ich ~?** would you like to pay now?; **Kassierer(in)** m(f) ⟨-s, -⟩ cashier; (*von Klub*) treasurer.

Kastanie f chestnut; **Kastanienbaum** m chestnut tree.

Kästchen nt small box, casket.

Kaste f ⟨-, -n⟩ caste.

Kasten m ⟨-s, Kästen⟩ box; (*Truhe*) chest; **Kastenwagen** m van.

kastrieren vt castrate.

Katalog m ⟨-[e]s, -e⟩ catalogue; **katalogisieren** vt catalogue.

Katalysator m (*PHYS*) catalyst; (*AUTO*) catalytic converter.

Katapult nt ⟨-[e]s, -e⟩ catapult.

Katarrh m ⟨-s, -e⟩ catarrh.

katastrophal adj catastrophic; **Katastrophe** f ⟨-, -n⟩ catastrophe, disaster; **Katastrophenschutz** m disaster control.

Kategorie f category.

kategorisch adj categorical.

kategorisieren vt categorize.

Kater m ⟨-s, -⟩ tomcat; (*umg*) hangover.

Kathedrale f ⟨-, -n⟩ cathedral.

Kathode f ⟨-, -n⟩ cathode.

Katholik(in) m(f) ⟨-en, -en⟩ Catholic; **katholisch** adj Catholic; **Katholizismus** m Catholicism.

Kätzchen nt kitten.

Katze f ⟨-, -n⟩ cat; **für die Katz** (*umg*) in vain, for nothing; **Katzenauge** nt cat's eye; (*an Fahrrad*) rear light; **Katzenjammer** m (*umg*) hangover; **Katzensprung** *m* (*umg*) stone's throw; short journey; **Katzenwäsche** *f* a lick and a promise.

Kauderwelsch *nt* ⟨-[s]⟩ (*unverständlich*) double Dutch; (*Fachjargon*) jargon.

kauen *vt*, *vi* chew.

kauern *vi* crouch.

Kauf *m* ⟨-[e]s, Käufe⟩ purchase, buy; (*Kaufen*) buying; **ein guter ~** a bargain; **etw in ~ nehmen** put up with sth; **Käufer(in)** *m(f)* ⟨-s, -⟩ buyer; **Kaufhaus** *nt* department store; **Kaufkraft** *f* purchasing power; **Kaufladen** *m* shop, store; (*Spielzeug*) toy shop.

käuflich *adj* for sale; (*pej*) venal; **~ erwerben** purchase.

kauflustig *adj* inclined to buy, in a buying mood; **Kaufmann** *m* ⟨Kaufleute *pl*⟩ business man; shopkeeper; **kaufmännisch** *adj* commercial; **~er Angestellter** clerk; **Kaufvertrag** *m* contract of sale.

Kaugummi *m* chewing gum.

Kaukasus *m* Caucasus.

Kaulquappe *f* ⟨-, -n⟩ tadpole.

kaum *adv* hardly, scarcely.

Kaution *f* deposit; (*JUR*) bail.

Kautschuk *m* ⟨-s, -e⟩ [india]rubber.

Kauz *m* ⟨-es, Käuze⟩ screech owl; (*fig*) queer fellow.

Kavalier *m* ⟨-s, -e⟩ gentleman; **Kavaliersdelikt** *nt* peccadillo.

Kavallerie *f* cavalry.

Kaviar *m* caviar.

KB *nt* ⟨-⟩ *abk von* **Kilobyte** KB.

keck *adj* cheeky; **Keckheit** *f* cheekiness.

Kegel *m* ⟨-s, -⟩ skittle; (*MATH*) cone; **Kegelbahn** *f* bowling alley; **kegelförmig** *adj* conical; **kegeln** *vi* play skittles.

Kehle *f* ⟨-, -n⟩ throat; **Kehlkopf** *m* larynx; **Kehllaut** *m* guttural.

Kehre *f* ⟨-, -n⟩ turn[ing], bend; **kehren** *vt*, *vi* (*wenden*) turn; (*mit Besen*) sweep; **Kehricht** *m* ⟨-s⟩ sweepings *pl*; **Kehrmaschine** *f* sweeper; **Kehrreim** *m* refrain; **Kehrseite** *f* reverse, other side; (*negativer Aspekt*) bad side, negative aspect; **kehrtmachen** *vi* turn about, about-turn.

keifen *vi* scold, nag.

Keil *m* ⟨-[e]s, -e⟩ wedge; **Keilriemen** *m* (*AUTO*) fan belt.

Keim *m* ⟨-[e]s, -e⟩ bud; (*MED*) germ; **etw im ~ ersticken** nip sth in the bud; **keimen** *vi* germinate; **keimfrei** *adj* sterile; **keimtötend** *adj* antiseptic, germicidal; **Keimzelle** *f* (*fig*) nucleus.

kein *adj* no, not any; **keine(r, s)** *pron* no one, nobody; none; **keinesfalls** *adv* on no account; **keineswegs** *adv* by no means; **keinmal** *adv* not once.

Keks *m* ⟨-es, -e⟩ biscuit; **jdm auf den ~ ge-**

hen (*umg*) get on sb's wick.

Kelch *m* ⟨-[e]s, -e⟩ cup, goblet, chalice.

Kelle *f* ⟨-, -n⟩ ladle; (*Maurer~*) trowel.

Keller *m* ⟨-s, -⟩ cellar; **Kellerassel** *f* ⟨-, -n⟩ woodlouse; **Kellerwohnung** *f* basement flat.

Kellner(in) *m(f)* ⟨-s, -⟩ waiter/waitress.

keltern *vt* press.

Kenia *nt* Kenya.

kennen (kannte, gekannt) *vt* know; **kennenlernen** *vt* get to know; **sich ~** get to know each other; (*zum erstenmal*) meet; **Kenner(in)** *m(f)* ⟨-s, -⟩ connoisseur; **kenntlich** *adj* distinguishable, discernible; **etw ~ machen** mark sth.

Kenntnis *f* knowledge; **etw zur ~ nehmen** note sth; **von etw ~ nehmen** take notice of sth; **jdn in ~ setzen** inform sb.

Kennwort *nt* (*a.* INFORM) password, keyword; **Kennzeichen** *nt* mark, sign; (*AUTO*) number plate *Brit*, license plate *US*; **unveränderliche ~** *pl* distinguishing marks *pl*; **kennzeichnen** *vt* mark; (*charakterisieren*) characterize; **Kennziffer** *f* reference number.

kentern *vi* capsize.

Keramik *f* ceramics *pl*, pottery.

Kerbe *f* ⟨-, -n⟩ notch, groove.

Kerbel *m* ⟨-s, -⟩ chervil.

Kerbholz *nt*: **etw auf dem ~ haben** have done sth wrong.

Kerker *m* ⟨-s, -⟩ prison.

Kerl *m* ⟨-s, -e⟩ chap, bloke *Brit*, guy.

Kern *m* ⟨-[e]s, -e⟩ (*Obst~*) pip, stone; (*Nuß~*) kernel; (*Atom~*) nucleus; (*fig*) heart, core; **Kernarbeitszeit** *f* core time; **Kernbrennstoff** *m* nuclear fuel; **Kernenergie** *f* nuclear energy; **Kernforschung** *f* nuclear research; **Kernfrage** *f* central issue; **Kernfusion** *f* nuclear fusion; **Kerngehäuse** *nt* core; **kerngesund** *adj* thoroughly healthy, fit as a fiddle.

kernig *adj* robust; (*Ausspruch*) pithy.

Kernkraft *f* nuclear power; **Kernkraftgegner(in)** *m(f)* antinuclear activist; **Kernkraftwerk** *nt* nuclear power station.

kernlos *adj* seedless, pipless; **Kernphysik** *f* nuclear physics *sing*; **Kernreaktion** *f* nuclear reaction; **Kernschmelze** *f* ⟨-, -n⟩ meltdown; **Kernspaltung** *f* nuclear fission; **Kernspeicher** *m* (*INFORM*) core memory; **Kernwaffen** *pl* nuclear weapons *pl*.

Kerze *f* ⟨-, -n⟩ candle; (*Zünd~*) plug; **kerzengerade** *adj* straight as a die; **Kerzenständer** *m* candle holder.

keß *adj* saucy.

Kessel *m* ⟨-s, -⟩ kettle; (*von Lokomotive etc*) boiler; (*GEO*) depression; (*MIL*) encirclement.

Ketchup m o nt ⟨-(s), -s⟩ ketchup.

Kette f ⟨-, -n⟩ chain; **ketten** vt chain; **Kettenrauchen** nt chain smoking; **Kettenreaktion** f chain reaction.

Ketzer(in) m(f) ⟨-s, -⟩ heretic; **ketzerisch** adj heretical.

keuchen vi pant, gasp; **Keuchhusten** m whooping cough.

Keule f ⟨-, -n⟩ club; (GASTR) leg.

keusch adj chaste; **Keuschheit** f chastity.

Keyboard nt ⟨-s, -s⟩ (MUS) keyboard.

Kfz nt abk von **Kraftfahrzeug**.

KI f ⟨-⟩ abk von **Künstliche Intelligenz** AI.

kichern vi giggle.

kidnappen vt kidnap.

Kiebitz m ⟨-es, -e⟩ peewit.

Kiefer 1. m ⟨-s, -⟩ jaw; **2.** f ⟨-, -n⟩ pine; **Kiefernzapfen** m pine cone.

Kiel m ⟨-[e]s, -e⟩ (Feder∼) quill; (NAUT) keel; **Kielwasser** nt wake.

Kieme f ⟨-, -n⟩ gill.

Kies m ⟨-es, -e⟩ gravel; **Kiesel** m ⟨-s, -⟩ pebble; **Kieselstein** m pebble; **Kiesgrube** f gravel pit; **Kiesweg** m gravel path.

kiffen vi (umg) smoke [pot].

Kilo nt ⟨-s, -[s]⟩ kilo; **Kilogramm** nt ⟨-s, -⟩ kilogram; **Kilojoule** nt kilojoule; **Kilometer** m kilometre; **Kilometerzähler** m milometer.

Kimme f ⟨-, -n⟩ notch; (an Gewehr) backsight.

Kind nt ⟨-[e]s, -er⟩ child; **von ∼ auf** from childhood; **sich bei jdm lieb ∼ machen** ingratiate oneself with sb; **Kinderbett** nt cot; **Kinderbuch** nt children's book; **Kinderei** f childishness; **Kinderfahrkarte** f child's ticket, half; **kinderfeindlich** adj hostile to children; **Kindergarten** m nursery school, playgroup; **Kindergeld** nt family allowance; **Kinderlähmung** f polio[myelitis]; **kinderleicht** adj childishly easy; **kinderlos** adj childless; **Kindermädchen** nt nanny; **kinderreich** adj with many children; **Kinderspiel** nt child's play; **Kinderstube** f: **eine gute ∼ haben** be well-mannered; **Kinderwagen** m pram, baby carriage US; **Kindesalter** nt infancy; **Kindesbeine** pl: **von ∼ an** from early childhood; **Kindheit** f childhood; **kindisch** adj childish; **kindlich** adj childlike.

Kinn nt ⟨-[e]s, -e⟩ chin; **Kinnlade** f jaw.

Kino nt ⟨-s, -s⟩ cinema; **Kinobesucher(in)** m(f) cinema-goer; **Kinoprogramm** nt film programme; (Übersicht) film guide.

Kiosk m ⟨-[e]s, -e⟩ kiosk.

Kippe f ⟨-, -n⟩ (umg) cigarette end, fag; **auf der ∼ stehen** (fig) be touch and go; **kippen 1.** vi topple over, overturn; **2.** vt tilt; (fig: umstoßen) drop; (Regierung, Minister) topple; **Kippschalter** m toggle switch.

Kirche f ⟨-, -n⟩ church; **Kirchendiener** m churchwarden; **Kirchenfest** nt church festival; **Kirchenlied** nt hymn; **Kirchensteuer** f church tax; **Kirchgänger(in)** m(f) ⟨-s, -⟩ churchgoer; **Kirchhof** m churchyard; **kirchlich** adj in church; **Kirchturm** m church tower, steeple.

Kirsche f ⟨-, -n⟩ cherry.

Kissen nt ⟨-s, -⟩ cushion; (Kopf∼) pillow; **Kissenbezug** m pillowslip.

Kiste f ⟨-, -n⟩ box; chest.

Kitsch m ⟨-[e]s⟩ trash; **kitschig** adj trashy.

Kitt m ⟨-[e]s, -e⟩ putty.

Kittchen nt (umg) clink.

Kittel m ⟨-s, -⟩ overall, smock.

kitten vt putty; (fig) cement.

Kitz nt ⟨-es, -e⟩ kid; (Reh∼) fawn.

kitzelig adj (a. fig) ticklish; **kitzeln** vi tickle.

Kiwi f ⟨-, -s⟩ (Frucht) kiwi.

KKW nt ⟨-s, -s⟩ abk von **Kernkraftwerk** nuclear power station.

klaffen vi gape.

kläffen vi yelp.

Klage f ⟨-, -n⟩ complaint; (JUR) action; **klagen** vi (weh∼) lament, wail; (sich beschweren) complain; (JUR) take legal action; **Kläger(in)** m(f) ⟨-s, -⟩ plaintiff.

kläglich adj wretched.

klamm adj numb; (feucht) damp.

Klamm f ⟨-, -en⟩ ravine.

Klammer f ⟨-, -n⟩ clamp; (in Text) bracket; (Büro∼) clip; (Wäsche∼) peg; (Zahn∼) brace; **klammern** vr: **sich ∼** cling (an +akk to).

klang imperf von **klingen**; **Klang** m ⟨-[e]s, Klänge⟩ sound; **klangvoll** adj sonorous; (Name) fine-sounding.

Klappe f ⟨-, -n⟩ valve; (Ofen∼) damper; (umg: Mund) trap.

klappen 1. vi (Geräusch) click; **2.** vt, vi (Sitz etc) tip; **3.** vi impers work.

Klapper f ⟨-, -n⟩ rattle.

klappern vi clatter, rattle; **Klapperschlange** f rattlesnake; **Klapperstorch** m stork.

Klappmesser nt jack-knife; **Klapprad** nt collapsible bicycle.

klapprig adj run-down, worn-out.

Klappstuhl m folding chair.

Klaps m ⟨-es, -e⟩ slap; **Klapsmühle** f (pej) loony-bin.

klar adj clear; (NAUT) ready for sea; (MIL) ready for action; **sich dat im ∼en sein** be clear (über +akk about).

Kläranlage f purification plant.

klären 1. vt (Flüssigkeit) purify; (Probleme) clarify; **2.** vr: **sich ∼** clear [itself] up.

Klarheit f clarity.

Klarinette f clarinet.
klarlegen vt clear up, explain; **klarma-chen** vt (Schiff) get ready for sea; **jdm etw ~ machen** make sth clear to sb.
Klärschlamm m (umg) sludge.
klarsehen irr vi see clearly; **Klarsichtfo-lie** f transparent film; **klarstellen** vt clarify.
Klärung f purification; clarification.
klasse adj inv (umg) smashing.
Klasse f ⟨-, -n⟩ class; (SCH) form.
Klassenarbeit f test; **Klassenbewußt-sein** nt class consciousness; **Klassenge-sellschaft** f class society; **Klassen-kampf** m class conflict; **Klassenleh-rer(in)** m(f) form master/mistress; **klas-senlos** adj classless; **Klassensprecher(in)** m(f) form prefect; **Klassentref-fen** nt class reunion; **Klassenzimmer** nt classroom.
klassifizieren vt classify; **Klassifizie-rung** f classification.
Klassik f (Zeit) classical period; (Stil) classi-cism; **Klassiker(in)** m(f) ⟨-s, -⟩ classic; **klassisch** adj (a. fig) classical.
Klatsch m ⟨-[e]s, -e⟩ smack, crack; (Gerede) gossip; **Klatschbase** f gossip, scandal-monger.
Klatsche f ⟨-, -n⟩ (umg) crib.
klatschen vi (Geräusch) clash; (reden) gos-sip; (Beifall) applaud, clap.
Klatschmohn m [corn] poppy; **klatsch-naß** adj soaking wet; **Klatschspalte** f gossip column.
klauben vt pick.
Klaue f ⟨-, -n⟩ claw; (umg: Schrift) scrawl; **klauen** vt (umg) pinch.
Klause f ⟨-, -n⟩ cell; hermitage.
Klausel f ⟨-, -n⟩ clause.
Klausur f (an der Universität) examination paper; **Klausurarbeit** f examination paper.
Klaviatur f keyboard.
Klavier nt ⟨-s, -e⟩ piano.
Klebemittel nt glue; **kleben** vt stick (an +akk to); **klebrig** adj sticky; **Klebstoff** m glue; **Klebstreifen** m adhesive tape.
kleckern vi slobber.
Klecks m ⟨-es, -e⟩ blot, stain; **klecksen** vi blot.
Klee m ⟨-s⟩ clover; **Kleeblatt** nt cloverleaf; (fig) trio.
Kleid nt ⟨-[e]s, -er⟩ garment; (Frauen~) dress; **~er** pl clothes pl; **Kleiderbügel** m coat hanger; **Kleiderbürste** f clothes brush; **Kleiderschrank** m wardrobe; **kleidsam** adj becoming; **Kleidung** f clothing; **Kleidungsstück** nt garment.
Kleie f ⟨-, -n⟩ bran.
klein adj little, small; **Kleinanzeige** f small

[o classified] ad[vertisement]; **Kleinbür-gertum** nt petite bourgeoisie; **Kleine(r)** mf, **Kleine(s)** nt little one; **Kleinformat** nt small size; **im ~** small-scale; **kleinge-druckt** adj in small print; **Kleingedruck-te** nt small print; **Kleingeld** nt small change; **kleingläubig** adj of little faith; **kleinhacken** vt chop up, mince; **Klein-holz** nt firewood; **aus jdm ~ machen** make mincemeat of sb.
Kleinigkeit f trifle.
Kleinkind nt infant; **Kleinkram** m details pl; **kleinlaut** adj dejected, quiet; **klein-lich** adj petty, paltry; **kleinmütig** adj faint-hearted; **kleinschneiden** irr vt chop up; **Kleinstadt** f small town; **kleinstäd-tisch** adj provincial; **kleinstmöglich** adj smallest possible; **Kleinwüchsige(r)** mf very short person, person with stunted growth.
Kleister m ⟨-s, -⟩ paste; **kleistern** vt paste.
Klemme f ⟨-, -n⟩ clip; (MED) clamp; (fig) jam; **klemmen 1.** vt (festhalten) jam; (quetschen) pinch, nip; **2.** vr: **sich ~** catch oneself; (sich hineinzwängen) squeeze one-self; **3.** vi (Tür) stick, jam; **sich hinter jdn/ etw ~** get on to sb/get down to sth.
Klempner(in) m(f) plumber.
Kleptomanie f kleptomania.
Klerus m ⟨-⟩ clergy.
Klette f ⟨-, -n⟩ burr.
Kletterer m ⟨-s, -⟩ climber; **klettern** vi climb; **Kletterpflanze** f creeper; **Klett-[r]erin** f climber.
Klettverschluß m Velcro® fastening.
klicken vi click.
Klient(in) m(f) client.
Klima nt ⟨-s, -s o -te⟩ climate; **Klimaanla-ge** f air conditioning; **klimatisieren** vt air-condition; **Klimawechsel** m change of air.
klimpern vi tinkle; (auf Gitarre) strum.
Klinge f ⟨-, -n⟩ blade; sword.
Klingel f ⟨-, -n⟩ bell; **Klingelbeutel** m col-lection bag; **klingeln** vi ring.
klingen ⟨klang, geklungen⟩ vi sound; (Glä-ser) clink.
Klinik f hospital, clinic; **klinisch** adj clini-cal.
Klinke f ⟨-, -n⟩ handle.
Klinker m ⟨-s, -⟩ clinker.
Klippe f ⟨-, -n⟩ cliff; (im Meer) reef; (fig) hurdle.
klipp und klar adj clear and concise.
Klips m ⟨-es, -e⟩ clip; (Ohr~) earring.
klirren vi clank, jangle; (Gläser) clink; **~de Kälte** biting cold.
Klischee nt ⟨-s, -s⟩ (Druckplatte) plate, block; (fig) cliché; **Klischeevorstellung** f stereotyped idea.

Klo nt ⟨-s, -s⟩ (umg) loo.

Kloake f ⟨-, -n⟩ sewer.

klobig adj clumsy.

Klonen nt ⟨-s⟩ (BIO) cloning.

klopfen 1. vt, vi knock; (Herz) thump; **2.** vt beat; **es klopft** somebody's knocking; **jdm auf die Schulter ~** tap sb on the shoulder; **Klopfer** m ⟨-s, -⟩ (Teppich~) beater; (Tür~) knocker.

Klöppel m ⟨-s, -⟩ (von Glocke) clapper; **klöppeln** vi make lace.

Klops m ⟨-es, -e⟩ meatball.

Klosett nt ⟨-s, -e o -s⟩ lavatory, toilet; **Klosettpapier** nt toilet paper.

Kloß m ⟨-es, Klöße⟩ (Erd~) clod; (im Hals) lump; (GASTR) dumpling.

Kloster nt ⟨-s, Klöster⟩ (Männer~) monastery; (Frauen~) convent; **klösterlich** adj monastic; convent.

Klotz m ⟨-es, Klötze⟩ log; (Hack~) block; **ein ~ am Bein** (fig) a drag, a millstone round sb's neck.

Klub m ⟨-s, -s⟩ club; **Klubsessel** m easy chair.

Kluft f ⟨-, Klüfte⟩ cleft, gap; (GEO) gorge, chasm.

klug adj clever, intelligent; **Klugheit** f cleverness, intelligence; **Klugscheißer** m (umg) smart-arse, smart-ass US.

Klümpchen nt clot, blob.

Klumpen m ⟨-s, -⟩ (Erd~) clod; (Blut~) lump, clot; (Gold~) nugget; (GASTR) lump; **klumpen** vi go lumpy, clot.

Klumpfuß m club-foot.

knabbern vt, vi nibble.

Knabe m ⟨-n, -n⟩ boy; **knabenhaft** adj boyish.

Knäckebrot nt crispbread.

knacken vt, vi crack.

Knackpunkt m critical point, crucial point.

Knall m ⟨-[e]s, -e⟩ bang; (Peitschen~) crack; **~ und Fall** (umg) unexpectedly; **Knallbonbon** nt cracker; **Knalleffekt** m surprise effect, spectacular effect; **knallen** vi bang; crack; **knallrot** adj bright red.

knapp adj tight; (Geld) scarce; (Sprache) concise; **knapphalten** irr vt stint; **Knappheit** f tightness; scarcity; conciseness.

knarren vi creak.

knattern vi rattle; (MG) chatter.

Knäuel nt ⟨-s, -⟩ (Woll~) ball; (Menschen~) knot.

Knauf m ⟨-[e]s, Knäufe⟩ knob; (Schwert~) pommel.

knauserig adj miserly; **knausern** vi be mean.

knautschen vt, vi crumple; **Knautschzone** f (AUTO) crumple zone.

Knebel m ⟨-s, -⟩ gag; **knebeln** vt gag.

Knecht m ⟨-[e]s, -e⟩ farm labourer; servant; **knechten** vt enslave; **Knechtschaft** f servitude.

kneifen ⟨kniff, gekniffen⟩ vt, vi pinch; (sich drücken) back out; **vor etw ~** dodge sth.

Kneipe f ⟨-, -n⟩ (umg) pub.

Knete f (umg) dough.

kneten vt knead; (Wachs) mould; **Knetmasse** f Plasticine®.

Knick m ⟨-[e]s, -e⟩ (Sprung) crack; (Kurve) bend; (Falte) fold; **knicken** vt, vi (springen) crack; (brechen) break; (Papier) fold; **geknickt sein** be downcast.

Knicks m ⟨-es, -e⟩ curtsey; **knicksen** vi curtsey.

Knie nt ⟨-s, -⟩ knee; **Kniebeuge** f ⟨-, -n⟩ knee bend; **Kniefall** m genuflection; **Kniegelenk** nt knee joint; **Kniekehle** f back of the knee; **knien** vi kneel; **Kniescheibe** f kneecap; **Kniestrumpf** m knee-length sock.

kniff imperf von **kneifen**.

Kniff m ⟨-[e]s, -e⟩ (Zwicken) pinch; (Falte) fold; (fig) trick, knack; **kniffelig** adj tricky.

knipsen vt, vi punch; (FOTO) take a snap [of], snap.

Knirps m ⟨-es, -e⟩ little chap; (®: Schirm) telescopic umbrella.

knirschen vi crunch; **mit den Zähnen ~** grind one's teeth.

knistern vi crackle.

knitterfrei adj non-crease; **knittern** vi crease.

Knoblauch m garlic.

Knöchel m ⟨-s, -⟩ knuckle; (Fuß~) ankle.

Knochen m ⟨-s, -⟩ bone; **Knochenbau** m bone structure; **Knochenbruch** m fracture; **Knochengerüst** nt skeleton; **Knochenmark** nt bone marrow.

knöchern adj bone.

knochig adj bony.

Knödel m ⟨-s, -⟩ dumpling.

Knolle f ⟨-, -n⟩ bulb.

Knopf m ⟨-[e]s, Knöpfe⟩ button; (Kragen~) stud.

knöpfen vt button.

Knopfloch nt buttonhole.

Knorpel m ⟨-s, -⟩ cartilage, gristle; **knorpelig** adj gristly.

knorrig adj gnarled, knotted.

Knospe f ⟨-, -n⟩ bud; **knospen** vi bud.

knoten vt knot; **Knoten** m ⟨-s, -⟩ knot; (BOT) node; (MED) lump; **Knotenpunkt** m junction.

Know-how nt ⟨-[s]⟩ know-how, expertise.

Knüller m ⟨-s, -⟩ (umg) hit; (Reportage) scoop.

knüpfen vt tie; (Teppich) knot; (Freundschaft) form.

Knüppel m ⟨-s, -⟩ cudgel; (*Polizei*~) baton, truncheon; (*FLUG*) [joy]stick; **Knüppelschaltung** f (*AUTO*) floor-mounted gear change.

knurren vi (*Hund*) snarl, growl; (*Magen*) rumble; (*Mensch*) mutter.

knusperig adj crisp; (*Keks*) crunchy.

k.o. adj inv (*SPORT*) knocked out; (*fig*) whacked.

Koalition f coalition.

Kobalt nt ⟨-s⟩ cobalt.

Kobold m ⟨-[e]s, -e⟩ goblin, imp.

Kobra f ⟨-, -s⟩ cobra.

Koch m ⟨-[e]s, Köche⟩ cook; **Kochbuch** nt cookery book, cookbook; **kochen** vt, vi cook; (*Wasser*) boil; **Kocher** m ⟨-s, -⟩ stove, cooker.

Köcher m ⟨-s, -⟩ quiver.

Kochgelegenheit f cooking facilities pl; **Köchin** f cook; **Kochlöffel** m kitchen spoon; **Kochnische** f kitchenette; **Kochplatte** f hotplate; **Kochsalz** nt cooking salt; **Kochtopf** m saucepan, pot.

Köder m ⟨-s, -⟩ bait, lure; **ködern** vt lure, entice.

Koexistenz f coexistence.

Koffein nt ⟨-s⟩ caffeine; **koffeinfrei** adj decaffeinated.

Koffer m ⟨-s, -⟩ suitcase; (*Schrank*~) trunk; **Kofferradio** nt portable radio; **Kofferraum** m (*AUTO*) boot, trunk US.

Kognak m ⟨-s, -s⟩ brandy, cognac.

Kohl m ⟨-[e]s, -e⟩ cabbage.

Kohle f ⟨-, -n⟩ coal; (*Holz*~) charcoal; (*CHEM*) carbon; (*umg*) dough.

Kohlehydrat nt carbohydrate.

Kohlekraftwerk nt coal power station; **Kohlendioxyd** nt ⟨-[e]s, -e⟩ carbon dioxide; **Kohlensäure** f carbonic acid; (*in Getränken*) fizz; **Kohlenstoff** m carbon; **Kohlepapier** nt carbon paper.

Köhler(in) m(f) ⟨-s, -⟩ charcoal burner.

Kohlestift m charcoal pencil.

Kohlrübe f turnip; **kohlschwarz** adj coal-black.

Koje f ⟨-, -n⟩ cabin; (*Bett*) bunk.

Kokain nt ⟨-s⟩ cocaine.

kokett adj coquettish, flirtatious; **koketttieren** vi flirt.

Kokosnuß f coconut.

Koks m ⟨-es, -e⟩ coke.

Kolben m ⟨-s, -⟩ (*Gewehr*~) rifle butt; (*Keule*) club; (*CHEM*) flask; (*TECH*) piston; (*Mais*~) cob.

Kolik f colic, gripe.

Kollaps m ⟨-es, -e⟩ collapse.

Kolleg nt ⟨-s, -s o -ien⟩ lecture course; **Kollege** m ⟨-n, -n⟩, **Kollegin** f colleague; **Kollegium** nt board; (*SCH*) staff.

Kollekte f ⟨-, -n⟩ (*REL*) collection.

kollektiv adj collective.

kollidieren vi collide; (*zeitlich*) clash; **Kollision** f collision; (*zeitlich*) clash.

Köln nt Cologne.

kolonial adj colonial.

Kolonie f colony.

kolonisieren vt colonize.

Kolonne f ⟨-, -n⟩ column; (*von Fahrzeugen*) convoy.

Koloß m ⟨Kolosses, Kolosse⟩ colossus.

kolossal adj colossal.

Kolumbien nt Columbia.

Koma nt ⟨-s, -s⟩ coma.

Kombi m ⟨-[s], -s⟩ estate [car] Brit, station wagon US; **Kombination** f combination; (*Vermutung*) conjecture; (*Hemdhose*) combinations pl; (*FLUG*) flying suit; **kombinieren 1.** vt combine; **2.** vi deduce, work out; (*vermuten*) guess; **Kombiwagen** m station wagon; **Kombizange** f [pair of] pliers pl.

Komet m ⟨-en, -en⟩ comet.

Komfort m ⟨-s⟩ luxury.

Komik f humour, comedy; **Komiker(in)** m(f) ⟨-s, -⟩ comedian; **komisch** adj funny.

Komitee nt ⟨-s, -s⟩ committee.

Komma nt ⟨-s, -s o Kommata⟩ comma.

Kommandant(in) m(f) commander, commanding officer; **Kommandeur(in)** m(f) commanding officer; **kommandieren** vt, vi command; **Kommando** nt ⟨-s, -s⟩ command, order; (*Truppe*) detachment, squad; **auf** ~ to order; **Kommandokapsel** f space module.

kommen (kam, gekommen) vi come; (*näher*~) approach; (*passieren*) happen; (*gelangen, geraten*) get; (*Blumen, Zähne, Tränen etc*) appear; (*in die Schule, das Zuchthaus etc*) go; ~ **lassen** send for; **zu sich** ~ come round [o to]; **zu etw** ~ acquire sth; **um etw** ~ lose sth; **nichts auf jdn/etw** ~ **lassen** have nothing said against sb/sth; **jdm frech** ~ get cheeky with sb; **unter ein Auto** ~ be run over by a car; **das kommt in den Schrank** that goes in the cupboard; **auf jeden vierten kommt ein Platz** there's one place to every four persons; **wer kommt zuerst?** who's first?; **wie hoch kommt das?** what does that cost?; **Kommen** nt ⟨-s⟩ coming.

Kommentar m commentary; **kein** ~ no comment; **kommentarlos** adj without comment; **Kommentator(in)** m(f) (*TV*) commentator; **kommentieren** vt comment on.

kommerziell adj commercial.

Kommilitone m ⟨-n, -n⟩, **Kommilitonin** f fellow student.

Kommiß m ⟨Komisses⟩ [life in the] army.

Kommissar(in) m(f) police inspector.

Kommißbrot nt rye bread.
Kommission f (WIRTS) commission; (Ausschuß) committee.
Kommode f ‹-, -n› chest of drawers.
Kommune f ‹-, -n› commune.
Kommunikation f communication.
Kommunion f communion.
Kommuniqué nt ‹-s, -s› communiqué.
Kommunismus m communism; **Kommunist(in)** m(f) communist; **kommunistisch** adj communist.
kommunizieren vi communicate; (REL) receive communion.
Komödiant(in) m(f) comedian/comedienne.
Komödie f comedy.
Kompagnon m ‹-s, -s› (WIRTS) partner.
kompakt adj compact; **Kompaktkamera** f compact camera.
Kompanie f company.
Komparativ m comparative.
Kompaß m ‹Kompasses, Kompasse› compass.
kompatibel adj compatible; **Kompatibilität** f compatibility.
kompetent adj competent; **Kompetenz** f competence, authority.
komplett adj complete.
Komplex m ‹-es, -e› complex; (Minderwertigkeits~) hang-up; **komplex** adj complex.
Komplikation f complication.
Kompliment nt compliment.
Komplize m ‹-n, -n› accomplice.
komplizieren vt complicate; **kompliziert** adj complicated.
Komplizin f accomplice.
Komplott nt ‹-[e]s, -e› plot.
komponieren vt compose; **Komponist(in)** m(f) composer; **Komposition** f composition.
Kompost m ‹-[e]s, -e› compost; **Komposthaufen** m compost heap; **kompostieren** vt compost; **Kompostierung** f composting.
Kompott nt ‹-[e]s, -e› stewed fruit.
Kompresse f ‹-, -n› compress.
Kompression f (INFORM) compression.
Kompressor m compressor.
Kompromiß m ‹Kompromisses, Kompromisse› compromise; **kompromißbereit** adj willing to compromise; **Kompromißlösung** f compromise solution.
kompromittieren vt compromise.
Kondensation f condensation; **Kondensator** m condenser; **kondensieren** vt condense.
Kondensmilch f condensed milk, evaporated milk; **Kondensstreifen** m vapour trail; **Kondenswasser** nt condensation.

Kondition f condition, fitness.
Konditor(in) m(f) pastrycook; **Konditorei** f café; cake shop.
kondolieren vi condole (jdm with sb).
Kondom nt ‹-s, -e› condom.
Konfektion f production of ready-made clothing; **Konfektionskleidung** f ready-made clothing.
Konferenz f conference, meeting.
Konfession f religion; (christlich) denomination; **konfessionell** adj denominational; **konfessionslos** adj nondenominational; **Konfessionsschule** f denominational school.
Konfetti nt ‹-[s]› confetti.
Konfiguration f (INFORM) configuration.
Konfirmand(in) m(f) candidate for confirmation.
Konfirmation f (REL) confirmation.
konfirmieren vt confirm.
konfiszieren vt confiscate.
Konfitüre f ‹-, -n› jam.
Konflikt m ‹-[e]s, -e› conflict.
konform adj concurring; **~ gehen** be in agreement.
konfrontieren vt confront.
konfus adj confused.
Kongreß m ‹Kongresses, Kongresse› congress.
Kongruenz f agreement, congruence.
König(in) m(f) ‹-[e]s, -e› king/queen; **Königinpastete** f vol-au-vent; **königlich** adj royal; **Königreich** nt kingdom; **Königtum** nt ‹-[e]s, Königtümer› kingship.
konisch adj conical.
Konjugation f conjugation; **konjugieren** vt conjugate.
Konjunktion f conjunction.
Konjunktiv m subjunctive.
Konjunktur f economic situation; (Hoch~) boom.
konkav adj concave.
konkret adj concrete.
Konkurrent(in) m(f) competitor; **Konkurrenz** f competition; **konkurrenzfähig** adj competitive; **Konkurrenzkampf** m competition; (umg) rat race; **konkurrieren** vi compete.
Konkurs m ‹-es, -e› bankruptcy.
können ‹konnte, gekonnt› vt, vi be able to, can; (wissen) know; **~ Sie Deutsch?** can you speak German?; **ich kann nicht ...** I can't [o cannot] ...; **kann ich gehen?** can I go?; **das kann sein** that's possible; **ich kann nicht mehr** I can't go on; **Können** nt ‹-s› ability.
konsequent adj consistent; **Konsequenz** f consistency; (Folgerung) conclusion.
konservativ adj conservative.
Konservatorium nt academy of music,

conservatory.

Konserve f ⟨-, -n⟩ tinned food; **Konservenbüchse** f tin, can.

konservieren vt preserve; **Konservierung** f preservation; **Konservierungsmittel** nt preservative.

Konsonant m consonant.

konstant adj constant.

Konstitution f constitution; **konstitutionell** adj constitutional.

konstruieren vt construct; **Konstrukteur(in)** m(f) engineer, designer; **Konstruktion** f construction.

konstruktiv adj constructive.

Konsul(in) m(f) ⟨-s, -n⟩ consul; **Konsulat** nt consulate.

konsultieren vt consult.

Konsum m ⟨-s⟩ consumption; **Konsumartikel** m consumer article; **Konsument(in)** m(f) consumer; **Konsumgesellschaft** f consumer society; **konsumieren** vt consume.

Kontakt m ⟨-[e]s, -e⟩ contact; **kontaktarm** adj unsociable; **kontaktfreudig** adj sociable; **Kontaktlinsen** pl contact lenses pl; **Kontaktperson** f contact.

konterkarieren vt counteract; (Aussage) contradict.

kontern vt, vi counter.

Konterrevolution f counter-revolution.

Kontinent m continent.

Kontingent nt ⟨-[e]s, -e⟩ quota; (Truppen~) contingent.

kontinuierlich adj continuous.

Kontinuität f continuity.

Konto nt ⟨-s, Konten⟩ account; **Kontoauszug** m statement [of account]; **Kontoinhaber(in)** m(f) account holder; **Kontonummer** f account number; **Kontostand** m state of account.

Kontra nt ⟨-s, -s⟩ (KARTEN) double; **jdm ~ geben** (fig) contradict sb; **Kontrabaß** m double bass.

Kontrahent(in) m(f) (bei Vertrag) contracting party; (Gegner) opponent.

kontraproduktiv adj counterproductive.

Kontrapunkt m counterpoint.

Kontrast m ⟨-[e]s, -e⟩ contrast; **Kontrastregler** m contrast control.

Kontrolle f ⟨-, -n⟩ control, supervision; (Paß~) passport control; **Kontrolleur(in)** m(f) inspector; **kontrollieren** vt control, supervise; (nachprüfen) check; **Kontrollzentrum** nt control centre, mission control.

Kontur f contour.

Konvention f convention; **konventionell** adj conventional.

Konversation f conversation; **Konversationslexikon** nt encyclopaedia.

konvex adj convex.

Konvoi m ⟨-s, -s⟩ convoy.

Konzentration f concentration; **Konzentrationslager** nt concentration camp.

konzentrieren vt, vr: **sich ~** concentrate; **konzentriert 1.** adj concentrated; **2.** adv (zuhören, arbeiten) intently.

Konzept nt ⟨-[e]s, -e⟩ rough draft; **jdn aus dem ~ bringen** confuse sb.

Konzern m ⟨-s, -e⟩ group [of companies].

Konzert nt ⟨-[e]s, -e⟩ concert; (Stück) concerto; **Konzertsaal** m concert hall.

Konzession f licence; (Zugeständnis) concession; **konzessionieren** vt license.

Konzil nt ⟨-s, -e o -ien⟩ council.

konzipieren vt conceive.

Kooperation f cooperation.

koordinieren vt coordinate.

Kopf m ⟨-[e]s, Köpfe⟩ head; (Nachrichten~) heading; (Spreng~) warhead; **Kopfbedeckung** f headgear.

köpfen vt behead; (Baum) lop; (Ei) take the top off; (Ball) head.

Kopfhaut f scalp; **Kopfhörer** m headphone; **Kopfkissen** nt pillow; **kopflos** adj panic-stricken; **kopfrechnen** vi do mental arithmetic; **Kopfsalat** m lettuce; **Kopfschmerzen** pl headache; **Kopfsprung** m header, dive; **Kopfstand** m headstand; **Kopftuch** nt headscarf; **kopfüber** adv head over heels; **Kopfweh** nt headache; **Kopfzerbrechen** nt: **jdm ~ machen** give sb a lot of headaches.

Kopie f copy; **kopieren** vt (a. INFORM) copy; **Kopierer** m ⟨-s, -⟩, **Kopiergerät** nt copier; **Kopierschutz** m (INFORM) copy [or write] protection.

koppeln vt couple; **Koppelung** f coupling; **Koppelungsmanöver** nt docking manoeuvre.

Koralle f ⟨-, -n⟩ coral; **Korallenriff** nt coral reef.

Korb m ⟨-[e]s, Körbe⟩ basket; **jdm einen ~ geben** (fig) turn sb down; **Korbball** m basketball; **Korbstuhl** m wicker chair.

Kord m ⟨-[e]s, -e⟩ corduroy.

Kordel f ⟨-, -n⟩ cord, string.

Korea nt Korea.

Kork m ⟨-[e]s, -e⟩ cork; **Korken** m ⟨-s, -⟩ stopper, cork; **Korkenzieher** m ⟨-s, -⟩ corkscrew.

Korn nt ⟨-[e]s, Körner⟩ corn, grain; (von Gewehr) sight; **Kornblume** f cornflower; **Körnchen** nt grain, granule; **Kornkammer** f granary.

Körper m ⟨-s, -⟩ body; **Körperbau** m build; **körperbehindert** adj disabled; **Körpergewicht** nt weight; **Körpergröße** f height; **Körperhaltung** f carriage, deportment; **körperlich** adj physical

Körperpflege f personal hygiene; **Körperschaft** f corporation; **Körperteil** m part of the body.

Korps nt ⟨-, -⟩ (MIL) corps; (SCH) student's club.

korpulent adj corpulent.

korrekt adj correct; **Korrektheit** f correctness; **Korrektor(in)** m(f) proofreader; **Korrektur** f (eines Textes) proofreading; (Text) proof; (SCH) marking, correction; **Korrekturband** nt ⟨Korrekturbänder pl⟩ correction tape; **Korrekturflüssigkeit** f correction fluid, whiteout US; **Korrekturspeicher** m correction memory; **Korrekturtaste** f correction key.

Korrespondent(in) m(f) correspondent; **Korrespondenz** f correspondence; **korrespondieren** vi correspond.

Korridor m ⟨-s, -e⟩ corridor.

korrigieren vt correct.

Korrosion f corrosion.

korrumpieren vt corrupt.

Korruption f corruption.

Korsett nt ⟨-[e]s, -e⟩ corset.

Koseform f pet form; **Kosename** m pet name; **Kosewort** nt term of endearment.

Kosmetik f cosmetics pl; **Kosmetiker(in)** m(f) beautician; **Kosmetiktuch** nt paper tissue; **kosmetisch** adj cosmetic; (Chirurgie) plastic.

kosmisch adj cosmic; **Kosmonaut(in)** m(f) ⟨-en, -en⟩ cosmonaut; **Kosmopolit(in)** m(f) ⟨-en, -en⟩ cosmopolitan; **Kosmos** m ⟨-⟩ cosmos.

Kost f ⟨-⟩ (Nahrung) food; (Verpflegung) board.

kostbar adj precious; (teuer) costly, expensive; **Kostbarkeit** f preciousness; costliness, expensiveness; (Wertstück) valuable.

kosten 1. vt cost; 2. vt, vi (versuchen) taste. **Kosten** pl cost[s]; (Ausgaben) expenses pl; **auf ~ von** at the expense of; **kostenlos** adj free [of charge]; **Kostenvoranschlag** m estimate.

köstlich adj precious; (Einfall) delightful; (Essen) delicious; **sich ~ amüsieren** have a marvellous time.

Kostprobe f taste; (fig) sample; **kostspielig** adj expensive.

Kostüm nt ⟨-s, -e⟩ costume; (Damen~) suit; **Kostümfest** nt fancy-dress party; **kostümieren** vt, vr: **sich ~** dress up; **Kostümverleih** m costume agency.

Kot m ⟨-[e]s⟩ excrement.

Kotelett nt ⟨-[e]s, -e o -s⟩ cutlet, chop; **Koteletten** pl sideboards pl.

Köter m ⟨-s, -⟩ cur.

Kotflügel m (AUTO) wing.

Krabbe f ⟨-, -n⟩ shrimp.

krabbeln vi crawl.

Krach m ⟨-[e]s, -s o -e⟩ crash; (andauernd) noise; (umg: Streit) quarrel, row; **krachen** 1. vi crash; (beim Brechen) crack; 2. vr: **sich ~** (umg) row, quarrel.

krächzen vi croak.

kraft präp +gen by virtue of.

Kraft f ⟨-, Kräfte⟩ strength, power, force; (Arbeits~) worker; **in ~ treten** come into effect; **Kraftausdruck** m ⟨Kraftausdrücke pl⟩ swearword.

Kraftfahrzeug nt motor vehicle; **Kraftfahrzeugbrief** m logbook; **Kraftfahrzeugsteuer** f ≈ road tax; **Kraftfahrzeugversicherung** f car insurance; **Kraftfahrzeugzulassungsstelle** f vehicle registration office.

kräftig adj strong; **kräftigen** vt strengthen.

kraftlos adj weak; (JUR) invalid; **Kraftprobe** f trial of strength; **Kraftrad** nt motorcycle; **kraftvoll** adj vigorous; **Kraftwagen** m motor vehicle; **Kraftwerk** nt power station.

Kragen m ⟨-s, -⟩ collar; **Kragenweite** f collar size.

Krähe f ⟨-, -n⟩ crow; **krähen** vi crow.

Krake f octopus.

krakeelen vi (umg) make a din.

Kralle f ⟨-, -n⟩ claw; (Vogel~) talon; (Park~) wheel clamp; **krallen** vt clutch; (krampfhaft) claw.

Kram m ⟨-[e]s⟩ stuff, rubbish; **kramen** vi rummage; **Kramladen** m (pej) small shop.

Krampf m ⟨-[e]s, Krämpfe⟩ cramp; (zuckend) spasm; **Krampfader** f varicose vein; **krampfhaft** adj convulsive; (fig) desperate.

Kran m ⟨-[e]s, Kräne⟩ crane; (Wasser~) tap.

Kranich m ⟨-s, -e⟩ (ZOOL) crane.

krank adj ill, sick; **Kranke(r)** mf sick person; invalid, patient.

kränkeln vi be in bad health.

kranken vi: **an etw** dat **~** (fig) suffer from sth.

kränken vt hurt.

Krankenbericht m medical report; **Krankengeld** nt sick pay; **Krankengymnast(in)** m(f) ⟨-en, -en⟩ physiotherapist; **Krankenhaus** nt hospital; **Krankenkasse** f health insurance; **Krankenpfleger(in)** m(f) nursing orderly; **Krankenschein** m medical insurance record card; **Krankenschwester** f nurse; **Krankenversicherung** f health insurance; **Krankenwagen** m ambulance.

krankhaft adj diseased; (Angst etc) morbid; **Krankheit** f illness, disease; **Krankheitserreger** m disease-carrying agent.

kränklich adj sickly.

Kränkung f insult, offence.

Kranz m ⟨-es, Kränze⟩ wreath, garland.

Kränzchen nt small wreath; (Kaffee~ etc) ladies' party.

Krapfen m ⟨-s, -⟩ fritter; (Berliner) doughnut.

kraß adj crass.

Krater m ⟨-s, -⟩ crater.

Kratzbürste f (fig) crosspatch; **kratzen** vt, vi scratch; **Kratzer** m ⟨-s, -⟩ scratch; (Werkzeug) scraper.

kraulen 1. vi (schwimmen) do the crawl; **2.** vt (streicheln) pet.

kraus adj crinkly; (Haar) frizzy; (Stirn) wrinkled; **Krause** f ⟨-, -n⟩ frill, ruffle; (Haare) frizzy hair; **kräuseln 1.** vt make frizzy; (Stoff) gather; (Stirn) wrinkle; **2.** vr: **sich** ~ (Haar) go frizzy; (Stirn) wrinkle; (Wasser) ripple.

Kraut nt ⟨-[e]s, Kräuter⟩ plant; (Gewürz) herb; (Gemüse) cabbage.

Krawall m ⟨-s, -e⟩ row, uproar.

Krawatte f tie.

kreativ adj creative; **Kreativität** f creativity.

Kreatur f creature.

Krebs m ⟨-es, -e⟩ (ZOOL) crab; (MED) cancer; (ASTR) Cancer; **krebserregend** adj carcinogenic; **Krebsvorsorge** f cancer screening.

Kredit m ⟨-[e]s, -e⟩ credit; **Kreditkarte** f credit card; **Kreditnehmer(in)** m(f) borrower; **kreditwürdig** adj creditworthy.

Kreide f ⟨-, -n⟩ chalk; **kreidebleich** adj as white as a sheet.

Kreis m ⟨-es, -e⟩ circle; (Stadt~ etc) district.

kreischen vi shriek, screech.

Kreisel m ⟨-s, -⟩ top; (Verkehrs~) roundabout.

kreisen vi circle; (um Achse, Gedanken) revolve; (Satellit) orbit; (Blut etc) circulate.

kreisförmig adj circular; **Kreislauf** m (MED) circulation; (fig: der Natur etc) cycle; **Kreislaufstörung** f circulatory trouble; **Kreissäge** f circular saw.

Kreißsaal m delivery room.

Kreisstadt f county town.

Kreisverkehr m roundabout traffic, traffic cercle US.

Krem f ⟨-, -s⟩ cream, mousse.

Krematorium nt crematorium.

Kreml m ⟨-s⟩ Kremlin.

Krempe f ⟨-, -n⟩ brim.

Krempel m ⟨-s⟩ (umg) rubbish.

krepieren vi (umg: sterben) die, kick the bucket.

Krepp m ⟨-s, -s o -e⟩ crepe; **Kreppapier** nt crepe paper; **Kreppsohle** f crepe sole.

Kresse f ⟨-, -n⟩ cress.

Kreuz nt ⟨-es, -e⟩ cross; (ANAT) small of the back; (KARTEN) clubs pl; **jdn aufs** ~ **legen**

(umg) take sb for a ride; **kreuzen 1.** vt, vr **sich** ~ cross; **2.** vi (NAUT) cruise; **Kreuzer** m ⟨-s, -⟩ (Schiff) cruiser; **Kreuzfahrt** f cruise; **Kreuzfeuer** nt: **im** ~ **stehen** (fig) be caught in the crossfire; **Kreuzgang** m cloisters pl.

kreuzigen vt crucify; **Kreuzigung** f crucifixion.

Kreuzotter f adder; **Kreuzschlitzschraube**nzieher m Phillips screwdriver®; **Kreuzschlüssel** m (AUTO) wheel brace.

Kreuzung f (Verkehrs~) crossing, junction; (Züchten) cross.

Kreuzverhör nt cross-examination; **Kreuzweg** m crossroads sing o pl; (REL) Way of the Cross; **Kreuzworträtsel** nt crossword puzzle; **Kreuzzeichen** nt sign of the cross; **Kreuzzug** m crusade.

kriechen ⟨kroch, gekrochen⟩ vi crawl, creep; (pej) grovel, crawl; **Kriecher(in)** m(f) ⟨-s, -⟩ crawler; **Kriechspur** f crawler lane; **Kriechtier** nt reptile.

Krieg m ⟨-[e]s, -e⟩ war.

kriegen vt (umg) get.

Krieger(in) m(f) ⟨-s, -⟩ warrior; **kriegerisch** adj warlike; **Kriegführung** f warfare.

Kriegsbemalung f war paint; **Kriegsdienstverweigerer** m ⟨-s, -⟩ conscientious objector; **Kriegserklärung** f declaration of war; **Kriegsfuß** m: **mit jdm etw auf** ~ **stehen** be at loggerheads with sb not get on with sth; **Kriegsgefangene(r)** mf prisoner of war; **Kriegsgefangenschaft** f captivity; **Kriegsgericht** nt court-martial; **Kriegsschiff** nt warship; **Kriegsverbrechen** nt war crime; **Kriegsverbrecher(in)** m(f) war criminal; **Kriegsversehrte(r)** mf person disabled in the war.

Krimi m ⟨-s, -s⟩ (umg) thriller.

Kriminalbeamte(r) m, **Kriminalbeamtin** f detective.

Kriminalität f criminality.

Kriminalpolizei f detective force, CID Brit; **Kriminalroman** m detective story.

kriminell adj criminal; **Kriminelle(r)** mf criminal.

Krippe f ⟨-, -n⟩ manger, crib; (Kinder~) crèche.

Krise f ⟨-, -n⟩ crisis; **kriseln** vi unpers: **es kriselt** there's a crisis; **Krisengebiet** nt crisis area [o region]; **Krisenherd** m trouble spot; **Krisenstab** m action committee.

Kristall 1. m ⟨-s, -e⟩ crystal; **2.** nt ⟨-s⟩ (Glas) crystal.

Kriterium nt criterion.

Kritik f criticism; (Zeitungs~) review, write-up; **Kritiker(in)** m(f) ⟨-s, -⟩ critic; **kritik**

los *adj* uncritical; **kritisch** *adj* critical; **kritisieren** *vt, vi* criticize.

kritzeln *vt, vi* scribble, scrawl.

Kroate *m* ⟨-n, -n⟩ Croat; **Kroatien** *nt* ⟨-s⟩ Croatia; **Kroatin** *f* Croat; **kroatisch** *adj* Croatian.

kroch *imperf von* **kriechen**.

Krokodil *nt* ⟨-s, -e⟩ crocodile.

Krokus *m* ⟨-, -o -se⟩ crocus.

Krone *f* ⟨-, -n⟩ crown; (*Baum~*) top.

krönen *vt* crown.

Kronkorken *m* bottle top; **Kronleuchter** *m* chandelier; **Kronprinz** *m*, **Kronprinzessin** *f* crown prince/princess.

Krönung *f* coronation.

Kropf *m* ⟨-[e]s, Kröpfe⟩ (*MED*) goitre; (*von Vogel*) crop.

Kröte *f* ⟨-, -n⟩ toad.

Krücke *f* ⟨-, -n⟩ crutch.

Krug *m* ⟨-[e]s, Krüge⟩ jug; (*Bier~*) mug.

Krümel *m* ⟨-s, -⟩ crumb; **krümeln** *vt, vi* crumble.

krumm *adj* (*a. fig*) crooked; (*kurvig*) curved; **krummbeinig** *adj* bandy-legged.

krümmen *vt, vr: sich ~* curve, bend.

krummlachen *vr: sich ~* (*umg*) laugh oneself silly; **krummnehmen** *irr vt: jdm etw ~* (*umg*) take sth amiss.

Krümmung *f* bend, curve.

Krüppel *m* ⟨-s, -⟩ cripple.

Kruste *f* ⟨-, -n⟩ crust.

Kruzifix *nt* ⟨-es, -e⟩ crucifix.

Kuba *nt* Cuba.

Kübel *m* ⟨-s, -⟩ tub; (*Eimer*) pail.

Küche *f* ⟨-, -n⟩ kitchen; (*Kochen*) cooking, cuisine.

Kuchen *m* ⟨-s, -⟩ cake; **Kuchenblech** *nt* baking tray; **Kuchenform** *f* baking tin; **Kuchengabel** *f* pastry fork.

Küchenherd *m* range; (*Gas etc*) cooker, stove; **Küchenmaschine** *f* kitchen appliance, food processor; **Küchenschabe** *f* cockroach; **Küchenschrank** *m* kitchen cabinet.

Kuchenteig *m* cake mixture.

Kuckuck *m* ⟨-s, -e⟩ cuckoo.

Kufe *f* ⟨-, -n⟩ (*Schlitten~*) runner; (*FLUG*) skid.

Kugel *f* ⟨-, -n⟩ ball; (*MATH*) sphere; (*MIL*) bullet; (*Erd~*) globe; (*SPORT*) shot; **kugelförmig** *adj* spherical; **Kugelhagel** *m* hail of bullets; **Kugelkopf** *m* golf ball; **Kugelkopfschreibmaschine** *f* golf-ball typewriter; **Kugellager** *nt* ball bearing; **kugelrund** *adj* (*Gegenstand*) round; (*umg*) tubby; **Kugelschreiber** *m* ball-point [pen], biro®; **kugelsicher** *adj* bulletproof; **Kugelstoßen** *nt* ⟨-s⟩ shot-put.

Kuh *f* ⟨-, Kühe⟩ cow.

kühl *adj* (*a. fig*) cool; **Kühlanlage** *f* refrig-

erating plant; **Kühlbecken** *nt* (*für Brennelemente*) cooling pond; **Kühlbox** *f* ⟨-, -en⟩ cold box; **Kühle** *f* ⟨-⟩ coolness; **kühlen** *vt* cool; **Kühler** *m* ⟨-s, -⟩ (*AUTO*) radiator; **Kühlerhaube** *f* (*AUTO*) bonnet, hood *US*; **Kühlhaus** *nt* cold store; **Kühlraum** *m* cold-storage chamber; **Kühlschrank** *m* refrigerator; **Kühltruhe** *f* [chest] freezer; **Kühlturm** *m* cooling tower; **Kühlung** *f* cooling; **Kühlwasser** *nt* cooling water.

kühn *adj* bold, daring; **Kühnheit** *f* boldness.

Küken *nt* ⟨-s, -⟩ chicken.

kulant *adj* obliging, accommodating.

Kuli *m* ⟨-s, -s⟩ coolie; (*umg: Kugelschreiber*) biro®.

Kulisse *f* ⟨-, -n⟩ scene.

kullern *vi* roll.

Kult *m* ⟨-[e]s, -e⟩ worship, cult; **mit etw ~ treiben** make a cult out of sth; **Kultfigur** *f* cult figure.

kultivieren *vt* cultivate; **kultiviert** *adj* cultivated, refined.

Kultur *f* culture; civilization; (*des Bodens*) cultivation; **Kulturbeutel** *m* washbag, toilet bag; **kulturell** *adj* cultural; **Kultusministerium** *nt* ministery of education and culture.

Kümmel *m* ⟨-s, -⟩ caraway seed; (*Branntwein*) kümmel.

Kummer *m* ⟨-s⟩ grief, sorrow.

kümmerlich *adj* miserable, wretched.

kümmern 1. *vr: sich um jdn ~* look after sb; **sich um etw ~** see to sth; **2.** *vt* concern; **das kümmert mich nicht** that doesn't worry me.

Kumpan *m* ⟨-s, -e⟩ mate; (*pej*) accomplice.

Kumpel *m* ⟨-s, -⟩ (*umg*) mate.

kündbar *adj* redeemable, recallable; (*Vertrag*) terminable.

Kunde *f* ⟨-, -n⟩ (*Botschaft*) news *sing*.

Kunde *m* ⟨-n, -n⟩ customer; **Kundendienst** *m* after-sales service.

kundgeben *irr vt* announce; **Kundgebung** *f* announcement; (*Versammlung*) rally.

kundig *adj* expert, experienced.

kündigen 1. *vi* give in one's notice; **2.** *vt* cancel; **jdm ~** give sb his notice, dismiss sb; **[jdm] die Stellung/Wohnung ~** give [sb] notice; **Kündigung** *f* (*Arbeitsverhältnis*) dismissal; (*Vertrag*) termination; (*Abonnement*) cancellation; (*Frist*) notice; **Kündigungsfrist** *f* period of notice.

Kundin *f* customer.

Kundschaft *f* customers *pl*.

künftig 1. *adj* future; **2.** *adv* in future.

Kunst *f* ⟨-, Künste⟩ art; (*Können*) skill; **das ist doch keine ~** it's easy; **Kunstakademie** *f* academy of art; **Kunstdruck** *m* [fine] art print; **Kunstdünger** *m* artificial fertilizer; **Kunstfaser** f synthetic fibre; **Kunstfertigkeit** f skilfulness; **Kunstgeschichte** f history of art; **Kunstgewerbe** nt arts and crafts pl; **Kunstgriff** m trick, knack; **Kunsthändler(in)** m(f) art dealer; **Kunstharz** nt artificial resin; **Kunstherz** nt artificial heart.

Künstler(in) m(f) ⟨-s, -⟩ artist; **künstlerisch** adj artistic; **Künstlername** m stagename; pseudonym.

künstlich adj artificial; **~e Intelligenz** artificial intelligence.

Kunstsammler(in) m(f) art collector; **Kunstseide** f artificial silk; **Kunststoff** m synthetic material; **kunststoffbeschichtet** adj synthetic-coated; **Kunststopfen** nt ⟨-s⟩ invisible mending; **Kunststück** nt trick; **kein ~** nothing special; **Kunstturnen** nt gymnastics sing; **kunstvoll** adj ingenious, artistic; **Kunstwerk** nt work of art.

kunterbunt adj higgledy-piggledy.

Kupfer nt ⟨-s, -⟩ copper; **Kupfergeld** nt coppers pl; **kupfern** adj copper; **Kupferstich** m copperplate engraving.

Kuppe f ⟨-, -n⟩ (Berg~) top; (Finger~) tip.

Kuppel f ⟨-, -n⟩ cupola, dome.

Kuppelei f (JUR) procuring; **kuppeln 1.** vi (JUR) procure; (AUTO) declutch; **2.** vt join; **Kuppler(in)** m(f) ⟨-s, -⟩ matchmaker; (JUR) procurer/procuress; **Kupplung** f coupling; (AUTO) clutch.

Kur f ⟨-, -en⟩ cure, treatment.

Kür f ⟨-, -en⟩ (SPORT) free skating/exercises pl.

Kurbel f ⟨-, -n⟩ crank, winch; (AUTO) starting handle; **Kurbelwelle** f crankshaft.

Kürbis m ⟨-ses, -se⟩ pumpkin; (exotisch) gourd.

Kurgast m health resort [to a health resort].

kurieren vt cure.

kurios adj curious, odd; **Kuriosität** f curiosity.

Kurort m health resort; **Kurpfuscher(in)** m(f) quack.

Kurs m ⟨-es, -e⟩ course; (FIN) rate; (Wechsel~) exchange rate; **hoch im ~ stehen** (fig) be highly thought of; **Kursbuch** nt timetable.

kursieren vi circulate.

kursiv adv (TYP) in italics; **Kursive** f italics pl.

Kursus m ⟨-, Kurse⟩ course.

Kurswagen m (EISENB) through carriage; **Kurswechsel** m change of course.

Kurve f ⟨-, -n⟩ curve; (Straßen~) bend; **kurvenreich, kurvig** adj (Straße) bendy.

kurz adj short; **zu ~ kommen** come off badly; **den kürzeren ziehen** get the worst of it; **Kurzarbeit** f short-time work; **kurz-**

ärm[e]lig adj short-sleeved.

Kürze f ⟨-, -n⟩ shortness, brevity.

kürzen vt cut short; (in der Länge) shorten; (Gehalt) reduce.

kurzerhand adv on the spot.

Kurzfassung f shortened version; **kurzfristig** adj short-term; **Kurzgeschichte** f short story; **kurzhalten** irr vt keep short; **kurzlebig** adj shortlived.

kürzlich adv lately, recently.

Kurzschluß m (ELEK) short circuit; **Kurzschrift** f shorthand; **kurzsichtig** adj short-sighted; **Kurzsichtigkeit** f short-sightedness; **Kurzstreckenrakete** f short-range rocket [o missile]; **Kurzwelle** f short wave; **Kurzzeitgedächtnis** nt short-term memory.

kuscheln vr: **sich ~** snuggle up.

Kusine f cousin.

Kuß m ⟨Kusses, Küsse⟩ kiss; **küssen** vt, vr: **sich ~** kiss.

Küste f ⟨-, -n⟩ coast, shore; **Küstenwache** f coastguard [station].

Küster(in) m(f) ⟨-s, -⟩ sexton, verger.

Kutsche f ⟨-, -n⟩ coach, carriage; **Kutscher(in)** m(f) ⟨-s, -⟩ coachman/-woman.

Kutte f ⟨-, -n⟩ habit.

Kutteln pl tripe.

Kuvert nt ⟨-s, -e o -s⟩ envelope.

Kybernetik f cybernetics sing; **kybernetisch** adj cybernetic.

KZ nt ⟨-s, -s⟩ abk von **Konzentrationslager** concentration camp.

L

L, l nt L, l.

laben vr: **sich an etw** dat **~** relish sth.

labil adj (psychisch) unstable.

Labor nt ⟨-s, -e o -s⟩ lab; **Laborant(in)** m(f) lab[oratory] assistant; **Laboratorium** nt laboratory.

Labyrinth nt ⟨-s, -e⟩ labyrinth.

Lache f ⟨-, -n⟩ (Wasser) pool, puddle; (pej: Gelächter) laugh.

lächeln vi smile; **Lächeln** nt ⟨-s⟩ smile.

lachen vi laugh.

lächerlich adj ridiculous.

Lachgas nt laughing gas; **lachhaft** adj laughable.

Lachs m ⟨-es, -e⟩ salmon.

Lack m ⟨-[e]s, -e⟩ lacquer, varnish; (von Auto) paint; **lackieren** vt varnish; (Auto) spray; **Lackleder** nt patent leather.

laden ⟨lud, geladen⟩ vt (a. INFORM) load; (JUR) summon; (einladen) invite.

Laden m ⟨-s, Läden⟩ shop; (Fenster~) shutter; **Ladenbesitzer(in)** *m(f)* shopkeeper; **Ladendieb(in)** *m(f)* shoplifter; **Ladendiebstahl** *m* shoplifting; **Ladenhüter** *m* ⟨-s, -⟩ *(pej)* unsaleable item; **Ladenpreis** *m* retail price; **Ladenschlußzeit** *f* closing time; **Ladentisch** *m* counter.

Laderaum *m* ⟨NAUT⟩ hold.

Ladung *f (Last)* cargo, load; *(JUR)* summons *sing*; *(Einladung)* invitation; *(Spreng∼)* charge.

lag *imperf von* **liegen**.

Lage *f* ⟨-, -n⟩ position, situation; *(Schicht)* layer; **in der ∼ sein** be in a position; **lagenweise** *adv* in layers.

Lager *nt* ⟨-s, -⟩ camp; *(camp) (WIRTS)* warehouse; *(Schlaf∼)* bed; *(von Tier)* lair; *(TECH)* bearing; **Lagerarbeiter(in)** *m(f)* storehand; **Lagerbestand** *m* stocks *pl*; **Lagerhaus** *nt* warehouse, store; **lagern 1.** *vi (Dinge)* be stored; *(Menschen)* camp; **2.** *vt* store; *(Maschine)* bed; **Lagerstätte** *f* resting place; **Lagerung** *f* storage.

Lagune *f* ⟨-, -n⟩ lagoon.

lahm *adj* lame; **lahmen** *vi* be lame, limp.

lähmen *vt* paralyse.

lahmlegen *vt* paralyse.

Lähmung *f* paralysis.

Laib *m* ⟨-s, -e⟩ loaf.

Laich *m* ⟨-[e]s, -e⟩ spawn; **laichen** *vi* spawn.

Laie *m* ⟨-n, -n⟩ layman; **laienhaft** *adj* amateurish.

Lakai *m* ⟨-en, -en⟩ lackey.

Laken *nt* ⟨-s, -⟩ sheet.

Lakritze *f* ⟨-, -n⟩ liquorice.

lallen *vt, vi* babble.

Lamelle *f* lamella; *(ELEK)* lamina; *(TECH)* plate.

Lametta *nt* ⟨-s⟩ lametta.

Lamm *nt* ⟨-[e]s, Lämmer⟩ lamb; **Lammfell** *nt* lambskin; **lammfromm** *adj* like a lamb; **Lammwolle** *f* lambswool.

Lampe *f* ⟨-, -n⟩ lamp; **Lampenfieber** *nt* stage fright; **Lampenschirm** *m* lampshade.

Lampion *m* ⟨-s, -s⟩ Chinese lantern.

LAN *nt akr von* **Local Area Network** *(INFORM)* LAN.

Land *nt* ⟨-[e]s, Länder⟩ *(Gelände)* land; *(Nation, nicht Stadt)* country; *(Bundes∼)* state, Land; **auf dem ∼[e]** in the country; **Landarbeiter(in)** *m(f)* farm [*o* agricultural] worker; **Landbesitz** *m* landed property; **Landbesitzer(in)** *m(f)* landowner.

Landebahn *f* runway; **landeinwärts** *adv* inland.

landen *vt, vi* land.

Ländereien *pl* estates *pl*.

Landesfarben *pl* national colours *pl*; **Landesinnere(s)** *nt* inland region; **Landessprache** *f* national language; **Landes-**

tracht *f* national costume; **landesüblich** *adj* customary; **Landesverrat** *m* high treason; **Landeswährung** *f* national currency.

Landgut *nt* estate; **Landhaus** *nt* country house; **Landkarte** *f* map; **Landkreis** *m* administrative region; **landläufig** *adj* popular.

ländlich *adj* rural.

Landschaft *f* countryside; *(KUNST)* landscape; **landschaftlich 1.** *adj* regional; **2.** *adv:* **∼ schön gelegen** picturesque; **Landsmann** *m*, **Landsmännin** *f* ⟨Landsleute *pl*⟩ compatriot, fellow countryman /-woman; **Landstraße** *f* country road; **Landstreicher(in)** *m(f)* ⟨-s, -⟩ tramp, hobo *US*; **Landstrich** *m* region; **Landtag** *m (POL)* regional parliament.

Landung *f* landing; **Landungsboot** *nt* landing craft; **Landungsbrücke** *f* jetty; **Landungsstelle** *f* landing place.

Landvermesser(in) *m(f)* ⟨-s, -⟩ surveyor; **Landwirt(in)** *m(f)* farmer; **Landwirtschaft** *f* agriculture; **landwirtschaftlich** *adj* agricultural; **Landzunge** *f* spit.

lang *adj* long; *(Mensch)* tall; **langatmig** *adj* long-winded; **lange** *adv* for a long time; *(dauern, brauchen)* a long time.

Länge *f* ⟨-, -n⟩ length; *(GEO)* longitude.

langen *vi (umg: ausreichen)* do; *(umg: fassen)* reach *(nach* for); **es langt mir** I've had enough.

Längengrad *m* longitude; **Längenmaß** *nt* linear measure.

Langeweile *f* boredom.

Langlauf *m* cross-country skiing; **Langläufer(in)** *m(f)* cross-country skier; **Langlaufski** *m* cross-country ski.

langlebig *adj* long-lived.

länglich *adj* longish.

Langmut *f* ⟨-⟩ forbearance, patience; **langmütig** *adj* forbearing.

längs 1. *präp* +gen along; **2.** *adv* lengthwise.

langsam *adj* slow; **Langsamkeit** *f* slowness.

Langschläfer(in) *m(f)* late riser; **Langspielplatte** *f* long-playing record.

längst *adv:* **das ist ∼ fertig** that was finished a long time ago; **längste(r, s)** *adj* longest.

Langstreckenrakete *f* long-range missile.

Languste *f* ⟨-, -n⟩ crayfish, crawfish *US*.

langweilig *adj* boring, tedious; **Langwelle** *f* long wave; **langwierig** *adj* lengthy.

Lanze *f* ⟨-, -n⟩ lance.

lapidar *adj* terse.

Lappalie *f* trifle.

Lappen *m* ⟨-s, -⟩ cloth, rag; *(ANAT)* lobe.

läppisch *adj* silly.

Lapsus *m* ⟨-, -⟩ slip; *(gesellschaftlich)* faux pas.

Laptop *m* ⟨-s, -s⟩ (*INFORM*) laptop.

Lärche *f* ⟨-, -n⟩ larch.

Lärm *m* ⟨-[e]s⟩ noise; **lärmen** *vi* make a noise; **Lärmschutz** *m* noise prevention; **Lärmschutzwall** *m* sound barrier.

Larve *f* ⟨-, -n⟩ (*BIO*) larva.

las *imperf von* **lesen**.

lasch *adj* slack; (*Geschmack*) tasteless.

Lasche *f* ⟨-, -n⟩ (*eines Briefumschlags*) flap; (*Schuh~*) tongue; (*EISENB*) fishplate.

Laser *m* ⟨-s, -⟩ laser; **Laserdrucker** *m* laser printer; **Laserstrahl** *m* laser beam.

lassen ⟨ließ, gelassen⟩ *vi, vt* leave; (*erlauben*) let; (*aufhören mit*) stop; (*veranlassen*) make; **etw machen ~** to have sth done; **es läßt sich machen** it can be done; **es läßt sich öffnen** it can be opened, it opens.

lässig *adj* casual; **Lässigkeit** *f* casualness.

Last *f* ⟨-, -en⟩ load, burden; (*NAUT. FLUG*) cargo; (*meist pl: Gebühr*) charge; **jdm zur ~ fallen** to be a burden on sb; **lasten** *vi* weigh (*auf +dat* on).

Laster 1. *nt* ⟨-s, -⟩ vice. **2.** *m* (*umg*) truck, lorry; **lasterhaft** *adj* immoral.

lästerlich *adj* scandalous.

lästern *vi:* **über jdn/etw ~** make nasty remarks about sb/sth.

lästig *adj* troublesome; (*Person*) tiresome.

Lastkahn *m* barge; **Lastkraftwagen** *m* heavy goods vehicle; **Lastschrift** *f* debit; **Lasttier** *nt* beast of burden; **Lastwagen** *m* lorry, truck.

latent *adj* latent.

Laterne *f* ⟨-, -n⟩ lantern; (*Straßen~*) lamp, light; **Laternenpfahl** *m* lamppost.

Latrine *f* latrine.

Latsche *f* ⟨-, -n⟩ dwarf pine.

latschen *vi* (*umg*) trudge; (*lässig*) slouch.

Latte *f* ⟨-, -n⟩ slat; (*SPORT*) bar; (*quer*) crossbar; **Lattenzaun** *m* lattice fence.

Latz *m* ⟨-es, Lätze⟩ bib; (*Hosen~*) flies *pl*; **Lätzchen** *nt* bib; **Latzhose** *f* dungarees *pl*.

lau *adj* balmy; (*Wasser*) lukewarm.

Laub *nt* ⟨-[e]s⟩ foliage; **Laubbaum** *m* deciduous tree.

Laube *f* ⟨-, -n⟩ arbour.

Laubfrosch *m* tree frog; **Laubsäge** *f* fretsaw.

Lauch *m* ⟨-[e]s, -e⟩ leek.

Lauer *f:* **auf der ~ sein** [*o* **liegen**] lie in wait; **lauern** *vi* lie in wait; (*Gefahr*) lurk.

Lauf *m* ⟨-[e]s, Läufe⟩ (*a. INFORM*) run; (*Wett~*) race; (*Entwicklung*) course; (*von Gewehr*) barrel; **einer Sache** *dat* **ihren ~ lassen** let sth take its course; **Laufbahn** *f* career.

laufen ⟨lief, gelaufen⟩ *vi, vt* run; (*umg: gehen*) walk; **laufend** *adj* running; (*Monat, Ausgaben*) current; **auf dem ~en sein/halten** be/keep up-to-date; **am ~en Band** (*fig*) continuously; **laufenlassen** *irr vt* let go.

Läufer *m* ⟨-s, -⟩ (*Teppich*) rug; (*SCHACH*) bishop.

Läufer(in) *m(f)* ⟨-s, -⟩ (*SPORT*) runner; (*Fußball*) half-back.

Laufkundschaft *f* passing trade; **Laufmasche** *f* run, ladder *Brit*; **Laufstall** *m* playpen; **Laufsteg** *m* catwalk; **Laufwerk** *nt* (*INFORM*) drive; **Laufzettel** *m* circular.

Lauge *f* ⟨-, -n⟩ soapy water; (*CHEM*) alkaline solution.

Laune *f* ⟨-, -n⟩ mood; (*Einfall*) caprice; (*schlechte ~*) temper; **launenhaft** *adj* capricious; **launisch** *adj* moody.

Laus *f* ⟨-, Läuse⟩ louse.

Lausbub *m* rascal.

lauschen *vi* listen; (*heimlich*) eavesdrop.

lauschig *adj* snug.

lausen *vt* delouse.

lausig *adj* lousy.

laut 1. *adj* loud; **2.** *adv* loudly; (*lesen*) aloud; **3.** *präp* +*gen o dat* according to.

Laut *m* ⟨-[e]s, -e⟩ sound.

Laute *f* ⟨-, -n⟩ lute.

lauten *vi* say; (*Urteil*) be.

läuten *vt, vi* ring.

lauter 1. *adj* (*Wahrheit, Charakter*) honest; **2.** *adv* (*umg: nur*) nothing/nobody but.

läutern *vt* purify.

lauthals *adv* at the top of one's voice; **lautlos** *adj* silent; **lautmalend** *adj* onomatopoeic; **Lautschrift** *f* phonetics *pl*; **Lautsprecher** *m* loudspeaker; **Lautsprecherbox** *f* ⟨-, -en⟩ speaker; **Lautsprecherwagen** *m* loudspeaker van; **lautstark** *adj* vociferous; **Lautstärke** *f* loudness; (*RADIO*) volume.

lauwarm *adj* (*a. fig*) lukewarm.

Lava *f* ⟨-, Laven⟩ lava.

Lavendel *m* ⟨-s, -⟩ lavender.

Lawine *f* avalanche; **Lawinengefahr** *f* danger of avalanches.

lax *adj* lax.

Lazarett *nt* ⟨-[e]s, -e⟩ (*MIL*) hospital, infirmary.

LCD-Anzeige *f* LCD-display.

leasen *vt* lease; **Leasing** *nt* ⟨-s⟩ leasing.

Lebemann *m* ⟨Lebemänner *pl*⟩ man about town.

leben *vt, vi* live; **Leben** *nt* ⟨-s, -⟩ life; **lebend** *adj* living; **lebendig** *adj* alive; (*lebhaft*) lively; **Lebendigkeit** *f* liveliness.

Lebensart *f* way of life; **Lebenserfahrung** *f* experience of life; **Lebenserwartung** *f* life expectancy; **lebensfähig** *adj* viable; **lebensfroh** *adj* full of the joys of life; **Lebensgefahr** *f* ~**!** danger!; **in ~** dangerously ill; **lebensgefährlich** *adj* dangerous; (*Verletzung*) critical; **Lebens-**

haltungskosten pl cost of living; **Lebenslage** f situation in life; **Lebenslauf** m curriculum vitae; **lebenslustig** adj cheerful; **Lebensmittel** pl food; **Lebensmittelgeschäft** nt grocer's; **lebensmüde** adj tired of life; **Lebensqualität** f quality of life; **Lebensretter(in)** m(f) lifesaver; **Lebensstandard** m standard of living; **Lebensstellung** f permanent post; **Lebensunterhalt** m livelihood; **Lebensversicherung** f life insurance; **Lebenswandel** m way of life; **Lebensweise** f way of life, habits pl; **Lebenszeichen** nt sign of life; **Lebenszeit** f lifetime.

Leber f ⟨-, -n⟩ liver; **Leberfleck** m mole; **Lebertran** m cod-liver oil; **Leberwurst** f liver sausage.

Lebewesen nt creature, living thing; **Lebewohl** nt farewell, goodbye.

lebhaft adj lively, vivacious; **Lebhaftigkeit** f liveliness, vivacity; **Lebkuchen** m gingerbread; **leblos** adj lifeless.

lechzen vi: nach etw ~ long for sth.

leck adj leaky, leaking; **Leck** nt ⟨-[e]s, -s⟩ leak; **lecken 1.** vi (Loch haben) leak; **2.** vt, vi (schlecken) lick.

lecker adj delicious, tasty; **Leckerbissen** m tasty morsel; **Leckermaul** nt: **ein ~ sein** enjoy one's food.

led. adj abk von **ledig** single.

Leder nt ⟨-s, -⟩ leather; **ledern** adj leather; **Lederwaren** pl leather goods pl.

ledig adj single; **einer Sache** gen ~ **sein** be free of sth; **Ledige(r)** mf single person.

lediglich adv merely, solely.

leer adj empty; **Leere** f ⟨-⟩ emptiness; **leeren 1.** vt empty; **2.** vr: **sich ~** become empty; **Leergewicht** nt weight when empty; **Leerlauf** m neutral; **im ~ fahren** coast; **leerstehend** adj empty; **Leerung** f emptying; (von Post) collection.

legal adj legal, lawful; **legalisieren** vt legalize; **Legalität** f legality.

legen 1. vt put, place; (Ei) lay; **2.** vr: **sich ~** lie down; (fig) subside.

Legende f ⟨-, -n⟩ legend.

leger adj casual.

Leggings pl ⟨-⟩ leggings pl.

legieren vt alloy; **Legierung** f alloy.

Legislative f legislature.

legitim adj legitimate; **Legitimation** f legitimation; **legitimieren 1.** vt legitimate; **2.** vr: **sich ~** prove one's identity; **Legitimität** f legitimacy.

Lehm m ⟨-[e]s, -e⟩ loam; (Ton) clay; **lehmig** adj loamy.

Lehne f ⟨-, -n⟩ arm; (Rücken~) back; **lehnen** vt, vr: **sich ~** lean; **Lehnstuhl** m armchair.

Lehramt nt teaching profession; **Lehrbrief** m indentures pl; **Lehrbuch** nt textbook.

Lehre f ⟨-, -n⟩ teaching; (beruflich) apprenticeship; (moralisch) lesson; (TECH) gauge; **lehren** vt teach; **Lehrer(in)** m(f) ⟨-s, -⟩ teacher.

Lehrgang m course; **Lehrjahre** pl apprenticeship; **Lehrkraft** f teacher; **Lehrling** m apprentice; **Lehrplan** m syllabus; **lehrreich** adj instructive; **Lehrsatz** m theorem; **Lehrstelle** f position as an apprentice; **Lehrstuhl** m chair; **Lehrzeit** f apprenticeship.

Leib m ⟨-[e]s, -er⟩ body; **halt ihn mir vom ~!** keep him away from me; **Leibeserziehung** f physical education; **Leibesübung** f physical exercise; **leibhaftig** adj personified; (Teufel) incarnate; **leiblich** adj physical; (Vater) natural; **Leibwächter** f bodyguard.

Leiche f ⟨-, -n⟩ corpse; **Leichenbeschauer(in)** m(f) ⟨-s, -⟩ doctor conducting a post-mortem; **Leichenwagen** m hearse.

Leichnam m ⟨-[e]s, -e⟩ corpse.

leicht adj light; (einfach) easy; **Leichtathletik** f athletics sing; **leichtfallen** irr vi: **jdm ~** be easy for sb; **leichtfertig** adj frivolous; **leichtgläubig** adj gullible; **Leichtgläubigkeit** f gullibility; **leichthin** adv lightly; **Leichtigkeit** f easiness; **mit ~** with ease; **leichtlebig** adj easygoing; **leichtmachen** vt: **es sich** dat ~ make things easy for oneself; **leichtnehmen** irr vt take lightly; **Leichtsinn** m carelessness; **leichtsinnig** adj careless; **Leichtwasserreaktor** m light water reactor.

leid adj: **es tut mir/ihm ~** I am/he is sorry; **er/das tut mir ~** I am sorry for him/it; **jdn/etw ~ sein** be tired of sb/sth.

Leid nt ⟨-[e]s⟩ grief, sorrow.

leiden (litt, gelitten) vi, vt suffer; **jdn/etw nicht ~ können** not be able to stand sb/sth; **Leiden** nt ⟨-s, -⟩ suffering; (Krankheit) complaint.

Leidenschaft f passion; **leidenschaftlich** adj passionate.

leider adv unfortunately; **ja, ~** yes, I'm afraid so; **~ nicht** I'm afraid not.

leidig adj tiresome.

leidlich 1. adj reasonable; **2.** adv reasonably.

Leidtragende(r) mf bereaved; (Benachteiligter) one who suffers; **Leidwesen** nt: **zu jds ~** to sb's dismay.

Leier f ⟨-, -n⟩ lyre; **es ist immer die alte ~** it's always the same old story; **Leierkasten** m barrel-organ.

Leihbibliothek f lending library; **leihen** ⟨lieh, geliehen⟩ vt lend; **sich** dat **etw ~** borrow sth; **Leihgabe** f loan; **Leihgebühr** f hire charge; (*für Buch*) lending charge; **Leihhaus** nt pawnshop; **Leihmutter** f surrogate mother; **Leihschein** m pawn ticket; (*für Buch*) borrowing slip; **Leihwagen** m hired car.

Leim m ⟨-[e]s, -e⟩ glue; **leimen** vt glue; (*umg: reinlegen*) take for a ride.

Leine f ⟨-, -n⟩ line, cord; (*Hunde~*) leash, lead.

Leinen nt ⟨-s, -⟩ linen; **Leintuch** nt (*für Bett*) sheet; **Leinwand** f (*KUNST*) canvas; (*FILM*) screen.

leise adj quiet; (*sanft*) soft, gentle.

Leiste f ⟨-, -n⟩ ledge; (*Zier~*) strip; (*ANAT*) groin.

leisten vt (*Arbeit*) do; (*Gesellschaft*) keep; (*Ersatz*) supply; (*vollbringen*) achieve; **sich** dat etw **~ können** be able to afford sth.

Leistung f performance; (*gute ~*) achievement; **Leistungsdruck** m pressure [to do well]; **leistungsfähig** adj efficient; **Leistungsfähigkeit** f efficiency; **Leistungsgesellschaft** f competitive [o performance-oriented] society; **Leistungskurs** m (*SCH*) set; **Leistungsnachweis** m evidence of achievment; **Leistungssport** m competitive sport; **Leistungssportler(in)** m(f) competitive sportsman/sportswoman; **Leistungszulage** f productivity bonus.

Leitartikel m leader; **Leitbild** nt model.

leiten vt lead; (*Firma*) manage; (*in eine Richtung*) direct; (*ELEK*) conduct; **leitend** adj leading; (*Stellung*) managerial; **~er Angestellter** executive.

Leiter 1. f ⟨-, -n⟩ ladder; **2.** m ⟨-s, -⟩ (*ELEK*) conductor.

Leiter(in) m(f) ⟨-s, -⟩ leader; (*von Geschäft*) manager; (*von Orchester*) director.

Leitfaden m guide; **Leitfähigkeit** f conductivity; **Leitmotiv** nt leitmotiv; **Leitplanke** f ⟨-, -n⟩ crash barrier.

Leitung f (*Führung*) direction; (*FILM. THEAT*) production; (*von Firma*) management; (*Wasser~*) pipe; (*Kabel*) cable; **eine lange ~ haben** be slow on the uptake; **Leitungsrohr** nt pipe; **Leitungswasser** nt tap water.

Leitwerk nt (*FLUG*) tail unit.

Lektion f lesson.

Lektor(in) m(f) (*SCH*) foreign language assistant; (*im Verlag*) editor.

Lektüre f ⟨-, -n⟩ (*Lesen*) reading; (*Lesestoff*) reading matter.

Lemming m ⟨-s, -e⟩ lemming.

Lende f ⟨-, -n⟩ loin.

lenkbar adj steerable; **lenken** vt steer; (*Kind*) guide; (*Blick, Aufmerksamkeit*) direct (*auf +akk* at); **Lenkrad** nt steering wheel; **Lenkstange** f handlebars pl.

Leopard m ⟨-en, -en⟩ leopard.

Lepra f ⟨-⟩ leprosy.

Lerche f ⟨-, -n⟩ lark.

lernbegierig adj eager to learn; **lernbehindert** adj educationally handicapped; **lernen** vt learn.

lesbar adj legible.

Lesbe f (*umg*), **Lesbierin** f lesbian; **lesbisch** adj lesbian.

Lese f ⟨-, -n⟩ (*Wein~*) harvest; **Lesebrille** f reading glasses pl; **Lesebuch** nt reading book, reader; **Lesegerät** nt (*INFORM*) reading device; **lesen** ⟨las, gelesen⟩ vt (*a. INFORM*) read; (*ernten*) gather, pick; **Leser(in)** m(f) ⟨-s, -⟩ reader; **Leserbrief** m reader's letter; **~e** (*Rubrik*) Letters to the editor; **leserlich** adj legible; **Lesesaal** m reading room; **Lesespeicher** m read only memory, ROM; **Lesezeichen** nt bookmark.

Lesung f (*POL*) reading; (*REL*) lesson.

Lettland nt Latvia.

letzte(r, s) adj last; (*neueste*) latest; **zum ~nmal** for the last time; **letztens** adv lately; **letztere(r, s)** adj latter.

Leuchtanzeige f illuminated display; **Leuchtdiode** f light-emitting diode, LED.

Leuchte f ⟨-, -n⟩ lamp, light; (*umg: Person*) genius.

leuchten vi shine, gleam; **Leuchter** m ⟨-s, -⟩ candlestick; **Leuchtfarbe** f fluorescent colour; **Leuchtfeuer** nt beacon; **Leuchtrakete** f flare; **Leuchtreklame** f neon sign; **Leuchtröhre** f strip light; **Leuchtstift** m highlighter; **Leuchtturm** m lighthouse; **Leuchtzifferblatt** nt luminous dial.

leugnen vt, vi deny.

Leukämie f leukaemia.

Leukoplast® nt ⟨-[e]s, -e⟩ elastoplast®.

Leumund m ⟨-[e]s, -e⟩ reputation; **Leumundszeugnis** nt character reference.

Leute pl people pl.

Leutnant m ⟨-s, -s o -e⟩ lieutenant.

leutselig adj affable; **Leutseligkeit** f affability.

Lexikon nt ⟨-s, Lexika⟩ dictionary.

Libanon m: **der ~** the Lebanon.

Libelle f dragonfly; (*TECH*) spirit level.

liberal adj liberal; **Liberalismus** m liberalism.

Libero m ⟨-s, -s⟩ (*Fußball*) sweeper.

Libyen nt Libya.

Licht nt ⟨-[e]s, -er⟩ light; **Lichtbild** nt photograph; (*Dia*) slide; **Lichtblick** m cheering prospect; **lichtempfindlich** adj sensitive to light.

lichten 1. vt clear; (*Anker*) weigh; **2.** vr: **sich ~** clear up; (*Haar*) thin.

lichterloh adv: ~ **brennen** be ablaze.
Lichtgriffel m light pen; **Lichthupe** f flashing of headlights; **Lichtjahr** nt light year; **Lichtmaschine** f dynamo; **Lichtmeß** f ⟨-⟩ Candlemas; **Lichtschalter** m light switch; **Lichtschutzfaktor** m protection factor.
Lichtung f clearing, glade.
Lid nt ⟨-[e]s, -er⟩ eyelid; **Lidschatten** m eyeshadow.
lieb adj dear; **liebäugeln** vi: **mit etw** ~ have an eye on sth; **mit dem Gedanken** ~, **etw zu tun** be toying with the idea of doing sth.
Liebe f ⟨-, -n⟩ love; **liebebedürftig** adj: ~ **sein** need love; **Liebelei** f flirtation; **lieben** vt love; **liebenswert** adj loveable; **liebenswürdig** adj kind; **liebenswürdigerweise** adv kindly; **Liebenswürdigkeit** f kindness.
lieber adv rather, preferably; **ich gehe** ~ **nicht** I'd rather not go; s. a. **gern, lieb.**
Liebesbrief m love letter; **Liebesdienst** m good turn; **Liebeskummer** m: ~ **haben** be lovesick; **Liebespaar** nt courting couple, lovers pl.
liebevoll adj loving.
liebgewinnen irr vt get fond of; **liebhaben** irr vt be fond of; **Liebhaber(in)** m(f) ⟨-s, -⟩ lover; **Liebhaberei** f hobby; **liebkosen** vt caress; **lieblich** adj lovely, charming.
Liebling m darling.
Lieblings- in Zusammensetzungen favourite.
lieblos adj unloving; **Liebschaft** f love affair.
Liechtenstein nt Liechtenstein.
Lied nt ⟨-[e]s, -er⟩ song; (REL) hymn; **Liederbuch** nt songbook.
liederlich adj slovenly; (Lebenswandel) loose, immoral.
Liedermacher(in) m(f) ⟨-s, -⟩ singer-songwriter.
lief imperf von **laufen.**
Lieferant(in) m(f) supplier.
liefern vt deliver; (versorgen mit) supply; (Beweis) produce.
Lieferschein m delivery note; **Liefertermin** m delivery date; **Lieferung** f delivery; **Lieferwagen** m van.
Liege f ⟨-, -n⟩ bed.
liegen (lag, gelegen) vi lie; (sich befinden) be; **mir liegt nichts/viel daran** it doesn't matter to me/it matters a lot to me; **es liegt bei Ihnen, ob ...** it rests with you whether ...; **Sprachen** ~ **mir nicht** languages are not my line; **woran liegt es?** what's the cause?; **liegenbleiben** irr vi (Mensch) stay in bed; (nicht aufstehen) stay lying down; (Ding) be left [behind]; **liegenlassen** irr

vt (vergessen) leave behind.
Liegenschaft f real estate.
Liegesitz m reclining seat; **Liegestuhl** m deck chair; **Liegewagen** m (EISENB) couchette.
lieh imperf von **leihen.**
ließ imperf von **lassen.**
Lift m ⟨-[e]s, -e o -s⟩ lift.
Likör m ⟨-s, -e⟩ liqueur.
lila adj inv purple, lilac.
Lilie f lily.
Liliputaner(in) m(f) ⟨-s, -⟩ person with stunted growth.
Limonade f lemonade.
lind adj gentle, mild.
Linde f ⟨-, -n⟩ lime tree, linden.
lindern vt alleviate, soothe; **Linderung** f alleviation.
lindgrün adj lime green.
Lineal nt ⟨-s, -e⟩ ruler.
Linguistik f linguistics.
Linie f line; **Linienblatt** nt ruled sheet; **Linienflug** m scheduled flight; **Linienrichter(in)** m(f) linesperson.
liniieren vt line.
Linke f ⟨-, -n⟩ left side; (Hand) left hand; (POL) left; **linke(r, s)** adj left; ~ **Masche** purl.
linken vt (umg) con.
linkisch adj awkward, gauche.
links adv left; to [o on] the left; ~ **von mir** on [o to] my left; **Linksaußen** m ⟨-, -⟩ (SPORT) outside left; **Linkshänder(in)** m(f) ⟨-s, -⟩ left-handed person; **Linkskurve** f left-hand bend; **linksradikal** adj (POL) extreme left-wing; **Linksverkehr** m driving on the left.
Linoleum nt ⟨-s⟩ lino[leum].
Linse f ⟨-, -n⟩ lentil; (optisch) lens.
Lippe f ⟨-, -n⟩ lip; **Lippenbekenntnis** nt: **ein** ~ **für etwas ablegen** pay lipservice to sth; **Lippenstift** m lipstick.
liquidieren vt liquidate.
lispeln vi lisp.
List f ⟨-, -en⟩ cunning; (Trick) trick, ruse.
Liste f ⟨-, -n⟩ list.
listig adj cunning, sly.
Litanei f litany.
Litauen nt Lithuania.
Liter m o nt ⟨-s, -⟩ litre.
literarisch adj literary.
Literatur f literature; **Literaturpreis** m award for literature.
Litfaßsäule f advertising pillar.
Lithographie f lithography.
litt imperf von **leiden.**
Liturgie f liturgy; **liturgisch** adj liturgical.
Litze f ⟨-, -n⟩ braid; (ELEK) flex.
live adv (RADIO, TV) live.
Livree f ⟨-, -n⟩ livery.

Lizenz f licence.
Lkw m ⟨-[s], -[s]⟩ abk von **Lastkraftwagen**.
Lob nt ⟨-[e]s⟩ praise; **loben** vt praise; **lobenswert** adj praiseworthy; **löblich** adj praiseworthy, laudable; **Lobrede** f eulogy.
Loch nt ⟨-[e]s, Löcher⟩ hole; **lochen** vt punch holes in; **Locher** m ⟨-s, -⟩ punch; **löcherig** adj full of holes; **Lochkarte** f punch card; **Lochstreifen** m punch tape.
Locke f ⟨-, -n⟩ curl; **locken** vt entice; (Haare) curl; **Lockenwickler** m ⟨-s, -⟩ curler.
locker adj loose; **lockerlassen** vi irr: **nicht** ~ not let up; **lockern** vt loosen.
lockig adj curly.
Lockruf m call; **Lockung** f enticement; **Lockvogel** m decoy.
Lodenmantel m thick woollen coat.
lodern vi blaze.
Löffel m ⟨-s, -⟩ spoon; **löffeln** vt [eat with a] spoon; **löffelweise** adv by the spoonful.
log imperf von **lügen**.
Logarithmentafel f log[arithm] tables pl; **Logarithmus** m logarithm.
Loge f ⟨-, -n⟩ (THEAT) box; (Freimaurer~) [masonic] lodge; (Pförtner~) lodge.
Logik f logic; **logisch** adj logical.
Lohn m ⟨-[e]s, Löhne⟩ reward; (Arbeits~) pay, wages pl; **Lohnarbeit** f wage labour; **Lohnausfall** m loss of earnings; **Lohnausgleich** m wage adjustment; **bei vollem** ~ **with full pay; Lohnempfänger(in)** m(f) wage earner.
lohnen 1. vt reward (jdm etw sb for sth); 2. vr: **sich** ~ be worth it; **lohnend** adj worthwhile.
Lohnforderung f wage claim; **Lohnniveau** nt wage level.
Lohnpolitik f pay policy; **Lohnsteuer** f income tax; **Lohnsteuerjahresausgleich** m annual adjustment of income tax; **Lohnsteuerkarte** f [income] tax card; **Lohnstreifen** m pay slip; **Lohntüte** f pay packet.
Loipe f ⟨-, -n⟩ cross-country ski run.
lokal adj local; **Lokal** nt ⟨-[e]s, -e⟩ pub, bar; **lokalisieren** vt localize; **Lokalisierung** f localization.
Lokomotive f locomotive; **Lokomotivführer(in)** m(f) engine driver.
Lorbeer m ⟨-s, -en⟩ (a. fig) laurel; **Lorbeerblatt** nt (GASTR) bay leaf.
Lore f ⟨-, -n⟩ (MIN) truck.
los adj loose; ~**!** go on!; **etw** ~ **sein** be rid of sth; **was ist** ~**?** what's the matter?; **dort ist nichts/viel** ~ there's nothing/a lot going on there; **etw** ~ **haben** (umg) be clever.
Los nt ⟨-es, -e⟩ (Schicksal) lot, fate; (Lotterie~) lottery ticket.
losbinden irr vt untie.

löschen 1. vt (Feuer, Licht) put out, extinguish; (Durst) quench; (WIRTS) cancel (Tonband) erase; (Speicher, Bildschirm clear; (Daten) erase; (Information) cancel (Zeile) delete; (Fracht) unload; 2. vi (Feuerwehr) put out a fire; (Papier) blot; **Löschfahrzeug** nt fire engine; fire boat; **Löschgerät** nt fire extinguisher; **Löschpapier** nt blotting paper; **Löschtaste** f erase key **Löschung** f extinguishing; (WIRTS) cancellation; (von Fracht) unloading.
lose adj loose.
Lösegeld nt ransom.
losen vi draw lots.
lösen 1. vt loosen; (Rätsel) solve; (CHEM) solve; (Verlobung) call off; (Partnerschaft break up; (Fahrkarte) buy; 2. vr: **sich** ~ (aufgehen) come loose; (Zucker etc) dissolve; (Problem, Schwierigkeit) [re]solve itself.
losfahren irr vi leave; **losgehen** irr vi out; (anfangen) start; (Bombe) go off; auf **jdn** ~ go for sb; **loskaufen** vt (Gefangene Geiseln) pay ransom for; **loskommen** irr vi: **von etw** ~ get away from sth; **loslassen** irr vt let go of; (Schimpfe) let loose.
löslich adj soluble.
losmachen 1. vt loosen; (Boot) unmoor; 2 vr: **sich** ~ get free; **lossagen** vr: **sich** ~ renounce (von jdm/etw sb/sth).
Losung f watchword, slogan.
Lösung f (Lockermachen) loosening; (eine Rätsels) solution; **Lösungsmittel** nt solvent.
loswerden irr vt get rid of.
Lot nt ⟨-[e]s, -e⟩ plummet; **im** ~ vertical; (fig on an even keel; **loten** vt plumb, sound.
löten vt solder; **Lötkolben** m soldering iron.
Lotse m ⟨-n, -n⟩ (NAUT) pilot; (FLUG) air traffic controller; **lotsen** vt pilot; (umg) lure.
Lotterie f lottery.
Löwe m ⟨-n, -n⟩ (ZOOL) lion; (ASTR) Leo; **Löwenanteil** m lion's share; **Löwenmaul** nt snapdragon; **Löwenzahn** m dandelion **Löwin** f lioness.
loyal adj loyal; **Loyalität** f loyalty.
Luchs m ⟨-es, -e⟩ lynx.
Lücke f ⟨-, -n⟩ gap; **Lückenbüßer(in)** m(f ⟨-s, -⟩ stopgap; **lückenhaft** adj defective full of gaps; **lückenlos** adj complete.
lud imperf von **laden**.
Luder nt ⟨-s, -⟩ (pej: Frau) hussy.
Luft f ⟨-, Lüfte⟩ air; (Atem) breath; **in der** ~ **liegen** be in the air; **jdn wie** ~ **behandel** ignore sb; **Luftangriff** m air raid; **Luftballon** m balloon; **Luftblase** f ai bubble; **Luftbrücke** f air-bridge; **luftdicht** adj airtight; **Luftdruck** m atmospheric pressure.

lüften vt air; (Hut) lift, raise.
Luftfahrt f aviation; **luftgekühlt** adj air-cooled; **luftig** adj (Ort) breezy; (Raum) airy; (Kleider) summery; **Luftkissen-fahrzeug** nt hovercraft; **Luftkurort** m health resort; **luftleer** adj: ∼er Raum vacuum; **Luftlinie** f: 10 km ∼ 10 km as the crow flies; **Luftloch** nt air-hole; (FLUG) air-pocket; **Luftmatratze** f lilo®, air mattress; **Luftpirat(in)** m(f) anti-aircraft defence; **Luftpost** f airmail; **Luftreinhaltung** f air-purity maintenance; **Luftrettungs-dienst** m air rescue service; **Luftröhre** f (ANAT) wind pipe; **Luftschlange** f streamer; **Luftschutz** m anti-aircraft defence; **Luftschutzkeller** m air-raid shelter; **Luftsprung** m: **einen ∼ machen** (fig) jump for joy.
Lüftung f ventilation.
Luftverkehr m air traffic; **Luftver-schmutzung** f air pollution; **Luftwaffe** f air force; **Luftzug** m draught.
Lüge f ⟨-, -n⟩ lie; **jdn/etw ∼n strafen** give the lie to sb/sth; **lügen** ⟨log, gelogen⟩ vi lie; **Lügner(in)** m(f) ⟨-s, -⟩ liar.
Luke f ⟨-, -n⟩ dormer window, hatch.
Lümmel m ⟨-s, -⟩ lout; **lümmeln** vr: **sich ∼** lounge [about].
Lump m ⟨-en, -en⟩ scamp, rascal.
lumpen vi: **sich nicht ∼ lassen** not be mean.
Lumpen m ⟨-s, -⟩ rag.
lumpig adj (gemein) shabby.
Lunge f ⟨-, -n⟩ lung; **Lungenentzündung** f pneumonia; **lungenkrank** adj consumptive; **Lungenkrebs** m lung cancer.
lungern vi hang about.
Lunte f ⟨-, -n⟩ fuse; **∼ riechen** smell a rat.
Lupe f ⟨-, -n⟩ magnifying glass; **unter die ∼ nehmen** (fig) scrutinize.
Lupine f lupin.
Lust f ⟨-, Lüste⟩ joy, delight; (Neigung) desire; **∼ auf etw akk haben** feel like sth; **∼ haben, etw zu tun** feel like doing sth.
Lüsterklemme f (ELEK) connector.
lüstern adj lustful, lecherous.
Lustgefühl nt pleasurable feeling.
lustig adj (komisch) amusing, funny; (fröhlich) cheerful.
Lüstling m lecher.
lustlos adj unenthusiastic; **Lustspiel** nt comedy; **lustwandeln** vi stroll about.
lutschen vt, vi suck; **am Daumen ∼** suck one's thumb; **Lutscher** m ⟨-s, -⟩ lollipop.
Luxemburg nt Luxembourg; **luxembur-gisch** adj Luxembourgian.
luxuriös adj luxurious.
Luxus m ⟨-⟩ luxury; **Luxusartikel** pl luxury goods pl; **Luxushotel** nt luxury hotel; **Lu-xussteuer** f tax on luxuries.
Lymphe f ⟨-, -n⟩ lymph.

lynchen vt lynch.
Lyrik f lyric poetry; **Lyriker(in)** m(f) ⟨-s, -⟩ lyric poet; **lyrisch** adj lyrical.

M

M, m nt M, m.
Machart f make; **machbar** adj feasible; **Mache** f ⟨-⟩ (umg) show, sham; **machen 1.** vt make; (tun) do; (umg: reparieren) fix; (betragen) be; **2.** vr: **sich ∼** come along [nicely]; **3.** vi (umg: sich beeilen) get a move on; **das macht nichts** that doesn't matter; **mach's gut!** good luck!; **sich an etw** akk **∼** set about sth; **Machenschaften** pl wheeling and dealing; **Macher** m (umg) doer.
Macho m ⟨-s, -s⟩ (umg) macho.
Macht f ⟨-s, Mächte⟩ power; **Machtha-ber(in)** m(f) ⟨-s, -⟩ ruler.
mächtig adj powerful, mighty; (umg: ungeheuer) enormous.
machtlos adj powerless; **Machtprobe** f trial of strength; **Machtstellung** f position of power; **Machtwort** nt: **ein ∼ spre-chen** lay down the law.
Machwerk nt (schlechte Arbeit) botched-up job.
Mädchen nt girl; **mädchenhaft** adj girlish; **Mädchenname** m maiden name.
Made f ⟨-, -n⟩ maggot; **madig** adj maggoty; **jdm etw ∼ machen** spoil sth for sb.
Magazin nt ⟨-s, -e⟩ magazine.
Magd f ⟨-, Mägde⟩ maid[servant].
Magen m ⟨-s, - o Mägen⟩ stomach; **Magen-geschwür** nt stomach ulcer; **Magen-schmerzen** pl stomachache.
mager adj lean; (dünn) thin; **Magerkeit** f leanness, thinness; **Magermotor** m lean-burn engine; **Magersucht** f anorexia.
Magie f magic; **Magier(in)** m(f) ⟨-s, -⟩ magician; **magisch** adj magical.
Magnet m ⟨-s o -en, -en⟩ magnet; **Magnet-band** nt ⟨Magnetbänder pl⟩ magnetic tape; **magnetisch** adj magnetic; **magnetisie-ren** vt magnetize; **Magnetnadel** f magnetic needle; **Magnetstreifen** m magnetic strip.
Mahagoni nt ⟨-s⟩ mahogany.
Mähdrescher m combine harvester; **mä-hen** vt, vi mow.
mahlen ⟨mahlte, gemahlen⟩ vt grind; **Mahl-zeit 1.** f meal; **2.** interj good day (greeting at lunchtime).
Mahnbrief m reminder.
Mähne f ⟨-, -n⟩ mane.
mahnen vt remind; (warnend) warn; (wegen

Schulden) demand payment from; **Mahnung** *f* reminder; admonition, warning.

Mai *m* ⟨-[e]s, -e⟩ May; **im** ~ in May; **26.** ~ **1972** May 26th, 1972, 26th May 1972; **Maiglöckchen** *nt* lily of the valley; **Maikäfer** *m* cockchafer.

Mailbox *f* ⟨-, -en⟩ (*INFORM*) mailbox.

Mais *m* ⟨-es, -e⟩ maize, corn *US*; **Maiskolben** *m* corn cob; (*GASTR*) corn on the cob; **Maisstärke** *f* cornflour *Brit*, cornstarch *US*.

Majestät *f* majesty; **majestätisch** *adj* majestic.

Major(in) *m(f)* ⟨-s, -e⟩ (*MIL*) major; (*FLUG*) squadron leader.

Majoran *m* ⟨-s, -e⟩ marjoram.

makaber *adj* macabre.

Makel *m* ⟨-s, -⟩ blemish; (*moralisch*) stain; **makellos** *adj* immaculate, spotless.

mäkeln *vi* find fault.

Makkaroni *pl* macaroni *sing*.

Makler(in) *m(f)* ⟨-s, -⟩ broker.

Makrele *f* ⟨-, -n⟩ mackerel.

Makrone *f* ⟨-, -n⟩ macaroon.

mal *adv* times; (*umg*) s. **einmal**; **Mal** *nt* ⟨-[e]s, -e⟩ mark, sign; (*Zeitpunkt*) time.

malen *vt, vi* paint; **Maler(in)** *m(f)* ⟨-s, -⟩ painter; **Malerei** *f* painting; **malerisch** *adj* picturesque; **Malkasten** *m* paintbox.

malnehmen *irr vt, vi* multiply.

Malta *nt* Malta.

Malz *nt* ⟨-es⟩ malt; **Malzkaffee** *m* malt coffee.

Mama, Mami *f* ⟨-, -s⟩ (*umg*) mum, mummy.

Mammut *nt* ⟨-s, -e *o* -s⟩ mammoth.

man *pron* one, people *pl*, you.

Manager(in) *m(f)* ⟨-s, -⟩ manager.

manche(r, s) **1.** *adj* many a; (*mit pl*) a number of; **2.** *pron* some; **mancherlei 1.** *adj inv* various; **2.** *pron* a variety of things; **manchmal** *adv* sometimes.

Mandant(in) *m(f)* (*JUR*) client.

Mandarine *f* mandarin, tangerine.

Mandat *nt* mandate.

Mandel *f* ⟨-, -n⟩ almond; (*ANAT*) tonsil; **Mandelentzündung** *f* tonsillitis.

Manege *f* ⟨-, -n⟩ ring, arena.

Mangel 1. *f* ⟨-, -n⟩ (*Wäsche*~) mangle; **2.** *m* ⟨-s, Mängel⟩ (*Fehlen*) lack; (*Knappheit*) shortage (*an* +dat of); (*Fehler*) defect, fault; **Mangelerscheinung** *f* deficiency symptom; **mangelhaft** *adj* poor; (*fehlerhaft*) defective, faulty; **mangeln 1.** *vi impers*: **es mangelt jdm an etw** +dat sb lacks sth; **2.** *vt* (*Wäsche*) mangle; **mangels** *präp* +gen for lack of.

Mango *f* ⟨-, -s⟩ mango.

Manie *f* mania.

Manier *f* ⟨-, -⟩ manner; (*pej*) mannerism; **Manieren** *pl* manners *pl*; **manierlich** *adj*

well-mannered.

Manifest *nt* ⟨-es, -e⟩ manifesto.

Maniküre *f* ⟨-, -n⟩ manicure; **maniküren** *vt* manicure.

manipulieren *vt* manipulate.

Manko *nt* ⟨-s, -s⟩ deficiency; (*WIRTS*) deficit.

Mann *m* ⟨-[e]s, Männer⟩ man; (*Ehe*~) husband; (*NAUT*) hand; **seinen** ~ **stehen** hold one's own.

Männchen *nt* little man; (*Tier*) male.

Mannequin *nt* ⟨-s, -s⟩ [fashion] model.

mannigfaltig *adj* various, varied.

männlich *adj* masculine; (*BIO*) male.

Mannschaft *f* (*SPORT, fig*) team; (*NAUT, FLUG*) crew; (*MIL*) other ranks *pl*; **Mannweib** *nt* (*pej*) mannish woman.

Manöver *nt* ⟨-s, -⟩ manoeuvre; **manövrieren** *vt, vi* (*a. fig*) manoeuvre.

Mansarde *f* ⟨-, -n⟩ attic.

Manschette *f* cuff; (*Papier*~) paper frill; (*TECH*) sleeve; **Manschettenknopf** *m* cufflink.

Mantel *m* ⟨-s, Mäntel⟩ coat; (*TECH*) casing, jacket.

Manuskript *nt* ⟨-[e]s, -e⟩ manuscript.

Mappe *f* ⟨-, -n⟩ briefcase; (*Akten*~) folder.

Maracuja *f* ⟨-, -s⟩ maracuja.

Märchen *nt* ⟨-s, -⟩ fairy tale; **märchenhaft** *adj* fabulous; **Märchenprinz** *m* prince charming.

Marder *m* ⟨-s, -⟩ marten.

Margarine *f* margarine.

Marienkäfer *m* ladybird *Brit*, ladybug *US*.

Marine *f* navy; **marineblau** *adj* navy-blue.

marinieren *vt* marinate.

Marionette *f* puppet.

Mark 1. *f* ⟨-, -⟩ (*Münze*) mark; **2.** *nt* ⟨-[e]s⟩ (*Knochen*~) marrow; **jdm durch** ~ **und Bein gehen** go right through sb; **markant** *adj* striking.

Marke *f* ⟨-, -n⟩ mark; (*Warensorte*) brand; (*Fabrikat*) make; (*Rabatt*~, *Brief*~) stamp; (*Essens*~) ticket; (*aus Metall etc*) token, disc.

markieren 1. *vt* mark; **2.** *vt, vi* (*umg: vortäuschen*) act; **Markierung** *f* marking.

markig *adj* (*fig*) pithy.

Markise *f* ⟨-, -n⟩ awning.

Markstück *nt* one-mark piece.

Markt *m* ⟨-[e]s, Märkte⟩ market; **Marktanteil** *m* share of the market; **Marktforschung** *f* market research; **Marktplatz** *m* market place; **Marktwirtschaft** *f* market economy; **marktwirtschaftlich** *adj* free-market.

Marmelade *f* jam.

Marmor *m* ⟨-s, -e⟩ marble; **marmorieren** *vt* marble.

marode *adj* (*umg*) clapped-out; (*Wirtschaft*) ailing.

Marokko nt Morocco.

Marone f ⟨-, -n o Maroni⟩ chestnut.

Marotte f ⟨-, -n⟩ fad, quirk.

marsch interj march; **Marsch 1.** m ⟨-[e]s, Märsche⟩ march; **2.** f ⟨-, -en⟩ marsh; **Marschbefehl** m marching orders pl; **marschbereit** adj ready to move; **Marschflugkörper** m cruise missile; **marschieren** vi march.

Märtyrer(in) m(f) ⟨-s, -⟩ martyr.

März m ⟨-[es], -e⟩ March; **im** ~ in March; **21.** ~ **1998** March 21st, 1998, 21st March 1998.

Marzipan nt ⟨-s, -e⟩ marzipan.

Masche f ⟨-, -n⟩ mesh; (beim Stricken) stitch; **das ist die neueste** ~ that's the latest thing; **Maschendraht** m wire mesh.

Maschine f machine; (Motor) engine; **maschinell** adj mechanical, machine-; **Maschinenbau** m engineering; **Maschinenbauer(in)** m(f) ⟨-s, -⟩ mechanical engineer; **Maschinengewehr** nt machine gun; **maschinenlesbar** adj machine readable; **Maschinenpistole** f submachine gun; **Maschinenraum** m engine-room; **Maschinenschaden** m mechanical fault; **Maschinenschlosser(in)** m(f) fitter; **maschine[n]schreiben** irr vi type; **Maschinenschrift** f typescript.

Maschinist(in) m(f) engineer.

Masern pl (MED) measles sing.

Maserung f grain[ing].

Maske f ⟨-, -n⟩ (a. INFORM) mask; **Maskenball** m fancy-dress ball; **Maskerade** f masquerade; **maskieren 1.** vt mask; (verkleiden) dress up; **2.** vr: **sich** ~ disguise oneself, dress up.

maß imperf von **messen**.

Maß 1. nt ⟨-es, -e⟩ measure; (Mäßigung) moderation; (Grad) degree, extent; **2.** f ⟨-, -[e]⟩ litre of beer.

Massage f ⟨-, -n⟩ massage.

Maßanzug m made-to-measure suit; **Maßarbeit** f (fig) neat piece of work.

Masse f ⟨-, -n⟩ mass; **Massenarbeitslosigkeit** f mass unemployment; **Massenartikel** m mass-produced article; **Massengrab** nt mass grave; **massenhaft** adj inv loads of; **Massenkarambolage** f multiple pile-up; **Massenmedien** pl mass media pl.

Masseur(in) m(f) (Berufsbezeichnung) masseur/masseuse; **Masseuse** f (in Eros-center etc) masseuse.

maßgebend adj authoritative; **maßgeschneidert** adj (a. fig) tailor-made; **maßhalten** irr vi exercise moderation.

massieren vt massage; (MIL) mass.

massig adj massive; (umg) a massive amount of.

mäßig adj moderate; **mäßigen** vt restrain, moderate; **Mäßigkeit** f moderation.

massiv adj solid; (fig) heavy, rough; **Massiv** nt ⟨-s, -e⟩ massif.

Maßkrug m tankard; **maßlos** adj extreme.

Maßnahme f ⟨-, -n⟩ measure, step.

Maßstab m rule, measure; (fig) standard; (GEO) scale; **maßvoll** adj moderate.

Mast m ⟨-[e]s, -e[n]⟩ mast; (ELEK) pylon.

mästen vt fatten.

Material nt ⟨-s, -ien⟩ material[s]; **Materialfehler** m material defect; **Materialismus** m materialism; **Materialist(in)** m(f) materialist; **materialistisch** adj materialistic.

Materie f matter, substance; **materiell** adj material.

Mathematik f mathematics sing; **Mathematiker(in)** m(f) ⟨-s, -⟩ mathematician; **mathematisch** adj mathematical.

Matratze f ⟨-, -n⟩ mattress.

Matrixdrucker m dot-matrix printer.

Matrize f ⟨-, -n⟩ matrix; (zum Abziehen) stencil.

Matrose m ⟨-n, -n⟩ sailor.

Matsch m ⟨-[e]s⟩ mud; (Schnee~) slush; **matschig** adj muddy; (Schnee) slushy.

matt adj weak; (glanzlos) dull; (FOTO) matt; (SCHACH) mate.

Matte f ⟨-, -n⟩ mat; **auf der** ~ **stehen** (umg) be there and ready for action.

Mattscheibe f (TV) screen; ~ **haben** (umg) be not quite with it.

Mauer f ⟨-, -n⟩ wall; **mauern** vt, vi build; lay bricks; (fig) stall, stonewall; **Mauerwerk** nt brickwork; (aus Stein) masonry.

Maul nt ⟨-[e]s, Mäuler⟩ mouth; **maulen** vi (umg) grumble; **Maulesel** m mule; **Maulkorb** m muzzle; **Maulsperre** f lockjaw; **Maultier** nt mule; **Maulwurf** m mole; **Maulwurfshaufen** m molehill.

Maurer(in) m(f) ⟨-s, -⟩ bricklayer.

Maus f ⟨-, Mäuse⟩ (a. INFORM) mouse; **mäuschenstill** adj dead quiet; **Mausefalle** f mousetrap.

mausern vr: **sich** ~ moult.

maus[e]tot adj stone dead.

maximal adj maximum.

Maxime f ⟨-, -n⟩ maxim.

Mayonnaise f ⟨-, -n⟩ mayonnaise.

MB nt ⟨-⟩ abk von **Megabyte** MB.

Mechanik f mechanics sing; (Getriebe) mechanics pl; **Mechaniker(in)** m(f) ⟨-s, -⟩ mechanic; **mechanisch** adj mechanical; **mechanisieren** vt mechanize; **Mechanismus** m mechanism.

meckern vi bleat; (umg) moan.

Mecklenburg-Vorpommern nt ⟨-s⟩ Mecklenburg-West Pomerania.

Medaille f ⟨-, -n⟩ medal.

Medaillon nt ⟨-s, -s⟩ (*Schmuck*) locket.
Medien pl ⟨-⟩ media pl.
medienwirksam adj with great impact on the media.
Medikament nt medicine.
Meditation f meditation; **meditieren** vi meditate.
Medizin f ⟨-, -en⟩ medicine; **medizinisch** adj medical.
Meer nt ⟨-[e]s, -e⟩ sea; **Meerbusen** m bay, gulf; **Meerenge** f straits pl; **Meeresspiegel** m sea level; **Meerrettich** m horseradish; **Meerschweinchen** nt guinea-pig.
Megabyte nt megabyte.
Megaphon nt ⟨-s, -e⟩ megaphone.
Mehl nt ⟨-[e]s, -e⟩ flour; **mehlig** adj floury.
mehr adj, adv more; **Mehraufwand** m additional expenditure; **Mehrbereichsöl** nt (*AUTO*) multigrade oil; **mehrdeutig** adj ambiguous; **mehrere** adj several; **mehreres** pron several things; **mehrfach** adj multiple; (*wiederholt*) repeated; **Mehrfamilienhaus** nt multiple dwelling; **Mehrheit** f majority; **mehrmalig** adj repeated; **mehrmals** adv repeatedly; **mehrplatzfähig** adj (*INFORM*) multistation; **Mehrplatzrechner** m (*INFORM*) multistation system; **mehrstimmig** adj for several voices; ~ **singen** harmonize; **Mehrwertsteuer** f value added tax, VAT; **Mehrzahl** f majority; (*LING*) plural.
meiden ⟨mied, gemieden⟩ vt avoid.
Meile f ⟨-, -n⟩ mile; **Meilenstein** m milestone; **meilenweit** adv for miles.
mein pron (*adjektivisch*) my; **meine(r, s)** pron (*substantivisch*) mine.
Meineid m perjury.
meinen vt, vi think; (*sagen*) say; (*sagen wollen*) mean; **das will ich** ~ I should think so.
meiner pron gen von **ich** of me; **meinerseits** adv as far as I am concerned; **meinesgleichen** pron people like me; (*gleichrangig*) my equals; **meinetwegen** adv (*wegen mir*) because of me; (*mir zuliebe*) for my sake; (*um mich*) about me; (*für mich*) on my behalf; (*von mir aus*) as far as I'm concerned; **na** ~ I don't mind.
Meinung f opinion; **jdm die** ~ **sagen** give sb a piece of one's mind; **Meinungsaustausch** m exchange of views; **Meinungsforschung** f opinion research; **Meinungsfreiheit** f freedom of speech; **Meinungsumfrage** f opinion poll; **Meinungsverschiedenheit** f difference of opinion.
Meise f ⟨-, -n⟩ tit[mouse]; **eine** ~ **haben** (*umg*) be crackers.
Meißel m ⟨-s, -⟩ chisel; **meißeln** vt chisel.
meist adv mostly; **meiste(r, s)** pron superl von **viel** (*adjektivisch*) most [of]; (*substanti-*

visch) most of them; **das** ~ most of it; **die** ~**n Leute** most people; **am** ~**n** the most; (*adverbial*) most of all; **meistens** adv mostly; (*zum größten Teil*) for the most part.
Meister(in) m(f) ⟨-s, -⟩ master; (*SPORT*) champion; **meisterhaft** adj masterly; **meistern** vt master; **Meisterschaft** f mastery; (*SPORT*) championship; **Meisterstück** nt, **Meisterwerk** nt masterpiece.
Melancholie f melancholy; **melancholisch** adj melancholy.
Meldefrist f registration period; **melden 1.** vt report; **2.** vr: **sich** ~ report (*bei* to); (*SCH*) put one's hand up; (*freiwillig*) volunteer; (*auf etw, am Telefon*) answer; **sich zu Wort** ~ ask to speak; **Meldepflicht** f (*a. MED*) compulsory registration; **Meldestelle** f registration office; **Meldung** f announcement; (*Bericht*) report.
meliert adj (*Haar*) greying; (*Stoff*) mottled.
melken ⟨molk, gemolken⟩ vt milk.
Melodie f melody, tune.
melodisch adj melodious, tuneful.
Melone f ⟨-, -n⟩ melon; (*Hut*) bowler [hat] Brit, derby US.
Membran[e] f ⟨-, -en⟩ (*TECH*) diaphragm.
Memoiren pl memoirs pl.
Menge f ⟨-, -n⟩ quantity; (*Menschen*~) crowd; (*große Anzahl*) lot [of].
mengen 1. vt mix; **2.** vr: **sich** ~ **in** +akk meddle with.
Mengenlehre f (*MATH*) set theory; **Mengenrabatt** m bulk discount.
Mensa f ⟨-, Mensen⟩ canteen.
Mensch 1. m ⟨-en, -en⟩ human being, man; (*Person*) person; **2.** nt ⟨-[e]s, -er⟩ (*pej: Frau*) hussy; **kein** ~ nobody; **Menschenalter** nt generation; **Menschenfeind(in)** m(f) misanthrope; **menschenfreundlich** adj philanthropical; (*menschlich*) catering for human needs; **Menschenkenner(in)** m(f) ⟨-s, -⟩ judge of human nature; **Menschenkette** f human chain; **Menschenliebe** f philanthropy; **menschenmöglich** adj humanly possible; **Menschenrechte** pl human rights pl; **menschenscheu** adj shy; **menschenunwürdig** adj degrading; **menschenverachtend** adj inhuman; **Menschenverstand** m: **gesunder** ~ common sense; **Menschheit** f humanity, mankind; **menschlich** adj human; (*human*) humane; **Menschlichkeit** f humanity.
Menstruation f menstruation.
Mentalität f mentality.
Menü nt ⟨-s, -s⟩ (*a. INFORM*) menu; **Menüanzeige** f menu display; **menügesteuert** adj menu-driven.
Merkblatt nt instruction sheet [o leaflet]

merken vt notice; **sich** dat **etw** ~ remember sth; **merklich** adj noticeable; **Merkmal** nt ⟨-[e]s, -e⟩ sign, characteristic; **merkwürdig** adj odd.

meßbar adj measurable; **Meßbecher** m measuring cup; **Meßbuch** nt missal.

Messe f ⟨-, -n⟩ fair; (Handelsmesse) trade fair; (REL) mass; (MIL) mess; **Messegelände** nt site of a/the trade fair.

messen ⟨maß, gemessen⟩ **1.** vt measure; **2.** vr: **sich** ~ compete.

Messer nt ⟨-s, -⟩ knife; **Messerspitze** f knife point; (in Rezept) pinch.

Messestand m exhibition stand.

Meßgerät nt measuring device, gauge; **Meßgewand** nt chasuble.

Messing nt ⟨-s⟩ brass.

Metall nt ⟨-s, -e⟩ metal; **metallen, metallisch** adj metallic.

Metaphysik f metaphysics sing.

Metastase f ⟨-, -n⟩ (MED) secondary growth, metastasis.

Meteor m ⟨-s, -e⟩ meteor.

Meter m o nt ⟨-s, -⟩ metre; **Metermaß** nt tape measure.

Methode f ⟨-, -n⟩ method; **methodisch** adj methodical.

Metropole f ⟨-, -n⟩ metropolis.

Metzger(in) m(f) ⟨-s, -⟩ butcher; **Metzgerei** f butcher's [shop].

Meuchelmord m assassination.

Meute f ⟨-, -n⟩ pack.

Meuterei f mutiny; **Meuterer** m ⟨-s, -⟩ mutineer; **meutern** vi mutiny; **Meut|er|e|rin** f mutineer.

Mexiko nt Mexico.

miauen vi miaow.

mich pron akk von **ich** me.

mied imperf von **meiden**.

Miene f ⟨-, -n⟩ look, expression.

mies adj (umg) lousy.

Mietauto nt hired car; **Miete** f ⟨-, -n⟩ rent; **zur** ~ **wohnen** live in rented accommodation; **mieten** vt rent; (Auto) hire; **Mieter(in)** m(f) ⟨-s, -⟩ tenant; **Miethaus** nt tenement; **Mietvertrag** m lease, tenancy agreement; **Mietwagen** m hired car; **Mietwohnung** f rented flat.

Migräne f ⟨-, -n⟩ migraine.

Mikrobe f ⟨-, -n⟩ microbe.

Mikrochip m microchip.

Mikrocomputer m micro[computer].

Mikroelektonik f microelectronics sing.

Mikrophon nt ⟨-s, -e⟩ microphone.

Mikroprozessor m microprocessor.

Mikroskop nt ⟨-s, -e⟩ microscope; **mikroskopisch** adj microscopic.

Mikrowelle f microwave; **Mikrowellenherd** m microwave [oven].

Milch f ⟨-⟩ milk; (Fisch~) milt, roe; **Milch-**glas nt frosted glass; **milchig** adj milky; **Milchkaffee** m white coffee; **Milchpulver** nt powdered milk; **Milchstraße** f Milky Way; **Milchzahn** m milk tooth.

mild adj mild; (Richter) lenient; (freundlich) kind, charitable.

mildern vt mitigate, soften; (Schmerz) alleviate; ~**de Umstände** (JUR) extenuating circumstances.

Milieu nt ⟨-s, -s⟩ background, environment; **milieugeschädigt** adj maladjusted.

militant adj militant.

Militär nt ⟨-s⟩ military, army; **Militärgericht** nt military court, court martial; **militärisch** adj military; **Militarismus** m militarism; **militaristisch** adj militaristic.

Milliardär(in) m(f) multimillionaire; **Milliarde** f ⟨-, -n⟩ thousand million, billion US.

Millimeter m millimetre.

Million f million; **Millionär(in)** m(f) millionaire.

Millirem nt ⟨-s, -⟩ millirem.

Milz f ⟨-, -en⟩ spleen.

Mimik f facial expression[s].

Mimose f ⟨-, -n⟩ mimosa; (fig) oversensitive person.

mindere(r, s) adj inferior; **2.** adv less.

Minderheit f minority.

minderjährig adj minor; **Minderjährigkeit** f minority.

mindern vt decrease, diminish; **Minderung** f decrease.

minderwertig adj inferior; **Minderwertigkeitsgefühl** nt, **Minderwertigkeitskomplex** m inferiority complex.

Mindestalter nt minimum age; **Mindestbetrag** m minimum amount; **mindeste(r, s)** adj least; **mindestens** adv at least; **Mindesthaltbarkeitsdatum** nt best-before date; **Mindestlohn** m minimum wage; **Mindestmaß** nt minimum.

Mine f ⟨-, -n⟩ mine; (Bleistift~) lead; (Kugelschreiber~) refill; **Minenfeld** nt minefield.

Mineral nt ⟨-s, -e o -ien⟩ mineral; **mineralisch** adj mineral; **Mineralwasser** nt mineral water.

Miniatur f miniature.

minimal adj minimal.

Minister(in) m(f) ⟨-s, -⟩ minister; **ministeriell** adj ministerial; **Ministerium** nt ministry; **Ministerpräsident(in)** m(f) prime minister.

minus adv minus; **Minus** nt ⟨-, -⟩ deficit; **Minuspol** m negative pole; **Minuszeichen** nt minus sign.

Minute f ⟨-, -n⟩ minute; **Minutenzeiger** m minute hand.

minutiös adj meticulous.

mir pron dat von **ich** [to] me; ~ **nichts, dir**

nichts just like that.

Mischehe *f* mixed marriage; **mischen** *vt* mix; **Mischling** *m* half-caste; **Mischpult** *m* mixing console; **Mischung** *f* mixture.

mißachten *vt* disregard; **Mißachtung** *f* disregard; **Mißbehagen** *nt* discomfort, uneasiness; **Mißbildung** *f* deformity; **mißbilligen** *vt* disapprove of; **Mißbilligung** *f* disapproval; **Mißbrauch** *m* abuse; *(falscher Gebrauch)* misuse; **mißbrauchen** *vt* abuse; misuse *(zu* for); **mißdeuten** *vt* misinterpret; **Mißerfolg** *m* failure.

Missetat *f* misdeed; **Missetäter(in)** *m(f)* criminal; *(umg)* scoundrel.

mißfallen *irr vi* displease *(jdm* sb); **Mißfallen** *nt* ⟨-s⟩ displeasure; **Mißgeburt** *f* freak; *(fig)* abortion; **Mißgeschick** *nt* misfortune; **mißglücken** *vi* fail; **jdm mißglückt etw** sb has no success [in doing sth]; **Mißgriff** *m* mistake; **Mißgunst** *f* envy; **mißgünstig** *adj* envious; **mißhandeln** *vt* ill-treat; **Mißhandlung** *f* ill-treatment.

Mission *f* mission; **Missionar(in)** *m(f)* missionary.

Mißklang *m* discord; **Mißkredit** *m* discredit; **mißlingen** ⟨mißlang, mißlungen⟩ *vi* fail; **Mißmanagement** *nt* ⟨-s⟩ mismanagement; **Mißmut** *m* sullenness; **mißmutig** *adj* sullen; **mißraten 1.** *irr vi* turn out badly; **2.** *adj* ill-bred; **Mißstand** *m* disgrace; *(allgemeiner Zustand)* bad state of affairs; *(Ungerechtigkeit)* abuse; *(Mangel)* defect; **Mißstände beseitigen** remedy things which are wrong; **Mißstimmung** *f* discord.

mißtrauen *vi* mistrust *(jdm/einer Sache* sb/ sth); **Mißtrauen** *nt* ⟨-s⟩ distrust, suspicion *(gegenüber* of); **Mißtrauensantrag** *m (POL)* motion of no confidence; **Mißtrauensvotum** *nt* ⟨-s, Mißtrauensvoten⟩ *(POL)* vote of no confidence; **mißtrauisch** *adj* distrustful; *(argwöhnisch)* suspicious.

Mißverhältnis *nt* disproportion; **Mißverständnis** *nt* misunderstanding; **mißverstehen** *irr vt* misunderstand.

Mist *m* ⟨-[e]s⟩ dung; *(als Dünger)* manure; *(umg)* rubbish; **so ein ~!** what a nuisance!

Mistel *f* ⟨-, -n⟩ mistletoe.

Misthaufen *m* dungheap.

mit 1. *präp +dat* with; *(mittels)* by; **2.** *adv* along, too; **wollen Sie ~?** do you want to come along?; **~ der Bahn** by train; **~ 10 Jahren** at the age of 10.

Mitarbeit *f* cooperation; **mitarbeiten** *vi* cooperate; **Mitarbeiter(in)** *m(f)* employee; *(Kollege)* colleague; **freier ~** freelance; **die ~** *pl* the staff.

Mitbestimmung *f* participation in decision-making; *(POL)* co-determination.

Mitbewohner(in) *m(f) (im gleichen Haus)* [fellow] occupant; *(in der gleichen Wohnung)* flat-mate.

mitbringen *irr vt* bring along.

Mitbringsel *nt* ⟨-s, -⟩ small present.

Mitbürger(in) *m(f)* fellow citizen.

mitdenken *irr vi* follow; **du hast ja mitgedacht!** good thinking!

miteinander *adv* together, with one another.

miterleben *vt* see, witness.

Mitesser *m* ⟨-s, -⟩ blackhead.

Mitfahrerzentrale *f* agency for arranging lifts.

mitgeben *irr vt* give.

Mitgefühl *nt* sympathy.

mitgehen *irr vi* go/come along.

mitgenommen *adj* done in, in a bad way.

Mitgift *f* dowry.

Mitglied *nt* member; **Mitgliedsbeitrag** *m* membership fee; **Mitgliedschaft** *f* membership.

mithalten *irr vi* keep up.

Mithilfe *f* help, assistance.

mithören *vt (Gespräch)* overhear; *(heimlich)* listen in on.

mitkommen *irr vi* come along; *(verstehen)* keep up, follow.

Mitläufer(in) *m(f)* hanger-on; *(POL)* fellow-traveller.

Mitleid *nt* sympathy; *(Erbarmen)* compassion; **Mitleidenschaft** *f:* **in ~ ziehen** affect; **mitleidig** *adj* sympathetic; **mitleidlos** *adj* pitiless, merciless.

mitmachen *vt* join in, take part in.

Mitmensch *m* fellow creature.

mitnehmen *irr vt* take along/away; *(anstrengen)* wear out, exhaust.

mitsamt *präp +dat* together with.

Mitschuld *f* complicity; **mitschuldig** *adj* also guilty *(an +dat* of); **Mitschuldige(r)** *mf* accomplice.

Mitschüler(in) *m(f)* schoolmate.

mitspielen *vi* play too; *(in Mannschaft)* play; **in einem Film/Stück ~** act in a film/ play; **Mitspieler(in)** *m(f)* player; *(THEAT)* member of the cast.

Mitspracherecht *nt* voice, say.

Mittag *m* midday; **zu ~ essen** have lunch; **mittag** *adv:* **gestern ~** at midday yesterday, yesterday lunchtime; **Mittagessen** *nt* lunch; **mittags** *adv* at lunchtime [*o* noon]; **Mittagspause** *f* lunch break; **Mittagsschlaf** *m* early afternoon nap, siesta.

Mittäter(in) *m(f)* accomplice.

Mitte *f* ⟨-, -n⟩ middle; **aus unserer ~** from our midst.

mitteilen *vt:* **jdm etw ~** inform sb of sth, communicate sth to sb; **mitteilsam** *adj* communicative; **Mitteilung** *f* communication.

Mittel nt ⟨-s -⟩ means sing; (*Maßnahme, Methode*) method; (*MATH*) average; (*MED*) medicine; **ein ~ zum Zweck** a means to an end; **ein ~ gegen Flecke** something to remove stains.

Mittelalter nt Middle Ages pl; **mittelalterlich** adj medieval.

Mittelamerika nt Central America.

mittelbar adj indirect.

Mittelding nt cross.

Mitteleuropa nt Central Europa.

mittellos adj without means.

mittelmäßig adj mediocre; **Mittelmäßigkeit** f mediocrity.

Mittelmeer nt Mediterranean [Sea].

Mittelpunkt m centre.

mittels präp +gen by means of.

Mittelstand m middle class; **mittelständisch** adj middle-class; (*Unternehmen*) medium-sized; **Mittelstreckenrakete** f intermediate-range missile, medium-range missile; **Mittelstreifen** m central reservation; **Mittelstürmer(in)** m(f) centreforward; **Mittelweg** m middle course; **Mittelwelle** f (*RADIO*) medium wave; **Mittelwert** m average value, mean.

mitten adv in the middle; **~ auf der Straße/in der Nacht** in the middle of the street/night; **~ hindurch** through the middle.

Mitternacht f midnight.

mittlere(r, s) adj (*durchschnittlich*) medium, average.

mittlerweile adv meanwhile.

Mittwoch m ⟨-[e]s, -e⟩ Wednesday; **[am] ~** on Wednesday; **mittwochs** adv on Wednesdays, on a Wednesday.

mitunter adv occasionally, sometimes.

mitverantwortlich adj responsible.

mitwirken vi contribute (*bei* to); (*THEAT*) take part (*bei* in); **Mitwirkung** f contribution; participation.

Mitwisser(in) m(f) ⟨-s, -⟩ sb in the know; (*JUR*) accessory.

Mixer m ⟨-s, -⟩ (*Gerät*) blender; (*zum Rühren*) mixer.

Möbel nt ⟨-s, -⟩ [piece of] furniture; **Möbelwagen** m removal van.

mobil adj mobile; (*MIL*) mobilized.

Mobiliar nt ⟨-s, -e⟩ movable assets pl.

möblieren vt furnish; **möbliert wohnen** live in furnished accommodation.

mochte imperf von **mögen**.

Mode f ⟨-, -n⟩ fashion.

Modell nt ⟨-s, -e⟩ model; **modellieren** vt model.

Modem nt ⟨-s, -s⟩ (*INFORM*) modem.

Mode[n]schau f fashion show.

modern adj modern; (*modisch*) fashionable; **modernisieren** vt modernize.

Modeschmuck m fashion jewellery; **Modewort** nt in-word.

modisch adj fashionable.

Modul nt ⟨-s, -e⟩ module; **modular** adj modular.

Modus m ⟨-, Modi⟩ (*INFORM*) mode; (*fig*) way; (*LING*) mood.

Mofa nt ⟨-s, -s⟩ small moped.

mogeln vi (*umg*) cheat.

mögen ⟨mochte, gemocht⟩ vt, vi like; **ich möchte ...** I would like ...; **das mag wohl sein** that may well be so.

möglich adj possible; **möglicherweise** adv possibly; **Möglichkeit** f possibility; **nach ~** if possible; **möglichst** adv as ... as possible.

Mohn m ⟨-[e]s, -e⟩ (*~blume*) poppy; (*~samen*) poppy seed.

Möhre f ⟨-, -n⟩, **Mohrrübe** f carrot.

mokieren vr: **sich ~** make fun (*über* +akk of).

Mole f ⟨-, -n⟩ [harbour] mole.

Molekül nt ⟨-s, -e⟩ molecule.

molk imperf von **melken**.

Molkerei f dairy.

Moll nt ⟨-, -⟩ (*MUS*) minor [key].

mollig adj cosy; (*dicklich*) plump.

Moment 1. m ⟨-[e]s, -e⟩ moment; 2. nt ⟨-[e]s, -e⟩ factor, element; **im ~** at the moment; **momentan** 1. adj momentary; 2. adv at the moment.

Monaco nt Monaco.

Monarch(in) m(f) ⟨-en, -en⟩ monarch; **Monarchie** f monarchy.

Monat m ⟨-[e]s, -e⟩ month; **monatelang** adv for months; **monatlich** adj monthly; **Monatsgehalt** nt monthly salary; **Monatskarte** f monthly ticket.

Mönch m ⟨-[e]s, -e⟩ monk.

Mond m ⟨-[e]s, -e⟩ moon; **Mondfähre** f lunar [excursion] module; **Mondfinsternis** f eclipse of the moon; **mondhell** adj moonlit; **Mondlandung** f moon landing; **Mondschein** m moonlight; **Mondsonde** f moon probe.

monegassisch adj Monegasque.

Mongolei f Mongolia.

mongoloid adj (*MED*) mongoloid.

Monitor m (*INFORM*) monitor.

Monolog m ⟨-s, -e⟩ monologue.

Monopol nt ⟨-s, -e⟩ monopoly; **monopolisieren** vt monopolize.

monoton adj monotonous; **Monotonie** f monotony.

Monsun m ⟨-s, -e⟩ monsoon.

Montag m ⟨-[e]s, -e⟩ Monday; **am ~** on Monday.

Montage f ⟨-, -n⟩ (*FOTO*) montage; (*TECH*) assembly; (*Einbauen*) fitting.

montags adv on Mondays, on a Monday.

Monteur(in) *m(f)* fitter.

montieren *vt* assemble, set up.

Monument *nt* monument; **monumental** *adj* monumental.

Moor *nt* ⟨-[e]s, -e⟩ moor.

Moos *nt* ⟨-es, -e⟩ moss.

Moped *nt* ⟨-s, -s⟩ moped.

Mops *m* ⟨-es, Möpse⟩ pug.

Moral *f* ⟨-⟩ morality; (*einer Geschichte*) moral; **moralisch** *adj* moral.

Moräne *f* ⟨-, -n⟩ moraine.

Morast *m* ⟨-[e]s, -e⟩ morass, mire; **morastig** *adj* boggy.

Mord *m* ⟨-[e]s, -e⟩ murder; **Mordanschlag** *m* assassination attempt.

Mörder(in) *m(f)* ⟨-s, -⟩ murderer/murderess.

Mordkommission *f* murder squad, homicide squad *US;* **Mordsglück** *nt* (*umg*) amazing luck; **mordsmäßig** *adj* (*umg*) terrific, enormous; **Mordsschreck** *m* (*umg*) terrible fright; **Mordverdacht** *m* suspicion of murder; **Mordwaffe** *f* murder weapon.

morgen *adv* tomorrow; **∼ früh** tomorrow morning.

Morgen *m* ⟨-s, -⟩ morning; **Morgenmantel** *m,* **Morgenrock** *m* dressing gown; **Morgenröte** *f* dawn.

morgens *adv* in the morning.

morgig *adj* tomorrow's; **der ∼e Tag** tomorrow.

Morphium *nt* morphine.

morsch *adj* rotten.

Morsealphabet *nt* Morse code; **morsen** *vi* send a message in Morse code.

Mörtel *m* ⟨-s, -⟩ mortar.

Mosaik *nt* ⟨-s, -en *o* -e⟩ mosaic.

Moschee *f* ⟨-, -n⟩ mosque.

Moskito *m* ⟨-s, -s⟩ mosquito.

Moslem *m* ⟨-s, -s⟩ Moslem; **moslemisch** *adj* Moslem; **Moslime** *f* ⟨-, -n⟩ Moslem.

Most *m* ⟨-[e]s, -e⟩ [unfermented] fruit juice; (*Apfelwein*) cider.

Motel *nt* ⟨-s, -s⟩ motel.

Motiv *nt* motive; (*MUS*) theme; **motivieren** *vt* motivate; **Motivierung** *f* motivation.

Motor *m* engine; (*ELEK*) motor; **Motorboot** *nt* motorboat; **Motoröl** *nt* motor oil; **Motorhaube** *f* bonnet *Brit,* hood *US;* **motorisieren** *vt* motorize; **Motorrad** *nt* motorcycle; **Motorradfahrer(in)** *m(f)* motorcyclist; **Motorroller** *m* motor scooter; **Motorschaden** *m* engine trouble [*o* failure]; **Motorsport** *m* autosport.

Motte *f* ⟨-, -n⟩ moth; **Mottenkugel** *f,* **Mottenpulver** *nt* mothball[s].

Motto *nt* ⟨-s, -s⟩ motto.

Möwe *f* ⟨-, -n⟩ seagull.

Mucken *pl* caprice; (*von Ding*) snag, bug; **seine ∼ haben** be temperamental.

Mücke *f* ⟨-, -n⟩ midge, gnat; **Mückenstich** *m* midge [*o* gnat] bite.

mucksen *vr:* **sich ∼** (*umg*) budge; (*Laut geben*) open one's mouth.

müde *adj* tired; **Müdigkeit** *f* tiredness.

Muff *m* ⟨-[e]s, -e⟩ (*Handwärmer*) muff.

Muffel *m* ⟨-s, -⟩ (*umg*) killjoy, sourpuss.

muffig *adj* (*Geruch*) musty; (*Gesicht, Mensch*) grumpy.

Mühe *f* ⟨-, -n⟩ trouble, pains *pl;* **mit Müh und Not** with great difficulty; **sich** *dat* **∼ geben** go to a lot of trouble; **mühelos** *adj* without trouble, easy.

muhen *vi* moo.

mühevoll *adj* laborious, arduous.

Mühle *f* ⟨-, -n⟩ mill; (*Kaffee∼*) grinder.

Mühsal *f* ⟨-, -e⟩ hardship, tribulation; **mühsam** *adj* troublesome; **mühselig** *adj* arduous, laborious.

Mulatte *m* ⟨-n, -n⟩, **Mulattin** *f* mulatto.

Mulde *f* ⟨-, -n⟩ hollow, depression.

Mull *m* ⟨-[e]s, -e⟩ thin muslin; (*MED*) gauze.

Müll *m* ⟨-[e]s⟩ refuse; **Müllabfuhr** *f* rubbish disposal; **Müllabladeplatz** *m* rubbish dump.

Mullbinde *f* gauze bandage.

Müllcontainer *m* waste container; **Mülldeponie** *f* landfill site; **Mülleimer** *m* dustbin, garbage can *US.*

Müllhaufen *m* rubbish heap; **Müllkippe** *f* rubbish dump; **Mülltrennung** *f* sorting and collecting waste products according to material; **Müllverbrennungsanlage** *f* incinerating plant; **Müllwagen** *m* dustcart, garbage truck *US.*

mulmig *adj* uncomfortable; **jdm ist ∼ sb** feels funny.

Multi *m* ⟨-s, -s⟩ multinational [organization].

multifunktional *adj* (*INFORM*) multifunction.

Multifunktionstastatur *f* (*INFORM*) multiple-function keyboard.

Multimedia- *in Zusammensetzungen* multimedia.

multikulturell *adj* multicultural.

multiplizieren *vt* multiply.

Multitasking *nt* ⟨-⟩ (*INFORM*) multitasking.

Mumie *f* mummy.

Mumm *m* ⟨-s⟩ (*umg*) gumption, nerve.

München *nt* Munich.

Mund *m* ⟨-[e]s, Münder⟩ mouth; **Mundart** *f* dialect.

Mündel *nt* ⟨-s, -⟩ ward.

münden *vi* flow (*in +akk* into).

mundfaul *adj* taciturn; **Mundfäule** *f* ⟨-⟩ (*MED*) stomatitis; **Mundgeruch** *m* bad breath; **Mundharmonika** *f* mouth organ.

mündig *adj* of age; **Mündigkeit** *f* majority.

mündlich *adj* oral.

Mundstück *nt* mouthpiece; (*Zigaretten∼*)

tip; **mundtot** *adj:* jdn ~ **machen** muzzle sb.

Mündung *f* mouth; (*Gewehr~*) muzzle.

Mundwasser *nt* mouthwash; **Mundwerk** *nt:* **ein großes ~ haben** have a big mouth; **Mundwinkel** *m* corner of the mouth.

Munition *f* ammunition; **Munitionslager** *nt* ammunition dump.

munkeln *vi* whisper, mutter.

Münster *nt* ⟨-s, -⟩ minster, cathedral.

munter *adj* lively; **Munterkeit** *f* liveliness.

Münze *f* ⟨-, -n⟩ coin; **münzen** *vt* coin, mint; **auf jdn gemünzt sein** be aimed at sb; **Münzfernsprecher** *m* callbox, pay phone *US.*

mürb[e] *adj* (*Gestein*) crumbly; (*Holz*) rotten; (*Gebäck*) crisp; jdn ~ **machen** wear sb down; **Mürb[e]teig** *m* shortcrust pastry.

murmeln *vt, vi* murmer, mutter.

Murmeltier *nt* marmot.

murren *vi* grumble.

mürrisch *adj* sullen.

Mus *nt* ⟨-es, -e⟩ puree.

Muschel *f* ⟨-, -n⟩ mussel; (*~schale*) shell.

Muse *f* ⟨-, -n⟩ muse.

Museum *nt* ⟨-s, Museen⟩ museum.

Musik *f* music; (*Kapelle*) band; **musikalisch** *adj* musical; **Musikbox** *f* ⟨-, -en⟩ jukebox; **Musiker(in)** *m(f)* ⟨-s, -⟩ musician; **Musikhochschule** *f* college of music; **Musikinstrument** *nt* musical instrument; **Musikkassette** *f* music cassette.

musizieren *vi* make music.

Muskat *m* ⟨-[e]s⟩ nutmeg; **Muskatblüte** *f* mace.

Muskel *m* ⟨-s, -n⟩ muscle; **Muskelkater** *m:* **einen ~ haben** be stiff.

Muskulatur *f* muscular system.

muskulös *adj* muscular.

Müsli *nt* ⟨-s, -⟩ muesli.

Muß *nt* ⟨-⟩ necessity, must.

Muße *f* ⟨-⟩ leisure.

müssen ⟨mußte, gemußt⟩ *vi* must, have to; **er hat gehen ~** he [has] had to go.

müßig *adj* idle; **Müßiggang** *m* idleness.

mußte *imperf von* **müssen**.

Muster *nt* ⟨-s, -⟩ model; (*Dessin*) pattern; (*Probe*) sample; ~ **ohne Wert** free sample; **mustergültig** *adj* exemplary; **mustern** *vt* (*fig*) examine; (*Truppen*) inspect; **Musterschüler(in)** *m(f)* model pupil; **Musterung** *f* (*von Stoff*) pattern; (*MIL*) inspection.

Mut *m* ⟨-[e]s⟩ courage; **nur ~!** cheer up!; jdm ~ **machen** encourage sb; **mutig** *adj* courageous; **mutlos** *adj* discouraged, despondent.

mutmaßlich 1. *adj* presumed; **2.** *adv* probably.

Mutter 1. *f* ⟨-, Mütter⟩ mother; **2.** *f* ⟨-, -n⟩ (*Schrauben~*) nut; **mütterlich** *adj* motherly; **mütterlicherseits** *adv* on the mother's side; **Mutterliebe** *f* motherly love; **Muttermal** *nt* ⟨-[e]s, -e⟩ birthmark, mole; **Mutterschaft** *f* motherhood, maternity; **Mutterschaftsurlaub** *m* maternity leave; **Mutterschutz** *m* maternity regulations *pl*; **mutterseelenallein** *adj* all alone; **Muttersprache** *f* native language; **Muttersprachler(in)** *m(f)* ⟨-s, -⟩ native speaker; **Muttertag** *m* Mother's Day.

mutwillig *adj* deliberate.

Mütze *f* ⟨-, -n⟩ cap.

MwSt *abk von* **Mehrwertsteuer** VAT.

mysteriös *adj* mysterious.

Mystik *f* mysticism; **Mystiker(in)** *m(f)* ⟨-s, -⟩ mystic.

Mythos *m* ⟨-, Mythen⟩ myth.

N

N, n *nt* N. n.

na *interj* well.

Nabel *m* ⟨-s, -⟩ navel; **Nabelschnur** *f* umbilical cord.

nach *präp +dat* after; (*in Richtung*) to; (*gemäß*) according to; ~ **oben/hinten** up/back; **[bitte]** ~ **Ihnen!** after you!; ~ **wie vor** still; ~ **und** ~ gradually; **dem Namen** ~ judging by his name; **nachäffen** *vt* ape; **nachahmen** *vt* imitate; **Nachahmung** *f* imitation.

Nachbar(in) *m(f)* ⟨-n, -n⟩ neighbour; **Nachbarhaus** *nt:* **im** ~ next door; **nachbarlich** *adj* neighbourly.

Nachbarschaft *f* neighbourhood; **Nachbarstaat** *m* neighbouring state.

nachbestellen *vt* reorder, order some more; **Nachbestellung** *f* (*WIRTS*) repeat order.

nachbilden *vt* copy; **Nachbildung** *f* imitation, copy.

nachblicken *vi* look [*o gaze*] after (*jdm sb*).

nachdatieren *vt* postdate.

nachdem *konj* after; (*weil*) since; **je ~ [ob]** it depends [whether].

nachdenken *irr vi* think (*über +akk* about); **nachdenklich** *adj* thoughtful.

Nachdruck 1. *m* emphasis; **2.** *m* ⟨Nachdrucke *pl*⟩ (*TYP*) reprint; **nachdrücklich** *adj* emphatic.

nacheifern *vi* emulate (*jdm sb*).

nacheinander *adv* one after another [*o* the other].

nachempfinden *irr vt:* jdm etw ~ feel sth

with sb.

Nacherzählung f retelling; (SCH) reproduction [of a story].

Nachfolge f succession; **nachfolgen** vi follow (jdm/einer Sache sb/sth); **Nachfolger(in)** m(f) ⟨-s, -⟩ successor.

nachforschen vt, vi investigate; **Nachforschung** f investigation.

Nachfrage f inquiry; (WIRTS) demand; **nachfragen** vi inquire.

nachfühlen vt: jdm etw ~ fell sth with sb.

nachfüllen vt refill; **Nachfüllpackung** f refill [packet].

nachgeben irr vi yield.

Nachgebühr f surcharge; (POST) excess postage.

Nachgeburt f afterbirth.

nachgehen irr vi follow (jdm sb); (erforschen) inquire (einer Sache into sth); (Uhr) be slow.

Nachgeschmack m aftertaste.

nachgiebig adj soft, accommodating.

nachhaltig adj lasting; (Widerstand) persistent.

nachhelfen irr vi assist, help (jdm sb).

nachher adv afterwards.

Nachhilfeunterricht m extra tuition.

Nachholbedarf m need to catch up; **nachholen** vt catch up with; (Versäumtes) make up for.

Nachkomme m ⟨-n, -n⟩ descendant; **nachkommen** irr vi follow; (einer Verpflichtung) fulfil; **Nachkommenschaft** f descendants pl.

Nachkriegs- in Zusammensetzungen postwar; **Nachkriegszeit** f postwar period.

Nachlaß m ⟨Nachlasses, Nachlässe⟩ (WIRTS) discount, rebate; (Erbe) estate.

nachlassen irr 1. vt (Strafe) remit; (Summe) take off; (Schulden) cancel; 2. vi decrease, ease off; (Sturm a.) die down; (schlechter werden) deteriorate; **er hat nachgelassen** he has got worse; **nachlässig** adj negligent, careless; **Nachlässigkeit** f negligence, carelessness.

nachlaufen irr vi run after, chase (jdm sb).

nachmachen vt imitate, copy (jdm etw sth from sb); (fälschen) counterfeit.

nachmittag adv: heute ~ this afternoon; **nachmittags** adv in the afternoon.

Nachmittag m afternoon; **am ~, nachmittags** in the afternoon.

Nachnahme f ⟨-, -n⟩ cash on delivery; **per ~** C.O.D.

Nachname m surname.

Nachporto nt excess postage.

nachprüfen vt check, verify.

nachrechnen vt check.

Nachrede f: **üble ~** (JUR) defamation of character.

Nachricht f ⟨-, -en⟩ [piece of] news sing; (Mitteilung) message; **Nachrichten** pl news sing; **Nachrichtenagentur** f news agency; **Nachrichtendienst** m (MIL) intelligence service; **Nachrichtensprecher(in)** m(f) newsreader; **Nachrichtentechnik** f telecommunications sing.

nachrücken vi move up.

Nachruf m obituary.

nachrüsten 1. vt (Gerät, Auto) refit; **2.** vi (MIL) re-equip, rearm.

nachsagen vt repeat; **jdm etw ~** (fig) accuse sb of sth.

nachschicken vt forward.

nachschlagen irr **1.** vt look up; **2.** vi: jdm ~ take after sb; **Nachschlagewerk** nt reference book.

Nachschlüssel m duplicate key.

Nachschub m supplies pl; (Truppen) reinforcements pl.

nachsehen irr **1.** vt (prüfen) check; **2.** vi look after (jdm sb); (erforschen) look and see; **jdm etw ~** forgive sb sth; **das Nachsehen haben** come off worst.

nachsenden irr vt send on, forward.

Nachsicht f indulgence, leniency; **nachsichtig** adj indulgent, lenient.

nachsitzen irr vi (SCH) be kept in.

Nachspeise f dessert, sweet.

Nachspiel nt epilogue; (fig) sequel.

nachsprechen irr vt repeat (jdm after sb).

nächst präp +dat (räumlich) next to; (außer) apart from; **nächstbeste(r, s)** adj first that comes along; (zweitbeste) next best; **nächste(r, s)** adj next; (nächstgelegen) nearest; **Nächste(r)** mf (fig: Mitmensch) neighbour; **Nächstenliebe** f love for one's fellow men; **nächstens** adv shortly, soon; **nächstliegend** adj nearest; (fig) obvious; **nächstmöglich** adj next possible.

Nacht f ⟨-, Nächte⟩ night.

Nachteil m disadvantage; **nachteilig** adj disadvantageous.

Nachthemd nt nightdress.

Nachtigall f ⟨-, -en⟩ nightingale.

Nachtisch m dessert, sweet, pudding.

nächtlich adj nightly.

Nachtrag m ⟨-[e]s, Nachträge⟩ supplement; **nachtragen** irr vt carry (jdm after sb); (zufügen) add; **jdm etw ~** hold sth against sb; **nachtragend** adj resentful.

nachtrauern vi: jdm/einer Sache ~ mourn the loss of sb/sth.

Nachtruhe f sleep; **nachts** adv by night; **Nachtschicht** f nightshift; **nachtsüber** adv during the night; **Nachttarif** m off-peak tariff; **Nachttisch** m bedside table; **Nachttopf** m chamberpot; **Nachtwächter** m night watchman.

Nachuntersuchung f checkup.
nachwachsen vi grow again.
Nachwehen pl afterpains pl; (fig) after-effects pl.
Nachweis m ⟨-es, -e⟩ proof; **nachweisbar** adj provable, demonstrable; **nachweisen** irr vt prove; **jdm etw ~** point sth out to sb; **nachweislich** adj evident, demonstrable.
nachwinken vi wave (jdm after sb).
nachwirken vi have after-effects; **Nachwirkung** f after-effect.
Nachwort nt appendix.
Nachwuchs m offspring; (beruflich etc) new recruits pl.
nachzahlen vt, vi pay extra.
nachzählen vt check.
Nachzahlung f additional payment; (zurückdatiert) back pay.
Nachzügler(in) m(f) ⟨-s, -⟩ latecomer.
Nacken m ⟨-s, -⟩ [nape of the] neck.
nackt adj naked; (Tatsachen) plain, bare; **Nacktheit** f nakedness.
Nadel f ⟨-, -n⟩ needle; (Steck~) pin; **Nadelbaum** m conifer; **Nadeldrucker** m stylus [o dot matrix] printer; **Nadelkissen** nt pincushion; **Nadelöhr** nt eye of a needle; **Nadelwald** m coniferous forest.
Nagel m ⟨-s, Nägel⟩ nail; **Nägel mit Köpfen machen** do the job properly; **Nagelfeile** f nailfile; **Nagelhaut** f cuticle; **Nagellack** m nail varnish; **Nagellackentferner** m ⟨-s, -⟩ nail polish [o varnish] remover; **nageln** vt, vi nail; **nagelneu** adj brand-new; **Nagelschere** f nail scissors pl.
nagen vt, vi gnaw; **Nagetier** nt rodent.
Nahaufnahme f close-up.
nah[e] **1.** adj, adv (räumlich) near[by]; (Verwandte) near; (Freunde) close; (zeitlich) near, close; **2.** präp +dat near [to], close to.
Nähe f ⟨-⟩ nearness, proximity; (Umgebung) vicinity; **in der ~** close by; **aus der ~** from close to.
nahegehen irr vi grieve (jdm sb); **nahekommen** irr vi get close (jdm to sb); **nahelegen** vt: **jdm etw ~** suggest sth to sb; **naheliegen** irr vi be obvious; **naheliegend** adj obvious; **nahen** vi draw near.
nähen vt, vi sew.
näher(e, s) adj (Erklärung, Erkundigung) more detailed; **Nähere(s)** nt details pl.
Näherin f seamstress.
näherkommen irr vi, vr: **sich ~** get closer; **nähern** vr: **sich ~** approach; **Näherungswert** m approximate value.
nahestehen irr vi be close (jdm to sb); **einer Sache** dat **~** sympathize with sth; **nahestehend** adj close; **nahetreten** irr vi: **jdm [zu] ~** offend sb.
Nähgarn nt thread; **Nähkasten** m workbox.

nahm imperf von **nehmen**.
Nähmaschine f sewing machine; **Nähnadel** f needle.
nähren vt, vr: **sich ~** feed; **Nährgehalt** m nutritional value; **nahrhaft** adj nourishing, nutritious; **Nährstoffe** pl nutrients pl; **Nahrung** f food; (fig a.) sustenance; **Nahrungskette** f food chain; **Nahrungsmittel** nt foodstuffs pl; **Nahrungsmittelindustrie** f food industry; **Nahrungssuche** f search for food; **Nährwert** m nutritional value.
Naht f ⟨-, Nähte⟩ seam; (MED) suture; (TECH) join; **nahtlos** adj seamless; **~ ineinander übergehen** follow without a gap.
Nahverkehr m local traffic; **Nahverkehrszug** m local train; **Nahziel** nt immediate objective.
naiv adj naive; **Naivität** f naivety.
Name m ⟨-ns, -n⟩ name; **im ~n von** on behalf of; **namens** adv by the name of; **Namensschild** nt (zum Anstecken) name tag; (an Türen) name plate; **namentlich** **1.** adj by name; **2.** adv particularly, especially.
namhaft adj (berühmt) famed, renowned; (beträchtlich) considerable; **~ machen** name.
nämlich adv that is to say, namely; (denn) since; **der/die/das ~e** the same.
nannte imperf von **nennen**.
Napf m ⟨-[e]s, Näpfe⟩ bowl, dish.
Narbe f ⟨-, -n⟩ scar; **narbig** adj scarred.
Narkose f ⟨-, -n⟩ anaesthetic.
Narr m ⟨-en, -en⟩ fool; **narren** vt fool; **Närrin** f fool; **närrisch** adj foolish, crazy.
Narzisse f ⟨-, -n⟩ narcissus.
naschen vt, vi nibble; eat secretly; **naschhaft** adj fond of sweet things; **Naschkatze** f (umg) guzzler; **eine ~ sein** have a sweet tooth.
Nase f ⟨-, -n⟩ nose; **die ~ voll haben** (umg) have had enough (von of); **jdn an der ~ herumführen** (umg) pull the wool over sb's eyes; **Nasenbluten** nt ⟨-s⟩ nosebleed; **Nasenloch** nt nostril; **Nasenrücken** m bridge of the nose; **Nasentropfen** pl nose drops pl; **naseweis** adj pert, cheeky; (neugierig) nosey.
Nashorn nt rhinoceros.
naß adj wet; **Nässe** f ⟨-⟩ wetness; **nässen** vi (Wunde) weep, discharge; **naßkalt** adj wet and cold; **Naßrasur** f wet shave.
Nation f nation; **national** adj national; **Nationalhymne** f national anthem; **nationalisieren** vt nationalize; **Nationalismus** m nationalism; **Nationalist(in)** m(f) nationalist; **nationalistisch** adj nationalistic; **Nationalität** f nationality; **Nationalmannschaft** f national team;

Nationalsozialismus *m* national socialism.

Natrium *nt* sodium.

Natron *nt* ⟨-s⟩ soda.

Natter *f* ⟨-, -n⟩ adder.

Natur *f* nature; (*körperlich*) constitution; **Naturalien** *pl* natural produce; **in ∼** in kind; **Naturalismus** *m* naturalism; **Naturerscheinung** *f* natural phenomenon [*o* event]; **naturfarben** *adj* natural coloured; **naturgemäß** *adj* natural; **Naturgesetz** *nt* law of nature; **Naturkatastrophe** *f* natural disaster.

natürlich 1. *adj* natural; **2.** *adv* naturally; **natürlicherweise** *adv* naturally, of course; **Natürlichkeit** *f* naturalness.

Naturprodukt *nt* natural product; **naturrein** *adj* natural, pure; **Naturschutzgebiet** *nt* nature reserve; **Naturwissenschaft** *f* natural science; **Naturwissenschaftler(in)** *m(f)* scientist; **Naturzustand** *m* natural state.

nautisch *adj* nautical.

Navelorange *f* navel orange.

Navigation *f* navigation; **Navigationsfehler** *m* navigational error; **Navigationsinstrumente** *pl* navigation instruments *pl*.

Nazi *m* ⟨-s, -s⟩ Nazi.

Nebel *m* ⟨-s, -⟩ fog, mist; **nebelig** *adj* foggy, misty; **Nebelscheinwerfer** *m* foglamp; **Nebelschlußleuchte** *f* (*AUTO*) rear foglight.

neben *präp* +*akk o dat* next to; (*außer*) apart from, besides; **nebenan** *adv* next door; **Nebenanschluß** *m* (*TEL*) extension; **nebenbei** *adv* at the same time; (*außerdem*) additionally; (*beiläufig*) incidentally; **Nebenbeschäftigung** *f* sideline; **Nebenbuhler(in)** *m(f)* ⟨-s, -⟩ rival.

nebeneinander *adv* side by side; **nebeneinanderlegen** *vt* put next to each other.

Nebeneingang *m* side entrance; **Nebenerscheinung** *f* side effect; **Nebenfach** *nt* subsidiary subject; **Nebenfluß** *m* tributary; **Nebengeräusch** *nt* (*RADIO*) noise *pl*, interference.

nebenher *adv* (*zusätzlich*) besides; (*gleichzeitig*) at the same time; (*daneben*) alongside; **nebenherfahren** *irr vi* drive alongside.

Nebenkosten *pl* extra charges *pl*, extras *pl*; **Nebenprodukt** *nt* by-product; **Nebenrolle** *f* minor part; **Nebensache** *f* side issue; **nebensächlich** *adj* minor, peripheral; **Nebensaison** *f* low season; **Nebenstraße** *f* side street; **Nebenwirkung** *f* side effect; **Nebenzimmer** *nt* adjoining room.

Necessaire *nt* ⟨-s, -s⟩ (*Näh∼*) needlework

box; (*Nagel∼*) manicure case.

necken *vt* tease; **Neckerei** *f* teasing; **neckisch** *adj* coy; (*Einfall, Lied*) amusing.

Neffe *m* ⟨-n, -n⟩ nephew.

negativ *adj* negative; **Negativ** *nt* (*FOTO*) negative.

nehmen ⟨nahm, genommen⟩ *vt* take; **jdn zu sich ∼** take sb in; **sich ernst ∼** take oneself seriously; **nimm dir noch einmal** help yourself.

Neid *m* ⟨-[e]s⟩ envy; **Neider(in)** *m(f)* ⟨-s, -⟩ envious person; **neidisch** *adj* envious.

neigen 1. *vt* incline, lean; (*Kopf*) bow; **2.** *vi*: **zu etw ∼** tend to sth.

Neigung *f* (*des Geländes*) slope; (*Tendenz*) inclination; (*Vorliebe*) liking; **Neigungswinkel** *m* angle of inclination.

nein *adv* no.

Nektarine *f* nectarine.

Nelke *f* ⟨-, -n⟩ carnation; (*Gewürz*) clove.

nennen ⟨nannte, genannt⟩ *vt* name; (*mit Namen*) call; **nennenswert** *adj* worth mentioning; **Nenner** *m* ⟨-s, -⟩ (*MATH*) denominator; **Nennung** *f* naming; **Nennwert** *m* nominal value; (*WIRTS*) par.

Neon *nt* ⟨-s⟩ neon.

Neonazi *m* ⟨-s, -s⟩ Neo-nazi.

Neonlicht *nt* neon light; **Neonröhre** *f* neon tube.

Nerv *m* ⟨-s, -en⟩ nerve; **jdm auf die ∼en gehen** get on sb's nerves; **nerven** *vt* (*umg*) irritate; **nervenaufreibend** *adj* nerve-racking; **Nervenbündel** *nt* bundel of nerves; **Nervenheilanstalt** *f* mental home; **nervenkrank** *adj* mentally ill; **Nervenschwäche** *f* neurasthenia; **Nervensystem** *nt* nervous system; **Nervenzusammenbruch** *m* nervous breakdown; **nervös** *adj* nervous; **Nervosität** *f* nervousness; **nervtötend** *adj* nerve-racking; (*Arbeit*) soul-destroying.

Nerz *m* ⟨-es, -e⟩ mink.

Nessel *f* ⟨-, -n⟩ nettle.

Nest *nt* ⟨-[e]s, -er⟩ nest; (*pej: Ort*) dump.

nesteln *vi* fumble [*o* fiddle] about (*an* +*dat* with).

nett *adj* nice; (*freundlich*) kind; **netterweise** *adv* kindly.

netto *adv* net.

Netz *nt* ⟨-es, -e⟩ net; (*Einkaufs∼*) string bag; (*Spinnen∼*) web; (*System, INFORM*) network; (*Strom*) grid; **ans ∼ gehen** go into service, join up with the national grid; **jdm ins ∼ gehen** (*fig*) fall into sb's trap; **Netzanschluß** *m* mains connection; **Netzgerät** *nt* power pack; **Netzhaut** *f* retina; **Netzkarte** *f* season ticket; **Netzwerk** *nt* (*INFORM*) network.

neu *adj* new; (*Sprache, Geschichte*) modern; **seit ∼estem** [since] recently; **∼ schreiben**

rewrite, write again; **Neuanschaffung** f new purchase [o acquisition]; **neuartig** adj new kind of; **Neuauflage** f, **Neuausgabe** f new edition; **Neubau** m ⟨Neubauten pl⟩ new building; **neuerdings** adv (kürzlich) [since] recently; (von neuem) again; **Neuerung** f innovation; (Reform) reform.
Neugier f curiosity; **neugierig** adj curious.
Neuheit f novelty; **Neuigkeit** f news sing; **Neujahr** nt New Year; **neulich** adv recently, the other day; **Neuling** m newcomer; (pej a.) beginner, greenhorn; **Neumond** m new moon.
neun num nine; **neunfach 1.** adj ninefold; **2.** adv nine times; **neunhundert** num nine hundred; **neunjährig** adj (9 Jahre alt) nine-year-old; (9 Jahre dauernd) nine-year; **neunmal** adv nine times.
neunte(r, s) adj ninth; **der ~ September** the ninth of September; **Stuttgart, den 9. September** Stuttgart, September 9th; **Neunte(r)** mf ninth.
Neuntel nt ⟨-s, -⟩ (Bruchteil) ninth.
neuntens adv in the ninth place.
neunzehn num nineteen.
neunzig num ninety.
neureich adj nouveau riche.
Neurose f ⟨-, -n⟩ neurosis; **Neurotiker(in)** m(f) ⟨-s, -⟩ neurotic; **neurotisch** adj neurotic.
Neuseeland nt New Zealand; **Neuseeländer(in)** m(f) ⟨-s, -⟩ New Zealander; **neuseeländisch** adj New Zealand.
neutral adj neutral; **neutralisiern** vt neutralize; **Neutralität** f neutrality.
Neutron nt ⟨-s, -en⟩ neutron; **Neutronenbombe** f neutron bomb.
Neutrum nt ⟨-s, -a o -en⟩ neuter.
Neuwert m purchase price; **Neuzeit** f modern age; **neuzeitlich** adj modern, recent.
nicht 1. adv not; **2.** präf non-; **~ wahr?** isn't it/he?, don't you?; **~ doch!** don't!; **~ berühren!** do not touch!; **was du ~ sagst!** the things you say!; **Nichtachtung** f disregard; **Nichtangriffspakt** m non-aggression pact.
Nichte f ⟨-, -n⟩ niece.
nichtig adj (ungültig) null, void; (wertlos) futile; **Nichtigkeit** f nullity, invalidity; (Sinnlosigkeit) futility.
Nichtraucher(in) m(f) non-smoker.
nichtrostend adj stainless.
nichts pron nothing; **für ~ und wieder ~** for nothing at all; **Nichts** nt ⟨-⟩ nothingness; (pej) nonentity; **nichtsahnend** adj unsuspecting; **nichtsdestoweniger** adv nevertheless; **Nichtsnutz** m ⟨-es, -e⟩ good-for-nothing; **nichtsnutzig** adj worthless, useless; (unartig) good-for-

nothing; **nichtssagend** adj meaningless; **Nichtstun** nt ⟨-s⟩ idleness.
Nickel nt ⟨-s⟩ nickel.
nicken vi nod.
Nickerchen nt nap.
nie adv never; **~ wieder** [o mehr] never again; **~ und nimmer** never ever.
nieder 1. adj low; (gering) inferior; **2.** adv down; **Niedergang** m decline; **niedergehen** irr vi descend; (FLUG) come down; (Regen) fall; (Boxer) go down; **niedergeschlagen** adj depressed, dejected; **Niedergeschlagenheit** f depression, dejection; **Niederlage** f defeat; (Lager) depot; (Filiale) branch; **Niederlande** pl Netherlands pl; **niederlassen** irr vr: **sich ~** (sich setzen) sit down; (an Ort) settle [down]; (Arzt, Rechtsanwalt) set up a practice; **Niederlassung** f settlement; (WIRTS) branch; **niederlegen** vt lay down; (Arbeit) stop; (Amt) resign; **Niedersachsen** nt ⟨-s⟩ Lower Saxony; **Niederschlag** m (CHEM) precipitate, sediment; (METEO) precipitation; rainfall; (BOXEN) knockdown; **niederschlagen** irr **1.** vt (Gegner) beat down; (Gegenstand) knock down; (Augen) lower; (JUR Prozeß) dismiss; (Aufstand) put down; **2.** vr: **sich ~** (CHEM) precipitate.
niederträchtig adj base, mean.
Niederung f (GEO) depression.
niedlich adj sweet, nice, cute US.
niedrig adj low; (Stand) lowly, humble; (Gesinnung) mean.
niemals adv never.
niemand pron nobody, no one; **Niemandsland** nt no-man's land.
Niere f ⟨-, -n⟩ kidney; **jdm an die ~n gehen** (umg) get sb down; **Nierenentzündung** f kidney infection.
nieseln vi unpers drizzle.
niesen vi sneeze.
Niet m ⟨-[e]s, -e⟩, **Niete** f ⟨-, -n⟩ (TECH) rivet.
Niete f ⟨-, -n⟩ (Los) blank; (Reinfall) flop; (pej: Mensch) failure.
nieten vt rivet.
Nihilismus m nihilism; **Nihilist(in)** m(f) nihilist; **nihilistisch** adj nihilistic.
Nikotin nt ⟨-s⟩ nicotine; **nikotinarm** adj low in nicotine.
Nilpferd nt hippopotamus.
nimmersatt adj insatiable; **Nimmersatt** m ⟨-[e]s, -e⟩ glutton.
nippen vt, vi sip.
Nippsachen pl knick-knacks pl.
nirgends, nirgendwo adv nowhere.
Nische f ⟨-, -n⟩ niche.
nisten vi nest.
Nitrat nt nitrate.
Niveau nt ⟨-s, -s⟩ level.

Nixe f ⟨-, -n⟩ water nymph.

noch 1. adv still; (in Zukunft) still, yet; one day; (außerdem) else; **2.** konj nor; ~ **nie** never [yet]; ~ **nicht** not yet; **immer** ~ still; ~ **heute** today; ~ **vor einer Woche** only a week ago; **und wenn es** ~ **so schwer ist** however hard it is; ~ **einmal** again; ~ **dreimal** three more times; ~ **und** ~ heaps of; (mit Verb) again and again; **nochmalig** adj repeated; **nochmal|s|** adv again, once more.

Nockenwelle f camshaft.

Nominativ m nominative.

nominell adj nominal.

Nonne f ⟨-, -n⟩ nun; **Nonnenkloster** nt convent.

Nordamerika nt North America; **norddeutsch** adj North German; **Norddeutschland** nt North[ern] Germany; **Norden** m ⟨-s⟩ north; (von Land) North; **Nordirland** nt Northern Ireland; **nordisch** adj (Völker, Sprache) nordic; ~**e Kombination** (SKI) nordic combination; **nördlich 1.** adj northern; (Kurs, Richtung) northerly; **2.** adv (to the) north; ~ **von Bonn** north of Bonn; **Nordosten** m north-east; (von Land) North-East; **Nordpol** m North Pole; **Nordrhein-Westfalen** nt ⟨-s⟩ North-Rhine Westphalia; **Nordsee** f North Sea; **Nordstaaten** pl (von Amerika) Northern States pl, North; **Nordwesten** m north-west; (von Land) North-West.

Nörgelei f grumbling; **nörgeln** vi grumble; **Nörgler(in)** m(f) ⟨-s, -⟩ grumbler.

Norm f ⟨-, -en⟩ norm; (Größenvorschrift) standard.

normal adj normal; **Normalbenzin** nt regular [petrol]; **normalerweise** adv normally; **normalisieren 1.** vt normalize; **2.** vr: **sich** ~ return to normal.

normen vt standardize.

Norwegen nt Norway; **Norweger(in)** m(f) ⟨-s, -⟩ Norwegian; **norwegisch** adj Norwegian.

Not f ⟨-, Nöte⟩ need; (Mangel) want; (Mühe) trouble; (Zwang) necessity; **zur** ~ if necessary; (gerade noch) just about.

Notar(in) m(f) notary; **notariell** adj notarial.

Notarzt m emergency doctor; **Notausgang** m emergency exit; **Notbehelf** m ⟨-s, -e⟩ makeshift; **Notbremse** f emergency brake; **notdürftig** adj scanty; (behelfsmäßig) makeshift.

Note f ⟨-, -n⟩ note; (SCH) mark.

Notebook nt ⟨-[s], -s⟩ note; (INFORM) notebook.

Notenblatt nt sheet of music; **Notenschlüssel** m clef; **Notenständer** m music stand.

Notfall m [case of] emergency; **notfalls** adv if need be; **notgedrungen** adj necessary, unavoidable; **etw** ~ **machen** be forced to do sth.

notieren vt note; (WIRTS) quote; **Notierung** f (WIRTS) quotation.

nötig adj necessary; **etw** ~ **haben** need sth.

nötigen vt compel, force.

nötigenfalls adv if necessary.

Notiz f ⟨-, -en⟩ note; (Zeitungs~) item; ~ **nehmen** take notice; **Notizblock** m notepad; **Notizbuch** nt notebook; **Notizzettel** m piece of paper.

Notlage f crisis, emergency; **notlanden** vi make a forced [o emergency] landing; **Notlandung** f emergency landing; **notleidend** adj needy; **Notlösung** f temporary solution; **Notlüge** f white lie.

notorisch adj notorious.

Notruf m emergency call; **Notrufsäule** f emergency telephone; **Notrutsche** f escape chute; **Notstand** m state of emergency; **Notstandsgesetz** nt emergency law; **Notunterkunft** f emergency accommodation; **Notverband** m ⟨Notverbände pl⟩ emergency dressing; **Notwehr** f ⟨-⟩ self-defence.

notwendig adj necessary; **Notwendigkeit** f necessity.

Notzucht f rape.

Novelle f short story; (JUR) amendment.

November m ⟨-[s], -⟩ November; **im** ~ in November; **16.** ~ **1998** November 16th, 1998, 16th November 1998.

Nu m: **im** ~ in an instant.

Nuance f ⟨-, -n⟩ nuance.

nüchtern adj sober; (Magen) empty; (Urteil) prudent; **Nüchternheit** f sobriety.

Nudel f ⟨-, -n⟩ noodle.

null num zero; (Fehler) no; (TEL) O, zero US; (SPORT) nil, nothing; (TENNIS) love; ~ **Uhr** midnight; ~ **und nichtig** null and void; **Null** f ⟨-, -en⟩ nought, zero; (pej: Mensch) dead loss; **Nullösung** f (POL) zero option; **Nullpunkt** m zero; **auf dem** ~ at zero; **Nulltarif** m free travel; (Eintritt) free admission; **zum** ~ free of charge.

numerieren vt number.

numerisch adj numerical.

Numerus clausus m ⟨-⟩ (SCH) restricted entry.

Nummer f ⟨-, -n⟩ number; **Nummernscheibe** f telephone dial; **Nummernschild** nt (AUTO) number plate, license plate US.

nun 1. adv now; **2.** interj well.

nur adv just, only.

Nuß f ⟨-, Nüsse⟩ nut; **Nußbaum** m walnut tree; **Nußknacker** m ⟨-s, -⟩ nutcracker.

Nüster f ⟨-, -n⟩ nostril.

Nutte f ⟨-, -n⟩ tart.

nutz, nütze adj: **zu nichts ~ sein** be useless; **nutzbar** adj: **~ machen** utilize; **Nutzbarmachung** f utilization; **nutzbringend** adj profitable; **nutzen, nützen 1.** vt use (zu etw for sth); **2.** vi be of use; **was nützt es?** what use is it?; **Nutzen** m usefulness; (Gewinn) profit; **von ~** useful.

nützlich adj useful; **Nützlichkeit** f usefulness.

nutzlos adj useless; **Nutzlosigkeit** f uselessness; **Nutznießer(in)** m(f) ⟨-s, -⟩ beneficiary.

Nymphe f ⟨-, -n⟩ nymph.

O

O, o nt O, o.

Oase f ⟨-, -n⟩ oasis.

ob konj if, whether; **~ das wohl wahr ist?** can that be true?; **und ~!** you bet!

Obacht f: **~ geben** pay attention.

Obdach nt shelter, lodging; **obdachlos** adj homeless; **Obdachlose(r)** mf homeless person.

Obduktion f post-mortem; **obduzieren** vt do a post mortem on.

O-Beine pl bow [o bandy] legs pl.

oben adv above; (im Haus) upstairs; **nach ~** up; **von ~** down; **~ ohne** topless; **jdn von ~ bis unten mustern** look sb up and down; **Befehl von ~** orders from above; **obenan** adv at the top; **obenauf 1.** adv up above, on top; **2.** adj (munter) in form; **obendrein** adv into the bargain; **obenerwähnt, obengenannt** adj above-mentioned.

Ober m ⟨-s, -⟩ waiter.

Oberarm m upper arm; **Oberarzt** m, **Oberärztin** f senior physician; **Oberaufsicht** f supervision; **Oberbefehl** m supreme command; **Oberbefehlshaber(in)** m(f) commander-in-chief; **Oberbegriff** m generic term; **Oberbekleidung** f outer clothing; **Oberbett** nt quilt; **Oberbürgermeister(in)** m(f) mayor; **Oberdeck** nt upper [o top] deck.

obere(r, s) adj upper; **die Oberen** pl the bosses pl; (REL) the superiors pl.

Oberfläche f surface; **oberflächlich** adj superficial.

Obergeschoß nt upper storey; **oberhalb** adv, präp +gen above; **Oberhaupt** nt head; (Anführer) leader; **Oberhaus** nt upper house; (in Großbritannien) House of Lords; **Oberhemd** nt shirt; **Oberher-**

schaft f supremacy, sovereignty.

Oberin f matron; (REL) Mother Superior.

Oberkellner(in) m(f) head waiter/waitress; **Oberkiefer** m upper jaw; **Oberkommando** nt supreme command; **Oberkörper** m trunk, upper part of body; **Oberleitung** f direction; (ELEK) overhead cable; **Oberlicht** nt skylight; **Oberlid** nt upper lid; **Oberlippe** f upper lip; **Oberschenkel** m thigh; **Oberschicht** f upper classes pl; **Oberschule** f grammar school Brit, high school US; **Oberschwester** f (MED) matron.

Oberst m ⟨-en o -s, -e[n]⟩ colonel.

oberste(r, s) adj very top, topmost.

Oberstufe f upper school; ≈ sixth-form in Großbritannien; **Oberteil** nt upper part; (von Kleidung) top; **Oberwasser** nt: **~ haben/bekommen** be/get on top [of things]; **Oberweite** f bust/chest measurement.

obgleich konj although.

Obhut f ⟨-⟩ care, protection; **in jds ~ sein** be in sb's care.

obig adj above.

Objekt nt ⟨-[e]s, -e⟩ object.

objektiv adj objective; **Objektiv** nt lens; **Objektivität** f objectivity.

obligatorisch adj compulsory, obligatory.

Oboe f ⟨-, -n⟩ oboe.

Obrigkeit f (Behörden) authorities pl; (Regierung) government.

obschon konj although.

Observatorium nt observatory.

obskur adj obscure; (verdächtig) dubious.

Obst nt ⟨-[e]s⟩ fruit; **Obstbau** m fruit-growing; **Obstbaum** m fruit tree; **Obstgarten** m orchard; **Obsthändler(in)** m(f) fruiterer, fruit merchant; **Obstkuchen** m fruit tart.

obszön adj obscene; **Obszönität** f obscenity.

obwohl konj although.

Ochse m ⟨-n, -n⟩ ox; **Ochsenschwanzsuppe** f oxtail soup; **Ochsenzunge** f oxtongue.

öd|e adj waste, barren; (fig) dull; **Öde** f ⟨-, -n⟩ desert, waste[land]; (fig) tedium.

oder konj or.

Ofen m ⟨-s, Öfen⟩ oven; (Heiz~) fire, heater; (Kohle~) stove; (Hoch~) furnace; (Herd) cooker, stove; **Ofenrohr** nt stovepipe.

offen adj open; (aufrichtig) frank; (Stelle) vacant; **~ gesagt** to be honest.

offenbar adj obvious; **offenbaren** vt reveal, manifest; **Offenbarung** f (REL) revelation.

offenbleiben irr vi (Fenster) stay open; (Frage, Entscheidung) remain open; **offenhalten** irr vt keep open.

Offenheit f candour, frankness.
offenkundig adj well-known; (klar) evident; **offenlassen** irr vt leave open: **offensichtlich** adj evident, obvious.
offensiv adj offensive; **Offensive** f offensive.
offenstehen irr vi be open; (Rechnung) be unpaid; **es steht Ihnen offen, es zu tun** you are at liberty to do it.
öffentlich adj public; **Öffentlichkeit** f (Leute) public; (einer Versammlung etc) public nature; **in aller ~** in public; **an die ~ dringen** reach the public ear.
Offerte f ⟨-, -n⟩ offer.
offiziell adj official.
Offizier(in) m(f) ⟨-s, -e⟩ officer; **Offizierskasino** nt officers' mess.
Off-line-Betrieb m (INFORM) off-line mode.
öffnen vt, vr: **sich ~** open; **jdm die Tür ~** open the door for sb; **Öffner** m ⟨-s, -⟩ opener; **Öffnung** f opening; **Öffnungszeiten** pl opening times pl.
oft adv often; **öfter** adv more often [o frequently]; **öfters** adv often, frequently.
ohne konj, präp +akk without; **das ist nicht ~** (umg) it's not bad; **~ weiteres** without a second thought; (sofort) immediately; **ohnedies** adv anyway; **ohnegleichen** adj unsurpassed, without equal; **ohnehin** adv anyway, in any case.
Ohnmacht f ⟨Ohnmachten pl⟩ faint; (fig) impotence; **in ~ fallen** faint; **ohnmächtig** adj unconscious; (fig) impotent; **sie ist ~** she has fainted.
Ohr nt ⟨-[e]s, -en⟩ ear; (Gehör) hearing.
Öhr nt ⟨-[e]s, -e⟩ eye.
Ohrenarzt m, **Ohrenärztin** f ear specialist; **ohrenbetäubend** adj deafening; **Ohrenschmalz** nt earwax; **Ohrenschmerzen** pl earache; **Ohrenschützer** m ⟨-s, -⟩ earmuff; **Ohrfeige** f slap [on the face]; **ohrfeigen** vt: **jdn ~** slap sb's face; box sb's ears; **Ohrläppchen** nt ear lobe; **Ohrringe** pl earrings pl; **Ohrwurm** m earwig; (MUS) catchy tune.
okkupieren vt occupy.
Ökologe m ⟨-n, -n⟩ ecologist; **Ökologie** f ecology; **Ökologin** f ecologist; **ökologisch** adj ecological; **~es Gleichgewicht** ecological balance.
ökonomisch adj economical.
Ökopartei f ecology party; **Ökopax** m ⟨-en, -en⟩ pacifist member of the ecology movement; **Ökosystem** nt ecosystem.
Oktanzahl f (bei Benzin) octane rating.
Oktave f ⟨-, -n⟩ octave.
Oktober m ⟨-[s], -⟩ October; **im ~** in October; **3. ~ 1998** October 3rd, 1998, 3rd October 1998.
ökumenisch adj ecumenical.

Öl nt ⟨-[e]s, -e⟩ oil; **Ölbaum** m olive tree; **ölen** vt oil; (TECH) lubricate; **Ölfarbe** f oil paint; **Ölfeld** nt oilfield; **Ölfilm** m film of oil; **Ölfilter** m oil filter; **Ölheizung** f oil-fired central heating; **ölig** adj oily.
oliv adj inv olive-green; **Olive** f ⟨-, -n⟩ olive.
Ölmeßstab m dipstick; **Ölpest** f oil pollution; **Ölsardine** f sardine; **Ölscheich** m oil sheik[h]; **Ölstandanzeiger** m (AUTO) oil gauge; **Ölteppich** m oil slick; **Ölung** f oiling; **die Letzte ~** (REL) the extreme unction; **Ölwechsel** m oil change.
Olympiade f Olympic Games pl; **Olympiasieger(in)** m(f) Olympic champion; **Olympiateilnehmer(in)** m(f) Olympic competitor; **olympisch** adj Olympic.
Ölzeug nt oilskins pl.
Oma f ⟨-, -s⟩ (umg) granny.
Omelett nt ⟨-[e]s, -s⟩, **Omelette** f omlet[te].
Omen nt ⟨-s, - o Omina⟩ omen.
Omnibus m [omni]bus.
onanieren vi masturbate.
Onkel m ⟨-s, -⟩ uncle.
On-line-Betrieb m (INFORM) on-line mode.
Opa m ⟨-s, -s⟩ (umg) grandad, grandpa.
Opal m ⟨-s, -e⟩ opal.
Oper f ⟨-, -n⟩ opera; (Gebäude) opera house.
Operation f operation; **Operationssaal** m operating theatre.
Operette f operetta.
operieren 1. vi operate; 2. vt operate on.
Opernglas nt opera glasses pl; **Opernhaus** nt opera house; **Opernsänger(in)** m(f) opera singer.
Opfer nt ⟨-s, -⟩ sacrifice; (Mensch) victim; **opfern** 1. vt sacrifice; 2. vr: **sich ~** sacrifice oneself; (fig umg) be a martyr; **Opferstock** m (REL) offertory box; **Opferung** f sacrifice.
Opium nt ⟨-s⟩ opium.
opponieren vi oppose (gegen jdn/etw sb/ sth).
opportun adj opportune; **Opportunismus** m opportunism; **Opportunist(in)** m(f) opportunist.
Opposition f opposition; **oppositionell** adj opposing.
Optik f optics sing; **Optiker(in)** m(f) ⟨-s, -⟩ optician.
optimal adj optimal, optimum; **optimieren** vt optimize.
Optimismus m optimism; **Optimist(in)** m(f) optimist; **optimistisch** adj optimistic.
Optimum nt ⟨-s⟩ optimum.
optisch adj optical.
Orakel nt ⟨-s, -⟩ oracle.
orange adj inv orange; **Orange** f ⟨-, -n⟩ orange; **Orangeade** f orangeade; **Oran-**

geat *nt* candied peel; **Orangenmarmelade** *f* marmalade; **Orangensaft** *m* orange juice; **Orangenschale** *f* orange peel.

Orchester *nt* ⟨-s, -⟩ orchestra.

Orchidee *f* ⟨-, -n⟩ orchid.

Orden *m* ⟨-s, -⟩ (*REL*) order; (*MIL*) decoration; **Ordensschwester** *f* nun.

ordentlich 1. *adj* (*anständig*) respectable; (*geordnet*) tidy, neat; (*umg: annehmbar*) not bad; (*umg: tüchtig*) proper; **2.** *adv* properly; **~er Professor** [full] professor.

Ordinalzahl *f* ordinal number.

ordinär *adj* common, vulgar.

ordnen *vt* order.

Ordner *m* ⟨-s, -⟩ steward; (*WIRTS: Aktien~*) file.

Ordnung *f* order; (*Ordnen*) ordering; (*Geordnetsein*) tidiness; **ordnungsgemäß** *adj* proper, according to the ~; **ordnungshalber** *adv* as a matter of form; **Ordnungsliebe** *f* liking things to be tidy; **Ordnungsstrafe** *f* fine; **ordnungswidrig** *adj* contrary to the rules, irregular; **Ordnungszahl** *f* ordinal number.

Organ *nt* ⟨-s, -e⟩ organ; (*Stimme*) voice.

Organisation *f* organisation; **Organisationstalent** *nt* organizing ability; (*Mensch*) good organizer; **Organisator(in)** *m(f)* organizer.

organisch *adj* organic.

organisieren 1. *vt* organize, arrange; (*umg: beschaffen*) acquire; **2.** *vr:* **sich ~** organize.

Organismus *m* organism.

Organist(in) *m(f)* organist.

Organverpflanzung *f* transplantation [of organs].

Orgasmus *m* orgasm.

Orgel *f* ⟨-, -n⟩ organ; **Orgelpfeife** *f* organ pipe; **wie die ~n stehen** stand in order of height.

Orgie *f* orgy.

Orient *m* ⟨-s⟩ Orient, East; **Orientale** *m* ⟨-n, -n⟩, **Orientalin** *f* person from the Middle East; **orientalisch** *adj* oriental.

orientieren 1. *vt* (*örtlich*) locate; (*fig*) inform; **2.** *vr:* **sich ~** find one's way [*o* bearings]; inform oneself; **Orientierung** *f* orientation; (*fig*) information; **Orientierungssinn** *m* sense of direction.

original *adj* original; **Original** *nt* ⟨-s, -e⟩ original; **Originalfassung** *f* original soundtrack; **Originalität** *f* originality; **Originalton** *m* original soundtrack.

originell *adj* original.

Orkan *m* ⟨-[e]s, -e⟩ hurricane.

Ornament *nt* decoration, ornament; **ornamental** *adj* decorative, ornamental.

Ort *m* ⟨-[e]s, -e *o* Örter⟩ place; (*Dorf*) village; **an ~ und Stelle** on the spot; **orten** *vt* loc-

ate.

orthodox *adj* orthodox.

Orthographie *f* spelling, orthography; **orthographisch** *adj* orthographic.

Orthopäde *m* ⟨-n, -n⟩ orthopaedic specialist, orthopaedist; **Orthopädie** *f* orthopaedics *sing*; **Orthopädin** *f* orthopaedic specialist, orthopaedist; **orthopädisch** *adj* orthopaedic.

örtlich *adj* local; **Örtlichkeit** *f* locality.

Ortsangabe *f* [name of the] town; **ortsansässig** *adj* local; **Ortschaft** *f* village, small town; **ortsfremd** *adj* non-local; **Ortsgespräch** *nt* local [phone]call; **Ortsname** *m* place name; **Ortsnetz** *nt* (*TEL.*) local telephone exchange area; **Ortssinn** *m* sense of direction; **Ortszeit** *f* local time.

Ortung *f* locating.

Öse *f* ⟨-, -n⟩ loop, eye.

Ostblock *m* (*HIST*) Eastern bloc; **Osten** *m* ⟨-s⟩ east; (*von Land*) East; **der Nahe ~** the Middle East; **der Mittlere ~** the Middle East; **der Ferne ~** the Far East.

ostentativ *adj* pointed, ostentatious.

Osterei *nt* Easter egg; **Osterfest** *nt* Easter; **Osterglocke** *f* daffodil; **Osterhase** *m* Easter bunny; **Ostermontag** *m* Easter Monday; **Ostern** *nt* ⟨-, -⟩ Easter.

Österreich *nt* Austria; **in ~** in Austria; **nach ~ fahren** go to Austria; **Österreicher(in)** *m(f)* ⟨-s, -⟩ Austrian; **österreichisch** *adj* Austrian.

Ostersonntag *m* Easter Day, Easter Sunday.

östlich 1. *adj* eastern; (*Kurs, Richtung*) easterly; **2.** *adv* [to the] east; **~ von Ulm** east of Ulm; **Ostsee** *f* Baltic Sea.

oszillieren *vi* oscillate.

O-Ton *m* original soundtrack.

Otter **1.** *m* ⟨-s, -⟩ (*Fisch~*) otter; **2.** *f* ⟨-, -n⟩ (*Schlange*) adder.

out *adj* (*umg*) out.

Ouvertüre *f* ⟨-, -n⟩ overture.

oval *adj* oval.

Overheadprojektor *m* overhead projector.

Overkill *m* ⟨-s⟩ overkill.

Ovulation *f* ovulation.

Oxyd *nt* ⟨-[e]s, -e⟩ oxide; **oxydieren** *vt, vi* oxidize.

Ozean *m* ⟨-s, -e⟩ ocean; **Ozeandampfer** *m* [ocean-going] liner; **ozeanisch** *adj* oceanic.

Ozon *nt* ⟨-s⟩ ozone; **Ozonloch** *nt* hole in the ozone layer; **Ozonschicht** *f* ozone layer; **Ozonschild** *m* ozone barrier, ozone shield.

P

P, p nt P, p.
paar adj inv: **ein** ~ a few.
Paar nt ⟨-[e]s, -e⟩ pair; (Ehe~) couple; **paaren** vt, vr: **sich** ~ (Tiere) mate, pair; **Paarlauf** m pair skating.
paarmal adv: **ein** ~ a few times.
Paarung f combination; (Kopulation) mating; **paarweise** adv in pairs; in couples.
Pacht f ⟨-, -en⟩ lease; **pachten** vt lease; **Pächter(in)** m(f) ⟨-s, -⟩ leaseholder, tenant.
Pack 1. m ⟨-[e]s, -e⟩ bundle, pack; **2.** nt ⟨-[e]s⟩ (pej) mob, rabble.
Päckchen nt small package; (Zigaretten~) packet; (Post~) small parcel.
packen vt pack; (fassen) grasp, seize; (umg: schaffen) manage; (fig: fesseln) grip.
Packen m ⟨-s, -⟩ bundle; (fig: Menge) heaps pl of.
Packesel m (fig) packhorse; **Packpapier** nt brown paper, wrapping paper.
Packung f packet; (Pralinen~) box; (MED) compress.
Pädagoge m ⟨-n, -n⟩ teacher; **Pädagogik** f education; **Pädagogin** f teacher; **pädagogisch** adj educational; **~e Hochschule** college of education.
Paddel nt ⟨-s, -⟩ paddle; **Paddelboot** nt canoe; **paddeln** vi paddle.
paffen vi puff.
Page m ⟨-n, -n⟩ page; **Pagenkopf** m pageboy.
Paillette f sequin.
Paket nt ⟨-[e]s, -e⟩ packet; (Post~) parcel; (INFORM) package; **Paketkarte** f dispatch form; **Paketpost** f parcel post; **Paketschalter** m parcels counter.
Pakistan nt Pakistan.
Pakt m ⟨-[e]s, -e⟩ pact.
Palast m ⟨-es, Paläste⟩ palace.
Palästina nt Palestine; **Palästinenser(in)** m(f) ⟨-s, -⟩ Palestinian.
Palette f (Malerei) palette; (Lade~) pallet; (Vielfalt) range.
Palme f ⟨-, -n⟩ palm [tree]; **Palmsonntag** m Palm Sunday.
Pampelmuse f ⟨-, -n⟩ grapefruit.
pampig adj (umg: frech) fresh; (breiig) gooey.
panieren vt (GASTR) coat with egg and breadcrumbs; **Paniermehl** nt breadcrumbs pl.
Panik f panic; **panisch** adj panic-stricken.
Panne f ⟨-, -n⟩ (AUTO) breakdown; (Mißgeschick) slip; **Pannendienst** m, **Pannen-**

hilfe f breakdown [o rescue] service.
panschen 1. vi splash about; **2.** vt (Wein) adulterate; (verwässern) water down.
Panther m ⟨-s, -⟩ panther.
Pantoffel m ⟨-s, -n⟩ slipper; **Pantoffelheld** m (pej) henpecked husband.
Pantomime f ⟨-, -n⟩ mime.
Panzer m ⟨-s, -⟩ armour; (Platte) armour plate; (Fahrzeug) tank; **Panzerglas** nt bulletproof glass; **panzern** vt, vr: **sich** ~ armour; (fig) arm oneself; **Panzerschrank** m strongbox.
Papa m ⟨-s, -s⟩ (umg) dad, daddy.
Papagei m ⟨-s, -en⟩ parrot.
Papaya f ⟨-, -s⟩ papaya.
Papier nt ⟨-s, -e⟩ paper; (Wert~) share; **Papierfabrik** f paper mill; **Papiergeld** nt paper money; **Papierkorb** m wastepaper basket; **Papierkrieg** m red tape; **Papiertüte** f paper bag; **Papiervorschub** m (bei Drucker) paper feed.
Pappbecher m paper cup; **Pappdeckel** m, **Pappe** f ⟨-, -n⟩ cardboard; **Pappeinband** m ⟨Pappeinbände pl⟩ pasteboard.
Pappel f ⟨-, -n⟩ poplar.
Pappenstiel m: **keinen** ~ **wert sein** (umg) not be worth a thing; **für einen** ~ **bekommen** get for a song.
papperlapapp interj rubbish.
pappig adj sticky.
Pappmaché nt ⟨-s, -s⟩ papier-mâché; **Pappteller** m paper plate.
Paprika m ⟨-s, -s⟩ (Gewürz) paprika; (~schote) pepper.
Papst m ⟨-[e]s, Päpste⟩ pope; **päpstlich** adj papal.
Parabel f ⟨-, -n⟩ parable; (MATH) parabola.
Parade f (MIL) parade, review; (SPORT) parry; **Parademarsch** m march-past; **Paradeschritt** m goose-step.
Paradies nt ⟨-es, -e⟩ paradise; **paradiesisch** adj heavenly.
paradox adj paradoxical; **Paradox** nt ⟨-es, -e⟩ paradox.
Paragraph m ⟨-en, -en⟩ paragraph; (JUR) section.
parallel adj parallel; **Parallele** f ⟨-, -n⟩ parallel; **Parallelrechner** m parallel computer; **Parallelverarbeitung** f multiprocessing.
Parameter m parameter.
paramilitärisch adj paramilitary.
Paranuß f Brazil nut.
paraphieren vt (Vertrag) initial.
Parasit m ⟨-en, -en⟩ (a. fig) parasite.
parat adj ready.
Pärchen nt couple.
Parfüm nt ⟨-s, -s o -e⟩ perfume; **Parfümerie** f perfumery; **Parfümflasche** f scent bottle; **parfümieren** vt

scent, perfume.

parieren 1. vt parry; **2.** vi (umg) obey.

Parität f (a. INFORM) parity.

Park m ⟨-s, -s⟩ park.

Park-and-ride-System nt park-and-ride system.

Parkanlage f park; (um Gebäude) grounds pl.

parken vt, vi park.

Parkett nt ⟨-[e]s, -e⟩ parquet [floor]; (THEAT) stalls pl.

Parkhaus nt multi-storey car park; **Parkkralle** f (AUTO) wheel clamp; **Parklücke** f parking space; **Parkplatz** m (für 1 Auto) parking place; (für mehrere Autos) car park, parking lot US; **Parkscheibe** f parking disc; **Parkuhr** f parking meter; **Parkverbot** nt no parking.

Parlament nt parliament; **Parlamentarier(in)** m(f) ⟨-s, -⟩ parliamentarian; **parlamentarisch** adj parliamentary; **Parlamentsmitglied** nt member of parliament.

Parodie f parody; **parodieren** vt (Wahlspruch) parody.

Parole f ⟨-, -n⟩ password; (Wahlspruch) motto.

Partei f party; **für jdn ~ ergreifen** take sb's side; **Parteiführung** f party leadership; **parteiisch** adj partial, biased; **parteilos** adj independent; **Parteimitglied** nt party member; **Parteinahme** f ⟨-, -n⟩ support, taking the part of; **Parteitag** m party conference; **Parteivorsitzende(r)** mf party chairperson.

Parterre nt ⟨-s, -s⟩ ground floor; (THEAT) stalls pl.

Partie f part; (Spiel) game; (Ausflug) outing; (Mann, Frau) catch; (WIRTS) lot; **mit von der ~ sein** join in.

Partikel f ⟨-, -n⟩ particle.

Partisan m ⟨-s o -en, -en⟩, **Partisanin** f partisan.

Partitur f (MUS) score.

Partizip nt ⟨-s, -ien⟩ participle.

Partner(in) m(f) ⟨-s, -⟩ partner; **partnerschaftlich** adj as partners; **Partnerstadt** f twin town.

Party f ⟨-, -s o Parties⟩ party.

Parzelle f plot, allotment.

Paß m ⟨Passes, Pässe⟩ pass; (Ausweis) passport.

passabel adj passable, reasonable.

Passage f ⟨-, -n⟩ passage.

Passagier m ⟨-s, -e⟩ passenger; **Passagierdampfer** m passenger steamer; **Passagierflugzeug** nt airliner.

Paßamt nt passport office.

Passant(in) m(f) passer-by.

Paßbild nt passport photo[graph].

passen vi fit; (Farbe) go (zu with); (auf Fra-

ge) pass; **das paßt mir nicht** that doesn't suit me; **er paßt nicht zu dir** he's not right for you; **passend** adj suitable; (zusammen~) matching; (angebracht) fitting; (Zeit) convenient.

passierbar adj passable.

passieren 1. vt pass; (durch Sieb) strain; **2.** vi happen; **Passierschein** m pass, permit.

Passion f passion; **passioniert** adj enthusiastic, passionate; **Passionsspiel** nt Passion Play.

passiv adj passive; **Passiv** nt passive; **Passiva** pl (WIRTS) liabilities pl; **Passivität** f passiveness; **Passivrauchen** nt passive smoking.

Paßkontrolle f passport control; **Paßstraße** f [mountain] pass; **Paßwort** nt (INFORM) password, keyword; **Paßzwang** m requirement to carry a passport.

Paste f ⟨-, -n⟩ paste.

Pastell nt ⟨-[e]s, -e⟩ pastel.

Pastete f ⟨-, -n⟩ pie.

pasteurisieren vt pasteurize.

Pastor(in) m(f) vicar; (von Freikirchen) pastor, minister.

Pate m ⟨-n, -n⟩ godfather; **Patenkind** nt godchild.

patent adj clever.

Patent nt ⟨-[e]s, -e⟩ patent; **Patentamt** nt patent office; **patentieren** vt patent; **Patentinhaber(in)** m(f) patentee; **Patentrezept** nt patent remedy; **Patentschutz** m patent right.

Pater m ⟨-s, - o Patres⟩ Father.

pathetisch adj emotional.

Pathologe m ⟨-n, -n⟩, **Pathologin** f pathologist; **pathologisch** adj pathological.

Pathos nt ⟨-⟩ emotiveness, emotionalism.

Patient(in) m(f) patient.

Patin f godmother.

Patina f ⟨-⟩ patina.

Patriarch(in) m(f) ⟨-en, -en⟩ patriarch; **patriarchalisch** adj patriarchal.

Patriot(in) m(f) ⟨-en, -en⟩ patriot; **patriotisch** adj patriotic; **Patriotismus** m patriotism.

Patrone f ⟨-, -n⟩ cartridge; **Patronenhülse** f cartridge case.

Patrouille f ⟨-, -n⟩ patrol; **patrouillieren** vi patrol.

Patsche f ⟨-, -n⟩ (umg: Händchen) paw; (Fliegen~) swat; (Bedrängnis) mess, jam; **patschnaß** adj soaking wet.

patzig adj (umg) cheeky, saucy.

Pauke f ⟨-, -n⟩ kettledrum; **auf die ~ hauen** live it up; **pauken** vt, vi (SCH) swot, cram; **Pauker(in)** m(f) ⟨-s, -⟩ (umg) teacher.

pausbäckig adj chubby-cheeked.

pauschal adj (Kosten) inclusive; (Urteil) sweeping; **Pauschale** f ⟨-, -n⟩, **Pauschalgebühr** f flat rate [charge]; **Pauschalpreis** m flat rate; **Pauschalreise** f package tour; **Pauschalsumme** f lump sum.

Pause f ⟨-, -n⟩ break; (THEAT) interval; (Innehalten) pause; (Durchzeichnung) tracing; **pausen** vt trace; **pausenlos** adj nonstop; **Pausenzeichen** nt call sign; (MUS) rest; **Pauspapier** nt tracing paper.

Pavian m ⟨-s, -e⟩ baboon.

Pazifik m ⟨-s⟩ Pacific [Ocean].

Pazifist(in) m(f) pacifist; **pazifistisch** adj pacifist.

PC m ⟨-s, -s⟩ abk von **Personal Computer** PC.

PDS f ⟨-⟩ abk von **Partei des Demokratischen Sozialismus** Democratic Socialist Party.

Pech nt ⟨-s, -e⟩ pitch; (fig) bad luck; ~ **haben** be unlucky; **pechschwarz** adj pitch-black; **Pechsträhne** f (umg) unlucky patch; **Pechvogel** m (umg) unlucky person.

Pedal nt ⟨-s, -e⟩ pedal.

Pedant(in) m(f) pedant; **Pedanterie** f pedantry; **pedantisch** adj pedantic.

Peddigrohr nt cane.

Pegel m ⟨-s, -⟩ water gauge; **Pegelstand** m water level.

peilen vt get a fix on.

Pein f ⟨-⟩ agony, pain; **peinigen** vt torture; (plagen) torment.

peinlich adj (unangenehm) embarrassing, awkward; (genau) painstaking.

Peitsche f ⟨-, -n⟩ whip; **peitschen** vt whip; (Regen) lash.

Pelikan m ⟨-s, -e⟩ pelican.

Pelle f ⟨-, -n⟩ skin; **pellen** vt skin, peel; **Pellkartoffeln** pl potatoes pl boiled in their jackets.

Pelz m ⟨-es, -e⟩ fur.

Pendel nt ⟨-s, -⟩ pendulum; **Pendelverkehr** m shuttle traffic; (für Pendler) commuter traffic; **Pendler(in)** m(f) ⟨-s, -⟩ commuter.

penetrant adj sharp; (Mensch) pushing.

Penis m ⟨-, -se⟩ penis.

Pension f (Geld) pension; (Ruhestand) retirement; (für Gäste) boarding house, guest-house; **halbe/volle** ~ half/full board; **Pensionär(in)** m(f) pensioner; **pensionieren** vt pension [off]; **pensioniert** adj retired; **Pensionierung** f retirement; **Pensionsgast** m boarder, [paying] guest.

Pensum nt ⟨-s, Pensen⟩ workload; (SCH) curriculum; **tägliches** ~ daily quota.

Penthaus nt penthouse.

per präp +akk by, per; (pro) per; (bis) by.

perfekt adj perfect.

Perfekt nt ⟨-[e]s, -e⟩ perfect.

Perfektionismus m perfectionism.

perforieren vt perforate.

Pergament nt parchment; **Pergamentpapier** nt greaseproof paper.

Periode f ⟨-, -n⟩ period; **periodisch** adj periodic; (dezimal) recurring.

Peripherie f periphery; (um Stadt) outskirts pl; (MATH) circumference; (INFORM) periphery; **Peripheriegerät** nt (INFORM) peripheral.

Perle f ⟨-, -n⟩ (a. fig) pearl; **perlen** vi sparkle; (Tropfen) trickle; **Perlmutt** nt ⟨-s⟩ mother-of-pearl.

perplex adj dumbfounded.

Persianer m ⟨-s, -⟩ Persian lamb [coat].

Person f ⟨-, -en⟩ person; **zehn** ~**en** ten people; **ich für meine** ~ personally I; **klein von** ~ of small build.

Personal nt ⟨-s⟩ personnel; (Bedienung) servants pl; **Personalabteilung** f personnel [department]; **Personalausweis** m identity card.

Personal Computer m personal computer.

Personalien pl particulars pl.

Personalpronomen nt personal pronoun.

Personenaufzug m lift, elevator US; **Personenkraftwagen** m car; **Personenkreis** m group of people; **Personenschaden** m injury to persons; **Personenwaage** f scales pl; **Personenzug** m stopping train, passenger train.

personifizieren vt personify.

persönlich 1. adj personal; **2.** adv personally; (auf Briefen) private; (selbst) in person; **Persönlichkeit** f personality.

Perspektive f perspective.

Perücke f ⟨-, -n⟩ wig.

pervers adj perverted; **Perversität** f perversity.

Pessimismus m pessimism; **Pessimist(in)** m(f) pessimist; **pessimistisch** adj pessimistic.

Pest f ⟨-⟩ plague.

Pestizid nt ⟨-s, -e⟩ pesticide.

Petersilie f parsley.

Petroleum nt ⟨-s⟩ paraffin, kerosene US.

petzen vi (umg) tell tales.

Pfad m ⟨-[e]s, -e⟩ (a. INFORM) path; **Pfadfinder** m ⟨-s, -⟩ boy scout; **Pfadfinderin** f girl guide.

Pfahl m ⟨-[e]s, Pfähle⟩ post, stake; **Pfahlbau** m ⟨Pfahlbauten⟩ pile dwelling.

Pfand nt ⟨-[e]s, Pfänder⟩ pledge, security; (Flaschen~) deposit; (im Spiel) forfeit; (fig: der Liebe etc) pledge; **Pfandbrief** m bond.

pfänden vt seize.

Pfänderspiel nt game of forfeits.

Pfandflasche f returnable bottle; **Pfand-**

haus nt pawnshop; **Pfandleiher(in)** m(f) ⟨-s, -⟩ pawnbroker; **Pfandschein** m pawn ticket.

Pfändung f seizure.

Pfanne f ⟨-, -n⟩ [frying] pan.

Pfannkuchen m pancake; (Berliner) doughnut.

Pfarrei f parish; **Pfarrer(in)** m(f) ⟨-s, -⟩ priest; (anglikanisch) vicar; (von Freikirchen) minister; **Pfarrhaus** nt vicarage; (schottisch, methodistisch) manse.

Pfau m ⟨-[e]s, -en⟩ peacock; **Pfauenauge** nt peacock butterfly.

Pfeffer m ⟨-s, -⟩ pepper; **Pfefferkorn** nt peppercorn; **Pfefferkuchen** m gingerbread; **Pfefferminz** nt ⟨-es, -e⟩ peppermint; **Pfeffermühle** f pepper-mill; **pfeffern** vt pepper; (umg: werfen) fling; **gepfefferte Preise/Witze** steep prices/spicy jokes.

Pfeife f ⟨-, -n⟩ whistle; (Tabak∼, Orgel∼) pipe; (pej: Mensch) failure; **pfeifen** (pfiff, gepfiffen) vt, vi whistle.

Pfeil m ⟨-[e]s, -e⟩ arrow.

Pfeiler m ⟨-s, -⟩ pillar, prop; (Brücken∼) pier.

Pfennig m ⟨-[e]s, -e⟩ pfennig (hundredth part of a mark).

Pferd nt ⟨-[e]s, -e⟩ horse; **Pferderennen** nt horse-race; (Sportart) horse-racing; **Pferdeschwanz** m (Frisur) ponytail; **Pferdestall** m stable.

pfiff imperf von **pfeifen**; **Pfiff** m ⟨-[e]s, -e⟩ whistle; (Kniff) trick; **mit ∼** stylish.

Pfifferling m chanterelle; **keinen ∼ wert** not worth a thing.

pfiffig adj sly, sharp.

Pfingsten nt ⟨-, -⟩ Whitsun; **Pfingstrose** f peony.

Pfirsich m ⟨-s, -e⟩ peach.

Pflanze f ⟨-, -n⟩ plant; **pflanzen** vt plant; **Pflanzenfett** nt vegetable fat; **pflanzlich** adj vegetable; **Pflanzung** f plantation.

Pflaster nt ⟨-s, -⟩ plaster; (Straßen∼) pavement; **pflastern** vt pave; **Pflasterstein** m paving stone.

Pflaume f ⟨-, -n⟩ plum.

Pflege f ⟨-, -n⟩ care; (von Idee) cultivation; (Kranken∼) nursing; **in ∼ sein** (Kind) be fostered out; **pflegebedürftig** adj in need of care; **Pflegeeltern** pl foster parents; pl; **Pflegekind** nt foster child; **pflegeleicht** adj easy-care; (fig) easy to handle; **Pflegemutter** f foster mother; **pflegen** vt look after; (Kranke) nurse; (Beziehungen) foster; (Daten) maintain; **etwas zu tun ∼** be in the habit of doing sth; **Pfleger** m ⟨-s, -⟩ male nurse; **Pflegerin** f nurse, attendant; **Pflegevater** m foster

father; **Pflegeversicherung** f medical insurance for old people who are no longer able to look after themselves and need round-the-clock attention.

Pflicht f ⟨-, -en⟩ duty; (SPORT) compulsory section; **pflichtbewußt** adj conscientious; **Pflichtfach** nt (SCH) compulsory subject; **Pflichtgefühl** nt sense of duty; **pflichtgemäß 1.** adj dutiful; **2.** adv as in duty bound; **pflichtvergessen** adj irresponsible; **Pflichtversicherung** f compulsory insurance.

Pflock m ⟨-[e]s, Pflöcke⟩ peg; (für Tiere) stake.

pflücken vt pick.

Pflug m ⟨-[e]s, Pflüge⟩ plough; **pflügen** vt plough.

Pforte f ⟨-, -n⟩ gate; **Pförtner(in)** m(f) ⟨-s, -⟩ porter, doorkeeper.

Pfosten m ⟨-s, -⟩ post.

Pfote f ⟨-, -n⟩ paw; (umg: Schrift) scrawl.

Pfropf m ⟨-[e]s, -e⟩, **Pfropfen** m ⟨-s, -⟩ (Flaschen∼) stopper; (Blut∼) clot; **pfropfen** vt (stopfen) cram; (Baum) graft.

pfui interj ugh; (na na) tut tut.

Pfund nt ⟨-[e]s, -e⟩ pound.

pfuschen vi (umg) be sloppy; **jdm in etw** akk **∼** interfere in sth; **Pfuscher(in)** m(f) ⟨-s, -⟩ (umg) sloppy worker; (Kur∼) quack; **Pfuscherei** f (umg) sloppy work.

Pfütze f ⟨-, -n⟩ puddle.

Phänomen nt ⟨-s, -e⟩ phenomenon; **phänomenal** adj phenomenal.

Phantasie f imagination; **phantasielos** adj unimaginative; **phantasieren** vi fantasize; **phantasievoll** adj imaginative.

phantastisch adj fantastic.

Pharisäer m ⟨-s, -⟩ pharisee.

Pharmaindustrie f pharmaceutical industry; **Pharmazeut(in)** m(f) ⟨-en, -en⟩ pharmacist.

Phase f ⟨-, -n⟩ phase.

Phenol nt ⟨-s, -e⟩ phenol.

Philanthrop m ⟨-en, -en⟩ philanthropist; **philanthropisch** adj philanthropic.

Philippinen pl Philippines pl.

Philologe m ⟨-n, -n⟩ philologist; **Philologie** f philology; **Philologin** f philologist.

Philosoph(in) m(f) ⟨-en, -en⟩ philosopher; **Philosophie** f philosophy; **philosophisch** adj philosophical.

Phlegma nt ⟨-s⟩ lethargy; **phlegmatisch** adj lethargic.

Phonetik f phonetics sing; **phonetisch** adj phonetic.

Phosphat nt phosphate; **phosphatfrei** adj phosphate-free.

Phosphor m ⟨-s⟩ phosphorus; **phosphoreszieren** vt phosphoresce.

Photo nt ⟨-s, -s⟩ photo[graph].

Phrase f ⟨-, -n⟩ phrase; (*pej*) hollow phrase.

pH-Wert m pH.

Physik f physics *sing*; **physikalisch** *adj* physics; **Physiker(in)** m(f) ⟨-s, -⟩ physicist.

Physiologe m ⟨-n, -n⟩ physiologist; **Physiologie** f physiology; **Physiologin** f physiologist.

physisch *adj* physical.

Pianist(in) m(f) pianist; **Piano** nt ⟨-s, -s⟩ piano.

picheln vi (*umg*) booze.

Pickel m ⟨-s, -⟩ pimple; (*Werkzeug*) pickaxe; (*Berg~*) ice-axe; **pickelig** *adj* pimply.

picken vt pick, peck.

Picknick nt ⟨-s, -e *o* -s⟩ picnic; **~ machen** have a picnic.

piepen, piepsen vi chirp.

piesacken vt (*umg*) torment.

Pietät f piety, reverence; **pietätlos** *adj* impious, irreverent.

Pigment nt pigment.

Pik 1. nt ⟨-s, -s⟩ (*KARTEN*) spade[s]; **2.** m: **einen ~ auf jdn haben** (*umg*) have it in for sb.

pikant *adj* spicy, piquant; (*anzüglich*) suggestive.

pikiert *adj* offended.

Piktogramm nt ⟨-s, -e⟩ pictogram.

Pilger(in) m(f) ⟨-s, -⟩ pilgrim; **Pilgerfahrt** f pilgrimage.

Pille f ⟨-, -n⟩ pill.

Pilot(in) m(f) ⟨-en, -en⟩ pilot; **Pilotprojekt** nt pilot scheme.

Pilz m ⟨-es, -e⟩ fungus; (*eßbar*) mushroom; (*giftig*) toadstool; **Pilzkrankheit** f fungal disease.

pingelig *adj* (*umg*) fussy.

Pinguin m ⟨-s, -e⟩ penguin.

Pinie f pine.

pinkeln vi (*umg*) pee.

Pinsel m ⟨-s, -⟩ paintbrush; **ein eingebildeter ~** (*umg*) a self-opinionated twit.

Pinzette f tweezers *pl*.

Pionier(in) m(f) ⟨-s, -e⟩ pioneer; (*MIL*) sapper, engineer.

Pirat(in) m(f) ⟨-en, -en⟩ pirate; **Piratensender** m pirate radio station.

Pirsch f ⟨-⟩ stalk; **auf [die] ~ gehen** go stalking.

Piste f ⟨-, -n⟩ (*SKI*) run, piste; (*FLUG*) runway.

Pistole f ⟨-, -n⟩ pistol.

Pixel nt ⟨-s⟩ (*INFORM*) pixel.

Pizza f ⟨-, -s⟩ pizza.

Pkw m ⟨-[s], -[s]⟩ *abk von* **Personenkraftwagen** car.

Placebo nt ⟨-s, -s⟩ placebo.

Plackerei f drudgery.

plädieren vi plead.

Plädoyer nt ⟨-s, -s⟩ speech for the defence;

(*fig*) plea.

Plage f ⟨-, -n⟩ plague; (*Mühe*) nuisance; **Plagegeist** m pest, nuisance; **plagen 1.** vt torment; **2.** vr: **sich ~** toil, slave.

Plakat nt poster.

Plakette f (*Schildchen*) badge; (*Scheibe*) disc.

Plan m ⟨-[e]s, Pläne⟩ plan; (*Karte*) map.

Plane f ⟨-, -n⟩ tarpaulin.

planen vt plan; (*Mord etc*) plot; **Planer(in)** m(f) ⟨-s, -⟩ planner.

Planet m ⟨-en -en⟩ planet; **Planetenbahn** f orbit [of a planet].

planieren vt plane, level; **Planierraupe** f bulldozer.

Planke f ⟨-, -n⟩ plank.

Plänkelei f skirmish[ing]; **plänkeln** vi skirmish.

Plankton nt ⟨-s⟩ plankton.

planlos *adj* (*Vorgehen*) unsystematic; (*Umherlaufen*) aimless; **planmäßig** *adj* according to plan; (*EISENB*) scheduled.

Planschbecken nt paddling pool; **planschen** vi splash.

Plansoll nt ⟨-s⟩ output target; **Planstelle** f post.

Plantage f ⟨-, -n⟩ plantation.

Planung f planning.

Planwagen m covered wagon.

Planwirtschaft f planned economy.

plappern vi chatter.

plärren vi (*umg: weinen*) wail; (*Radio*) blare.

Plasma nt ⟨-s, Plasmen⟩ plasma.

Plastik 1. f sculpture; **2.** nt ⟨-s⟩ (*Kunststoff*) plastic; **Plastikfolie** f plastic film; **Plastiktüte** f plastic bag.

Plastilin nt ⟨-s⟩ plasticine®.

plastisch *adj* plastic; **stell dir das ~ vor!** just picture it!

Platane f ⟨-, -n⟩ plane [tree].

Platin nt ⟨-s⟩ platinum.

Platitüde f ⟨-, -n⟩ platitude.

platonisch *adj* platonic.

platsch *interj* splash; **platschen** vi splash.

plätschern vi babble.

platschnaß *adj* drenched.

platt *adj* flat; (*umg: überrascht*) flabbergasted; (*fig: geistlos*) flat, boring.

plattdeutsch *adj* low German.

Platte f ⟨-, -n⟩ (*Speisen~*) plate; (*Stein~*) flag; (*Kachel*) tile; (*Schall~*) record; (*INFORM*) disk.

plätten vt, vi iron.

Plattenspieler m record player; **Plattenteller** m turntable.

Plattfuß m flat foot; (*Reifen*) flat tyre.

Platz m ⟨-es, Plätze⟩ place; (*Sitz~*) seat; (*Raum*) space, room; (*in Stadt*) square; (*Sport~*) playing field; **jdm ~ machen**

make room for sb; **Platzangst** f (MED) agoraphobia; (umg) claustrophobia; **Platzanweiser(in)** m(f) usher/usherette.

Plätzchen nt spot; (Gebäck) biscuit.

platzen vi burst; (Bombe) explode; **vor Wut ~** (umg) be bursting with anger.

Platzkarte f seat reservation; **Platzmangel** m lack of space; **Platzpatrone** f blank cartridge; **Platzregen** m downpour; **Platzwunde** f cut.

Plauderei f chat, conversation; (RADIO) talk; **plaudern** vi chat, talk.

plausibel adj plausible; **Plausibilität** f plausibility; **Plausibilitätskontrolle** f (INFORM) plausibility check, parity check.

plazieren 1. vt place; **2.** vr: **sich ~** (SPORT) be placed; (TENNIS) be seeded.

Plebejer(in) m(f) ⟨-s, -⟩ plebeian.

pleite adj (umg) broke; **Pleite** f ⟨-, -n⟩ bankruptcy; (umg: Reinfall) flop; **~ machen** go bust.

Plenum nt ⟨-s, Plena⟩ plenum.

Pleuelstange f connecting rod.

Plissee nt ⟨-s, -s⟩ pleating.

PLO f abk von **Palästinensische Befreiungsorganisation** PLO.

Plombe f ⟨-, -n⟩ lead seal; (Zahn~) filling; **plombieren** vt seal; (Zahn) fill.

Plotter m ⟨-s, -⟩ (INFORM) plotter.

plötzlich 1. adj sudden; **2.** adv suddenly.

plump adj clumsy; (Hände) coarse; (Körper) shapeless.

plumpsen vi (umg) plump down, fall.

Plunder m ⟨-s⟩ rubbish.

plündern vt, vi plunder; (Stadt) sack; **Plünderung** f plundering, sack, pillage.

Plural m ⟨-s, -e⟩ plural; **pluralistisch** adj pluralistic.

plus adv plus; **Plus** nt ⟨-, -⟩ plus; (FIN) profit; (Vorteil) advantage.

Plüsch m ⟨-[e]s, -e⟩ plush.

Pluspol m (ELEK) positive pole; **Pluspunkt** m point; (fig) advantage, point in sb's favour.

Plusquamperfekt nt pluperfect.

Plutonium nt plutonium.

PLZ abk von **Postleitzahl** postcode Brit, zip code US.

Po m ⟨-s, -s⟩ (umg) bottom, bum.

Pöbel m ⟨-s⟩ mob, rabble; **Pöbelei** f vulgarity; **pöbelhaft** adj low, vulgar.

pochen vi knock; (Herz) pound; **auf etw** akk **~** (fig) insist on sth.

Pocken pl smallpox.

Podium nt podium; **Podiumsdiskussion** f panel discussion.

Poesie f poetry; **Poet(in)** m(f) ⟨-en, -en⟩ poet; **poetisch** adj poetic.

Pointe f ⟨-, -n⟩ point.

Pokal m ⟨-s, -e⟩ goblet; (SPORT) cup; **Pokal-**

spiel nt cup-tie.

Pökelfleisch nt salt meat; **pökeln** vt pickle, salt.

Pol m ⟨-s, -e⟩ pole; **polar** adj polar; **Polarkreis** m arctic circle.

Pole m ⟨-n, -n⟩ Pole.

Polemik f polemics sing; **polemisch** adj polemical; **polemisieren** vi polemicize.

Polen nt Poland.

Police f ⟨-, -n⟩ insurance policy.

Polier m ⟨-s, -e⟩ foreman.

polieren vt polish.

Poliklinik f clinic [for outpatients sing only].

Polin f Pole, Polish woman.

Politik f politics sing; (eine bestimmte) policy; **Politiker(in)** m(f) ⟨-s, -⟩ politician; **Politikverdrossenheit** f disillusionment with politics; **politisch** adj political; **politisieren 1.** vi talk politics; **2.** vt politicize.

Politur f polish.

Polizei f police pl; **Polizeibeamte(r)** m, **Polizeibeamtin** f police officer; **polizeilich** adj police; **sich ~ melden** register with the police; **Polizeirevier** nt police station; **Polizeischutz** m police protection; **Polizeistaat** m police state; **Polizeistunde** f closing time; **polizeiwidrig** adj illegal.

Polizist(in) m(f) policeman/-woman.

Pollen m ⟨-s, -⟩ pollen.

polnisch adj Polish.

Polohemd nt polo shirt.

Polster nt ⟨-s, -⟩ cushion; (Polsterung) upholstery; (in Kleidung) padding; (fig: Geld) reserves pl; **Polstermöbel** pl upholstered furniture; **polstern** vt upholster; pad; **Polsterung** f upholstery.

Polterabend m party on the eve of a wedding.

poltern vi (Krach machen) crash; (schimpfen) rant.

Polygamie f polygamy.

Polyp m ⟨-en -en⟩ polyp; (umg: Polizist) cop; **~en** pl adenoids pl.

Pomade f pomade.

Pommes frites pl chips pl, French fried potatoes pl.

Pomp m ⟨-[e]s⟩ pomp; **pompös** adj grandiose.

Pony 1. m ⟨-s, -s⟩ (Frisur) fringe; **2.** nt ⟨-s, -s⟩ (Pferd) pony.

Popcorn nt ⟨-s⟩ popcorn.

Popmusik f pop.

Popo m ⟨-s, -s⟩ (umg) bottom, bum.

populär adj popular; **Popularität** f popularity; **populärwissenschaftlich** adj popular science.

Pore f ⟨-, -n⟩ pore.

Pornographie f pornography.

porös adj porous.

Porree m ⟨-s, -s⟩ leek.

Portal nt ⟨-s, -e⟩ portal.
Portemonnaie nt ⟨-s, -s⟩ purse.
Portier m ⟨-s, -s⟩ porter; s. a. **Pförtner**.
Portion f portion, helping; (umg: Anteil) amount.
Porto nt ⟨-s, -s⟩ postage; **portofrei** adj post-free, [postage] prepaid.
Porträt nt ⟨-s, -s⟩ portrait, **porträtieren** vt paint, portray.
Portugal nt Portugal; **Portugiese** m ⟨-n, -n⟩, **Portugiesin** f Portuguese; **die ~n** pl the Portuguese pl; **portugiesisch** adj Portuguese.
Porzellan nt ⟨-s, -e⟩ china, porcelain; (Geschirr) china.
Posaune f ⟨-, -n⟩ trombone.
Pose f ⟨-, -n⟩ pose; **posieren** vi pose.
Position f position; **positionieren** vt (IN-FORM) position; **Positionslichter** pl (FLUG) position lights pl.
positiv adj positive; **Positiv** nt (FOTO) positive.
Positur f posture, attitude.
possessiv adj possessive; **Possessivpronomen** nt possessive pronoun.
possierlich adj funny.
Post f ⟨-, -en⟩ post [office]; (Briefe) mail; **Postamt** nt post office; **Postanweisung** f postal order, money order; **Postbote** m, **Postbotin** f postman/-woman.
Posten m ⟨-s, -⟩ post, position; (WIRTS) item; (auf Liste) entry; (MIL) sentry; (Streik~) picket.
Poster nt ⟨-s, -⟩ poster.
Postfach nt post-office box, PO box; **Postkarte** f postcard; **postlagernd** adv poste restante; **Postleitzahl** f postcode Brit, zip code US.
postmodern adj postmodern.
Postscheckkonto nt post office giro account; **Postsparkasse** f post office savings bank; **Poststempel** m postmark; **postwendend** adv by return [of post].
potent adj potent; (fig) high-powered.
Potential nt ⟨-s, -e⟩ potential.
potentiell adj potential.
Potenz f power; (eines Mannes) potency.
PR abk für **Public Relations** PR.
Pracht f ⟨-⟩ splendour, magnificence; **prächtig** adj splendid; **Prachtstück** nt showpiece; **prachtvoll** adj splendid, magnificent.
Prädikat nt title; (LING) predicate; (Zensur) distinction; (von Wein) special quality.
prägen vt stamp; (Münze) mint; (Ausdruck) coin; (Charakter) form.
prägnant adj concise, terse; **Prägnanz** f conciseness, terseness.
Prägung f minting; forming; (Eigenart) character, stamp.

prahlen vi boast, brag; **Prahlerei** f boasting; **prahlerisch** adj boastful.
Praktik f practice; **praktikabel** adj practicable; **Praktikant(in)** m(f) trainee. **Praktikantenstelle** f traineeship; **Praktikum** nt ⟨-s, Praktika⟩ practical training; **praktisch** adj practical, handy; **~er Arzt** general practitioner; **praktizieren** vt, vi practise.
Praline f chocolate.
prall adj firmly rounded; (Segel) taut; (Arme) plump; (Sonne) blazing; **prallen** vi bounce, rebound; (Sonne) blaze.
Prämie f premium; (Belohnung) award, prize; **prämieren** vt give an award to.
Pranger m ⟨-s, -⟩ (HIST) pillory; **jdn an den ~ stellen** (fig) pillory sb.
Präparat nt (BIO) preparation; (MED) medicine.
Präposition f preposition.
Prärie f prairie.
Präsens nt ⟨-⟩ present tense.
präsentieren vt present.
Präservativ nt contraceptive.
Präsident(in) m(f) president; **Präsidentschaft** f presidency; **Präsidentschaftskandidat(in)** m(f) presidential candidate.
Präsidium nt presidency, chair[manship]; (Polizei~) police headquarters pl.
prasseln vi (Feuer) crackle; (Hagel) drum; (Wörter) rain down.
prassen vi live it up.
Präteritum nt ⟨-s, Präterita⟩ preterite.
Präventiv- präf preventive.
Praxis f ⟨-, Praxen⟩ practice; (Behandlungsraum) surgery; (von Anwalt) office; **praxisbezogen** adj, **praxisnah** adj practical; **praxisorientiert** adj practical.
Präzedenzfall m precedent.
präzis[e] adj precise; **Präzision** f precision.
predigen vt, vi preach; **Prediger(in)** m(f) ⟨-s, -⟩ preacher; **Predigt** f ⟨-, -en⟩ sermon.
Preis m ⟨-es, -e⟩ price; (Sieges~) prize; **um keinen ~** not at any price; **Preisausschreiben** nt ⟨-s, -⟩ [prize] competition.
Preiselbeere f cranberry.
preisen irr vt abandon; (opfern) sacrifice; (zeigen) expose.
preisgeben irr vt abandon; (opfern) sacrifice; (zeigen) expose.
preisgekrönt adj prize-winning; **Preisgericht** nt jury; **preisgünstig** adj inexpensive; **Preislage** f price range; **preislich** adj price, in price; **Preissturz** m slump; **Preisträger(in)** m(f) prizewinner; **preiswert** adj inexpensive.
prekär adj precarious.
Prellbock m buffers pl; **prellen** vt bump; (fig) cheat, swindle; **Prellung** f bruise.
Premiere f ⟨-, -n⟩ premiere.
Premierminister(in) m(f) prime minister.

premier.

Presse f ⟨-, -n⟩ press: **Pressefreiheit** f freedom of the press; **Pressekonferenz** f press conference; **Pressemeldung** f press report.

pressen vt press.

Preßluft f ⟨-⟩ compressed air: **Preßluftbohrer** m pneumatic drill.

Prestige nt ⟨-s⟩ prestige.

prickeln vt, vi tingle, tickle.

pries imperf von **preisen**.

Priester(in) m(f) ⟨-s, -⟩ priest.

prima adj inv first-class, excellent.

primär adj primary.

Primel f ⟨-, -n⟩ primrose.

primitiv adj primitive.

Prinz m ⟨-en, -en⟩ prince; **Prinzessin** f princess.

Prinzip nt ⟨-s, -ien⟩ principle; **prinzipienlos** adj unprincipled.

Priorität f priority; **Prioritätenliste** f list of priorities.

Prise f ⟨-, -n⟩ pinch.

Prisma nt ⟨-s, Prismen⟩ prism.

privat adj privat; **Privat-** in Zusammensetzungen private.

Privileg nt ⟨-s, -ien o -e⟩ privilege.

pro präp +akk per; **Pro** nt ⟨-s⟩ pro.

Probe f ⟨-, -n⟩ test; (Teststück) sample; (THEAT) rehearsal; **jdn auf die ~ stellen** put sb to the test; **Probeexemplar** nt specimen copy; **Probefahrt** f test drive; **proben** vt try; (THEAT) rehearse; **probeweise** adv on approval; **Probezeit** f probation period.

probieren vt, vi try; (Wein, Speise) taste, sample.

Problem nt ⟨-s, -e⟩ problem; **Problematik** f problem, problematic nature; **problematisch** adj problematic; **problemlos** adj problem-free.

Produkt nt ⟨-[e]s, -e⟩ product; (AGR) produce; **Produktion** f production; output; **produktiv** adj productive; **Produktivität** f productivity.

Produzent(in) m(f) manufacturer; (FILM) producer.

produzieren vt produce.

Professor(in) m(f) professor; **Professur** f chair.

Profil nt ⟨-s, -e⟩ profile; (fig) image; **profilieren** vr: **sich ~** create an image for oneself.

Profit m ⟨-[e]s, -e⟩ profit; **profitieren** vi profit (von from).

Prognose f ⟨-, -n⟩ prediction, prognosis.

Programm nt ⟨-s, -e⟩ programme; (INFORM) program; **programmieren** vt program; **Programmierer(in)** m(f) ⟨-s, -⟩ programmer; **Programmierfehler** m bug, programming error; **Programmierkurs**

m programming course; **Programmiersprache** f programming language.

Programmkino nt alternative cinema.

progressiv adj progressive.

Projekt nt ⟨-[e]s, -e⟩ project.

Projektor m projector.

projizieren vt project.

proklamieren vt proclaim.

Prolet(in) m(f) ⟨-en, -en⟩ prole, pleb; **Proletariat** nt proletariat; **Proletarier(in)** m(f) ⟨-s, -⟩ proletarian.

Prolog m ⟨-[e]s, -e⟩ prologue.

Promenade f promenade.

Promille nt ⟨-[s], -⟩ alcohol level.

prominent adj prominent; **Prominenz** f VIPs pl, prominent figures pl.

promiskuitiv adj promiscuous; **Promiskuität** f promiscuity.

Promotion f doctorate, Ph.D; **promovieren** vi do a doctorate [o Ph.D].

prompt adj prompt.

Pronomen nt ⟨-s, -⟩ pronoun.

Propaganda f ⟨-⟩ propaganda.

Propeller m ⟨-s, -⟩ propeller.

Prophet(in) m(f) ⟨-en, -en⟩ prophet/prophetess; **prophezeien** vt prophesy; **Prophezeiung** f prophecy.

Proportion f proportion; **proportional** adj proportional; **Proportionalschrift** f proportional spacing.

Prosa f ⟨-⟩ prose; **prosaisch** adj prosaic.

prosit interj cheers.

Prospekt m ⟨-[e]s, -e⟩ leaflet, brochure.

prost interj cheers.

Prostituierte(r) mf prostitute; **Prostitution** f prostitution.

Protest m ⟨-[e]s, -e⟩ protest.

Protestant(in) m(f) Protestant; **protestantisch** adj Protestant.

protestieren vi protest; **Protestkundgebung** f [protest] rally.

Prothese f ⟨-, -n⟩ artificial limb; (Zahn~) dentures pl.

Protokoll nt ⟨-s, -e⟩ register; (von Sitzung) minutes pl; (diplomatisch) protocol; (Polizei~) statement; **protokollieren** vt take down in the minutes.

Proton nt ⟨-s, -en⟩ proton.

Prototyp m prototype.

Protz m ⟨-en, -e[n]⟩ swank; **protzen** vi show off; **protzig** adj ostentatious.

Proviant m ⟨-s, -e⟩ provisions pl.

Provinz f ⟨-, -en⟩ province; **provinziell** adj provincial.

Provision f (WIRTS) commission.

provisorisch adj provisional.

Provokation f provocation.

provozieren vt provoke.

Prozedur f procedure; (pej) carry-on.

Prozent nt ⟨-[e]s, -e⟩ per cent, percentage;

Prozentrechnung *f* percentage calculation; **Prozentsatz** *m* percentage; **prozentual** *adj* percentage; as a percentage.

Prozession *f* procession.

Prozeß *m* ⟨Prozesses, Prozesse⟩ trial, case; **prozessieren** *vi* bring an action, go to law (*mit* against).

Prozeßkosten *pl* [legal] costs *pl*.

Prozessor *m* ⟨INFORM⟩ processor.

prüde *adj* prudish; **Prüderie** *f* prudery.

prüfen *vt* examine, test; (*nach*∼) check; **Prüfer(in)** *m(f)* ⟨-s, -⟩ examiner; **Prüfling** *m* examinee; **Prüfstein** *m* touchstone; **Prüfung** *f* examination; checking; **Prüfungskommission** *f* examining board.

Prügel *m* ⟨-s, -⟩ cudgel; ∼ *pl* beating; **Prügelei** *f* fight; **Prügelknabe** *m* scapegoat; **prügeln 1.** *vt* beat; **2.** *vr:* **sich** ∼ fight; **Prügelstrafe** *f* corporal punishment.

Prunk *m* ⟨-[e]s⟩ pomp, show; **prunkvoll** *adj* splendid, magnificent.

Psalm *m* ⟨-s, -en⟩ psalm.

pseudo- *präf* pseudo; **Pseudokrupp** *m* ⟨-s⟩ (MED) pseudo-croup.

Psychiater(in) *m(f)* ⟨-s, -⟩ psychiatrist.

psychisch *adj* psychological.

Psychoanalyse *f* psychoanalysis.

Psychologe *m* ⟨-n, -n⟩ psychologist; **Psychologie** *f* psychology; **Psychologin** *f* psychologist; **psychologisch** *adj* psychological.

Psychopharmaka *pl* psychopharmacological drugs *pl*.

psychosomatisch *adj* psychosomatic.

Pubertät *f* puberty.

Publikum *nt* ⟨-s⟩ audience; (SPORT) crowd.

publizieren *vt* publish, publicize; **Publizistik** *f* journalism.

Pudding *m* ⟨-s, -e *o* -s⟩ blancmange.

Pudel *m* ⟨-s, -⟩ poodle.

Puder *m* ⟨-s, -⟩ powder; **Puderdose** *f* powder compact; **pudern** *vt* powder; **Puderzucker** *m* icing sugar.

Puff 1. *m* ⟨-s, -e⟩ (*Wäsche*∼) linen basket; (*Sitz*∼) pouf; (*umg: Bordell*) brothel; **2.** *m* ⟨-s, Püffe⟩ (*umg: Stoß*) push.

Puffer *m* ⟨-s, -⟩ (*a.* INFORM) buffer; **Pufferstaat** *m* buffer state.

Pulli *m* ⟨-s, -s⟩, **Pullover** *m* ⟨-s, -⟩ pullover, jumper.

Puls *m* ⟨-es, -e⟩ pulse; **Pulsader** *f* artery; **pulsieren** *vi* throb, pulsate.

Pult *nt* ⟨-[e]s, -e⟩ desk.

Pulver *nt* ⟨-s, -⟩ powder; **pulverig** *adj* powdery; **pulverisieren** *vt* pulverize; **Pulverschnee** *m* powdery snow.

pummelig *adj* chubby.

Pumpe *f* ⟨-, -n⟩ pump; **pumpen** *vt* pump; (*umg: verleihen*) lend; (*sich ausleihen*) borrow.

Punk *m* ⟨-s, -s⟩ (*Musik, Mensch*) punk.

Punkt *m* ⟨-[e]s, -e⟩ point; (*bei Muster*) dot; (*Satzzeichen*) full stop; **etw auf den** ∼ **bringen** get to the heart of sth, bring sth into focus; **punktieren** *vt* dot; (MED) aspirate.

pünktlich *adj* punctual; **Pünktlichkeit** *f* punctuality.

Punktsieg *m* victory on points; **Punktzahl** *f* score.

Pupille *f* ⟨-, -n⟩ pupil.

Puppe *f* ⟨-, -n⟩ doll; (*Marionette*) puppet; (*Insekten*∼) pupa, chrysalis; **Puppenspieler(in)** *m(f)* puppeteer; **Puppenstube** *f* doll's house.

pur *adj* pure; (*völlig*) sheer; (*Whisky*) neat.

Püree *nt* ⟨-s, -s⟩ puree; (*Kartoffel*∼) mashed potatoes *pl*.

Purzelbaum *m* somersault; **purzeln** *vi* tumble.

Puste *f* ⟨-⟩ (*umg*) puff; (*fig*) steam.

Pustel *f* ⟨-, -n⟩ pustule.

pusten *vi* puff, blow.

Pute *f* ⟨-, -n⟩ turkey[-hen]; **Puter** *m* ⟨-s, -⟩ turkey-cock.

Putsch *m* ⟨-[e]s, -e⟩ revolt, putsch; **putschen** *vi* revolt; **Putschist(in)** *m(f)* rebel.

Putz *m* ⟨-es⟩ (*Mörtel*) plaster, roughcast.

putzen 1. *vt* clean; (*Nase*) wipe, blow; **2.** *vr:* **sich** ∼ clean oneself; **Putzfrau** *f* charwoman, cleaner.

putzig *adj* quaint, funny.

Putzlappen *m* cloth; **Putztag** *m* cleaning day; **Putzzeug** *nt* cleaning things *pl*.

Puzzle *nt* ⟨-s, -s⟩ jigsaw.

Pyjama *m* ⟨-s, -s⟩ pyjamas *pl*.

Pyramide *f* ⟨-, -n⟩ pyramid.

Q

Q, q *nt* Q, q.

quabb|e|lig *adj* wobbly; (*Frosch*) slimy.

Quacksalber(in) *m(f)* ⟨-s, -⟩ quack [doctor].

Quader *m* ⟨-s, -⟩ square stone; (MATH) cuboid.

Quadrat *nt* square; **quadratisch** *adj* square; **Quadratmeter** *m* square metre.

quaken *vi* croak; (*Ente*) quack.

quäken *vi* screech.

Qual *f* ⟨-, -en⟩ pain, agony; (*seelisch*) anguish; **quälen 1.** *vt* torment; **2.** *vr:* **sich** ∼ struggle; (*geistig*) torment oneself; **Quälerei** *f* torture, torment; **Quälgeist** *m* pest.

qualifizieren *vt, vr:* **sich** ∼ qualify; (*einstufen*) label.

Qualität f quality; **Qualitätskontrolle** f quality control; **Qualitätssicherung** f quality assurance; **Qualitätsware** f article of high quality.

Qualle f ⟨-, -n⟩ jellyfish.

Qualm m ⟨-[e]s⟩ thick smoke; **qualmen** vt, vi smoke.

qualvoll adj excruciating, painful, agonizing.

Quantentheorie f quantum theory.

Quantität f quantity; **quantitativ** adj quantitative.

Quantum nt ⟨-s, Quanten⟩ quantity, amount.

Quarantäne f ⟨-, -n⟩ quarantine.

Quark m ⟨-s⟩ curd cheese; (umg) rubbish.

Quartal nt ⟨-s, -e⟩ quarter [year].

Quartier nt ⟨-s, -e⟩ accommodation; (MIL) quarters pl; (Stadt~) district.

Quarz m ⟨-es, -e⟩ quartz.

quasi adv virtually.

quasseln vi (umg) natter, gabble.

Quatsch m ⟨-es⟩ rubbish; **quatschen** vi chat, natter.

Quecksilber nt mercury.

Quelle f ⟨-, -n⟩ spring; (eines Flusses) source; **quellen** (quoll, gequollen) vi (hervor~) pour [o gush] forth; (schwellen) swell.

Quengelei f (umg) whining; **quengelig** adj (umg) whining; **quengeln** vi (umg) whine.

quer adv crossways, diagonally; (rechtwinklig) at right angles; ~ **auf dem Bett** across the bed; **Querbalken** m crossbeam; **querfeldein** adv across country; **Querflöte** f flute; **Querkopf** m awkward customer; **Querschiff** nt transept; **Querschnitt** m cross-section; **querschnittsgelähmt** adj paralysed below the waist, paraplegic; **Querstraße** f intersecting road; **Quertreiber(in)** m(f) ⟨-s, -⟩ obstructionist; **Querverbindung** f connection, link; **Querverweis** m cross-reference.

quetschen vt squash, crush; (MED) bruise; **Quetschung** f bruise, contusion.

quieken vi squeak.

quietschen vi squeak.

Quintessenz f quintessence.

Quintett nt ⟨-[e]s, -e⟩ quintet.

Quirl m ⟨-[e]s, -e⟩ whisk.

quitt adj quits, even.

Quitte f ⟨-, -n⟩ quince; **quittengelb** adj [sickly] yellow.

quittieren vt give a receipt for; (Dienst) leave; **Quittung** f receipt.

Quiz nt ⟨-, -⟩ quiz.

quoll imperf von **quellen**.

Quote f ⟨-, -n⟩ number, rate; (COM, POL) quota.

R

R, r nt R, r.

Rabatt m ⟨-[e]s, -e⟩ discount.

Rabatte f flowerbed, border.

Rabattmarke f trading stamp.

Rabe m ⟨-n, -n⟩ raven; **Rabenmutter** f (pej) bad mother.

rabiat adj furious.

Rache f ⟨-⟩ revenge, vengeance.

Rachen m ⟨-s, -⟩ throat.

rächen 1. vt avenge, revenge; **2.** vr: **sich ~** take [one's] revenge; **das wird sich ~** you'll pay for that.

Rachitis f ⟨-⟩ rickets sing.

Rachsucht f vindictiveness; **rachsüchtig** adj vindictive.

Rad nt ⟨-[e]s, Räder⟩ wheel; (Fahr~) bike.

Radar m o nt ⟨-s⟩ radar; **Radarfalle** f speed trap; **Radarkontrolle** f radar-controlled speed trap.

Radau m ⟨-s⟩ (umg) row.

Raddampfer m paddle steamer.

radebrechen vt, vi: **deutsch ~** speak broken German.

radeln vi (umg) cycle.

Rädelsführer(in) m(f) ringleader.

radfahren irr vi cycle; **Radfahrer(in)** m(f) cyclist; **Radfahrweg** m cycle track [o path].

Radicchio m ⟨-s⟩ (Salatsorte) radicchio.

radieren vt rub out, erase; (KUNST) etch; **Radiergummi** m rubber, eraser; **Radierung** f etching.

Radieschen nt radish.

radikal adj radical; **Radikale(r)** mf radical.

Radio nt ⟨-s, -s⟩ radio, wireless.

radioaktiv adj radioactive; **Radioaktivität** f radioactivity.

Radioapparat m radio, wireless set; **Radiorecorder** m ⟨-s, -⟩ radio cassette recorder; **Radiowecker** m radio alarm [clock].

Radium nt radium.

Radius m ⟨-, Radien⟩ radius.

Radkappe f (AUTO) hub cap.

Radler(in) m(f) ⟨-s, -⟩ cyclist; **Radlerhose** f cycling shorts.

Radrennbahn f cycling [race]track; **Radrennen** nt cycle race; cycle racing; **Radsport** m cycling; **Radweg** m cycle track [o path].

RAF f abk von **Rote Armee Fraktion** Red Army Faction.

Raffinade f refined sugar; **raffinieren** vt refine; **raffiniert** adj crafty, cunning; (Zucker) refined.

ragen vi tower, rise.

Rahm m ⟨-s⟩ cream.

rahmen vt frame; **Rahmen** m ⟨-s, -⟩ frame [work]; **im ~ des Möglichen** within the bounds of possibility.

rahmig adj creamy.

Rakete f ⟨-, -n⟩ rocket; **ferngelenkte ~** guided missile; **Raketenabwehrsystem** nt missile-defence system.

RAM m abk von **Random Access Memory** (INFORM) RAM.

rammen vt ram.

Rampe f ⟨-, -n⟩ ramp; **Rampenlicht** vt (THEAT) footlights pl; (fig) limelight.

ramponieren vt (umg) damage, batter.

Ramsch m ⟨-[e]s, -e⟩ junk.

ran = (umg) **heran**.

Rand m ⟨-[e]s, Ränder⟩ edge; (von Brille, Tasse etc) rim; (Hut~) brim; (auf Papier) margin; (Schmutz~, unter Augen) ring; (fig) verge, brink; **außer ~ und Band** wild; **am ~e bemerkt** mentioned in passing.

Randale f ⟨-, -n⟩ (umg) rioting; **~ machen** go on a riot; **randalieren** vi [go on the] rampage; **Randalierer(in)** m(f) hooligan.

Randbemerkung f marginal note; (fig) odd comment; **Randerscheinung** f unimportant side effect, marginal phenomenon; **Randgruppe** f fringe group.

rang imperf von **ringen**.

Rang m ⟨-[e]s, Ränge⟩ rank; (Stand) standing; (Wert) quality; (THEAT) circle; **Ränge** pl (SPORT) stands pl.

Rangierbahnhof m marshalling yard; **rangieren 1.** vt (EISENB) shunt, switch US; **2.** vi rank, be classed; **Rangiergleis** nt siding.

Rangordnung f hierarchy; (MIL) ranks pl; **Rangunterschied** m social distinction; (MIL) difference in rank.

Ranke f ⟨-, -n⟩ tendril, shoot.

rann imperf von **rinnen**.

rannte imperf von **rennen**.

Ranzen m ⟨-s, -⟩ satchel; (umg: Bauch) gut, belly.

ranzig adj rancid.

Rappe m ⟨-n, -n⟩ black horse.

Raps m ⟨-es, -e⟩ (BOT) rape.

rar adj rare; **sich ~ machen** (umg) keep oneself to oneself; **Rarität** f rarity; (Sammelobjekt) curio.

rasant adj quick, rapid.

rasch adj quick.

rascheln vi rustle.

rasen vi rave; (schnell) race.

Rasen m ⟨-s, -⟩ lawn; grass.

rasend adj furious; **~e Kopfschmerzen** a splitting head-ache.

Rasenmäher m ⟨-s, -⟩ lawnmower; **Rasenplatz** m lawn.

Raser m ⟨-s, -⟩ speed merchant.

Raserei f raving, ranting; (schnelles Fahren)

reckless speeding.

Rasierapparat m shaver; **Rasiercreme** f shaving cream; **rasieren** vt, vr: **sich ~** shave; **Rasierklinge** f razor blade; **Rasiermesser** nt razor; **Rasierpinsel** m shaving brush; **Rasierschaum** m shaving foam; **Rasierseife** f shaving soap [o stick]; **Rasierwasser** nt shaving lotion.

Rasse f ⟨-, -n⟩ race; (Tier~) breed; **Rassehund** m thoroughbred dog.

Rassel f ⟨-, -n⟩ rattle; **rasseln** vi rattle, clatter.

Rassenhaß m race [o racial] hatred; **Rassentrennung** f racial segregation.

Rassismus m racism; **Rassist(in)** m(f) racist; **rassistisch** adj racist.

Rast f ⟨-, -en⟩ rest; **rasten** vi rest.

Rasterfahndung f computer scan search.

Rasthaus nt (AUTO) service station; **rastlos** adj tireless; (unruhig) restless; **Rastplatz** m (AUTO) layby; **Raststätte** f (AUTO) service area.

Rasur f shave.

Rat m ⟨-[e]s, Ratschläge⟩ [piece of] advice; **jdn zu ~e ziehen** consult sb; **keinen ~ wissen** not know what to do.

Rate f ⟨-, -n⟩ instalment.

raten ⟨riet, geraten⟩ vt, vi guess; (empfehlen) advise (jdm sb).

ratenweise adv by instalments; **Ratenzahlung** f hire purchase.

Ratgeber(in) m(f) ⟨-s, -⟩ adviser; **Rathaus** nt town hall.

ratifizieren vt ratify; **Ratifizierung** f ratification.

Ration f ration.

rational adj rational.

rationalisieren vt rationalize.

rationell adj efficient.

rationieren vt ration.

ratlos adj at a loss, helpless; **Ratlosigkeit** f helplessness; **ratsam** adj advisable; **Ratschlag** m [piece of] advice.

Rätsel nt ⟨-s, -⟩ puzzle; (Wort~) riddle; **rätselhaft** adj mysterious; **es ist mir ~** it's a mystery to me.

Ratskeller m town-hall restaurant.

Ratte f ⟨-, -n⟩ rat; **Rattenfänger** m ⟨-s, -⟩ ratcatcher.

rattern vi rattle, clatter.

Raub m ⟨-[e]s⟩ robbery; (Beute) loot, booty; **Raubbau** m ruthless exploitation; **rauben** vt rob; (jdn) kidnap, abduct; **Räuber(in)** m(f) ⟨-s, -⟩ robber; **räuberisch** adj thieving; **raubgierig** adj rapacious; **Raubmord** m robbery with murder; **Raubtier** nt predator; **Raubüberfall** m robbery with violence; **Raubvogel** m bird of prey.

Rauch m ⟨-[e]s⟩ smoke; **rauchen** vt, vi

smoke; **Raucher(in)** m(f) ⟨-s, -⟩ smoker; **Raucherabteil** nt (EISENB) smoker.

räuchern vt smoke, cure.

Rauchfleisch nt smoked meat; **rauchig** adj smoky; **Rauchverbot** nt ban on smoking.

räudig adj mangy.

rauf = (umg) **herauf**.

Raufbold m ⟨-[e]s, -e⟩ rowdy, hooligan; **raufen 1.** vt (Haare) pull out; **2.** vi, vr: **sich** ~ fight; **Rauferei** f brawl, fight.

rauh adj rough, coarse; (Wetter) harsh; **Rauhreif** m hoarfrost.

Raum m ⟨-[e]s, Räume⟩ space; (Zimmer, Platz) room; (Gebiet) area.

räumen vt clear; (Wohnung, Platz) vacate; (wegbringen) shift, move; (in Schrank etc) put away.

Raumfähre f space shuttle; **Raumfahrt** f space travel; (~technik) space technology; **Rauminhalt** m cubic capacity, volume; **Raumlabor** nt space lab.

räumlich adj spatial; **Räumlichkeiten** pl premises pl.

Raummangel m lack of space; **Raummeter** m cubic metre; **Raumpfleger(in)** m(f) cleaner; **Raumschiff** nt spaceship; **Raumsonde** f space probe; **Raumstation** f space station.

Räumung f vacating, evacuation; clearing [away]; **Räumungsverkauf** m clearance sale.

raunen vt, vi whisper mysteriously.

Raupe f ⟨-, -n⟩ caterpillar; (~nkette) [caterpillar] track; **Raupenschlepper** m caterpillar tractor.

raus = (umg) **heraus, hinaus**.

Rausch m ⟨-[e]s, Räusche⟩ intoxication.

rauschen vi (Wasser) rush; (Baum) rustle; (Radio etc) hiss; (Mensch) sweep, sail; **rauschend** adj (Beifall) thunderous; (Fest) sumptuous.

Rauschgift nt drug; **Rauschgiftdezernat** nt drug squad; **Rauschgiftsüchtige(r)** mf drug addict.

räuspern vr: **sich** ~ clear one's throat.

Raute f ⟨-, -n⟩ diamond; (MATH) rhombus; **rautenförmig** adj rhombic.

Razzia f ⟨-, Razzien⟩ raid.

Reagenzglas nt test tube.

reagieren vi react (auf +akk to).

Reaktion f reaction.

reaktionär adj reactionary.

Reaktionsgeschwindigkeit f speed of reaction.

Reaktor m reactor; **Reaktorblock** m reactor block; **Reaktorkern** m core [of the reactor]; **Reaktorsicherheit** f reactor safety.

real adj real, material.

Realismus m realism; **Realist(in)** m(f) realist; **realistisch** adj realistic.

Realo m ⟨-s, -s⟩ (POL) political realist [of the ecology movement].

Realpolitiker(in) m(f) political realist.

Rebe f ⟨-, -n⟩ vine.

Rebell(in) m(f) ⟨-en, -en⟩ rebel; **Rebellion** f rebellion; **rebellisch** adj rebellious.

Rebhuhn nt partridge; **Rebstock** m vine.

Rechaud m ⟨-s, -s⟩ spirit burner.

rechen vt, vi rake; **Rechen** m ⟨-s, -⟩ rake.

Rechenaufgabe f sum, mathematical problem; **Rechenfehler** m miscalculation; **Rechenmaschine** f calculating machine; **Rechenschaft** f account; **Rechenschaftsbericht** m report; **Rechenschieber** m slide rule; **Rechenzentrum** nt computer centre.

rechnen 1. vt, vi calculate; **2.** vr: **sich** ~ pay off, turn out to be profitable; **jdn/etw** ~ **zu** [o **unter**] count sb/sth among; ~ **mit** reckon with; ~ **auf** +akk count on; **Rechner** m ⟨-s, -⟩ calculator; (Computer) computer; **Rechnung** f calculation[s]; (WIRTS) bill, check US; **jdm/einer Sache** ~ **tragen** take sb/sth into account; **Rechnungsjahr** nt financial year; **Rechnungsprüfer(in)** m(f) auditor; **Rechnungsprüfung** f audit[ing].

recht adj, adv right; (vor Adjektiv) really, quite; **das ist mir** ~ that suits me; **jetzt erst** ~ now more than ever; ~ **haben** be right; **jdm** ~ **geben** agree with sb.

Recht nt ⟨-[e]s, -e⟩ right; (JUR) law; ~ **sprechen** administer justice; **mit** ~ rightly, justly; **von** ~s **wegen** by rights.

Rechte f ⟨-n, -n⟩ right side; right hand; (POL) right.

rechte(r, s) adj right; **Rechte(r)** mf right person; **Rechte(s)** nt right thing; **etwas/nichts** ~s something/nothing proper.

Rechteck nt ⟨-s, -e⟩ rectangle; **rechteckig** adj rectangular.

rechtfertigen vt, vr: **sich** ~ justify [oneself]; **Rechtfertigung** f justification; **rechthaberisch** adj dogmatic; **rechtlich** adj, **rechtmäßig** adj legal, lawful.

rechts adv right; **to** [o **on**] **the right**; ~ **von mir** on [o to] my right.

Rechtsanwalt m, **Rechtsanwältin** f lawyer, barrister; **Rechtsaußen** m ⟨-, -⟩ (SPORT) outside right; **Rechtsbeistand** m legal adviser.

rechtschaffen adj upright.

Rechtschreibfehler m spelling mistake; **Rechtschreibung** f spelling.

Rechtsextremismus m right-wing extremism.

Rechtsextremist(in) m(f) right-wing extremist; **rechtsextremistisch** adj right-wing extremist.

Rechtsfall m [law] case; **Rechtsfrage** f legal question; **Rechtshänder(in)** m(f) ⟨-s, -⟩ right-handed person; **rechtskräftig** adj valid, legal; **Rechtskurve** f right-hand bend; **rechtsradikal** adj (POL) extreme right-wing; **Rechtsradikale(r)** mf right-wing extremist; **Rechtsschutzversicherung** f legal costs insurance; **Rechtsstreit** m lawsuit; **Rechtsverkehr** m driving on the right; **Rechtsweg** m: den ~ beschreiten take legal action; **rechtswidrig** adj illegal.

rechtwinklig adj right-angled; **rechtzeitig 1.** adj timely; **2.** adv in time.

Reck nt ⟨-[e]s, -e⟩ horizontal bar.

recken vt, vr: sich ~ stretch.

recyceln vt recycle; **recyclebar** adj recyclable; **Recycling** nt ⟨-s⟩ recycling; **Recyclingpapier** nt recycled paper.

Redakteur(in) m(f) editor; **Redaktion** f editing; (Leute) editorial staff; (Büro) editorial office[s]; **redaktionell** adj editorial.

Rede f ⟨-, -n⟩ speech; (Gespräch) talk; **jdn zur ~ stellen** take sb to task; **Redefreiheit** f freedom of speech; **redegewandt** adj eloquent; **reden 1.** vi talk, speak; **2.** vt say; (Unsinn etc) talk; **Redensart** f set phrase; **Redewendung** f expression, idiom.

redlich adj honest.

Redner(in) m(f) ⟨-s, -⟩ speaker, orator; **redselig** adj talkative, loquacious.

reduzieren vt reduce.

Reede f ⟨-, -n⟩ protected anchorage; **Reeder(in)** m(f) ⟨-s, -⟩ shipowner; **Reederei** f shipping line [o firm].

reell adj fair, honest; (MATH) real.

Referat nt report; (Vortrag) paper; (Gebiet) section.

Referent(in) m(f) speaker; (Berichterstatter) reporter; (Sachbearbeiter) expert.

Referenz f reference.

referieren vi: ~ über +akk speak [o talk] on.

reflektieren vt, vi reflect; ~ auf +akk be interested in.

Reflex m ⟨-es, -e⟩ reflex; **Reflexbewegung** f reflex action; **reflexiv** adj reflexive.

Reform f ⟨-, -en⟩ reform.

Reformation f reformation; **Reformator(in)** m(f) reformer; **reformatorisch** adj reformatory, reforming.

Reformhaus nt health food shop.

reformieren vt reform.

Refrain m ⟨-s, -s⟩ refrain, chorus.

Regal nt ⟨-s, -e⟩ [book]shelves pl, bookcase; stand, rack.

rege adj lively, active; (Geschäft) brisk.

Regel f ⟨-, -n⟩ rule; (MED) period; **regelmäßig** adj regular; **Regelmäßigkeit** f regularity; **regeln 1.** vt regulate, control; (Angelegenheit) settle; **2.** vr: sich von selbst ~ take care of itself; **regelrecht** adj regular, proper, thorough; **Regelung** f regulation; (Erledigung) settlement; (Abmachung) arrangement; (Bestimmung) ruling; **regelwidrig** adj irregular, against the rules.

regen vt, vr: sich ~ move, stir.

Regen m ⟨-s, -⟩ rain; **Regenbogen** m rainbow; **Regenbogenhaut** f (ANAT) iris; **Regenguß** m downpour; **Regenmantel** m raincoat, mac[kintosh]; **Regenschauer** m shower [of rain]; **Regenschirm** m umbrella.

Regent(in) m(f) regent.

Regentag m rainy day.

Regentschaft f regency.

Regenwald m rainforest; **Regenwurm** m earthworm; **Regenzeit** f rainy season rains pl.

Regie f (FILM) direction; (THEAT) production.

regieren vt, vi govern, rule; **Regierung** f government; (bei Monarchie) reign; **Regierungswechsel** m change of government; **Regierungszeit** f period in government; (von König) reign.

Regiment nt ⟨-s, -er⟩ regiment.

Region f region; **regional** adj regional.

Regisseur(in) m(f) director; (THEAT) [stage] producer.

Register nt ⟨-s, -⟩ register; (in Buch) table of contents, index.

Registratur f registry, record office.

registrieren vt register.

Regler m ⟨-s, -⟩ regulator, governor.

regnen vb unpers rain; **regnerisch** adj rainy.

regulär adj regular.

regulieren vt regulate; (WIRTS) settle.

Regung f motion; (Gefühl) feeling, impulse; **regungslos** adj motionless.

Reh nt ⟨-[e]s, -e⟩ deer, roe.

Rehabilitationszentrum nt (MED) rehabilitation centre.

rehabilitieren vt rehabilitate.

Rehbock m roebuck; **Rehkalb** nt, **Rehkitz** nt fawn.

Reibe f ⟨-, -n⟩, **Reibeisen** nt grater; **reiben** ⟨rieb, gerieben⟩ vt rub; (GASTR) grate.

Reiberei f friction; **Reibfläche** f rough surface.

Reibung f friction; **reibungslos** adj smooth.

reich adj rich.

Reich nt ⟨-[e]s, -e⟩ empire, kingdom; (fig) realm; **das Dritte ~** the Third Reich.

reichen 1. vt reach; (genügen) be enough, be sufficient (jdm for sb); **2.** vt hold out; (ge-

ben) pass, hand; *(anbieten)* offer.

reichhaltig *adj* ample, rich; **reichlich** *adj* ample, plenty of; **Reichtum** *m* ⟨-s, Reichtümer⟩ wealth.

Reichweite *f* range.

reif *adj* ripe; *(Mensch, Urteil)* mature.

Reif 1. *m* ⟨-[e]s⟩ *(Rauh~)* hoarfrost; **2.** *m* ⟨-[e]s, -e⟩ *(Ring)* ring, hoop.

Reife *f* ⟨-⟩ ripeness; *(von Mensch)* maturity; **reifen** *vi* mature; *(Obst)* ripen.

Reifen *m* ⟨-s, -⟩ ring, hoop; *(Fahrzeug~)* tyre; **Reifenschaden** *m* puncture.

Reifeprüfung *f* school leaving exam; **Reifezeugnis** *nt* school leaving certificate.

Reihe *f* ⟨-, -n⟩ row; *(von Tagen etc, umg: Anzahl)* series *sing*; **der ~ nach** in turn; **er ist an der ~** it's his turn; **an die ~ kommen** have one's turn; **reihen** *vt* set in a row; arrange in series; *(Perlen)* string; **Reihenfolge** *f* sequence; **alphabetische ~** alphabetical order; **Reihenhaus** *nt* terraced house, town house *US*.

Reiher *m* ⟨-s, -⟩ heron.

Reim *m* ⟨-[e]s, -e⟩ rhyme; **reimen** *vt* rhyme.

rein 1. *m* = *(umg)* herein, hinein; **2.** *adj* pure; *(sauber)* clean; **3.** *adv* *(ausschließlich)* purely; *(umg: völlig)* absolutely; **etw ins ~e schreiben** make a fair copy of sth; **etw ins ~e bringen** clear up sth; **Rein-** in Zusammensetzungen *(WIRTS)* net[t]; **Rein[e]machefrau** *f* charwoman; **Reinfall** *m (umg)* let-down; **Reingewinn** *m* net profit; **Reinheit** *f* purity; *(Sauberkeit)* cleanliness.

reinigen *vt* clean; *(Wasser)* purify; **Reinigung** *f* cleaning; purification; *(Geschäft)* cleaner's; **chemische ~** *(Geschäft)* dry cleaning; dry cleaner's.

reinlich *adj* clean; **Reinlichkeit** *f* cleanliness.

reinrassig *adj* pedigree; **Reinschrift** *f* fair copy; **reinwaschen** *irr vr:* **sich ~** clear oneself.

Reis 1. *m* ⟨-es, -e⟩ rice; **2.** *nt* ⟨-es, -er⟩ *(Zweig)* twig, sprig.

Reise *f* ⟨-, -n⟩ journey; *(Schiffs~)* voyage; **~n** *pl* travels *pl*; **Reiseandenken** *nt* souvenir; **Reisebüro** *nt* travel agency; **reisefertig** *adj* ready to start; **Reiseführer(in)** *m(f) (Mensch)* travel guide; *(Buch)* guide[book]; **Reisegepäck** *nt* luggage; **Reisegesellschaft** *f* party of travellers; *(Veranstalter)* tour operator; **Reisekosten** *pl* travelling expenses *pl*; **Reiseleiter(in)** *m(f)* courier; **Reiselektüre** *f* reading matter for the journey; **reisen** *vi* travel; go *(nach* to); **Reisende(r)** *mf* traveller; **Reisepaß** *m* passport; **Reisepläne** *pl* plans *pl* for a journey; **Reiseproviant** *m* provisions *pl* for the journey; **Reiseruf** *m (im*

Radio) emergency call to sb who is travelling; **Reisescheck** *m* traveller's cheque; **Reisetasche** *f* travelling bag [o case]; **Reiseveranstalter(in)** *m(f)* travel agent, tour operator; **Reiseverkehr** *m* tourist/holiday traffic; **Reiseversicherung** *f* travel insurance; **Reisewetter** *nt* holiday weather; **Reiseziel** *nt* destination.

Reisig *nt* ⟨-s⟩ brushwood.

Reißaus *m:* **~ nehmen** run away, flee; **Reißbrett** *nt* drawing board; **reißen** ⟨riß, gerissen⟩ *vt, vi* tear; *(ziehen)* pull, drag; *(Witz)* crack; **etw an sich ~** snatch sth up; *(fig)* take over sth; **sich um etw ~** scramble for sth; **reißend** *adj (Fluß)* torrential; *(WIRTS)* rapid.

Reißer *m* ⟨-s, -⟩ *(umg)* thriller; **reißerisch** *adj (pej)* sensationalistic.

Reißleine *f (FLUG)* ripcord; **Reißnagel** *m* drawing pin, thumbtack *US;* **Reißverschluß** *m* zip[per], zip fastener; **Reißzeug** *nt* geometry set; **Reißzwecke** *f* drawing pin, thumbtack *US.*

reiten ⟨ritt, geritten⟩ *vt, vi* ride; **Reiter(in)** *m(f)* ⟨-s, -⟩ rider; *(MIL)* cavalryman, trooper; **Reithose** *f* riding breeches *pl;* **Reitpferd** *nt* saddle horse; **Reitsport** *m* riding; **Reitstiefel** *m* riding boot; **Reitzeug** *nt* riding outfit.

Reiz *m* ⟨-es, -e⟩ stimulus; *(angenehm)* charm; *(Verlockung)* attraction; **reizbar** *adj* irritable; **Reizbarkeit** *f* irritability; **reizen** *vt* stimulate; *(unangenehm)* irritate; *(verlocken)* appeal to, attract; **reizend** *adj* charming; **Reizgas** *nt* shock gas, strong gas irritant; **reizlos** *adj* unattractive; **Reizthema** *nt* topical issue; **reizvoll** *adj* attractive; **Reizwäsche** *f* sexy underwear.

rekeln *vr:* **sich ~** stretch out; *(lümmeln)* lounge [o loll] about.

Reklamation *f* complaint.

Reklame *f* ⟨-, -n⟩ advertising; advertisement; **~ für etw machen** advertise sth.

reklamieren *vt, vi* complain [about]; *(zurückfordern)* reclaim.

rekonstruieren *vt* reconstruct.

Rekonvaleszenz *f* convalescence.

Rekord *m* ⟨-[e]s, -e⟩ record; **Rekordleistung** *f* record performance.

Rekrut(in) *m(f)* ⟨-en, -en⟩ recruit; **rekrutieren 1.** *vt* recruit; **2.** *vr:* **sich ~** be recruited.

Rektor(in) *m(f) (von Universität)* rector, vice-chancellor; *(SCH)* headmaster/mistress; **Rektorat** *nt* rectorate, vice-chancellorship; headship; *(Zimmer)* rector's office; headmaster's/headmistress's office.

Relais *nt* ⟨-, -⟩ relay.

relational *adj (INFORM)* relational.

relativ

relativ *adj* relative; **Relativität** *f* relativity.

relevant *adj* relevant.

Relief *nt* ⟨-s, -s⟩ relief.

Religion *f* religion; **Religionsunterricht** *m* religious instruction; **religiös** *adj* religious.

Relikt *nt* ⟨-[e]s, -e⟩ relic.

Reling *f* ⟨-, -s⟩ (NAUT) rail.

Reliquie *f* relic.

Rem *nt* ⟨-, -⟩ rem.

Reminiszenz *f* reminiscence, recollection.

Remoulade *f* remoulade.

Ren *nt* ⟨-s, -s *o* -e⟩ reindeer.

Rendezvous *nt* ⟨-, -⟩ rendezvous.

Rennbahn *f* racecourse; (AUTO) circuit, race track; **rennen** ⟨rannte, gerannt⟩ *vt*, *vi* run, race; **Rennen** *nt* ⟨-s, -⟩ running; (Wettbewerb) race.

Renner *m* ⟨-s, -⟩ (umg) big seller.

Rennfahrer(in) *m(f)* racing driver; **Rennpferd** *nt* racehorse; **Rennplatz** *m* racecourse; **Rennrad** *nt* racer; **Rennwagen** *m* racing car.

renovieren *vt* renovate; **Renovierung** *f* renovation.

rentabel *adj* profitable, lucrative; **Rentabilität** *f* profitability.

Rente *f* ⟨-, -n⟩ pension; **Rentenempfänger(in)** *m(f)* pensioner.

Rentier *nt* reindeer.

rentieren *vr*: **sich** ~ pay, be profitable.

Rentner(in) *m(f)* ⟨-s, -⟩ pensioner.

Reparatur *f* repairing; repair; **reparaturbedürftig** *adj* in need of repair; **Reparaturwerkstatt** *f* repair shop; (AUTO) garage; **reparieren** *vt* repair.

Repertoire *nt* ⟨-s, -s⟩ repertoire.

Reportage *f* ⟨-, -n⟩ report; **Reporter(in)** *m(f)* ⟨-s, -⟩ reporter, commentator.

Repräsentant(in) *m(f)* representative; **repräsentativ** *adj* representative; (Geschenk etc) prestigious; **repräsentieren 1.** *vt* represent; **2.** *vi* perform official duties.

Repressalien *pl* reprisals *pl*.

Reproduktion *f* reproduction; **reproduzieren** *vt* reproduce.

Reptil *nt* ⟨-s, -ien⟩ reptile.

Republik *f* republic; **Republikaner(in)** *m(f)* ⟨-s, -⟩ republican; **republikanisch** *adj* republican.

Reservat *nt* reservation.

Reserve *f* ⟨-, -n⟩ reserve; **Reserverad** *nt* (AUTO) spare wheel; **Reservespieler(in)** *m(f)* reserve; **Reservetank** *m* reserve tank; **reservieren** *vt* reserve; **Reservist(in)** *m(f)* reservist.

Reservoir *nt* ⟨-s, -e⟩ reservoir.

Residenz *f* residence, seat.

Resignation *f* resignation; **resignieren** *vi* give up; **resigniert** *adj* resigned.

resolut *adj* resolute.

Resolution *f* resolution.

Resonanz *f* resonance; **Resonanzboden** *m* sounding board; **Resonanzkasten** *m* resonance box.

Resopal® *nt* ⟨-s⟩ formica®.

resozialisieren *vt* rehabilitate.

Respekt *m* ⟨-[e]s⟩ respect; **respektabel** *adj* respectable; **respektieren** *vt* respect; **respektlos** *adj* disrespectful; **Respektsperson** *f* person commanding respect; **respektvoll** *adj* respectful.

Ressort *nt* ⟨-s, -s⟩ department.

Rest *m* ⟨-[e]s, -e⟩ remainder, rest; (Über~ remains *pl*; **~e** *pl* (WIRTS) remnants *pl*.

Restaurant *nt* ⟨-s, -s⟩ restaurant.

restaurieren *vt* restore.

Restbetrag *m* remainder, outstanding sum; **restlich** *adj* remaining; **restlos** *adj* complete; **Restrisiko** *nt* minimal risk.

Resultat *nt* result.

Retorte *f* ⟨-, -n⟩ retort; **Retortenbaby** *nt* test-tube baby.

Retrovirus *nt* retrovirus.

retten *vt* save, rescue; **Retter(in)** *m(f)* ⟨-s, -⟩ rescuer, saviour.

Rettich *m* ⟨-s, -e⟩ radish.

Rettung *f* rescue; (Hilfe) help; **seine letzte ~** his last hope; **Rettungsboot** *nt* lifeboat; **Rettungsgürtel** *m* lifebelt, life preserve US; **rettungslos** *adj* hopeless; **Rettungsring** *m* lifebelt, life preserver US; **Rettungswagen** *m* rescue vehicle.

retuschieren *vt* (FOTO) retouch.

Reue *f* ⟨-⟩ remorse; (Bedauern) regret; **reuen** *vt* regret; **es reut ihn** he regrets [it], he is sorry [about it]; **reuig** *adj* penitent.

Revanche *f* ⟨-, -n⟩ revenge; (SPORT) return match; **revanchieren** *vr*: **sich ~** (sich rächen) get one's own back, have one's revenge; (erwidern) reciprocate, return the compliment.

Revers *m o nt* ⟨-, -⟩ lapel.

revidieren *vt* revise.

Revier *nt* ⟨-s, -e⟩ district; (Jagd~) preserve; (Polizei~) police station/beat; (MIL) sick bay.

Revision *f* revision; (WIRTS) auditing; (JUR) appeal.

Revolte *f* ⟨-, -n⟩ revolt.

Revolution *f* revolution; **revolutionär** *adj* revolutionary; **Revolutionär(in)** *m(f)* revolutionary; **revolutionieren** *vt* revolutionize.

Revolver *m* ⟨-s, -⟩ revolver.

Rezensent(in) *m(f)* reviewer, critic; **rezensieren** *vt* review; **Rezension** *f* review, criticism.

Rezept *nt* ⟨-[e]s, -e⟩ recipe; (MED) prescription; **rezeptpflichtig** *adj* available only on prescription.

Rezession f recession.

rezitieren vt recite.

Rhabarber m ⟨-s⟩ rhubarb.

Rhein m Rhine; **Rheinland-Pfalz** nt ⟨-⟩ Rhineland-Palatinate.

Rhesusfaktor m rhesus factor.

Rhetorik f rhetoric; **rhetorisch** adj rhetorical.

Rheuma nt ⟨-s⟩. **Rheumatismus** m rheumatism.

Rhinozeros nt ⟨- o Rhinozerosses, Rhinozerosse⟩ rhinoceros.

rhythmisch adj rythmical; **Rhythmus** m rhythm.

richten 1. vt direct (an +akk at); (fig) direct (an +akk to); (Waffe) aim (auf +akk at); (einstellen) adjust; (instand setzen) repair; (zurechtmachen) prepare; (bestrafen) pass judgement on; **2.** vr: **sich ~ nach** go by.

Richter(in) m(f) ⟨-s, -⟩ judge; **richterlich** adj judicial.

richtig 1. adj right, correct; (echt) proper; **2.** adv (umg: sehr) really; **der/die ~e** the right one [o person]; **das ~e** the right thing; **Richtigkeit** f correctness; **Richtigstellung** f correction, rectification.

Richtlinie f guideline; (EU) directive; **Richtpreis** m recommended price.

Richtung f direction; (Tendenz) tendency, orientation.

rieb imperf von **reiben**.

riechen ⟨roch, gerochen⟩ vt, vi smell (an etw dat sth, nach of); **ich kann das/ihn nicht ~** (umg) I can't stand it/him.

rief imperf von **rufen**.

Riege f ⟨-, -n⟩ team, squad.

Riegel m ⟨-s, -⟩ bolt, bar.

Riemen m ⟨-s, -⟩ strap; (Gürtel) belt; (NAUT) oar.

Riese m ⟨-n, -n⟩ giant.

rieseln vi trickle; (Schnee) fall gently.

Riesenerfolg m enormous success; **riesengroß** adj, **riesenhaft** adj colossal, gigantic, huge; **riesig** adj enormous, huge, vast; **Riesin** f giantess.

riet imperf von **raten**.

Riff nt ⟨-[e]s, -e⟩ reef.

Rille f ⟨-, -n⟩ groove.

Rind nt ⟨-[e]s, -er⟩ ox; cow; cattle pl; (GASTR) beef.

Rinde f ⟨-, -n⟩ rind; (Baum~) bark; (Brot~) crust.

Rinderwahnsinn m mad cow disease; **Rindfleisch** nt beef; **Rindsbraten** m roast beef; **Rindvieh** nt cattle pl; (umg) blockhead, stupid oaf.

Ring m ⟨-[e]s, -e⟩ ring; **Ringbuch** nt loose-leaf book, ring binder.

Ringelnatter f grass snake.

ringen ⟨rang, gerungen⟩ vi wrestle; **Ringen** nt ⟨-s⟩ wrestling.

Ringfinger m ring finger; **ringförmig** adj ring-shaped; **Ringkampf** m wrestling bout; **Ringrichter(in)** m(f) referee; **ringsherum** adv round about; **Ringstraße** f ring road; **ringsum|her]** adv (rund-herum) round about; (überall) all round.

Rinne f ⟨-, -n⟩ gutter, drain.

rinnen ⟨rann, geronnen⟩ vi run, trickle.

Rinnsal nt ⟨-s, -e⟩ trickle of water; **Rinnstein** m gutter.

Rippchen nt small rib; cutlet.

Rippe f ⟨-, -n⟩ rib; **Rippenfellentzündung** f pleurisy.

Risiko nt ⟨-s, -s o Risiken⟩ risk; **Risikogruppe** f risk group.

riskant adj risky, hazardous; **riskieren** vt risk.

riß imperf von **reißen**; **Riß** m ⟨Risses, Risse⟩ tear; (in Mauer, Tasse etc) crack; (in Haut) scratch; (TECH) design; **rissig** adj torn; cracked; scratched.

ritt imperf von **reiten**; **Ritt** m ⟨-[e]s, -e⟩ ride.

Ritter m ⟨-s, -⟩ knight; **ritterlich** adj chivalrous; **Ritterschlag** m knighting; **Rittertum** nt ⟨-s⟩ chivalry; **Ritterzeit** f age of chivalry.

rittlings adv astride.

Ritus m ⟨-, Riten⟩ rite.

Ritze f ⟨-, -n⟩ crack, chink; **ritzen** vt scratch.

Rivale m ⟨-n, -n⟩ rival; **Rivalin** f rival; **Rivalität** f rivalry.

Rizinusöl nt castor oil.

RNS f abk von **Ribonukleinsäure** RNA.

Robbe f ⟨-, -n⟩ seal.

Robe f ⟨-, -n⟩ robe.

Roboter m ⟨-s, -⟩ robot.

roch imperf von **riechen**.

röcheln vi wheeze.

Rock m ⟨-[e]s, Röcke⟩ skirt; (Jackett) jacket; (Uniform~) tunic.

Rockband f ⟨-, -s⟩ (Musikgruppe) rock band; **Rockmusik** f rock [music].

Rodel m ⟨-s, -⟩ toboggan; **Rodelbahn** f toboggan run; **rodeln** vi toboggan.

roden vt, vi clear.

Rogen m ⟨-s, -⟩ roe, spawn.

Roggen m ⟨-s, -⟩ rye; **Roggenbrot** nt rye bread, black bread.

roh adj raw; (Mensch) coarse, crude; **Rohbau** m ⟨Rohbauten pl⟩ shell of a building; **Roheisen** nt pig iron; **Rohling** m ruffian; **Rohmaterial** nt raw material; **Rohöl** nt crude oil.

Rohr nt ⟨-[e]s, -e⟩ pipe, tube; (BOT) cane; (Schilf) reed; (Gewehr~) barrel; **Rohrbruch** m burst pipe.

Röhre f ⟨-, -n⟩ tube, pipe; (RADIO) valve;

(*Back~*) oven.

Rohrleitung f pipeline; **Rohrpost** f pneumatic post; **Rohrstock** m cane; **Rohrstuhl** m basket chair; **Rohrzucker** m cane sugar.

Rohseide f raw silk; **Rohstoff** m raw material.

Rokoko nt ⟨-s⟩ rococo.

Rolladen m shutter; **Rollbrett** nt (*Skateboard*) skateboard.

Rolle f ⟨-, -n⟩ roll; (*THEAT*) role; (*Garn~ etc*) reel, spool; (*Walze*) roller; **keine ~ spielen** not matter; **rollen** vt, vi roll; (*FLUG*) taxi; **Rollenbesetzung** f (*THEAT*) cast; **Rollentausch** m role-swapping; **Rollenverteilung** f role allocation.

Roller m ⟨-s, -⟩ scooter; (*Welle*) roller.

Rollfeld nt (*FLUG*) runway; **Rollkragenpullover** m roll-neck sweater; **Rollmops** m pickled herring; **Rollschuh** m roller skate; **Rollstuhl** m wheelchair; **Rollstuhlfahrer(in)** m(f) wheelchair driver; **rollstuhlgerecht** adj suitable for wheelchairs; **Rolltreppe** f escalator.

ROM m abk von **Read Only Memory** (*INFORM*) ROM.

Roman m ⟨-s, -e⟩ novel; **Romanschreiber(in)** m(f), **Romanschriftsteller(in)** m(f) novelist.

Romantik f romanticism; **Romantiker(in)** m(f) ⟨-s, -⟩ romanticist; **romantisch** adj romantic.

Romanze f ⟨-, -n⟩ romance.

Römer(in) m(f) ⟨-s, -⟩ (*Mensch*) Roman; (*für Wein*) wineglass.

römisch adj Roman; **römisch-katholisch** adj Roman Catholic.

röntgen vt X-ray; **Röntgenaufnahme** f, **Röntgenbild** nt X-ray; **Röntgenstrahlen** pl X-rays pl.

rosa adj inv pink, rose[-coloured].

Rose f ⟨-, -n⟩ rose; **Rosenkohl** m Brussel[s] sprouts pl; **Rosenkranz** m rosary; **Rosenmontag** m Shrove Monday.

Rosette f rosette.

rosig adj rosy.

Rosine f raisin, currant.

Roß nt ⟨Rosses, Rösser⟩ horse, steed; **Roßkastanie** f horse chestnut.

Rost m ⟨-[e]s, -e⟩ rust; (*Gitter*) grill, gridiron; (*Bett~*) springs pl; **Rostbraten** m roast[ed] meat, joint; **rosten** vi rust.

rösten vt roast; toast; grill.

rostfrei adj rust-free, rustproof; stainless; **rostig** adj rusty; **Rostschutz** m rustproofing.

rot adj red.

Rotation f rotation.

rotbäckig adj red-cheeked; **rotblond** adj strawberry blond.

Röte f ⟨-⟩ redness.

Röteln pl German measles sing.

röten vt, vr: **sich ~** redden.

rothaarig adj red-haired.

rotieren vi rotate.

Rotkäppchen nt Little Red Riding Hood; **Rotkehlchen** nt robin; **Rotstift** m red pencil; **Rotwein** m red wine.

Rotz m ⟨-es, -e⟩ (*umg*) snot; **rotzfrech** adj (*umg*) insolent, snotty.

Roulade f (*GASTR*) beef olive.

Route f ⟨-, -n⟩ route.

Routine f experience; (*Trott*) routine.

Rübe f ⟨-, -n⟩ turnip; **gelbe ~** carrot; **rote ~** beetroot; **Rübenzucker** m beet sugar.

Rubin m ⟨-s, -e⟩ ruby.

Rubrik f heading; (*Spalte*) column.

Ruck m ⟨-[e]s, -e⟩ jerk, jolt.

Rückantwort f reply, answer; **rückbezüglich** adj reflexive; **rückblenden** vi flash back; **rückblickend** adj retrospective.

rücken vt, vi move.

Rücken m ⟨-s, -⟩ back; (*Berg~*) ridge; **Rückendeckung** f backing; **Rückenlehne** f back [of chair]; **Rückenmark** nt spinal cord; **Rückenschwimmen** nt backstroke; **Rückenwind** m following wind.

Rückerstattung f return, restitution, repayment; **Rückfahrt** f return journey; **Rückfall** m relapse; **rückfällig** adj relapsing; **~ werden** relapse; **Rückflug** m return flight; **Rückfrage** f question; **Rückgabe** f return; **Rückgang** m decline, fall; **rückgängig** adj: **etw ~ machen** cancel sth; **Rückgrat** nt ⟨-[e]s, -e⟩ spine, backbone; **Rückgriff** m recourse; **Rückhalt** m (*Unterstützung*) backing; (*Einschränkung*) reservation; **rückhaltlos** adj unreserved; **Rückkehr** f ⟨-, -en⟩ return; **Rückkoppelung** f feedback; **Rücklage** f reserve, savings pl; **rückläufig** adj declining, falling; **Rücklicht** nt back light; **rücklings** adv from behind; backwards; **Rücknahme** f ⟨-, -n⟩ taking back; **Rückporto** nt return postage; **Rückreise** f return journey; (*NAUT*) home voyage; **Rückruf** m recall.

Rucksack m rucksack, backpack US; **Rucksacktourist(in)** m(f) backpacker.

Rückschluß m conclusion; **Rückschritt** m retrogression; **rückschrittlich** adj reactionary; (*Entwicklung*) retrograde; **Rückseite** f back; (*von Münze etc*) reverse.

Rücksicht f consideration; **~ nehmen auf** +akk show consideration for; **rücksichtslos** adj inconsiderate; (*Fahren*) reckless; (*unbarmherzig*) ruthless; **rücksichtsvoll** adj considerate.

Rücksitz m back seat; **Rückspiegel** m (*AUTO*) rear-view mirror; **Rückspiel** nt return match; **Rücksprache** f further discussion [o talk]; **Rückstand** m arrears pl; **rückständig** adj backward, out-of-date; (Zahlungen) in arrears; **Rückstoß** m recoil; **Rückstrahler** m ⟨-s, -⟩ rear reflector; **Rücktaste** f backspace key; **Rücktritt** m resignation; **Rücktrittbremse** f pedal brake; **Rückvergütung** f repayment; (WIRTS) refund; **rückwärtig** adj rear; **rückwärts** adv backward[s], back; **Rückwärtsgang** m (AUTO) reverse gear; **Rückweg** m return journey, way back; **rückwirkend** adj retroactive, retrospective; **Rückwirkung** f repercussion; **mit ~ vom ...** backdated to ...; **Rückzahlung** f repayment; **Rückzieher** m ⟨-s, -⟩ climbdown; **Rückzug** m retreat.

rüde adj blunt, gruff.

Rüde m ⟨-n, -n⟩ male dog/fox/wolf.

Rudel nt ⟨-s, -⟩ pack; (von Hirschen, Wildschweinen) herd.

Ruder nt ⟨-s, -⟩ oar; (Steuer) rudder; **Ruderboot** nt rowing boat; **Ruderer** m ⟨-s, -⟩ rower; **rudern** vt, vi row; **Rud[r]erin** f rower.

Ruf m ⟨-[e]s, -e⟩ call, cry; (Ansehen) reputation; **rufen** ⟨rief, gerufen⟩ vt, vi call; cry; **Rufname** m usual [first] name; **Rufnummer** f [tele]phone number; **Rufzeichen** nt (RADIO) call sign; (TEL) ringing tone.

Rüge f ⟨-, -n⟩ reprimand, rebuke; **rügen** vt reprimand.

Ruhe f ⟨-⟩ rest; (Ungestörtheit) peace, quiet; (Gelassenheit, Stille) calm; (Schweigen) silence; **sich zur ~ setzen** retire; **~! be quiet!**, silence!; **ruhelos** adj restless; **ruhen** vi rest; **Ruhepause** f break; **Ruhestand** m retirement; **Ruhestätte** f: **letzte ~** final resting place; **Ruhestörung** f breach of the peace; **Ruhetag** m closing day.

ruhig adj quiet; (bewegungslos) still; (Hand) steady; (gelassen, friedlich) calm; (Gewissen) clear; **tu das ~** feel free to do that.

Ruhm m ⟨-[e]s⟩ fame, glory; **rühmen 1.** vt praise; **2.** vr: **sich ~** boast; **rühmlich** adj laudable; **ruhmlos** adj inglorious; **ruhmreich** adj glorious.

Ruhr f ⟨-⟩ dysentery.

Rührei nt scrambled egg[s]; **rühren 1.** vt, vi; **sich ~** move; (um~) stir; **2.** vi: **~ von** come [o stem] from; **~ an** +akk touch on; **rührend** adj touching, moving; **rührig** adj active, lively; **rührselig** adj sentimental, emotional; **Rührung** f emotion.

Ruin m ⟨-s⟩ ruin.

Ruine f ⟨-, -n⟩ ruin.

ruinieren vt ruin.

rülpsen vi burp, belch.

Rum m ⟨-s, -s⟩ rum.

Rumäne m ⟨-n, -n⟩ Romanian; **Rumänien** nt Romania; **Rumänin** f Romanian; **rumänisch** adj Romanian.

Rummel m ⟨-s⟩ (umg) hubbub; (Jahrmarkt) fair; **Rummelplatz** m fairground, fair.

rumoren vi be noisy, make a noise.

Rumpelkammer f junk room.

rumpeln vi rumble; (holpern) jolt.

Rumpf m ⟨-[e]s, Rümpfe⟩ trunk, torso; (FLUG) fuselage; (NAUT) hull.

rümpfen vt (Nase) turn up.

Run m ⟨-s, -s⟩ run (auf +akk on).

rund 1. adj round; **2.** adv (etwa) around; **~ um etw** round sth; **Rundbogen** m Norman [o Romanesque] arch; **Rundbrief** m circular.

Runde f ⟨-, -n⟩ round; (in Rennen) lap; (Gesellschaft) circle.

runden 1. vt make round; **2.** vr: **sich ~** (fig) take shape.

runderneuert adj (Reifen) remoulded; **Rundfahrt** f [round] trip.

Rundfunk m broadcasting; (~anstalt) broadcasting service; **im ~** on the radio; **Rundfunkempfang** m reception; **Rundfunkgebühr** f radio licence fee; **Rundfunkgerät** nt wireless set; **Rundfunksendung** f broadcast, radio programme.

rundlich adj plump, rounded.

Rundreise f round trip; **Rundschreiben** nt circular.

Rundung f curve, roundness.

runter = (umg) **herunter, hinunter**.

Runzel f ⟨-, -n⟩ wrinkle; **runzelig** adj wrinkled; **runzeln** vt wrinkle; **die Stirn ~** frown.

Rüpel m ⟨-s, -⟩ lout; **rüpelhaft** adj loutish.

rupfen vt pluck.

Rupfen m ⟨-s, -⟩ sackcloth.

ruppig adj rough, gruff.

Rüsche f ⟨-, -n⟩ frill.

Ruß m ⟨-es⟩ soot.

Russe m ⟨-n, -n⟩ Russian.

Rüssel m ⟨-s, -⟩ snout; (Elefanten~) trunk.

rußen vi smoke; (Ofen) be sooty.

Russin f Russian.

russisch adj Russian; **~ sprechen** speak Russian; **Russisch** nt Russian; **Rußland** nt Russia.

rüsten vt, vi, vr: **sich ~** prepare; (MIL) arm.

rüstig adj sprightly, vigorous.

Rüstung f (mit Waffen) arming; (Ritter~) armour; (Waffen etc) armaments pl; **Rüstungskontrolle** f arms control; **Rüstungswettlauf** m arms race.

Rüstzeug nt tools pl; (fig) capacity.

Rute f ⟨-, -n⟩ rod, switch.

Rutsch m ⟨-[e]s, -e⟩ slide; (Erd~) landslide; **Rutschbahn** f slide; **rutschen** vi slide;

(*aus~*) slip; **rutschig** *adj* slippery.
rütteln *vt, vi* shake, jolt.

S

S, s *nt* S, s.
Saal *m* ⟨-[e]s, Säle⟩ hall; (*für Sitzungen*) room.
Saarland *nt* ⟨-[e]s⟩ Saarland.
Saat *f* ⟨-, -en⟩ seed; (*Pflanzen*) crop; (*Säen*) sowing.
sabbern *vi* (*umg*) slobber.
Säbel *m* ⟨-s, -⟩ sabre, sword.
Sabotage *f* ⟨-, -n⟩ sabotage; **sabotieren** *vt* sabotage.
Sachbearbeiter(in) *m(f)* specialist; **sachdienlich** *adj* relevant, helpful.
Sache *f* ⟨-, -n⟩ thing; (*Angelegenheit*) affair, business; (*Frage*) matter; (*Pflicht*) task; **zur ~** to the point.
sachgemäß *adj* appropriate, suitable; **sachkundig** *adj* expert; **Sachlage** *f* situation, state of affairs; **sachlich** *adj* matter-of-fact, objective; (*Irrtum, Angabe*) factual.
sächlich *adj* neuter.
Sachschaden *m* material damage.
Sachsen *nt* ⟨-s⟩ Saxony; **Sachsen-Anhalt** *nt* ⟨-s⟩ Saxony-Anhalt.
sacht[e] *adv* softly, gently.
Sachverständige(r) *mf* expert; **Sachzwang** *m* situational requirement [*o* pressure], necessity.
Sack *m* ⟨-[e]s, Säcke⟩ sack.
sacken *vi* sag, sink.
Sackgasse *f* cul-de-sac, dead-end street *US.*
Sadismus *m* sadism; **Sadist(in)** *m(f)* sadist; **sadistisch** *adj* sadistic.
säen *vt, vi* sow.
Saft *m* ⟨-[e]s, Säfte⟩ juice; (*BOT*) sap; **saftig** *adj* juicy; **saftlos** *adj* dry.
Sage *f* ⟨-, -n⟩ legend, saga.
Säge *f* ⟨-, -n⟩ saw; **Sägemehl** *nt* sawdust; **sägen** *vt, vi* saw.
sagen *vt, vi* say (*jdm* to sb), tell (*jdm* sb).
sagenhaft *adj* legendary; (*umg*) great, smashing.
Sägewerk *nt* sawmill.
sah *imperf von* **sehen**.
Sahne *f* ⟨-⟩ cream.
Saison *f* ⟨-, -s⟩ season; **Saisonarbeiter(in)** *m(f)* seasonal worker.
Saite *f* ⟨-, -n⟩ string; **Saiteninstrument** *nt* string instrument.
Sakko *m o nt* ⟨-s, -s⟩ jacket.
Sakrament *nt* sacrament.

Sakristei *f* sacristy.
Salat *m* ⟨-[e]s, -e⟩ salad; (*Kopfsalat*) lettuce **Salatsoße** *f* salad dressing.
Salbe *f* ⟨-, -n⟩ ointment.
Salbei *m* ⟨-s⟩ sage.
salben *vt* anoint; **Salbung** *f* anointing; **sal bungsvoll** *adj* unctuous.
Saldo *m* ⟨-s, Salden⟩ balance.
Salmiak *m* ⟨-s⟩ sal ammoniac; **Salmiak geist** *m* liquid ammonia.
Salmonellen *pl* salmonellae *pl.*
Salon *m* ⟨-s, -s⟩ salon.
salopp *adj* casual.
Salpeter *m* ⟨-s⟩ saltpetre; **Salpetersäure** *f* nitric acid.
Salut *m* ⟨-[e]s, -e⟩ salute; **salutieren** *v* salute.
Salve *f* ⟨-, -n⟩ salvo.
Salz *nt* ⟨-es, -e⟩ salt; **salzen** ⟨salzte, gesal zen⟩ *vt* salt; **salzig** *adj* salty; **Salzkartof feln** *pl* boiled potatoes *pl*; **Salzsäure** *f* hydrochloric acid.
Samen *m* ⟨-s, -⟩ seed; (*ANAT*) sperm.
Sammelband *m* ⟨Sammelbände *pl*⟩ antho logy; **Sammelbecken** *nt* reservoir **Sammelbestellung** *f* collective order **sammeln 1.** *vt* collect; **2.** *vr:* **sich ~** assemble, gather; (*sich konzentrieren*) con centrate; **Sammelsurium** *nt* ⟨-s⟩ hotch potch.
Sammlung *f* collection; (*An~, Konzentrati on*) concentration.
Samstag *m* Saturday; **[am] ~** on Saturday **samstags** *adv* on Saturdays, on a Satur day.
samt *präp* +*dat* [along] with, together with **~ und sonders** each and every one [o them].
Samt *m* ⟨-[e]s, -e⟩ velvet.
sämtliche *adj* all [the], entire.
Sand *m* ⟨-[e]s, -e⟩ sand.
Sandale *f* ⟨-, -n⟩ sandal.
Sandbank *f* ⟨Sandbänke *pl*⟩ sandbank **sandig** *adj* sandy; **Sandkasten** *m* sand pit; **Sandkuchen** *m* Madeira cake **Sandpapier** *nt* sandpaper; **Sandstein** *m* sandstone; **sandstrahlen** *vt* sandblast.
sandte *imperf von* **senden**.
Sanduhr *f* hourglass.
sanft *adj* soft, gentle; **sanftmütig** *ad* gentle, meek.
sang *imperf von* **singen**.
Sänger(in) *m(f)* ⟨-s, -⟩ singer.
sanieren 1. *vt* redevelop; (*Gebäude*) rehabi litate; (*Betrieb*) make financially sound restore to profitability; **2.** *vr:* **sich ~** lin one's pockets; (*Unternehmen*) become financially sound; **Sanierung** *f* redevelop ment; (*von Unternehmen*) making viable restoration to profitability.

sanitär *adj* sanitary; **~e Anlagen** *pl* sanitation.

Sanitäter(in) *m(f)* ⟨-s, -⟩ first-aid attendant; (*MIL*) [medical] orderly.

sank *imperf von* **sinken**.

sanktionieren *vt* sanction.

sann *imperf von* **sinnen**.

Saphir *m* ⟨-s, -e⟩ sapphire.

Sardelle *f* anchovy.

Sardine *f* sardine.

Sarg *m* ⟨-[e]s, Särge⟩ coffin.

Sarkasmus *m* sarcasm; **sarkastisch** *adj* sarcastic.

saß *imperf von* **sitzen**.

Satan *m* ⟨-s, -e⟩ Satan, devil.

Satellit *m* ⟨-en, -en⟩ satellite; **Satellitenaufnahme** *f* satellite picture; **Satellitenschüssel** *f* (*umg*) satellite dish; **Satellitenstadt** *f* satellite town.

Satire *f* ⟨-, -n⟩ satire; **satirisch** *adj* satirical.

satt *adj* full; (*Farbe*) rich, deep; **jdn/etw ~ sein** [*o haben*] be fed up with sb/sth; **sich ~ hören/sehen an** +*dat* see/hear enough of; **sich ~ essen** eat one's fill; **~ machen** be filling.

Sattel *m* ⟨-s, Sättel⟩ saddle; (*Berg~*) ridge; **sattelfest** *adj* (*fig*) proficient; **satteln** *vt* saddle.

sättigen *vt* satisfy; (*CHEM*) saturate.

Satz *m* ⟨-es, Sätze⟩ (*LING*) sentence; (*Neben~, Adverbial~*) clause; (*Lehr~*) theorem; (*MUS*) movement; (*TENNIS*) set; (*Kaffee~*) grounds *pl*; (*WIRTS*) rate; (*Sprung*) jump; **Satzgegenstand** *m* (*LING*) subject; **Satzlehre** *f* syntax; **Satzteil** *m* constituent [of a sentence].

Satzung *f* statute, rule; **satzungsgemäß** *adj* statutory.

Satzzeichen *nt* punctuation mark.

Sau *f* ⟨-, Säue⟩ sow; (*pej*) dirty pig.

sauber *adj* clean; (*ironisch*) fine; **sauberhalten** *irr vt* keep clean; **Sauberkeit** *f* cleanness; (*eines Menschen*) cleanliness; **säuberlich** *adv* neatly; **Saubermann** *m* ⟨Saubermänner *pl*⟩ Mr. Clean; **säubern** *vt* clean; (*POL*) purge.

Sauce *f* ⟨-, -n⟩ sauce, gravy.

Saudi-Arabien *nt* Saudi Arabia.

sauer *adj* sour; (*CHEM*) acid; (*umg*) cross; **saurer Regen** acid rain.

Sauerei *f* (*umg*) rotten state of affairs, scandal; (*Schmutz etc*) mess; (*Unanständigkeit*) obscenity.

säuerlich *adj* sourish, tart.

Sauermilch *f* sour milk; **Sauerstoff** *m* oxygen; **Sauerstoffgerät** *nt* breathing apparatus; **Sauerteig** *m* leaven.

saufen ⟨soff, gesoffen⟩ *vt, vi* (*umg*) drink, booze; **Säufer(in)** *m(f)* ⟨-s, -⟩ boozer; **Sauferei** *f* drinking, boozing; (*Sauf-*

gelage) booze-up.

saugen ⟨sog *o* saugte, gesogen *o* gesaugt⟩ *vt, vi* suck.

säugen *vt* suckle.

Sauger *m* ⟨-s, -⟩ dummy, comforter *US*; (*auf Flasche*) teat; (*Staub~*) vacuum cleaner, hoover®.

Säugetier *nt* mammal; **Säugling** *m* infant, baby.

Säule *f* ⟨-, -n⟩ column, pillar; **Säulengang** *m* arcade.

Saum *m* ⟨-[e]s, Säume⟩ hem; (*Naht*) seam; **säumen** *vt* hem; seam; (*Straße*) line.

Sauna *f* ⟨-, -s⟩ sauna; **saunieren** *vi* take a sauna, take saunas.

Säure *f* ⟨-, -n⟩ acid; (*Geschmack*) sourness, acidity; **säurebeständig** *adj* acid-proof; **säurehaltig** *adj* acidic.

säuseln *vt, vi* (*Wind*) murmur; (*Blätter*) rustle; (*Mensch*) purr.

sausen *vi* blow; (*umg*) rush; (*Ohren*) buzz; **etw ~ lassen** (*umg*) give sth a miss; **einen ~ lassen** (*umg*) let off.

Saustall *m* (*umg*) pigsty.

Saxophon *nt* ⟨-s, -e⟩ saxophone.

S-Bahn *f* suburban railway.

SB-Laden *m* self-service shop.

Scanner *m* ⟨-s, -⟩ scanner.

Schabe *f* ⟨-, -n⟩ cockroach.

schaben *vt* scrape.

Schabernack *m* ⟨-[e]s, -e⟩ trick, prank.

schäbig *adj* shabby; **Schäbigkeit** *f* shabbiness.

Schablone *f* ⟨-, -n⟩ stencil; (*Muster*) pattern; (*fig*) convention; **schablonenhaft** *adj* stereotyped, conventional.

Schach *nt* ⟨-s, -s⟩ chess; (*Stellung*) check; **Schachbrett** *nt* chessboard; **Schachfigur** *f* chessman; **schachmatt** *adj* checkmate; **Schachpartie** *f*, **Schachspiel** *nt* game of chess.

Schacht *m* ⟨-[e]s, Schächte⟩ shaft.

Schachtel *f* ⟨-, -n⟩ box; (*pej*) bag, cow.

schade **1.** *adj* a pity, a shame; **2.** *interj* [what a] pity [*o* shame]; **sich** *dat* **für etw zu ~ sein** consider oneself too good for sth.

Schädel *m* ⟨-s, -⟩ skull; **Schädelbruch** *m* fractured skull.

schaden *vi* hurt (*jdm* sb); **einer Sache ~** damage sth; **Schaden** *m* ⟨-s, Schäden⟩ damage; (*Verletzung*) injury; (*Nachteil*) disadvantage; **Schadenersatz** *m* compensation, damages *pl*; **schadenersatzpflichtig** *adj* liable for damages; **Schadenfreiheitsrabatt** *m* no-claims bonus; **Schadenfreude** *f* malicious delight; **schadenfroh** *adj* gloating, with malicious delight.

schadhaft *adj* faulty, damaged.

schädigen *vt* damage; (*jdn*) do harm to, harm.

schädlich adj harmful (für to); **Schädlichkeit** f harmfulness; **Schädling** m pest; **Schädlingsbekämpfungsmittel** nt pesticide.

schadlos adj: **sich ~ halten an** +dat take advantage of; **Schadstoff** m harmful substance; **schadstoffarm** adj low-pollution.

Schaf nt ⟨-[e]s, -e⟩ sheep; **Schafbock** m ram; **Schäfchen** nt lamb; **Schäfchenwolken** pl cirrus clouds pl; **Schäfer** m ⟨-s, -⟩ shepherd; **Schäferhund** m Alsatian, German shepherd US; **Schäferin** f shepherdess.

schaffen 1. ⟨schuf, geschaffen⟩ vt create; (Platz) make; **2.** vt (erreichen) manage, do; (erledigen) finish; (Prüfung) pass; (transportieren) take; **3.** vi (umg) work; **sich an etw** dat **zu ~ machen** busy oneself with sth; **sich** dat **etw ~** get oneself sth; **Schaffen** nt ⟨-s⟩ [creative] activity; **Schaffensdrang** m creative urge; energy; **Schaffenskraft** f creativity.

Schaffner(in) m(f) ⟨-s, -⟩ (Bus~) conductor/conductress; (EISENB) guard.

Schaft m ⟨-[e]s, Schäfte⟩ shaft; (von Gewehr) stock; (von Stiefel) leg; (BOT) stalk; **Schaftstiefel** m high boot.

Schakal m ⟨-s, -e⟩ jackal.

schäkern vi flirt; joke.

schal adj flat; (fig) insipid.

Schal m ⟨-s, -e o -s⟩ scarf.

Schälchen nt cup, bowl.

Schale f ⟨-, -n⟩ skin; (abgeschält) peel; (Nuß~, Muschel~, Ei~) shell; (Geschirr) dish, bowl.

schälen **1.** vt peel; (Tomate, Mandel) skin; (Erbsen, Eier, Nüsse) shell; (Getreide) husk; **2.** vr: **sich ~** peel.

Schall m ⟨-[e]s, -e⟩ sound; **Schalldämpfer** m ⟨-s, -⟩ (AUTO) silencer; **schalldicht** adj soundproof; **schallen** vi [re]sound; **schallend** adj resounding; loud; **Schallmauer** f sound barrier; **Schallplatte** f record.

schalt imperf von **schelten**.

Schaltbild nt circuit diagram; **Schaltbrett** nt switchboard; **schalten 1.** vt switch, turn; **2.** vi (AUTO) change [gear]; (umg: begreifen) catch on; **~ und walten** do as one pleases.

Schalter m ⟨-s, -⟩ counter; (an Gerät) switch; **Schalterbeamte(r)** m, **Schalterbeamtin** f counter clerk.

Schalthebel m switch; (AUTO) gear-lever; **Schaltjahr** nt leap year; **Schaltung** f switching; (ELEK) circuit; (AUTO) gear change.

Scham f ⟨-⟩ shame; (~gefühl) modesty; (Organe) private parts pl; **schämen** vr: **sich ~**

be ashamed; **Schamhaare** pl pubic hair; **schamhaft** adj modest, bashful; **schamlos** adj shameless.

Schande f ⟨-⟩ disgrace; **schändlich** adj disgraceful, shameful.

Schandtat f (umg) escapade, shenanigan; **Rudi ist zu jeder ~ bereit** Rudi is game for anything.

Schändung f violation, defilement.

Schanze f ⟨-, -n⟩ (MIL) fieldwork, earthworks pl; (Sprung~) skijump.

Schar f ⟨-, -en⟩ band, company; (Vögel) flock; (Menge) crowd; **in ~en** in droves.

scharen vr: **sich ~** assemble, rally; **scharenweise** adv ~ in droves.

scharf adj (Messer) sharp; (Essen) hot; (Munition) live; **~ nachdenken** think hard; **auf etw** akk **~ sein** (umg) be keen on sth; **Scharfblick** m (fig) penetration.

Schärfe f ⟨-, -n⟩ sharpness; (Strenge) rigour; **schärfen** vt sharpen.

Scharfrichter m executioner; **Scharfschütze** m marksman, sharpshooter; **Scharfsinn** m penetration, astuteness; **scharfsinnig** adj astute, shrewd.

Scharmützel nt ⟨-s, -⟩ skirmish.

Scharnier nt ⟨-s, -e⟩ hinge.

Schärpe f ⟨-, -n⟩ sash.

scharren vt, vi scrape, scratch.

Scharte f ⟨-, -n⟩ notch, nick; **schartig** adj jagged.

Schaschlik m o nt ⟨-s, -s⟩ [shish] kebab.

Schatten m ⟨-s, -⟩ shadow; **Schattenbild** nt, **Schattenriß** m silhouette; **Schattenseite** f shady side, dark side.

schattieren vt shade; **Schattierung** f shading.

schattig adj shady.

Schatulle f ⟨-, -n⟩ casket; (Geld~) coffer.

Schatz m ⟨-es, Schätze⟩ treasure; (Mensch) darling; **Schatzamt** nt treasury.

Schätzchen nt darling, love.

schätzen vt (ab~) estimate; (Gegenstand) value; (würdigen) value, esteem; (vermuten) reckon; **schätzenlernen** vt learn to appreciate; **Schätzung** f estimate; estimation; valuation; **nach meiner ~ ... I** reckon that ...; **schätzungsweise** adv approximately; **Schätzwert** m estimated value.

Schau f ⟨-⟩ show; (Ausstellung) display, exhibition; **etw zur ~ stellen** make a show of sth, show sth off; **Schaubild** nt diagram.

Schauder m ⟨-s, -s⟩ shudder; (wegen Kälte) shiver; **schauderhaft** adj horrible; **schaudern** vi shudder; shiver.

schauen vi look.

Schauer m ⟨-s, -⟩ (Regen~) shower; (Schreck) shudder; **Schauergeschichte**

f horror story; **schauerlich** *adj* horrific, spine-chilling.

Schaufel *f* ⟨-, -n⟩ shovel; (*NAUT*) paddle; (*TECH*) scoop; **schaufeln** *vt* shovel, scoop.

Schaufenster *nt* shop window; **Schaufensterauslage** *f* window display; **Schaufensterbummel** *m* window shopping [expedition]; **Schaufensterdekorateur(in)** *m(f)* window dresser; **Schaugeschäft** *nt* show business; **Schaukasten** *m* showcase.

Schaukel *f* ⟨-, -n⟩ swing; **schaukeln** *vi* swing, rock; **Schaukelpferd** *nt* rocking horse; **Schaukelstuhl** *m* rocking chair.

Schaulustige(r) *mf* onlooker.

Schaum *m* ⟨-[e]s, Schäume⟩ foam; (*Seifen~*) lather; **schäumen** *vi* foam; **Schaumfestiger** *m* styling mousse; **Schaumgummi** *m* foam [rubber]; **schaumig** *adj* frothy, foamy; **Schaumwein** *m* sparkling wine.

Schauplatz *m* scene.

schaurig *adj* horrific, dreadful.

Schauspiel *nt* spectacle; (*THEAT*) play; **Schauspieler(in)** *m(f)* actor/actress; **schauspielern** *vi* act.

Scheck *m* ⟨-s, -s⟩ cheque; **Scheckheft** *nt* chequebook.

scheckig *adj* dappled, piebald.

Scheckkarte *f* cheque card.

scheel *adj*: **jdn ~ ansehen** (*umg*) give sb a dirty look.

scheffeln *vt* amass.

Scheibe *f* ⟨-, -n⟩ disc; (*Brot etc*) slice; (*Glas~*) pane; (*MIL*) target; **Scheibenbremse** *f* (*AUTO*) disc brake; **Scheibenwaschanlage** *f* (*AUTO*) windscreen washers *pl*; **Scheibenwischer** *m* (*AUTO*) windscreen wiper.

Scheich *m* ⟨-s, -e *o* -s⟩ sheik[h].

Scheide *f* ⟨-, -n⟩ sheath; (*ANAT*) vagina.

scheiden ⟨schied, geschieden⟩ **1.** *vt* (*trennen*) separate; (*Ehe*) dissolve; **2.** *vi* [de]part; **sich ~ lassen** get a divorce; **Scheidung** *f* divorce; **Scheidungsgrund** *m* grounds *pl* for divorce; **Scheidungsklage** *f* divorce suit.

Schein *m* ⟨-[e]s, -e⟩ light; (*An~*) appearance; (*Geld~*) [bank]note; (*Bescheinigung*) certificate; **zum ~** in pretence; **scheinbar** *adj* apparent; **scheinen** ⟨schien, geschienen⟩ *vi* shine; (*den Anschein haben*) seem; **scheinheilig** *adj* (*pej*) hypocritical; **Scheintod** *m* apparent death; **Scheinwerfer** *m* ⟨-s, -⟩ floodlight; (*im Theater*) spotlight; (*Such~*) searchlight; (*AUTO*) headlamp.

Scheiß- *in Zusammensetzungen* (*umg!*) bloody; **Scheiße** *f* ⟨-⟩ (*umg!*) shit, crap; **scheißen** *vt, vi* (*umg!*) shit, crap.

Scheit *nt* ⟨-[e]s, -e *o* -er⟩ log, billet.

Scheitel *m* ⟨-s, -⟩ top; (*Haar~*) parting; **scheiteln** *vt* part; **Scheitelpunkt** *m* zenith, apex.

scheitern *vi* fail.

Schellfisch *m* haddock.

Schelm *m* ⟨-[e]s, -e⟩ rogue; **schelmisch** *adj* mischievous, roguish.

Schelte *f* ⟨-, -n⟩ scolding; **schelten** ⟨schalt, gescholten⟩ *vt* scold.

Schema *nt* ⟨-s, -s *o* Schemata⟩ scheme, plan; (*Darstellung*) schema; **nach ~** quite mechanically; **schematisch** *adj* schematic; (*pej*) mechanical.

Schemel *m* ⟨-s, -⟩ [foot]stool.

Schenkel *m* ⟨-s, -⟩ thigh.

schenken *vt* give; **sich jder etw ~** (*umg*) skip sth; **das ist geschenkt!** (*billig*) that's a give-away!; **Schenkung** *f* gift.

Scherbe *f* ⟨-, -n⟩ broken piece, fragment; (*archäologisch*) potsherd.

Schere *f* ⟨-, -n⟩ scissors *pl*; (*groß*) shears *pl*; **eine ~** a pair of scissors/shears; **scheren** **1.** ⟨schor, geschoren⟩ *vt* cut; (*Schaf*) shear; **2.** *vt* (*kümmern*) bother; **3.** *vr*: **sich ~** care; **scher dich [zum Teufel]!** get lost!; **Scherenschleifer(in)** *m(f)* ⟨-s, -⟩ knife-grinder.

Scherereí *f* (*umg*) bother, trouble.

Scherflein *nt* mite, bit.

Scherz *m* ⟨-es, -e⟩ joke; **Scherzfrage** *f* conundrum; **scherzhaft** *adj* joking, jocular.

scheu *adj* shy; **Scheu** *f* ⟨-⟩ shyness (*Angst*) fear (*vor +dat* of); (*Ehrfurcht*) awe.

scheuchen *vt* scare [off].

scheuen **1.** *vr*: **sich ~ vor** +dat be afraid of, shrink from; **2.** *vt* shun; **3.** *vi* (*Pferd*) shy.

Scheuerbürste *f* scrubbing brush; **Scheuerlappen** *m* floorcloth; **Scheuerleiste** *f* skirting board; **scheuern** *vt* scour, scrub.

Scheuklappe *f* blinker.

Scheune *f* ⟨-, -n⟩ barn.

Scheusal *nt* ⟨-s, -e⟩ monster.

scheußlich *adj* dreadful, frightful; **Scheußlichkeit** *f* dreadfulness.

Schi *m* ⟨-s, -er⟩ ski.

Schicht *f* ⟨-, -en⟩ layer; (*Klasse*) class, level; (*in Fabrik etc*) shift; **Schichtarbeit** *f* shift work; **schichten** *vt* layer, stack.

schick *adj* stylish, chic.

schicken **1.** *vt* send; **2.** *vr*: **sich ~** resign oneself (*in +akk* to); (*anständig sein*) be fitting.

Schickimicki *m* ⟨-, -s⟩ (*umg*) trendy.

schicklich *adj* proper, fitting.

Schicksal *nt* ⟨-s, -e⟩ fate; **schicksalhaft** *adj* fateful; **Schicksalsschlag** *m* great misfortune, blow.

Schiebedach *nt* (*AUTO*) sunshine roof; **schieben** ⟨schob, geschoben⟩ *vt, vi* push;

(*Schuld*) put (*auf jdn* on sb); **Schiebetür** *f* sliding door; **Schieblehre** *f* calliper rule.

Schiebung *f* fiddle.

schied *imperf von* **scheiden**.

Schiedsgericht *nt* court of arbitration; **Schiedsrichter(in)** *m(f)* referee, umpire; (*Schlichter*) arbitrator; **Schiedsspruch** *m* [arbitration] award.

schief 1. *adj* crooked; (*Ebene*) sloping; (*Turm*) leaning; (*Winkel*) oblique; (*Blick*) funny; (*Vergleich*) distorted; **2.** *adv* crooked[ly]; (*ansehen*) askance; **etw ~ stellen** slope sth.

Schiefer *m* ⟨-s, -⟩ slate; **Schieferdach** *nt* slate roof.

schiefgehen *irr vi* (*umg*) go wrong; **schieflachen** *vr*: **sich ~** (*umg*) double up with laughter; **schiefliegen** *irr vi* (*umg*) be wrong.

schielen *vi* squint; **nach etw ~** (*umg*) eye sth.

schien *imperf von* **scheinen**.

Schienbein *nt* shinbone.

Schiene *f* ⟨-, -n⟩ rail; (*MED*) splint; **schienen** *vt* put in splints; **Schienenstrang** *m* (*EISENB*) [section of] track.

schier 1. *adj* pure; (*Fleisch*) lean and boneless; (*fig*) sheer; **2.** *adv* nearly, almost.

Schießbude *f* shooting gallery; **Schießbudenfigur** *f* (*umg*) clown, ludicrous figure; **schießen** ⟨schoß, geschossen⟩ *vt, vi* shoot (*auf +akk* at); (*Ball*) kick; (*Geschoß*) fire; (*Salat etc*) run to seed; **Schießerei** *f* shooting incident, shoot-up; **Schießplatz** *m* firing range; **Schießpulver** *nt* gunpowder; **Schießscharte** *f* embrasure; **Schießstand** *m* rifle [o shooting] range.

Schiff *nt* ⟨-[e]s, -e⟩ ship, vessel; (*Kirchen~*) nave; **Schiffahrt** *f* shipping; (*Reise*) voyage; **Schiffahrtslinie** *f* shipping route; **Schiffahrtsweg** *m* waterway; **schiffbar** *adj* navigable; **Schiffbau** *m* shipbuilding; **Schiffbruch** *m* shipwreck; **schiffbrüchig** *adj* shipwrecked; **Schiffchen** *nt* small boat; (*zum Weben*) shuttle; (*Mütze*) forage cap; **Schiffer** *m* ⟨-s, -⟩ bargeman, boatman; **Schiffsjunge** *m* cabin boy; **Schiffsladung** *f* cargo, shipload.

Schikane *f* ⟨-, -n⟩ harassment; dirty trick; **mit allen ~n** (*umg*) with all the trimmings; **schikanieren** *vt* harass, torment.

Schild 1. *m* ⟨-[e]s, -e⟩ shield; (*Mützen~*) peak, visor; **2.** *nt* ⟨-[e]s, -er⟩ sign; (*Namens~*) nameplate; (*Etikett*) label; **etw im ~e führen** be up to sth; **Schildbürger** *m* (*pej*) duffer, blockhead; **Schilddrüse** *f* thyroid gland.

schildern *vt* depict, portray; **Schilderung** *f* description, portrayal.

Schildkröte *f* tortoise; (*Wasser~*) turtle.

Schilf *nt* ⟨-[e]s, -e⟩, **Schilfrohr** *nt* (*Pflanze*) reed; (*Material*) reeds *pl*.

schillern *vi* shimmer; **schillernd** *adj* iridescent.

Schimmel *m* ⟨-s, -⟩ mould; (*Pferd*) white horse; **schimmelig** *adj* mouldy; **schimmeln** *vi* get mouldy.

Schimmer *m* ⟨-s⟩ glimmer; **schimmern** *vi* glimmer, shimmer.

Schimpanse *m* ⟨-n, -n⟩ chimpanzee.

schimpfen 1. *vt, vi* scold; **2.** *vi* curse, complain; **Schimpfwort** *nt* term of abuse.

Schindel *f* ⟨-, -n⟩ shingle.

schinden ⟨schindete, geschunden⟩ **1.** *vt* maltreat, drive too hard; **2.** *vr*: **sich ~** sweat and strain, toil away (*mit* at); **Eindruck ~** (*umg*) create an impression; **Schinderei** *f* grind, drudgery; **Schindluder** *nt*: **~ treiben mit** (*umg*) muck [*o* mess] about; (*Vorrecht*) abuse.

Schinken *m* ⟨-s, -⟩ ham.

Schippe *f* ⟨-, -n⟩ shovel; **schippen** *vt* shovel.

Schirm *m* ⟨-[e]s, -e⟩ (*Regen~*) umbrella; (*Sonnen~*) parasol, sunshade; (*Wand~, Bild~*) screen; (*Lampen~*) [lamp]shade; (*Mützen~*) peak; (*Pilz~*) cap; **Schirmbildaufnahme** *f* X-ray; **Schirmherr(in)** *m(f)* patron/patroness, protector; **Schirmherrschaft** *f* patronage; **Schirmmütze** *f* peaked cap; **Schirmständer** *m* umbrella stand.

schizophren *adj* schizophrenic.

Schlacht *f* ⟨-, -en⟩ battle.

schlachten *vt* slaughter, kill.

Schlachtenbummler(in) *m(f)* football supporter.

Schlachter(in) *m(f)* ⟨-s, -⟩ butcher.

Schlachtfeld *nt* battlefield; **Schlachthaus** *nt*, **Schlachthof** *m* slaughterhouse, abattoir; **Schlachtplan** *m* (*a. fig*) battle plan; **Schlachtruf** *m* battle cry, war cry; **Schlachtschiff** *nt* battleship; **Schlachtvieh** *nt* animals kept for meat; (*Rinder*) beef cattle.

Schlacke *f* ⟨-, -n⟩ slag.

Schlaf *m* ⟨-[e]s⟩ sleep; **Schlafanzug** *m* pyjamas *pl*; **Schläfchen** *nt* nap.

Schläfe *f* ⟨-, -n⟩ temple.

schlafen ⟨schlief, geschlafen⟩ *vi* sleep; **Schlafenszeit** *f* bedtime; **Schläfer(in)** *m(f)* ⟨-s, -⟩ sleeper.

schlaff *adj* slack; (*energielos*) limp; (*erschöpft*) exhausted; **Schlaffheit** *f* slackness; limpness; exhaustion.

Schlafgelegenheit *f* sleeping accommodation; **Schlaflied** *nt* lullaby; **schlaflos** *adj* sleepless; **Schlaflosigkeit** *f* sleeplessness, insomnia; **Schlafmittel** *nt* soporific, sleeping pill; **schläfrig** *adj* sleepy; **Schlafsaal** *m* dormitory; **Schlafsack** *m* sleeping bag; **Schlafstadt** *f* dormitory town; **Schlaftablette** *f* sleeping pill; **schlaftrunken** *adj* drowsy, half-asleep; **Schlafwagen** *m* sleeping car, sleeper; **schlafwandeln** *vi* sleepwalk; **Schlafzimmer** *nt* bedroom.

Schlag *m* ⟨-[e]s, Schläge⟩ (*a. fig*) blow; (*a.* MED) stroke; (*Puls~, Herz~*) beat; (ELEK) shock; (*Blitz~*) bolt, stroke; (*Autotür*) car door; (*umg: Portion*) helping; (*Art*) kind, type; **Schläge** *pl* (*Prügel*) a beating; **mit einem ~** all at once; **~ auf ~** in rapid succession; **Schlagabtausch** *m* (*verbal*) [verbal] exchange; (*nuklear*) conflict; (*beim Boxen*) exchange of blows; **Schlagader** *f* artery; **Schlaganfall** *m* stroke; **schlagartig** *adj* sudden, without warning; **Schlagbaum** *m* barrier; **Schlagbohrmaschine** *f* percussion drill.

schlagen (schlug, geschlagen) **1.** *vt, vi* strike, hit; (*wiederholt ~, besiegen*) beat; (*Glocke*) ring; (*Stunde*) strike; (*Sahne*) whip; (*Schlacht*) fight; (*einwickeln*) wrap; **2.** *vr:* **sich ~** fight; **sich gut ~** (*fig*) do well; **nach jdm ~** (*fig*) take after sb; **schlagend** *adj* (*Beweis*) convincing; **~e Wetter** *pl* (MIN) firedamp.

Schlager *m* ⟨-s, -⟩ hit.

Schläger 1. *m* ⟨-s, -⟩ (SPORT) bat; (TENNIS) racket; (GOLF) [golf] club; (*Hockey~*) hockey stick; (*Waffe*) rapier; **2.** *m* ⟨-s, -⟩ (*pej: gewalttätiger Mensch*) brawler; **Schlägerei** *f* fight, punch-up.

Schlagersänger(in) *m(f)* pop singer.

schlagfertig *adj* quick-witted; **Schlagfertigkeit** *f* ready wit, quickness of repartee; **Schlaginstrument** *nt* percussion instrument; **Schlagloch** *nt* pothole; **Schlagrahm** *m*, **Schlagsahne** *f* [whipped] cream; **Schlagseite** *f* (NAUT) list; **Schlagwort** *nt* slogan, catch phrase; **Schlagzeile** *f* headline; **Schlagzeug** *nt* drums *pl*; (*in Orchester*) percussion; **Schlagzeuger(in)** *m(f)* ⟨-s, -⟩ drummer.

Schlamassel *m* or *nt* ⟨-s, -⟩ (*umg*) mess.

Schlamm *m* ⟨-[e]s, -e⟩ mud; **schlammig** *adj* muddy; **Schlammschlacht** *f* mud-slinging.

Schlampe *f* ⟨-, -n⟩ (*pej*) slattern, slut; **schlampen** *vi* (*umg*) be sloppy; **Schlamper(in)** *m(f)* ⟨-s, -⟩ sloppy person; **Schlamperei** *f* (*umg*) disorder, untidiness; sloppy work; **schlampig** *adj* (*umg*) slovenly, sloppy.

schlang *imperf von* **schlingen**

Schlange *f* ⟨-, -n⟩ snake; (*Menschen~*) queue Brit, line-up US; **~ stehen** [form a] queue, line up; **schlängeln** *vr:* **sich ~**

twist, wind; (*Fluß*) meander; **Schlangenbiß** *m* snake bite; **Schlangengift** *nt* snake venom; **Schlangenlinie** *f* wavy line.

schlank *adj* slim, slender; **Schlankheit** *f* slimness, slenderness; **Schlankheitskur** *f* diet.

schlapp *adj* limp; (*locker*) slack.

Schlappe *f* ⟨-, -n⟩ (*umg*) setback.

Schlappheit *f* limpness; slackness.

Schlapphut *m* slouch hat; **schlappmachen** *vi* (*umg*) wilt, droop.

Schlaraffenland *nt* land of milk and honey.

schlau *adj* crafty, cunning.

Schlauch *m* ⟨-[e]s, Schläuche⟩ hose; (*in Reifen*) inner tube; (*umg*) grind; **Schlauchboot** *nt* rubber dinghy; **schlauchen** *vt* (*umg*) take it out of exhaust; **schlauchlos** *adj* (*Reifen*) tubeless.

Schläue *f* ⟨-⟩ cunning; **Schlaukopf** *m* (*umg*) clever dick.

schlecht *adj* bad; **~ und recht** after a fashion; **jdm ist ~** sb feels sick [*o* bad]; **etw ~ machen** do sth badly; **schlechtgehen** *irr vi unpers:* **jdm geht es schlecht** sb is in a bad way; **Schlechtheit** *f* badness; **schlechthin** *adv* simply; **der Dramatiker ~** the playwright; **Schlechtigkeit** *f* badness; (*Tat*) bad deed; **schlechtmachen** *vt* run down.

schlecken *vt, vi* lick.

Schlegel *m* ⟨-s, -⟩ [drum]stick; (*Hammer*) mallet, hammer; (GASTR) leg.

schleichen (schlich, geschlichen) *vi* creep, crawl; **schleichend** *adj* creeping; (*Krankheit, Gift*) insidious.

Schleier *m* ⟨-s, -⟩ veil; **schleierhaft** *adj:* **jdm ~ sein** (*umg*) be a mystery to sb.

Schleife *f* ⟨-, -n⟩ (*a.* INFORM) loop; (*Band*) bow.

schleifen 1. *vt* (*ziehen, schleppen*) drag; (MIL *Stadt*) raze; **2.** *vi* drag; **3.** (schliff, geschliffen) *vt* (*schärfen*) grind; (*Edelstein*) cut; (MIL *Soldaten*) drill; **Schleifstein** *m* grindstone.

Schleim *m* ⟨-[e]s, -e⟩ slime; (MED) mucus; (GASTR) gruel; **Schleimhaut** *f* mucous membrane; **schleimig** *adj* slimy.

schlemmen *vi* feast; **Schlemmer(in)** *m(f)* ⟨-s, -⟩ gourmet; **Schlemmerei** *f* gluttony, feasting.

schlendern *vi* stroll.

Schlendrian *m* ⟨-[e]s⟩ (*pej*) slackness.

schlenkern *vt, vi* swing, dangle.

Schleppe *f* ⟨-, -n⟩ train.

schleppen *vt* drag; (*Auto, Schiff*) tow; (*tragen*) lug; **schleppend** *adj* dragging, slow; **Schlepper** *m* ⟨-s, -⟩ tractor; (*Schiff*) tug; **Schlepplift** *m* ski tow; **Schlepptau** *nt* towrope; **jdn ins ~ nehmen** (*fig*) take sb in tow.

Schleswig-Holstein nt ⟨-s⟩ Schleswig-Holstein.

Schleuder f ⟨-, -n⟩ catapult; (Wäsche~) spin-drier; (Butter~) centrifuge; **schleudern 1.** vt hurl; (Wäsche) spin-dry; **2.** vi (AUTO) skid; **Schleuderpreis** m give-away price; **Schleudersitz** m (FLUG) ejector seat; (fig) hot seat; **Schleuderware** f cheap [o cut-price] goods pl.

schleunigst adv straight away.

Schleuse f ⟨-, -n⟩ lock; (~ntor) sluice.

schlich imperf von **schleichen**.

Schlich m ⟨-[e]s, -e⟩ dodge, trick.

schlicht adj simple, plain.

schlichten vt (Streit) settle; **Schlichter(in)** m(f) ⟨-s, -⟩ mediator, arbitrator; **Schlichtung** f settlement; arbitration.

Schlick m ⟨-[e]s, -e⟩ mud; (Öl~) slick.

schlief imperf von **schlafen**.

Schließe f ⟨-, -n⟩ fastener.

schließen ⟨schloß, geschlossen⟩ vt, vi, vr: **sich ~** close, shut; (beenden) close; (Freundschaft, Bündnis, Ehe) enter into; (folgern) infer (aus from); **etw in sich ~** include sth; **Schließfach** nt locker.

schließlich adv finally; (~ doch) after all.

schliff imperf von **schleifen**; **Schliff** m ⟨-[e]s, -e⟩ cut[ting]; (fig) polish.

schlimm adj bad; **schlimmer** adj worse; **schlimmste(r, s)** adj worst; **schlimmstenfalls** adv at [the] worst.

Schlinge f ⟨-, -n⟩ loop; (Henkers~) noose; (Falle) snare; (MED) sling.

Schlingel m ⟨-s, -⟩ rascal.

schlingen ⟨schlang, geschlungen⟩ **1.** vt wind; **2.** vt, vi (essen) bolt [one's food], gobble.

schlingern vi roll.

Schlips m ⟨-es, -e⟩ (umg) tie.

Schlitten m ⟨-s, -⟩ sledge, sleigh; **Schlittenbahn** f toboggan run; **Schlittenfahren** nt ⟨-s⟩ tobogganing.

schlittern vi slide.

Schlittschuh m skate; **~ laufen** skate; **Schlittschuhbahn** f skating rink; **Schlittschuhläufer(in)** m(f) skater.

Schlitz m ⟨-es, -e⟩ slit; (für Münze) slot; (Hosen~) flies pl; **schlitzäugig** adj slant-eyed; **Schlitzohr** nt (umg) crafty devil.

schlohweiß adj snow-white.

schloß imperf von **schließen**.

Schloß nt ⟨Schlosses, Schlösser⟩ lock; (an Schmuck etc) clasp; (Bau) castle; chateau.

Schlosser(in) m(f) ⟨-s, -⟩ (AUTO) fitter; (für Schlüssel etc) locksmith; **Schlosserei** f metal [working] shop.

Schlot m ⟨-[e]s, -e⟩ chimney; (NAUT) funnel.

schlottern vi shake, tremble.

Schlucht f ⟨-, -en⟩ gorge, ravine.

schluchzen vi sob.

Schluck m ⟨-[e]s, -e⟩ swallow; (Menge) drop; **Schluckauf** m ⟨-s⟩, **Schlucken** m ⟨-s⟩ hiccups pl; **schlucken** vt, vi swallow.

schludern vi skimp, do sloppy work.

schlug imperf von **schlagen**.

Schlummer m ⟨-s⟩ slumber; **schlummern** vi slumber.

Schlund m ⟨-[e]s, Schlünde⟩ gullet; (fig) jaw.

schlüpfen vi slip; (Vogel etc) hatch [out].

Schlüpfer m ⟨-s, -⟩ panties pl.

Schlupfloch nt hole; (Versteck) hide-out; (fig) loophole.

schlüpfrig adj slippery; (fig) lewd; **Schlüpfrigkeit** f slipperiness; (fig) lewdness.

schlurfen vi shuffle.

schlürfen vt, vi slurp.

Schluß m ⟨Schlusses, Schlüsse⟩ end; (~folgerung) conclusion; **am ~** at the end; **~ machen mit** finish with.

Schlüssel m ⟨-s, -⟩ (a. fig) key; (Schrauben~) spanner, wrench; (MUS) clef; **Schlüsselbein** nt collarbone; **Schlüsselblume** f cowslip; **Schlüsselbund** m bunch of keys; **Schlüsselkind** nt latchkey child; **Schlüsselloch** nt keyhole; **Schlüsselposition** f key position.

Schlußfolgerung f conclusion.

schlüssig adj conclusive.

Schlußlicht nt taillight; (fig) tailender; **Schlußstrich** m (fig) final stroke; **Schlußverkauf** m clearance sale; **Schlußwort** nt concluding words pl.

Schmach f ⟨-⟩ disgrace, ignominy.

schmachten vi languish; (sich sehnen) long (nach for).

schmächtig adj slight.

schmachvoll adj ignominious, humiliating.

schmackhaft adj tasty.

schmählich adj ignominious, shameful.

schmal adj narrow; (Mensch, Buch etc) slender, slim; (karg) meagre; **schmälern** vt diminish; (fig) belittle; **Schmalfilm** m (FILM) film; **Schmalspur** f narrow gauge.

Schmalz nt ⟨-es, -e⟩ dripping, lard; (fig) sentiment, schmaltz; **schmalzig** adj (fig) schmaltzy, slushy.

schmarotzen vi sponge; (BOT) be parasitic; **Schmarotzer(in)** m(f) ⟨-s, -⟩ parasite; (Mensch a.) sponger.

Schmarren m ⟨-s, -⟩ small piece of pancake; (fig) rubbish, tripe.

schmatzen vi smack one's lips; eat noisily.

Schmaus m ⟨-es, Schmäuse⟩ feast; **schmausen** vi feast.

schmecken vt, vi taste; **es schmeckt ihm** he likes it.

Schmeichelei f flattery; **schmeichelhaft** adj flattering; **schmeicheln** vi flatter

⟨jdm sb⟩.

schmeißen ⟨schmiß, geschmissen⟩ vt (umg) throw, chuck.

Schmeißfliege f bluebottle.

Schmelz m ⟨-es, -e⟩ enamel; (Glasur) glaze; (von Stimme) melodiousness.

schmelzen ⟨schmolz, geschmolzen⟩ vt, vi melt; (Erz) smelt; **Schmelzpunkt** m melting point; **Schmelzwasser** nt melted snow.

Schmerz m ⟨-es, -en⟩ pain; (Trauer) grief; **schmerzempfindlich** adj sensitive to pain; **schmerzen** vt, vi hurt; **Schmerzensgeld** nt compensation; **schmerzhaft, schmerzlich** adj painful; **schmerzlindernd** adj pain-relieving; **schmerzlos** adj painless; **schmerzstillend** adj pain-killing; (MED) analgesic.

Schmetterling m butterfly.

schmettern vt, vi smash; (Melodie) sing loudly, bellow out; (Trompete) blare.

Schmied(in) m(f) ⟨-[e]s, -e⟩ blacksmith; **Schmiede** f ⟨-, -n⟩ smithy, forge; **Schmiedeeisen** nt wrought iron; **schmieden** vt forge; (Pläne) devise, concoct.

schmiegen 1. vt press, nestle; **2.** vr: sich ∼ cling, nestle [up] (an +akk to); **schmiegsam** adj flexible, pliable.

Schmiere f ⟨-, -n⟩ grease; (THEAT) greasepaint, make-up; **schmieren 1.** vt smear; (ölen) lubricate, grease; (bestechen) bribe; **2.** vt, vi (schreiben) scrawl; **Schmierfett** nt grease; **Schmierfink** m messy person; **Schmiergeld** nt (umg) bribe; **schmierig** adj greasy; **Schmiermittel** nt lubricant; **Schmierseife** f soft soap.

Schminke f ⟨-, -n⟩ make-up; **schminken** vt, vi: sich ∼ make up.

schmirgeln vt sand [down]; **Schmirgelpapier** nt emery paper.

schmiß imperf von **schmeißen**.

Schmöker m ⟨-s, -⟩ (umg) book; **schmökern** vi (umg) browse.

schmollen vi sulk, pout; **schmollend** adj sulky.

schmolz imperf von **schmelzen**.

Schmorbraten m stewed [o braised] meat; **schmoren** vt stew, braise.

Schmuck m ⟨-[e]s, -e⟩ jewellery; (Verzierung) decoration; **schmücken** vt decorate; **schmucklos** adj unadorned, plain; **Schmucksachen** pl jewels pl.

Schmuggel m ⟨-s⟩ smuggling; **schmuggeln** vt, vi smuggle; **Schmuggler(in)** m(f) ⟨-s, -⟩ smuggler.

schmunzeln vi smile benignly.

Schmutz m ⟨-es⟩ dirt, filth; **schmutzen** vi get dirty; **Schmutzfink** m filthy creature; **Schmutzfleck** m stain; **schmutzig** adj dirty.

Schnabel m ⟨-s, Schnäbel⟩ beak, bill; (Ausguß) spout.

Schnake f ⟨-, -n⟩ cranefly; (Stechmücke) gnat.

Schnalle f ⟨-, -n⟩ buckle, clasp; **schnallen** vt buckle.

schnalzen vi snap; (mit Zunge) click.

Schnäppchen nt (umg) bargain, snip.

schnappen 1. vt grab, catch; **2.** vi snap.

Schnappschloß nt spring lock; **Schnappschuß** m (FOTO) snapshot.

Schnaps m ⟨-es, Schnäpse⟩ spirits pl, schnapps.

schnarchen vi snore.

schnattern vi chatter; (zittern) shiver.

schnauben 1. vi snort; **2.** vr: sich ∼ blow one's nose.

schnaufen vi puff, pant.

Schnauzbart m moustache; **Schnauze** f ⟨-, -n⟩ snout, muzzle; (Ausguß) spout; (umg) gob.

Schnecke f ⟨-, -n⟩ snail; **Schneckenhaus** nt snail's shell; **Schneckentempo** nt: im ∼ at a snail's pace.

Schnee m ⟨-s⟩ snow; (Ei∼) beaten egg white; ∼ von gestern old hat; **Schneeball** m snowball; **Schneeflocke** f snowflake; **Schneegestöber** nt snow flurry; **Schneeglöckchen** nt snowdrop; **Schneekette** f (AUTO) snow chain; **Schneematsch** m slush; **Schneepflug** m snowplough; **Schneeschmelze** f ⟨-, -n⟩ thaw; **Schneeverwehung** f, **Schneewehe** f snowdrift; **Schneewittchen** nt Snow White.

Schneid m ⟨-[e]s⟩ (umg) pluck.

Schneide f ⟨-, -n⟩ edge; (Klinge) blade; **schneiden** ⟨schnitt, geschnitten⟩ vt, vr: sich ∼ cut [oneself]; (kreuzen) cross, intersect; **schneidend** adj cutting.

Schneider m ⟨-s, -⟩ tailor; **Schneiderin** f dressmaker; **schneidern 1.** vt make; **2.** vi be a tailor/dressmaker.

Schneidezahn m incisor.

schneidig adj dashing; (mutig) plucky.

schneien vi snow.

Schneise f ⟨-, -n⟩ clearing.

schnell 1. adj quick, fast; **2.** adv quickly, fast; **Schnelldrucker** m high-speed printer.

schnellen vi shoot, fly.

Schnellgaststätte f fast-food restaurant; **Schnellhefter** m ⟨-s, -⟩ loose-leaf binder; **Schnelligkeit** f speed; **schnellstens** adv as quickly as possible; **Schnellstraße** f expressway; **Schnellzug** m fast [o express] train.

schneuzen vr: sich ∼ blow one's nose.

schnippisch adj sharp-tongued.

schnitt *imperf von* **schneiden**; **Schnitt** *m* ⟨-[e]s, -e⟩ cut[ting]; (*~punkt*) intersection; (*Quer~*) [cross] section; (*Durch~*) average; (*~muster*) pattern; (*Ernte*) crop; (*an Buch*) edge; (*umg: Gewinn*) profit; **Schnittblumen** *pl* cut flowers *pl*.

Schnitte *f* ⟨-, -n⟩ slice; (*belegt*) sandwich.

Schnittfläche *f* section; **Schnittlauch** *m* chives *pl*; **Schnittmuster** *nt* pattern; **Schnittpunkt** *m* [point of] intersection; **Schnittstelle** *f* (*INFORM. fig*) interface; **Schnittwunde** *f* cut.

schnitzen *vt* carve; **Schnitzer(in)** *m(f)* ⟨-s, -⟩ carver; (*umg*) blunder; **Schnitzerei** *f* carving; (*Gegenstand*) carved woodwork.

schnodderig *adj* (*umg*) snotty.

schnöde *adj* base, mean.

Schnorchel *m* ⟨-s, -⟩ snorkel.

Schnörkel *m* ⟨-s, -⟩ flourish; (*ARCHIT*) scroll.

schnorren *vt, vi* cadge.

schnüffeln *vi* sniff; **Schnüffler(in)** *m(f)* ⟨-s, -⟩ snooper.

Schnuller *m* ⟨-s, -⟩ dummy, comforter *US*.

Schnupfen *m* ⟨-s, -⟩ cold.

schnuppern *vi* sniff.

Schnur *f* ⟨-, Schnüre⟩ string, cord; (*ELEK*) flex.

schnüren *vt* tie.

schnurgerade *adj* straight as a die, straight as an arrow.

Schnurrbart *m* moustache.

schnurren *vi* purr; (*Kreisel*) hum.

Schnürschuh *m* lace-up [shoe]; **Schnürsenkel** *m* shoelace.

schnurstracks *adv* straight [away].

schob *imperf von* **schieben**.

Schock *m* ⟨-[e]s, -e⟩ shock; **schockieren** *vt* shock, outrage.

Schöffe *m* ⟨-n, -n⟩ ≈lay magistrate; **Schöffengericht** *nt* magistrates' court; **Schöffin** *f* lay magistrate.

Schokolade *f* chocolate.

Scholle *f* ⟨-, -n⟩ clod; (*Eis~*) ice floe; (*Fisch*) plaice.

schon *adv* already; (*zwar*) certainly; **warst du ~ einmal da?** have you ever been there?; **ich war ~ einmal da** I've been there before; **das ist ~ immer so** that has always been the case; **das wird ~ [noch] gut** that'll be OK; **wenn ich das ~ höre ...** I only have to hear that ...; **~ der Gedanke** the very thought.

schön *adj* beautiful; (*nett*) nice; **~e Grüße** best wishes; **~en Dank** [many] thanks.

schonen 1. *vt* look after; **2.** *vr:* **sich ~** take it easy; **schonend** *adj* careful, gentle.

Schöngeist *m* aesthete; **Schönheit** *f* beauty; **Schönheitsfehler** *m* blemish, flaw; **Schönheitsoperation** *f* cosmetic

surgery; **schönmachen** *vr:* **sich ~** make oneself look nice.

Schonung *f* good care; (*Nachsicht*) consideration; (*Forst*) plantation of young trees; **schonungslos** *adj* unsparing, harsh.

Schonzeit *f* close season.

schöpfen *vt* scoop, ladle; (*Mut*) summon up; (*Luft*) breathe in.

Schöpfer(in) *m(f)* ⟨-s, -⟩ creator; **schöpferisch** *adj* creative.

Schöpfkelle *f*, **Schöpflöffel** *m* ladle.

Schöpfung *f* creation.

schor *imperf von* **scheren**.

Schorf *m* ⟨-[e]s, -e⟩ scab.

Schornstein *m* chimney; (*NAUT*) funnel; **Schornsteinfeger(in)** *m(f)* ⟨-s, -⟩ chimney sweep.

schoß *imperf von* **schießen**.

Schoß *m* ⟨-es, Schöße⟩ lap; (*Rock~*) coat tail; **Schoßhund** *m* pet dog, lapdog.

Schote *f* ⟨-, -n⟩ pod.

Schotte *m* ⟨-n, -n⟩ Scot, Scotsman; **die ~n** *pl* the Scots *pl*.

Schotter *m* ⟨-s⟩ broken stone, road metal; (*EISENB*) ballast.

Schottin *f* Scot, Scotswoman; **schottisch** *adj* Scottish, Scots; **Schottland** *nt* Scotland; **in ~** in Scotland; **nach ~ fahren** go to Scotland.

schraffieren *vt* hatch.

schräg *adj* slanting, not straight; **etw ~ stellen** put sth at an angle; **~ gegenüber** diagonally opposite; **Schräge** *f* ⟨-, -n⟩ slant; **Schrägschrift** *f* italics *pl*; **Schrägstreifen** *m* bias binding; **Schrägstrich** *m* oblique [stroke].

Schramme *f* ⟨-, -n⟩ scratch; **schrammen** *vt* scratch.

Schrank *m* ⟨-[e]s, Schränke⟩ cupboard; (*Kleider~*) wardrobe.

Schranke *f* ⟨-, -n⟩ barrier; **schrankenlos** *adj* boundless; (*zügellos*) unrestrained; **Schrankenwärter(in)** *m(f)* (*EISENB*) level crossing attendant.

Schrankkoffer *m* trunk.

Schraube *f* ⟨-, -n⟩ screw; **schrauben** *vt* screw; **Schraubenschlüssel** *m* spanner; **Schraubenzieher** *m* ⟨-s, -⟩ screwdriver.

Schraubstock *m* (*TECH*) vice.

Schraubverschluß *m* screw top, screw cap.

Schrebergarten *m* allotment.

Schreck *m* ⟨-[e]s, -e⟩, **Schrecken** *m* ⟨-s, -⟩ terror, fright; **schrecken** *vt* frighten, scare; **Schreckgespenst** *nt* spectre, nightmare; **schreckhaft** *adj* jumpy, easily frightened.

schrecklich *adj* terrible, dreadful.

Schreckschuß *m* warning shot; **Schreckschußpistole** *f* blank gun.

Schrei m ⟨-[e]s, -e⟩ scream; (*Ruf*) shout.
Schreibblock m writing pad; **Schreib-dichte** f (*INFORM: von Diskette*) density.
schreiben ⟨schrieb, geschrieben⟩ vt, vi write; (*buchstabieren*) spell; **Schreiben** nt ⟨-s, -⟩ letter, communication.
Schreiber(in) m(f) ⟨-s, -⟩ writer; (*Büro~*) clerk.
schreibfaul adj bad about writing letters; **Schreibfehler** m spelling mistake; **Schreibkraft** f clerical assistant; **Schreibmaschine** f typewriter; **Schreibpapier** nt notepaper; **Schreib-stelle** f (*INFORM*) character position; **Schreibstellenmarke** f (*INFORM*) cursor; **Schreibtisch** m desk; **Schreibung** f spelling; **Schreibwaren** pl stationery; **Schreibweise** f spelling; way of writing; **Schreibzeug** nt writing materials pl.
schreien ⟨schrie, geschrie[e]n⟩ vt, vi scream; (*rufen*) shout; **schreiend** adj (*fig*) glaring; (*Farbe*) loud.
Schreiner(in) m(f) ⟨-s, -⟩ joiner; (*Zimmermann*) carpenter; (*Möbel~*) cabinetmaker; **Schreinerei** f joiner's workshop.
schreiten ⟨schritt, geschritten⟩ vi stride.
schrie imperf von **schreien**.
schrieb imperf von **schreiben**.
Schrift f ⟨-, -en⟩ writing; (*Hand~*) handwriting; (*~art*) typeface; (*Gedrucktes*) pamphlet, work; **Schriftbild** nt type; **Schrift-deutsch** nt written German, standard German; **Schriftführer(in)** m(f) secretary; **schriftlich 1.** adj written; **2.** adv in writing; **Schriftsetzer(in)** m(f) compositor; **Schriftsprache** f written language; **Schriftsteller(in)** m(f) ⟨-s, -⟩ writer; **Schriftstück** nt document.
schrill adj shrill; **schrillen** vi sound [o ring] shrilly.
schritt imperf von **schreiten**; **Schritt** m ⟨-[e]s, -e⟩ step; (*Gangart*) walk; (*Tempo*) pace; (*von Hose*) crutch; **Schrittempo** nt: **im ~** at a walking pace; **Schrittmacher** m ⟨-s, -⟩ (a. *MED*) pacemaker.
schroff adj steep; (*zackig*) jagged; (*fig*) brusque; (*ungeduldig*) abrupt.
schröpfen vt (*fig*) fleece.
Schrot m o nt ⟨-[e]s, -e⟩ (*Blei~*) [small] shot; (*Getreide*) coarsely ground grain, [whole-] meal; **Schrotflinte** f shotgun.
Schrott m ⟨-[e]s, -e⟩ scrap metal; (*fig*) useless stuff; **Schrotthaufen** m scrap heap; **schrottreif** adj ready for the scrap heap.
schrubben vt scrub; **Schrubber** m ⟨-s, -⟩ scrubbing brush.
Schrulle f ⟨-, -n⟩ eccentricity, queer idea/habit.
schrumpfen vi shrink; (*Apfel*) shrivel.
Schubkarren m wheelbarrow.

Schublade f drawer.
schüchtern adj shy; **Schüchternheit** f shyness.
schuf imperf von **schaffen**.
Schufa f ⟨-⟩ credit rating company.
Schuft m ⟨-[e]s, -e⟩ scoundrel.
schuften vi (*umg*) graft, slave away.
Schuh m ⟨-[e]s, -e⟩ shoe; **Schuhband** nt ⟨Schuhbänder pl⟩ shoelace; **Schuhcreme** f shoe polish; **Schuhlöffel** m shoehorn; **Schuhmacher(in)** m(f) ⟨-s, -⟩ shoemaker.
Schulabgänger(in) m(f) school leaver; **Schulaufgaben** pl homework; **Schul-besuch** m school attendance; **Schul-buch** nt schoolbook.
schuld adj: **~ sein** [o **haben**] be to blame (*an +dat* for); **er ist** [o **hat**] **~** it's his fault; **jdm ~ geben** blame sb; **Schuld** f ⟨-, -en⟩ guilt; (*FIN*) debt; (*Verschulden*) fault.
schulden vt owe.
Schulden pl debts pl; **schuldenfrei** adj free from debt.
Schuldgefühl nt feeling of guilt.
schuldig adj guilty (*an +dat* of); (*gebührend*) due; **jdm etw ~ sein** owe sb sth; **jdm etw ~ bleiben** not provide sb with sth.
schuldlos adj innocent, without guilt.
Schuldner(in) m(f) ⟨-s, -⟩ debtor.
Schuldschein m promissory note, IOU; **Schuldspruch** m verdict of guilty; **Schuldzuweisung** f accusation, assignment of guilt.
Schule f ⟨-, -n⟩ school; **schulen** vt train, school.
Schüler(in) m(f) ⟨-s, -⟩ pupil.
Schulferien pl school holidays pl; **schul-frei** adj: **~er Tag** ~ **sein** be a holiday; **Schulfunk** m schools' broadcasts pl; **Schulgeld** nt school fees pl; **Schulhof** m playground; **Schuljahr** nt school year; **Schuljunge** m schoolboy; **Schulmäd-chen** nt schoolgirl; **schulpflichtig** adj of school age; **Schulschiff** nt training ship; **Schulstunde** f period, lesson; **Schulta-sche** f satchel.
Schulter f ⟨-, -n⟩ shoulder; **Schulterblatt** nt shoulder blade; **schultern** vt shoulder; **Schulterschluß** m shoulder-to-shoulder stance, solidarity.
Schulung f training; (*Veranstaltung*) training course; **Schulungsdiskette** f training diskette, didactic disk.
Schulwesen nt education system; **Schul-zeugnis** nt school report.
Schund m ⟨-[e]s⟩ trash, garbage; **Schund-roman** m trashy novel.
Schuppe f ⟨-, -n⟩ scale; **schuppen 1.** vt scale; **2.** vr: **sich ~** peel; **Schuppen** pl (*Haar~*) dandruff.

Schuppen m ⟨-s, -⟩ shed.

schuppig adj scaly.

Schur f ⟨-, -en⟩ shearing.

schüren vt rake; (fig) stir up.

schürfen vt, vi scrape, scratch; (MIN) prospect, dig; **Schürfung** f abrasion; (MIN) prospecting.

Schürhaken m poker.

Schurke m ⟨-n, -n⟩, **Schurkin** f rogue.

Schurz m ⟨-es, -e⟩ loincloth; (von Schmied, süddeutsch: Schürze) apron.

Schürze f ⟨-, -n⟩ apron.

Schuß m ⟨Schusses, Schüsse⟩ shot; (WEBEN) woof.

Schüssel f ⟨-, -n⟩ bowl.

schusselig adj (umg) scatter-brained.

Schußlinie f line of fire; **Schußverletzung** f bullet wound; **Schußwaffe** f firearm.

Schuster(in) m(f) ⟨-s, -⟩ cobbler, shoemaker.

Schutt m ⟨-(e)s⟩ rubbish; (Bau~) rubble; **Schuttabladeplatz** m refuse dump.

Schüttelfrost m shivering; **schütteln** vt, vr: sich ~ shake.

schütten 1. vt pour; (Zucker, Kies etc) tip; (ver~) spill; 2. vi unpers pour [down].

schütter adj (Haare) sparse, thin.

Schutz m ⟨-es⟩ protection; (Unterschlupf) shelter; **jdn in ~ nehmen** stand up for sb; **Schutzanzug** m overalls pl; **Schutzbefohlene(r)** mf charge; **Schutzblech** nt mudguard; **Schutzbrief** m travel insurance [document]; **Schutzbrille** f goggles pl.

Schütze m ⟨-n, -n⟩ marksman; (SPORT) rifleman; (beim Fußball) scorer; (JAGD) hunter; (Bogen~) archer; (ASTR) Sagittarius.

schützen vt protect.

Schutzengel m guardian angel; **Schutzgebiet** nt protectorate; (Natur~) reserve; **Schutzhaft** f protective custody; **Schutzhelm** m safety helmet, hard hat; **Schutzimpfung** f immunisation; **schutzlos** adj defenceless; **Schutzmann** m ⟨Schutzleute o Schutzmänner pl⟩ policeman; **Schutzmaßnahme** f precaution; **Schutzpatron(in)** m(f) patron saint; **Schutzumschlag** m [book] jacket; **Schutzvorrichtung** f safety device.

schwach adj weak, feeble; **Schwäche** f ⟨-, -n⟩ weakness; **schwächen** vt weaken; **schwächlich** adj weakly, delicate; **Schwächling** m weakling; **Schwachsinn** m imbecility; (fig) nonsense; **schwachsinnig** adj mentally deficient; (Idee) idiotic; **Schwachstelle** f weak point; **Schwachstrom** m weak current; **Schwächung** f weakening.

Schwaden m ⟨-s, -⟩ cloud.

schwafeln vt, vi blather, drivel.

Schwager m ⟨-s, Schwäger⟩ brother-in-law; **Schwägerin** f sister-in-law.

Schwalbe f ⟨-, -n⟩ swallow.

Schwall m ⟨-(e)s, -e⟩ surge; (Worte) flood, torrent.

schwamm imperf von **schwimmen**.

Schwamm m ⟨-(e)s, Schwämme⟩ sponge; (Pilz) fungus; **schwammig** adj spongy; (Gesicht) puffy; (unpräzise) woolly.

Schwan m ⟨-(e)s, Schwäne⟩ swan.

schwand imperf von **schwinden**.

schwanen vi unpers: **jdm schwant etw** sb has a foreboding of sth.

schwang imperf von **schwingen**.

schwanger adj pregnant; **schwängern** vt make pregnant; **Schwangerschaft** f pregnancy; **Schwangerschaftsabbruch** m termination of pregnancy; **Schwangerschaftstest** m pregnancy test.

Schwank m ⟨-(e)s, Schwänke⟩ funny story.

schwanken vi sway; (taumeln) stagger, reel; (Preise, Zahlen) fluctuate; (zögern) hesitate, vacillate; **Schwankung** f fluctuation.

Schwanz m ⟨-(e)s, Schwänze⟩ tail.

schwänzen 1. vt (umg) skip, cut; 2. vi play truant.

Schwarm m ⟨-(e)s, Schwärme⟩ swarm; (umg) heart-throb, idol; **schwärmen** vi swarm; **~ für** be mad [o wild] about; **Schwärmerei** f enthusiasm; **schwärmerisch** adj impassioned, effusive.

Schwarte f ⟨-, -n⟩ hard skin; (Speck~) rind.

schwarz adj black; **ins Schwarze treffen** (a. fig) hit the bull's eye; **Schwarzarbeit** f illicit work, moonlighting; **Schwarzbrot** nt black bread; **Schwärze** f ⟨-, -n⟩ blackness; (Farbe) blacking; (Drucker~) printer's ink; **schwärzen** vt blacken; **schwarzfahren** irr vi travel without paying; (ohne Führerschein) drive without a licence; **Schwarzfahrer(in)** m(f) faredodger; **Schwarzhandel** m black-market [trade]; **schwarzhören** vi listen to the radio without a licence; **Schwarzmarkt** m black market; **schwarzsehen** irr vi (umg) see the gloomy side of things; (TV) watch TV without a licence; **Schwarzseher(in)** m(f) pessimist; (TV) viewer without a licence; **Schwarzwald** m Black Forest; **schwarzweiß** adj black and white.

schwatzen, **schwätzen** vi chatter; **Schwätzer(in)** m(f) ⟨-s, -⟩ (Schwafler) gasbag; (Klatschmaul) chatterbox, gossip; **schwatzhaft** adj talkative, gossipy.

Schwebe f: **in der ~** (fig) in abeyance; **Schwebebahn** f overhead railway;

Schwebebalken m (SPORT) beam; **schweben** vi drift, float; (hoch) soar; (unentschieden sein) be in the balance.

Schwede m (-n, -n) Swede; **Schweden** nt Sweden; **Schwedin** f Swede; **schwedisch** adj Swedish.

Schwefel m (-s) sulphur; **schwefelig** adj sulphurous; **Schwefelsäure** f sulphuric acid.

Schweif m (-[e]s, -e) tail.

Schweigegeld nt hush money; **schweigen** (schwieg, geschwiegen) vi be silent; stop talking; **Schweigen** nt (-s) silence; **schweigsam** adj silent, taciturn; **Schweigsamkeit** f taciturnity, quietness.

Schwein nt (-[e]s, -e) pig; (fig umg) luck; **Schweinefleisch** nt pork; **Schweinehund** m (umg) stinker, swine; **Schweinerei** f mess; (Gemeinheit) dirty trick; **Schweinestall** m pigsty; **schweinisch** adj filthy; **Schweinsleder** nt pigskin.

Schweiß m (-es) sweat, perspiration.

Schweißbrenner m welding torch; **schweißen** vt, vi weld; **Schweißer(in)** m(f) (-s, -) welder.

Schweißfüße pl sweaty feet pl.

Schweißnaht f weld.

Schweiz f: **die ~** Switzerland; **in der ~** in Switzerland; **in die ~ fahren** go to Switzerland; **Schweizer(in)** m(f) (-s, -) Swiss; **die ~** pl the Swiss pl; **Schweizerdeutsch** nt Swiss German; **schweizerisch** adj Swiss.

schwelen vi smoulder.

schwelgen vi indulge.

Schwelle f (-, -n) doorstep; (a. fig) threshold; (EISENB) sleeper.

schwellen (schwoll, geschwollen) vi swell.

Schwellenangst f (fig) fear of embarking on something new; **Schwellenland** nt advanced developing country.

Schwellung f swelling.

schwenkbar adj swivel-mounted; **schwenken 1.** vt swing; (Fahne) wave; (abspülen) rinse; **2.** vi turn, swivel; (MIL) wheel.

schwer 1. adj heavy; (schwierig) difficult, hard; (schlimm) serious, bad; **2.** adv (sehr) very much; (verletzt etc) seriously, badly; **Schwerarbeiter(in)** m(f) labourer; **Schwere** f (-, -n) weight, heaviness; (PHYS) gravity; **schwerelos** adj weightless; (Kammer) zero-G; **Schwerelosigkeit** f weightlessness.

Schwerenöter m (-s, -) casanova, ladies' man.

schwererziehbar adj difficult [to bring up], maladjusted; **schwerfallen** irr vi: **jdm ~** be difficult for sb; **schwerfällig** adj ponderous; **Schwergewicht** nt heavyweight; (fig) emphasis; **schwerhörig** adj hard of hearing; **Schwerindustrie** f heavy industry; **Schwerkraft** f gravity; **Schwerkranke(r)** mf person who is seriously ill; **schwerlich** adv hardly; **schwermachen** vt: **jdm/sich etw ~** make sth difficult for sb/oneself; **Schwermetall** nt heavy metal; **schwermütig** adj melancholy; **schwernehmen** irr vt take to heart; **Schwerpunkt** m centre of gravity; (fig) emphasis, crucial point.

Schwert nt (-[e]s, -er) sword; **Schwertlilie** f iris.

schwertun irr vi: **sich** dat o akk **~** have difficulties; **Schwerverbrecher(in)** m(f) criminal, serious offender; **schwerverdaulich** adj indigestible, heavy; **schwerverletzt** adj badly injured; **schwerverwundet** adj seriously wounded; **schwerwiegend** adj weighty, important.

Schwester f (-, -n) sister; (MED) nurse; **schwesterlich** adj sisterly.

schwieg imperf von **schweigen**.

Schwiegereltern pl parents-in-law pl; **Schwiegermutter** f mother-in-law; **Schwiegersohn** m son-in-law; **Schwiegertochter** f daughter-in-law; **Schwiegervater** m father-in-law.

Schwiele f (-, -n) callus.

schwierig adj difficult, hard; **Schwierigkeit** f difficulty.

Schwimmbad nt swimming baths pl; **Schwimmbecken** nt swimming pool; **schwimmen** (schwamm, geschwommen) vi swim; (treiben, nicht sinken) float; (fig: unsicher sein) be all at sea; **Schwimmer(in)** m(f) (-s, -) swimmer; (beim Angeln) float; **Schwimmsport** m swimming; **Schwimmweste** f life jacket.

Schwindel m (-s) giddiness; (~anfall) dizzy spell; (Betrug) swindle, fraud; (Zeug) stuff; **schwindelfrei** adj free from giddiness; **schwindeln** vi (umg: lügen) fib; **jdm schwindelt es** sb feels giddy.

schwinden (schwand, geschwunden) vi disappear; (sich verringern) decrease; (Kräfte) decline.

Schwindler(in) m(f) (-s, -) swindler; (Lügner) liar.

schwindlig adj giddy; **mir ist ~** I feel giddy.

schwingen (schwang, geschwungen) vt, vi swing; (Waffe etc) brandish; (vibrieren) vibrate; (klingen) sound.

Schwinger m (-s, -) (BOXEN) swing.

Schwingtür f swing door[s].

Schwingung f vibration; (PHYS) oscillation.

Schwips m (-es, -e): **einen ~ haben** be tipsy.

schwirren vi buzz.

schwitzen vi sweat, perspire.

schwoll *imperf von* **schwellen**.

schwören ⟨schwor, geschworen⟩ *vt, vi* swear.

schwul *adj* (*umg*) gay.

schwül *adj* sultry, close; **Schwüle** *f* ⟨-⟩ sultriness, closeness.

Schwule(r) *m* (*umg*) gay.

schwülstig *adj* pompous.

Schwund *m* ⟨-[e]s⟩ loss; (*Schrumpfen*) shrinkage.

Schwung *m* ⟨-[e]s, Schwünge⟩ swing; (*Triebkraft*) momentum; (*fig: Energie*) verve, energy; (*umg: Menge*) batch; **schwunghaft** *adj* brisk, lively; **Schwungrad** *nt* flywheel; **schwungvoll** *adj* vigorous.

Schwur *m* ⟨-[e]s, Schwüre⟩ oath; **Schwurgericht** *nt* court with a jury.

Science-fiction *f* science-fiction.

sechs *num* six; **sechsfach 1.** *adj* sixfold; **2.** *adv* six times; **sechshundert** *num* six hundred; **sechsjährig** *adj* (*6 Jahre alt*) six-year-old; (*6 Jahre dauernd*) six-year; **sechsmal** *adv* six times.

sechste(r, s) *adj* sixth; **der ∼ Mai** the sixth of May; **Bonn, den 6. Mai** Bonn, May 6th; **Sechste(r)** *mf* sixth.

Sechstel *nt* ⟨-s, -⟩ (*Bruchteil*) sixth.

sechstens *adv* in the sixth place.

sechzehn *num* sixteen.

sechzig *num* sixty.

Secondhandladen *m* secondhand shop.

See 1. *f* ⟨-, -n⟩ sea; **2.** *m* ⟨-s, -n⟩ lake; **Seebad** *nt* seaside resort; **Seefahrt** *f* seafaring; (*Reise*) voyage; **Seegang** *m* [motion of the] sea; **Seegras** *nt* seaweed; **Seehund** *m* seal; **Seeigel** *m* sea urchin; **seekrank** *adj* seasick; **Seekrankheit** *f* seasickness; **Seelachs** *m* rock salmon.

Seele *f* ⟨-, -n⟩ soul; **seelenruhig** *adv* calmly.

Seeleute *pl* seamen *pl*.

seelisch *adj* mental.

Seelsorge *f* pastoral duties *pl*; **Seelsorger(in)** *m(f)* ⟨-s, -⟩ pastor.

Seemacht *f* naval power; **Seemann** *m* ⟨Seemänner *o* Seeleute *pl*⟩ seaman, sailor; **Seemeile** *f* nautical mile; **Seenot** *f* distress; **Seepferd[chen]** *nt* sea horse; **Seeräuber(in)** *m(f)* pirate; **Seerose** *f* water lily; **Seestern** *m* starfish; **seetüchtig** *adj* seaworthy; **Seeweg** *m* sea route; **auf dem ∼ by sea; **Seezunge** *f* sole.

Segel *nt* ⟨-s, -⟩ sail; **Segelboot** *nt* yacht; **Segelfliegen** *nt* ⟨-s⟩ gliding; **Segelflieger(in)** *m(f)* glider pilot; **Segelflugzeug** *nt* glider; **segeln** *vt, vi* sail; **Segelschiff** *nt* sailing vessel; **Segelsport** *m* sailing; **Segeltuch** *nt* canvas.

Segen *m* ⟨-s, -⟩ blessing; **segensreich** *adj* beneficial.

Segler(in) *m(f)* ⟨-s, -⟩ sailor, yachtsman/-woman; (*Boot*) sailing boat.

segnen *vt* bless.

sehen ⟨sah, gesehen⟩ *vt, vi* see; (*in bestimmte Richtung*) look; **sehenswert** *adj* worth seeing; **Sehenswürdigkeiten** *pl* sights *pl* [of a town]; **Seher(in)** *m(f)* ⟨-s, -⟩ seer; **Sehfehler** *m* sight defect.

Sehne *f* ⟨-, -n⟩ sinew; (*an Bogen*) string.

sehnen *vr*: **sich ∼** long, yearn (*nach* for); **sehnlich** *adj* ardent; **Sehnsucht** *f* longing; **sehnsüchtig** *adj* longing.

sehr *adv* (*vor Adjektiv, Adverb*) very; (*mit Verben*) a lot, [very] much; **zu ∼** too much.

seicht *adj* shallow.

Seide *f* ⟨-, -n⟩ silk.

Seidel *nt* ⟨-s, -⟩ tankard, beer mug.

seiden *adj* silk; **Seidenpapier** *nt* tissue paper; **seidig** *adj* silky.

Seife *f* ⟨-, -n⟩ soap; **Seifenlauge** *f* soapsuds *pl*; **Seifenoper** *f* soap opera; **Seifenschale** *f* soap dish; **Seifenschaum** *m* lather; **seifig** *adj* soapy.

seihen *vt* strain, filter.

Seil *nt* ⟨-[e]s, -e⟩ rope; cable; **Seilbahn** *f* cable railway; **Seilhüpfen** *nt* ⟨-s⟩, **Seilspringen** *nt* skipping; **Seiltänzer(in)** *m(f)* tightrope walker.

sein ⟨war, gewesen⟩ *vi, Hilfsverb* be; **laß das ∼!** leave that!; stop that!; **es ist an dir zu ...** it's up to you to ...

sein 1. *pron possessiv von* **er** (*adjektivisch*) his; **2.** *pron possessiv von* **es** (*adjektivisch*) its; **seine(r, s) 1.** *pron possessiv von* **er** (*substantivisch*) his; **2.** *pron possessiv von* **es** (*substantivisch*) its; **seiner 1.** *pron gen von* **er** of him; **2.** *pron gen von* **es** of it; **seinerseits 1.** *adv bezüglich auf* **er** as far as he is concerned; **2.** *adv bezüglich auf* **es** as far as it is concerned; **seinerzeit** *adv* in those days, formerly; **seinesgleichen 1.** *pron bezüglich auf* **er** people like him; (*gleichrangig*) his equals; **2.** *pron bezüglich auf* **es** things like it; (*gleichrangig*) its equals; **seinetwegen** *adv bezüglich auf* **er/es** (*wegen ihm*) because of him/it; (*ihm zuliebe*) for his/its sake; (*um ihn/es*) about him/it; (*für ihn/es*) on his/its behalf; (*von ihm aus*) as far as he/it is concerned.

Seismograph *m* ⟨-en, -en⟩ seismograph.

seit *konj*: **er ist ∼ einer Woche hier** he has been here for a week; **∼ langem** for a long time; **seitdem** *adv, konj* since.

Seite *f* ⟨-, -n⟩ (*Buch∼*) page; (*MIL*) flank; **Seitenansicht** *f* side view; **Seitenhieb** *m* (*fig*) passing shot, dig; **Seitenruder** *nt* (*FLUG*) rudder; **seitens** *präp* +*gen* on the part of; **Seitenschiff** *nt* aisle; **Seitensprung** *m* extramarital escapade;

Seitenstechen nt [a] stitch; **Seitenstraße** f side road; **Seitenstreifen** m hard shoulder; **Seitenwagen** m sidecar; **Seitenzahl** f page number; number of pages.

seither adv since [then].

seitlich adj on one [o the] side; side.

Sekretär m (Möbel) bureau; **Sekretär(in)** m(f) secretary; **Sekretariat** nt secretariat.

Sekt m ⟨-[e]s, -e⟩ sparkling wine.

Sekte f ⟨-, -n⟩ sect.

sekundär adj secondary.

Sekunde f ⟨-, -n⟩ second.

selber pron s. **selbst**.

selbst 1. pron myself; yourself; himself; herself; itself; ourselves; yourselves; themselves; 2. adv even; **von ~** by itself; **Selbst** nt ⟨-, -⟩ self; **Selbstachtung** f self-respect.

selbständig adj independent; (arbeitend) self-employed; **Selbständige(r)** f(m) self-employed person; **Selbständigkeit** f independence; self-employment.

Selbstauslöser m (FOTO) delayed-action shutter release; **Selbstbedienung** f self-service; **Selbstbefriedigung** f masturbation; **Selbstbeherrschung** f self-control; **selbstbewußt** adj [self-]confident; **Selbstbewußtsein** nt self-confidence; **Selbsterhaltung** f self-preservation; **Selbsterkenntnis** f self-knowledge; **selbstgefällig** adj smug, self-satisfied; **selbstgemacht** adj homemade; **Selbstgespräch** nt conversation with oneself; **Selbsthilfegruppe** f self-help group; **selbstklebend** adj self-adhesive; **Selbstkostenpreis** m cost price; **selbstlos** adj unselfish, selfless.

Selbstmord m suicide; **Selbstmörder(in)** m(f) suicide; **selbstmörderisch** adj suicidal.

Selbstreinigungskraft f self-purifying power; **selbstsicher** adj self-assured; **selbstsüchtig** adj selfish; **selbsttätig** adj automatic; **selbstverständlich** 1. adj obvious; 2. adv naturally; **ich halte das für ~** I take that for granted; **Selbstverständlichkeit** f matter of course; **Selbstverteidigung** f self-defence; **Selbstvertrauen** nt self-confidence; **Selbstverwaltung** f autonomy, self-government; **Selbstzweck** m end in itself.

selig adj happy, blissful; (REL) blessed; (tot) late; **Seligkeit** f bliss.

Sellerie m ⟨-s, -[s]⟩, f ⟨-, -n⟩ celeriac; (Stangen~) celery.

selten 1. adj rare; 2. adv seldom, rarely; **Seltenheit** f rarity.

Selterswasser nt soda water.

seltsam adj strange, curious; **seltsamerweise** adv curiously, strangely; **Seltsam-**

keit f strangeness.

Semester nt ⟨-s, -⟩ semester.

Semikolon nt ⟨-s, -s⟩ semicolon.

Seminar nt ⟨-s, -e⟩ (der Universität) department; (~übung) seminar; (Priester~) seminary; (Lehrer~) college of education.

Semmel f ⟨-, -n⟩ roll.

Senat m ⟨-[e]s, -e⟩ senate, council.

Sendebereich m range of transmission; **Sendefolge** (Serie) series sing; **senden** 1. ⟨sandte, gesandt⟩ vt send; 2. vt, vi (RADIO, TV) transmit, broadcast; **Sender** m ⟨-s, -⟩ station; (Anlage) transmitter; **Sendereihe** f series sing [of broadcasts]; **Sendung** f consignment; (Aufgabe) mission; (RADIO, TV) transmission; (Programm) programme.

Senf m ⟨-[e]s, -e⟩ mustard.

sengen 1. vt singe; 2. vi scorch.

Senior(in) m(f) ⟨-s, -en⟩ senior citizen; **Seniorenpaß** m senior citizen's travel pass.

Senkblei nt plumb.

Senke f ⟨-, -n⟩ depression.

Senkel m ⟨-s, -⟩ [shoe]lace.

senken 1. vt lower; 2. vr: **sich ~** sink, drop gradually; **Senkfuß** m flat foot; **Senkfußeinlage** f arch support.

senkrecht adj vertical, perpendicular; **Senkrechte** f ⟨-n, -n⟩ perpendicular; **Senkrechtstarter(in)** m(f) (FLUG) vertical take-off plane; (fig) high-flier.

Sensation f sensation; **sensationell** adj sensational.

Sense f ⟨-, -n⟩ scythe.

sensibel adj sensitive; (heikel) sensitive, problematic.

sensibilisieren vt sensitize.

Sensibilität f sensitivity.

Sensor m ⟨-s, -en⟩ sensor.

sentimental adj sentimental; **Sentimentalität** f sentimentality.

separat adj separate.

September m ⟨-[s], -⟩ September; **im ~** in September; **13. ~ 1972** September 13th, 1972, 13th September 1972.

septisch adj septic.

sequentiell adj (INFORM) sequential.

Serbien nt Serbia; **Serbier(in)** m(f) Serb; **serbisch** adj Serbian.

Serie f series sing.

seriell adj (INFORM) serial.

Serienherstellung f mass production; **serienweise** adv in series.

seriös adj serious, bona fide.

Serpentine f hairpin [bend].

Serum nt ⟨-s, Seren⟩ serum.

Server m ⟨-s, -⟩ (INFORM) server.

Service 1. nt ⟨-[s], -⟩ (Geschirr) set, service; 2. m ⟨-, -s⟩ service.

servieren vt, vi serve.

Serviette f napkin, serviette.
Servolenkung f (AUTO) power-assisted steering.
Sessel m ⟨-s, -⟩ armchair; **Sessellift** m chairlift.
seßhaft adj settled; (ansässig) resident.
Set m o nt ⟨-s, -s⟩ set; (Tisch~) tablemat.
setzen 1. vt put, set; (Baum etc) plant; (Segel) set; 2. vr: **sich ~** settle; (Mensch) sit down; 3. vi leap.
Setzer(in) m(f) ⟨-s, -⟩ (TYP) compositor; **Setzerei** f caseroom; (Betrieb) typesetter's.
Setzling m young plant.
Seuche f ⟨-, -n⟩ epidemic; **Seuchengebiet** nt infected area.
seufzen vi, vi sigh; **Seufzer** m ⟨-s, -⟩ sigh.
Sex m ⟨-[es]⟩ sex.
Sexismus m sexism; **Sexist(in)** m(f) sexist; **sexistisch** adj sexist.
Sexualität f sex, sexuality.
Sexualobjekt nt sex object.
sexuell adj sexual.
sezieren vt dissect.
sich pron himself; herself; itself; oneself; yourself; yourselves themselves; each other.
Sichel f ⟨-, -n⟩ sickle; (Mond~) crescent.
sicher adj safe (vor +dat from); (gewiß) certain (gen of); (zuverlässig) secure, reliable; (selbst~) confident; **sichergehen** irr vi make sure.
Sicherheit f safety; (a. FIN) security; (Gewißheit) certainty; (Selbst~) confidence; **Sicherheitsabstand** m safe distance; **Sicherheitsbehälter** m (von Kernkraftwerk) containment; **Sicherheitsglas** nt safety glass; **Sicherheitsgurt** m safetybelt; **sicherheitshalber** adv for safety; to be on the safe side; **Sicherheitskopie** f (INFORM) backup copy; **Sicherheitsnadel** f safety pin; **Sicherheitsschloß** nt safety lock; **Sicherheitsverschluß** m safety clasp; **Sicherheitsvorkehrung** f safety precaution.
sicherlich adv certainly, surely.
sichern vt secure; (schützen) protect; (Waffe) put the safety catch on; (INFORM) protect, safeguard; (Daten) back up; **jdm/sich etw ~** secure sth for sb/[for oneself].
sicherstellen vt impound.
Sicherung f (Sichern) securing; (Vorrichtung) safety device; (an Waffen) safety catch; (ELEK) fuse; (INFORM) backup.
Sicht f ⟨-⟩ sight; (Aus~) view; (~verhältnisse) visibility; **auf** [o **nach**] **~** (FIN) at sight; **auf lange ~** on a long-term basis; **sichtbar** adj visible; **sichten** vt sight; (auswählen) sort out; **Sichtgerät** nt monitor; (INFORM) visual display unit, VDU; **sichtlich** adj

evident, obvious; **Sichtverhältnisse** pl visibility; **Sichtvermerk** m visa; **Sichtweite** f visibility.
sickern vi trickle, seep.
sie 1. pron (3. Person Singular) she; 2. pron (3. Person Plural) they; 3. pron akk von sing **sie** her; 4. pron akk von pl **sie** them.
Sie pron (Höflichkeitsform, Nominativ und akk) you.
Sieb nt ⟨-[e]s, -e⟩ sieve; (GASTR) strainer; **Siebdruck** m screen-printing; **sieben** vt sift; (Flüssigkeit) strain.
sieben num seven; **siebenfach** 1. adj sevenfold; 2. adv seven times; **siebenhundert** num seven hundred; **siebenjährig** adj (7 Jahre alt) seven-year-old; (7 Jahre dauernd) seven-year; **siebenmal** adv seven times; **Siebensachen** pl belongings pl; **Siebenschläfer** m dormouse.
siebte(r, s) adj seventh; **der ~ Mai** the seventh of May; **Bonn, den 7. Mai** Bonn, May 7th; **Siebte(r)** mf seventh.
Siebtel nt ⟨-s, -⟩ (Bruchteil) seventh.
siebzehn num seventeen.
siebzig num seventy.
sieden vt, vi boil, simmer; **Siedepunkt** m boiling point; **Siedewasserreaktor** m boiling water reactor.
Siedler(in) m(f) ⟨-s, -⟩ settler; **Siedlung** f settlement; (Häuser~) housing estate, housing development US.
Sieg m ⟨-[e]s, -e⟩ victory.
Siegel nt ⟨-s, -⟩ seal; **Siegellack** m sealing wax; **Siegelring** m signet ring.
siegen vi be victorious; (SPORT) win; **Sieger(in)** m(f) ⟨-s, -⟩ victor; (SPORT) winner; **siegessicher** adj sure of victory; **Siegeszug** m triumphal procession; **siegreich** adj victorious.
siehe imper see; **~ da** behold.
siezen vt address sb using the formal form.
Signal nt ⟨-s, -e⟩ signal; **signalisieren** vt signal.
Signatur f signature.
signieren vt sign.
Silbe f ⟨-, -n⟩ syllable.
Silber nt ⟨-s⟩ silver; **Silberbergwerk** nt silver mine; **Silberblick** m: **einen ~ haben** have a slight squint; **silbern** adj silver.
Silhouette f silhouette.
Silo m ⟨-s, -s⟩ silo.
Silvester nt ⟨-s, -⟩, **Silvesterabend** m New Year's Eve, Hogmanay Scot.
Simbabwe nt Zimbabwe.
simpel adj simple; **Simpel** m ⟨-s, -⟩ (umg) simpleton.
Sims m o nt ⟨-es, -e⟩ (Kamin~) mantlepiece; (Fenster~) [window]sill.
Simulant(in) m(f) malingerer.

simulieren vt, vi simulate; (vortäuschen) feign.

simultan adj simultaneous.

Sinfonie f symphony.

singen ⟨sang, gesungen⟩ vt, vi sing.

Single f ⟨-, -s⟩ (Schallplatte) single.

Single m ⟨-s, -s⟩, f ⟨-, -s⟩ (Mensch) single.

Singular m singular.

Singvogel m songbird.

sinken ⟨sank, gesunken⟩ vi sink; (Preise etc) fall, go down.

Sinn m ⟨-[e]s, -e⟩ mind; (Wahrnehmungs~) sense; (Bedeutung) sense, meaning; ~ **machen** make sense; ~ **für etw** sense of sth; **von ~en sein** be out of one's mind; **Sinnbild** nt symbol; **sinnbildlich** adj symbolic.

sinnen ⟨sann, gesonnen⟩ vi ponder; **auf etw** akk ~ contemplate sth.

Sinnenmensch m sensualist; **Sinnestäuschung** f illusion.

sinngemäß adj faithful; (Wiedergabe) in one's own words.

sinnig adj clever.

sinnlich adj sensual, sensuous; (Wahrnehmung) sensory; **Sinnlichkeit** f sensuality.

sinnlos adj (unsinnig) meaningless; (Verhalten) senseless; (zwecklos) pointless, senseless; **Sinnlosigkeit** f meaninglessness; pointlessness; senselessness; **sinnvoll** adj meaningful; (vernünftig) sensible.

Sintflut f Flood.

Sinus m ⟨-, -o -se⟩ sinus; (MATH) sine.

Siphon m ⟨-s, -s⟩ siphon.

Sippe f ⟨-, -n⟩ clan, kin; **Sippschaft** f (pej) relations pl; (Bande) gang.

Sirene f ⟨-, -n⟩ siren.

Sirup m ⟨-s, -e⟩ syrup.

Sitte f ⟨-, -n⟩ custom; ~**n** pl morals pl; **Sittenpolizei** f vice squad.

sittlich adj moral; **Sittlichkeit** f morality; **Sittlichkeitsverbrechen** nt sex offence.

sittsam adj modest, demure.

Situation f situation.

Sitz m ⟨-es, -e⟩ seat; (einer Firma) headquarters, head office; **der Anzug hat einen guten** ~ the suit is a good fit; **Sitzblockade** f sit-in; **sitzen** ⟨saß, gesessen⟩ vi sit; (Bemerkung, Schlag) strike home, tell; (Gelerntes) have sunk in; ~ **bleiben** remain seated; **sitzenbleiben** irr vi (SCH) have to repeat a year; **auf etw** dat ~ be lumbered with sth; **sitzend** adj (Tätigkeit) sedentary; **sitzenlassen** irr vt (SCH) make [sb] repeat a year; (Mädchen) jilt; (Wartenden) stand up; **etw auf sich** dat ~ take sth lying down; **Sitzgelegenheit** f place to sit down; **Sitzplatz** m seat; **Sitzstreik** m sit-down strike; **Sitzung** f meeting.

Sizilien nt Sicily.

Skala f ⟨-, Skalen⟩ scale.

Skalpell nt ⟨-s, -e⟩ scalpel.

Skandal m ⟨-s, -e⟩ scandal; **skandalös** adj scandalous.

Skandinavien nt Scandinavia.

Skateboard nt ⟨-s, -s⟩ skateboard.

Skelett nt ⟨-[e]s, -e⟩ skeleton.

Skepsis f ⟨-⟩ scepticism; **skeptisch** adj sceptical.

Ski m ⟨-s, -er⟩ ski; ~ **laufen** [o **fahren**] ski; **Skianzug** m ski suit; **Skibindung** f ski binding; **Skibrille** f ski glasses pl; **Skifahrer(in)** m(f), **Skiläufer(in)** m(f) skier; **Skilehrer(in)** m(f) ski instructor; **Skilift** m ski-lift.

Skinhead m ⟨-s, -s⟩ skinhead.

Skischuh m ski boot; **Skischule** f ski school; **Skispringen** nt ski-jumping; **Skiträger** m ski rack; **Skiurlaub** m skiing holiday.

Skizze f ⟨-, -n⟩ sketch.

skizzieren vt, vi sketch.

Sklave m ⟨-n, -n⟩ slave; **Sklaverei** f slavery; **Sklavin** f slave.

Skonto m o nt ⟨-s, -s⟩ discount.

Skorpion m ⟨-s, -e⟩ (ZOOL) scorpion; (ASTR) Scorpio.

Skrupel m ⟨-s, -⟩ scruple; **skrupellos** adj unscrupulous.

Skulptur f sculpture.

Slalom m ⟨-s, -s⟩ slalom.

Slip m ⟨-s, -s⟩ [pair of] briefs pl; **Slipeinlage** f panty-liner.

Slowake m Slovak; **Slowakei** f Slovak Republic; **Slowakin** f Slovak; **slowakisch** adj Slovakian; **Slowakische Republik** Slovak Republic.

Slowene m Slovene; **Slowenien** nt Slovenia; **Slowenin** f Slovene; **slowenisch** adj Slovenian.

Smaragd m ⟨-[e]s, -e⟩ emerald.

Smog m ⟨-s⟩ smog; **Smogalarm** m smog alert.

Smoking m ⟨-s, -s⟩ dinner jacket, tuxedo US.

Snowboard nt ⟨-s, -s⟩ snowboard.

so 1. adv so; (auf diese Weise) like this; (etwa) roughly; **2.** konj so; (vor Adjektiv) as; ~ **ein** such a; ~, **das ist fertig** well, that's finished; ~ **etwas!** well, well!; ~ **... wie ...** as ... as ...; ~ **daß** so that, with the result that.

Socke f ⟨-, -n⟩ sock.

Sockel m ⟨-s, -⟩ pedestal, base.

Sodawasser nt soda water.

Sodbrennen nt ⟨-s⟩ heartburn.

soeben adv just [now].

Sofa nt ⟨-s, -s⟩ sofa; **Sofabett** nt sofa-bed.

sofern konj if, provided [that].

soff imperf von **saufen**.

sofort adv immediately, at once; **Sofort-**

bildkamera *f* instant-picture camera; **sofortig** *adj* immediate.

Softie *m* ⟨-s, -s⟩ (*umg*) softy.

Software *f* ⟨-, -s⟩ software; **Softwarepaket** *nt* [software] package.

sog *imperf von* **saugen**.

Sog *m* ⟨-[e]s, -e⟩ suction.

sogar *adv* even; **sogenannt** *adj* so-called; **sogleich** *adv* straight away, at once.

Sohle *f* ⟨-, -n⟩ sole; (*Tal~ etc*) bottom; (*MIN*) level.

Sohn *m* ⟨-[e]s, Söhne⟩ son.

solang[e] *konj* as, so long as.

Solarium *nt* solarium.

Solarzelle *f* solar cell.

Solbad *nt* saltwater bath.

solch (*nicht flekt*) *pron*; **ein ~ e(r, s) . . .** such a . . .

Sold *m* ⟨-[e]s, -e⟩ pay.

Soldat(in) *m(f)* ⟨-en, -en⟩ soldier; **soldatisch** *adj* soldierly.

Söldner(in) *m(f)* ⟨-s, -⟩ mercenary.

solidarisch *adj* in/with solidarity; **sich ~ erklären** declare one's solidarity; **solidarisieren** *vr*: **sich ~** show solidarity (*mit jdm* with sb); **Solidarität** *f* solidarity.

solid[e] *adj* solid; (*Leben, Mensch*) staid, respectable.

Solist(in) *m(f)* soloist.

Soll *nt* ⟨-[s], -[s]⟩ (*FIN*) debit [side]; (*Arbeitsmenge*) quota, target.

sollen *vi* be supposed to; (*Verpflichtung*) shall, ought to; **du hättest nicht gehen ~** you shouldn't have gone; **soll ich?** shall I?; **was soll das?** what's that supposed to mean?

Solo *nt* ⟨-s, -s *o* Soli⟩ solo.

somit *konj* and so, therefore.

Sommer *m* ⟨-s, -⟩ summer; **im ~** in summer; **sommerlich** *adj* summery; summer; **Sommerloch** *nt* summer gap, silly season; **Sommersprossen** *pl* freckles *pl*; **Sommerzeit** *f* summer time.

Sonate *f* ⟨-, -n⟩ sonata.

Sonde *f* ⟨-, -n⟩ probe.

Sonder- *in Zusammensetzungen* special; **Sonderangebot** *nt* special offer; **sonderbar** *adj* strange, odd; **Sonderdruck** *m* offprint; **Sonderfahrt** *f* special trip; **Sonderfall** *m* special case.

sondergleichen *adj inv* without parallel, unparalleled.

sonderlich *adj* particular; (*außergewöhnlich*) remarkable; (*eigenartig*) peculiar.

Sonderling *m* eccentric.

Sondermüll *m* hazardous waste.

sondern 1. *konj* but; **nicht nur . . ., ~ auch** not only . . ., but also; **2.** *vt* separate.

Sonderzeichen *nt* special character; **Sonderzug** *m* special train.

sondieren *vt* suss out; (*Gelände*) scout out.

Sonett *nt* ⟨-[e]s, -e⟩ sonnet.

Sonnabend *m* Saturday; **[am] ~** on Saturday; **sonnabends** *adv* on Saturdays, on a Saturday.

Sonne *f* ⟨-, -n⟩ sun; **sonnen** *vr*: **sich ~** sun oneself; **Sonnenaufgang** *m* sunrise; **sonnenbaden** *vi* sunbathe; **Sonnenblume** *f* sunflower; **Sonnenbrand** *m* sunburn; **Sonnenbrille** *f* sunglasses *pl*; **Sonnenfinsternis** *f* solar eclipse; **Sonnenkollektor** *m* solar panel; **Sonnenschein** *m* sunshine; **Sonnenschirm** *m* parasol, sunshade; **Sonnenstich** *m* sunstroke; **Sonnenuhr** *f* sundial; **Sonnenuntergang** *m* sunset; **Sonnenwende** *f* solstice; **sonnig** *adj* sunny.

Sonntag *m* Sunday; **[am] ~** on Sunday; **sonntags** *adv* on Sundays, on a Sunday; **Sonntagsfahrer(in)** *m(f)* (*pej*) Sunday [afternoon] driver.

sonst *adv, konj* otherwise; (*mit pron, in Fragen*) else; (*zu anderer Zeit*) at other times, normally; **~ noch etwas?** anything else?; **~ nichts** nothing else; **sonstig** *adj* other; **sonstjemand** *pron* anybody [at all]; **sonstwoher** *adv* from somewhere else; **sonstwo[hin]** *adv* somewhere else.

sooft *konj* whenever.

Sopran *m* ⟨-s, -e⟩ soprano; **Sopranistin** *f* soprano.

Sorge *f* ⟨-, -n⟩ care, worry; **sorgen 1.** *vi*: **für jdn ~** look after sb; **für etw ~** take care of sth, see to sth; **2.** *vr*: **sich ~** worry (*um* about); **sorgenfrei** *adj* carefree; **Sorgenkind** *nt* problem child; **sorgenvoll** *adj* troubled, worried; **Sorgerecht** *nt* custody [of a child].

Sorgfalt *f* ⟨-⟩ care[fulness]; **sorgfältig** *adj* careful; **sorglos** *adj* careless; (*ohne Sorgen*) carefree; **sorgsam** *adj* careful.

Sorte *f* ⟨-, -n⟩ sort; (*Waren~*) brand; **Sorten** *pl* (*FIN*) foreign currency.

sortieren *vt* sort [out]; (*INFORM*) sort; **Sortierlauf** *m* (*INFORM*) sort run.

Sortiment *nt* assortment.

sosehr *konj* as much as.

Soße *f* ⟨-, -n⟩ sauce; (*Braten~*) gravy.

Souffleur *m*, **Souffleuse** *f* prompter; **soufflieren** *vt, vi* prompt.

Soundkarte *f* (*INFORM*) sound card.

souverän *adj* sovereign; (*überlegen*) superior.

soviel 1. *konj* as far as; **2.** *pron* as much (*wie* as); **rede nicht ~** don't talk so much.

soweit 1. *konj* as far as; **2.** *adj*: **~ sein** be ready; **~ wie** [*o* **als**] **möglich** as far as possible; **ich bin ~ zufrieden** by and large I'm quite satisfied.

sowenig 1. *konj* little as; **2.** *pron* as little (*wie* as).

sowie *konj* (*sobald*) as soon as; (*ebenso*) as well as; **sowieso** *adv* anyway.

Sowjetunion *f* (HIST): **die ~** the Soviet Union.

sowohl *konj*: **~ ... als** [*o* **wie**] **auch** both ... and.

sozial *adj* social; **Sozialabgaben** *pl* national insurance contributions *pl*; **Sozialarbeiter(in)** *m(f)* social worker; **Sozialdemokrat(in)** *m(f)* social democrat; **Sozialhilfe** *f* supplementary benefit.

Sozialismus *m* socialism; **Sozialist(in)** *m(f)* socialist; **sozialistisch** *adj* socialist.

Sozialplan *m* social compensation plan; **Sozialpolitik** *f* social policy; **Sozialprodukt** *nt* [gross/net] national product; **Sozialstaat** *m* welfare state; **Sozialversicherung** *f* national insurance Brit, social security US; **Sozialwohnung** *f* council flat Brit.

Soziologe *m* ⟨-n, -n⟩ sociologist; **Soziologie** *f* sociology; **Soziologin** *f* sociologist; **soziologisch** *adj* sociological.

Sozius *m* (WIRTS) partner; (*auf Motorrad*) pillion rider; **Soziussitz** *m* pillion [seat].

sozusagen *adv* so to speak.

Spachtel *m* ⟨-s, -⟩ spatula.

spähen *vi* peep, peek.

Spalier *nt* ⟨-s, -e⟩ (*Gerüst*) trellis; (*Leute*) guard of honour.

Spalt *m* ⟨-[e]s, -e⟩ crack; (*Tür~*) chink; (*fig: Kluft*) split.

Spalte *f* ⟨-, -n⟩ crack, fissure; (*Gletscher~*) crevasse; (*in Text*) column.

spalten *vt, vr*: **sich ~** split; **Spaltmaterial** *nt* fission material; **Spaltung** *f* splitting.

Span *m* ⟨-[e]s, Späne⟩ shaving; **Spanferkel** *nt* sucking-pig.

Spange *f* ⟨-, -n⟩ clasp; (*Haar~*) hair slide; (*Schnalle*) buckle; (*Armreif*) bangle.

Spanien *nt* Spain; **Spanier(in)** *m(f)* ⟨-s, -⟩ Spaniard; **die ~** *pl* the Spanish *pl*; **spanisch** *adj* Spanish; **das kommt mir ~ vor** that seems odd to me.

spann *imperf von* **spinnen**.

Spannbeton *m* pre-stressed concrete.

Spanne *f* ⟨-, -n⟩ (*Zeit~*) space; (*Differenz*) gap.

spannen 1. *vt* (*straffen*) tighten, tauten; (*befestigen*) brace; **2.** *vi* be tight.

spannend *adj* exciting, gripping; **Spannung** *f* tension; (ELEK) voltage; (*fig*) suspense; (*unangenehm*) tension; **Spannungsprüfer** *m* voltage detector.

Sparbuch *nt* savings book; **Sparbüchse** *f* moneybox; **sparen** *vt, vi* save; **sich** *dat* **etw ~ save** oneself sth; (*Bemerkung*) keep sth to oneself; **mit etw ~** be sparing with sth; **an etw** *dat* **~** economize on sth; **Sparer(in)** *m(f)* ⟨-s, -⟩ saver.

Spargel *m* ⟨-s, -⟩ asparagus.

Sparkasse *f* savings bank; **Sparkonto** *nt* savings account.

spärlich *adj* meagre; (*Bekleidung*) scanty.

Sparmaßnahme *f* economy measure, cut; **sparsam** *adj* economical; **Sparsamkeit** *f* thrift, economizing; **Sparschwein** *nt* piggy bank.

Sparte *f* ⟨-, -n⟩ field; (*beruflich*) line of business; (PRESSE) column.

Spaß *m* ⟨-es, Späße⟩ joke; (*Freude*) fun; **jdm ~ machen** be fun [for sb]; **spaßen** *vi* joke; **mit ihm ist nicht zu ~** you can't take liberties with him; **spaßeshalber** *adv* for the fun of it; **spaßhaft, spaßig** *adv* funny, droll; **Spaßmacher(in)** *m(f)* ⟨-s, -⟩ joker, funny person; **Spaßverderber(in)** *m(f)* ⟨-s, -⟩ spoilsport.

spät *adj, adv* late; **Spätaussiedler(in)** *m(f)* ⟨-s, -⟩ ethnic German who moved west relatively late.

Spaten *m* ⟨-s, -⟩ spade.

später *adj, adv* later.

spätestens *adv* at the latest.

Spatz *m* ⟨-en, -en⟩ sparrow.

spazieren *vi* stroll, walk; **spazierenfahren** *irr vi* go for a drive; **spazierengehen** *irr vi* go for a walk; **Spaziergang** *m* walk; **Spazierstock** *m* walking stick; **Spazierweg** *m* path, walk.

SPD *f* ⟨-⟩ *abk von* **Sozialdemokratische Partei Deutschlands** Social Democrat Party.

Specht *m* ⟨-[e]s, -e⟩ woodpecker.

Speck *m* ⟨-[e]s, -e⟩ bacon.

Spediteur *m* carrier; (*Möbel~*) furniture remover.

Spedition *f* carriage; (*~sfirma*) road haulage contractor; (*für Umzug*) removal firm.

Speer *m* ⟨-[e]s, -e⟩ spear; (SPORT) javelin.

Speiche *f* ⟨-, -n⟩ spoke.

Speichel *m* ⟨-s⟩ saliva, spit[tle].

Speicher *m* ⟨-s, -⟩ storehouse; (*Dach~*) attic, loft; (*Korn~*) granary; (*Wasser~*) tank; (TECH) store; (INFORM) memory, store; **Speicherfunktion** *f* (INFORM) memory function; **Speicherkapazität** *f* (INFORM) memory capacity; **speichern** *vt* (a. INFORM) store; (*ab~*) file; **Speicherplatz** *m* (INFORM) storage space; (*bestimmter Ort*) slot; **Speicherschreibmaschine** *f* memory typewriter; **Speicherschutz** *m* (INFORM) memory protection.

speien ⟨spie, gespie[e]n⟩ *vt, vi* spit; (*erbrechen*) vomit; (*Vulkan*) spew.

Speise *f* ⟨-, -n⟩ food; **Speiseeis** *nt* icecream; **Speisekammer** *f* larder, pantry; **Speisekarte** *f* menu; **speisen 1.** *vt* feed; (*essen*) eat; **2.** *vi* dine; **Speiseröhre** *f* gullet, oesophagus; **Speisesaal** *m* dining room; **Speisewagen** *m* dining car; **Spei-**

sezettel *m* menu.

Spektakel 1. *m* ⟨-s, -⟩ (*umg: Krach*) row; **2.** *nt* ⟨-s, -⟩ (*Schauspiel*) spectacle.

Spekulant(in) *m(f)* speculator; **Spekulation** *f* speculation; **spekulieren** *vi* (*a. fig*) speculate; **auf etw** *akk* ~ have hopes of sth.

Spelunke *f* ⟨-, -n⟩ dive.

Spende *f* ⟨-, -n⟩ donation; **spenden** *vt* donate, give; **Spender(in)** *m(f)* ⟨-s, -⟩ donor, donator.

spendieren *vt* pay for, buy; **jdm etw** ~ treat sb to sth, stand sb sth.

Sperling *m* sparrow.

Sperma *nt* ⟨-s, Spermen⟩ sperm.

sperrangelweit *adv*: ~ **offen** wide open.

Sperre *f* ⟨-, -n⟩ barrier; (*Verbot*) ban; **sperren 1.** *vt* block; (*SPORT*) suspend, bar; (*vom Ball*) obstruct; (*einschließen*) lock; (*verbieten*) ban; **2.** *vr*: **sich** ~ baulk, jib[e]; **Sperrgebiet** *nt* prohibited area.

Sperrholz *nt* plywood.

sperrig *adj* bulky.

Sperrmüll *m* bulky refuse; **Sperrsitz** *m* (*THEAT*) stalls *pl*; **Sperrstunde** *f*, **Sperrzeit** *f* closing time.

Spesen *pl* expenses *pl*.

Spezial- *in Zusammensetzungen* special.

spezialisieren *vr*: **sich** ~ specialize (*auf* +*akk* in); **Spezialisierung** *f* specialization.

Spezialist(in) *m(f)* specialist.

Spezialität *f* speciality.

speziell *adj* special.

spezifisch *adj* specific.

Sphäre *f* ⟨-, -n⟩ sphere.

spicken 1. *vt* lard; **2.** *vi* (*SCH*) copy, crib.

spie *imperf von* **speien**.

Spiegel *m* ⟨-s, -⟩ mirror; (*Wasser~*) level; **Spiegelbild** *nt* reflection; **spiegelbildlich** *adj* reversed; **Spiegelei** *nt* fried egg; **spiegeln 1.** *vt* mirror, reflect; **2.** *vr*: **sich** ~ be reflected; **3.** *vi* gleam; (*wider~*) be reflective; **Spiegelreflexkamera** *f* reflex camera; **Spiegelschrift** *f* mirror-writing; **Spiegelung** *f* reflection.

Spiel *nt* ⟨-[e]s, -e⟩ game; (*Schau~*) play; (*Tätigkeit*) play[ing]; (*KARTEN*) deck; (*TECH*) [free] play; **spielen** *vt, vi* play; (*um Geld*) gamble; (*THEAT*) perform, act; **spielend** *adv* easily; **Spieler(in)** *m(f)* ⟨-s, -⟩ player; (*um Geld*) gambler; **Spielerei** *f* trifling pastime; **spielerisch** *adj* playful; (*Leichtigkeit*) effortless; **~es Können** skill as a player; (*THEAT*) acting ability; **Spielfeld** *nt* pitch, field; **Spielfilm** *m* feature film; **Spielhalle** *f* amusement hall, amusement centre; **Spielplan** *m* (*THEAT*) programme; **Spielplatz** *m* playground; **Spielraum** *m* room to manoeuvre, scope; **Spielsachen** *pl* toys *pl*; **Spielverderber(in)** *m(f)* ⟨-s, -⟩ spoilsport; **Spielwaren** *pl*, **Spielzeug** *nt* toys *pl*.

Spieß *m* ⟨-es, -e⟩ spear; (*Brat~*) spit; **Spießbürger(in)** *m(f)* bourgeois; **spießig** *adj* (*pej*) [petit] bourgeois; **Spießrutenlaufen** *nt* running the gauntlet.

Spikes *pl* spikes *pl*; (*AUTO*) studs *pl*.

Spinat *m* ⟨-[e]s, -e⟩ spinach.

Spind *m* ⟨-[e]s, -e⟩ locker.

Spinne *f* ⟨-, -n⟩ spider.

spinnen ⟨spann, gesponnen⟩ *vt, vi* spin; (*umg*) talk rubbish; (*verrückt sein*) be crazy, be mad.

Spinn[en]gewebe *nt* cobweb.

Spinnerei *f* spinning mill.

Spinnrad *nt* spinning-wheel.

Spinnwebe *f* ⟨-, -n⟩ cobweb.

Spion(in) *m(f)* ⟨-s, -e⟩ spy; (*in Tür*) spyhole; **Spionage** *f* ⟨-, -n⟩ espionage; **spionieren** *vi* spy.

Spirale *f* ⟨-, -n⟩ spiral; (*MED*) coil, loop.

Spirituosen *pl* spirits *pl*.

Spiritus *m* ⟨-, -se⟩ [methylated] spirit.

Spital *nt* ⟨-s, Spitäler⟩ hospital.

spitz *adj* (*Winkel*) acute; (*fig: Zunge*) sharp; (*Bemerkung*) caustic.

Spitz *m* ⟨-es, -e⟩ spitz.

Spitzbogen *m* pointed arch.

Spitzbube *m*, **Spitzbübin** *f* rogue.

Spitze *f* ⟨-, -n⟩ point, tip; (*Berg~*) peak; (*Bemerkung*) taunt, dig; (*erster Platz*) lead, top; (*Gewebe*) lace.

Spitzel *m* ⟨-s, -⟩ informer.

spitzen *vt* sharpen.

Spitzen- *in Zusammensetzungen* top; **Spitzenkandidat(in)** *m(f)* top candidate, favourite; **Spitzenleistung** *f* top performance; **Spitzenlohn** *m* top wages *pl*; **Spitzensportler(in)** *m(f)* top-class sportsman/-woman.

spitzfindig *adj* [over]subtle.

spitzig *adj s.* **spitz**.

Spitzname *m* nickname.

Splitter *m* ⟨-s, -⟩ splinter; **splitternackt** *adj* stark naked.

Spoiler *m* ⟨-s, -⟩ (*AUTO*) spoiler.

sponsern *vt* sponsor; **Sponsor(in)** *m(f)* ⟨-s, -en⟩ sponsor.

spontan *adj* spontaneous.

Sport *m* ⟨-[e]s, -e⟩ sport; (*fig*) hobby; **Sportlehrer(in)** *m(f)* games [*o* P.E.] teacher; **Sportler(in)** *m(f)* ⟨-s, -⟩ sportsman/-woman; **sportlich** *adj* sporting; (*Mensch*) sporty; **Sportplatz** *m* playing [*o* sports] field; **Sportverein** *m* sports club; **Sportwagen** *m* sports car; (*für Kinder*) pushchair *Brit*, stroller *US*; **Sportzeug** *nt* sports gear.

Spott *m* ⟨-[e]s⟩ mockery, ridicule; **spottbillig** *adj* dirt-cheap; **spotten** *vi* mock (*über*

+*akk* at), ridicule; **spöttisch** *adj* mocking.

sprach *imperf von* **sprechen**.

sprachbegabt *adj* good at languages; **Sprache** *f* ⟨-, -n⟩ language; **Sprachfehler** *m* speech defect; **Sprachführer** *m* phrasebook; **Sprachgebrauch** *m* [linguistic] usage; **Sprachgefühl** *nt* feeling for language; **Sprachkenntnisse** *pl* knowledge of a language; **Sprachkurs** *m* language course; **sprachlich** *adj* linguistic; **sprachlos** *adj* speechless; **Sprachregelung** *f* [policy] line; **Sprachrohr** *nt* megaphone; (*fig*) mouthpiece.

sprang *imperf von* **springen**.

Spray *m o nt* ⟨-s, -s⟩ spray.

Sprechanlage *f* intercom; **sprechen** ⟨sprach, gesprochen⟩ **1.** *vi* speak, talk (*mit* to); **2.** *vt* (*Sprache*) speak; (*jdn*) speak to; **das spricht für ihn** that's a point in his favour; **Sprecher(in)** *m(f)* ⟨-s, -⟩ speaker; (*für Gruppe*) spokesperson; (*RADIO, TV*) announcer; **Sprechstunde** *f* consultation [hour]; [doctor's] surgery; (*Anwalt etc*) office hours; **Sprechstundenhilfe** *f* [doctor's] receptionist; **Sprechzimmer** *nt* consulting room; (*von Arzt*) surgery.

spreizen 1. *vt* spread; **2.** *vr:* **sich ~** put on airs.

Sprengarbeiten *pl* blasting operations *pl*; **sprengen** *vt* sprinkle; (*mit Sprengstoff*) blow up; (*Gestein*) blast; (*Versammlung*) break up; **Sprengladung** *f* explosive charge; **Sprengstoff** *m* explosive[s].

Spreu *f* ⟨-⟩ chaff.

Sprichwort *nt* proverb; **sprichwörtlich** *adj* proverbial.

Springbrunnen *m* fountain.

springen ⟨sprang, gesprungen⟩ *vi* jump; (*Glas*) crack; (*mit Kopfsprung*) dive; **Springer(in)** *m(f)* ⟨-s, -⟩ (*Mensch*) jumper; (*SCHACH*) knight.

Sprit *m* ⟨-[e]s, -e⟩ (*umg*) petrol, fuel.

Spritze *f* ⟨-, -n⟩ syringe; injection; (*an Schlauch*) nozzle; **spritzen 1.** *vt* spray; (*MED*) inject; **2.** *vi* splash; (*heraus~*) spurt; (*MED*) give injections; **Spritzpistole** *f* spray gun.

spröde *adj* brittle; (*Mensch*) reserved, coy.

Sproß *m* ⟨Prosses, Sprosse⟩ shoot; (*Kind*) scion.

Sprosse *f* ⟨-, -n⟩ rung; (*Fenster*) glazing bar; **Sprossenfenster** *nt* lattice window.

Sprößling *m* offspring.

Spruch *m* ⟨-[e]s, Sprüche⟩ saying, maxim; (*JUR*) judgement.

Sprudel *m* ⟨-s, -⟩ mineral water; (*süßer ~*) lemonade.

sprudeln *vi* bubble.

Sprühdose *f* aerosol [can]; **sprühen** *vt, vi* spray; (*fig*) sparkle; **Sprühregen** *m* drizzle.

Sprung *m* ⟨-[e]s, Sprünge⟩ jump; (*Riß*) crack; **Sprungbrett** *nt* springboard; **sprunghaft** *adj* erratic; (*Aufstieg*) rapid; **Sprungschanze** *f* skijump.

Spucke *f* ⟨-⟩ spit; **spucken** *vt, vi* spit.

Spuk *m* ⟨-[e]s, -e⟩ haunting; (*fig*) nightmare; **spuken** *vi* (*Geist*) walk; **hier spukt es** this place is haunted.

Spule *f* ⟨-, -n⟩ spool; (*ELEK*) coil.

Spüle *f* ⟨-, -n⟩ [kitchen] sink; **spülen** *vt, vi* rinse; (*Geschirr*) wash up; (*Toilette*) flush; **Spülmaschine** *f* dishwasher; **Spülmittel** *nt* washing-up liquid; **Spülstein** *m* sink; **Spülung** *f* rinsing; flush; (*MED*) irrigation.

Spur *f* ⟨-, -en⟩ trace; (*Fuß~, Rad~, Tonband~*) track; (*Fährte*) trail; (*Fahr~*) lane.

spürbar *adj* noticeable, perceptible.

spüren *vt* feel.

Spurenelement *nt* trace element.

Spürhund *m* tracker dog; (*fig*) sleuth.

spurlos *adv* without [a] trace.

Spurt *m* ⟨-[e]s, -s o -e⟩ spurt.

sputen *vr:* **sich ~** make haste.

Squash *nt* ⟨-⟩ squash.

Sri Lanka *nt* Sri Lanka.

Staat *m* ⟨-[e]s, -en⟩ state; (*Prunk*) show; (*Kleidung*) finery; **mit etw ~ machen** show sth off, parade sth; **Staatenbund** *m* confederation; **staatenlos** *adj* stateless; **staatlich** *adj* state[-]; (*vom Staat betrieben*) state-run; **Staatsangehörigkeit** *f* nationality; **Staatsanwalt** *m*, **Staatsanwältin** *f* public prosecutor; **Staatsbürger(in)** *m(f)* citizen; **Staatsdienst** *m* civil service; **staatseigen** *adj* state-owned; **Staatsexamen** *nt* degree; **staatsfeindlich** *adj* subversive; **Staatsmann** *m* ⟨Staatsmänner *pl*⟩ statesman; **Staatsminister(in)** *m(f)* minister of state; **Staatsoberhaupt** *nt* head of state; **Staatssekretär(in)** *m(f)* secretary of state; **Staatssicherheit** *f* state security [service]; **Staatsstreich** *m* coup d'état; **Staatsvertrag** *m* international treaty.

Stab *m* ⟨-[e]s, Stäbe⟩ rod; (*Gitter~*) bar; (*Menschen*) staff; **Stäbchen** *nt* (*Eß~*) chopstick; **Stabhochsprung** *m* pole vault.

stabil *adj* stable; (*Möbel*) sturdy; **stabilisieren** *vt* stabilize.

Stabreim *m* alliteration.

stach *imperf von* **stechen**.

Stachel *m* ⟨-s, -n⟩ spike; (*von Tier*) spine; (*von Insekten*) sting; **Stachelbeere** *f* gooseberry; **Stacheldraht** *m* barbed wire; **stachelig** *adj* prickly; **Stachelschwein** *nt* porcupine.

Stadion nt ⟨-s, Stadien⟩ stadium.

Stadium nt stage, phase.

Stadt f ⟨-, Städte⟩ town; **Städtchen** nt small town; **Städtebau** m town planning; **Städtepartnerschaft** f twinning; **Städter(in)** m(f) ⟨-s, -⟩ town dweller; **städtisch** adj municipal; (nicht ländlich) urban; **Stadtmauer** f city wall[s]; **Stadtplan** m [street] map; **Stadtrand** m outskirts pl; **Stadtteil** m district, part of town.

Staffel f ⟨-, -n⟩ rung; (SPORT) relay [team]; (FLUG) squadron.

Staffelei f easel.

staffeln vt graduate; **Staffelung** f graduation.

stahl imperf von **stehlen**.

Stahl m ⟨-[e]s, Stähle⟩ steel; **Stahlbeton** m reinforced concrete; **Stahlhelm** m steel helmet.

Stall m ⟨-[e]s, Ställe⟩ stable; (Kaninchen~) hutch; (Schweine~) sty; (Hühner~) henhouse.

Stamm m ⟨-[e]s, Stämme⟩ (Baum~) trunk; (Menschen~) tribe; (LING) stem; **Stammbaum** m family tree; (von Tier) pedigree; **Stammdaten** pl master data pl.

stammeln vt, vi stammer.

stammen vi: ~ **von**, ~ **aus** come from.

Stammgast m regular [customer]; **Stammhalter** m ⟨-s, -⟩ son and heir.

stämmig adj sturdy; (Mensch) stocky.

stampfen vt, vi stamp; (stapfen) tramp; (mit Werkzeug) pound.

stand imperf von **stehen**.

Stand m ⟨-[e]s, Stände⟩ position; (Wasser~, Benzin~ etc) level; (Stehen) standing position; (Zustand) state; (Spiel~) score; (Messe~ etc) stand; (Klasse) class; (Beruf) profession.

Standard m ⟨-s, -s⟩ standard.

Ständchen nt serenade.

Ständer m ⟨-s, -⟩ stand.

Standesamt nt registry office; **Standesbeamte(r)** m, **Standesbeamtin** f registrar; **Standesunterschied** m social difference.

standhaft adj steadfast; **Standhaftigkeit** f steadfastness; **standhalten** irr vi stand firm (jdm/etw against sb/sth), resist (jdm/etw sb/sth).

ständig adj permanent; (ununterbrochen) constant, continual.

Standlicht nt sidelights pl, parking lights pl US; **Standort** m location; (MIL) garrison; **Standpunkt** m standpoint; **Standspur** f (AUTO) hard shoulder.

Stange f ⟨-, -n⟩ stick; (Stab) pole, bar; (Gardinen~) rod; (Zigaretten~) carton; **von der ~** (WIRTS) off the peg; **eine ~ Geld** quite a packet.

stank imperf von **stinken**.

Stanniol nt ⟨-s, -e⟩ tinfoil.

stanzen vt stamp.

Stapel m ⟨-s, -⟩ pile; (NAUT) stocks pl; **Stapellauf** m launch; **stapeln** vt pile [up].

Star 1. m ⟨-[e]s, -e⟩ starling; (MED) cataract; 2. m ⟨-s, -s⟩ (Film~ etc) star.

starb imperf von **sterben**.

stark adj strong; (heftig, groß) heavy; (Maßangabe) thick; **sich für etw ~ machen** stand up for sth; **Stärke** f ⟨-, -n⟩ strength, heaviness; (Dicke) thickness; (Wäsche~, GASTR) starch; **stärken** vt strengthen; (Wäsche) starch; **Starkstrom** m heavy current, high-voltage current; **Stärkung** f strengthening; (Essen) refreshment.

starr adj stiff; (unnachgiebig) rigid; (Blick) staring.

starren vi stare; **~ vor** [o **von**] be covered in; (Waffen) be bristling with.

Starrheit f rigidity; **starrköpfig** adj stubborn; **Starrsinn** m obstinacy.

Start m ⟨-[e]s, -e⟩ start; (FLUG) takeoff; **Startautomatik** f (AUTO) automatic choke; **Startbahn** f runway; **starten** vt, vi start; (FLUG) take off; **Starter** m ⟨-s, -⟩ starter; **Starterlaubnis** f takeoff clearance; **Starthilfekabel** nt jump leads pl; **Startkapital** nt start-up capital; **Startzeichen** nt start signal.

Station f station; (im Krankenhaus) [hospital] ward; **stationieren** vt station.

Statist(in) m(f) (FILM) extra, supernumerary.

Statistik f statistics sing; **Statistiker(in)** m(f) ⟨-s, -⟩ statistician; **statistisch** adj statistical.

Stativ nt tripod.

statt konj, präp +gen o dat instead of.

Stätte f ⟨-, -n⟩ place.

stattfinden irr vi take place.

statthaft adj admissible.

stattlich adj imposing, handsome.

Statue f ⟨-, -n⟩ statue.

Statur f stature.

Status m ⟨-, -⟩ status; **Statussymbol** nt status symbol.

Stau m ⟨-[e]s, -e⟩ blockage; (Verkehrs~) [traffic] jam.

Staub m ⟨-[e]s⟩ dust; **stauben** vi be dusty; **Staubfaden** m stamen; **staubig** adj dusty; **Staubsauger** m vacuum cleaner; **Staubtuch** nt duster.

Staudamm m dam.

Staude f ⟨-, -n⟩ shrub.

stauen 1. vt (Wasser) dam up; (Blut) stop the flow of; 2. vr: **sich** ~ (Wasser) become dammed up; (MED) become congested; (Menschen) collect together; (Gefühle) build up.

staunen vi be astonished; **Staunen** nt ⟨-s⟩ amazement.

Stausee m reservoir.

Stauung f (von Wasser) damming-up; (von Blut, Verkehr) congestion.

stdl. adv abk von **stündlich** every hour.

stechen ⟨stach, gestochen⟩ vt, vi (mit Nadel etc) prick; (mit Messer) stab; (mit Finger) poke; (Biene) sting; (Mücke) bite; (Sonne) burn; (KARTEN) take; (KUNST) engrave; (Torf, Spargel) cut; **in See ~** put to sea; **Stechen** nt ⟨-s, -⟩ (SPORT) play-off; jump-off; **stechend** adj piercing; (Schmerz) sharp; (Geruch) pungent; **Stechginster** m gorse; **Stechpalme** f holly; **Stechuhr** f time clock.

Steckbrief m "wanted" poster; **Steckdose** f [wall] socket; **stecken 1.** vt put, insert; (Nadel) stick; (Pflanzen) plant; (beim Nähen) pin; **2.** vi be; (festsitzen) be stuck; (Nadeln) stick; **steckenbleiben** irr vi get stuck; **steckenlassen** irr vt leave in.

Steckenpferd nt hobby-horse.

Stecker m ⟨-s, -⟩ plug.

Stecknadel f pin; **Steckrübe** f swede, turnip; **Steckplatz** m (INFORM) slot; **Steckzwiebel** f bulb.

Steg m ⟨-[e]s, -e⟩ small bridge; (Anlege~) landing stage.

Stegreif m: **aus dem ~** just like that.

stehen ⟨stand, gestanden⟩ **1.** vi stand (zu by); (sich befinden) be; (in Zeitung) say (still~) have stopped; **2.** vi unpers: **es steht schlecht um** things are bad for; **wie steht's?** how are things?; (SPORT) what's the score?; **jdm ~** suit sb; **~ bleiben** remain standing; **stehenbleiben** irr vi (Uhr) stop; (Fehler) stay as it is; **stehenlassen** irr vt leave; (Bart) grow.

stehlen ⟨stahl, gestohlen⟩ vt steal.

steif adj stiff; **Steifheit** f stiffness.

Steigbügel m stirrup; **Steigeisen** nt crampon; **steigen** ⟨stieg, gestiegen⟩ vi rise; (klettern) climb; **~ in/auf** +akk get in/on.

steigern **1.** vt raise; (LING) compare; **2.** vi (bei Auktion) bid; **3.** vr: **sich ~** increase; **Steigerung** f raising; (LING) comparison.

Steigung f incline, gradient, rise.

steil adj steep.

Stein m ⟨-[e]s, -e⟩ stone; (in Uhr) jewel; **steinalt** adj ancient; **Steinbock** m (ZOOL) ibex; (ASTR) Capricorn; **Steinbruch** m quarry; **Steinbutt** m ⟨-s, -e⟩ turbot; **steinern** adj [made of] stone; (fig) stony; **Steinfraß** m ⟨-es⟩ stone erosion; **Steingut** nt stoneware; **steinhart** adj hard as stone; **steinig** adj stony; **steinigen** vt stone; **Steinkohle** f [hard] coal;

Steinmetz(in) m(f) ⟨-es, -e⟩ stonemason.

Steiß m ⟨-es, -e⟩ rump.

Stelle f ⟨-, -n⟩ place; (Arbeit) post, job; (Amt) office.

stellen 1. vt put; (Uhr etc) set; (zur Verfügung ~) supply; (fassen: Dieb) apprehend; **2.** vr: **sich ~** (sich aufstellen) stand; (sich einfinden) present oneself; (bei Polizei) give oneself up; (vorgeben) pretend [to be]; **sich zu etw ~** have an opinion on sth.

Stellenangebot nt offer of a post; (in Zeitung) vacancies pl; **Stellenanzeige** f job advertisement; **Stellengesuch** nt application for a post; **Stellennachweis** m, **Stellenvermittlung** f employment agency; **Stellenwert** m (INFORM) place value; (fig) status; **einen hohen ~ haben** play an important role.

Stellung f position; (MIL) line; **~ nehmen zu** comment on; **Stellungnahme** f ⟨-, -n⟩ comment.

stellvertretend adj deputy, acting; **Stellvertreter(in)** m(f) deputy.

Stellwerk nt (EISENB) signal box.

Stelze f ⟨-, -n⟩ stilt.

Stemmbogen m (SKI) stem turn.

stemmen vt lift [up]; (drücken) press; **sich ~ gegen** (fig) resist, oppose.

Stempel m ⟨-s, -⟩ stamp; (BOT) pistil; **Stempelkissen** nt inkpad; **stempeln** vt stamp; (Briefmarke) cancel; **~ gehen** (umg) be/go on the dole.

Stengel m ⟨-s, -⟩ stalk.

Stenogramm nt ⟨-s, -e⟩ shorthand report; **Stenographie** f shorthand; **stenographieren** vt, vi write [in] shorthand; **Stenotypist(in)** m(f) shorthand typist.

Steppdecke f quilt.

Steppe f ⟨-, -n⟩ steppe.

steppen 1. vt stitch; **2.** vi (tanzen) tap-dance.

Sterbebett nt deathbed; **Sterbefall** m death; **Sterbehilfe** f active euthanasia; **sterben** ⟨starb, gestorben⟩ vi die; **Sterbeurkunde** f death certificate.

sterblich adj mortal; **Sterblichkeit** f mortality; **Sterblichkeitsziffer** f death rate.

stereo- adj (in Zusammensetzungen) stereo[-]; **Stereoanlage** f stereo; **stereotyp** adj stereotype.

steril adj sterile; **Sterilisation** f sterilisation; **sterilisieren** vt sterilize; **Sterilisierung** f sterilization.

Stern m ⟨-[e]s, -e⟩ star; **Sternbild** nt constellation; **Sternchen** nt asterisk; **Sternschnuppe** f ⟨-, -n⟩ shooting star; **Sternstunde** f great moment.

stet adj steady; **stetig** adj constant, continual; **stets** adv always.

Steuer 1. nt ⟨-s, -⟩ (NAUT) helm; (~ruder) rudder; (AUTO) steering wheel; 2. f ⟨-, -n⟩ tax; **Steuerberater(in)** m(f) tax consultant; **Steuerbord** nt starboard; **Steuererklärung** f tax return; **Steuergerät** nt (RADIO) tuner-amplifier; (INFORM) control unit; **Steuerhinterziehung** f tax evasion; **Steuerklasse** f tax group; **Steuerknüppel** m control column; (FLUG, INFORM) joystick; **Steuermann** ⟨Seemänner o Seeleute pl⟩ helmsman; **steuern** vt, vi steer; (Flugzeug) pilot; (Entwicklung, Tonstärke, INFORM) control; **steuerpflichtig** adj taxable; (Mensch) liable to pay tax; **Steuerrad** nt steering wheel; **Steuerung** f (a. AUTO) steering; (FLUG) piloting; (fig) control; (Vorrichtung) controls pl; **Steuerwerk** nt (INFORM) control unit; **Steuerzahler(in)** m(f) ⟨-s, -⟩ taxpayer; **Steuerzeichen** nt (INFORM) control character, function character.

Steward m ⟨-s, -s⟩ steward; **Stewardeß** f ⟨-, Stewardessen⟩ stewardess, air hostess.

stibitzen vt (umg) pilfer, steal.

Stich m ⟨-[e]s, -e⟩ (Insekten~) sting; (Messer~) stab; (beim Nähen) stitch; (Färbung) tinge; (KARTEN) trick; (KUNST) engraving; **jdn im ~ lassen** leave sb in the lurch.

Stichel m ⟨-s, -⟩ engraving tool, style.

Stichelei f jibe, taunt; **sticheln** vi jibe.

stichhaltig adj sound, tenable; **Stichprobe** f spot check; **Stichsäge** f fret-saw; **Stichwahl** f final ballot; **Stichwort** nt cue; (in Wörterbuch) headword; (für Vortrag) note; **Stichwortverzeichnis** nt index.

sticken vt, vi embroider; **Stickerei** f embroidery.

stickig adj stuffy, close.

Stickoxid nt nitrogen oxide; **Stickstoff** m nitrogen.

Stiefel m ⟨-s, -⟩ boot.

Stiefkind nt stepchild; (fig) Cinderella; **Stiefmutter** f stepmother; **Stiefmütterchen** nt pansy.

stieg imperf von **steigen**.

Stiel m ⟨-[e]s, -e⟩ handle; (BOT) stalk.

stier adj (Blick) staring, fixed.

Stier m ⟨-[e]s, -e⟩ (ZOOL) bull; (ASTR) Taurus.

stieß imperf von **stoßen**.

Stift 1. m ⟨-[e]s, -e⟩ peg; (Nagel) tack; (Farb~) crayon; (Blei~) pencil; 2. nt ⟨-[e]s, -e⟩ [charitable] foundation; (REL) religious institution.

stiften vt found; (Unruhe) cause; (spenden) contribute; **Stifter(in)** m(f) ⟨-s, -⟩ founder; **Stiftung** f donation; (Organisation) foundation.

Stiftzahn m post crown.

Stil m ⟨-[e]s, -e⟩ style; **Stilblüte** f howler.

still adj quiet; (unbewegt) still; (heimlich) secret; **Stille** f ⟨-, -n⟩ stillness, quietness; **in aller ~** quietly.

stillegen vt close down; **Stillegung** f closure.

stillen vt stop; (befriedigen) satisfy; (Säugling) breast-feed.

stillgestanden interj attention; **stillhalten** irr vi keep still; **Stillschweigen** nt silence; **stillschweigend** adj, adv silent[ly]; (Einverständnis) tacit[ly]; **Stillstand** m standstill; **stillstehen** irr vi stand still.

Stimmabgabe f voting; **Stimmbänder** pl vocal chords pl; **stimmberechtigt** adj entitled to vote.

Stimme f ⟨-, -n⟩ voice; (Wahl~) vote.

stimmen 1. vt (MUS) tune; 2. vi be right; **~ für/gegen** vote for/against; **das stimmte ihn traurig** that made him feel sad.

Stimmenmehrheit f majority [of votes]; **Stimmenthaltung** f abstention; **Stimmgabel** f tuning fork; **stimmhaft** adj voiced; **Stimmlage** f register; **stimmlos** adj voiceless; **Stimmrecht** nt right to vote.

Stimmung f mood; atmosphere; **stimmungsvoll** adj enjoyable; full of atmosphere.

Stimmzettel m ballot paper.

stinken ⟨stank, gestunken⟩ vi stink.

Stipendiat(in) m(f) person receiving a grant; **Stipendium** nt grant.

Stirn f ⟨-, -en⟩ forehead, brow; (Frechheit) impudence; **Stirnhöhle** f sinus; **Stirnrunzeln** nt ⟨-s⟩ frown[ing].

stöbern vi rummage.

stochern vi poke [about].

Stock 1. m ⟨-[e]s, Stöcke⟩ stick; (BOT) stock; 2. m ⟨Stockwerke pl⟩ floor, storey.

stocken vi stop, pause; **stockend** adj halting.

Stockente f mallard.

stocktaub adj stone-deaf.

Stockung f stoppage.

Stockwerk nt storey, floor.

Stoff m ⟨-[e]s, -e⟩ (Gewebe) material, cloth; (Materie) matter; (von Buch etc) subject [matter]; (umg: Rauschgift) stuff; **stofflich** adj material; with regard to subject matter; **Stoffwechsel** m metabolism.

stöhnen vi groan.

stoisch adj stoical.

Stollen m ⟨-s, -⟩ (MIN) gallery; (GASTR) cake eaten at Christmas; (von Schuhen) stud.

stolpern vi stumble, trip.

stolz adj proud; **Stolz** m ⟨-es⟩ pride.

stolzieren vi strut.

stopfen 1. vt (hinein~) stuff; (voll~) fill [up]; (nähen) darn; 2. vi (MED) cause constipation; **Stopfgarn** nt darning thread.

Stoppel f ⟨-, -n⟩ stubble.

stoppen vt, vi stop; (mit Uhr) time; **Stopp-schild** nt stop sign; **Stoppuhr** f stopwatch.

Stöpsel m ⟨-s, -⟩ plug; (für Flaschen) stopper.

Stör m ⟨-[e]s, -e⟩ sturgeon.

Storch m ⟨-[e]s, Störche⟩ stork.

stören 1. vt disturb; (behindern) interfere with; 2. vr: **sich an etw dat ~** let sth bother one; **störend** adj disturbing, annoying; **Störenfried** m ⟨-[e]s, -e⟩ troublemaker; **Störfall** m disruptive incident, malfunction.

störrisch adj stubborn, perverse.

Störsender m jammer; **Störung** f disturbance; (RADIO) interference; (TECH) fault; (Verkehrs~) hold-up; (MED) disorder; **Störungsanzeige** f (INFORM) fault indication, fault display.

Stoß m ⟨-es, Stöße⟩ (Schub) push; (Schlag) blow; knock; (mit Schwert) thrust; (mit Fuß) kick; (Erd~) shock; (Haufen) pile; **Stoßdämpfer** m ⟨-s, -⟩ shock absorber; **stoßen** ⟨stieß, gestoßen⟩ 1. vt (mit Druck) shove, push; (mit Schlag) knock, bump; (mit Fuß) kick; (Schwert etc) thrust; (an~) bump; (zerkleinern) pulverize; 2. vr: **sich ~** get a knock; 3. vi: **~ an** [o **auf**] +akk bump into; (finden) come across; (angrenzen) be next to; **sich ~ an** +dat (fig) take exception to; **Stoßstange** f (AUTO) bumper; **stoßweise** adv spasmodically; (stapelweise) in piles.

Stotterer(in) m(f) ⟨-s, -⟩ stutterer; **stottern** vt, vi stutter.

Stövchen nt warmer.

Str. abk von **Straße** St.

stracks adv straight.

Strafanstalt f penal institution; **Strafarbeit** f (SCH) punishment; (schriftlich) lines pl; **strafbar** adj punishable; **Strafbarkeit** f criminal nature.

Strafe f ⟨-, -n⟩ punishment; (JUR) penalty; (Gefängnis~) sentence; (Geld~) fine; **strafen** vt punish.

straff adj tight; (streng) strict; (Stil etc) concise; (Haltung) erect; **straffen** vt tighten, tauten.

Strafgefangene(r) mf prisoner, convict; **Strafgesetzbuch** nt penal code; **Strafkolonie** f penal colony.

sträflich adj criminal; **Sträfling** m convict.

Strafporto nt excess postage [charge]; **Strafpredigt** f severe lecture; **Strafraum** m (SPORT) penalty area; **Strafrecht** nt criminal law; **Strafstoß** m (SPORT) penalty [kick]; **Straftat** f punishable act; **Strafzettel** m ticket.

Strahl m ⟨-s, -en⟩ ray, beam; (Wasser~) jet; **strahlen** vi radiate; (fig) beam; **Strahlenbehandlung** f, **Strahlenbelastung** f [exposure to] radiation; **Strahlendosis** f dose of radiation; **Strahlenkrankheit** f radiation sickness; **Strahlentherapie** f radiotherapy; **strahlenverseucht** adj contaminated [by radiation]; **Strahlung** f radiation; **strahlungsarm** adj (INFORM: Monitor) low-radiation.

Strähne f ⟨-, -n⟩ strand; (weiß, gefärbt) streak.

stramm adj tight; (Haltung) erect; (Mensch) robust; **strammstehen** irr vi (MIL) stand to attention.

strampeln vi kick [about].

Strand m ⟨-[e]s, Strände⟩ shore; (mit Sand) beach; **Strandbad** nt open-air swimming pool, lido; **stranden** vi run aground; (fig: Mensch) fail; **Strandgut** nt flotsam; **Strandkorb** m beach chair.

Strang m ⟨-[e]s, Stränge⟩ cord, rope; (Bündel) skein; (Schienen~) track; **über die Stränge schlagen** kick over the traces.

Strapaze f ⟨-, -n⟩ strain, exertion; **strapazieren** vt (Material) treat roughly, punish; (Mensch, Kräfte) wear out, exhaust; **strapazierfähig** adj hard-wearing; **strapaziös** adj exhausting, tough.

Straße f ⟨-, -n⟩ street, road; **Straßenbahn** f tram, streetcar US; **Straßenbau** m roadbuilding; **Straßenbeleuchtung** f street lighting; **Straßenfeger(in)** m(f) ⟨-s, -⟩, **Straßenkarte** f road map; **Straßenkehrer(in)** m(f) ⟨-s, -⟩ roadsweeper; **Straßensperre** f roadblock; **Straßenverkehr** m road traffic; **Straßenverkehrsordnung** f highway code.

Strategie f strategy; **strategisch** adj strategic.

Stratosphäre f stratosphere.

sträuben 1. vt ruffle; 2. vr: **sich ~** bristle; (Mensch) resist (gegen etw sth).

Strauch m ⟨-[e]s, Sträucher⟩ bush, shrub.

straucheln vi stumble, stagger.

Strauß 1. m ⟨-es, Sträuße⟩ bunch; (als Geschenk) bouquet; 2. m ⟨Strauße pl⟩ (Vogel) ostrich.

Streamer m ⟨-s, -⟩ (INFORM) streamer.

Strebe f ⟨-, -n⟩ strut; **Strebebalken** m buttress.

streben vi strive (nach for); endeavour; **~ zu, ~ nach** make for; **Streber(in)** m(f) ⟨-s, -⟩ (pej) pusher, climber; (SCH) swot; **strebsam** adj industrious.

Strecke f ⟨-, -n⟩ stretch; (Entfernung) distance; (EISENB) line; (MATH) line.

strecken 1. vt stretch; (Waffen) lay down; (GASTR) eke out; 2. vr: **sich ~** stretch [oneself]; 3. vi (SCH) put one's hand up.

Streich m ⟨-[e]s, -e⟩ trick, prank; (Hieb) blow.
Streicheleinheiten pl caresses pl; **Ich brauche ein paar ~** I need attention; **streicheln** vt stroke.
streichen ⟨strich, gestrichen⟩ 1. vt (berühren) stroke; (auftragen) spread; (anmalen) paint; (durch~) delete; (nicht genehmigen) cancel; 2. vi (berühren) brush; (schleichen) prowl; **Streicher** pl (MUS) strings pl; **Streichholz** nt match; **Streichinstrument** nt string instrument.
Streife f ⟨-, -n⟩ (Polizei~) patrol.
streifen 1. vt (leicht berühren) brush against, graze; (Blick) skim over; (Thema, Problem) touch on; (ab~) take off; 2. vi (gehen) roam.
Streifen m ⟨-s, -⟩ (Linie) stripe; (Stück) strip; (Film) film.
Streifendienst m patrol duty; **Streifenwagen** m patrol car.
Streifschuß m graze, grazing shot; **Streifzug** m scouting trip.
Streik m ⟨-[e]s, -s⟩ strike; **Streikbrecher(in)** m(f) ⟨-s, -⟩ blackleg, strikebreaker; **streiken** vi strike; **Streikkasse** f strike fund; **Streikposten** m picket.
Streit m ⟨-[e]s, -e⟩ argument; (Auseinandersetzung) dispute; **streiten** ⟨stritt, gestritten⟩ vi, vr: **sich ~** argue; dispute; **Streitfrage** f point at issue; **streitig** adj: **jdm etw ~ machen** dispute sb's right to sth; **Streitigkeiten** pl quarrel, dispute; **Streitkräfte** pl (MIL) armed forces pl; **streitlustig** adj quarrelsome; **Streitsucht** f quarrelsomeness; **streitsüchtig** adj quarrelsome.
streng adj severe; (Lehrer, Maßnahme) strict; (Geruch etc) sharp; **Strenge** f ⟨-⟩ severity; strictness; sharpness; **strenggenommen** adv strictly speaking; **strenggläubig** adj orthodox, strict.
Streß m ⟨Stresses⟩ stress; **stressen** vt stress, put under stress; **streßfrei** adj free of stress; **streßgeplagt** adj under stress; **stressig** adj (umg) stressful.
Streu f ⟨-, -en⟩ litter, bed of straw.
streuen vt scatter; (Sand, Stroh, Dünger) spread; (Straße) grit; (Gewürz, Zucker) sprinkle; **Streugut** nt road grit/salt; **Streuung** f (in Statistik) mean variation; (PHYS) scattering.
strich imperf von streichen.
Strich m ⟨-[e]s, -e⟩ (Linie) line; (Feder~, Pinsel~) stroke; (von Geweben) nap; (von Fell) pile; **auf den ~ gehen** (umg) walk the streets; **jdm gegen den ~ gehen** rub sb up the wrong way; **einen ~ machen durch** cross out; (fig) foil; **Strichjunge** m streetwalker; **Strichkode** m ⟨-s, -s⟩ bar code;

Strichmädchen nt streetwalker; **Strichpunkt** m semicolon; **strichweise** adv here and there.
Strick m ⟨-[e]s, -e⟩ rope; (umg: Kind) rascal.
stricken vt, vi knit; **Strickjacke** f cardigan; **Strickleiter** f rope ladder; **Stricknadel** f knitting needle; **Strickwaren** pl knitwear.
Strieme f ⟨-, -n⟩, **Striemen** m ⟨-s, -⟩ weal.
strikt adj strict.
stritt imperf von streiten.
strittig adj disputed, in dispute.
Stroh nt ⟨-[e]s⟩ straw; **Strohblume** f everlasting flower; **Strohdach** nt thatched roof; **Strohhalm** m [drinking] straw; **Strohmann** m ⟨Strohmänner pl⟩ dummy, straw man; **Strohwitwe(r)** mf grass widow/widower.
Strolch m ⟨-[e]s, -e⟩ layabout, bum.
Strom m ⟨-[e]s, Ströme⟩ river; (fig) stream; (ELEK) current; **stromabwärts** adv downstream; **stromaufwärts** adv upstream.
strömen vi stream, pour.
Stromkreis m circuit; **stromlinienförmig** adj streamlined; **Stromrechnung** f electricity bill; **Stromsperre** f power cut; **Stromstärke** f amperage.
Strömung f current.
Strontium nt strontium.
Strophe f ⟨-, -n⟩ verse.
strotzen vi: **~ vor, ~ von** abound in, be full of.
Strudel m ⟨-s, -⟩ whirlpool, vortex; (GASTR) strudel; **strudeln** vi swirl, eddy.
Struktur f structure; **strukturell** adj structural; **Strukturierung** f (a. INFORM) structuring; **Strukturkrise** f structural crisis; **strukturschwach** adj economically weak, economically depressed; **Strukturwandel** m structural change.
Strumpf m ⟨-[e]s, Strümpfe⟩ stocking; **Strumpfband** nt ⟨Strumpfbänder pl⟩ garter; **Strumpfhose** f [pair of] tights pl.
Strunk m ⟨-[e]s, Strünke⟩ stump.
struppig adj shaggy, unkempt.
Stube f ⟨-, -n⟩ room; **Stubenhocker(in)** m(f) ⟨-s, -⟩ (umg) stay-at-home; **stubenrein** adj house-trained.
Stuck m ⟨-[e]s⟩ stucco.
Stück nt ⟨-[e]s, -e⟩ piece; (etwas) bit; (THEAT) play; **Stückchen** nt little piece; **Stücklohn** m piecework wages pl; **stückweise** adv bit by bit, piecemeal; (WIRTS) individually.
Student(in) m(f) student; **Studentenwohnheim** nt hall of residence; **studentisch** adj student, academic.
Studie f study.
Studienplatz m university place; **studie-**

ren *vt, vi* study.

Studio *nt* ⟨-s, -s⟩ studio.

Studium *nt* studies *pl*.

Stufe *f* ⟨-, -n⟩ step; (*Entwicklungs~*) stage; **Stufenleiter** *f* (*fig*) ladder; **Stufenplan** *m* graduated plan; **stufenweise** *adv* gradually.

Stuhl *m* ⟨-[e]s, Stühle⟩ chair; **Stuhlgang** *m* bowel movement.

stülpen *vt* (*umdrehen*) turn upside down; (*bedecken*) put.

stumm *adj* silent; (*MED*) dumb.

Stummel *m* ⟨-s, -⟩ stump; (*Zigaretten~*) stub.

Stummfilm *m* silent film; **Stummheit** *f* silence; (*MED*) dumbness.

Stümper(in) *m(f)* ⟨-s, -⟩ incompetent, duffer; **stümperhaft** *adj* bungling, incompetent; **stümpern** *vi* (*umg*) bungle.

stumpf *adj* blunt; (*teilnahmslos, glanzlos*) dull; (*Winkel*) obtuse.

Stumpf *m* ⟨-[e]s, Stümpfe⟩ stump.

Stumpfsinn *m* tediousness; **stumpfsinnig** *adj* dull.

Stunde *f* ⟨-, -n⟩ hour; **stunden** *vt*: jdm etw ~ give sb time to pay sth; **Stundengeschwindigkeit** *f* average speed per hour; **Stundenkilometer** *pl* kilometres *pl* per hour; **stundenlang** *adj* for hours; **Stundenlohn** *m* hourly wage; **Stundenplan** *m* timetable; **stundenweise** *adj, adv* by the hour; (*stündlich*) every hour.

stündlich *adj* hourly.

Stuntman *m* ⟨-s, Stuntmen⟩ stuntman; **Stuntwoman** *m* ⟨-s, Stuntwomen⟩ stuntwoman.

Stups *m* ⟨-es, -e⟩ (*umg*) push; **Stupsnase** *f* snub nose.

stur *adj* obstinate, pigheaded.

Sturm *m* ⟨-[e]s, Stürme⟩ storm, gale; (*MIL*) attack, assault; **stürmen 1.** *vi* (*Wind*) blow hard, rage; (*rennen*) storm; **2.** *vt* (*MIL, fig*) storm; **3.** *vi unpers*: es stürmt there's a gale blowing; **Stürmer(in)** *m(f)* ⟨-s, -⟩ (*SPORT*) forward, striker; **Sturmflut** *f* storm tide; **stürmisch** *adj* stormy; (*fig*) tempestuous; (*Zeit*) turbulent; (*Liebhaber*) passionate; (*Beifall, Begrüßung*) tumultuous; **Sturmwarnung** *f* gale warning.

Sturz *m* ⟨-es, Stürze⟩ fall; (*POL*) overthrow; **stürzen 1.** *vt* (*werfen*) hurl; (*POL*) overthrow; (*umkehren*) overturn; **2.** *vr*: sich ~ rush; (*hinein~*) plunge; **3.** *vi* fall; (*FLUG*) dive; (*rennen*) dash; **Sturzflug** *m* nose-dive; **Sturzhelm** *m* crash helmet.

Stute *f* ⟨-, -n⟩ mare.

Stützbalken *m* brace, joist; **Stütze** *f* ⟨-, -n⟩ support; help; (*umg: Arbeitslosenunterstützung*) dole.

stutzen 1. *vt* trim; (*Ohr, Schwanz*) dock;

(*Flügel*) clip; **2.** *vi* hesitate; become suspicious.

stützen *vt* support; (*Ellbogen etc*) prop up.

stutzig *adj* perplexed, puzzled; (*mißtrauisch*) suspicious.

Stützmauer *f* supporting wall; **Stützpunkt** *m* point of support; (*von Hebel*) fulcrum; (*MIL, fig*) base.

Styropor® *nt* ⟨-s⟩ polystyrene.

Subjekt *nt* ⟨-[e]s, -e⟩ subject.

subjektiv *adj* subjective; **Subjektivität** *f* subjectivity.

Substantiv *nt* noun.

Substanz *f* substance.

subtil *adj* subtle.

subtrahieren *vt* subtract.

Subvention *f* subsidy; **subventionieren** *vt* subsidize.

subversiv *adj* subversive.

Suche *f* (*a. INFORM*) search; **suchen** *vt, vi* look [for], seek; (*INFORM*) search; (*ver~*) try; **Sucher(in)** *m(f)* ⟨-s, -⟩ seeker, searcher; (*FOTO*) viewfinder; **Suchlauf** *m* (*INFORM*) search operation.

Sucht *f* ⟨-, Süchte⟩ mania; (*MED*) addiction, craving; **süchtig** *adj* addicted; **Süchtige(r)** *mf* addict; **Suchtkranke(r)** *mf* addict.

Südafrika *nt* South Africa; **Südamerika** *nt* South America; **süddeutsch** *adj* South German; **Süddeutschland** *nt* South[ern] Germany; **Süden** *m* ⟨-s⟩ south; (*von Land*) South; **Südfrüchte** *pl* Mediterranean fruit; **südlich 1.** *adj* southern; (*Kurs, Richtung*) southerly; **2.** *adv* [to the] south; ~ von Ulm south of Ulm; **Südosten** *m* south-east; (*von Land*) South-East; **Südpol** *m* South Pole; **Südsee** *f* South Seas *pl*; **Südstaaten** *pl* (*von USA*) Southern States *pl*, South; **Südwesten** *m* southwest; (*von Land*) South-West.

süffig *adj* (*Wein*) pleasant to the taste.

süffisant *adj* smug.

suggerieren *vt* suggest (jdm etw sth to sb).

Sühne *f* ⟨-, -n⟩ atonement, expiation; **sühnen** *vt* atone for, expiate.

Sulfonamid *nt* ⟨-[e]s, -e⟩ (*MED*) sulphonamide.

Sultan(in) *m(f)* ⟨-s, -e⟩ sultan/sultana.

Sultanine *f* sultana.

Sülze *f* ⟨-, -n⟩ brawn.

summarisch *adj* summary.

Summe *f* ⟨-, -n⟩ sum, total.

summen *vt, vi* buzz; (*Lied*) hum.

summieren *vr*: sich ~ add up.

Sumpf *m* ⟨-[e]s, Sümpfe⟩ swamp, marsh; **sumpfig** *adj* marshy.

Sünde *f* ⟨-, -n⟩ sin; **Sündenbock** *m* (*umg*) scapegoat; **Sündenfall** *m* Fall [of man]; **Sünder(in)** *m(f)* ⟨-s, -⟩ sinner.

Super nt ⟨-s⟩ (*Benzin*) four star [petrol].
Superlativ m superlative.
Supermarkt m supermarket.
Suppe f ⟨-, -n⟩ soup.
Surfbrett nt surf board; **surfen** vi surf; **Surfen** nt ⟨-s⟩ surfing; **Surfer(in)** m(f) ⟨-s, -⟩ surfer.
surren vi buzz, hum.
Surrogat nt substitute, surrogate.
suspekt adj suspect.
süß adj sweet; **Süße** f ⟨-⟩ sweetness; **süßen** vt sweeten; **Süßigkeit** f sweetness; (*Bonbon etc*) sweet, candy US; **süßlich** adj sweetish; (*fig*) sugary; **Süßspeise** f pudding, sweet; **Süßstoff** m sweetening agent; **Süßwasser** nt fresh water.
Sweatshirt nt ⟨-s, -s⟩ sweatshirt.
Sylvester nt ⟨-s, -⟩ New Year's Eve, Hogmanay *Scot.*
Symbol nt ⟨-s, -e⟩ symbol; **Symbolfigur** f symbol, symbolic figure; **symbolisch** adj symbolic[al].
Symmetrie f symmetry; **Symmetrieachse** f symmetric axis; **symmetrisch** adj symmetrical.
Sympathie f liking; (*Mitgefühl*) sympathy; **Sympathisant(in)** m(f) sympathiser; **sympathisch** adj likeable, congenial; **er ist mir ~** I like him; **sympathisieren** vi sympathize.
Symptom nt ⟨-s, -e⟩ symptom; **symptomatisch** adj symptomatic.
Synagoge f ⟨-, -n⟩ synagogue.
synchron adj synchronous; **Synchrongetriebe** nt synchromesh; **synchronisieren** vt synchronize; (*Film*) dub.
Syndikat nt syndicate.
Syndrom nt ⟨-s, -e⟩ syndrome.
synonym adj synonymous; **Synonym** nt ⟨-s, -e⟩ synonym.
Syntax f ⟨-, -en⟩ (*LING. INFORM*) syntax.
Synthese f ⟨-, -n⟩ synthesis.
Synthesizer m ⟨-s, -⟩ (*MUS*) synthesizer.
synthetisch adj synthetic.
Syphilis f ⟨-⟩ syphilis.
Syrien nt Syria.
System nt ⟨-s, -e⟩ system; **Systemanalyse** f (*INFORM*) systems analysis; **Systemanalytiker(in)** m(f) ⟨-s, -⟩ system analyst; **systematisch** adj systematic; **systematisieren** vt systematize; **Systemfehler** m (*INFORM*) system error.
Szene f ⟨-, -n⟩ scene; **Szenerie** f scenery.

T

T, t nt T, t.
Tabak m ⟨-s, -e⟩ tobacco.
tabellarisch adj tabular.
Tabelle f table; **Tabellenführer** m top of the table, league leader; **Tabellenkalkulation** f (*INFORM*: ~*sprogramm*) spreadsheet.
Tabernakel m ⟨-s, -⟩ tabernacle.
Tablette f tablet, pill.
Tabulator m tabulator, tab.
Tachometer m ⟨-s, -⟩ (*AUTO*) speedometer.
Tadel m ⟨-s, -⟩ censure, scolding; (*Fehler*) fault, blemish; **tadellos** adj faultless, irreproachable; **tadeln** vt scold; **tadelnswert** adj blameworthy.
Tafel f ⟨-, -n⟩ (*a. MATH*) table; (*Anschlag~*) board; (*Wand~*) blackboard; (*Schiefer~*) slate; (*Gedenk~*) plaque; (*Illustration*) plate; (*Schalt~*) panel; (*Schokolade etc*) bar.
täfeln vt panel; **Täfelung** f panelling.
Tag m ⟨-[e]s, -e⟩ day; (*Tageslicht*) daylight; **unter/über ~e** (*MIN*) underground/on the surface; **an den ~ kommen** come to light; **guten ~!** good morning/afternoon!; **tagaus tagein** adv day in day out; **Tagdienst** m day duty; **Tagebau** m open-cast mining; **Tagebuch** nt diary; **Tagedieb(in)** m(f) idler; **Tagegeld** nt daily allowance; **tagelang** adv for days; **tagen 1.** vi sit, meet; **2.** nt unpers: **es tagt** dawn is breaking; **Tagesablauf** m course of the day; **Tagesanbruch** m dawn; **Tageskarte** f day ticket; (*Speisekarte*) menu of the day; **Tageslicht** nt daylight; **Tageslichtprojektor** m overhead projector; **Tagesmutter** f child minder; **Tagesordnung** f agenda; **Tagessatz** m daily rate; **Tageszeit** f time of day; **Tageszeitung** f daily [paper].
tägl. adv abk von **täglich** daily.
täglich adj, adv daily.
tagsüber adv during the day.
Tagung f conference.
Taille f ⟨-, -n⟩ waist.
Takel nt ⟨-s, -⟩ tackle; **takeln** vt rig.
Takt m ⟨-[e]s, -e⟩ tact; (*MUS*) time; **Taktfrequenz** f (*INFORM*) clock [pulse] frequency; **Taktgefühl** nt tact.
Taktik f tactics pl; **taktisch** adj tactical.
taktlos adj tactless; **Taktlosigkeit** f tactlessness.
Taktstock m [conductor's] baton; **taktvoll** adj tactful.
Tal nt ⟨-[e]s, Täler⟩ valley.
Talar m (*JUR*) robe; (*SCH*) gown.

Talent nt ⟨-[e]s, -e⟩ talent; **talentiert** adj talented, gifted.

Taler m ⟨-s, -⟩ (HIST) taler, florin.

Talg m ⟨-[e]s, -e⟩ tallow; **Talgdrüse** f sebaceous gland.

Talisman m ⟨-s, -e⟩ talisman.

Talkshow f ⟨-, -s⟩ talkshow.

Talsohle f bottom of a valley; **Talsperre** f dam.

Tamburin nt ⟨-s, -e⟩ tambourine.

Tampon m ⟨-s, -s⟩ tampon.

Tang m ⟨-[e]s, -e⟩ seaweed.

Tangente f ⟨-, -n⟩ tangent.

tangieren vt be tangent to; (fig) affect.

Tank m ⟨-s, -s⟩ tank; **tanken** vi fill up with petrol [o gas US]; (FLUG) [re]fuel; **Tanker** m ⟨-s, -⟩, **Tankschiff** nt tanker; **Tankstelle** f petrol station, gas station US; **Tankwart(in)** m(f) ⟨-s, -e⟩ petrol pump attendant, gas station attendant US.

Tanne f ⟨-, -n⟩ fir; **Tannenbaum** m fir tree; **Tannenzapfen** m fir cone.

Tante f ⟨-, -n⟩ aunt.

Tantieme f ⟨-, -n⟩ percentage of profits.

Tanz m ⟨-es, Tänze⟩ dance; **tanzen** vt, vi dance; **Tänzer(in)** m(f) ⟨-s, -⟩ dancer; **Tanzfläche** f [dance] floor; **Tanzschule** f dancing school.

Tapete f ⟨-, -n⟩ wallpaper; **Tapetenwechsel** m (fig) change of scenery; **tapezieren** vt [wall]paper; **Tapezierer(in)** m(f) ⟨-s, -⟩ [interior] decorator.

tapfer adj brave; **Tapferkeit** f courage, bravery.

tappen vi walk uncertainly [o clumsily].

täppisch adj clumsy.

Tarif m ⟨-s, -e⟩ tariff, [scale of] fares/charges pl; **Tariflohn** m standard wage rate.

tarnen vt camouflage; (jdn, Absicht) disguise; **Tarnfarbe** f camouflage paint; **Tarnung** f camouflaging; disguising.

Tasche f ⟨-, -n⟩ pocket; (Hand~ etc) bag; **Taschen-** in Zusammensetzungen pocket; **Taschenbuch** nt paperback; **Taschendieb(in)** m(f) pickpocket; **Taschengeld** nt pocket money; **Taschenlampe** f [electric] torch, flashlight US; **Taschenmesser** nt penknife; **Taschenrechner** m pocket calculator; **Taschenspieler(in)** m(f) conjurer; **Taschentuch** nt handkerchief.

Tasse f ⟨-, -n⟩ cup.

Tastatur f keyboard.

Taste f ⟨-, -n⟩ button; (von Klavier, an Schreibmaschine, Computer) key.

tasten 1. vt feel, touch; **2.** vi feel, grope; **3.** vr: **sich ~** feel one's way.

Tastentelefon nt push-button telephone.

Tastsinn m sense of touch.

tat imperf von **tun**.

Tat f ⟨-, -en⟩ act, deed, action; **in der ~** indeed, as a matter of fact; **Tatbestand** m facts pl of the case; **Tatendrang** m desire for action; **tatenlos** adj inactive.

Täter(in) m(f) ⟨-s, -⟩ perpetrator, culprit; **Täterschaft** f guilt.

tätig adj active; **in einer Firma ~ sein** work for a firm; **Tätigkeit** f activity; (Beruf) occupation.

tätlich adj violent; **Tätlichkeit** f violence; **~en** pl blows pl.

tätowieren vt tattoo; **Tätowierung** f tattoo.

Tatsache f fact; **tatsächlich 1.** adj actual; **2.** adv really.

Tatze f ⟨-, -n⟩ paw.

Tau 1. nt ⟨-[e]s, -e⟩ (Seil) rope; **2.** m ⟨-[e]s⟩ dew.

taub adj deaf; (Nuß) hollow.

Taube f ⟨-, -n⟩ pigeon; (Turtel~, fig) dove; **Taubenschlag** m dovecote.

Taubheit f deafness.

taubstumm adj deaf-and-dumb.

tauchen 1. vt dip; **2.** vi dive; (NAUT) submerge; **Taucher(in)** m(f) ⟨-s, -⟩ diver; **Taucheranzug** m diving suit; **Tauchsieder** m ⟨-s, -⟩ portable immersion heater.

tauen vt, vi, vb unpers thaw.

Taufbecken nt font; **Taufe** f ⟨-, -n⟩ baptism; **taufen** vt christen, baptize; **Taufname** m Christian name; **Taufpate** m godfather; **Taufpatin** f godmother; **Taufschein** m certificate of baptism.

taugen vi be of use; **~ für** [o be] good for; **nicht ~** be no good, be useless; **Taugenichts** m ⟨-es, -e⟩ good-for-nothing; **tauglich** adj suitable; (MIL) fit [for service]; **Tauglichkeit** f suitability; fitness.

Taumel m ⟨-s⟩ dizziness; (fig) frenzy; **taumeln** vi reel, stagger.

Tausch m ⟨-[e]s, -e⟩ exchange; **tauschen** vt exchange, swap.

täuschen 1. vt deceive; **2.** vi be deceptive; **3.** vr: **sich ~** be wrong; **täuschend** adj deceptive.

Tauschhandel m barter.

Täuschung f deception; (optisch) illusion.

tausend num [a] thousand; **Tausendfüßler** m ⟨-s, -⟩ centipede, millipede.

Tautropfen m dew drop; **Tauwetter** nt thaw; **Tauziehen** nt ⟨-s, -⟩ tug-of-war.

Taxi nt ⟨-[s], -[s]⟩ taxi; **Taxifahrer(in)** m(f) taxi driver.

Technik f technology, engineering; (Methode, Kunstfertigkeit) technique; **Techniker(in)** m(f) ⟨-s, -⟩ technician, engineer; **technisch** adj technical.

Technologie f technology; **Technologiepark** m technology park; **Technologietransfer** m ⟨-s, -s⟩ technology transfer;

technologisch adj technological.

Teddy|bär m teddy[bear].

Tee m ⟨-s, -s⟩ tea; **Teekanne** f teapot; **Teelöffel** m teaspoon.

Teer m ⟨-[e]s, -e⟩ tar; **teeren** vt tar.

Teesieb nt tea strainer; **Teewagen** m tea trolley.

Teich m ⟨-[e]s, -e⟩ pond.

Teig m ⟨-[e]s, -e⟩ dough; **teigig** adj doughy; **Teigwaren** pl pasta sing.

Teil m ont ⟨-[e]s, -e⟩ part; (An~) share; (Bestand~) component; **zum** ~ partly; **teilbar** adj divisible; **Teilbetrag** m instalment; **Teilchen** nt [atomic] particle; (Gebäck) cake, pastry.

teilen vt, vr: **sich** ~ divide; (mit jdm ~) share [with sb].

teilhaben irr vi share (an +dat in); **Teilhaber(in)** m(f) ⟨-s, -⟩ partner.

Teilkaskoversicherung f third party, fire and theft insurance.

Teilnahme f ⟨-, -n⟩ participation; (Mitleid) sympathy; **teilnahmslos** adj disinterested, apathetic; **teilnehmen** irr vi take part (an +dat in); **Teilnehmer(in)** m(f) ⟨-s, -⟩ participant.

teils adv partly.

Teilung f division.

teilweise adv partially, in part; **Teilzahlung** f payment by instalments; **teilzeitbeschäftigt** adj part-time [employed].

Teint m ⟨-s, -s⟩ complexion.

Telebrief m telemessage, mailgram US.

Telefax nt ⟨-es, -e⟩ fax; **telefaxen** vi, vt fax, send by fax; **Telefaxgerät** nt telecopier, fax terminal.

Telefon nt ⟨-s, -e⟩ telephone; **Telefonamt** nt telephone exchange; **Telefonanruf** m, **Telefonat** nt [tele]phone call; **Telefonbuch** nt telephone directory; **Telefongespräch** nt telephone conversation; **telefonieren** vi telephone; **telefonisch** adj telephone; (Benachrichtigung) by telephone; **Telefonist(in)** m(f) telephonist; **Telefonkarte** f phonecard; **Telefonladen** m Telecom shop Brit; **Telefonleitung** f [tele]phone line; **Telefonnummer** f [tele]phone number; **Telefonverbindung** f telephone connection; **Telefonzelle** f telephone kiosk, callbox; **Telefonzentrale** f telephone exchange, switchboard.

Telegraf m ⟨-en, -en⟩ telegraph; **Telegrafenleitung** f telegraph line; **Telegrafenmast** m telegraph pole; **Telegrafie** f telegraphy; **telegrafieren** vt, vi telegraph, wire; **telegrafisch** adj telegraphic.

Telegramm nt ⟨-s, -e⟩ telegram, cable; **Telegrammadresse** f telegraphic address; **Telegrammformular** nt telegram form.

Telekolleg nt university of the air, Open University Brit.

Telekopie f fax; **Telekopierer** m telecopier, fax terminal.

Teleobjektiv nt telephoto lens.

Telepathie f telepathy; **telepathisch** adj telepathic.

Teleskop nt ⟨-s, -e⟩ telescope.

Telespiel nt video game.

Telex nt ⟨-es, -e⟩ telex; **telexen** vt telex.

Teller m ⟨-s, -⟩ plate.

Tempel m ⟨-s, -⟩ temple.

Temperafarbe f distemper.

Temperament nt temperament; (Schwung) vivacity, liveliness; **temperamentlos** adj spiritless; **temperamentvoll** adj high-spirited, lively.

Temperatur f temperature.

Tempo 1. nt ⟨-s, -s⟩ speed, pace; **2.** nt (Tempi pl) (MUS) tempo; **~!** get a move on!; **Tempolimit** nt ⟨-s, -s⟩ speed limit.

temporär adj temporary.

Tempotaschentuch® nt paper handkerchief.

Tendenz f tendency; (Absicht) intention; **tendenziös** adj biased, tendentious; **tendieren** vi show a tendency, incline (zu to[wards]).

Tenne f ⟨-, -n⟩ threshing floor.

Tennis nt ⟨-⟩ tennis; **Tennisplatz** m tennis court; **Tennisschläger** m tennis racket; **Tennisspieler(in)** m(f) tennis player.

Tenor m ⟨-s, Tenöre⟩ tenor.

Teppich m ⟨-s, -e⟩ carpet; **Teppichboden** m wall-to-wall carpeting; **Teppichkehrmaschine** f carpet sweeper; **Teppichklopfer** m carpet beater.

Termin m ⟨-s, -e⟩ (Zeitpunkt) date; (Frist) time limit, deadline; (Arzt~ etc) appointment.

Terminal nt ⟨-s, -s⟩ (INFORM, FLUG) terminal.

Terminkalender m diary, appointments book.

Terminologie f terminology.

Termite f ⟨-, -n⟩ termite.

Terpentin nt ⟨-s, -e⟩ turpentine, turps.

Terrasse f ⟨-, -n⟩ terrace.

Terrine f tureen.

Territorium nt territory.

Terror m ⟨-s⟩ terror; reign of terror; **Terroranschlag** m terrorist attack; **terrorisieren** vt terrorize; **Terrorismus** m terrorism; **Terrorist(in)** m(f) terrorist.

Terz f ⟨-, -en⟩ (MUS) third.

Terzett nt ⟨-[e]s, -e⟩ trio.

Tesafilm® m sellotape®.

Test m ⟨-s, -e⟩ test.

Testament nt will, testament; (REL) Testament; **testamentarisch** adj testamentary; **Testamentsvollstrecker(in)** m(f)

⟨-s, -⟩ executor [of a will].

Testbild nt (TV) test card; **testen** vt test.

Tetanus m ⟨-⟩ tetanus; **Tetanusimpfung** f [anti-]tetanus injection.

teuer adj dear, expensive; **Teuerung** f increase in prices; **Teuerungszulage** f cost of living bonus.

Teufel m ⟨-s, -⟩ devil; **Teufelei** f devilry; **Teufelsaustreibung** f exorcism; **Teufelskreis** m vicious circle; **teuflisch** adj fiendish, diabolical.

Text m ⟨-[e]s, -e⟩ text; (Lieder~) words pl; **texten** vi write the words.

textil adj textile; **Textilien** pl textiles pl; **Textilindustrie** f textile industry; **Textilwaren** pl textiles pl.

Textsystem nt (INFORM) text system; **Textverarbeitung** f word processing; **Textverarbeitungsprogramm** nt word processor.

Thailand nt Thailand.

Theater nt ⟨-s, -⟩ theatre; (umg) fuss; ~ **spielen** (a. fig) playact; **Theaterbesucher(in)** m(f) playgoer; **Theaterkasse** f box office; **Theaterstück** nt [stage-]play; **theatralisch** adj theatrical.

Theke f ⟨-, -n⟩ (Schanktisch) bar; (Ladentisch) counter.

Thema nt ⟨-s, Themen⟩ theme, topic, subject; **kein ~ sein** be no subject for discussion, be a dead topic, be of no interest; **thematisch** adj thematic.

Theologe m ⟨-n, -n⟩ theologian; **Theologie** f theology; **Theologin** f theologian; **theologisch** adj theological.

Theoretiker(in) m(f) ⟨-s, -⟩ theorist; **theoretisch** adj theoretical; **Theorie** f theory.

Therapeut(in) m(f) ⟨-en, -en⟩ therapist; **therapeutisch** adj therapeutic; **Therapie** f therapy.

Thermalbad nt thermal bath; (Ort) thermal spa.

Thermodrucker m thermal printer.

Thermometer nt ⟨-s, -⟩ thermometer.

Thermosflasche f Thermos®.

Thermostat m ⟨-[e]s o -en, -e[n]⟩ thermostat.

These f ⟨-, -n⟩ thesis.

Thrombose f ⟨-, -n⟩ thrombosis.

Thron m ⟨-[e]s, -e⟩ throne; **Thronbesteigung** f accession [to the throne]; **Thronerbe** m, **Thronerbin** f heir/heiress to the throne; **Thronfolge** f succession [to the throne].

Thunfisch m tuna.

Thüringen nt ⟨-s⟩ Thuringia.

Thymian m ⟨-s, -e⟩ thyme.

Tick m ⟨-[e]s, -s⟩ tic; (Eigenart) quirk; (Fimmel) craze; **ticken** vi tick; **Peter tickt nicht ganz richtig** Peter is off his rocker.

Tiebreak m ⟨-s, -s⟩ (SPORT) tie breaker.

tief adj deep; (tiefsinnig) profound; (Ausschnitt, Ton) low; **Tief** nt ⟨-s, -s⟩ (METEO) depression; **Tiefdruck** m low pressure; **Tiefe** f ⟨-, -n⟩ depth; **Tiefebene** f plain; **Tiefenpsychologie** f depth psychology; **Tiefenschärfe** f (FOTO) depth of focus; **tiefernst** adj very grave [o solemn]; **Tiefgang** m (NAUT) draught; (geistig) depth; **tiefgekühlt** adj frozen; **tiefgreifend** adj far-reaching; **Tiefkühlfach** nt deep-freeze compartment; **Tiefkühlkost** f frozen food; **Tiefkühltruhe** f deep-freeze, freezer; **Tiefland** nt lowlands pl; **Tiefpunkt** m low point; (fig) low ebb; **Tiefschlag** m (BOXEN, fig) blow below the belt; **tiefschürfend** adj profound; **Tiefsee** f deep sea; **Tiefsinn** m profundity; **tiefsinnig** adj profound; **Tiefstand** m low level; **tiefstapeln** vi be overmodest; **Tiefstart** m (SPORT) crouch start; **Tiefstwert** m minimum [o lowest] value; **Tieftöner** m ⟨-s, -⟩ woofer.

Tiegel m ⟨-s, -⟩ saucepan; (CHEM) crucible.

Tier nt ⟨-[e]s, -e⟩ animal; **Tierarzt** m, **Tierärztin** f vet[erinary surgeon]; **Tiergarten** m zoo[logical gardens]; **tierisch** adj animal; (a. fig) brutish; (fig: Ernst etc) deadly; **Tierkreis** m zodiac; **Tierkunde** f zoology; **tierliebend** adj fond of animals; **Tierquälerei** f cruelty to animals; **Tierschützer(in)** m(f) ⟨-s, -⟩ animal protector; **Tierschutzverein** m society for the prevention of cruelty to animals; **Tierversuch** m animal experiment.

Tiger m ⟨-s, -⟩ tiger; **Tigerin** f tigress.

tilgen vt erase; (Sünden) expiate; (Schulden) pay off; **Tilgung** f erasing; expiation; repayment.

Timing nt ⟨-s⟩ timing.

Tinktur f tincture.

Tinte f ⟨-, -n⟩ ink; **Tintenfaß** nt inkwell; **Tintenfisch** m cuttlefish; (klein) squid; (achtarmig) octopus; **Tintenfleck** m ink stain, blot; **Tintenstift** m copying [o indelible] pencil; **Tintenstrahldrucker** m ink jet printer.

tippen vt, vi tap, touch; (umg: schreiben) type; (umg: raten) guess; **auf jdn/etw ~** put one's money on sb/sth; (im Lotto etc) bet on sb/sth; **Tippfehler** m (umg) typing error; **Tippse** f ⟨-, -n⟩ (umg) typist.

tipptopp adj (umg) tip-top.

Tippzettel m [pools] coupon.

Tisch m ⟨-[e]s, -e⟩ table; **bei ~** at table; **vor/ nach ~** before/after eating; **unter den Tisch fallen** (fig) be dropped; **vom ~ sein** be cleared out of the way; **jdn über den ~ ziehen** take sb in; **Tischdecke** f tablecloth.

Tischler(in) m(f) ⟨-s, -⟩ carpenter, joiner;

Tischlerei f joiner's workshop; (*Arbeit*) carpentry, joinery; **tischlern** vi do carpentry.

Tischrechner m desktop calculator; **Tischrede** f after-dinner speech; **Tischtennis** nt table tennis.

Titel m ⟨-s, -⟩ title; **Titelanwärter(in)** m(f) (*SPORT*) challenger; **Titelbild** nt cover [picture]; (*von Buch*) frontispiece; **Titelrolle** f title role; **Titelseite** f cover; (*von Buch*) title page; **Titelverteidiger(in)** m(f) defending champion, title holder.

titulieren vt entitle; (*anreden*) address.

Toast m ⟨-[e]s, -s o -e⟩ toast; **toasten** vt toast; **Toaster** m ⟨-s, -⟩ toaster.

toben vi rage; (*Kinder*) romp about; **Tobsucht** f raving madness; **tobsüchtig** adj maniacal; **Tobsuchtsanfall** m maniacal fit.

Tochter f ⟨-, Töchter⟩ daughter; **Tochtergesellschaft** f subsidiary.

Tod m ⟨-[e]s, -e⟩ death; **todernst 1.** adj (*umg*) deadly serious; **2.** adv in dead earnest; **Todesangst** f mortal fear; **Todesanzeige** f obituary [notice]; **Todesfall** m death; **Todeskampf** m throes of death; **Todesopfer** nt fatality; **Todesstoß** m death-blow; **Todesstrafe** f death penalty; **Todestag** m anniversary of death; **Todesursache** f cause of death; **Todesurteil** nt death sentence; **Todesverachtung** f utter disgust; **todkrank** adj dangerously ill.

tödlich adj deadly, fatal.

todmüde adj dead tired; **todschick** adj (*umg*) smart, classy; **todsicher** adj (*umg*) absolutely [o dead] certain; **Todsünde** f deadly sin.

Toilette f toilet, lavatory, restroom US; (*Frisiertisch*) dressing table; (*Kleidung*) outfit; **Toilettenartikel** pl toiletries pl; **Toilettenpapier** nt toilet paper; **Toilettentisch** m dressing table.

toi interj: ~, ~, ~ touch wood.

tolerant adj tolerant; **Toleranz** f tolerance; **tolerieren** vt tolerate.

toll adj mad; (*Treiben*) wild; (*umg*) terrific; **tollen** vi romp; **Tollkirsche** f deadly nightshade; **tollkühn** adj daring; **Tollwut** f rabies sing.

Tölpel m ⟨-s, -⟩ oaf, clod.

Tomate f ⟨-, -n⟩ tomato; **Tomatenmark** nt tomato puree.

Tomograph m ⟨-en, -en⟩ tomograph.

Ton 1. m ⟨-[e]s, -e⟩ (*Erde*) clay; **2.** m ⟨Töne pl⟩ (*Laut*) sound; (*MUS*) note; (*Redeweise*) tone; (*Farb~, Nuance*) shade; (*Betonung*) stress; **Tonabnehmer** m ⟨-s, -⟩ pick-up; **tonangebend** adj leading; **Tonart** f [musical] key; **Tonband** nt ⟨Tonbänder pl⟩

tape; **Tonbandgerät** nt tape recorder.

tönen 1. vi sound; **2.** vt shade; (*Haare*) tint.

Toner m ⟨-s, -⟩ toner.

tönern adj clay.

Tonfall m intonation; **Tonfilm** m sound film; **Tonhöhe** f pitch; **tonlos** adj soundless.

Tonne f ⟨-, -n⟩ barrel; (*Gewicht*) ton.

Tonspur f soundtrack; **Tontaube** f clay pigeon; **Tonwaren** pl pottery, earthenware.

Top nt ⟨-s, -s⟩ top.

Topf m ⟨-[e]s, Töpfe⟩ pot; **Topfblume** f pot plant.

Töpfer(in) m(f) ⟨-s, -⟩ potter; **Töpferei** f potter's workshop; (*Gegenstand*) piece of pottery; **Töpferscheibe** f potter's wheel.

Topflappen m oven-cloth; **Topfpflanze** f pot plant.

topographisch adj topographic.

Tor nt ⟨-[e]s, -e⟩ gate; (*SPORT*) goal; **Torbogen** m archway.

Torf m ⟨-[e]s⟩ peat.

Torheit f foolishness; foolish deed.

Torhüter(in) m(f) ⟨-s, -⟩ goalkeeper.

töricht adj foolish.

torkeln vi stagger, reel.

torpedieren vt torpedo; **Torpedo** m ⟨-s, -s⟩ torpedo.

Torte f ⟨-, -n⟩ cake; (*Obst~*) flan, tart.

Tortur f ordeal.

Torwart m ⟨-[e]s, -e⟩ goalkeeper.

tosen vi roar.

tot adj dead; **einen ~en Punkt haben** be at one's lowest.

total adj total.

totalitär adj totalitarian.

Totalschaden m complete write-off.

totarbeiten vr: **sich ~** work oneself to death; **totärgern** vr: **sich ~** (*umg*) get really annoyed.

Tote(r) mf dead person.

töten vt, vi kill.

Totenbett nt death bed; **totenblaß** adj deathly pale, white as a sheet; **Totengräber(in)** m(f) ⟨-s, -⟩ gravedigger; **Totenhemd** nt shroud; **Totenkopf** m skull; **Totenschein** m death certificate; **Totenstille** f deathly silence; **Totentanz** m danse macabre.

totfahren irr vt run over; **totgeboren** adj stillborn; **totlachen** vr: **sich ~** (*umg*) laugh one's head off.

Toto m o nt ⟨-s, -s⟩ pools pl; **Totoschein** m pools coupon.

totschlagen irr vt (a. fig) kill; **Totschläger** m killer; (*Waffe*) cosh; **totschweigen** irr vt hush up; **totstellen** vr: **sich ~** pretend to be dead.

Tötung f killing.

Toupet nt ⟨-s, -s⟩ toupee.

toupieren vt back-comb.

Tour f ⟨-, -en⟩ tour, trip; (*Umdrehung*) revolution; (*Verhaltensart*) way; **in einer ~** incessantly; **Tourenzahl** f number of revolutions; **Tourenzähler** m rev counter.

Tourismus m tourism; **Tourist(in)** m(f) tourist; **Touristenklasse** f tourist class.

Tournee f ⟨-, -n⟩ (*THEAT*) tour; **auf ~ gehen** go on tour.

toxikologisch adj toxicological.

Trab m ⟨-[e]s⟩ trot.

Trabant m satellite; **Trabantenstadt** f satellite town.

traben vi trot.

Tracht f ⟨-, -en⟩ (*Kleidung*) costume, dress; **eine ~ Prügel** a sound thrashing.

trachten vi strive (*nach* for), endeavour; **jdm nach dem Leben ~** seek to kill sb.

trächtig adj (*Tier*) pregnant; (*fig*) rich, fertile.

Trackball m ⟨-s, -s⟩ (*INFORM*) trackball.

Tradition f tradition; **traditionell** adj traditional.

traf imperf von **treffen**.

Tragbahre f stretcher; **tragbar** adj (*Gerät*) portable; (*Kleidung*) wearable; (*erträglich*) bearable; **~es Telefon** mobile phone.

träge adj sluggish, slow; (*PHYS*) inert.

tragen ⟨trug, getragen⟩ **1.** vt carry; (*Kleidung, Brille*) wear; (*Namen, Früchte*) bear; (*erdulden*) endure; (*Eis*) hold; **sich mit einem Gedanken ~** have an idea in mind; **zum Tragen kommen** have an effect. **2.** vi (*schwanger sein*) be pregnant.

Träger m ⟨-s, -⟩ (*an Kleidung*) strap; (*Hosen~*) braces pl; (*ARCHIT*) beam; (*Stahl~, Eisen~*) girder; (*Flugzeug~*) carrier; **Träger(in)** m(f) (*Lasten~*) bearer, porter; (*Namens~*) bearer; (*Ordens~, Titel~*) holder, bearer; (*von Kleidung*) wearer; (*Preis~*) winner; (*der Staatsgewalt etc*) representative; (*einer Veranstaltung*) sponsor; **~ des Vereins** those responsible for the club; **Trägerrakete** f booster; **Trägerrock** m pinafore dress.

Tragetasche f carrier bag.

Tragfähigkeit f load-carrying capacity; **Tragfläche** f (*FLUG*) wing; **Tragflügelboot** nt hydrofoil.

Trägheit f laziness; (*PHYS*) inertia.

Tragik f tragedy; **tragikomisch** adj tragicomical; **tragisch** adj tragic; **Tragödie** f tragedy.

Trailer m ⟨-s, -⟩ (*FILM*) trailer.

Tragweite f range; (*fig*) scope; **Tragwerk** nt wing assembly.

Trailer m ⟨-s, -⟩ (*Film*) trailer.

Trainer(in) m(f) ⟨-s, -⟩ (*SPORT*) trainer, coach; (*Fußball~*) manager; **trainieren**

vt, vi train; (*jdn a.*) coach; (*Übung*) practise; **Fußball ~** do football practice; **Training** nt ⟨-s, -s⟩ training; **Trainingsanzug** m track suit.

Traktor m tractor.

trällern vt, vi trill, sing.

trampeln vt, vi trample, stamp.

trampen vi hitch-hike.

Tran m ⟨-[e]s, -e⟩ train oil, blubber.

Tranchierbesteck nt [pair of] carvers pl; **tranchieren** vt carve.

Träne f ⟨-, -n⟩ tear; **tränen** vi water; **Tränengas** nt teargas.

trank imperf von **trinken**.

Tränke f ⟨-, -n⟩ watering place; **tränken** vt (*naß machen*) soak; (*Tiere*) water.

Transformator m transformer.

Transfusion f transfusion.

Transistor m transistor.

Transit m ⟨-s⟩ transit.

transitiv adj transitive.

transparent adj transparent; **Transparent** nt ⟨-[e]s, -e⟩ (*Bild*) transparency; (*Spruchband*) banner.

transpirieren vi perspire.

Transplantation f transplantation; (*Haut~*) graft[ing].

Transport m ⟨-[e]s, -e⟩ transport; **transportieren** vt transport; **Transportkosten** pl transport charges pl; **Transportmittel** nt means sing of transport; **Transportunternehmen** nt haulage firm.

Trapez nt ⟨-es, -e⟩ trapeze; (*MATH*) trapezium.

Traube f ⟨-, -n⟩ (*einzelne Beere*) grape; (*ganze Frucht*) bunch of grapes; **Traubenlese** f vintage; **Traubenzucker** m glucose.

trauen **1.** vi: **jdm/einer Sache ~** trust sb/sth; **2.** vr: **sich ~** dare; **3.** vt marry.

Trauer f ⟨-⟩ sorrow; (*für Verstorbenen*) mourning; **Trauerfall** m death, bereavement; **Trauermarsch** m funeral march; **trauern** vi mourn (um for); **Trauerrand** m black border; **Trauerspiel** nt tragedy; **Trauerweide** f weeping willow.

Traufe f ⟨-, -n⟩ eaves pl.

träufeln vt, vi drip.

traulich adj cosy, intimate.

Traum m ⟨-[e]s, Träume⟩ dream.

Trauma nt ⟨-s, Traumen o Traumata⟩ trauma; **traumatisch** adj traumatic.

träumen vt, vi dream; **Träumer(in)** m(f) ⟨-s, -⟩ dreamer; **Träumerei** f dreaming; **träumerisch** adj dreamy.

traumhaft adj dreamlike; (*fig*) wonderful.

traurig adj sad; **Traurigkeit** f sadness.

Trauschein m marriage certificate; **Trauung** f wedding ceremony; **Trauzeuge** m, **Trauzeugin** f witness [to a marriage].

treffen ⟨traf, getroffen⟩ **1.** vt, vi strike, hit;

(*Bemerkung*) hurt; (*begegnen*) meet; (*Entscheidung etc*) make; (*Maßnahmen*) take; **2.** *vr:* **sich** ~ meet; ~ **auf** +*akk* come across, meet with; **es traf sich, daß …** it so happened that …; **es trifft sich gut** it's convenient; **wie es sich so trifft** as these things happen; **er hat es gut getroffen** he was fortunate; **Treffen** *nt* ⟨-s, -⟩ meeting; **treffend** *adj* pertinent, apposite; **Treffer** *m* ⟨-s, -⟩ hit; (*Tor*) goal; (*Los*) winner; **Treffpunkt** *m* meeting place.

Treibeis *nt* drift ice.

treiben ⟨trieb, getrieben⟩ **1.** *vt* drive; (*Studien etc*) pursue; (*SPORT*) do, go in for; **2.** *vi* (*Schiff etc*) drift; (*Pflanzen*) sprout; (*GASTR*) rise; (*Tee, Kaffee*) be diuretic; **Unsinn** ~ fool around; **Treiben** *nt* ⟨-s⟩ activity.

Treibgas *nt* propellant; **Treibhaus** *nt* hothouse; **Treibhauseffekt** *m* greenhouse effect; **Treibnetzfischerei** *f* driftnet fishing; **Treibstoff** *m* fuel.

trennbar *adj* separable; **trennen 1.** *vt* separate; (*teilen*) divide; **2.** *vr:* **sich** ~ separate; **sich** ~ **von** part with; **Trennschärfe** *f* (*RADIO*) selectivity; **Trennung** *f* separation; **Trennwand** *f* partition [wall].

treppab *adv* downstairs; **treppauf** *adv* upstairs; **Treppe** *f* ⟨-, -n⟩ staircase, stairs *pl*; (*im Freien*) steps *pl*; **Treppengeländer** *nt* banister; **Treppenhaus** *nt* staircase.

Tresor *m* ⟨-s, -e⟩ safe.

treten ⟨trat, getreten⟩ **1.** *vi* step; (*Tränen, Schweiß*) appear; **2.** *vt* kick; (*nieder*~) tread, trample; ~ **nach** kick at; ~ **in** +*akk* step in[to]; **in Verbindung** ~ get in contact; **in Erscheinung** ~ appear.

treu *adj* faithful, true; **Treue** *f* ⟨-⟩ loyalty, faithfulness; **Treuhand** *f* German privatisation agency; **Treuhänder(in)** *m(f)* ⟨-s, -⟩ trustee; **Treuhandgesellschaft** *f* trust company; **treuherzig** *adj* innocent; **treulich** *adv* faithfully; **treulos** *adj* faithless.

Tribüne *f* ⟨-, -n⟩ grandstand; (*Redner*~) platform.

Trichter *m* ⟨-s, -⟩ funnel; (*in Boden*) crater.

Trick *m* ⟨-s, -e *o* -s⟩ trick; **Trickfilm** *m* cartoon.

trieb *imperf von* **treiben**.

Trieb *m* ⟨-[e]s, -e⟩ urge, drive; (*Neigung*) inclination; (*an Baum etc*) shoot; **Triebfeder** *f* (*fig*) motivating force; **triebhaft** *adj* impulsive; **Triebkraft** *f* (*fig*) drive; **Triebtäter(in)** *m(f)* sex offender; **Triebwagen** *m* (*EISENB*) diesel railcar; **Triebwerk** *nt* engine.

triefen *vi* drip.

triftig *adj* good, convincing.

Trigonometrie *f* trigonometry.

Trikot 1. *nt* ⟨-s, -s⟩ vest; (*SPORT*) shirt; **2.** *m* ⟨-s, -s⟩ (*Gewebe*) tricot.

Triller *m* ⟨-s, -⟩ (*MUS*) trill; **trillern** *vi* trill, warble; **Trillerpfeife** *f* whistle.

trinkbar *adj* drinkable; **trinken** ⟨trank, getrunken⟩ *vt, vi* drink; **Trinker(in)** *m(f)* ⟨-s, -⟩ drinker; **Trinkgeld** *nt* tip; **Trinkhalm** *m* [drinking] straw; **Trinkspruch** *m* toast; **Trinkwasser** *nt* drinking water.

Tripper *m* ⟨-s, -⟩ gonorrhoea.

Tritt *m* ⟨-[e]s, -e⟩ step; (*Fuß*~) kick; **Trittbrett** *nt* (*EISENB*) step; (*AUTO*) running board.

Triumph *m* ⟨-[e]s, -e⟩ triumph; **Triumphbogen** *m* triumphal arch; **triumphieren** *vi* triumph; (*jubeln*) exult.

trivial *adj* trivial.

trocken *adj* dry; **Trockendock** *nt* dry dock; **Trockenelement** *nt* dry cell; **Trockenhaube** *f* hair-dryer; **Trockenheit** *f* dryness; **trockenlegen** *vt* (*Sumpf*) drain; (*Kind*) put a clean nappy on; **Trockenmilch** *f* dried milk; **trocknen** *vt, vi* dry.

Troddel *f* ⟨-, -n⟩ tassel.

Trödel *m* ⟨-s⟩ (*umg*) junk.

trödeln *vi* (*umg*) dawdle.

Trödler(in) *m(f)* ⟨-s, -⟩ secondhand dealer, junk dealer.

trog *imperf von* **trügen**.

Trog *m* ⟨-[e]s, Tröge⟩ trough.

Trommel *f* ⟨-, -n⟩ drum; **Trommelfell** *nt* eardrum; **trommeln** *vt, vi* drum; **Trommler(in)** *m(f)* ⟨-s, -⟩ drummer.

Trompete *f* ⟨-, -n⟩ trumpet; **Trompeter(in)** *m(f)* ⟨-s, -⟩ trumpeter.

Tropen *pl* tropics *pl*; **tropenbeständig** *adj* suitable for the tropics; **Tropenhelm** *m* topee, sun helmet.

Tropf *m* ⟨-[e]s, Tröpfe⟩ (*umg*) rogue; (*Infusion*) drip; **armer** ~ poor devil.

tröpfeln *vi* drop, trickle.

tropfen 1. *vt, vi* drip; **2.** *vb unpers*: **es tropft** a few raindrops are falling; **Tropfen** *m* ⟨-s, -⟩ drop; **tropfenweise** *adv* in drops; **Tropfsteinhöhle** *f* stalactite cave.

tropisch *adj* tropical.

Trost *m* ⟨-es⟩ consolation, comfort; **trösten** *vt* console, comfort; **Tröster(in)** *m(f)* ⟨-s, -⟩ comfort[er]; **tröstlich** *adj* comforting; **trostlos** *adj* bleak; (*Verhältnisse*) wretched; **Trostpflaster** *nt* consolation; **Trostpreis** *m* consolation prize; **Tröstung** *f* comfort; consolation.

Trott *m* ⟨-[e]s, -e⟩ trot; (*Routine*) routine.

Trottel *m* ⟨-s, -⟩ (*umg*) fool, dope.

trotten *vi* trot.

Trottoir *nt* ⟨-s, -s *o* -e⟩ pavement, sidewalk *US*.

trotz *präp* +*gen o dat* in spite of; **Trotz** *m* ⟨-es⟩ pigheadedness; **etw aus** ~ **tun** do sth just to show them; **jdm zum** ~ in defiance of sb; **Trotzalter** nt obstinate phase.

trotzdem 1. adv nevertheless; **2.** konj although.

trotzig adj defiant, pig-headed; **Trotzkopf** m obstinate child; **Trotzreaktion** f fit of pique.

trüb adj dull; (Flüssigkeit, Glas) cloudy; (fig) gloomy; **trüben 1.** vt cloud; **2.** vr: **sich ~** become cloudy; **Trübsal** f ⟨-, -e⟩ distress; **trübselig** adj sad, melancholy; **Trübsinn** m depression; **trübsinnig** adj depressed, gloomy.

trudeln vi (FLUG) [go into a] spin.

Trüffel f ⟨-, -n⟩ truffle.

trug imperf von **tragen**.

trügen ⟨trog, getrogen⟩ **1.** vt deceive; **2.** vi be deceptive; **trügerisch** adj deceptive.

Trugschluß m false conclusion.

Truhe f ⟨-, -n⟩ chest.

Trümmer pl wreckage; (Bau~) ruins pl; **Trümmerhaufen** m heap of rubble.

Trumpf m ⟨-[e]s, Trümpfe⟩ (a. fig) trump.

Trunk m ⟨-[e]s, Trünke⟩ drink; **trunken** adj intoxicated; **Trunkenbold** m ⟨-[e]s, -e⟩ drunkard; **Trunkenheit** f intoxication; **~ am Steuer** drunken driving; **Trunksucht** f alcoholism.

Truppe f ⟨-, -n⟩ troop; (Waffengattung) force; (Schauspiel~) troupe; **~n** pl troops pl; **Truppenübungsplatz** m military training area.

Truthahn m turkey.

Tscheche m ⟨-n, -n⟩, **Tschechien** nt Czech Republic; **Tschechin** f Czech; **tschechisch** adj Czech; **Tschechische Republik** f Czech Republic; **Tschechoslowakei** f: **die ~** Czechoslovakia; **tschechoslowakisch** adj Czechoslovak[ian].

tschüs interj bye.

T-Shirt nt ⟨-s, -s⟩ T-shirt, tee-shirt.

Tube f ⟨-, -n⟩ tube.

Tuberkulose f ⟨-, -n⟩ tuberculosis.

Tuch nt ⟨-[e]s, Tücher⟩ cloth; (Hals~) scarf; (Kopf~) headscarf; (Hand~) towel.

tüchtig adj efficient, [cap]able; (umg: kräftig) good, sound; **Tüchtigkeit** f efficiency, ability.

Tücke f ⟨-, -n⟩ (Arglist) malice; (Trick) trick; (Schwierigkeit) difficulty, problem; **seine ~n haben** be temperamental; **tückisch** adj treacherous; (böswillig) malicious.

Tugend f ⟨-, -en⟩ virtue; **tugendhaft** adj virtuous.

Tüll m ⟨-s, -e⟩ tulle.

Tulpe f ⟨-, -n⟩ tulip.

tummeln vr: **sich ~** romp, gambol; (sich beeilen) hurry.

Tumor m ⟨-s, -en⟩ tumour.

Tümpel m ⟨-s, -⟩ pool, pond.

Tumult m ⟨-[e]s, -e⟩ tumult.

tun ⟨tat, getan⟩ **1.** vt (machen) do; (legen) put; **2.** vi act; **3.** vr unpers: **es tut sich etwas/viel** something/a lot is happening; **so ~, als ob** act as if; **jdm etw ~** (antun) do sth to sb; **etw tut es auch** sth will do; **das tut nichts** that doesn't matter; **das tut nichts zur Sache** that's neither here nor there.

Tünche f ⟨-, -n⟩ whitewash; **tünchen** vt whitewash.

Tuner m ⟨-s, -⟩ tuner-amplifier.

Tunesien nt Tunisia.

Tunke f ⟨-, -n⟩ sauce; **tunken** vt dip, dunk.

tunlichst adv if at all possible; **~ bald** as soon as possible.

Tunnel m ⟨-s, -s o -⟩ tunnel.

Tunte f (umg pej) queen.

Tüpfelchen nt [small] dot.

tupfen vt, vi dab; (mit Farbe) dot; **Tupfen** m ⟨-s, -⟩ dot, spot.

Tür f ⟨-, -en⟩ door.

Turbine f turbine.

Turbolader m ⟨-s, -⟩ (AUTO) turbocharger; **Turbomotor** m turbo engine.

turbulent adj turbulent.

Türke m ⟨-n, -n⟩ Turk; **Türkei** f: **die ~** Turkey; **Türkin** f Turk, Turkish woman.

türkis adj turquoise; **Türkis** m ⟨-es, -e⟩ turquoise.

türkisch adj Turkish.

Turm m ⟨-[e]s, Türme⟩ tower; (Kirch~) steeple; (Sprung~) diving platform; (SCHACH) castle, rook.

Türmchen nt turret.

türmen 1. vr: **sich ~** tower up; **2.** vt heap up; **3.** vi (umg) scarper, bolt.

turnen 1. vi do gymnastic exercises; **2.** vt perform; **Turnen** nt ⟨-s⟩ gymnastics sing; (SCH) physical education, P.E.; **Turner(in)** m(f) ⟨-s, -⟩ gymnast; **Turnhalle** f gym[nasium]; **Turnhose** f gym shorts pl.

Turnier nt ⟨-s, -e⟩ tournament.

Turnschuh m gym shoe.

Turnus m ⟨-, -se⟩ rota; **im ~** in rotation.

Turnverein m gymnastics club; **Turnzeug** nt gym things pl.

Tusche f ⟨-, -n⟩ Indian ink.

tuscheln vi whisper.

Tuschkasten m paintbox.

Tussi f ⟨-, -s⟩ (umg pej) female.

Tüte f ⟨-, -n⟩ bag.

tuten vi toot; (AUTO) hoot.

TÜV m ⟨-s, -s⟩ akr von **Technischer Überwachungsverein** MOT; **TÜV-Plakette** f German MOT sticker.

Twen m ⟨-s, -s⟩ person in her/his twenties.

Typ m ⟨-s, -en⟩ type.

Type f ⟨-, -n⟩ (TYP) type; **Typenrad** nt daisy wheel; **Typenradschreibmaschine** f daisy-wheel typewriter.

Typhus m ⟨-⟩ typhoid [fever].

typisch adj typical (für of).
Tyrann(in) m(f) ⟨-en, -en⟩ tyrant; **Tyrannei** f tyranny; **tyrannisch** adj tyrannical; **tyrannisieren** vt tyrannize.

U

U, u nt U, u.
U.A.w.g. abk von **Um Antwort wird gebeten** RSVP.
U-Bahn f underground Brit, subway US.
übel adj bad; (moralisch a.) wicked; **jdm ist ~** sb feels sick; **Übel** nt ⟨-s, -⟩ evil; (Krankheit) disease; **übelgelaunt** adj bad-tempered, ill-humoured; **Übelkeit** f nausea; **übelnehmen** irr vt: **jdm eine Bemerkung ~** be offended at sb's remark; **Übelstand** m bad state of affairs, abuse.
üben vt, vi exercise, practise.
über 1. präp +dat o akk over; (hoch ~ auch) above; (quer ~ auch) across; (Route) via; (betreffend) about; 2. adv over; **den ganzen Tag ~** all day long; **jdm in etw** dat **~ sein** (umg) be superior to sb in sth; **~ und ~** all over.
überall adv everywhere.
überanstrengen vr: **sich ~** overexert oneself.
überarbeiten 1. vt revise, rework; 2. vr: **sich ~** overwork [oneself].
überaus adv exceedingly.
überbelichten vt (FOTO) overexpose.
überbieten irr vt outbid; (übertreffen) surpass; (Rekord) break.
Überbleibsel nt residue, remainder.
Überblick m view; (fig: Darstellung) survey, overview; (Fähigkeit) overall view, grasp (über +akk of); **überblicken** vt survey.
überbringen irr vt deliver, hand over; **Überbringer(in)** m(f) ⟨-s, -⟩ bearer.
überbrücken vt bridge [over].
überdenken irr vt think over.
überdies adv besides.
überdimensional adj oversize.
Überdosis f overdose.
Überdruß m ⟨Überdrusses⟩ weariness; **bis zum ~** ad nauseam; **überdrüssig** adj tired, sick (gen of).
übereifrig adj overkeen, overzealous.
übereilen vt hurry; **übereilt** adj [over]-hasty, premature.
übereinander adv one upon the other; (sprechen) about each other.
übereinkommen irr vi agree; **Übereinkunft** f ⟨-, Übereinkünfte⟩ agreement; **übereinstimmen** vi agree; **Übereinstimmung** f agreement.

überempfindlich adj hypersensitive.
überfahren irr vt (AUTO) run over; (fig) outwit; **Überfahrt** f crossing.
Überfall m (Bank~) robbery; (MIL) raid; (auf jdn) assault; **überfallen** irr vt attack; (Bank) raid; (besuchen) surprise.
überfällig adj overdue.
überfliegen irr vt fly over, overfly; (Buch) skim through.
Überfluß m overabundance, excess (an +dat of); **Überflußgesellschaft** f consumer society; **überflüssig** adj superfluous.
überfordern vt demand too much of; (Kräfte etc) overtax.
Überfremdung f foreign infiltration.
überführen vt (Leiche) transport; (Täter) convict (gen of); **Überführung** f transport; conviction; (Brücke) overpass.
Übergabe f handing over; (MIL) surrender.
Übergang m crossing; (Wandel, Überleitung) transition; **Übergangserscheinung** f transitory phenomenon; **Übergangslösung** f provisional solution, stopgap; **Übergangsstadium** nt state of transition; **Übergangszeit** f transitional period.
übergeben irr 1. vt hand over; (MIL) surrender; 2. vr: **sich ~** be sick; **dem Verkehr ~** open to traffic.
übergehen irr 1. vi (Besitz) pass; (zum Feind etc) go over, defect; (überleiten) go on (zu to); (sich verwandeln) turn (in +akk into); 2. vt pass over, omit.
Übergewicht nt excess weight; (fig) preponderance.
überglücklich adj overjoyed.
überhaben irr vt (umg) be fed up with.
überhandnehmen irr vi gain the ascendancy.
überhaupt adv at all; (im allgemeinen) in general; (besonders) especially; **~ nicht** not at all.
überheblich adj arrogant; **Überheblichkeit** f arrogance.
überholen vt overtake; (TECH) overhaul; **Überholspur** f fast lane; **überholt** adj out-of-date, obsolete.
überhören vt not hear; (absichtlich) ignore.
überirdisch adj supernatural, unearthly.
überkompensieren vt overcompensate for.
überladen 1. irr vt overload; 2. adj (fig) cluttered.
überlassen irr 1. vt: **jdm etw ~** leave sth to sb; 2. vr: **sich einer Sache** dat **~** give oneself over to sth.
überlasten vt overload; (jdn) overtax.
Überlaufanzeige f (bei Rechner) overflow indicator; **überlaufen** irr 1. vi (Flüssig-

keit) flow over; (*zum Feind etc*) go over, defect; 2. *vt* (*Schauer etc*) come over; ~ **sein** be inundated; **Überläufer(in)** *m(f)* deserter.

überleben *vt* survive; **Überlebende(r)** *mf* survivor.

überlegen 1. *vt* consider; 2. *adj* superior; **Überlegenheit** *f* superiority; **Überlegung** *f* consideration, deliberation.

überliefern *vt* hand down, transmit; **Überlieferung** *f* tradition.

überlisten *vt* outwit.

überm = **über dem**.

Übermacht *f* superior force, superiority; **übermächtig** *adj* superior [in strength]; (*Gefühl*) overhelming.

übermannen *vt* overcome.

Übermaß *nt* excess (*an* +*dat* of); **übermäßig** *adj* excessive.

Übermensch *m* superman; **übermenschlich** *adj* superhuman.

übermitteln *vt* convey.

übermorgen *adv* the day after tomorrow.

Übermüdung *f* fatigue, overtiredness.

Übermut *m* exuberance; **übermütig** *adj* exuberant, high-spirited; ~ **werden** get overconfident.

übernachten *vi* spend the night (*bei jdm* at sb's place).

übernächtigt *adj* bleary-eyed, very tired.

Übernachtung *f* overnight stay; ~ **und Frühstück** bed and breakfast.

Übernahme *f* ⟨-, -n⟩ taking over [*o* on], acceptance; **übernehmen** *irr* 1. *vt* take on, accept; (*Amt, Geschäft*) take over; 2. *vr*: **sich** ~ take on too much.

überprüfen *vt* examine, check; **Überprüfung** *f* examination.

überqueren *vt* cross.

überraschen *vt* surprise; **Überraschung** *f* surprise.

überreden *vt* persuade.

überreichen *vt* present, hand over.

überreizt *adj* overwrought.

Überreste *pl* remains *pl*, remnants *pl*.

Überrollbügel *m* ⟨-s, -⟩ (*AUTO*) roll bar.

überrumpeln *vt* take by surprise.

überrunden *vt* lap; (*fig*) outstrip.

übers = **über das**.

übersättigen *vt* satiate.

Überschallflugzeug *nt* supersonic jet; **Überschallgeschwindigkeit** *f* supersonic speed.

überschätzen *vt* overestimate.

überschäumen *vi* froth over; (*fig*) bubble over.

Überschlag *m* (*FIN*) estimate; (*SPORT*) somersault; **überschlagen** *irr* 1. *vt* (*berechnen*) estimate; (*auslassen: Seite*) omit; (*Beine*) cross; 2. *vr*: **sich** ~ somersault;

(*Stimme*) crack; 3. *adj* lukewarm, tepid.

überschnappen *vi* (*Stimme*) crack; (*umg: Mensch*) flip one's lid.

überschneiden *irr vr*: **sich** ~ (*a. fig*) overlap; (*Linien*) intersect.

überschreiben *irr vt* provide with a heading; (*Daten, Diskette*) overwrite; **jdm etw** ~ transfer [*o* make over] sth to sb.

überschreiten *irr vt* cross over; (*fig*) exceed; (*verletzen*) transgress.

Überschrift *f* heading, title.

Überschuß *m* surplus (*an* +*dat* of); **überschüssig** *adj* surplus, excess.

überschütten *vt*: **jdn mit etw** ~ pour sth over sb/sth; **jdn mit etw** ~ (*fig*) shower sb with sth.

Überschwang *m* ⟨-s⟩ exuberance, excess.

überschwemmen *vt* flood; **Überschwemmung** *f* flood.

überschwenglich *adj* effusive; **Überschwenglichkeit** *f* effusion.

Übersee *f*: **nach/in** ~ overseas; **überseeisch** *adj* overseas.

übersehen *irr vt* (*Gelände*) look [out] over; (*fig: Folgen*) see, get an overall view of; (*nicht beachten*) overlook.

übersenden *irr vt* send.

übersetzen 1. *vt* translate; 2. *vi* cross over; **Übersetzer(in)** *m(f)* ⟨-s, -⟩ translator; **Übersetzung** *f* translation; (*TECH*) gear ratio.

Übersicht *f* overall view; (*Darstellung*) survey; **übersichtlich** *adj* clear; (*Gelände*) open; **Übersichtlichkeit** *f* clarity.

überspannt *adj* eccentric; (*Idee*) wild, crazy.

überspitzt *adj* exaggerated.

überspringen *irr vt* jump over; (*fig*) skip.

übersprudeln *vi* bubble over.

überstehen *irr* 1. *vt* (*durchstehen*) overcome, get over; (*Winter etc*) survive, get through; 2. *vi* (*vorstehen*) project.

übersteigen *irr vt* climb over; (*fig*) exceed.

überstimmen *vt* outvote.

Überstunden *pl* overtime.

überstürzen 1. *vt* rush; 2. *vr*: **sich** ~ follow [one another] in rapid succession; **überstürzt** [over]hasty.

übertölpeln *vt* dupe.

übertönen *vt* drown [out].

Übertrag *m* ⟨-[e]s, Überträge⟩ (*WIRTS*) amount brought forward; **übertragbar** *adj* transferable; (*MED*) infectious; **übertragen** *irr* 1. *vt* transfer (*auf* +*akk* to); (*RADIO*) broadcast; (*übersetzen*) render; (*Krankheit*) transmit; 2. *vr*: **sich** ~ spread (*auf* +*akk* to); 3. *adj* figurative; **jdm etw** ~ assign sth to sb; **Übertragung** *f* transfer[ence]; (*RADIO*) broadcast; rendering; transmission.

übertreffen *irr vt* surpass.

übertreiben *irr vt* exaggerate; **Übertreibung** *f* exaggeration.

übertreten *irr* **1.** *vt* (*Gebot etc*) break; **2.** *vi* (*über Linie, Gebiet*) step [over]; (*SPORT*) overstep; (*in andere Partei*) go over (*in +akk* to); (*zu anderem Glauben*) be converted.

übertrieben *adj* exaggerated, excessive.

übervorteilen *vt* dupe, cheat.

überwachen *vt* supervise; (*Verdächtigen*) keep under surveillance; **Überwachung** *f* supervision; surveillance; **Überwachungsstaat** *m* Big Brother state, surveillance state.

überwältigen *vt* overpower; **überwältigend** *adj* overwhelming.

überweisen *irr vt* transfer; (*Patienten*) refer (*an +akk* to); **Überweisung** *f* transfer; referral.

überwiegen *irr vi* predominate; **überwiegend** *adj* predominant.

überwinden *irr* **1.** *vt* overcome; **2.** *vr*: **sich ~** make an effort, force oneself; **Überwindung** *f* effort, strength of mind.

Überzahl *f* superiority, superior numbers *pl*; **in der ~ sein** outnumber sb, be numerically superior; **überzählig** *adj* surplus.

überzeugen *vt* convince; **überzeugend** *adj* convincing; **Überzeugung** *f* conviction; **Überzeugungskraft** *f* power of persuasion.

überziehen *irr* **1.** *vt* (*Mantel etc*) put on; **2.** *vt* (*beziehen*) cover; (*Konto*) overdraw; **Überzug** *m* cover; (*Belag*) coating.

üblich *adj* usual.

U-Boot *nt* submarine.

übrig *adj* remaining; **für jdn etwas ~ haben** (*umg*) be fond of sb; **die ~en** *pl* the rest; **im ~en besides**; **übrigbleiben** *irr vi* remain, be left [over]; **übrigens** *adv* besides; (*nebenbei bemerkt*) by the way; **übriglassen** *irr vi* leave [over].

Übung *f* practice; (*Turn~, Aufgabe etc*) exercise; **~ macht den Meister** practice makes perfect.

UdSSR *f abk von* Union der Sozialistischen Sowjetrepubliken (*HIST*) USSR.

Ufer *nt* ⟨-s, -⟩ bank; (*Meeres~*) shore.

Ufo *nt* ⟨-[s], -s⟩ *akr von* **unbekanntes Flugobjekt** UFO.

Uhr *f* ⟨-, -en⟩ clock; (*Armband~*) watch; **wieviel ~ ist es?** what time is it?; **1 ~** 1 o'clock; **20 ~** 8 o'clock, 8 p.m., 20.00 (twenty hundred hours); **Uhrband** *nt* ⟨Uhrbänder *pl*⟩ watch strap; **Uhrmacher(in)** *m(f)* ⟨-s, -⟩ watchmaker; **Uhrwerk** *nt* clockwork, works *pl* of a watch; **Uhrzeiger** *m* hand; **Uhrzeigersinn** *m*: **im ~** clockwise; **entgegen dem ~** anti-clockwise; **Uhrzeit** *f* time

[of day].

Uhu *m* ⟨-s, -s⟩ eagle owl.

Ukraine *f*: **die ~** the Ukraine.

UKW *abk von* **Ultrakurzwelle[n]** VHF.

Ulk *m* ⟨-s, -e⟩ lark; **ulkig** *adj* funny.

Ulme *f* ⟨-, -n⟩ elm.

Ultimatum *nt* ⟨-s, Ultimaten⟩ ultimatum.

Ultrakurzwelle *f* very high frequency.

Ultraschallaufnahme *f* (*MED*) scan *Brit*, ultrasound *US*; **Ultraschallgerät** *nt* (*MED*) ultrasound scanner; **Ultraschalluntersuchung** *f* ultrasound scan.

ultraviolett *adj* ultraviolet.

um 1. *präp +akk* [a]round; (*zeitlich*) at; (*mit*) by; (*für*) for; **2.** *konj* (*damit*) [in order] to; **3.** *adv* (*ungefähr*) about; **zu klug, ~ zu …** too clever to …; **er schlug ~ sich** he hit about him; **Stunde ~ Stunde** hour after hour; **Auge ~ Auge** an eye for an eye; **~ vieles [besser]** [better] by far; **~ nichts besser** not in the least better; **~ so besser** so much the better; **~ … willen** for the sake of.

umadressieren *vt* readdress.

umändern *vt* alter.

umarmen *vt* embrace.

Umbau *m* ⟨-[e]s, -e o -ten⟩ reconstruction, alteration[s]; **umbauen** *vt* rebuild, reconstruct.

umbenennen *irr vt* rename.

umbilden *vt* reorganize; (*POL*) reshuffle.

umbinden *irr vt* (*Krawatte etc*) put on.

umblättern *vt* turn over.

umblicken *vr*: **sich ~** look around.

umbringen *irr vt* kill.

Umbruch *m* radical change; (*TYP*) make-up.

umbuchen *vi* change one's reservation/flight.

umdenken *irr vi* adjust one's views.

umdrehen *vt*, *vr*: **sich ~** turn [round]; (*Hals*) wring; **Umdrehung** *f* turn; (*PHYS*) revolution, rotation; (*AUTO*) revolution.

umfallen *irr vi* fall down, fall over.

Umfang *m* extent; (*von Buch*) size; (*Reichweite*) range; (*Fläche*) area; (*MATH*) circumference; **umfangreich** *adj* extensive; (*Buch etc*) voluminous.

Umfeld *nt* associated area, associated field.

umformen *vt* transform; **Umformer** *m* ⟨-s, -⟩ (*ELEK*) transformer, converter.

Umfrage *f* poll.

umfüllen *vt* transfer; (*Wein*) decant.

umfunktionieren *vt* convert, transform.

Umgang *m* company; (*mit jdm*) dealings *pl*; (*Behandlung*) way of behaving.

umgänglich *adj* sociable.

Umgangsformen *pl* manners *pl*; **Umgangssprache** *f* colloquial language.

umgeben *vt* surround; **Umgebung** *f* surroundings *pl*; (*Milieu*) environment;

(*Personen*) people in one's circle.
umgehen *irr* **1.** *vi* (*herumgehen*) go [a]round; **2.** *vt* (*Gebiet*) bypass; (*Gesetz*) circumvent; (*vermeiden*) avoid; **mit jdm grob ~ treat** sb roughly; **mit Geld sparsam ~ be** careful with one's money; **umgehend** *adj* immediate; **Umgehungsstraße** *f* bypass.
umgekehrt 1. *adj* reverse[d]; (*gegenteilig*) opposite; **2.** *adv* the other way [a]round; **und ~** and vice versa.
umgraben *irr vt* dig up.
umgruppieren *vt* regroup.
Umhang *m* wrap, cape.
Umhängetasche *f* shoulder-bag.
umhauen *irr vt* fell; (*fig*) bowl over.
umher *adv* about, around; **umhergehen** *irr vi* walk about; **umherreisen** *vi* travel about; **umherziehen** *irr vi* wander from place to place.
umhinkönnen *irr vi:* **ich kann nicht umhin, das zu tun** I can't help doing it.
umhören *vr:* **sich ~** ask around.
Umkehr *f* ⟨-⟩ turning back; (*Änderung*) change; **umkehren 1.** *vi* turn back; **2.** *vt* turn round, reverse; (*Kleidungsstück*) turn inside out.
umkippen 1. *vt* tip over; **2.** *vi* overturn; (*fig*) change one's mind; (*umg: ohnmächtig werden*) keel over, pass out; (*Gewässer*) become polluted (*to the point where organic life is no longer possible*).
Umkleideraum *m* changing- [*o* dressing] room.
umkommen *irr vi* die, perish; (*Lebensmittel*) go bad.
Umkreis *m* neighbourhood; (*MATH*) circumcircle; **im ~ von** within a radius of; **umkreisen** *irr vt* circle [round]; (*Satellit*) orbit.
umkrempeln *vt* turn up, roll up; (*fig*) completely change.
umladen *irr vt* transfer, reload.
Umlage *f* share of the costs.
Umlauf *m* circulation; (*von Gestirn*) revolution; (*Schreiben*) circular; **Umlaufbahn** *f* orbit.
Umlaut *m* umlaut.
umlegen *vt* put on; (*verlegen*) move, shift; (*Kosten*) share out; (*umkippen*) tip over; (*umg: töten*) bump off.
umleiten *vt* divert; **Umleitung** *f* diversion.
umlernen *vi* learn something new; (*umdenken*) adjust one's views.
umliegend *adj* surrounding.
Umnachtung *f* [mental] derangement.
umranden *vt* border, edge.
umrechnen *vt* convert; **Umrechnung** *f* conversion; **Umrechnungskurs** *m* rate of exchange.
umreißen *irr vt* outline, sketch.

umringen *vt* surround.
Umriß *m* outline.
umrühren *vt, vi* stir.
ums = um das.
umsatteln *vi* (*umg*) change one's occupation; switch.
Umsatz *m* turnover.
umschalten *vt* switch.
Umschau *f* look[ing] round; **~ halten nach** look around for; **umschauen** *vr:* **sich ~** look round.
Umschlag *m* cover; (*Buch~ a.*) jacket; (*MED*) compress; (*Brief~*) envelope; (*Wechsel*) change; (*von Hose*) turn-up; **Umschlagplatz** *m* (*WIRTS*) distribution centre.
umschreiben *irr* **1.** *vt* (*anders schreiben*) rewrite; (*übertragen*) transfer (*auf +akk* to); **2.** *vt* (*anders ausdrücken*) paraphrase; (*abgrenzen*) circumscribe, define.
umschulen *vt* retrain; (*Kind*) send to another school.
umschwärmen *vt* swarm round; (*fig*) surround, idolize.
Umschweife *pl:* **ohne ~** without beating about the bush, straight out.
Umschwung *m* change [around], revolution.
umsehen *irr vr:* **sich ~** look around [*o* about]; (*suchen*) look out (*nach* for).
umseitig *adv* overleaf.
Umsicht *f* prudence, caution; **umsichtig** *adj* cautious, prudent.
umsonst *adv* in vain; (*gratis*) for nothing.
umspringen *irr vi* change; (*Wind a.*) veer; **so kannst du mit ihr nicht ~!** (*umg*) you can't treat her like that!
Umstand *m* circumstance; **Umstände** *pl* (*fig*) fuss; **in anderen Umständen sein** be pregnant; **Umstände machen** go to a lot of trouble; **unter Umständen** possibly; **mildernde Umstände** (*JUR*) extenuating circumstances *pl*.
umständlich *adj* (*Methode*) cumbersome, complicated; (*Ausdrucksweise*) long-winded; (*Mensch*) ponderous.
Umstandskleid *nt* maternity dress; **Umstandswort** *nt* adverb.
umsteigen *irr vi* (*EISENB*) change [trains/buses].
umstellen 1. *vt* (*an anderen Ort*) change round, rearrange; (*TECH*) convert; **2.** *vr:* **sich ~** adapt oneself (*auf +akk* to); **3.** *vt* (*umgeben*) surround; **Umstellung** *f* change; (*Umgewöhnung*) adjustment; (*TECH*) conversion.
umstimmen *vt* (*MUS*) retune; **jdn ~** make sb change his mind.
umstritten *adj* disputed.
Umsturz *m* overthrow; **umstürzlerisch**

adj revolutionary.

Umtausch *m* exchange; **umtauschen** *vt* exchange.

Umtriebe *pl* machinations *pl*.

umtun *irr vr:* **sich ~** see; **sich nach etw ~** look for sth.

umwandeln *vt* change, convert; (ELEK) transform.

umwechseln *vt* change.

Umweg *m* detour, roundabout way.

Umwelt *f* environment; **Umweltbelastung** *f* ecological damage; **Umweltengel** *m* symbol designating an environmentally sound product in Germany; **umweltfeindlich** *adj* ecologically harmful; **umweltfreundlich** *adj* environment-friendly; **umweltgefährdend** *adj* damaging to the environment; **Umweltgift** *nt* substance toxic to the environment; **Umweltkatastrophe** *f* environmental catastrophe; **Umweltkriminalität** *f* environmental terrorism; **Umweltpapier** *nt* recycled paper; **Umweltschutz** *m* environmental protection [*o* conservation]; **Umweltschützer(in)** *m(f)* ⟨-s, -⟩ conservationist; **Umweltschutzorganisation** *f* environmental organisation; **Umweltschutzpapier** *nt* recycled paper; **Umweltverschmutzung** *f* [environmental] pollution; **umweltverträglich** *adj* environmentally friendly.

umwenden *irr vt, vr:* **sich ~** turn [round].

umwerben *irr vt* court, woo.

umwerfen *irr vt* upset, overturn; (*Mantel*) throw on; (*fig: ändern*) upset; (*fig umg: jdn*) bowl over.

umziehen *irr* **1.** *vt, vr:* **sich ~** change; **2.** *vi* move [house].

umzingeln *vt* surround, encircle.

Umzug *m* procession; (*Wohnungs~*) move, removal.

unabänderlich *adj* irreversible, unalterable.

unabhängig *adj* independent; **Unabhängigkeit** *f* independence.

unabkömmlich *adj* indispensable; **zur Zeit ~** not free at the moment.

unablässig *adj* incessant, constant.

unabsehbar *adj* immeasurable; (*Folgen*) unforeseeable; (*Kosten*) incalculable.

unabsichtlich *adj* unintentional.

unachtsam *adj* careless; **Unachtsamkeit** *f* carelessness.

unangebracht *adj* uncalled-for.

unangemessen *adj* inappropriate.

unangenehm *adj* unpleasant.

Unannehmlichkeit *f* inconvenience; **~en** *pl* trouble.

unansehnlich *adj* unsightly.

unanständig *adj* indecent, improper; **Unanständigkeit** *f* indecency, impropriety.

unappetitlich *adj* unsavoury.

Unart *f* bad manners *pl*; (*Angewohnheit*) bad habit; **unartig** *adj* naughty, badly behaved.

unauffällig *adj* unobtrusive; (*Kleidung*) inconspicuous.

unauffindbar *adj* undiscoverable, not to be found.

unaufgefordert **1.** *adj* unasked; **2.** *adv* spontaneously.

unaufhaltsam *adj* relentless.

unaufhörlich *adj* incessant, continuous.

unaufmerksam *adj* inattentive.

unaufrichtig *adj* insincere.

unausgeglichen *adj* volatile.

unaussprechlich *adj* inexpressible.

unausstehlich *adj* intolerable.

unausweichlich *adj* unavoidable, inevitable.

unbändig *adj* extreme, excessive.

unbarmherzig *adj* pitiless, merciless.

unbeabsichtigt *adj* unintentional.

unbeachtet *adj* unnoticed, ignored.

unbedenklich **1.** *adj* harmless; (*Plan*) unobjectionable; **2.** *adv* without hesitation.

unbedeutend *adj* insignificant, unimportant; (*Fehler*) slight.

unbedingt **1.** *adj* unconditional; **2.** *adv* absolutely; **mußt du ~ gehen?** do you really have to go?

unbefangen *adj* impartial, unprejudiced; (*ohne Hemmungen*) uninhibited; **Unbefangenheit** *f* impartiality; uninhibitedness.

unbefriedigend *adj* unsatisfactory; **unbefriedigt** *adj* unsatisfied, dissatisfied.

unbefugt *adj* unauthorized.

unbegabt *adj* untalented.

unbegreiflich *adj* (*unverständlich*) incomprehensible; (*Leichtsinn, Dummheit*) inconceivable.

unbegrenzt *adj* unlimited.

unbegründet *adj* unfounded.

Unbehagen *nt* discomfort; **unbehaglich** *adj* uncomfortable; (*Gefühl*) uneasy.

unbeholfen *adj* awkward, clumsy.

unbekannt *adj* unknown.

unbekümmert *adj* unconcerned.

unbeliebt *adj* unpopular; **Unbeliebtheit** *f* unpopularity.

unbequem *adj* (*Stuhl, Mensch*) uncomfortable; (*Regelung*) inconvenient.

unberechenbar *adj* incalculable; (*Mensch, Verhalten*) unpredictable.

unberechtigt *adj* unjustified; (*nicht erlaubt*) unauthorized.

unberufen *interj* touch wood.

unberührt *adj* untouched, intact; **sie ist noch ~** she is still a virgin.

unbescheiden *adj* presumptuous.

unbeschreiblich *adj* indescribable.

unbesonnen *adj* unwise, rash, imprudent.

unbeständig *adj* (*Mensch*) inconstant; (*Wetter*) unsettled; (*Lage*) unstable.

unbestechlich *adj* incorruptible.

unbestimmt *adj* indefinite; (*Zukunft auch*) uncertain; **Unbestimmtheit** *f* vagueness.

unbeteiligt *adj* unconcerned, indifferent.

unbeugsam *adj* inflexible, stubborn; (*Wille auch*) unbending.

unbewacht *adj* unguarded.

unbeweglich *adj* immovable.

unbewußt *adj* unconscious.

unbrauchbar *adj* (*Arbeit*) useless; (*Gerät auch*) unusable.

unbürokratisch *adj* unbureaucratic.

und *konj* and; ~ **so weiter** and so on.

Undank *m* ingratitude; **undankbar** *adj* ungrateful; **Undankbarkeit** *f* ingratitude.

undefinierbar *adj* indefinable.

undenkbar *adj* inconceivable.

undeutlich *adj* indistinct.

undicht *adj* leaky.

Unding *nt* absurdity.

unduldsam *adj* intolerant.

undurchführbar *adj* impracticable.

undurchlässig *adj* waterproof, impermeable.

undurchsichtig *adj* opaque; (*fig*) obscure.

uneben *adj* uneven.

unehelich *adj* illegitimate.

uneigennützig *adj* unselfish.

uneinig *adj* divided; ~ **sein** disagree; **Uneinigkeit** *f* discord, dissension.

uneins *adj* at variance, at odds.

unempfindlich *adj* insensitive; **Unempfindlichkeit** *f* insensitivity.

unendlich *adj* infinite; **Unendlichkeit** *f* infinity.

unentbehrlich *adj* indispensable.

unentgeltlich *adj* free [of charge].

unentschieden *adj* undecided; ~ **enden** (*SPORT*) end in a draw.

unentschlossen *adj* undecided; (*entschlußlos*) irresolute.

unentwegt *adj* unswerving; (*unaufhörlich*) incessant.

unerbittlich *adj* unyielding, inexorable.

unerfahren *adj* inexperienced.

unerfreulich *adj* unpleasant.

unergründlich *adj* unfathomable.

unerhört *adj* unheard-of; (*Bitte*) outrageous.

unerläßlich *adj* indispensable.

unerlaubt *adj* unauthorized.

unermeßlich *adj* immeasurable, immense.

unermüdlich *adj* indefatigable.

unersättlich *adj* insatiable.

unerschöpflich *adj* inexhaustible.

unerschütterlich *adj* unshakeable.

unerschwinglich *adj* exorbitant; too expensive.

unerträglich *adj* unbearable; (*Frechheit*) insufferable.

unerwartet *adj* unexpected.

unerwünscht *adj* undesirable, unwelcome.

unerzogen *adj* ill-bred, rude.

unfähig *adj* incapable (*zu* of); (*untüchtig*) incompetent; **Unfähigkeit** *f* (*Nichtkönnen*) inability; (*Untüchtigkeit*) incompetence.

unfair *adj* unfair.

Unfall *m* accident; **Unfallflucht** *f* hit-and-run [driving]; **Unfallgefahr** *f* accident risk; **Unfallstelle** *f* scene of the accident; **Unfallversicherung** *f* accident insurance.

unfaßbar *adj* inconceivable.

unfehlbar 1. *adj* infallible; **2.** *adv* inevitably; **Unfehlbarkeit** *f* infallibility.

unflätig *adj* rude.

unfolgsam *adj* disobedient.

unfrankiert *adj* unstamped.

unfreiwillig *adj* involuntary, against one's will.

unfreundlich *adj* unfriendly; **Unfreundlichkeit** *f* unfriendliness.

Unfriede[n] *m* dissension, strife.

unfruchtbar *adj* infertile; (*Gespräche*) unfruitful; **Unfruchtbarkeit** *f* infertility; unfruitfulness.

Unfug *m* ⟨-s⟩ (*Benehmen*) mischief; (*Unsinn*) nonsense.

Ungar(in) *m(f)* ⟨-n, -n⟩ Hungarian; **ungarisch** *adj* Hungarian; **Ungarn** *nt* Hungary.

ungeachtet *präp* +*gen* notwithstanding.

ungeahnt *adj* unsuspected, undreamt-of.

ungebeten *adj* uninvited.

ungebildet *adj* uneducated, uncultured.

ungebräuchlich *adj* unusual, uncommon.

ungedeckt *adj* (*Scheck*) bouncing.

Ungeduld *f* impatience; **ungeduldig** *adj* impatient.

ungeeignet *adj* unsuitable.

ungefähr *adj* rough, approximate; **das kommt nicht von** ~ that's hardly surprising.

ungefährlich *adj* not dangerous, harmless.

ungehalten *adj* indignant.

ungeheuer 1. *adj* huge; **2.** *adv* (*umg*) enormously; **Ungeheuer** *nt* ⟨-s, -⟩ monster; **ungeheuerlich** *adj* monstrous.

ungehobelt *adj* (*fig*) uncouth.

ungehörig *adj* impertinent, improper.

ungehorsam *adj* disobedient; **Ungehorsam** *m* disobedience; **ziviler** ~ civil disobedience.

ungeklärt *adj* not cleared up; (*Rätsel*) unsolved; (*Abwasser*) untreated.

ungeladen *adj* not loaded; (*ELEK*)

uncharged; (*Gast*) uninvited.

ungelegen *adj* inconvenient.

ungelernt *adj* unskilled.

ungelogen *adv* really, honestly.

ungemein *adj* great, extreme.

ungemütlich *adj* unpleasant; (*Mensch*) disagreeable.

ungenau *adj* inaccurate; **Ungenauigkeit** *f* inaccuracy.

ungeniert 1. *adj* free and easy, unceremonious; **2.** *adv* without embarrassment, freely.

ungenießbar *adj* inedible; (*Getränk*) undrinkable; (*umg: Mensch*) unbearable.

ungenügend *adj* insufficient, inadequate.

ungepflegt *adj* (*Garten*) untended; (*Aussehen*) unkempt; (*Hände*) neglected.

ungerade *adj* uneven, odd.

ungerecht *adj* unjust; **ungerechtfertigt** *adj* unjustified; **Ungerechtigkeit** *f* injustice, unfairness.

ungern *adv* unwillingly, reluctantly.

ungeschehen *adj*: ~ **machen** undo.

Ungeschicklichkeit *f* clumsiness; **ungeschickt** *adj* awkward, clumsy.

ungeschminkt *adj* without make-up; (*fig*) unvarnished.

ungesetzlich *adj* illegal.

ungestempelt *adj* (*Briefmarke*) uncancelled.

ungestört *adj* undisturbed.

ungestraft *adv* with impunity.

ungestüm *adj* impetuous; **Ungestüm** *nt* ⟨-[e]s⟩ impetuosity.

ungesund *adj* unhealthy.

ungetrübt *adj* clear; (*fig*) untroubled; (*Freude*) unalloyed.

Ungetüm *nt* ⟨-[e]s, -e⟩ monster.

ungewiß *adj* uncertain; **Ungewißheit** *f* uncertainty.

ungewöhnlich *adj* unusual.

ungewohnt *adj* unaccustomed.

Ungeziefer *nt* ⟨-s⟩ vermin.

ungezogen *adj* rude, impertinent; **Ungezogenheit** *f* rudeness, impertinence.

ungezwungen *adj* natural, unconstrained.

ungläubig *adj* unbelieving; **ein ~ er Thomas** a doubting Thomas; **die Ungläubigen** *pl* the infidel[s].

unglaublich *adj* incredible.

unglaubwürdig *adj* untrustworthy, unreliable; (*Geschichte*) implausible.

ungleich 1. *adj* dissimilar; (*nicht vergleichbar*) unequal; **2.** *adv* incomparably; ~ **besser** much better; **ungleichartig** *adj* different; **Ungleichheit** *f* dissimilarity; inequality.

Unglück *nt* ⟨-[e]s, -e⟩ misfortune; (*Pech*) bad luck; (*~sfall*) calamity, disaster; (*Verkehrs~*) accident; **unglücklich** *adj* unhappy; (*erfolglos*) unlucky; (*unerfreu-*

lich) unfortunate; **unglücklicherweise** *adv* unfortunately; **unglückselig** *adj* calamitous; (*Mensch*) unfortunate; **Unglücksfall** *m* accident.

ungültig *adj* invalid; **Ungültigkeit** *f* invalidity.

ungünstig *adj* unfavourable.

ungut *adj* (*Gefühl*) uneasy; **nichts für** ~ no offence.

unhaltbar *adj* untenable.

Unheil *nt* evil; (*Unglück*) misfortune; ~ **anrichten** cause mischief; **unheilvoll** *adj* disastrous.

unheimlich 1. *adj* weird, uncanny; **2.** *adv* (*umg*) tremendously.

unhöflich *adj* impolite; **Unhöflichkeit** *f* impoliteness.

unhygienisch *adj* unhygienic.

uni *adj inv* self-coloured.

Uni *f* ⟨-, -s⟩ university.

Uniform *f* ⟨-, -en⟩ uniform; **uniformiert** *adj* uniformed.

uninteressant *adj* uninteresting.

Union *f* union.

Universität *f* university.

Universum *nt* ⟨-s⟩ universe.

unkenntlich *adj* unrecognizable.

Unkenntnis *f* ignorance.

unklar *adj* unclear; **im ~en sein über** +*akk* be in the dark about; **Unklarheit** *f* unclarity; (*Unentschiedenheit*) uncertainty.

unklug *adj* unwise.

Unkosten *pl* expense[s].

Unkraut *nt* weed; weeds *pl*; **Unkrautvernichtungsmittel** *nt* weed killer, herbicide.

unlängst *adv* not long ago.

unlauter *adj* unfair.

unleserlich *adj* illegible.

unlogisch *adj* illogical.

unlösbar, unlöslich *adj* insoluble.

Unlust *f* lack of enthusiasm; **unlustig** *adj* unenthusiastic.

unmäßig *adj* immoderate.

Unmenge *f* tremendous number, hundreds *pl* (*von* of).

Unmensch *m* ogre, brute; **unmenschlich** *adj* inhuman, brutal; (*ungeheuer*) awful.

unmerklich *adj* imperceptible.

unmißverständlich *adj* unmistakable.

unmittelbar *adj* immediate.

unmöbliert *adj* unfurnished.

unmöglich *adj* impossible; **Unmöglichkeit** *f* impossibility.

unmoralisch *adj* immoral.

Unmut *m* ill humour.

unnachgiebig *adj* unyielding.

unnahbar *adj* unapproachable.

unnötig *adj* unnecessary; **unnötigerweise** *adv* unnecessarily.

unnütz *adj* useless.

unordentlich *adj* untidy; **Unordnung** *f* disorder.

unparteiisch *adj* impartial; **Unparteiische(r)** *mf* umpire; (*beim Fußball*) referee.

unpassend *adj* inappropriate; (*Zeit*) inopportune.

unpäßlich *adj* unwell.

unpersönlich *adj* impersonal.

unpolitisch *adj* apolitical.

unpraktisch *adj* unpractical.

unproduktiv *adj* unproductive.

unproportioniert *adj* out of proportion.

unpünktlich *adj* unpunctual.

unrationell *adj* inefficient.

unrecht *adj* wrong; **Unrecht** *nt* wrong; **zu ~ wrongly**; **~ haben, im ~ sein** be wrong; **unrechtmäßig** *adj* unlawful, illegal.

unregelmäßig *adj* irregular; **Unregelmäßigkeit** *f* irregularity.

unreif *adj* (*Obst*) unripe; (*fig*) immature.

unrentabel *adj* unprofitable.

unrichtig *adj* incorrect, wrong.

Unruhe *f* ⟨-, -n⟩ unrest; **Unruhestifter(in)** *m(f)* troublemaker; **unruhig** *adj* restless.

uns 1. *pron akk von* **wir** us; **2.** *pron dat von* **wir** [to] us.

unsachlich *adj* not to the point, irrelevant; (*persönlich*) personal.

unsagbar, unsäglich *adj* indescribable.

unsanft *adj* rough.

unsauber *adj* unclean, dirty; (*fig*) crooked; (*MUS*) inaccurate.

unschädlich *adj* harmless; **jdn/etw ~ machen** render sb/sth harmless.

unscharf *adj* indistinct; (*Bild*) out of focus, blurred.

unscheinbar *adj* insignificant; (*Aussehen*) unprepossessing.

unschlagbar *adj* unbeatable.

unschlüssig *adj* undecided.

Unschuld *f* innocence; **unschuldig** *adj* innocent.

unselbständig *adj* dependent, over-reliant on others.

unser 1. *pron* (*adjektivisch*) our; **2.** *pron gen von* **wir** of us; **unsere(r, s)** *pron* (*substantivisch*) ours; **unsererseits** *adv* from our side; **unseresgleichen** *pron* people like us; (*gleichrangig*) our equals; **unseretwegen** *adv* (*wegen uns*) because of us; (*uns zuliebe*) for our sake; (*für uns*) on our behalf; (*von uns aus*) as far as we are concerned.

unsicher *adj* uncertain; (*Mensch*) insecure; **Unsicherheit** *f* uncertainty; insecurity.

unsichtbar *adj* invisible; **Unsichtbarkeit** *f* invisibility.

Unsinn *m* nonsense; **unsinnig** *adj* nonsensical.

Unsitte *f* deplorable habit.

unsittlich *adj* indecent.

unsportlich *adj* unathletic, unfit; (*Verhalten*) unsporting.

unsre = unsere.

unsterblich *adj* immortal; **Unsterblichkeit** *f* immortality.

Unstimmigkeit *f* inconsistency; (*Streit*) disagreement.

unsympathisch *adj* unpleasant; **er ist mir ~** I don't like him.

untätig *adj* idle.

untauglich *adj* unsuitable; (*MIL*) unfit; **Untauglichkeit** *f* unsuitability; unfitness.

unteilbar *adj* indivisible.

unten *adv* below; (*im Haus*) downstairs; (*an der Treppe etc*) at the bottom; **nach ~** down; **~ am Berg** at the bottom of the mountain; **ich bin bei ihm ~ durch** (*umg*) he's through with me.

unter 1. *präp* +*akk o dat* under, below; (*bei Menschen*) among; (*während*) during; **2.** *adv* under.

Unterabteilung *f* subdivision.

Unterarm *m* forearm.

unterbelichten *vt* (*FOTO*) underexpose.

Unterbewußtsein *nt* subconscious.

unterbezahlt *adj* underpaid.

unterbieten *irr vt* (*WIRTS*) undercut; (*Rekord*) lower, reduce.

unterbinden *irr vt* stop, call a halt to.

Unterbodenschutz *m* (*AUTO*) underseal.

unterbrechen *irr vt* interrupt; **Unterbrechung** *f* interruption.

unterbringen *irr vt* (*in Koffer*) stow; (*jdn: in Hotel*) accommodate, put up; (*umg: beruflich*) find a job for sb.

unterdessen *adv* meanwhile.

Unterdruck *m* ⟨Unterdrücke *pl*⟩ low pressure.

unterdrücken *vt* suppress; (*Leute*) oppress; **Unterdrückung** *f* suppression.

untere(r, s) *adj* lower.

untereinander *adv* with each other; among themselves.

unterentwickelt *adj* underdeveloped.

unterernährt *adj* undernourished, underfed; **Unterernährung** *f* malnutrition.

Unterführung *f* subway *Brit*, underpass.

Untergang *m* (*down*)fall, decline; (*NAUT*) sinking; (*von Gestirn*) setting.

untergeben *adj* subordinate.

untergehen *irr vi* go down; (*Sonne auch*) set; (*Staat*) fall; (*Volk*) perish; (*Welt*) come to an end; (*im Lärm*) be drowned.

Untergeschoß *nt* basement.

untergliedern *vt* subdivide.

Untergrund *m* foundation; (*POL*) underground; **Untergrundbahn** *f* underground, subway US; **Untergrundbewegung** f underground [movement].

unterhalb adv, präp +gen below; ~ **von** below.

Unterhalt m maintenance; **unterhalten** irr **1.** vt maintain; (belustigen) entertain; **2.** vr: **sich** ~ talk; (sich belustigen) enjoy oneself; **unterhaltend** adj entertaining; **unterhaltsam** adj entertaining; **Unterhaltspflicht** f obligation to pay maintenance; **Unterhaltung** f maintenance; (Belustigung) entertainment, amusement; (Gespräch) talk; **Unterhaltungsindustrie** f entertainment industry.

Unterhändler(in) m(f) negotiator.

Unterhemd nt vest, undershirt US.

Unterhose f underpants pl.

unterirdisch adj underground.

Unterkiefer m lower jaw.

unterkommen irr vi find shelter; find work; **das ist mir noch nie untergekommen** I've never met with that.

Unterkunft f ⟨-, Unterkünfte⟩ accommodation.

Unterlage f foundation; (Beleg) document; (Schreib~) pad.

unterlassen irr vt (versäumen) fail to do; (sich enthalten) refrain from.

unterlaufen 1. irr vi happen; **2.** adj: **mit Blut** ~ (Augen) bloodshot.

unterlegen 1. vt lay [o put] under; **2.** adj inferior (dat to); (besiegt) defeated.

Unterleib m abdomen.

unterliegen irr vi be defeated [o overcome] (jdm by sb); (unterworfen sein) be subject to.

Untermiete f: **zur** ~ **wohnen** be a subtenant [o lodger]; **Untermieter(in)** m(f) subtenant, lodger.

unternehmen irr vt undertake; **Unternehmen** nt ⟨-s, -⟩ undertaking; (a. WIRTS) enterprise; **Unternehmensberater(in)** m(f) management consultant; **Unternehmer(in)** m(f) ⟨-s, -⟩ employer, entrepreneur; **unternehmungslustig** adj enterprising.

Unterredung f discussion, talk.

Unterricht m ⟨-[e]s, -e⟩ instruction, lessons pl; **unterrichten 1.** vt instruct; (SCH) teach; (informieren) inform; **2.** vr: **sich** ~ inform oneself (über +akk about).

Unterrock m slip, underskirt.

untersagen vt forbid (jdm etw sb to do sth).

unterschätzen vt underestimate.

unterscheiden irr **1.** vt distinguish; **2.** vr: **sich** ~ differ; **Unterscheidung** f (Unterschied) distinction; (Unterscheiden) differentiation.

Unterschied m ⟨-[e]s, -e⟩ difference, distinction; **im** ~ **zu** as distinct from; **unter-**

schiedlich adj varying, differing; (diskriminierend) discriminatory; **unterschiedslos** adv indiscriminately.

unterschlagen irr vt embezzle; (verheimlichen) suppress; **Unterschlagung** f embezzlement.

Unterschlupf m ⟨-[e]s, Unterschlüpfe⟩ refuge.

unterschreiben irr vt sign.

Unterschrift f signature.

Unterseeboot nt submarine.

Untersetzer m ⟨-s, -⟩ tablemat; (für Gläser) coaster.

untersetzt adj stocky.

unterste(r, s) adj lowest, bottom.

unterstehen irr **1.** vi be under (jdm sb); **2.** vr: **sich** ~ dare; (sich zum Schutz) shelter; **untersteh dich!** don't you dare!

unterstellen 1. vt (rangmäßig) subordinate (dat to); (fig) impute (jdm etw sth to sb); **2.** vt (Auto) park in a sheltered place; **3.** vr: **sich** ~ take shelter.

unterstreichen irr vt (a. fig) underline.

Unterstufe f lower grade.

unterstützen vt support; **Unterstützung** f support, assistance.

untersuchen vt (MED) examine; (Polizei) investigate; **Untersuchung** f examination; investigation, inquiry; **Untersuchungsausschuß** m committee of inquiry; **Untersuchungshaft** f remand [custody].

Untertan(in) m(f) ⟨-s, -en⟩ subject; **untertänig** adj submissive, humble.

Untertasse f saucer.

untertauchen vi dive; (fig) disappear, go underground.

Unterteil nt lower part, bottom.

unterteilen vt divide up.

untertreiben irr vi understate.

Unterverzeichnis nt (INFORM) subdirectory.

unterwandern vt infiltrate.

Unterwäsche f underwear.

unterwegs adv on the way.

unterweisen irr vt instruct.

Unterwelt f underworld.

unterwerfen irr **1.** vt subject; (Volk) subjugate; **2.** vr: **sich** ~ submit oneself (dat to); **unterwürfig** adj obsequious, servile.

unterzeichnen vt sign.

unterziehen irr **1.** vt subject (dat to); **2.** vr: **sich** ~ undergo (einer Sache dat sth); (einer Prüfung) take.

untreu adj unfaithful; **Untreue** f unfaithfulness.

untröstlich adj inconsolable.

Untugend f vice, failing; (schlechte Angewohnheit) bad habit.

untypisch adj atypical.

unüberlegt 1. *adj* ill-considered; **2.** *adv* without thinking.

unübersehbar *adj* incalculable.

unumgänglich *adj* absolutely necessary.

unumwunden 1. *adj* candid; **2.** *adv* straight out.

ununterbrochen *adj* uninterrupted.

unveränderlich *adj* unchangeable.

unverantwortlich *adj* irresponsible; (*unentschuldbar*) inexcusable.

unverbesserlich *adj* incorrigible.

unverbindlich 1. *adj* not binding; (*Antwort*) curt; **2.** *adv* (*WIRTS*) without obligation.

unverbleit *adj* unleaded, lead-free.

unverblümt *adv* plainly, bluntly.

unverdaulich *adj* indigestible.

unverdorben *adj* unspoilt.

unvereinbar *adj* incompatible.

unverfänglich *adj* harmless.

unverfroren *adj* impudent.

unverkennbar *adj* unmistakable.

unvermeidlich *adj* unavoidable.

unvermutet *adj* unexpected.

unvernünftig *adj* foolish.

unverschämt *adj* impudent; **Unverschämtheit** *f* impudence, insolence.

unversöhnlich *adj* irreconcilable.

unverständlich *adj* unintelligible.

unverträglich *adj* (*Mensch*) quarrelsome; (*Meinungen, MED*) incompatible.

unverwüstlich *adj* indestructible; (*Mensch*) irrepressible.

unverzeihlich *adj* unpardonable.

unverzüglich *adj* immediate.

unvollkommen *adj* imperfect; **unvollständig** *adj* incomplete.

unvorbereitet *adj* unprepared.

unvoreingenommen *adj* unbiased.

unvorhergesehen *adj* unforeseen.

unvorsichtig *adj* careless, imprudent.

unvorstellbar *adj* inconceivable.

unvorteilhaft *adj* disadvantageous.

unwahr *adj* untrue.

unwahrscheinlich 1. *adj* improbable, unlikely; **2.** *adv* (*umg*) incredibly; **Unwahrscheinlichkeit** *f* improbability, unlikelihood.

unweigerlich 1. *adj* unquestioning; **2.** *adv* without fail.

Unwesen *nt* nuisance; (*Unfug*) mischief; **sein ~ treiben** wreak havoc.

unwesentlich *adj* inessential, unimportant; **~ besser** marginally better.

Unwetter *nt* thunderstorm.

unwichtig *adj* unimportant.

unwiderlegbar *adj* irrefutable; **unwiderruflich** *adj* irrevocable; **unwiderstehlich** *adj* irresistible.

Unwille[n] *m* indignation; **unwillig** *adj* indignant; (*widerwillig*) reluctant.

unwillkürlich 1. *adj* involuntary; **2.** *adv* instinctively; (*lachen*) involuntarily.

unwirklich *adj* unreal.

unwirsch *adj* cross, surly.

unwirtlich *adj* inhospitable.

unwirtschaftlich *adj* uneconomical.

unwissend *adj* ignorant; **Unwissenheit** *f* ignorance.

unwissenschaftlich *adj* unscientific.

unwohl *adj* unwell, ill; **Unwohlsein** *nt* ⟨-s⟩ indisposition.

unwürdig *adj* unworthy (*jds* of sb).

unzählig *adj* innumerable, countless.

unzerbrechlich *adj* unbreakable.

unzertrennlich *adj* inseparable.

Unzucht *f* sexual offence.

unzüchtig *adj* indecent.

unzufrieden *adj* dissatisfied; **Unzufriedenheit** *f* discontent.

unzulänglich *adj* inadequate.

unzulässig *adj* inadmissible.

unzurechnungsfähig *adj* not responsible; **jdn für ~ erklären lassen** have sb certified non compos mentis.

unzusammenhängend *adj* disconnected; (*Äußerung*) incoherent.

unzutreffend *adj* inapplicable; (*unwahr*) incorrect.

unzuverlässig *adj* unreliable.

unzweideutig *adj* unambiguous.

üppig *adj* (*Essen*) sumptuous, lavish; (*Vegetation*) lush.

Ur- *in Zusammensetzungen* original; **uralt** *adj* ancient, very old.

Uran *nt* ⟨-s⟩ uranium.

Uraufführung *f* first performance; **Ureinwohner(in)** *m(f)* native inhabitant; **Urenkel(in)** *m(f)* great-grandchild; **Urgroßmutter** *f* great-grandmother; **Urgroßvater** *m* great-grandfather.

Urheber(in) *m(f)* ⟨-s, -⟩ originator; (*Autor*) author.

urig *adj* original.

Urin *m* ⟨-s, -e⟩ urine.

urkomisch *adj* (*umg*) hysterically funny.

Urkunde *f* ⟨-, -n⟩ document, deed; **Urkundenfälschung** *f* document forgery; **urkundlich** *adj* documentary.

Urlaub *m* ⟨-[e]s, -e⟩ holiday[s], vacation *US*; (*MIL*) leave; **Urlauber(in)** *m(f)* ⟨-s, -⟩ holiday-maker, vacationer *US*.

Urmensch *m* primitive man.

Urne *f* ⟨-, -n⟩ urn; (*Wahl~*) ballot-box.

Ursache *f* cause.

Ursprung *m* origin, source; (*von Fluß*) source.

ursprünglich *adj, adv* original[ly].

Urteil *nt* ⟨-s, -e⟩ opinion; (*JUR*) sentence, judgement; **urteilen** *vi* judge; **Urteils-**

spruch m sentence, verdict.
Urwald m jungle.
Urzeit f prehistoric times pl.
USA pl USA sing.
usw abk von **und so weiter** etc.
Utensilien pl utensils pl.
Utopie f pipe dream; **utopisch** adj utopian.

V

V, v nt V, v.
vag[e] adj vague.
Vagina f ⟨-, Vaginen⟩ vagina.
Vakuum nt ⟨-s, Vakua o Vakuen⟩ vacuum;
vakuumverpackt adj vacuum-packed.
Vandalismus m vandalism.
Vanille f ⟨-⟩ vanilla.
Variation f variation; **variieren** vt, vi vary.
Vase f ⟨-, -n⟩ vase.
Vater m ⟨-s, Väter⟩ father; **Vaterland** nt native country; Fatherland; **Vaterlandsliebe** f patriotism; **väterlich** adj fatherly; **väterlicherseits** adv on the father's side; **Vaterschaft** f paternity; **Vaterunser** nt ⟨-s, -⟩ Lord's prayer.
Vatikan m Vatican.
Vegetarier(in) m(f) ⟨-s, -⟩ vegetarian; **vegetarisch** adj vegetarian.
vehement adj vehement.
Veilchen nt violet.
Velo nt ⟨-s, -s⟩ (schweizerisch) bicycle.
Vene f ⟨-, -n⟩ vein.
Venedig nt Venice.
Ventil nt ⟨-s, -e⟩ valve.
Ventilator m ventilator.
verabreden 1. vt agree, arrange; **2.** vr: sich ~ arrange to meet (mit jdm sb); **Verabredung** f arrangement; (Treffen) appointment.
verabscheuen vt detest, abhor.
verabschieden 1. vt (Gäste) say goodbye to; (entlassen) discharge; (Gesetz) pass; **2.** vr: sich ~ take one's leave (von of); **Verabschiedung** f leave-taking; discharge; passing.
verachten vt despise; **verächtlich** adj contemptuous; (verachtenswert) contemptible; **jdn ~ machen** run sb down; **Verachtung** f contempt.
verallgemeinern vt generalize; **Verallgemeinerung** f generalization.
veralten vi become obsolete [o out-of-date].
Veranda f ⟨-, Veranden⟩ veranda.
veränderlich adj changeable; **Veränderlichkeit** f variability, instability; **verändern** vt, vr: sich ~ change, alter; **Veränderung** f change, alteration.

veranlagt adj with a … nature; **Veranlagung** f (körperlich) predisposition; (charakterlich) disposition; (Hang) tendency; (Fähigkeiten) abilities pl.
veranlassen vt cause; **Maßnahmen ~** take measures; **sich veranlaßt sehen** feel prompted; **Veranlassung** f cause; **auf jds ~ [hin]** at the instance of sb.
veranschaulichen vt illustrate.
veranschlagen vt estimate.
veranstalten vt organize, arrange; **Veranstalter(in)** m(f) ⟨-s, -⟩ organizer; **Veranstaltung** f (Veranstalten) organizing; (Veranstaltetes) event, function; **Veranstaltungskalender** m calendar of events.
verantworten 1. vt answer for; **2.** vr: sich ~ justify oneself; **verantwortlich** adj responsible; **Verantwortung** f responsibility; **verantwortungsbewußt** adj responsible; **verantwortungslos** adj irresponsible.
verarbeiten vt process; (geistig) assimilate; **etw zu etw ~** make sth into sth; **Verarbeitung** f processing; assimilation.
verärgern vt annoy.
verausgaben vr: sich ~ run out of money; (fig) overexert oneself.
veräußern vt dispose of, sell.
Verb nt ⟨-s, -en⟩ verb.
Verband m ⟨Verbände pl⟩ (MED) bandage, dressing; (Bund) association, society; (MIL) unit; **Verband[s]kasten** m medicine chest, first-aid box; **Verband[s]zeug** nt dressing material.
verbannen vt banish; **Verbannung** f exile.
verbergen irr vt, vr: sich ~ hide (vor +dat from).
verbessern vt, vr: sich ~ improve; (berichtigen) correct [oneself]; **Verbesserung** f improvement; correction.
verbeugen vr: sich ~ bow; **Verbeugung** f bow.
verbiegen irr vi bend.
verbieten irr vt forbid (jdm etw sb to do sth).
verbilligt adj reduced.
verbinden irr **1.** vt connect; (kombinieren) combine; (MED) bandage; **2.** vr: sich ~ combine, join; **jdm die Augen ~** blindfold sb.
verbindlich adj binding; (freundlich) friendly; **Verbindlichkeit** f obligation; (Höflichkeit) civility.
Verbindung f connection; (Zusammensetzung) combination; (CHEM) compound; (an Universität) club, fraternity.
verbissen adj grim, dogged.
verbitten irr vt: sich dat etw ~ not tolerate sth, not stand for sth.
verbittern 1. vt embitter; **2.** vi get bitter.

verblassen vi fade.
Verbleib m ⟨-[e]s⟩ whereabouts pl; **verbleiben** irr vi remain; **wir sind so verblieben, daß wir …** we agreed to …
verbleit adj leaded.
Verblendung f (fig) delusion.
verblöden 1. vi go crazy; **2.** vt turn into a zombie.
verblüffen vt stagger, amaze; **Verblüffung** f stupefaction.
verblühen vi wither, fade.
verbluten vi bleed to death.
verborgen adj hidden.
Verbot nt ⟨-[e]s, -e⟩ prohibition, ban; **verboten** adj forbidden; **Rauchen ~!** no smoking; **verbotenerweise** adv although it is forbidden; **Verbotsschild** nt sign prohibiting something.
Verbrauch m ⟨-[e]s⟩ consumption; **verbrauchen** vt use up; **Verbraucher(in)** m(f) ⟨-s, -⟩ consumer; **Verbraucherzentrale** f consumer advice centre; **verbraucht** adj used up, finished; (Luft) stale; (Mensch) worn-out.
verbrechen irr vt perpetrate; **Verbrechen** nt ⟨-s, -⟩ crime; **Verbrecher(in)** m(f) ⟨-s, -⟩ criminal; **verbrecherisch** adj criminal.
verbreiten vt, vr: **sich ~** spread.
verbreitern vt broaden.
Verbreitung f spread[ing], propagation.
verbrennen irr vt burn; (Leiche) cremate; **Verbrennung** f burning; (in Motor) combustion; (von Leiche) cremation; **Verbrennungsmotor** m internal combustion engine.
verbringen irr vt spend.
Verbrüderung f fraternization.
verbrühen vt scald.
verbuchen vt (FIN) register; (Erfolg) enjoy; (Mißerfolg) suffer.
Verbund m association; **verbunden** adj connected; **jdm ~ sein** be obliged [o indebted] to sb; **falsch ~** (TEL) wrong number.
verbünden vr: **sich ~** ally oneself.
Verbundenheit f bond, relationship.
Verbündete(r) mf ally.
verbürgen vr: **sich ~ für** vouch for.
verbüßen vt: **eine Strafe ~** serve a sentence.
verchromt adj chromium-plated.
Verdacht m ⟨-[e]s⟩ suspicion; **verdächtig** adj suspicious, suspect; **verdächtigen** vt suspect.
verdammen vt damn, condemn.
verdampfen vi vaporise, evaporate.
verdanken vt: **jdm etw ~** owe sb sth.
verdarb imperf von **verderben**.
verdauen vt (a. fig) digest; **verdaulich** adj digestible; **das ist schwer ~** that is hard to

digest; **Verdauung** f digestion.
Verdeck nt ⟨-[e]s, -e⟩ (AUTO) hood; (NAUT) deck.
verdecken vt cover [up]; (verbergen) hide.
verdenken irr vt: **jdm etw ~** blame sb for sth, hold sth against sb.
verderben ⟨verdarb, verdorben⟩ **1.** vt spoil; (schädigen) ruin; (moralisch) corrupt; **2.** vi (Lebensmittel) spoil, rot; **es mit jdm ~** get into sb's bad books; **Verderben** nt ⟨-s⟩ ruin; **verderblich** adj (Einfluß) pernicious; (Lebensmittel) perishable; **verderbt** adj depraved; **Verderbtheit** f depravity.
verdeutlichen vt make clear.
verdichten vt, vr: **sich ~** condense.
verdienen ⟨verdarb, verdorben⟩ deserve; **Verdienst 1.** m ⟨-[e]s, -e⟩ earnings pl; **2.** nt ⟨-[e]s, -e⟩ merit; (Leistung) service (um to); **verdient** adj well-earned; (Mensch) deserving of esteem; **sich um etw ~ machen** do a lot for sth.
verdoppeln vt double; **Verdopp[e]lung** f doubling.
verdorben 1. pp von **verderben**; **2.** adj spoilt; (geschädigt) ruined; (moralisch) corrupt.
verdrängen vt oust; (a. PHYS) displace; (PSYCH) repress; **Verdrängung** f displacement; (PSYCH) repression.
verdrehen vt (a. fig) twist; (Augen) roll; **jdm den Kopf ~** (fig) turn sb's head.
verdreifachen vt treble, triple.
verdrießlich adj peevish, annoyed.
verdrossen adj cross, sulky.
verdrücken 1. vt (umg) put away, eat; **2.** vr: **sich ~** (umg) disappear.
Verdruß m ⟨Verdrusses, Verdrusse⟩ annoyance, worry.
verduften vi (umg) vanish into thin air; **verdufte!** go for [o take] a hike!
verdummen 1. vt make stupid; **2.** vi grow stupid.
verdunkeln vt, vr: **sich ~** darken; (fig) obscure; **Verdunk[e]lung** f blackout; (fig) obscuring; **Verdunk[e]lungsgefahr** f danger of evidence being suppressed.
verdünnen vt dilute.
verdunsten vi evaporate.
verdursten vi die of thirst.
verdutzt adj nonplussed, taken aback.
verehren vt venerate; (a. REL) worship; **jdm etw ~** present sb with sth; **Verehrer(in)** m(f) ⟨-s, -⟩ admirer; **verehrt** adj esteemed; **Verehrung** f respect; (REL) worship.
vereidigen vt swear in; **Vereidigung** f swearing in.
Verein m ⟨-[e]s, -e⟩ club, association.

vereinbar adj compatible.
vereinbaren vt agree upon; **Vereinbarung** f agreement.
vereinfachen vt simplify.
vereinheitlichen vt standardize.
vereinigen vt, vr: **sich ~** unite; **Vereinigtes Königreich** United Kingdom; **Vereinigte Staaten [von Amerika]** pl United States [of America] pl; **Vereinigung** f union; (Verein) association.
vereinsamen vi become isolated.
vereint adj united.
vereinzelt adj isolated.
vereisen 1. vi freeze, ice over; 2. vt (MED) freeze.
vereiteln vt frustrate.
vereitern vi fester.
verengen vr: **sich ~** narrow.
vererben 1. vt bequeath; (BIO) pass on; 2. vr: **sich ~** be hereditary; **vererblich** adj hereditary; **Vererbung** f bequeathing; (BIO) transmission; (Lehre) heredity.
verewigen vt immortalize; 2. vr: **sich ~** (umg) leave one's name.
verfahren irr 1. vi proceed; 2. vr: **sich ~** get lost; 3. adj tangled; **~ mit** deal with; **Verfahren** nt ⟨-s, -⟩ procedure; (TECH) method; (JUR) proceedings pl.
Verfall m ⟨-[e]s⟩ decline; (von Haus) dilapidation; (FIN) expiry; **verfallen** irr vi decline; (Haus) be falling apart; (FIN) lapse; **~ in** lapse into; **~ auf** +akk hit upon; **einem Laster ~ sein** be addicted to a vice; **Verfallsdatum** nt use-by date.
verfänglich adj awkward, tricky.
verfärben vr: **sich ~** change colour.
verfassen vt write.
Verfasser(in) m(f) ⟨-s, -⟩ author, writer.
Verfassung f (a. POL) constitution; **Verfassungsgericht** nt constitutional court; **verfassungsmäßig** adj constitutional; **verfassungswidrig** adj unconstitutional.
verfaulen vi rot.
Verfechter(in) m(f) ⟨-s, -⟩ advocate.
verfehlen vt miss; **etw für verfehlt halten** regard sth as mistaken.
verfeinern vt refine.
verfliegen irr vi (Duft) fade [away]; (Zeit) pass, fly.
verflossen adj past, former.
verfluchen vt curse.
verflüchtigen vr: **sich ~** clear; (Geruch) fade.
verfolgen vt pursue; (gerichtlich) prosecute; (grausam, POL) persecute; **Verfolger(in)** m(f) ⟨-s, -⟩ pursuer; **Verfolgung** f pursuit; prosecution; persecution; **Verfolgungsjagd** f pursuit, chase; **Verfolgungswahn** m persecution mania.

verfremden vt alienate, distance.
verfrüht adj premature.
verfügbar adj available; **verfügen** 1. vt direct, order; 2. vi: **~ über** +akk have at one's disposal; **Verfügung** f direction, order; **zur ~** at one's disposal; **jdm zur ~ stehen** be sbs disposal.
verführen vt tempt; (sexuell) seduce; **Verführer(in)** m(f) tempter; seducer; **verführerisch** adj seductive; **Verführung** f seduction; (Versuchung) temptation.
vergammeln vi (umg) go to seed; (Nahrung) go off.
vergangen adj past; **Vergangenheit** f past; **Vergangenheitsbewältigung** f process of coming to terms with the past.
vergänglich adj transitory; **Vergänglichkeit** f transitoriness, impermanence.
vergasen vt gasify; (töten) gas; **Vergaser** m ⟨-s, -⟩ (AUTO) carburettor.
vergaß imperf von **vergessen**.
vergeben irr vt forgive (jdm etw for sth); (weggeben) give away; **~ sein** be occupied; (umg: Mädchen) be spoken for.
vergebens adv in vain; **vergeblich** 1. adv in vain; 2. adj vain, futile.
Vergebung f forgiveness.
vergegenwärtigen vt: **sich** dat etw **~** recall [o visualize] sth.
vergehen irr 1. vi pass by, pass away; 2. vr: **sich ~** commit an offence (gegen etw against sth); **sich an jdm ~** [sexually] assault sb; **jdm vergeht etw** sb loses sth; **Vergehen** nt ⟨-s, -⟩ offence.
vergelten irr vt pay back (jdm etw sb for sth), repay; **Vergeltung** f retaliation, reprisal; **Vergeltungsschlag** m (MIL) reprisal.
vergessen ⟨vergaß, vergessen⟩ vt forget; **Vergessenheit** f oblivion; **vergeßlich** adj forgetful; **Vergeßlichkeit** f forgetfulness.
vergeuden vt squander, waste.
vergewaltigen vt rape; (fig) violate; **Vergewaltigung** f rape; (fig) violation.
vergewissern vr: **sich ~** make sure.
vergießen irr vt shed.
vergiften vt poison; **Vergiftung** f poisoning.
Vergißmeinnicht nt ⟨-[e]s, -e⟩ forget-me-not.
verglasen vt glaze.
Vergleich m ⟨-[e]s, -e⟩ comparison; (JUR) settlement; **im ~ mit** [o zu] compared with [o to]; **vergleichbar** adj comparable; **vergleichen** irr 1. vt compare; 2. vr: **sich ~** reach a settlement.
vergnügen vr: **sich ~** enjoy [o amuse] oneself; **Vergnügen** nt ⟨-s, -⟩ pleasure; **viel ~!** enjoy yourself!; **vergnügt** adj cheerful;

Vergnügung f pleasure, amusement; **Vergnügungspark** m amusement park; **vergnügungssüchtig** adj pleasure-loving.

vergolden vt gild.

vergöttern vt idolize.

vergraben irr vt bury.

vergrätzen vt vex.

vergreifen vr: **sich an jdm** ~ lay hands on sb; **sich an etw** ~ misappropriate sth; **sich im Ton** ~ adopt the wrong tone.

vergriffen adj (Buch) out of print; (Ware) out of stock.

vergrößern vt enlarge; (mengenmäßig) increase; (Lupe) magnify; **Vergrößerung** f enlargement; increase; magnification; **Vergrößerungsglas** nt magnifying glass.

Vergünstigung f privilege; (Preis~) reduction.

vergüten vt: **jdm etw** ~ compensate sb for sth; **Vergütung** f compensation.

verh. adj abk von **verheiratet** married.

verhaften vt arrest; **Verhaftete(r)** mf prisoner; **Verhaftung** f arrest.

verhallen vi die away.

verhalten irr vr: **sich** ~ (sich benehmen) behave; (Sache) be, stand; (MATH) be in proportion to; **Verhalten** nt ⟨-s⟩ behaviour; **Verhaltensforschung** f behavioural science; **verhaltensgestört** adj disturbed, with a behavioural disorder; **Verhaltensmaßregel** f rule of conduct.

Verhältnis nt relationship; (MATH) proportion, ratio; ~**se** pl conditions pl; **über seine** ~**se leben** live beyond one's means; **verhältnismäßig** adj, adv relative[ly], comparative[ly].

verhandeln 1. vi negotiate (über etw akk sth); (JUR) hold proceedings; **2.** vt discuss; (JUR) hear; **Verhandlung** f negotiation; (JUR) proceedings pl.

verhängen vt (fig) impose, inflict.

Verhängnis nt fate, doom; **jdm zum** ~ **werden** be sb's undoing; **verhängnisvoll** adj fatal, disastrous.

verharmlosen vt make light of, play down.

verharren vi remain; (hartnäckig) persist.

verhaßt adj odious, hateful.

verheerend adj disastrous, devastating.

verhehlen vt conceal.

verheilen vi heal.

verheimlichen vt keep secret (jdm from sb).

verheiratet adj married.

verheißen vt irr: **jdm etw** ~ promise sb sth.

verhelfen irr vi: **jdm** ~ **zu** help sb to get.

verherrlichen vt glorify.

verhexen vt bewitch; **es ist wie verhext** it's jinxed.

verhindern vt prevent; **sie ist verhindert** she

can't make it.

verhöhnen vt mock, sneer at.

Verhör nt ⟨-[e]s, -e⟩ interrogation; (gerichtlich) [cross-]examination; **verhören 1.** vt interrogate, [cross-]examine; **2.** vr: **sich** ~ misunderstand, mishear.

verhungern vi starve, die of hunger.

verhüten vt prevent, avert; **Verhütung** f prevention; **Verhütungsmittel** nt contraceptive.

verirren vr: **sich** ~ get lost.

verjagen vt drive away.

verjüngen 1. vt rejuvenate; **2.** vr: **sich** ~ taper.

verkabeln vt cable; **Verkabelung** f cabling.

verkalken vi calcify; (umg) become senile.

verkalkulieren vr: **sich** ~ miscalculate.

verkannt adj unappreciated.

Verkauf m sale; **verkaufen** vt sell; **Verkäufer(in)** m(f) seller; (beruflich) salesperson; (in Laden) shop assistant Brit, sales person US; **verkäuflich** adj saleable; **verkaufsoffen** adj: ~**er Samstag** first saturday of the month, on which many shops are open all day.

Verkehr m ⟨-s, -e⟩ traffic; (Geschlechts~) intercourse; (Umlauf) circulation; **verkehren 1.** vi (Fahrzeug) ply, run; (besuchen) visit regularly (bei jdm sb); **2.** vt, vr: **sich** ~ turn, transform; ~ **mit** associate with; **Verkehrsampel** f traffic lights pl; **verkehrsberuhigt** adj: ~**e Straße** a street with speed bumps and speed limits; **Verkehrsberuhigung** f calming; traffic; **Verkehrschaos** nt chaos on the roads; **Verkehrsdelikt** nt traffic offence; **Verkehrsinsel** f traffic island; **Verkehrsmittel** nt means of transport; **öffentliche** ~ pl public transport; **Verkehrsstockung** f traffic jam; **Verkehrsunfall** m traffic accident; **Verkehrsverbund** m combined transport authority; **verkehrswidrig** adj contrary to traffic regulations; **Verkehrszeichen** nt traffic sign.

verkehrt adj wrong; (umgekehrt) the wrong way round.

verkennen irr vt misjudge, not appreciate.

verklagen vt take to court.

verklappen vt dump [into the sea]; **Verklappung** f dumping [into the sea].

verklären vt transfigure; **verklärt lächeln** smile radiantly.

verkleiden vt, vr: **sich** ~ disguise [oneself], dress up; **Verkleidung** f disguise; (ARCHIT) cladding.

verkleinern vt make smaller, reduce in size.

verklemmt adj (fig) inhibited.

verklingen irr vi die away.

verkneifen irr vt: **sich** dat **etw** ~ (Lachen)

stifle sth; (*Schmerz*) hide sth; (*sich versagen*) do without sth; **verkniffen** *adj* strained.

verknüpfen *vt* tie [up], knot; (*fig*) connect.

verkohlen 1. *vt*, *vi* carbonize; **2.** *vt* (*umg*) lead on.

verkommen 1. *irr vi* deteriorate, decay; (*Mensch*) go downhill, come down in the world; **2.** *adj* (*moralisch*) dissolute, depraved; **Verkommenheit** *f* depravity.

verkörpern *vt* embody, personify.

verkraften *vt* be able to cope with.

verkriechen *irr vr*: **sich ~** creep away, creep into a corner.

verkrümmt *adj* crooked; **Verkrümmung** *f* bend, warp; (*ANAT*) curvature.

verkrüppelt *adj* crippled.

verkrustet *adj* (*Wunde*) scabbed; (*Strukturen*) rigid.

verkühlen *vr*: **sich ~** get a chill.

verkümmern *vi* waste away.

verkünden *vt* proclaim; (*Urteil*) pronounce; **Verkündung** *f* announcement.

verkürzen *vt* shorten; (*Wort*) abbreviate; **sich *dat* die Zeit ~** while away the time; **Verkürzung** *f* shortening; abbreviation.

verladen *irr vt* load.

Verlag *m* ⟨-[e]s, -e⟩ publishing firm.

verlangen 1. *vt* (*fordern*) demand; (*wollen*) want; (*Preis*) ask; (*Qualifikation*) require; (*erwarten*) ask (*von* of); (*fragen nach*) ask for; (*Paß etc*) ask to see; **2.** *vi*: **nach etw ~** ask for; **~ Sie Herrn X** ask for Mr X; **Sie werden am Telefon verlangt** you are wanted on the phone; **Verlangen** *nt* ⟨-s, -⟩ desire (*nach* for); **auf jds ~ [hin]** at sb's request.

verlängern *vt* extend; (*länger machen*) lengthen; **Verlängerung** *f* extension; (*SPORT*) extra time; **Verlängerungsschnur** *f* extension cable.

verlangsamen *vt*, *vr*: **sich ~** decelerate, slow down.

Verlaß *m*: **auf ihn/das ist kein ~** he/it cannot be relied upon.

verlassen *irr* **1.** *vt* leave; **2.** *vr*: **sich ~** rely (*auf +akk* on); **3.** *adj* desolate; (*Mensch*) abandoned; **Verlassenheit** *f* loneliness.

verläßlich *adj* reliable; **Verläßlichkeit** *f* reliability.

Verlauf *m* course; **verlaufen** *irr* **1.** *vi* (*zeitlich*) pass; (*Farben*) run; **2.** *vr*: **sich ~** get lost; (*Menschenmenge*) disperse.

verlauten *vi*: **etw ~ lassen** disclose sth; **wie verlautet** as reported.

verleben *vt* spend.

verlebt *adj* dissipated, worn out.

verlegen 1. *vt* move; (*verlieren*) mislay; (*Buch*) publish; **2.** *vr*: **sich auf etw** *akk* **~** take up [*o* to] sth; **3.** *adj* embarrassed; **nicht ~ um** never at a loss for; **Verlegenheit** *f*

embarrassment; (*Situation*) difficulty, scrape; **Verleger(in)** *m(f)* ⟨-s, -⟩ publisher.

Verleih *m* ⟨-[e]s, -e⟩ hire service; **verleihen** *irr vt* lend; (*Kraft, Anschein*) confer, bestow; (*Preis, Medaille*) award; **Verleihung** *f* lending; bestowal; award.

verleiten *vt* lead astray; **~ zu** talk into, tempt into.

verlernen *vt* forget.

verlesen *irr* **1.** *vt* read out; (*aussondern*) sort out; **2.** *vr*: **sich ~** make a mistake in reading.

verletzen *vt* (*a. fig*) injure, hurt; (*Gesetz*) violate; **verletzend** *adj* (*fig*) hurtful; **verletzlich** *adj* vulnerable, sensitive; **Verletzte(r)** *mf* injured person; **Verletzung** *f* injury; (*Verstoß*) violation, infringement.

verleugnen *vt* deny; (*Menschen*) disown.

verleumden *vt* slander; **verleumderisch** *adj* slanderous; **Verleumdung** *f* slander, libel.

verlieben *vr*: **sich ~** fall in love (*in jdn* with sb); **verliebt** *adj* in love; **Verliebtheit** *f* being in love.

verlieren ⟨verlor, verloren⟩ **1.** *vt*, *vi* lose; **2.** *vr*: **sich ~** get lost; (*verschwinden*) disappear.

verloben *vr*: **sich ~** get engaged (*mit* to); **Verlobte(r)** *mf* fiancé/fiancée; **Verlobung** *f* engagement.

Verlockung *f* temptation, attraction.

verlogen *adj* untruthful; **Verlogenheit** *f* untruthfulness.

verlor *imperf von* **verlieren**; **verloren 1.** *pp von* **verlieren**; **2.** *adj* lost; (*Eier*) poached; **der ~e Sohn** the prodigal son; **etw ~ geben** give sth up for lost; **verlorengehen** *irr vi* get lost.

verlosen *vt* raffle, draw lots for; **Verlosung** *f* raffle, lottery.

verlottern, verludern *vi* (*umg*) go to the dogs.

Verlust *m* ⟨-[e]s, -e⟩ loss; (*MIL*) casualty.

vermachen *vt* bequeath, leave; **Vermächtnis** *nt* legacy.

vermählen *vr*: **sich ~** marry; **Vermählung** *f* wedding, marriage.

vermehren *vt*, *vr*: **sich ~** multiply; (*Menge*) increase; **Vermehrung** *f* multiplying; increase.

vermeiden *irr vt* avoid.

vermeintlich *adj* supposed.

Vermerk *m* ⟨-[e]s, -e⟩ note; (*in Ausweis*) endorsement; **vermerken** *vt* note.

vermessen *irr* **1.** *vt* survey; **2.** *vr*: **sich ~** (*falsch messen*) measure incorrectly; **3.** *adj* presumptuous, bold; **Vermessenheit** *f* presumptuousness; **Vermessung** *f* survey[ing].

vermieten vt let, rent [out]; (Auto) rent; **Vermieter(in)** m(f) landlord/-lady; **Vermietung** f letting, renting [out].

vermindern 1. vi, vr: **sich ~** lessen, decrease; (Preise) reduce; **Verminderung** f reduction.

vermischen vt, vr: **sich ~** mix, blend.

vermissen vt miss; **vermißt** adj missing.

vermitteln 1. vi mediate; 2. vt (Gespräch) connect; **jdm etw ~** help sb to obtain sth; **Vermittler(in)** m(f) ⟨-s, -⟩ (Schlichter) agent, mediator; **Vermittlung** f procurement; (Stellen~) agency; (TEL.) exchange; (Schlichtung) mediation.

Vermögen nt ⟨-s, -⟩ wealth; (Fähigkeit) ability; **ein ~ kosten** cost a fortune; **vermögend** adj wealthy.

vermummen vr: **sich ~** disguise oneself, make oneself unrecognizable; **Vermummung** f disguising oneself, making oneself unrecognizable.

vermuten vt suppose, guess; (argwöhnen) suspect; **vermutlich** 1. adj supposed, presumed; 2. adv probably; **Vermutung** f supposition; (Verdacht) suspicion.

vernachlässigen vt neglect; **Vernachlässigung** f neglect.

vernarben vi heal up.

vernehmen irr vt perceive, hear; (erfahren) learn; (JUR) [cross-]examine; **dem Vernehmen nach** from what I/we hear; **vernehmlich** adj audible; **Vernehmung** f [cross-]examination; **vernehmungsfähig** adj in a condition to be [cross-]examined.

verneigen vr: **sich ~** bow.

verneinen vt (Frage) answer in the negative; (ablehnen) deny; (LING) negate; **Verneinung** f negation.

vernetzen vt (INFORM) network; **Vernetzung** f connecting up; (INFORM) networking.

vernichten vt annihilate, destroy; **vernichtend** adj (fig) crushing; (Blick) withering; (Kritik) scathing; **Vernichtung** f destruction, annihilation.

verniedlichen vt play down.

Vernunft f ⟨-⟩ reason, understanding; **vernünftig** adj sensible, reasonable.

veröffentlichen vt publish; **Veröffentlichung** f publication.

verordnen vt (MED) prescribe; **Verordnung** f order, decree; (MED) prescription.

verpachten vt lease [out].

verpacken vt pack; **Verpackung** f packing; **Verpackungsmaterial** nt packaging.

verpassen vt miss; **jdm eine Ohrfeige ~** (umg) give sb a clip round the ear.

verpesten vt pollute.

verpflanzen vt transplant; **Verpflanzung**

f transplantion.

verpflegen vt feed, cater for; **Verpflegung** f feeding, catering; (Kost) food; (in Hotel) board.

verpflichten 1. vt oblige, bind; (anstellen) engage; 2. vr: **sich ~** undertake; (MIL) sign on; 3. vi carry obligations; **jdm zu Dank verpflichtet sein** be obliged to sb; **Verpflichtung** f obligation, duty.

verpfuschen vt (umg) bungle, make a mess of.

verpissen vr: **sich ~** (umg!) piss off.

verplempern vt (umg) fritter away.

verpönt adj frowned upon.

verprassen vt squander.

verprügeln vt beat up, do over.

Verputz m plaster, roughcast; **verputzen** vt plaster; (umg: essen) put away.

verquollen adj swollen.

Verrat m ⟨-[e]s⟩ treachery; (POL) treason; **verraten** irr 1. vt betray; (Geheimnis) divulge; 2. vr: **sich ~** give oneself away; **Verräter(in)** m(f) ⟨-s, -⟩ traitor/traitress; **verräterisch** adj treacherous.

verrechnen vt **~ mit** set off against; 2. vr: **sich ~** miscalculate; **Verrechnungsscheck** m crossed cheque.

verregnet adj spoilt by rain, rainy.

verreisen vi go away [on a journey].

verreißen irr vt pull to pieces.

verrenken vt contort; (MED) dislocate; **sich dat den Knöchel ~** sprain one's ankle; **Verrenkung** f contortion; (MED) dislocation, sprain.

verrichten vt do, perform.

verriegeln vt bolt up, lock.

verringern 1. vt reduce; 2. vr: **sich ~** diminish; **Verringerung** f reduction; (Abnahme) lessening.

verrosten vi rust.

verrotten vi rot.

verrücken vt move, shift.

verrückt adj crazy, mad; **Verrückte(r)** mf lunatic; **Verrücktheit** f madness, lunacy.

Verruf m: **in ~ geraten/bringen** fall/bring into disrepute; **verrufen** adj notorious, disreputable.

Vers m ⟨-es, -e⟩ line.

versagen 1. vt: **jdm/sich etw ~** deny sb/oneself sth; 2. vi fail; **Versagen** nt ⟨-s⟩ failure; **menschliches ~** human error; **Versager(in)** m(f) ⟨-s, -⟩ failure.

versalzen irr vt put too much salt in; (fig) spoil.

versammeln vt, vr: **sich ~** assemble, gather; **Versammlung** f meeting, gathering.

Versand m ⟨-[e]s⟩ dispatch; (~abteilung) dispatch department; **Versandhaus** nt mail-order firm.

versäumen vt miss; (*unterlassen*) neglect, fail; **Versäumnis** nt neglect; (*Unterlassung*) omission.

verschaffen vt: **jdm/sich etw ~** get [o procure] sth for sb/oneself.

verschämt adj bashful.

verschandeln vt (*umg*) spoil.

verschanzen vr: **sich hinter etw** dat **~** dig in behind sth; (*fig*) take refuge behind sth.

verschärfen vt, vr: **sich ~** intensify; (*Lage*) aggravate.

verschätzen vr: **sich ~** miscalculate.

verschenken vt give away.

verscherzen vt: **sich** dat **etw ~** lose sth, throw sth away.

verscheuchen vt frighten away.

verschicken vt send off; (*Sträfling*) transport, deport.

verschieben irr vt shift; (*EISENB*) shunt; (*Termin*) postpone; (*WIRTS*) push.

verschieden adj (*unterschiedlich*) different; (*attributiv: mehrere*) various; **sie sind ~ groß** they are of different sizes; **~e** pl various people/things pl; **~es** various things pl; **etwas Verschiedenes** something different; **verschiedenartig** adj various, of different kinds; **zwei so ~e ... they** are such differing ...; **Verschiedenheit** f difference; **verschiedentlich** adv several times.

verschimmeln vi go mouldy.

verschlafen irr **1.** vt sleep through; (*fig*) miss; **2.** vi, vr: **sich ~** oversleep; **3.** adj sleepy.

verschlampen 1. vi fall into neglect; **2.** vt (*umg*) lose, mislay.

verschlechtern 1. vt make worse; **2.** vr: **sich ~** deteriorate, get worse; **Verschlechterung** f deterioration.

Verschleiß m ⟨-es⟩ wear and tear; **verschleißen** ⟨verschliß, verschlissen⟩ **1.** vt wear out; **2.** vi, vr: **sich ~** wear out.

verschleppen vt carry off, abduct; (*zeitlich*) drag out, delay.

verschleudern vt squander; (*WIRTS*) sell dirt-cheap.

verschließbar adj lockable; **verschließen** irr **1.** vt close; (*mit Schlüssel*) lock; **2.** vr: **sich einer Sache** dat **~** close one's mind to sth.

verschlimmern 1. vt make worse, aggravate; **2.** vr: **sich ~** get worse, deteriorate; **Verschlimmerung** f deterioration.

verschlingen irr vt devour, swallow up.

verschliß imperf von **verschleißen**; **verschlissen** pp von **verschleißen**.

verschlossen adj locked; (*fig*) reserved; **Verschlossenheit** f reserve.

verschlucken 1. vt swallow; **2.** vr: **sich ~** choke.

Verschluß m lock; (*von Kleid*) fastener;

(*FOTO*) shutter; (*Stöpsel*) plug; **unter ~ halten** keep under lock and key.

verschlüsseln vt encode.

verschmähen vt disdain, scorn.

verschmelzen irr vt, vi merge, blend.

verschmerzen vt get over.

verschmutzen vt soil; (*Umwelt*) pollute.

verschneit adj covered in snow.

verschollen adj lost, missing.

verschonen vt spare (*jdn mit etw* sb sth).

verschönern vt decorate; (*verbessern*) improve.

verschreiben irr **1.** vt (*Papier*) use up; (*MED*) prescribe; **2.** vr: **sich ~** make a mistake [in writing]; **sich einer Sache** dat **~** devote oneself to sth; **verschreibungspflichtig** adj available only on prescription.

verschrien adj notorious.

verschroben adj eccentric, odd.

verschrotten vt scrap.

verschüchtert adj subdued, intimidated.

verschulden vt be guilty of; **Verschulden** nt ⟨-s⟩ fault, guilt; **verschuldet** adj in debt; **Verschuldung** f fault; (*Geldschulden*) debts pl.

verschütten vt spill; (*zuschütten*) fill; (*unter Trümmer*) bury.

verschweigen irr vt keep secret; **jdm etw ~** keep sth from sb.

verschwenden vt squander; **Verschwender(in)** m(f) ⟨-s, -⟩ spendthrift; **verschwenderisch** adj wasteful, extravagant; **Verschwendung** f waste; extravagance.

verschwiegen adj discreet; (*Ort*) secluded; **Verschwiegenheit** f discretion.

verschwimmen irr vi grow hazy, become blurred.

verschwinden irr vi disappear, vanish; **Verschwinden** nt ⟨-s⟩ disappearance.

verschwitzen vt soak with sweat; (*umg*) forget; **verschwitzt** sein be all sweaty.

verschwommen adj hazy, vague.

verschwören irr vr: **sich ~** plot, conspire; **Verschwörer(in)** m(f) ⟨-s, -⟩ conspirator; **Verschwörung** f conspiracy, plot.

versehen irr **1.** vt supply, provide; (*Pflicht*) carry out; (*Haushalt*) keep; **2.** vr: **sich ~** make a mistake; **ehe er [es] sich ~ hatte ...** before he knew it ...; **Versehen** nt ⟨-s, -⟩ oversight; **aus ~** by mistake; **versehentlich** adv by mistake.

Versehrte(r) mf disabled person.

versenden irr vt send, dispatch.

versenken 1. vt sink; **2.** vr: **sich ~** become engrossed (*in +akk* in).

versessen adj: **~ auf** +akk mad about.

versetzen 1. vt transfer; (*verpfänden*) pawn; (*umg: bei Verabredung*) stand up; **2.** vr: **sich**

in jdn [*o* jds Lage] ~ put oneself in sb's place; **jdm einen Tritt/Schlag** ~ kick/hit sb; **etw mit etw** ~ mix sth with sth; **jdn in gute Laune** ~ put sb in a good mood; **Versetzung** *f* transfer.

verseuchen *vt* contaminate.

versichern 1. *vt* assure; (*mit Geld*) insure; **2.** *vr:* **sich** ~ make sure (*gen* of); **Versicherung** *f* assurance; insurance; **Versicherungskarte** *f:* grüne ~ green card; **Versicherungspolice** *f* insurance policy.

versiegeln *vt* seal [up].

versiegen *vi* dry up.

versinken *irr vi* sink.

Version *f* (*a. INFORM*) version.

versöhnen 1. *vt* reconcile; **2.** *vr:* **sich** ~ become reconciled; **Versöhnung** *f* reconciliation.

versorgen 1. *vt* provide, supply (*mit* with); (*Familie*) look after; **2.** *vr:* **sich** ~ look after oneself; **Versorgung** *f* provision; (*Unterhalt*) maintenance; (*Alters~ etc*) benefit, assistance.

verspäten *vr:* **sich** ~ be late; **Verspätung** *f* delay; ~ **haben** be late.

versperren *vt* bar, obstruct.

verspielen *vt, vi* lose; **verspielt** *adj* playful; **bei jdm** ~ **haben** be in sb's bad books.

verspotten *vt* ridicule, scoff at.

versprechen *irr vt* promise; **sich** *dat* **etw von etw** ~ expect sth from sth; **Versprechen** *nt* ⟨-s, -⟩ promise.

verstaatlichen *vt* nationalize.

Verstand *m* intelligence; mind; **den** ~ **verlieren** go out of one's mind; **über jds** ~ **gehen** be beyond sb; **verstandesmäßig** *adj* rational; intellectual; **verständig** *adj* sensible.

verständigen 1. *vt* inform; **2.** *vr:* **sich** ~ communicate; (*sich einigen*) come to an understanding; **Verständigung** *f* communication; (*Benachrichtigung*) informing; (*Einigung*) agreement.

verständlich *adj* understandable, comprehensible; **Verständlichkeit** *f* clarity, intelligibility.

Verständnis *nt* understanding; **verständnislos** *adj* uncomprehending; **verständnisvoll** *adj* understanding, sympathetic.

verstärken 1. *vt* strengthen; (*Ton*) amplify; (*erhöhen*) intensify; **2.** *vr:* **sich** ~ intensify; **Verstärker** *m* ⟨-s, -⟩ amplifier; **Verstärkung** *f* strengthening; (*Hilfe*) reinforcements *pl*; (*von Ton*) amplification.

verstauchen *vt* sprain.

verstauen *vt* stow away.

Versteck *nt* ⟨-[e]s, -e⟩ hiding [place]; **verstecken** *vt, vr:* **sich** ~ hide; **Versteckspiel** *nt* hide-and-seek; **versteckt** *adj* hidden.

verstehen *irr* **1.** *vt* understand; **2.** *vr:* **sich** ~ get on.

versteifen *vr:* **sich** ~ (*fig*) insist (*auf +akk* on).

versteigern *vt* auction; **Versteigerung** *f* auction.

verstellbar *adj* adjustable, variable; **verstellen 1.** *vt* move, shift; (*Uhr*) adjust; (*versperren*) block; (*fig*) disguise; **2.** *vr:* **sich** ~ pretend, put on an act.

verstimmt *adj* out of tune; (*fig*) cross, put out.

verstockt *adj* stubborn.

verstohlen *adj* stealthy.

verstopfen *vt* block, stop up; (*MED*) constipate; **Verstopfung** *f* obstruction; (*MED*) constipation.

verstorben *adj* deceased, late.

verstört *adj* (*Mensch*) distraught.

Verstoß *m* infringement, violation (*gegen* of); **verstoßen** *irr* **1.** *vt* disown, reject; **2.** *vi:* ~ **gegen** offend against.

verstrahlt *adj* contaminated by radiation.

verstreichen *irr* **1.** *vt* spread; **2.** *vi* elapse.

verstreuen *vt* scatter [about].

verstümmeln *vt* maim; (*a. fig*) mutilate.

verstummen *vi* go silent; (*Lärm*) die away.

Versuch *m* ⟨-[e]s, -e⟩ attempt; (*wissenschaftlich*) experiment; **versuchen 1.** *vt* try; (*verlocken*) tempt; **2.** *vr:* **sich an etw** *dat* ~ try one's hand at sth; **Versuchskaninchen** *nt* guinea-pig; **versuchsweise** *adv* on a trial basis; **Versuchung** *f* temptation.

versunken *adj* sunken; ~ **sein in** +*akk* be absorbed [*o* engrossed] in.

versüßen *vt:* **jdm etw** ~ (*fig*) make sth more pleasant for sb.

vertagen *vt, vi* adjourn.

vertauschen *vt* exchange; (*versehentlich*) mix up.

verteidigen *vt* defend; **Verteidiger(in)** *m(f)* ⟨-s, -⟩ defender; (*JUR*) defence counsel; **Verteidigung** *f* defence; **Verteidigungsinitiative** *f* defense initiative.

verteilen *vt* distribute; (*Rollen*) assign; (*Farbe*) apply; **Verteilung** *f* distribution, allotment.

vertiefen 1. *vt* deepen; **2.** *vr:* **sich in etw** *akk* ~ become engrossed [*o* absorbed] in sth; **Vertiefung** *f* depression.

vertikal *adj* vertical.

vertilgen *vt* exterminate; (*umg*) eat up, polish off.

vertippen *vr:* **sich** ~ make a typing mistake.

vertonen *vt* set to music.

Vertrag *m* ⟨-[e]s, Verträge⟩ contract, agreement; (*POL*) treaty.

vertragen *irr* **1.** *vt* tolerate, stand; **2.** *vr:* **sich** ~ get along; (*sich aussöhnen*) become reconciled.

vertraglich *adj* contractual.
verträglich *adj* (*Mensch*) good-natured, sociable; (*Speisen*) well digested; (*MED*) easily tolerated; **Verträglichkeit** *f* sociability; good nature; digestibility.
Vertragsbruch *m* breach of contract; **vertragsbrüchig** *adj* in breach of contract; **Vertragspartner(in)** *m(f)* party to a contract; **Vertragsspieler(in)** *m(f)* (*SPORT*) contract professional; **vertragswidrig** *adj* contrary to the terms of contract.
vertrauen *vi* trust (*jdm* sb), rely on; **Vertrauen** *nt* ⟨-s⟩ confidence; **vertrauenerweckend** *adj* inspiring trust; **Vertrauenssache** *f* confidential matter; **vertrauensselig** *adj* too trustful; **vertrauensvoll** *adj* trustful; **vertrauenswürdig** *adj* trustworthy.
vertraulich *adj* (*geheim*) confidential; **Vertraulichkeit** *f* confidentiality.
vertraut *adj* familiar; **Vertraute(r)** *mf* confidant, close friend; **Vertrautheit** *f* familiarity.
vertreiben *irr vt* drive away; (*aus Land*) expel; (*WIRTS*) sell; (*Zeit*) pass; **Vertreibung** *f* expulsion.
vertretbar *adj* justifiable.
vertreten *irr vt* represent; (*Ansicht*) hold, advocate; **sich** *dat* **die Beine** ~ stretch one's legs; **Vertreter(in)** *m(f)* ⟨-s, -⟩ representative; (*Verfechter*) advocate; **Vertretung** *f* representation; advocacy.
Vertrieb *m* ⟨-[e]s, -e⟩ marketing.
Vertriebene(r) *mf* ⟨-n, -n⟩ sb who has been expelled from their native country.
vertrocknen *vi* dry up.
vertrödeln *vt* (*umg*) fritter away.
vertrösten *vt* put off.
vertun *irr* **1.** *vt* waste; **2.** *vr:* **sich** ~ (*umg*) make a mistake.
vertuschen *vt* hush up, cover up.
verübeln *vt:* **jdm etw** ~ be cross [*o* offended] with sb on account of sth.
verüben *vt* commit.
verunglücken *vi* have an accident; **tödlich** ~ be killed in an accident.
verunreinigen *vt* soil; (*Umwelt*) pollute.
verunsichern *vt* rattle.
verunstalten *vt* disfigure; (*Gebäude etc*) deface.
veruntreuen *vt* embezzle.
verursachen *vt* cause; **Verursacher(in)** *m(f)* ⟨-s, -⟩ cause; **Verursacherprinzip** *nt* principle that the party responsible is liable for the damages.
verurteilen *vt* condemn; **Verurteilung** *f* condemnation; (*JUR*) sentence.
vervielfältigen *vt* duplicate, copy; **Vervielfältigung** *f* duplication, copying.
vervollkommnen *vt* perfect.

vervollständigen *vt* complete.
verwackeln *vt* (*Foto*) blur.
verwählen *vr:* **sich** ~ (*am Telefon*) dial the wrong number.
verwahren **1.** *vt* keep, lock away; **2.** *vr:* **sich** ~ protest.
verwahrlosen *vi* become neglected; (*moralisch*) go to the bad; **verwahrlost** *adj* neglected.
verwaist *adj* orphaned.
verwalten *vt* manage; (*behördlich*) administer; **Verwalter(in)** *m(f)* ⟨-s, -⟩ manager (*Vermögens~*) trustee; **Verwaltung** *f* management; (*amtlich*) administration **Verwaltungsbezirk** *m* administrative district.
verwandeln *vt*, *vr:* **sich** ~ change, change form; **Verwandlung** *f* change, transformation.
verwandt *adj* related (*mit* to); **Verwandte(r)** *mf* relative, relation; **Verwandtschaft** *f* relationship; (*Menschen*) relations *pl*.
verwarnen *vt* caution; **Verwarnung** *f* caution, warning.
verwaschen *adj* faded; (*fig*) vague.
verwässern *vt* dilute, water down.
verwechseln *vt* confuse (*mit* with), mistake (*mit* for); **zum Verwechseln ähnlich** as like as two peas; **Verwechslung** *f* confusion, mixing up.
verwegen *adj* daring, bold; **Verwegenheit** *f* daring, audacity, boldness.
Verwehung *f* snow-/sanddrift.
verweichlichen *vt* mollycoddle; **verweichlicht** *adj* effeminate, soft.
verweigern *vt* refuse (*jdm etw* sb sth); **den Gehorsam/die Aussage** ~ refuse to obey/ testify; **Verweigerung** *f* refusal.
verweilen *vi* stay; (*fig*) dwell (*bei* on).
Verweis *m* ⟨-es, -e⟩ reprimand, rebuke; (*Hinweis*) reference; **verweisen** *irr vt* refer; **jdm etw** ~ (*tadeln*) scold sb for sth; **jdn von der Schule** ~ expel sb [from school]; **jdn des Landes** ~ deport sb, expel sb.
verwelken *vi* fade.
verwenden *vt* use; (*Mühe, Zeit, Arbeit*) spend; **2.** *vr:* **sich** ~ intercede; **Verwendung** *f* use.
verwerfen *irr vt* reject.
verwerflich *adj* reprehensible.
Verwerfung *f* (*GEO*) fault.
verwerten *vt* utilize; **Verwertung** *f* utilization.
verwesen *vi* decay; **Verwesung** *f* decomposition.
verwickeln **1.** *vt* tangle [up]; (*fig*) involve (*in +akk* in); **2.** *vr:* **sich** ~ get tangled [up]; **sich** ~ **in** +*akk* (*fig*) get involved in.

verwildern vi run wild.

verwinden irr vt get over.

verwirklichen vt realize, put into effect; **Verwirklichung** f realization.

verwirren vt tangle [up]; (fig) confuse; **Verwirrung** f confusion.

verwittern vi weather.

verwitwet adj widowed.

verwöhnen vt spoil.

verworfen adj depraved.

verworren adj confused.

verwundbar adj vulnerable; **verwunden** vt wound.

verwunderlich adj surprising; **Verwunderung** f astonishment.

Verwundete(r) mf injured [person]; **Verwundung** f wound, injury.

verwünschen vt curse.

verwüsten vt devastate; **Verwüstung** f devastation.

verzagen vi despair.

verzählen vr: **sich** ~ miscount.

verzehren vt consume.

verzeichnen vt list; (Niederlage, Verlust) register; **Verzeichnis** nt list, catalogue; (in Buch) index; (INFORM) directory.

verzeihen (verzieh, verziehen) vt, vi forgive (jdm etw sb for sth); **verzeihlich** adj pardonable; **Verzeihung** f forgiveness, pardon; ~! sorry!, excuse me!

verzerren vt distort.

Verzicht m ⟨-[e]s, -e⟩ renunciation (auf +akk of); **verzichten** vi do without; give up (auf etw akk sth).

verzieh imperf von **verzeihen**; **verziehen** pp von **verzeihen**.

verziehen irr 1. vt put out of shape; (Kind) spoil; (Pflanzen) thin out; 2. vr: **sich** ~ go out of shape; (Gesicht) contort; (verschwinden) disappear; **das Gesicht** ~ pull a face.

verzieren vt decorate.

verzinsen vt pay interest on.

verzögern vt delay; **Verzögerung** f delay; **Verzögerungstaktik** f delaying tactics pl.

verzollen vt declare; (Zoll bezahlen) pay duty on.

verzückt adj enraptured; **Verzückung** f ecstasy.

verzweifeln vi despair; **verzweifelt** adj desperate; **Verzweiflung** f despair.

verzweigen vr: **sich** ~ branch out.

verzwickt adj (umg) awkward, complicated.

Veto nt ⟨-s, -s⟩ veto.

Vetter m ⟨-s, -n⟩ cousin; **Vetternwirtschaft** f nepotism.

vibrieren vi vibrate.

Video nt ⟨-s, -s⟩ video; **Videoclip** m ⟨-s, -s⟩ video clip; **Videogerät** nt video [set],

video-player; **Videokamera** f video camera; **Videokassette** f video cassette; **Videorecorder** m ⟨-s, -⟩ video recorder; **Videospiel** nt video game; **Videothek** f ⟨-, -en⟩ video library.

Vieh nt ⟨-[e]s⟩ cattle; **viehisch** adj bestial.

viel pron, adj (im Singular, adjektivisch) a lot of, a great deal of; (fragend, verneint) much; (substantivisch) a lot, a great deal; (fragend, verneint) much; (adverbial) a lot, a great deal; much; ~ **zuwenig** much too little; ~ **Geld** much bigger; **das** ~**e Geld** all this money; **viele** pron, adj (im Plural, adjektivisch) many, a lot of; (substantivisch) many, a lot [of people/things]; **vielerlei** adj inv a great variety of; **vieles** pron a lot of things; **vielfach** adj, adv; **auf** ~**n Wunsch** by popular request; **Vielfalt** f ⟨-⟩ variety; **vielfältig** adj varied, many-sided.

vielleicht adv perhaps.

vielmal[s] adv many times; **danke** ~**s** many thanks; **vielmehr** adv rather, on the contrary; **vielsagend** adj significant; **vielseitig** adj many-sided; **vielversprechend** adj promising.

vier num four; **Viereck** nt ⟨-[e]s, -e⟩ four-sided figure; (Quadrat) square; **viereckig** adj four-sided; square; **vierfach** 1. adj fourfold; 2. adv four times; **vierhundert** num four hundred; **vierjährig** adj (4 Jahre alt) four-year-old; (4 Jahre dauernd) four-year; **viermal** adv four times; **Viertaktmotor** m four-stroke engine.

vierte(r, s) adj fourth; **der** ~ **Juli** the fourth of July; **Portland, den 4. Juli** Portland, July 4th; **Vierte(r)** mf fourth.

vierteilen vt quarter.

Viertel nt ⟨-s, -⟩ (Stadt~) quarter, district; (Bruchteil) quarter; (~liter) quarter-liter; (Uhrzeit) quarter; **[ein]** ~ **vor/nach drei** [a] quarter to/past three; **vierteljährlich** adj quarterly; **Viertelnote** f crotchet; **Viertelstunde** f quarter of an hour.

viertens adv fourthly.

vierzehn num fourteen; **in** ~ **Tagen** in a fortnight Brit, in two weeks US; **vierzehntägig** adj fortnightly.

vierzig num forty.

Vietnam nt Vietnam.

Vignette f (Autobahn~) [motorway] vignette.

Vikar(in) m(f) curate.

Villa f ⟨-, Villen⟩ villa; **Villenviertel** nt prosperous residential area.

violett adj violet.

Violinbogen m violin bow; **Violine** f violin; **Violinkonzert** nt violin concerto; **Violinschlüssel** m treble clef.

virtuell adj (a. INFORM) virtual.

Virus m o nt ⟨-, Viren⟩ (a. INFORM) virus; **Vi-**

rusinfektion f viral infection.

Visier nt ⟨-s, -e⟩ gunsight; (am Helm) visor.

Visite f ⟨-, -n⟩ (MED) visit; **Visitenkarte** f visiting-card.

visuell adj visual.

Visum nt ⟨-s, Visa o Visen⟩ visa.

vital adj lively, full of life.

Vitamin nt ⟨-s, -e⟩ vitamin.

Vizepräsident(in) m(f) vice-president.

Vogel m ⟨-s, Vögel⟩ bird; **einen ~ haben** (umg) have bats in the belfry; **jdm den ~ zeigen** (umg) tap one's forehead (to indicate that sb is stupid); **Vogelbeerbaum** m rowan tree; **vögeln** vi, vt (umg!) screw; **Vogelschau** f bird's-eye view; **Vogelscheuche** f ⟨-, -n⟩ scarecrow.

Vokabel f ⟨-, -n⟩ word; **Vokabular** nt ⟨-s, -e⟩ vocabulary.

Vokal m ⟨-s, -e⟩ vowel.

Volk nt ⟨-(e)s, Völker⟩ people; nation.

Völkerbund m League of Nations; **Völkerrecht** nt international law; **völkerrechtlich** adj according to international law; **Völkerverständigung** f international understanding; **Völkerwanderung** f migration.

Volkshochschule f adult education centre pl; **Volkslied** nt folksong; **Volksrepublik** f people's republic; **Volksschule** f elementary school; **Volkstanz** m folk dance; **volkstümlich** adj popular; **Volkswirtschaft** f economics sing; **Volkszählung** f [national] census.

voll adj full; **~ und ganz** completely; **jdn für ~ nehmen** (umg) take sb seriously; **vollauf** adv amply.

Vollbeschäftigung f full employment; **vollblütig** adj full-blooded; **Vollbremsung** f emergency stop.

vollbringen irr vt accomplish.

vollenden vt finish, complete.

vollends adv completely.

Vollendung f completion.

voller adj: **~ Fehler/Probleme** full of mistakes/problems.

Volleyball m volleyball.

Vollgas nt: **mit ~** at full throttle; **~ geben** step on it.

völlig adj, adv complete[ly].

volljährig adj of age; **Vollkaskoversicherung** f fully comprehensive insurance.

vollkommen adj perfect; **Vollkommenheit** f perfection.

Vollkornbrot nt wholemeal bread.

vollmachen vt fill [up].

Vollmacht f ⟨-, -en⟩ power of authority pl.

Vollmilch f whole milk; **Vollmond** m full moon; **Vollpension** f full board; **vollschlank** adj with a fuller figure.

vollständig adj complete.

vollstrecken vt execute.

volltanken vt, vi fill up; **Volltreffer** m (a. fig) bull's eye.

Vollwertkost f wholefood.

vollzählig adj complete; **wir waren ~** we were all there.

Volt nt ⟨- o -[e]s, -⟩ volt.

Volumen nt ⟨-s, - o Volumina⟩ volume.

vom = **von dem**.

von präp +dat from; (statt Genitiv, bestehend aus) of; (im Passiv) by; **ein Freund ~ mir** a friend of mine; **~ mir aus** (umg) OK by me; **~ wegen!** no way!; **voneinander** adv from each other.

vor präp +dat o akk before; (räumlich) in front of; **~ Wut/Liebe** with rage/love; **~ 2 Tagen** 2 days ago; **~ allem** above all.

Vorabend m evening before, eve.

voran adv before, ahead; **vorangehen** irr vi go ahead; **einer Sache** dat **~** precede sth; **vorangehend** adj previous; **vorankommen** irr vi come along, make progress.

voraus adv ahead; (zeitlich) in advance; **jdm ~ sein** be ahead of sb; **im ~** in advance; **vorausbezahlen** vt pay in advance; **vorausgehen** irr vi go [on] ahead; (fig) precede; **voraushaben** irr vt: **jdm etw ~** have the edge on sb in sth; **Voraussage** f prediction; **voraussagen** vt predict; **voraussehen** irr vt foresee; **voraussetzen** vt assume; **vorausgesetzt, daß ...** provided that ...; **Voraussetzung** f requirement, prerequisite; **Voraussicht** f foresight; **aller ~ nach** in all probability; **in der ~, daß ...** anticipating that ...; **voraussichtlich** adv probably.

Vorbehalt m ⟨-[e]s, -e⟩ reservation, proviso; **vorbehalten** irr vt: **sich/jdm etw ~** reserve sth [to oneself]/to sb; **vorbehaltlos** adj, adv unconditional[ly].

vorbei adv by, past; **vorbeigehen** irr vi pass by, go past; **vorbeischrammen** vi scrape past (an etw wb).

vorbelastet adj (fig) handicapped.

vorbereiten vt prepare; **Vorbereitung** f preparation.

vorbestraft adj previously convicted, with a [criminal] record.

vorbeugen 1. vt, vr: **sich ~** lean forward; 2. vi prevent (einer Sache dat sth); **vorbeugend** adj preventive; **Vorbeugung** f prevention; **zur ~ gegen** for the prevention of.

Vorbild nt model; **sich dat jdn zum ~ nehmen** model oneself on sb; **vorbildlich** adj model, ideal.

vorbringen irr vt advance, state; (umg) bring to the front.

Vordenker(in) m(f) guru; chief theoretician; (POL) party guru.

Vorderachse f front axle; **Vorderansicht** f front view; **vordere(r, s)** adj front; **Vordergrund** m foreground; **Vordermann** m ⟨Vordermänner pl⟩ man in front; **jdn auf ~ bringen** (umg) tell sb to pull his socks up; **Vorderseite** f front [side]; **vorderste(r, s)** adj front.

vordrängen vr: **sich ~** push to the front.

vorehelich adj premarital.

voreilig adj hasty, rash.

voreingenommen adj biased; **Voreingenommenheit** f bias.

vorenthalten irr vt: **jdm etw ~** withhold sth from sb.

vorerst adv for the moment.

Vorfahr(in) m(f) ⟨-en, -en⟩ ancestor/ancestress.

vorfahren irr vi drive [on] ahead; (vors Haus etc) drive up.

Vorfahrt f right of way; **~ achten!** give way! Brit, yield! US; **Vorfahrtsregel** f right of way; **Vorfahrtsschild** nt give way sign; **Vorfahrtsstraße** f major road.

Vorfall m incident; **vorfallen** irr vi occur.

Vorfeld nt: **im ~ der Wahlen/Verhandlungen** as a run-up to the elections/in the primary stages of the negotiations.

vorfinden irr vt find.

Vorfreude f anticipation.

vorführen vt show, display; **dem Gericht ~** bring before the court.

Vorgabe f (SPORT) start, handicap.

Vorgang m course of events; (wissenschaftlich) process; **der ~ von etw** how sth happens.

Vorgänger(in) m(f) ⟨-s, -⟩ predecessor.

vorgeben irr vt pretend, use as a pretext; (SPORT) give an advantage [o start] of.

vorgefaßt adj preconceived.

vorgefertigt adj prefabricated.

Vorgefühl nt presentiment, anticipation.

vorgehen irr vi (voraus~) go [on] ahead; (nach vorn) go up front; (handeln) act, proceed; (Uhr) be fast; (Vorrang haben) take precedence; (passieren) go on; **Vorgehen** nt ⟨-s⟩ procedure.

Vorgeschmack m foretaste.

Vorgesetzte(r) mf superior.

vorgestern adv the day before yesterday.

vorgreifen irr vi anticipate, forestall.

vorhaben irr vt plan to do; **hast du schon was vor?** have you got anything on?; **Vorhaben** nt ⟨-s, -⟩ intention.

vorhalten irr **1.** vt hold [o put] up; (fig) reproach (jdm etw sb for sth); **2.** vi last; **Vorhaltung** f reproach.

vorhanden adj existing; (erhältlich) available; **Vorhandensein** nt ⟨-s⟩ existence,

presence.

Vorhang m curtain.

Vorhängeschloß nt padlock.

Vorhaut f (MED) foreskin.

vorher adv before[hand]; **vorherbestimmen** vt (Schicksal) preordain; **vorhergehen** irr vi precede; **vorherig** adj previous.

Vorherrschaft f predominance, supremacy; **vorherrschen** vi predominate.

Vorhersage f forecast; **vorhersagen** vt forecast, predict; **vorhersehbar** adj predictable; **vorhersehen** irr vt foresee.

vorhin adv not long ago, just now; **vorhinein** adv: **im ~** beforehand.

vorig adj previous, last.

Vorkehrung f precaution.

Vorkenntnisse fpl previous knowledge.

vorkommen irr vi come forward; (geschehen, sich finden) occur; (scheinen) seem [to be]; **sich dat dumm ~** feel stupid; **Vorkommen** nt ⟨-s, -⟩ occurrence; **Vorkommnis** nt occurrence.

Vorkriegs- präf prewar.

Vorladung f summons sing.

Vorlage f model, pattern; (Gesetzes~) bill; (SPORT) pass.

vorlassen irr vt admit; (vorgehen lassen) allow to go in front.

vorläufig adj temporary, provisional.

vorlaut adj impertinent, cheeky.

vorlegen vt put in front; (fig) produce, submit; **jdm etw ~** put sth before sb.

Vorleger m ⟨-s, -⟩ mat.

vorlesen irr vt read [out]; **Vorlesung** f lecture; **Vorlesungsverzeichnis** nt lecture timetable.

vorletzte(r, s) adj last but one.

Vorliebe f preference, partiality.

vorliebnehmen irr vi: **~ mit** make do with.

vorliegen irr vi be [here]; **etw liegt jdm vor** sb has sth; **vorliegend** adj present, at issue.

vormachen vt: **jdm etw ~** show sb how to do sth; (fig) fool sb, have sb on.

Vormachtstellung f supremacy, hegemony.

Vormarsch m advance.

vormerken vt make a note for; (Plätze) book.

Vormittag m morning; **vormittags** adv in the morning, before noon.

Vormund m ⟨-[e]s, -e o Vormünder⟩ guardian.

Vorname m first [o Christian] name.

vornan adv at the front.

vorn[e] adv in front; **von ~ anfangen** start at the beginning; **nach ~** to the front.

vornehm adj (von Rang) distinguished; (Benehmen) refined; (fein, elegant) elegant.

vornehmen irr vt (fig) carry out; **sich dat**

etw ~ start on sth; (*beschließen*) decide to do sth; **sich auf jdn** ~ tell sb off.

vornehmlich adv chiefly, specially.

vornherein adv: **von** ~ from the start.

Vorort m suburb; **Vorortzug** m commuter train.

Vorrang m precedence, priority; **vorrangig** adj of prime importance, primary.

Vorrat m stock, supply; **vorrätig** adj in stock; **Vorratskammer** f pantry.

Vorrecht nt privilege.

Vorrichtung f device, contrivance.

vorrücken 1. vi advance; **2.** vt move forward.

vorsagen vt recite, say out loud; (*SCH*) tell secretly, prompt.

Vorsatz m intention; (*JUR*) intent; **einen** ~ **fassen** make a resolution; **vorsätzlich** adj (*JUR*) premeditated.

Vorschau f [programme] preview; (*Film*) trailer.

vorschieben irr vt push forward; (*vor etw*) push across; (*fig*) put forward as an excuse; **jdn** ~ use sb as a front.

Vorschlag m suggestion, proposal; **vorschlagen** irr vt suggest, propose.

vorschnell adv hastily, too quickly.

vorschreiben irr vt prescribe, specify.

Vorschrift f regulation[s]; rule[s]; (*Anweisungen*) instruction[s]; **Dienst nach** ~ work-to-rule; **vorschriftsmäßig** adj as per regulations/instructions.

Vorschub m ⟨-s, Vorschübe⟩ (*INFORM: Papier*~) feed.

Vorschuß m advance.

vorschweben vi: **jdm schwebt etw vor** sb has sth in mind.

vorsehen 1. vt provide for, plan; **2.** vr: **sich** ~ take care, be careful; **3.** vi be visible; **Vorsehung** f providence.

vorsetzen vt move forward; (*vor etw*) put in front; (*anbieten*) offer.

Vorsicht f caution, care; **~!** look out!, take care!; (*auf Schildern*) caution!, danger!; ~ **Stufe!** mind the step!; **vorsichtig** adj cautious, careful; **vorsichtshalber** adv just in case; **Vorsichtsmaßnahme** f precaution.

Vorsilbe f prefix.

Vorsitz m chair[manship]; **Vorsitzende(r)** mf chairperson.

Vorsorge f precaution[s], provision[s]; (*Vorbeugung*) prevention; **vorsorgen** vi: ~ **für** make provision[s] for; **Vorsorgeuntersuchung** f medical check up; **vorsorglich** adv as a precaution.

Vorspeise f hors d'oeuvre, appetizer.

Vorspiel nt prelude.

vorsprechen irr **1.** vt say out loud, recite; **2.** vi: **bei jdm** ~ call on sb.

Vorsprung m projection, ledge; (*fig*) advantage, start.

Vorstadt f suburbs pl.

Vorstand m executive committee; (*WIRTS*) board [of directors]; (*Mensch*) director, head.

vorstehen irr vi project; **einer Sache** dat ~ (*fig*) be the head of sth.

vorstellbar adj conceivable; **vorstellen** vt put forward; (*vor etw*) put in front; (*bekannt machen*) introduce; (*darstellen*) represent; **sich** dat **etw** ~ imagine sth; **Vorstellung** f (*Bekanntmachen*) introduction; (*THEAT*) performance; (*Gedanke*) idea, thought; **Vorstellungsgespräch** nt interview.

Vorstoß m advance.

Vorstrafe f previous conviction.

vorstrecken vt stretch out; (*Geld*) advance.

Vorstufe f first step[s].

Vortag m day before (*einer Sache* sth).

vortäuschen vt feign, pretend.

Vorteil m ⟨-s, -e⟩ advantage (*gegenüber* over); **im** ~ **sein** have the advantage; **vorteilhaft** adj advantageous.

Vortrag m ⟨-[e]s, Vorträge⟩ talk, lecture; (~*sart*) delivery, rendering; (*WIRTS*) balance carried forward; **vortragen** irr vt carry forward; (*a. fig*) recite; (*Rede*) deliver; (*Meinung*) express.

vortrefflich adj excellent.

vortreten irr vi step forward; (*Augen etc*) protrude.

vorüber adv past, over; **vorübergehen** irr vi pass [by]; ~ **an** +dat (*fig*) pass over; **vorübergehend** adj temporary, passing.

Vorurteil nt prejudice.

Vorverkauf m advance booking.

Vorwahl f preliminary election; (*TEL*) dialling code, aera code *US*.

Vorwand m ⟨-[e]s, Vorwände⟩ pretext.

vorwärts adv forward; **Vorwärtsgang** m (*AUTO*) forward gear; **vorwärtsgehen** irr vi progress; **vorwärtskommen** irr vi get on, make progress.

vorweg adv in advance; **Vorwegnahme** f ⟨-, -n⟩ anticipation; **vorwegnehmen** irr vt anticipate.

vorweisen irr vt show, produce.

vorwerfen irr vt: **jdm etw** ~ reproach sb for sth, accuse sb of sth; **ich habe mir nichts vorzuwerfen** I've done nothing wrong.

vorwiegend adj, adv predominant[ly].

Vorwitz m check; **vorwitzig** adj saucy, cheeky.

Vorwort nt preface.

Vorwurf m reproach; **jdm/sich Vorwürfe machen** reproach sb/oneself; **vorwurfsvoll** adj reproachful.

Vorzeichen nt omen.

vorzeigen vt show, produce.

vorzeitig adj premature.

vorziehen irr vt pull forward; (Gardinen) draw; (lieber haben) prefer.

Vorzug m preference; (gute Eigenschaft) merit, good quality; (Vorteil) advantage; (EISENB) relief train.

vorzüglich adj excellent, first-rate.

vulgär adj vulgar.

Vulkan m ⟨-s, -e⟩ volcano; **vulkanisieren** vt vulcanize.

W

W, w nt W, w.

Waage f ⟨-, -n⟩ scales pl; (ASTR) Libra; **waagerecht** adj horizontal.

wabb|e|lig adj wobbly.

Wabe f ⟨-, -n⟩ honeycomb.

wach adj awake; (fig) alert; **Wache** f ⟨-, -n⟩ guard, watch; ~ **halten** keep watch; ~ **stehen** stand guard; **wachen** vi be awake; (Wache halten) guard.

Wacholder m ⟨-s, -⟩ juniper.

Wachs nt ⟨-es, -e⟩ wax.

wachsam adj watchful, vigilant; **Wachsamkeit** f vigilance.

wachsen 1. ⟨wuchs, gewachsen⟩ vi grow; **2.** vt (Skier) wax.

Wachstuch nt oilcloth.

Wachstum nt ⟨-s⟩ growth.

Wächter(in) m(f) ⟨-s, -⟩ guard, warder/ wardress; (Parkplatz~) attendant.

Wachtmeister(in) m(f) officer; **Wachtposten** m guard, sentry.

wackelig adj shaky, wobbly; **Wackelkontakt** m loose connection; **wackeln** vi shake; (fig) be shaky.

wacker 1. adj valiant, stout; **2.** adv well, bravely.

Wade f ⟨-, -n⟩ (ANAT) calf.

Waffe f ⟨-, -n⟩ weapon.

Waffel f ⟨-, -n⟩ waffle; (Keks, Eis~) wafer.

Waffenschein m gun licence; **Waffenstillstand** m armistice, truce.

Wagemut m daring.

wagen vt venture, dare.

Wagen m ⟨-s, -⟩ vehicle; (AUTO) car; (EISENB) carriage; (Pferde~) cart; **Wagenführer(in)** m(f) driver; **Wagenheber** m ⟨-s, -⟩ jack; **Wagenrücklauf** m carriage return.

Waggon m ⟨-s, -s⟩ carriage; (Güter~) goods van, freight truck US.

waghalsig adj foolhardy.

Wagnis nt risk.

Wahl f ⟨-, -en⟩ choice; (POL) election; **zweite**

~ seconds pl.

wählbar adj eligible; **wahlberechtigt** adj entitled to vote; **Wahlbeteiligung** f (electoral) turn-out; **wählen** vt, vi choose; (POL) elect, vote [for]; (TEL) dial; **Wähler(in)** m(f) ⟨-s, -⟩ voter; **wählerisch** adj fastidious, particular; **Wählerschaft** f electorate.

Wahlfach nt optional subject; **Wahlgang** m ballot; **Wahlkabine** f polling booth; **Wahlkampf** m election campaign; **Wahlkreis** m constituency; **Wahllokal** nt polling station; **wahllos** adv at random; **Wahlrecht** nt franchise; **Wahlspruch** m motto; **Wahlurne** f ballot box; **wahlweise** adv alternatively.

Wahn m ⟨-[e]s⟩ delusion; **Wahnsinn** m madness; **wahnsinnig 1.** adj insane, mad; **2.** adv (umg) incredibly.

wahr adj true.

wahren vt maintain, keep.

während 1. präp +gen during; **2.** konj while; **währenddessen** adv meanwhile.

wahrhaben irr vt: **etw nicht ~ wollen** refuse to admit sth.

wahrhaftig 1. adj true, real; **2.** adv really.

Wahrheit f truth.

wahrnehmen irr vt perceive, observe; **Wahrnehmung** f perception.

wahrsagen vi prophesy, tell fortunes; **Wahrsager(in)** m(f) ⟨-s, -⟩ fortune teller.

wahrscheinlich 1. adj probable; **2.** adv probably; **Wahrscheinlichkeit** f probability; **aller ~ nach** in all probability.

Währung f currency.

Wahrzeichen nt emblem.

Waise f ⟨-, -n⟩ orphan; **Waisenhaus** nt orphanage; **Waisenkind** nt orphan.

Wal m ⟨-[e]s, -e⟩ whale.

Wald m ⟨-[e]s, Wälder⟩ wood[s]; (groß) forest; **waldig** adj wooded; **Waldsterben** nt dying of the forests.

Wales nt Wales.

Walfisch m whale.

Waliser(in) m(f) ⟨-s, -⟩ Welshman/Welshwoman; **die ~** pl the Welsh pl; **walisisch** adj Welsh.

Walkie-talkie nt ⟨-[s], -s⟩ walkie-talkie.

Walkman® m ⟨-s, -s⟩ walkman®, personal stereo.

Wall m ⟨-[e]s, Wälle⟩ embankment; (Bollwerk) rampart.

wallfahren vi go on a pilgrimage; **Wallfahrer(in)** m(f) pilgrim; **Wallfahrt** f pilgrimage.

Walnuß f walnut.

Walroß nt walrus.

Walze f ⟨-, -n⟩ (Gerät) cylinder; (Fahrzeug) roller; **walzen** vt roll [out].

wälzen 1. vt roll [over]; (Bücher) pore over;

(*Probleme*) deliberate on; **2.** *vr:* **sich ~** wallow; (*vor Schmerzen*) roll about; (*im Bett*) toss and turn.

Walzer *m* ⟨-s, -⟩ waltz.

Wälzer *m* ⟨-s, -⟩ (*umg*) tome.

wand *imperf von* **winden**.

Wand *f* ⟨-, Wände⟩ wall; (*Trenn~*) partition; (*Berg~*) [rock] face.

Wandel *m* ⟨-s⟩ change; **wandelbar** *adj* changeable, variable; **wandeln 1.** *vt, vr:* **sich ~** change; **2.** *vi* (*gehen*) walk.

Wanderausstellung *f* touring exhibition; **Wanderer** *m* ⟨-s, -⟩ hiker, rambler; **wandern** *vi* hike; (*Blick*) wander; (*Gedanken*) stray; **Wanderschaft** *f* travelling; **Wanderung** *f* walking tour, hike.

Wandlung *f* change, transformation; (*REL*) transubstantiation.

Wand[r]erin *f* hiker, rambler.

Wandschrank *m* cupboard.

wandte *imperf von* **wenden**.

Wandteppich *m* tapestry.

Wange *f* ⟨-, -n⟩ cheek.

wankelmütig *adj* vacillating, inconstant.

wanken *vi* stagger; (*fig*) waver.

wann *adv* when.

Wanne *f* ⟨-, -n⟩ [bath] tub.

Wanze *f* ⟨-, -n⟩ bug.

Wappen *nt* ⟨-s, -⟩ coat of arms, crest; **Wappenkunde** *f* heraldry.

war *imperf von* **sein**.

warb *imperf von* **werben**.

Ware *f* ⟨-, -n⟩ ware; **Warenhaus** *nt* department store; **Warenlager** *nt* stock, store; **Warenprobe** *f* sample; **Warenzeichen** *nt* trademark.

warf *imperf von* **werfen**.

warm *adj* warm; (*Essen*) hot.

Wärme *f* ⟨-, -n⟩ warmth; **Wärmedämmung** *f* insulation; **wärmen** *vt, vr:* **sich ~** warm, heat; **Wärmepumpe** *f* heat pump; **Wärmetauscher** *m* ⟨-s, -⟩ heat exchanger; **Wärmflasche** *f* hot-water bottle.

Warmfront *f* (*METEO*) warm front; **warmherzig** *adj* warm-hearted; **warmlaufen** *irr vi* (*AUTO*) warm up; **Warmstart** *m* (*INFORM*) warm start; **Warmwassertank** *m* hot-water tank.

Warndreieck *nt* (*AUTO*) warning triangle; **warnen** *vt* warn; **Warnlichtanlage** *f* hazard warning lights *pl*; **Warnstreik** *m* token strike; **Warnung** *f* warning.

warten 1. *vi* wait (*auf +akk* for); **2.** *vt* (*TECH*) maintain, service; **auf sich ~ lassen** take a long time.

Wärter(in) *m(f)* ⟨-s, -⟩ attendant.

Wartesaal *m* (*EISENB*) waiting room; **Wartezimmer** *nt* waiting room.

Wartung *f* servicing; service.

warum *adv* why.

Warze *f* ⟨-, -n⟩ wart.

was *pron* what; (*umg: etwas*) something.

waschbar *adj* washable; **Waschbecken** *nt* washbasin.

Wäsche *f* ⟨-, -n⟩ wash[ing]; (*Bett~*) linen; (*Unter~*) underclothing.

waschecht *adj* colourfast; (*fig*) genuine.

Wäscheklammer *f* clothes peg, clothespin *US*; **Wäscheleine** *f* washing line.

waschen (*wusch, gewaschen*) **1.** *vt, vi* wash; **2.** *vr:* **sich ~** [have a] wash; **sich *dat* die Hände waschen** wash one's hands; **Waschen und Legen** shampoo and set.

Wäscherei *f* laundry; **Wäscheschleuder** *f* spin-drier; **Wäschetrockner** *m* ⟨-s, -⟩ tumble-drier.

Waschküche *f* laundry room; **Waschlappen** *m* flannel, washcloth *US*; (*umg: Feigling*) sissy; **Waschmaschine** *f* washing machine; **Waschmittel** *nt*, **Waschpulver** *nt* detergent, washing powder; **Waschtisch** *m* washhand basin.

Wasser *nt* ⟨-s, -⟩ water; **wasserdicht** *adj* watertight, waterproof; **Wasserfall** *m* waterfall; **Wasserfarbe** *f* watercolour; **wassergekühlt** *adj* (*AUTO*) water-cooled; **Wasserhahn** *m* tap, faucet *US*.

wässerig *adj* watery.

Wasserkraftwerk *nt* hydroelectric power station; **Wasserleitung** *f* water pipe; **Wassermann** *m* (*ASTR*) Aquarius; **Wassermelone** *f* water melon.

wassern *vi* land on the water; (*Raumschiff*) splash down.

wässern *vt, vi* water.

wasserscheu *adj* afraid of the water; **Wasserschi** *nt* water-skiing; **Wasserstand** *m* water level; **Wasserstoff** *m* hydrogen; **Wasserstoffbombe** *f* hydrogen bomb; **Wasserversorgung** *f* water supply; **Wasserwaage** *f* spirit level; **Wasserwelle** *f* shampoo and set; **Wasserwerfer** *m* water cannon; **Wasserzeichen** *nt* watermark.

wäßrig *adj* watery; (*CHEM*) aqueous.

waten *vi* wade.

watscheln *vi* waddle.

Watt 1. *nt* ⟨-[e]s, -en⟩ mud flats *pl*; **2.** *nt* ⟨-s, -⟩ (*ELEK*) watt.

Watte *f* ⟨-, -n⟩ cotton wool, absorbent cotton *US*; **wattieren** *vt* pad.

weben ⟨webte *o* wob, gewebt *o* gewoben⟩ *vt* weave; **Weber(in)** *m(f)* ⟨-s, -⟩ weaver; **Weberei** *f* (*Betrieb*) weaving mill; **Webstuhl** *m* loom.

Wechsel *m* ⟨-s, -⟩ change; (*WIRTS*) bill of exchange; **Wechselbeziehung** *f* correlation; **Wechselgeld** *nt* change; **wechselhaft** *adj* (*Wetter*) variable; **Wechseljahre** *pl* menopause, change of life; **Wechsel-**

kurs m rate of exchange, exchange rate; **wechseln 1.** vt change; (Blicke) exchange; **2.** vi change; (unterschiedlich sein) vary; (Geld ~) have change; **Wechselstrom** m alternating current; **Wechselwirkung** f interaction.

wecken vt wake [up].

Wecker m ‹-s, -› alarm clock.

wedeln vi (mit Schwanz) wag; (mit Fächer) fan; (SKI) wedel.

weder konj neither; ~ ... noch ... neither ... nor ...

weg adv away, off; über etw akk ~ sein be over sth; **er war schon** ~ he had already left; **Finger** ~! hands off!

Weg m ‹-[e]s, -e› way; (Pfad) path; (Route) route; **sich auf den** ~ **machen** be on one's way; **jdm aus dem** ~ **gehen** keep out of sb's way.

wegbleiben irr vi stay away.

wegen präp +gen o dat because of.

wegfahren irr vi drive away; leave; **wegfallen** irr vi (überflüssig werden) become no longer necessary; (Ferien, Bezahlung) be cancelled; (Regelung) cease to apply; **weggehen** irr vi go away; leave; **weglassen** irr vt leave out; **weglaufen** irr vi run away, run off; **weglegen** vt put aside; **wegmachen** vt (umg) get rid of; **wegmüssen** irr vi (umg) have to go; **wegnehmen** irr vt take away; **wegrationalisieren** vt cut as part of rationalisation measures; **wegräumen** vt clear away; **wegschaffen** vt get rid of; (wegräumen) clear away; (wegtragen, wegfahren) remove; (Arbeit) get done; **wegschnappen** vt snatch away (jdm etw sth from sb); **wegtun** irr vt put away.

Wegweiser m ‹-s, -› road sign, signpost.

wegwerfen irr vt throw away; **wegwerfend** adj disparaging; **Wegwerfgesellschaft** f throwaway society.

wegziehen irr vi move away.

weh adj sore; ~ **tun** hurt, be sore; **jdm/sich** ~ **tun** hurt sb/oneself.

weh[e] interj: ~[e], **wenn du ...** you'll be sorry if ...; **o** ~! oh dear!

Wehe f ‹-, -n› drift; **~n** pl (MED) labour pains pl.

wehen vt, vi blow; (Fahnen) flutter.

wehklagen vi wail; **wehleidig** adj whiny, whining; **Wehmut** f ‹-› melancholy; **wehmütig** adj melancholy.

Wehr 1. nt ‹-[e]s, -e› weir; **2.** f: **sich zur** ~ **setzen** defend oneself.

Wehrdienst m military service; **Wehrdienstverweigerer** m ‹-s, -› conscientious objector.

wehren vr: **sich** ~ defend oneself.

wehrlos adj defenceless.

Wehrpflicht f compulsory military service; **wehrpflichtig** adj liable for military service.

Weib nt ‹-[e]s, -er› woman, female; **Weibchen** nt (ZOOL) female; (pej) dumb female; **weibisch** adj effeminate; **weiblich** adj feminine.

weich adj soft.

Weiche f ‹-, -n› (EISENB) points pl.

weichen ‹wich, gewichen› vi yield, give way.

Weichheit f softness; **weichlich** adj soft, namby-pamby; **Weichling** m weakling; **Weichspüler** m ‹-s, -› (für Wäsche) [fabric] softener, conditioner.

Weide f ‹-, -n› (Baum) willow; (Gras) pasture; **weiden 1.** vi graze; **2.** vr: **sich an etw** dat ~ delight in sth.

weidlich adv thoroughly.

weigern vr: **sich** ~ refuse; **Weigerung** f refusal.

Weihe f ‹-, -n› consecration; (Priester~) ordination; **weihen** vt consecrate; (Priester) ordain.

Weiher m ‹-s, -› pond.

Weihnacht f ‹-›, **Weihnachten** nt ‹-, -› Christmas; **weihnachtlich** adj Christmas, festive; **Weihnachtsabend** m Christmas Eve; **Weihnachtslied** nt Christmas carol; **Weihnachtsmann** m ‹Weihnachtsmänner pl› Father Christmas, Santa Claus; **Weihnachtstag** m: **zweiter** ~ Boxing Day.

Weihrauch m incense; **Weihwasser** nt holy water.

weil konj because.

Weile f ‹-› while, short time.

Wein m ‹-[e]s, -e› wine; (Pflanze) vine; **Weinbau** m wine-growing, viniculture; **Weinbeere** f grape; **Weinberg** m vineyard; **Weinbergschnecke** f snail; (auf Speisekarte) escargot; **Weinbrand** m brandy.

weinen vt, vi cry; **das ist zum Weinen** it's enough to make you cry [o weep]; **weinerlich** adj tearful.

Weingeist m [ethyl] alcohol; **Weinlese** f vintage; **Weinprobe** f wine-tasting; **Weinrebe** f vine; **Weinstein** m tartar; **Weinstock** m vine; **Weintraube** f grape.

weise adj wise; **Weise(r)** mf wise old man/woman, sage.

Weise f ‹-, -n› manner, way; (Lied) tune; **auf diese** ~ in this way.

weisen ‹wies, gewiesen› vt show.

Weisheit f wisdom; **Weisheitszahn** m wisdom tooth.

weiß adj white; **Weißblech** nt tinplate; **Weißbrot** nt white bread; **weißen** vt whitewash; **Weißglut** f (TECH) incandescence; **jdn bis zur ~ bringen** make sb see red; **Weißkohl** *m* [white] cabbage; **Weißrußland** *nt* White Russia; **Weißwein** *m* white wine.

Weisung *f* instruction.

weit 1. *adj* wide; (*Begriff*) broad; (*Reise, Wurf*) long; **2.** *adv* far; **wie ~ ist es …?** how far is it …?; **in ~er Ferne** in the far distance; **das geht zu ~** that's going too far; **weitaus** *adv* by far; **Weitblick** *m* (*fig*) far-sightedness; **weitblickend** *adj* far-seeing; **Weite** *f* ⟨-, -n⟩ width; (*Raum*) space; (*von Entfernung*) distance; **weiten** *vt, vr:* **sich ~** widen.

weiter 1. *adj* wider; broader; farther [away]; (*zusätzlich*) further; **2.** *adv* further; **ohne ~es** without further ado; just like that; **~ nichts/niemand** nothing/nobody else; **weiterarbeiten** *vi* go on working; **weiterbilden** *vr:* **sich ~** continue one's education; **Weiterbildung** *f* further education [o training]; (*beruflich*) further training; **weiterempfehlen** *irr vt* recommend [to others]; **Weiterfahrt** *f* continuation of the journey; **weitergehen** *irr vi* go on; **weiterhin** *adv:* **etw ~ tun** go on doing sth; **weiterleiten** *vt* pass on; **weitermachen** *vt, vi* continue; **weiterreisen** *vi* continue one's journey.

weitgehend 1. *adj* considerable; **2.** *adv* largely; **weitläufig** *adj* (*Gebäude*) spacious; (*Erklärung*) lengthy; (*Verwandter*) distant; **weitschweifig** *adj* long-winded; **weitsichtig** *adj* long-sighted; (*fig*) far-sighted; **Weitsprung** *m* long jump; **weitverbreitet** *adj* widespread; **Weitwinkelobjektiv** *nt* (*FOTO*) wide-angle lens.

Weizen *m* ⟨-s, -⟩ wheat.

welch *pron:* **~ ein(e) …** what a …; **welche** *pron* (*umg: einige*) some; **welche(r, s) 1.** *pron* (*für Personen*) who; (*für Sachen*) which; **2.** *pron* (*interrogativ, adjektivisch*) which; (*substantivisch*) which one.

welk *adj* withered; **welken** *vi* wither.

Wellblech *nt* corrugated iron.

Welle *f* ⟨-, -n⟩ wave; (*TECH*) shaft; **Wellenbereich** *m* waveband; **Wellenbrecher** *m* ⟨-s, -⟩ breakwater; **Wellenlänge** *f* (*a. fig*) wavelength; **Wellenlinie** *f* wavy line.

Wellensittich *m* ⟨-s, -e⟩ budgerigar.

Wellpappe *f* corrugated cardboard.

Welt *f* ⟨-, -en⟩ world; **Weltall** *nt* universe; **Weltanschauung** *f* philosophy of life; **weltberühmt** *adj* world-famous; **weltfremd** *adj* unworldly; **Weltkrieg** *m* world war; **weltlich** *adj* worldly; (*nicht kirchlich*) secular; **Weltmacht** *f* world power; **weltmännisch** *adj* sophisticated; **Weltmeister(in)** *m(f)* world champion; **Weltmeisterschaft** *f* world championship;

Weltraum *m* space; **Weltraumrüstung** *f* space armament; **Weltraumwaffe** *f* space weapon; **Weltreise** *f* trip round the world; **Weltrekord** *m* world record; **Weltstadt** *f* metropolis; **weltweit** *adj* world-wide; **Weltwunder** *nt* wonder of the world.

wem *pron dat von* **wer** [to] whom.

wen *pron akk von* **wer** whom.

Wende *f* ⟨-, -n⟩ turn; (*HIST*) political change in East Germany; (*Veränderung*) change; **Wendekreis** *m* (*GEO*) tropic; (*AUTO*) turning circle.

Wendeltreppe *f* spiral staircase.

wenden ⟨wandte o wendete, gewandt⟩ *vt, vi, vr:* **sich ~** turn; **sich an jdn ~** go/come to sb; **Wendepunkt** *m* turning point; **Wendung** *f* turn; (*Rede~*) idiom.

wenig *adj, adv* little; **wenige** *pron pl* few *pl;* **Wenigkeit** *f* trifle; **meine ~** yours truly, little me; **wenigste(r, s)** *adj* least; **wenigstens** *adv* at least.

wenn *konj* if; (*zeitlich*) when; **~ auch …** even if …; **~ ich doch …** if only I …; **wennschon** *adv:* **na ~** so what?; **~, dennschon!** if a thing's worth doing, it's worth doing properly.

wer *pron* who.

Werbefernsehen *nt* commercial television; **Werbekampagne** *f* advertising campaign; **werben** ⟨warb, geworben⟩ **1.** *vt* win; (*Mitglied*) recruit; **2.** *vi* advertise; **um jdn/etw ~** try to win sb/sth; **für jdn/etw ~** promote sb/sth; **Werbespot** *m* commercial; **werbewirksam** *adj* effective; **Werbung** *f* advertising; (*von Mitgliedern*) recruitment; (*von Kunden*) winning, attracting; (*um Mädchen*) courting; **für etw ~ machen** advertise sth.

Werdegang *m* development; (*beruflich*) career.

werden ⟨wurde, geworden⟩ **1.** *vi* become; **2.** *Hilfsverb* (*Futur*) shall, will; (*Passiv*) be; **was ist aus ihm/aus der Sache geworden?** what became of him/it?; **es ist nichts/gut geworden** it came to nothing/turned out well; **mir wird kalt** I'm getting cold; **das muß anders ~** that will have to change; **zu Eis ~** turn to ice.

werfen ⟨warf, geworfen⟩ *vt* throw.

Werft *f* ⟨-, -en⟩ shipyard, dockyard.

Werk *nt* ⟨-[e]s, -e⟩ work; (*Tätigkeit*) job; (*Fabrik*) factory; (*Mechanismus*) works *pl;* **ans ~ gehen** set to work; **Werkstatt** *f* ⟨-, Werkstätten⟩ workshop; (*AUTO*) garage; **Werktag** *m* working day; **werktags** *adv* on working days; **Werkzeug** *nt* tool; **Werkzeugschrank** *m* tool chest.

Wermut *m* ⟨-[e]s⟩ (*BOT*) wormwood; (*Wein*) vermouth.

wert *adj* worth; (*geschätzt*) dear; **das ist nichts/viel** ~ it's not worth anything/it's worth a lot; **das ist es/er mir** ~ it's/he's worth that to me.

Wert *m* ⟨-[e]s, -e⟩ worth; (*FIN*) value; (*Zahlen*~) value; ~ **legen auf** +*akk* attach importance to; **es hat doch keinen** ~ it's useless; **Wertangabe** *f* declaration of value.

werten *vt* rate.

Wertgegenstand *m* article of value; **wertlos** *adj* worthless; **Wertlosigkeit** *f* worthlessness; **Wertpapier** *nt* security; **Wertsachen** *pl* valuables *pl*; **Wertstoff** *m* recyclable material; **wertvoll** *adj* valuable; **Wertzuwachs** *m* appreciation.

Wesen *nt* ⟨-s, -⟩ being; (*Natur, Charakter*) nature.

wesentlich *adj* significant; (*beträchtlich*) considerable.

weshalb *adv* why.

Wespe *f* ⟨-, -n⟩ wasp.

wessen *pron gen von* **wer** whose.

Weste *f* ⟨-, -n⟩ waist coat, vest *US*; (*Woll*~) cardigan.

Westen *m* ⟨-s⟩ west; (*von Land*) West; **westlich 1.** *adj* western; (*Kurs, Richtung*) westerly; **2.** *adv* [to the] west; ~ **von Ulm** west of Ulm.

weswegen *adv* why.

wett *adj* even; **Wettbewerb** *m* competition; **Wettbewerbsfähigkeit** *f* competitiveness; **Wette** *f* ⟨-, -n⟩ bet, wager; **Wetteifer** *m* rivalry; **wetten** *vt, vi* bet.

Wetter *nt* ⟨-s, -⟩ weather; **Wetterbericht** *m* weather report; **Wetterdienst** *m* meteorological service; **wetterfühlig** *adj* sensitive to changes in the weather; **Wetterlage** *f* [weather] situation; **Wettervorhersage** *f* weather forecast; **Wetterwarte** *f* ⟨-, -n⟩ weather station; **wetterwendisch** *adj* capricious, moody.

Wettkampf *m* contest; **Wettlauf** *m* race; **wettlaufen** *irr vi* race; **wettmachen** *vt* make good; **Wettstreit** *m* contest.

wetzen 1. *vt* sharpen. **2.** *vi* (*umg*) dash.

WG *f* ⟨-, -s⟩ *abk von* **Wohngemeinschaft**.

Whirlpool *m* ⟨-s, -s⟩ whirlpool.

wich *imperf von* **weichen**.

Wicht *m* ⟨-[e]s, -e⟩ (*Kobold*) goblin; (*Kind*) [little] creature.

wichtig *adj* important; **Wichtigkeit** *f* importance.

wickeln *vt* wind; (*Haare*) set; (*Kind*) change; **jdn/etw in etw** *akk* ~ wrap sb/sth in sth.

Widder *m* ⟨-s, -⟩ (*ZOOL*) ram; (*ASTR*) Aries *sing*.

wider *präp* +*akk* against; **widerfahren** *irr vi* happen (*jdm* to sb); **widerlegen** *vt* refute.

widerlich *adj* disgusting, repulsive; **Widerlichkeit** *f* repulsiveness.

widerrechtlich *adj* unlawful.

Widerrede *f* contradiction.

Widerruf *m* retraction; revocation; countermanding; **widerrufen** *irr vt* retract; (*Anordnung*) revoke; (*Befehl*) countermand.

widersetzen *vr*: **sich** ~ oppose (*jdm/etw* sb/sth).

widerspenstig *adj* wilful, unruly; **Widerspenstigkeit** *f* wilfulness, unruliness.

widerspiegeln *vt* reflect.

widersprechen *irr vi* contradict (*jdm* sb); **widersprechend** *adj* contradictory; **Widerspruch** *m* contradiction; **widerspruchslos** *adv* without arguing.

Widerstand *m* resistance; **Widerstandsbewegung** *f* resistance [movement]; **widerstandsfähig** *adj* resistant, tough; **widerstandslos** *adj* unresisting.

widerstehen *irr vi* withstand (*jdm/etw* sth).

widerwärtig *adj* nasty, horrid.

Widerwille *m* aversion (*gegen* to); **widerwillig** *adj* unwilling, reluctant.

widmen *vt* dedicate; *vr*: **sich** ~ devote [oneself]; **Widmung** *f* dedication.

widrig *adj* (*Umstände*) adverse; (*Mensch*) repulsive.

wie 1. *adv* how; **2.** *konj* as I said; [so] **schön** ~ ... as beautiful as ...; ~ **du** like you; **singen** ~ ... sing like a ...

wieder *adv* again; ~ **da sein** be back [again]; **gehst du schon** ~? are you off again?; ~ **ein(e)** ... another ...

wiederaufarbeiten *vt* reprocess; **Wiederaufarbeitung** *f* reprocessing; **Wiederaufarbeitungsanlage** *f* reprocessing plant.

Wiederaufbau *m* rebuilding.

Wiederaufnahme *f* resumption; **wiederaufnehmen** *irr vt* resume.

wiederbekommen *irr vt* get back.

wiedererkennen *irr vt* recognize.

Wiedergabe *f* reproduction; **wiedergeben** *irr vt* (*zurückgeben*) return; (*Erzählung etc*) repeat; (*Gefühle etc*) convey.

wiedergutmachen *vt* make up for; (*Fehler*) put right; **Wiedergutmachung** *f* reparation.

wiederherstellen *vt* restore; **Wiederherstellung** *f* restoration.

wiederholen *vt* repeat; **wiederholt** *adj* repeated; **Wiederholung** *f* repetition.

Wiederhören *nt*: **auf** ~ (*TEL*) goodbye.

Wiederkehr *f* ⟨-⟩ return; (*von Vorfall*) repetition, recurrence.

wiedersehen *irr vt* see again; **auf Wiedersehen** goodbye.

wiederum *adv* again; (*andererseits*) on the other hand.

wiedervereinigen *vt* reunite; **Wiedervereinigung** *f* reunification.

Wiederwahl *f* re-election.

Wiege *f* ⟨-, -n⟩ cradle; **wiegen 1.** *vt* (*schaukeln*) rock; **2.** ⟨*wog, gewogen*⟩ *vt, vi* (*Gewicht*) weigh; **Wiegenfest** *nt* birthday.

wiehern *vi* neigh, whinny.

Wien *nt* Vienna.

wies *imperf von* **weisen**.

Wiese *f* ⟨-, -n⟩ meadow.

Wiesel *nt* ⟨-s, -⟩ weasel.

wieso *adv* why.

wieviel *adv* how much; **∼ Menschen** how many people; **wievielmal** *adv* how often; **wievielte(r, s)** *adj:* **zum ∼n Mal?** how many times?; **den Wievielten haben wir?** what's the date?; **an ∼r Stelle?** in what place?; **der ∼ Besucher war er?** how many visitors were there before him?

wieweit *adv* to what extent.

wild *adj* wild.

Wild *nt* ⟨-[e]s⟩ game.

wildern *vi* poach.

wildfremd *adj* (*umg*) quite strange [*o* unknown]; **Wildheit** *f* wildness; **Wildleder** *nt* suede.

Wildnis *f* wilderness.

Wildschwein *nt* [wild] boar.

Wille *m* ⟨-ns, -n⟩ will.

willen *präp +gen:* **um ... ∼** for the sake of ...

willenlos *adj* weak-willed; **willensstark** *adj* strong-willed.

willig *adj* willing.

willkommen *adj* welcome; **jdn ∼ heißen** welcome sb; **Willkommen** *nt* ⟨-s, -⟩ welcome.

willkürlich *adj* arbitrary; (*Bewegung*) voluntary.

wimmeln *vi* swarm (*von* with).

wimmern *vi* whimper.

Wimper *f* ⟨-, -n⟩ eyelash; **Wimperntusche** *f* mascara.

Wind *m* ⟨-[e]s, -e⟩ wind; **Windbeutel** *m* cream puff; (*fig*) windbag.

Winde *f* ⟨-, -n⟩ (*TECH*) winch, windlass; (*BOT*) bindweed.

Windel *f* ⟨-, -n⟩ nappy, diaper *US*.

winden 1. *vi unpers* be windy; **2.** ⟨*wand, gewunden*⟩ *vt* wind; (*Kranz*) weave; (*ent∼*) twist; **3.** *vr:* **sich ∼** wind; (*Mensch*) writhe.

Windhose *f* whirlwind; **Windhund** *m* greyhound; (*pej: Mensch*) fly-by-night; **windig** *adj* windy; (*fig*) dubious; **Windmühle** *f* windmill; **Windpocken** *pl* chickenpox; **Windschutzscheibe** *f* (*AUTO*) windscreen, windshield *US*; **Windstärke** *f* wind force; **Windstille** *f* calm; **Windstoß**

m gust of wind; **Windsurfbrett** *nt* windsurfer, surfboard; **Windsurfen** *nt* windsurfing; **Windsurfer(in)** *m(f)* wind surfer.

Wink *m* ⟨-[e]s, -e⟩ hint; (*mit Kopf*) nod; (*mit Hand*) wave.

Winkel *m* ⟨-s, -⟩ (*MATH*) angle; (*Gerät*) set square; (*in Raum*) corner.

winken *vt, vi* wave.

winseln *vi* whine.

Winter *m* ⟨-s, -⟩ winter; **im ∼** in winter; **winterlich** *adj* wintry; **Winterreifen** *m* winter tyre; **Winterschlaf** *m* hibernation; **Wintersport** *m* winter sports *pl*.

Winzer(in) *m(f)* ⟨-s, -⟩ wine-grower.

winzig *adj* tiny.

Wipfel *m* ⟨-s, -⟩ treetop.

wir *pron* we; **∼ alle** all of us, we all.

Wirbel *m* ⟨-s, -⟩ whirl, swirl; (*Trubel*) hurlyburly; (*Aufsehen*) fuss; (*ANAT*) vertebra; **wirbeln** *vi* whirl, swirl; **Wirbelsäule** *f* spine; **Wirbeltier** *nt* vertebrate; **Wirbelwind** *m* whirlwind.

wirken 1. *vi* have an effect; (*erfolgreich sein*) work; (*scheinen*) seem; **2.** *vt* (*Wunder*) work.

wirklich *adj* real; **Wirklichkeit** *f* reality.

wirksam *adj* effective; **Wirksamkeit** *f* effectiveness, efficacy.

Wirkung *f* effect; **wirkungslos** *adj* ineffective; **∼ bleiben** have no effect; **wirkungsvoll** *adj* effective.

wirr *adj* confused, wild; **Wirren** *pl* disturbances *pl*; **Wirrwarr** *m* ⟨-s⟩ disorder, chaos.

Wirsing[kohl] *m* ⟨-s⟩ savoy cabbage.

Wirt *m* ⟨-[e]s, -e⟩ landlord; **Wirtin** *f* landlady.

Wirtschaft *f* (*Gaststätte*) pub; (*Haushalt*) housekeeping; (*eines Landes*) economy; (*umg: Durcheinander*) mess; **wirtschaftlich** *adj* economical; (*POL*) economic; **Wirtschaftlichkeit** *f* economic viability; **Wirtschaftsflüchtling** *m* economic refugee; **Wirtschaftskriminalität** *f* white collar crimes *pl*; **Wirtschaftskrise** *f* economic crisis; **Wirtschaftsministerium** *nt* ministry of economic affairs; **Wirtschaftspolitik** *f* economic policy; **Wirtschaftsprüfer(in)** *m(f)* chartered accountant, auditor; **Wirtschaftsunion** *f* economic union; **Wirtschaftswissenschaft** *f* economics; **Wirtschaftswunder** *nt* economic miracle.

Wirtshaus *nt* inn.

Wisch *m* ⟨-[e]s, -e⟩ scrap of paper.

wischen *vt* wipe; **Wischer** *m* ⟨-s, -⟩ (*AUTO*) wiper.

wispern *vt, vi* whisper.

Wißbegier[de] *f* thirst for knowledge; **wißbegierig** *adj* inquisitive, eager for knowledge.

wissen ⟨*wußte, gewußt*⟩ *vt* know; **Wissen**

nt ⟨-s⟩ knowledge.

Wissenschaft *f* science; **Wissenschaftler(in)** *m(f)* ⟨-s, -⟩ scientist; **wissenschaftlich** *adj* scientific, academic.

wissenswert *adj* worth knowing.

wissentlich *adj* knowing.

wittern *vt* scent; (*fig*) suspect.

Witterung *f* weather; (*Geruch*) scent.

Witwe *f* ⟨-, -n⟩ widow; **Witwer** *m* ⟨-s, -⟩ widower.

Witz *m* ⟨-[e]s, -e⟩ joke; **Witzblatt** *nt* comic [paper]; **Witzbold** *m* ⟨-[e]s, -e⟩ joker; **witzeln** *vi* joke; **witzig** *adj* funny.

wo 1. *adv* where; (*umg*) somewhere; **2.** *konj* (*wenn*) if; **im Augenblick, ~ ...** the moment [that] ...; **die Zeit, ~ ...** the time when ...; **woanders** *adv* elsewhere.

wob *imperf von* **weben**.

wobei *adv* (*relativ*) by/with which; (*interrogativ*) what ... in/by/with.

Woche *f* ⟨-, -n⟩ week; **Wochenende** *nt* weekend; **wochenlang** *adj, adv* for weeks; **Wochenschau** *f* newsreel.

wöchentlich *adj, adv* weekly.

wodurch *adv* (*relativ*) through which; (*interrogativ*) what ... through; **wofür** *adv* (*relativ*) for which; (*interrogativ*) what ... for.

wog *imperf von* **wiegen**.

Woge *f* ⟨-, -n⟩ wave.

wogegen *adv* (*relativ*) against which; (*interrogativ*) what ... against.

wogen *vi* heave, surge.

woher *adv* where ... from; **wohin** *adv* where ... to.

wohl *adv* well; (*behaglich*) at ease, comfortable; (*vermutlich*) I suppose, probably; (*gewiß*) certainly; **er weiß das ~** he knows that perfectly well; **Wohl** *nt* ⟨-[e]s⟩ welfare; **zum ~!** cheers!; **wohlauf** *adv* well; **Wohlbehagen** *nt* feeling of well-being; **wohlbehalten** *adj* safe and sound.

Wohlfahrt *f* welfare; **Wohlfahrtsstaat** *m* welfare state.

wohlhabend *adj* wealthy.

wohlig *adj* contented, comfortable.

Wohlklang *m* melodious sound; **wohlschmeckend** *adj* delicious.

Wohlstand *m* prosperity, affluence; **Wohlstandsgesellschaft** *f* affluent society.

Wohltat *f* relief; **Wohltäter(in)** *m(f)* benefactor; **wohltätig** *adj* charitable.

wohlverdient *adj* well-earned, well-deserved; **wohlweislich** *adv* prudently; **Wohlwollen** *nt* ⟨-s⟩ goodwill; **wohlwollend** *adj* benevolent.

wohnen *vi* live; **Wohngebiet** *nt* residential area; **Wohngemeinschaft** *f* shared flat; **wohnhaft** *adj* resident; **wohnlich** *adj* comfortable; **Wohnmobil** *nt* ⟨-s, -e⟩ camper; **Wohnort** *m* domicile; **Wohnsitz** *m*

place of residence; **Wohnung** *f* house; (*Etagen~*) flat, apartment; **Wohnungsbau** *m* housing construction, house-building; **Wohnungsnot** *f* housing shortage; **Wohnwagen** *m* caravan; **Wohnzimmer** *nt* living room.

wölben *vt, vr:* **sich ~** curve; **Wölbung** *f* curve.

Wolf *m* ⟨-[e]s, Wölfe⟩ wolf; **Wölfin** *f* she-wolf.

Wolke *f* ⟨-, -n⟩ cloud; **Wolkenkratzer** *m* skyscraper; **wolkig** *adj* cloudy.

Wolle *f* ⟨-, -n⟩ wool; **wollen** *adj* woollen.

wollen *vt, vi* want.

wollüstig *adj* lustful, sensual.

womit *adv* (*relativ*) with which; (*interrogativ*) what ... with; **womöglich** *adv* probably, I suppose; **wonach** *adv* (*relativ*) after/for which; (*interrogativ*) what ... for/after.

Wonne *f* ⟨-, -n⟩ joy, bliss.

woran *adv* (*relativ*) on/at which; (*interrogativ*) what ... on/at; **worauf** *adv* (*relativ*) on which; (*interrogativ*) what ... on; **woraus** *adv* (*relativ*) from/out of which; (*interrogativ*) what ... from/out of; **worin** *adv* (*relativ*) in which; (*interrogativ*) what ... in.

Workshop *m* ⟨-s, -s⟩ workshop.

Workstation *m* ⟨-, -s⟩ (*INFORM*) workstation.

Wort 1. *nt* ⟨-[e]s, Wörter⟩ (*Vokabel*) word; **2.** *nt* ⟨-[e]s, -e⟩ (*Äußerung*) word; **jdn beim ~ nehmen** take sb at his word; **wortbrüchig** *adj* not true to one's word.

Wörterbuch *nt* dictionary.

Wortführer(in) *m(f)* spokesman/-woman, spokesperson; **wortkarg** *adj* taciturn; **Wortlaut** *m* wording.

wörtlich *adj* literal.

wortlos *adj* mute; **wortreich** *adj* wordy, verbose; **Wortschatz** *m* vocabulary; **Wortspiel** *nt* play on words, pun; **Wortwechsel** *m* dispute.

worüber *adv* (*relativ*) over/about which; (*interrogativ*) what ... over/about; **worum** *adv* (*relativ*) about/round which; (*interrogativ*) what ... about/round; **worunter** *adv* (*relativ*) under which; (*interrogativ*) what ... under; **wovon** *adv* (*relativ*) from which; (*interrogativ*) what ... from; **wovor** *adv* (*relativ*) before which; (*interrogativ*) before what; of what; **wozu** *adv* (*relativ*) to/for which; (*interrogativ*) what ... for/to; (*warum*) why.

Wrack *nt* ⟨-[e]s, -s⟩ wreck.

wringen ⟨wrang, gewrungen⟩ *vt* wring.

Wucher *m* ⟨-s⟩ profiteering; **Wucherer(in)** *m(f)* ⟨-s, -⟩ profiteer; **wucherisch** *adj* profiteering.

wuchern vi (Pflanzen) grow wild; **Wucherung** f (MED) growth, tumour.
wuchs imperf von **wachsen**; **Wuchs** m ⟨-es⟩ growth; (Statur) build.
Wucht f ⟨-⟩ force; **wuchtig** adj solid, massive.
wühlen vi scrabble; (Tier) root; (Maulwurf) burrow; (umg: arbeiten) slave away.
Wulst m ⟨-es, Wülste⟩ bulge; (an Wunde) swelling.
wund adj sore, raw.
Wunde f ⟨-, -n⟩ wound.
Wunder nt ⟨-s, -⟩ miracle; **es ist kein ~** it's no wonder; **wunderbar** adj wonderful, marvellous; **Wunderkind** nt infant prodigy; **wunderlich** adj odd, peculiar; **wundern 1.** vr: **sich ~** be surprised (über +akk at); **2.** vt surprise; **wunderschön** adj beautiful; **wundervoll** adj wonderful.
Wundstarrkrampf m tetanus.
Wunsch m ⟨-(e)s, Wünsche⟩ wish; **wünschen** vt wish; **sich** dat **etw ~** want sth, wish for sth; **wünschenswert** adj desirable.
wurde imperf von **werden**.
Würde f ⟨-, -n⟩ dignity; (Stellung) honour; **Würdenträger(in)** m(f) dignitary; **würdevoll** adj dignified; **würdig** adj worthy; (würdevoll) dignified; **würdigen** vt appreciate; **jdn keines Blickes ~** not so much as look at sb.
Wurf m ⟨-s, Würfe⟩ throw; (Junge) litter.
Würfel m ⟨-s, -⟩ dice; (MATH) cube; **Würfelbecher** m [dice] cup; **würfeln 1.** vi play dice; **2.** vt throw; (in Würfel schneiden) dice, cut into cubes; **Würfelspiel** nt game of dice; **Würfelzucker** m lump sugar.
würgen vt, vi choke.
Wurm m ⟨-(e)s, Würmer⟩ worm; **wurmen** vt (umg) rile, nettle; **Wurmfortsatz** m (MED) appendix; **wurmig** adj worm-eaten; **wurmstichig** adj worm-ridden.
Wurst f ⟨-, Würste⟩ sausage; **das ist mir ~** (umg) I don't care, I don't give a damn.
Würze f ⟨-, -n⟩ seasoning, spice.
Wurzel f ⟨-, -n⟩ root.
würzen vt season, spice; **würzig** adj spicy.
wusch imperf von **waschen**.
wußte imperf von **wissen**.
wüst adj untidy, messy; (ausschweifend) wild; (öde) waste; (umg: heftig) terrible.
Wüste f ⟨-, -n⟩ desert.
Wüstling m rake.
Wut f ⟨-⟩ rage, fury; **Wutanfall** m fit of rage.
wüten vi rage.
wütend adj furious, mad.

X, x nt X, x.
X-Beine pl knock-knees pl.
x-beliebig adj any [whatever].
xerokopieren vt xerox.
x-mal adv any number of times, n times.
Xylophon nt ⟨-s, -e⟩ xylophone.

Y

Y, y nt Y, y.
Yen m ⟨-[s], -[s]⟩ yen.
Yoga m o nt ⟨-[s]⟩ yoga.
Ypsilon nt ⟨-[s], -s⟩ the letter Y.
Yuppie m ⟨-s, -s⟩, f ⟨-, -s⟩ yuppy, yuppie.

Z

Z, z nt Z, z.
Zacke f ⟨-, -n⟩ point; (Berg~) jagged peak; (Gabel~) prong; (Kamm~) tooth; **zackig** adj jagged; (umg) smart; (Tempo) brisk.
zaghaft adj timid; **Zaghaftigkeit** f timidity.
zäh adj tough; (Mensch) tenacious; (Flüssigkeit) thick; (schleppend) sluggish; **zähflüssig** adj thick, viscous; **Zähigkeit** f toughness; tenacity.
Zahl f ⟨-, -en⟩ number; (Verkaufs~) figure.
zahlbar adj payable; **zahlen** vt, vi pay; ~ **bitte!** the bill please!
zählen vt, vi count (auf +akk on); ~ **zu** be numbered among.
zahlenmäßig adj numerical.
Zahler(in) m(f) ⟨-s, -⟩ payer.
Zähler m ⟨-s, -⟩ (TECH) meter; (MATH) numerator.
zahllos adj countless; **zahlreich** adj numerous.
Zahltag m payday.
Zahlung f payment; **zahlungsfähig** adj solvent; **zahlungsunfähig** adj insolvent; **Zahlungsverkehr** m payments pl, payment transactions pl.
Zahlwort nt numeral.
zahm adj tame; **zähmen** vt tame; (fig) curb.
Zahn m ⟨-(e)s, Zähne⟩ tooth; **Zahnarzt** m, **Zahnärztin** f dentist; **zahnärztlich** adj dental; **Zahnbürste** f toothbrush; **zahnen** vi teethe, cut one's teeth; **Zahnfäule** f ⟨-⟩ tooth decay, caries; **Zahnfleisch** nt

gums *pl*; **Zahnpasta**, **Zahnpaste** *f* toothpaste; **Zahnrad** *nt* cog[wheel]; **Zahnradbahn** *f* rack railway; **Zahnschmelz** *m* [tooth] enamel; **Zahnschmerzen** *pl* toothache; **Zahnseide** *f* dental floss; **Zahnstein** *m* tartar; **Zahnstocher** *m* ⟨-s, -⟩ toothpick.

Zange *f* ⟨-, -n⟩ pliers *pl*; (*Zucker*~) tongs *pl*; (*Beiß*~, *ZOOL*) pincers *pl*; (*MED*) forceps *pl*; **Zangengeburt** *f* forceps delivery.

Zankapfel *m* bone of contention; **zanken** *vi, vr:* **sich** ~ quarrel; **zänkisch** *adj* quarrelsome.

Zäpfchen *nt* (*ANAT*) uvula; (*MED*) suppository.

zapfen *vt* tap.

Zapfen *m* ⟨-s, -⟩ plug; (*BOT*) cone; (*Eis*~) icicle.

Zapfenstreich *m* (*MIL*) tattoo.

Zapfsäule *f* petrol pump, gas pump *US*.

zappelig *adj* wriggly; (*unruhig*) fidgety; **zappeln** *vi* wriggle; fidget.

zart *adj* (*weich, leise*) soft; (*Braten etc*) tender; (*fein, schwächlich*) delicate; **Zartgefühl** *nt* tact; **Zartheit** *f* softness; tenderness; delicacy.

zärtlich *adj* tender, affectionate; **Zärtlichkeit** *f* tenderness; ~**en** *pl* caresses *pl*.

Zauber *m* ⟨-s, -⟩ magic; (*~bann*) spell; **Zauberei** *f* magic; **Zauberer** *m* ⟨-s, -⟩ magician; (*Zauberkünstler auch*) conjuror; **zauberhaft** *adj* magical, enchanting; **Zauberin** *f* magician; (*Zauberkünstlerin auch*) conjuror; **Zauberkünstler(in)** *m(f)* conjuror; **zaubern** *vi* conjure, practise magic; **Zauberspruch** *m* [magic] spell.

zaudern *vi* hesitate.

Zaum *m* ⟨-[e]s, Zäume⟩ bridle; **etw im ~ halten** keep sth in check.

Zaun *m* ⟨-[e]s, Zäune⟩ fence; **vom ~[e] brechen** (*fig*) start; **Zaunkönig** *m* wren; **Zaunpfahl** *m:* **ein Wink mit dem ~** a broad hint.

z.B. *abk von* **zum Beispiel** e.g.

Zebra *nt* ⟨-s, -s⟩ zebra; **Zebrastreifen** *m* zebra crossing, pedestrian crosswalk *US*.

Zeche *f* ⟨-, -n⟩ (*Rechnung*) bill; (*MIN*) mine.

Zecke *f* ⟨-, -n⟩ tick.

Zehe *f* ⟨-, -n⟩ toe; (*Knoblauch*~) clove.

zehn *num* ten; **zehnfach 1.** *adj* tenfold; **2.** *adv* ten times; **zehnjährig** *adj* (*10 Jahre alt*) ten-year-old; (*10 Jahre dauernd*) ten-year; **zehnmal** *adv* ten times.

zehnte(r, s) *adj* tenth; **der ~ Mai** the tenth of May; **Freiburg, den 10. Mai** Freiburg, May 10th; **Zehnte(r)** *mf* tenth.

Zehntel *nt* ⟨-s, -⟩ (*Bruchteil*) tenth.

zehntens *adv* in the tenth place.

Zeichen *nt* ⟨-s, -⟩ sign.

zeichnen *vt, vi* draw; (*kenn*~) mark; (*un-*

ter~) sign; **Zeichner(in)** *m(f)* ⟨-s, -⟩ artist; **technischer** ~ draughtsman; **Zeichnung** *f* drawing; (*Markierung*) markings *pl*.

Zeigefinger *m* index finger; **zeigen 1.** *vt* show; **2.** *vi* point (*auf +akk* to, at); **3.** *vr:* **sich** ~ show oneself; **es wird sich** ~ time will tell; **es zeigte sich, daß ...** it turned out that ...

Zeiger *m* ⟨-s, -⟩ pointer; (*Uhr*~) hand.

Zeile *f* ⟨-, -n⟩ line; (*Häuser*~) row; **Zeilenabstand** *m* line spacing.

Zeit *f* ⟨-, -en⟩ time; (*LING*) tense; **zur** ~ at the moment; **sich** *dat* ~ **lassen** take one's time; **von ~ zu ~** from time to time; **Zeitalter** *nt* age; **Zeitarbeit** *f* temporary work; **zeitgemäß** *adj* in keeping with the times; **Zeitgenosse** *m*, **Zeitgenossin** *f* contemporary; **zeitig** *adj* early; **zeitlebens** *adv* all one's life; **zeitlich** *adj* temporal; **Zeitlupe** *f* slow motion; **Zeitraffer** *m* ⟨-s, -⟩ time-lapse photography; **zeitraubend** *adj* time-consuming; **Zeitraum** *m* period; **Zeitrechnung** *f* time, era; **nach/vor unserer** ~ A.D./B.C.

Zeitschrift *f* magazine; (*wissenschaftliche* ~) periodical.

Zeitung *f* newspaper.

Zeitverschwendung *f* waste of time; **Zeitvertreib** *m* pastime, diversion; **zeitweilig** *adj* temporary; **zeitweise** *adv* for a time; **Zeitwort** *nt* verb; **Zeitzeichen** *nt* (*RADIO*) time signal; **Zeitzünder** *m* time fuse.

Zelle *f* ⟨-, -n⟩ cell; (*Telefon*~) callbox; **Zellkern** *m* cell, nucleus; **Zellstoff** *m* cellulose; **Zellteilung** *f* cell division.

Zelt *nt* ⟨-[e]s, -e⟩ tent; **Zeltbahn** *f* tarpaulin; groundsheet; **zelten** *vi* camp.

Zement *m* ⟨-[e]s, -e⟩ cement; **zementieren** *vt* cement.

zensieren *vt* censor; (*SCH*) mark; **Zensur** *f* censorship; (*SCH*) mark.

Zentimeter *m o nt* centimetre.

Zentner *m* ⟨-s, -⟩ ≈ hundredweight.

zentral *adj* central; **Zentrale** *f* ⟨-, -n⟩ central office; (*TEL*) exchange; **Zentraleinheit** *f* (*INFORM*) central processing unit, CPU; **Zentralheizung** *f* central heating; **zentralisieren** *vt* centralize; **Zentralrechner** *m* (*INFORM*) mainframe; **Zentralspeicher** *m* (*INFORM*) central memory; **Zentralverriegelung** *f* (*AUTO*) central [door] locking.

zentrieren *vt* (*TYP*) centre.

Zentrifugalkraft *f* centrifugal force.

Zentrifuge *f* ⟨-, -n⟩ centrifuge; (*für Wäsche*) spin-dryer.

Zentrum *nt* ⟨-s, Zentren⟩ centre.

Zepter *nt* ⟨-s, -⟩ sceptre.

zerbrechen *irr vt, vi* break; **zerbrechlich**

adj fragile.

zerbröckeln *vt, vi* crumble [to pieces].

zerdrücken *vt* squash, crush; (*Kartoffeln*) mash.

Zeremonie *f* ceremony.

Zerfall *m* decay; **zerfallen** *irr vi* disintegrate, decay; (*sich gliedern*) fall (*in +akk* into).

zerfetzen *vt* tear to pieces.

zerfließen *irr vi* dissolve, melt away.

zergehen *irr vi* melt, dissolve.

zerkleinern *vt* cut up; (*zerhacken*) chop [up].

zerlegbar *adj* able to be taken apart; **zerlegen** *vt* take to pieces; (*Fleisch*) carve; (*Satz*) analyse; (*Gerät, Maschine*) dismantle.

zerlumpt *adj* ragged.

zermalmen *vt* crush.

zermürben *vt* wear down.

zerquetschen *vt* squash.

Zerrbild *nt* caricature, distorted picture.

zerreden *vt* (*Problem*) flog to death.

zerreißen *irr* **1.** *vt* tear to pieces; **2.** *vi* tear, rip.

zerren 1. *vt* drag; **2.** *vi* tug (*an +dat* at).

zerrinnen *irr vi* (*a. fig*) melt away.

Zerrissenheit *f* tattered state; (*POL*) disunion, discord; (*innere ~*) conflict.

Zerrung *f* (*MED*) a pulled muscle.

zerrütten *vt* wreck, destroy; **zerrüttet** *adj* wrecked, shattered; (*Ehe, Familie*) broken.

zerschlagen *irr* **1.** *vt* shatter, smash; **2.** *vr:* **sich ~** fall through.

zerschneiden *irr vt* cut up.

zersetzen *vt, vr:* **sich ~** decompose, dissolve.

zerspringen *irr vi* shatter, burst.

Zerstäuber *m* ⟨-s, -⟩ atomizer.

zerstören *vt* destroy; **Zerstörung** *f* destruction.

zerstoßen *irr vt* pound, pulverize.

zerstreiten *irr vr:* **sich ~** fall out, break up.

zerstreuen *vt, vr:* **sich ~** disperse, scatter; (*unterhalten*) divert; (*Zweifel etc*) dispel; **zerstreut** *adj* scattered; (*Mensch*) absent-minded; **Zerstreutheit** *f* absent-mindedness; **Zerstreuung** *f* dispersion; (*Ablenkung*) diversion.

zerstückeln *vt* cut up.

zertreten *irr vt* crush [underfoot].

zertrümmern *vt* shatter; (*Gebäude etc*) demolish.

Zerwürfnis *nt* dissension, quarrel.

zerzausen *vt* (*Haare*) ruffle up, tousle.

zetern *vi* shout, shriek.

Zettel *m* ⟨-s, -⟩ piece of paper, slip; (*Notiz~*) note; (*Formular*) form.

Zeug *nt* ⟨-[e]s, -e⟩ (*umg*) stuff; (*Ausrüstung*) gear; **dummes ~** [stupid] nonsense; **das ~**

haben zu have the makings of; **sich ins ~ legen** put one's shoulder to the wheel.

Zeuge *m* ⟨-n, -n⟩ witness; **zeugen 1.** *vi* bear witness, testify; **2.** *vt* (*Kind*) father; **es zeugt von ...** it testifies to ...; **Zeugenaussage** *f* testimony; **Zeugenstand** *m* witness box; **Zeugin** *f* witness.

Zeugnis *nt* certificate; (*SCH*) report; (*Referenz*) reference; (*Aussage*) evidence, testimony; **~ geben von** be evidence of, testify to.

Zeugung *f* procreation; **zeugungsunfähig** *adj* sterile.

z.Hd. *abk von* **zu Händen von** attn.

zickig *adj* (*umg*) prim.

Zickzack *m* ⟨-[e]s, -e⟩ zigzag.

Ziege *f* ⟨-, -n⟩ goat.

Ziegel *m* ⟨-s, -⟩ brick; (*Dach~*) tile; **Ziegelei** *f* brickworks *sing o pl*; **Ziegelstein** *m* brick.

Ziegenleder *nt* kid.

ziehen ⟨zog, gezogen⟩ **1.** *vt* draw; (*zerren*) pull; (*SCHACH*) move; (*züchten*) rear; **2.** *vi* draw; (*um~, wandern*) move; (*Rauch, Wolke etc*) drift; (*reißen*) pull; **3.** *vi unpers:* **es zieht** there is a draught, it's draughty; **4.** *vr:* **sich ~** (*Gummi*) stretch; (*Grenze etc*) run; (*Gespräche*) go on and on, drag on; **etw nach sich ~** lead to sth, entail sth.

Ziehharmonika *f* concertina; accordion.

Ziehung *f* (*Los~*) drawing.

Ziel *nt* ⟨-[e]s, -e⟩ (*einer Reise*) destination; (*SPORT*) finish; (*MIL*) target; (*Absicht*) goal, aim; **zielen** *vi* aim (*auf +akk* at); **Zielfernrohr** *nt* telescopic sight; **Zielgruppe** *f* target group; **ziellos** *adj* aimless; **Zielscheibe** *f* target; **zielstrebig** *adj* purposeful.

ziemlich 1. *adj* quite a; fair; **2.** *adv* rather; quite a bit.

zieren *vr:* **sich ~** make a fuss.

zierlich *adj* dainty; (*Frau*) petite; **Zierlichkeit** *f* daintiness.

Zierpflanze *f* ornamental plant; **Zierstrauch** *m* flowering shrub.

Ziffer *f* ⟨-, -n⟩ figure, digit; **Zifferblatt** *nt* dial, clock-face.

zig *adj* (*umg*) umpteen.

Zigarette *f* cigarette; **Zigarettenautomat** *m* cigarette machine; **Zigarettenschachtel** *f* cigarette packet; **Zigarettenspitze** *f* cigarette holder.

Zigarre *f* ⟨-, -n⟩ cigar.

Zigeuner(in) *m(f)* ⟨-s, -⟩ gipsy.

Zimbabwe *nt* Zimbabwe.

Zimmer *nt* ⟨-s, -⟩ room; **Zimmerantenne** *f* indoor aerial; **Zimmerdecke** *f* ceiling; **Zimmerlautstärke** *f* reasonable volume; **Zimmermädchen** *nt* chambermaid; **Zimmermann** *m* ⟨Zimmerleute *pl*⟩ carpenter; **zimmern** vt make, carpenter; **Zimmerpflanze** f pot plant.

zimperlich adj squeamish; (pingelig) fussy, finicky.

Zimt m ⟨-[e]s, -e⟩ cinnamon; **Zimtstange** f cinnamon stick.

Zink nt ⟨-[e]s⟩ zinc.

Zinke f ⟨-, -n⟩ (Gabel~) prong; (Kamm~) tooth; **zinken** vt (Karten) mark.

Zinksalbe f zinc ointment.

Zinn nt ⟨-[e]s⟩ (Element) tin; (in ~waren) pewter.

zinnoberrot adj vermilion.

Zinnsoldat m tin soldier; **Zinnwaren** pl pewter.

Zins m ⟨-es, -en⟩ interest; **Zinseszins** m compound interest; **Zinsfuß** m rate of interest; **zinslos** adj interest-free; **Zinssatz** m rate of interest.

Zionismus m Zionism.

Zipfel m ⟨-s, -⟩ corner; (spitz) tip; (Hemden~) tail; (Wurst~) end; **Zipfelmütze** f stocking cap; nightcap.

zirka adv [round] about.

Zirkel m ⟨-s, -⟩ circle; (MATH) pair of compasses.

Zirkulation f circulation.

Zirkus m ⟨-, -se⟩ circus.

Zirrhose f ⟨-, -n⟩ cirrhosis.

zischeln vt, vi whisper.

zischen vi hiss.

Zitat nt quotation, quote; **zitieren** vt quote.

Zitronat nt candied lemon peel.

Zitrone f ⟨-, -n⟩ lemon; **Zitronenlimonade** f lemonade; **Zitronensaft** m lemon juice; **Zitronenscheibe** f lemon slice.

zittern vi tremble.

Zitze f ⟨-, -n⟩ (bei Tieren) teat, dug.

zivil adj civil; (Preis: billig) moderate; **Zivil** nt ⟨-s⟩ plain clothes pl; (MIL) civilian clothing; **Zivilbevölkerung** f civilian population; **Zivilcourage** f courage of one's convictions; **Zivildienst** m community service, alternative service.

Zivilisation f civilization; **Zivilisationserscheinung** f phenomenon of civilization; **Zivilisationskrankheit** f illness caused by civilization; **zivilisieren** vt civilize.

Zivilist(in) m(f) civilian.

Zivilrecht nt civil law.

zocken vi (umg) gamble; **Zocker(in)** m(f) ⟨-s, -⟩ (umg) gambler.

Zoff m ⟨-s⟩ (umg) trouble.

zog imperf von **ziehen**.

zögern vi hesitate.

Zölibat m o nt ⟨-[e]s⟩ celibacy.

Zoll m ⟨-[e]s, Zölle⟩ customs pl; (Abgabe) duty; **Zollabfertigung** f customs clearance; **Zollamt** nt customs office; **Zollbeamte(r)** m, **Zollbeamtin** f customs offi-

cial; **Zollerklärung** f customs declaration; **zollfrei** adj duty-free; **zollpflichtig** adj liable to duty, dutiable.

Zombie m ⟨-s, -s⟩ (fig) zombie.

Zone f ⟨-, -n⟩ zone.

Zoo m ⟨-s, -s⟩ zoo.

Zoologe m ⟨-n, -n⟩ zoologist; **Zoologie** f zoology; **Zoologin** f zoologist; **zoologisch** adj zoological.

Zoom nt ⟨-s, -s⟩ zoom shot; (Objektiv) zoom lens.

Zopf m ⟨-[e]s, Zöpfe⟩ plait; (nicht geflochten) pigtail; **alter** ~ antiquated custom.

Zorn m ⟨-[e]s⟩ anger; **zornig** adj angry.

Zote f ⟨-, -n⟩ smutty joke/remark.

zottelig adj (umg) shaggy; **zottig** adj shaggy.

zu 1. konj (mit Infinitiv) to; **2.** präp +dat (bei Richtung, Vorgang) to; (bei Orts-, Zeit-, Preisangabe) at; (Zweck) for; **3.** adv (~ sehr) too; (in Richtung) towards [sb/sth]; **4.** adj (umg) shut; ~ **m Fenster herein** through the window; ~ **meiner Zeit** in my time.

zuallererst adv first of all; **zuallerletzt** adv last of all.

Zubehör nt ⟨-[e]s, -e⟩ accessories pl.

Zuber m ⟨-s, -⟩ tub.

zubereiten vt prepare.

zubilligen vt grant.

zubinden irr vt tie up.

zubleiben irr vi (umg) stay shut.

zubringen irr vt spend; (umg: Tür) get shut.

Zubringer m ⟨-s, -⟩ (TECH) feeder, conveyor; **Zubringerstraße** f approach road.

Zucchini pl courgettes pl.

Zucht f ⟨-, -en⟩ (von Tieren) breed[ing]; (von Pflanzen) cultivation; (von Fischen) farming; (Rasse) breed; (Disziplin) discipline; **züchten** vt (Tiere) breed; (Pflanzen) cultivate, grow; (Fische) farm; **Züchter(in)** m(f) ⟨-s, -⟩ breeder; grower.

Zuchthaus nt prison, penitentiary US.

Zuchthengst m stallion, stud.

züchtig adj modest, demure.

züchtigen vt chastise; **Züchtigung** f chastisement.

zucken 1. vi jerk, twitch; (Strahl etc) flicker; **2.** vt shrug.

zücken vt (Schwert) draw; (Geldbeutel) pull out.

Zucker m ⟨-s, -⟩ sugar; (MED) diabetes sing; **Zuckerdose** f sugar bowl; **Zuckerguß** m icing; **zuckerkrank** adj diabetic; **zuckern** vt sugar; **Zuckerrohr** nt sugar cane; **Zuckerrübe** f sugar beet.

Zuckung f convulsion, spasm; (leicht) twitch.

zudecken vt cover [up].

zudrehen vt turn off.

zudringlich adj forward, pushing.

zudrücken *vt* close; **ein Auge ~** turn a blind eye.

zueinander *adv* to one other; (*in Verbverbindung*) together.

zuerst *adv* first; (*zu Anfang*) at first; **~ einmal** first of all.

Zufahrt *f* approach; (*Einfahrt*) entrance; **Zufahrtsstraße** *f* approach road; (*von Autobahn etc*) slip road.

Zufall *m* chance; (*Ereignis*) coincidence; **durch ~** by accident; **so ein ~** what a coincidence.

zufallen *irr vi* close, shut itself; (*Anteil, Aufgabe*) fall (*jdm* to sb).

zufällig **1.** *adj* chance; **2.** *adv* by chance; (*in Frage*) by any chance.

Zuflucht *f* recourse; (*Ort*) refuge.

Zufluß *m* (*Zufließen*) inflow, influx; (*GEO*) tributary; (*WIRTS*) supply.

zufolge *präp* +*dat o gen* judging by; (*laut*) according to.

zufrieden *adj* content[ed], satisfied; **Zufriedenheit** *f* satisfaction, contentedness; **zufriedenstellen** *vt* satisfy.

zufrieren *irr vi* freeze up [*o* over].

zufügen *vt* add (*dat* to); (*Leid*) cause (*jdm etw* sth to sb).

Zufuhr *f* ⟨-, -en⟩ (*Herbeibringen*) supplying; (*METEO*) influx.

zuführen **1.** *vt* (*leiten*) bring, conduct; (*transportieren*) convey to; (*versorgen*) supply; **2.** *vi*: **auf etw** *akk* **~** lead to sth.

Zug *m* ⟨-[e]s, Züge⟩ (*EISENB*) train; (*Luft~*) draught; (*Ziehen*) pull[ing]; (*Gesichts~*) feature; (*SCHACH*) move; (*Klingel~*) pull; (*Atem~*) breath; (*Charakter~*) characteristic trait; (*an Zigarette*) puff, pull, drag; (*Schluck*) gulp; (*Menschengruppe*) procession; (*von Vögeln*) flight; (*MIL*) platoon; **etw in vollen Zügen genießen** enjoy sth to the full.

Zugabe *f* extra; (*in Konzert etc*) encore.

Zugabteil *nt* train compartment.

Zugang *m* access, approach.

zugänglich *adj* accessible; (*Mensch*) approachable.

Zugbrücke *f* drawbridge.

zugeben *irr vt* (*beifügen*) add, throw in; (*zugestehen*) admit; (*erlauben*) permit.

zugehen *irr* **1.** *vi* (*schließen*) shut; **2.** *vi unpers* (*sich ereignen*) go on, proceed; **auf jdn/etw ~** walk towards sb/sth; **dem Ende ~** be finishing.

Zugehörigkeit *f* membership (*zu* of), belonging (*zu* to); **Zugehörigkeitsgefühl** *nt* feeling of belonging.

zugeknöpft *adj* (*umg*) reserved, standoffish.

Zügel *m* ⟨-s, -⟩ rein[s]; (*fig a.*) curb; **zügellos** *adj* unrestrained, licentious; **Zügello-**

sigkeit *f* lack of restraint, licentiousness; **zügeln** *vt* (*a. fig*) curb.

Zugeständnis *nt* concession; **zugestehen** *irr vt* admit; (*Rechte*) concede (*jdm* to sb).

Zugführer(in) *m(f)* (*EISENB*) chief guard *Brit*, chief conductor *US*; (*MIL*) platoon commander.

zugig *adj* draughty.

zügig *adj* speedy, swift.

Zugluft *f* draught; **Zugmaschine** *f* traction engine, tractor.

zugreifen *irr vi* seize [*o* grab] it; (*helfen*) help; (*beim Essen*) help oneself; **Zugriff** *m* (*INFORM*) access; **Zugriffszeit** *f* (*INFORM*) access time.

zugrunde *adv*: **~ gehen** collapse; (*Mensch*) perish; **einer Sache** *dat* **etw ~ legen** base sth on sth; **einer Sache** *dat* **~ liegen** be based on sth; **~ richten** ruin, destroy.

zugunsten *präp* +*gen o dat* in favour of.

zugute *adv*: **jdm etw ~ halten** concede sth; **jdm ~ kommen** be of assistance to sb.

Zugverbindung *f* train connection; **Zugvogel** *m* migratory bird.

zuhalten *irr* **1.** *vt* hold shut; **2.** *vi*: **auf jdn/etw ~** make for sb/sth.

Zuhälter *m* ⟨-s, -⟩ pimp.

Zuhause *nt* ⟨-s⟩ home.

Zuhilfenahme *f*: **unter ~ von** with the help of.

zuhören *vi* listen (*dat* to); **Zuhörer(in)** *m(f)* listener; **Zuhörerschaft** *f* audience.

zujubeln *vi* cheer (*jdm* sb).

zukleben *vt* (*Brief*) seal [up].

zuknöpfen *vt* button up, fasten.

zukommen *irr vi* come up (*auf* +*akk* to); (*sich gehören*) be fitting (*jdm* for sb); **das kommt ihr zu** (*Recht haben auf*) she is entitled to that; **jdm etw ~ lassen** give sb sth; **etw auf sich ~ lassen** wait and see.

Zukunft *f* ⟨-, Zukünfte⟩ future; **zukünftig** **1.** *adj* future; **2.** *adv* in future; **mein ~er Mann** my husband to be; **Zukunftsaussichten** *pl* future prospects *pl*; **Zukunftsmusik** *f* (*umg*) pie in the sky; **Zukunftsroman** *m* science-fiction novel.

Zulage *f* bonus, allowance.

zulassen *irr vt* (*hereinlassen*) admit; (*erlauben*) permit; (*Auto*) license; (*umg: nicht öffnen*) [keep] shut; **zulässig** *adj* permissible, permitted.

zulaufen *irr vi* run (*auf* +*akk* towards); (*Tier*) adopt (*jdm* sb); **spitz ~** come to a point.

zulegen *vt* add; (*Geld*) put in; (*Tempo*) accelerate, quicken; **sich** *dat* **etw ~** (*umg*) get oneself sth.

zuleide *adv*: **jdm etw ~ tun** hurt [*o* harm] sb.

zuletzt *adv* finally, at last.

zuliebe *adv*: **jdm ~** to please sb.

zum = **zu dem**: ~ **dritten Mal** for the third time; ~ **Scherz** as a joke; ~ **Trinken** for drinking.

zumachen 1. *vt* shut; (*Kleidung*) do up, fasten; **2.** *vi* shut; (*umg: sich beeilen*) hurry up.

zumal *konj* especially [as].

zumindest *adv* at least.

zumutbar *adj* reasonable.

zumute *adv*: **wie ist ihm ~?** how does he feel?

zumuten *vt* expect, ask (*jdm* of sb); **Zumutung** *f* unreasonable expectation [*o* demand], impertinence.

zunächst *adv* first of all; ~ **einmal** to start with.

zunähen *vt* sew up.

Zunahme *f* ⟨-, -n⟩ increase.

Zuname *m* surname.

zünden *vi* (*Feuer*) light, ignite; (*Motor*) fire; (*begeistern*) fire [with enthusiasm] (*bei jdm* sb); **zündend** *adj* fiery; **Zünder** *m* ⟨-s, -⟩ fuse; (*MIL*) detonator; **Zündholz** *nt* match; **Zündkerze** *f* (*AUTO*) spark[ing] plug; **Zündschlüssel** *m* ignition key; **Zündschnur** *f* fuse wire; **Zündstoff** *m* (*fig*) dynamite; **Zündung** *f* ignition.

zunehmen *irr vi* increase, grow; (*Mensch*) put on weight.

Zuneigung *f* affection.

Zunft *f* ⟨-, Zünfte⟩ guild.

zünftig *adj* proper, real; (*Handwerk*) decent.

Zunge *f* ⟨-, -n⟩ tongue; **Zungenbrecher** *m* ⟨-s, -⟩ tongue-twister.

zunichte *adv*: ~ **machen** ruin, destroy; ~ **werden** come to nothing.

zunutze *adv*: **sich** *dat* **etw** ~ **machen** make use of sth.

zuoberst *adv* at the top.

zupacken *vi* (*umg: bei der Arbeit*) knuckle down; **zupackend** *adj* vigorous, energetic.

zupfen *vt* pull, pick, pluck; (*Gitarre*) pluck.

zur = **zu der**.

zurechnungsfähig *adj* responsible, accountable; **Zurechnungsfähigkeit** *f* responsibility, accountability.

zurechtfinden *irr vr*: **sich** ~ find one's way [about]; **zurechtkommen** *irr vi* [be able to] deal (*mit* with), manage; **zurechtlegen** *vt* get ready; (*Ausrede etc*) have ready; **zurechtmachen 1.** *vt* prepare; **2.** *vr*: **sich** ~ get ready; **zurechtweisen** *vt* reprimand; **Zurechtweisung** *f* reprimand, rebuff.

zureden *vi* persuade, urge (*jdm* sb).

zurichten *vt* (*beschädigen*) batter, bash up.

zürnen *vi* be angry (*jdm* with sb).

zurück *adv* back.

zurückbehalten *irr vt* keep back.

zurückbekommen *irr vt* get back.

zurückbezahlen *vt* repay, pay back.

zurückbleiben *irr vi* (*Mensch*) remain behind; (*nicht nachkommen*) fall behind, lag; (*Schaden*) remain.

zurückbringen *irr vt* bring back.

zurückdrängen *vt* (*Gefühle*) repress; (*Feind*) push back.

zurückdrehen *vt* turn back.

zurückerobern *vt* reconquer.

zurückfahren *irr* **1.** *vi* travel back; (*vor Schreck*) recoil, start; **2.** *vt* drive back.

zurückfallen *irr vi* fall back; (*in Laster*) relapse.

zurückfinden *irr vi* find one's way back.

zurückfordern *vt* demand back.

zurückführen *vt* lead back; **etw auf etw** *akk* ~ trace sth back to sth.

zurückgeben *irr vt* give back; (*antworten*) retort with.

zurückgeblieben *adj* retarded.

zurückgehen *irr vi* go back; (*zeitlich*) date back (*auf +akk* to).

zurückgezogen *adj* retired, withdrawn.

zurückhalten *irr* **1.** *vt* hold back; (*Mensch*) restrain; (*hindern*) prevent; **2.** *vr*: **sich** ~ (*reserviert sein*) be reserved; (*im Essen*) hold back; **zurückhaltend** *adj* reserved; **Zurückhaltung** *f* reserve.

zurückkehren *vi* return.

zurückkommen *irr vi* come back; **auf etw** *akk* ~ return to sth.

zurücklassen *irr vt* leave behind.

zurücklegen *vt* put back; (*Geld*) put by; (*reservieren*) keep back; (*Strecke*) cover.

zurücknehmen *irr vt* take back.

zurückrufen *irr vt, vi* call back; **etw ins Gedächtnis** ~ recall sth.

zurückschrecken *vi* shrink (*vor +dat* from).

zurückstecken 1. *vt* put back; **2.** *vi* (*fig*) moderate [one's wishes].

zurückstellen *vt* put back, replace; (*aufschieben*) put off, postpone; (*MIL*) turn down; (*Interessen*) defer; (*Ware*) keep.

zurücktreten *irr vi* step back; (*von Amt*) retire; **gegenüber** [*o* **hinter**] **etw** ~ diminish in importance in view of sth.

zurückweisen *irr vt* turn down; (*jdn*) reject.

Zurückzahlung *f* repayment.

zurückziehen *irr* **1.** *vt* pull back; (*Angebot*) withdraw; **2.** *vr*: **sich** ~ retire.

Zuruf *m* shout, cry.

Zusage *f* ⟨-, -n⟩ promise; (*Annahme*) consent; **zusagen 1.** *vt* promise; **2.** *vi* accept; **jdm** ~ (*gefallen*) appeal to.

zusammen *adv* together.

Zusammenarbeit *f* cooperation, collaboration; **zusammenarbeiten** *vi* cooperate.

zusammenbeißen irr vt (*Zähne*) clench.
zusammenbleiben irr vi stay together.
zusammenbrechen irr vi collapse; (*Mensch auch*) break down.
zusammenbringen irr vt bring [o get] together; (*Geld*) get; (*Sätze*) put together.
Zusammenbruch m collapse.
zusammenfahren irr vi collide; (*erschrecken*) start.
zusammenfassen vt summarize; (*vereinigen*) unite; **zusammenfassend 1.** adj summarizing; **2.** adv to summarize; **Zusammenfassung** f summary, résumé.
Zusammenfluß m confluence.
zusammengehören vi belong together; (*Paar*) match.
zusammengesetzt adj compound, composite.
zusammenhalten irr vi stick together.
Zusammenhang m connection; **im/aus dem ~** in/out of context; **zusammenhängen** irr vi be connected, be linked; **zusammenhang[s]los** adj incoherent, disconnected.
zusammenkommen irr vi meet, assemble; (*sich ereignen*) occur at once [o together]; **Zusammenkunft** f ⟨-, Zusammenkünfte⟩ meeting.
zusammenlegen vt put together; (*stapeln*) pile up; (*falten*) fold; (*verbinden*) combine, unite; (*Termine, Fest*) amalgamate; (*Geld*) collect.
zusammennehmen irr **1.** vt summon up; **2.** vr: **sich ~** pull oneself together; **alles zusammengenommen** all in all.
zusammenpassen vi go well together, match.
zusammenschlagen irr vt (*jdn*) beat up; (*Dinge*) smash up; (*falten*) fold; (*Hände*) clap; (*Hacken*) click.
zusammenschließen irr vt, vr: **sich ~** join [together]; **Zusammenschluß** m amalgamation.
zusammenschreiben irr vt write together; (*Bericht*) compile.
Zusammensein nt ⟨-s⟩ get-together.
zusammensetzen 1. vt put together; **2.** vr: **sich ~** be composed of; **Zusammensetzung** f composition.
zusammenstellen vt put together; (*Bericht, Programm, Daten*) compile; **Zusammenstellung** f list; (*Vorgang*) compilation.
Zusammenstoß m collision; **zusammenstoßen** irr vi collide.
zusammentreffen irr vi coincide; (*Menschen*) meet; **Zusammentreffen** nt meeting; coincidence.
zusammenwachsen irr vi grow together.
zusammenzählen vt add up.

zusammenziehen irr **1.** vt (*verengen*) draw together; (*vereinigen*) bring together; (*addieren*) add up; **2.** vr: **sich ~** shrink; (*sich bilden*) form, develop.
Zusatz m addition; **Zusatzantrag** m (POL.) amendment; **Zusatzgerät** nt attachment; (INFORM) ancillary equipment; **zusätzlich** adj additional.
zuschauen vi watch, look on; **Zuschauer(in)** m(f) ⟨-s, -⟩ spectator; **die ~** pl (THEAT) the audience.
zuschicken vt send, forward (*jdm etw* sth to sb).
zuschießen irr **1.** vt (*Ball*) kick (*dat* to); (*Geld*) put in; **2.** vi: **~ auf** +*akk* rush towards.
Zuschlag m extra charge, surcharge.
zuschlagen irr **1.** vt (*Tür*) slam; (*Ball*) hit (*jdm* to sb); (*bei Auktion*) knock down; **2.** vi (*Fenster, Tür*) shut; (*Mensch*) hit, punch.
Zuschlagkarte f (EISENB) surcharge ticket; **zuschlagspflichtig** adj subject to surcharge.
zuschließen irr vt lock [up].
zuschneiden irr vt cut out, cut to size.
zuschnüren vt tie up.
zuschrauben vt screw down [o up].
zuschreiben irr vt (*fig*) ascribe, attribute.
Zuschrift f letter, reply.
zuschulden vr: **sich ~ dat etw ~ kommen lassen** make oneself guilty of sth.
Zuschuß m subsidy, allowance.
zuschütten vt fill up.
zusehen irr vi watch (*jdm/etw* sb/sth); (*dafür sorgen*) take care; **zusehends** adv visibly; (*rasch*) rapidly.
zusenden irr vt forward, send on (*jdm etw* sth to sb).
zusetzen 1. vt (*beifügen*) add; (*Geld*) lose; **2.** vi: **jdm ~** harass sb; (*Krankheit*) take a lot out of sb.
zusichern vt assure (*jdm etw* sb of sth).
zuspielen vt, vi pass (*jdm* to sb).
zuspitzen 1. vt sharpen; **2.** vr: **sich ~** (*Lage*) become critical.
zusprechen irr **1.** vt (*zuerkennen*) award (*jdm etw* sb sth, sth to sb); **2.** vi speak (*jdm* to sb); **jdm Trost ~** comfort sb; **dem Essen/Alkohol ~** eat/drink a lot; **Zuspruch** m encouragement; (*Anklang*) appreciation, popularity.
Zustand m state, condition; (INFORM) state.
zustande adv: **~ bringen** bring about; **~ kommen** come about.
zuständig adj competent, responsible; **Zuständigkeit** f competence, responsibility.
zustehen irr vi: **jdm ~** be sb's right.
zustellen vt (*verstellen*) block; (*Post etc*) send.
zustimmen vi agree (*dat* to); **Zustim-**

mung f agreement, consent.

zustoßen irr vi (fig) happen (jdm to sb).

Zustrom m (fig) influx.

zutage adv: ~ **bringen** bring to light; ~ **treten** come to light.

Zutaten pl ingredients pl.

zuteilen vt allocate, assign.

zutiefst adv deeply.

zutragen irr 1. vt bring (jdm etw sth to sb); (Klatsch) tell; 2. vr: **sich** ~ happen.

zuträglich adj beneficial.

zutrauen vt credit (jdm etw sb with sth); **Zutrauen** nt ⟨-s⟩ trust (zu in); **zutraulich** adj trusting, friendly; **Zutraulichkeit** f trust.

zutreffen irr vi be correct; (gelten) apply; **Zutreffendes bitte unterstreichen** please underline where applicable; **zutreffend** adj applicable; (richtig) correct.

Zutritt m access, admittance.

Zutun nt ⟨-s⟩ assistance; **es geschah ohne mein** ~ I didn't have a hand in it.

zuverlässig adj reliable; **Zuverlässigkeit** f reliability.

Zuversicht f ⟨-⟩ confidence; **zuversichtlich** adj confident; **Zuversichtlichkeit** f confidence, hopefulness.

zuviel adv too much.

zuvor adv before, previously; **zuvorkommen** irr vi anticipate (jdm sb), beat [sb] to it; **zuvorkommend** adj obliging, courteous.

Zuwachs m ⟨-es, Zuwächse⟩ increase, growth; (umg: Baby) addition to the family.

zuwachsen irr vi become overgrown; (Wunde) heal [up].

Zuwachsrate f rate of increase.

zuwege adv: **etw** ~ **bringen** accomplish sth; **mit etw** ~ **kommen** manage sth; **gut** ~ **sein** be [doing] well.

zuweilen adv at times, now and then.

zuweisen irr vt assign, allocate (jdm to sb).

zuwenden irr 1. vt turn (dat towards); 2. vr: **sich** ~ devote oneself, turn (dat to); **jdm seine Aufmerksamkeit** ~ give sb one's attention; **Zuwendung** f (Liebe) care; (Geldspende) donation.

zuwenig adv too little.

zuwerfen irr vt throw (jdm to sb).

zuwider 1. adv: **etw ist jdm** ~ sb loathes sth, sb finds sth repugnant; 2. präp +dat contrary to; **zuwiderhandeln** vi act contrary (dat to); **einem Gesetz** ~ contravene a law; **Zuwiderhandlung** f contravention; **zuwiderlaufen** irr vi run counter (dat to).

zuziehen irr vt (schließen: Vorhang) draw, close; (herbeirufen: Experten) call in; 2. vi move in, come; **sich** dat **etw** ~ catch sth; (Zorn) incur sth.

zuzüglich präp +gen plus, with the addition of.

Zwang imperf von **zwingen**; **Zwang** m ⟨-[e]s, Zwänge⟩ compulsion, coercion.

zwängen vt, vr: **sich** ~ squeeze.

zwanglos adj informal; **Zwanglosigkeit** f informality.

Zwangsarbeit f forced labour; (Strafe) hard labour; **Zwangsernährung** f force feeding; **Zwangsjacke** f straightjacket; **Zwangslage** f predicament, tight corner; **zwangsläufig** adj necessary, inevitable; **Zwangsmaßnahme** f compulsory; (POL) sanction; **Zwangsräumung** f eviction; **zwangsweise** adv compulsorily.

zwanzig num twenty.

zwar adv to be sure, indeed; **das ist** ~ **..., aber ...** that may be ... but ...; **und** ~ **am Sonntag** on Sunday to be precise; **und** ~ **so schnell, daß ...** in fact so quickly that ...

Zweck m ⟨-[e]s, -e⟩ purpose, aim.

Zwecke f ⟨-, -n⟩ tack; (Heft~) drawing pin, thumbtack US.

Zweckentfremdung f misuse; **zwecklos** adj pointless; **zweckmäßig** adj suitable, appropriate; **Zweckmäßigkeit** f suitability.

zwei num two; **zweideutig** adj ambiguous; (unanständig) suggestive; **zweierlei** adj inv: ~ **Stoff** two different kinds of material; ~ **Meinung** of differing opinions; ~ **zu tun haben** have two different things to do; **zweifach** adj, adv double.

Zweifel m ⟨-s, -⟩ doubt; **zweifelhaft** adj doubtful, dubious; **zweifellos** adj doubtless; **zweifeln** vi doubt (an etw dat sth); **Zweifelsfall** m: **im** ~ in case of doubt.

Zweig m ⟨-[e]s, -e⟩ branch; **Zweigstelle** f branch [office].

zweihundert num two hundred; **zweijährig** adj (2 Jahre alt) two-year-old; (2 Jahre dauernd) two-year; **Zweikampf** m duel; **zweimal** adv twice; **zweimotorig** adj twin-engined; **zweireihig** adj (Anzug) double-breasted; **zweischneidig** adj (fig) two-edged; **Zweisitzer** m ⟨-s, -⟩ two-seater; **zweisprachig** adj bilingual; **zweispurig** adj (AUTO) two-lane; **zweistimmig** adj for two voices; **Zweitaktmotor** m two-stroke engine.

zweite(r, s) adj second; **der** ~ **Mai** the second of May; **Trier, den 2. Mai** Trier, May 2nd; **Zweite(r)** mf second.

zweitens adv secondly; (bei Aufzählungen) second.

zweitgrößte(r, s) adj second largest; **zweitklassig** adj second-class; **zweitletzte(r, s)** adj last but one, penultimate; **zweitrangig** adj second-rate; **Zweitwagen** m second car.

Zwerchfell nt diaphragm.

Zwerg(in) *m(f)* ⟨-[e]s, -e⟩ dwarf.
Zwetschge *f* ⟨-, -n⟩ plum.
Zwickel *m* ⟨-s, -⟩ gusset.
zwicken *vt* pinch, nip.
Zwieback *m* ⟨-[e]s, -e⟩ rusk.
Zwiebel *f* ⟨-, -n⟩ onion; (*Blumen~*) bulb.
Zwiegespräch *nt* dialogue; **Zwielicht** *nt* twilight; **zwielichtig** *adj* shady, dubious; **Zwiespalt** *m* conflict, split; **zwiespältig** *adj* (*Gefühle*) conflicting; (*Charakter*) contradictory; **Zwietracht** *f* discord, dissension.
Zwilling *m* ⟨-s, -e⟩ twin; **~e** *pl* (*ASTR*) Gemini *sing*.
zwingen ⟨zwang, gezwungen⟩ *vt* force; **zwingend** *adj* (*Grund etc*) compelling.
zwinkern *vi* blink; (*absichtlich*) wink.
Zwirn *m* ⟨-[e]s, -e⟩ thread.
zwischen *präp* +*akk o dat* between; **Zwischenbemerkung** *f* [incidental] remark; **Zwischenbilanz** *f* (*WIRTS*) interime balance; **zwischenblenden** *vt* (*TV*) insert; **Zwischending** *nt* cross; **zwischendurch** *adv* in between; (*räumlich*) here and there; **Zwischenergebnis** *nt* intermediate result; **Zwischenfall** *m* incident; **Zwischenfrage** *f* question; **Zwischengas** *nt*: **~ geben** double-declutch; **Zwi-**schenhandel *m* intermediate trade; **Zwischenhändler(in)** *m(f)* middleman, agent; **Zwischenlager** *nt* interim storage; **zwischenlagern** *vt* put into interim storage; **Zwischenlagerung** *f* interim storage; **Zwischenlandung** *f* stopover; **zwischenmenschlich** *adj* interpersonal; **Zwischenraum** *m* space; **Zwischenruf** *m* interruption; **Zwischenspiel** *nt* interlude; **zwischenstaatlich** *adj* interstate; international; **Zwischenstation** *f* intermediate stop; **wir machten in London ~** we stopped off in London; **Zwischenstecker** *m* adaptor [plug]; **Zwischenzeit** *f* interval; **in der ~** in the interim, meanwhile.
Zwist *m* ⟨-es, -e⟩ dispute, feud.
zwitschern *vt, vi* twitter, chirp.
Zwitter *m* ⟨-s, -⟩ hermaphrodite.
zwölf *num* twelve.
Zyklus *m* ⟨-, Zyklen⟩ cycle.
Zylinder *m* ⟨-s, -⟩ cylinder; (*Hut*) top hat; **zylinderförmig** *adj* cylindrical.
Zyniker(in) *m(f)* ⟨-s, -⟩ cynic; **zynisch** *adj* cynical; **Zynismus** *m* cynicism.
Zypern *nt* Cyprus.
Zyste *f* ⟨-, -n⟩ cyst.
z.Z[t]. *abk von* **zur Zeit** at present.

Kurzgrammatik

1 Verb forms   Verbformen

	regular	*irregular*
infinitive	work	go
present simple	work/works	go/goes
past simple	worked	went
past participle	worked	gone
-ing-Form	working	going

I wanted to **work**.	Ich wollte arbeiten.
I must **go**.	Ich muß gehen.
He **goes** to the cinema every week.	Er geht jede Woche ins Kino.
We **went** to the cinema yesterday.	Wir sind gestern ins Kino gegangen.
She's always **worked** hard.	Sie hat immer hart gearbeitet.
They'd **gone** on holiday.	Sie waren in Urlaub gefahren.
I'm not **working** tomorrow.	Ich arbeite morgen nicht.

2 Tenses   Zeitformen

	simple		
present	I/we/you/they she/he/it		work works
past	I/she/he/it/ we/you/they		worked
present perfect	I/we/you/they she/he/it	've/have 's/has	worked
past perfect	I/she/he/it/ we/you/they	'd/had	worked

	continuous		
present	I she/he/it we/you/they	'm/am 's/is 're/are	working
past	I/she/he/it we/you/they	was were	working
present perfect	I/we/you/they she/he/it	've/have 's/have	been working
past perfect	I/she/he/it/ we/you/they	'd/had	been working

3 Simple forms and continuous forms
Einfache Formen und Verlaufsformen

● Die Verlaufsform wird aus einer Form von *be* + Verb + *-ing* gebildet.

● Im Gegensatz zu den einfachen Formen verleihen die Verlaufsformen einer Handlung oder einem Ereignis die Eigenschaft der (begrenzten) **Dauer**.

  I **work** in Manchester.   Ich arbeite in Manchester.
  I **'m working** late tonight. Heute abend arbeite ich lange.

● Folgende Verben werden kaum oder überhaupt nicht in der Verlaufsform verwendet:

> *believe, belong, have* („besitzen"), *know, mean, prefer, remember, seem, suppose, think* („glauben"), *understand*

4 Short forms   Kurzformen

● Im gesprochenen Englisch sind die Kurzformen üblich.
  I **'m** going home. Ich gehe jetzt nach Hause.

  – Is that your new car?   – Ist das dein neues Auto?
  – No, it **isn't**; it**'s** my   – Nein, es gehört meinem
    brother's.   Bruder.

● Wenn im gesprochenen Englisch lange Formen benutzt werden, sind sie meist besonders betont und fügen einer Äußerung zusätzliche Information hinzu (z. B. Widerspruch des Sprechers).

– Of course I'm right!	– Natürlich hab ich recht!
– You **are** right in this case, but that doesn't mean you're always right.	– In diesem Fall hast du recht, aber das heißt nicht, daß du immer recht hast.

● Im geschriebenen Englisch werden im allgemeinen die langen Formen bevorzugt.

5 Important forms of *be*   Wichtige Formen von *be*

		bejaht	verneint
present simple	I	'm / am	'm not / am not
	she/he/it	's / is	isn't / 's not / is not
	we/you/they	're / are	aren't t / 're not / are not
past simple	I/she/he/it	was	wasn't / was not
	we/you/they	were	weren't / were not
present perfect simple	I/we/you/they	've / have been	haven't / 've not / have not been
	she/he/it	's / has	hasn't / 's not / has not
past perfect simple	I/she/he/it/ we/you/they	'd / had been	hadn't / 'd not / been had not

		Frage bejaht	Frage verneint
present simple	I	I am?	aren't I
	she/he/it	is she?	isn't she?
	we/you/they	are we?	aren't we?
past simple	I/she/he/it	was I?	wasn't I?
	we/you/they	were we?	weren't we?
present perfect simple	I/we/you/they	have I? been?	haven't I been?
	she/he/it	has she?	hasn't she
past perfect simple	I/she/he/it/ we/you/they	had I been?	hadn't I been

Is he in the office today?   Ist er heute im Büro?
He **was** sure he **had been** there before.   Er war sich sicher, daß er schon einmal dort gewesen war.

● there + be

There's a famous castle near here.   Es gibt eine berühmte Burg hier in der Nähe.

Is there a telephone box near here?   Gibt es hier in der Nähe eine Telefonzelle?

There are a lot of people here tonight.   Es sind heute abend viele Leute hier.

Weren't there any tickets left?   Gab es keine Karten mehr?

● Formen von *be* werden zur Bildung von Zeitformen verwendet.

– **Is** Fred leaving tomorrow?   – Reist Fred morgen ab?
– No, he isn't.   – Nein.

The plane **was** hit by lightning.   Das Flugzeug wurde vom Blitz getroffen.

6 Important forms of *have* Wichtige Formen von *have*

		bejaht	verneint	Frage bejaht	Frage verneint
present simple	I/we/you/they	've / have	haven't / 've not / have not	have I?	haven't I?
	she/he/it	's / has	hasn`t / 's not / has not	has she?	hasn`t she?
past simple	I/she/he/it / we/you/they	'd/ had	hadn`t / 'd not / had not	had I?	hadn`t I?

● Formen von *have* werden zur Bildung von Zeitformen (present perfect, past perfect) verwendet.

They **haven't sold** their house yet.	Sie haben ihr Haus noch nicht verkauft.
Has she **checked** the results?	Hat sie die Ergebnisse überprüft?
I**'d** never **done** anything like that before.	So etwas hatte ich noch nie gemacht.

7 Important forms of *do* Wichtige Formen von *do*

		be- jaht	verneint	Frage bejaht	Frage verneint
present simple	I/we/you/they	do	don't / do not	do you?	don't you?
	she/he/it	does	doesn`t / does not	does she?	doesn`t she?
past simple	I/she/he/it / we/you/they	did	didn't / did not	did you?	didn't you?

● Formen von *do* werden zur Bildung von Verneinung und Frage verwendet.

I **don't like** it.	Ich mag das nicht.
Do you **come** here often?	Kommst du öfter hierher?
What time **did** you **get** home last night?	Wann bist du gestern nacht nach Hause gekommen?

8 Negative statements   Verneinte Aussagesätze

			bejaht	verneint	
present simple	I we/you/they		work	don't / do not	work
	she/he/it		works	doesn't / does not	work
past simple	I/she/he/it we/you/they		worked	didn't / did not	work
present perfect simple	I/we/you/they	've / have	worked	haven't / have not	worked
	she/he/it	's / have	worked	hasn't / has not	worked
past perfect simple	I/she/he/it/ we/you/they	'd / had	worked	hadn't / had not	worked

● Verneinung im *present* und *past: do + not* + Verb
  Verneinung im *present perfect* und *past perfect*: *have + not* + Verb

9 Questions   Fragebildung

	Aussage			Frage
present simple	I we/you/they she/he/it		work works	do you work? does she works
past simple	I/she/he/it we/you/they		worked	did she work?
present perfect simple	I/we/you/they	've / have	worked	have you worked?
	she/he/it	's / have	worked	has she worked?
past perfect simple	I/she/he/it/ we/you/they	'd / had	worked	had she worked?

● Grundsätzlich gilt:
Fragebildung **mit** *do* → kein anderes Hilfsverb im Satz
Fragebildung **ohne** *do* → ein oder mehrere Hilfsverben im Satz

– **Do** you work part-time?	– Arbeitest du Teilzeit?
– Yes, I do. You too?	– Ja, und du?
– No, I don't. I've got a full-time job now.	– Nein, ich habe jetzt eine Ganztagsarbeit.

Has she always worked for Brown's?	Hat sie immer schon bei Brown gearbeitet?
Can you bring me the menu, please?	Können Sie mir bitte die Speisekarte bringen?
Have you got lamb chops today?	Gibt es heute Lammkoteletts?

● Die wichtigsten Fragewörter: *who, whose, what, which, where, why, how, when*

Who'd like a cup of tea?	Wer möchte eine Tasse Tee?
How many children have you got?	Wie viele Kinder haben Sie?

10 Imperative   Aufforderungen

● Diese Form wird verwendet, um Anweisungen, Aufforderungen, Einladungen oder Warnungen auszudrücken.

Turn left at the next traffic lights.	Biegen Sie an der nächsten Ampel links ab.
Come in! Lovely to see you!	Kommt rein! Schön, euch zu sehen!
Mind your head!	Vorsicht – Kopf einziehen!
Don't be afraid!	Hab keine Angst!
Let's go and see that new film!	Laß uns den neuen Film anschauen!

11 Present simple

Diese Zeitform wird benutzt, um aus der Sicht des Sprechers

● auszudrücken, daß Handlungen/Ereignisse regelmäßig stattfinden.

I **go** to the cinema quite often.	Ich gehe relativ oft ins Kino.

● Fakten auszudrücken.

London is the capital of Britain.	London ist die Hauptstadt Großbritanniens.
I **don't like** spaghetti.	Ich mag keine Spaghetti.

● über die Zukunft bekannte Tatsachen auszudrücken, insbesondere bei Fahrplänen und feststehenden Terminen.

The train **leaves** at 3 o'clock.	Der Zug fährt um 3 Uhr.

12 Present continuous

Diese Zeitform wird verwendet, um aus der Sicht des Sprechers

● auszudrücken, daß Handlungen/Ereignisse sich auf den Moment des Sprechens beziehen.

Somebody**'s stealing** your car.	Da stiehlt jemand Ihr Auto.

● auszudrücken, daß Handlungen, Zustände usw. nur vorübergehend sind.

I usually cycle to work but **I'm going** by bus at the moment because it's so cold.	Normalerweise fahre ich mit dem Rad zur Arbeit, aber zur Zeit fahre ich mit dem Bus, weil es so kalt ist.
Aren't you **feeling** very well?	Fühlst du dich nicht wohl?

● Verabredungen, Pläne und Absichten für die Zukunft auszudrücken.

I'm having dinner with Tom on Thursday.	Am Donnerstag bin ich zum Abendessen mit Tom verabredet.
Where **are** you **going** on holiday next year?	Wohin fährst du nächstes Jahr in Urlaub?

13 Past simple

● Diese Zeitform wird häufig verwendet, wenn es sich aus der Sicht des Sprechers um punktuelle Handlungen/Ereignisse handelt, die vor dem Moment des Sprechens abgeschlossen sind.

My grandfather **died** before I **was born**.	Mein Großvater starb noch vor meiner Geburt.
Did you **see** Fred when you **were** in London?	Hast du Fred gesehen, als du in London warst?

● Zeitangaben mit *last* (*last week, year,* etc.) und *ago* (*2 seconds ago, 2 centuries ago,* etc.) verlangen in der Regel *past tense*.

My neighbours **emigrated** to Canada last month.	Meine Nachbarn sind letzten Monat nach Kanada ausgewandert.
I **met** a remarkably attractive man two days ago.	Vor zwei Tagen habe ich einen ziemlich attraktiven Mann kennengelernt.

14 Past continuous

Diese Zeitform wird verwendet, um

● vergangene Handlungen/Ereignisse von begrenzter Dauer auszudrücken.

I **was waiting** for you in front of the post office, but you didn't come.	Ich habe vor dem Postamt auf dich gewartet, aber du bist nicht gekommen.

● ein Ereignis auszudrücken, das schon im Gange war, als eine weitere Handlung einsetzte.

When we left the house, the sun **was shining**.	Als wir aus dem Haus kamen, schien die Sonne.

15 Present perfect simple

Diese Zeitform wird häufig verwendet, wenn

● der Sprecher auf Handlungen/Ereignisse zurückschaut und deren Auswirkungen auf die Gegenwart oder Zukunft in den Mittelpunkt stellt.

I **haven't done** it yet.	Ich habe es noch nicht gemacht.(Die Arbeit liegt immer noch unerledigt da).
The children **have made** a terrible mess.	Die Kinder haben eine furchtbare Schweinerei veranstaltet (und ich werde jetzt aufräumen müssen).

● Handlungen/Ereignisse in der Vergangenheit angefangen haben und noch andauern.

He's **been** unemployed for 2 years. vgl.:	Er ist seit 2 Jahren arbeitslos (und ist es immer noch)
He was unemployed for 2 years.	Er war 2 Jahre arbeitslos (und hat jetzt wieder Arbeit).

● Fragen sich auf einen Zeitraum bis hin zum Moment des Sprechens beziehen.

Have you ever **been** to Texas?	Waren Sie schon mal in Texas?

vgl.:

Did you see the Alamo when you were in Texas?	Haben Sie das Alamo gesehen, als Sie in Texas waren?

16 Present perfect continuous

● Diese Zeitform wird verwendet, wenn der Sprecher auf Handlungen/Ereignisse zurückschaut und zusätzlich (begrenzte) Dauer betonen will.

– How long **have** you **been living** in Germany?	– Wie lange lebst du schon in Deutschland?
– I**'ve been living** here for 15 years.	– Ich lebe seit 15 Jahren hier.

– Why are you crying?	– Warum weinst du?
– I**'ve been chopping** onions for the last half hour.	– Weil ich seit einer halben Stunde dabei bin, Zwiebeln kleinzuschneiden.

vgl.:

– Why are you crying?	– Warum weinst du?
– I've just cut my finger with the kitchen knife.	– Ich habe mich gerade mit dem Küchenmesser in den Finger geschnitten.

17 Past perfect simple

● Diese Zeitform wird verwendet, wenn der Sprecher von einem Punkt in der Vergangenheit auf einen noch früheren Zeitpunkt zurückschaut.

When I got home I found that the children **had made** a terrible mess.	Als ich nach Hause kam, entdeckte ich, daß die Kinder eine furchtbare Schweinerei veranstaltet hatten.
He **had been** unemployed for 2 years when the accident happened.	Er war schon 2 Jahre arbeitslos, als der Unfall passierte.

18 Past perfect continuous

● Diese Zeitform wird verwendet, wenn der Sprecher von einem Punkt in der Vergangenheit auf einen noch früheren Zeitpunkt zurückschaut und zusätzlich die (begrenzte) Dauer einer Handlung betonen will.

When I got home he was crying because he'**d been chopping** onions.	Als ich nach Hause kam, weinte er, weil er Zwiebeln kleingeschnitten hatte.

19 Talking about the future   Zukunft ausdrücken

Im Englischen gibt es mehrere Möglichkeiten, über die Zukunft zu sprechen.

● *be + going to + infinitive*
  Diese Form wird häufig verwendet, wenn

– es für den Sprecher deutliche Hinweise gibt, daß etwas geschehen wird.

I'**m going to be** sick.	Ich muß mich gleich übergeben.
It'**s going to snow** any time now.	Es wird jeden Moment schneien.

– es um eine längerfristige oder überlegte Entscheidung geht.

When I grow up I'**m going to be** a doctor.	Wenn ich erwachsen bin, möchte ich Arzt werden.
What **are** you **going to do** to improve the sales figures?	Was werden Sie tun, um die Absatzzahlen zu verbessern?

● *'ll/will*
  Diese Form wird häufig verwendet, um über die Zukunft bekannte Tatsachen oder Vorhersagen auszudrücken.

We'll be on holiday next week.	Wir werden nächste Woche im Urlaub sein.
We won't be in this evening.	Wir sind heute abend nicht zu Hause.
Do you think I'll pass the exam?	Meinen Sie, daß ich die Prüfung bestehen werde?
It'll probably rain tomorrow.	Morgen wird es wahrscheinlich regnen.

● *present continuous*

Diese Form wird häufig verwendet, um Verabredungen, Pläne und Absichten für die Zukunft auszudrücken.

I'm having dinner with Tom on Thursday.	Am Donnerstag bin ich zum Abendessen mit Tom verabredet.
Where **are** you **going** on holiday next year?	Wohin fährst du nächstes Jahr in Urlaub?

● *present simple*

Diese Form wird verwendet, um über die Zukunft bekannte Tatsachen auszudrücken, insbesondere bei Fahrplänen und feststehenden Terminen.

The train **leaves** at 3 o'clock.	Der Zug fährt um 3 Uhr.

20 Passive forms   Passivformen

● Die Passivformen werden aus einer Form von be + past participle des Verbs gebildet.

present	I she/he/it we/you/they		am is are	needed
past	I/we/you/they she/he/it		were was	needed
present perfect	I/we/you/they she/he/it	have has	been	needed
past perfect	I/she/he/it/ we/you/they	had	been	needed

● Die Passivformen werden verwendet, wenn aus der Sicht des Sprechers der Handelnde unbekannt oder weniger interessant ist als die Handlung selbst.

English **is spoken** all over the world.	Englisch wird auf der ganzen Welt gesprochen.
My bike **has been stolen**.	Mein Fahrrad ist gestohlen worden.

● Der Handelnde wird nur erwähnt, wenn es aus der Sicht des Sprechers um eine wichtige Zusatzinformation geht.

English **is spoken by** millions of people.	Englisch wird von Millionen von Menschen gesprochen.
My bike **was stolen by** a young girl.	Mein Fahrrad wurde von einem jungen Mädchen gestohlen.

21 Modal verbs   Modale Hilfsverben

Diese Verben weisen einige Besonderheiten auf:
– Sie haben für alle Personen (*I, she, he, it, we,* etc.) die gleiche Form, d. h. sie haben in der 3. Person Singular kein -s.
– Sie können keine *-ing*-Form bilden.
– Einige kommen nur in der Zeitform *present*, einige nur im *past* vor.
– Sie bilden Frage und Verneinung ohne *do*.

Zu den modalen Hilfsverben gehören:

will/would	*ought to*	*can/could*	*must*	
shall/should	*had better*	*may/might*	*need (not)*	*used to*

22 *will*

bejaht	verneint
'll will	won't will not

● Absicht/Versprechen

I'll get it for you.	Ich hol's dir.
We'll bring something to eat.	Wir bringen etwas zu essen mit
Will you be in on Sunday?	Seid ihr am Sonntag zu Hause?
I won't do it again.	Ich tu's nicht wieder.

● spontane Entscheidung

I'll have the chicken.	Ich nehme das Hähnchen.
I've got a headache – I think I'll take an aspirin.	Ich habe Kopfschmerzen, ich nehme mal ein Aspirin.

● Bitte

| Will you help me finish this? | Hilfst du mir, das hier fertig zu machen? |

● über die Zukunft bekannte Fakten/Vorhersagen

| We'll be on holiday next week. | Wir werden nächste Woche im Urlaub sein. |
| It'll probably rain tomorrow. | Morgen wird es wahrscheinlich regnen. |

● in Bedingungssätzen

Muster: *if*-Satz → *Present*
       Hauptsatz → *'ll/will*

| If you start now, you'll have plenty of time. | Wenn du jetzt losfährst, wirst du noch viel Zeit haben. |

23 *would*

bejaht	verneint
'd would	wouldn't would not

● Angebot/Einladung

| – Would you like a cup of coffee? | – Möchten Sie eine Tasse Kaffee? |
| – Yes, I'd love a cup. | – Ja, gerne. |

● Wünsche

| I'd like a map of London. | Ich hätte gern einen Stadtplan von London. |

● Bitte

| Would you hold this for a moment, please? | Würdest du das bitte einen Moment halten? |

● Ratschlag

- What would you do?   – Was würdest du machen?
- I wouldn't go if I were you.   – An deiner Stelle würde ich nicht hingehen.

● in Bedingungssätzen

Muster: *if*-Satz → *past*   *if*-Satz → *past perfect*
       Hauptsatz → *would*   Hauptsatz → *would have*

I wouldn't drink so much if I were you.   Ich würde nicht so viel trinken, wenn ich du wäre.

If they played better, they'd win more games.   Wenn sie besser spielten, würden sie auch mehr Spiele gewinnen.

If they played better, they'd have won   Wenn sie besser gespielt hätten, dann hätten sie auch gewonnen.

You'd have loved the food!   Das Essen hätte dir geschmeckt! (wenn du da gewesen wärst)

24 *shall*

bejaht	verneint
shall	(shan't) (shall not)

● Vorschlag

Shall we go to the cinema?   Wollen wir ins Kino gehen?
Shall I meet you at the station?   Soll ich dich am Bahnhof abholen?

25 *should*

bejaht	verneint
should	shouldn't should not

● Ratschlag

You should see a doctor.	Du solltest zum Arzt gehen.
You shouldn't smoke so much.	Du solltest nicht so viel rauchen.
Shouldn't you have come earlier?	Hättest du nicht früher kommen sollen?
– Should we have it repaired?	– Sollten wir es reparieren lassen?
– I think we should.	– Ich glaube schon.

26 *ought to*

bejaht	verneint
ought to	ought not to

● (moralische) Verpflichtung/Ratschlag

| We ought to write and thank them. | Wir sollten ihnen eigentlich schreiben und uns bedanken. |
| People ought not to dump rubbish in the woods. | Die Leute sollten ihren Müll nicht im Wald abladen. |

● *ought to* kann als Ersatzverb für *should* verwendet werden.

| You should see a doctor. | Du solltest zum Arzt gehen. |
| You ought to see a doctor. | |

27 *had better*

bejaht	verneint
'd better had better	'd better not had better not

● Ratschlag/Warnung

I think you'd better go.	Ich glaube, du solltest jetzt gehen.
You'd better not be late.	Komm ja nicht zu spät!
Hadn't we better meet well in advance?	Sollten wir uns nicht rechtzeitig vorher treffen?

28 *can*

bejaht	verneint
can	can't cannot

● Fähigkeit/Möglichkeit

I can swim.　　　　　　　　Ich kann schwimmen.
I can't come on Friday.　　Ich kann am Freitag nicht
　　　　　　　　　　　　　kommen.
Can't they tell her what's　Können sie ihr nicht sagen,
wrong?　　　　　　　　　was los ist?

● Erlaubnis/Verbot

You can smoke here.　　　Sie können hier rauchen.
You can't park here.　　　Sie können hier nicht parken.

● Bitte/Angebot

Can I use your phone?　　Kann ich Ihr Telefon benutzen'
Can I give you a lift?　　Kann ich Sie mitnehmen?

29 *could*

bejaht	verneint
could	couldn't could not

● Fähigkeit/Möglichkeit

When I was young I could　Als ich jung war, konnte ich
dance all night.　　　　　die Nacht durchtanzen.
I could come on Friday if　Falls nötig könnte ich am
necessary.　　　　　　　Freitag kommen.
It couldn't have been better!　Das hätte nicht besser sein
　　　　　　　　　　　　können!

● höfliche Bitte/Vorschlag

Could you tell me the way to the station, please?	Könnten Sie mir bitte sagen, wie ich zum Bahnhof komme?
Couldn't we talk about this later?	Könnten wir nicht später darüber reden?

30 *be able to*

● Fähigkeit/Möglichkeit

He wasn't able to come last night.	Er konnte gestern abend nicht kommen.
When I was young I was able to dance all night.	Als ich jung war, konnte ich die Nacht durchtanzen.

● *be able to* kann als Ersatzverb für *can/could* verwendet werden.

Will you be able to visit me next week?	Kannst du mich nächste Woche besuchen?

31 *may*

bejaht	verneint
may	may not

● Wahrscheinlichkeit

We may see you next week.	Vielleicht sehen wir Sie nächste Woche.
They may not have heard the news.	Vielleicht haben sie die Neuigkeit noch nicht gehört.

● höfliche Bitte/Erlaubnis

May I open the window?	Darf ich vielleicht das Fenster aufmachen?

Merke: „du darfst nicht" = *you mustn't/must not*

32 *might*

bejaht	verneint
might	mightn't might not

● Wahrscheinlichkeit (weniger sicher als *may*)

| We might be a little bit late. | Es könnte sein, daß wir ein bißchen später kommen. |

33 *be allowed to*

● Erlaubnis/Verbot

| For many years women were not allowed to study at university. | Viele Jahre lang durften Frauen nicht an der Universität studieren. |
| Are you allowed to do that? | Darf man das? |

● *be (not) allowed to* kann als Ersatzverb für *may* und *can* verwendet werden.

| May I smoke in this room?
Am I allowed to smoke in this room? | Darf ich in diesem Zimmer rauchen? |
| You can't smoke in this room.
You are not allowed to smoke in this room. | In diesem Zimmer kannst du nicht rauchen. |

34 *must*

bejaht	verneint
must	mustn't must not

● Notwendigkeit

| I must get my hair cut. | Ich muß mir die Haare schneiden lassen. |

● Verbot

You mustn't tell anybody.   Du darfst niemandem davon
erzählen.

Merke: „du mußt nicht" = *you needn't/don't need to*

● logische Schlußfolgerung

We must have taken the   Wir müssen falsch abgebogen
wrong turning.   sein.

35 *need not*

	verneint
(need)	needn't need not

● fehlende Notwendigkeit (Gegenteil von *must*)

We needn't go yet.   Wir müssen noch nicht weg.
We needn't be there till   Wir brauchen nicht vor 8 Uhr
8 o'clock.   da zu sein.

Merke: Neben dem Hilfsverb *need (not)* existiert das Vollverb
need.
We don't need to go yet.

36 *have (got) to*

	present			past	
	bejaht		verneint	bejaht	verneint
I/we/you/they she/he/it	've / have 's / has	got to	haven't hasn't	got to	had to	didn't have to
I/we/you/they she/he/it	have to has to		don't / do not doesn't / does not	have to have to		did not have to

● äußere Notwendigkeit

In this job you have to be able to speak Englisch.	In diesem Beruf muß man Englisch können.
Is it free or have we got to pay?	Ist es umsonst, oder müssen wir zahlen?
Doesn't he have to do shift work now?	Muß er jetzt nicht Schicht arbeiten?
We didn't have to wait long.	Wir mußten nicht lange warten.
We'll have to report it to the police.	Das werden wir der Polizei melden müssen.

● *have to* und *have got to* können als Ersatzverb für *must* verwendet werden.

| Next week I'll have to get my hair cut. | Nächste Woche muß ich mir die Haare schneiden lassen. |

37 *used to*

bejaht	verneint
used to	didn't used to

● frühere Gewohnheiten/Zustände

| We used to come here quite often. (We don't now.) | Früher waren wir oft hier. (jetzt nicht mehr) |
| There didn't used to be a factory here. | Früher war hier keine Fabrik. |

38 Noun plurals   Mehrzahl von Nomen

regelmäßig	Einzahl	Mehrzahl
+-*s*	arm brother	arm**s** brother**s**
+-*es*	bus dress chur**ch** box	bus**es** dress**es** churches box**es**
-*y* → -*ies*	lad**y** secretar**y**	lad**ies** secretar**ies**
-*o* → -*oes**	tomat**o** potat**o**	tomat**oes** potat**oes**
-*f* → -*ves**	hal**f** lea**f**	hal**ves** lea**ves**
unregelmäßig*	child foot man woman	children feet men women

* Es handelt sich hier um häufige Beispiele; für Abweichungen und weitere Beispiele vgl. die Einzeleinträge im Wörterbuch.

39 Countable and uncountable nouns
  Zählbare und nicht zählbare Nomen

● zählbar:
  one child → **two** children/**a** country → **several** countries/
  one man → **many** men
  Merke: *how many children, countries, men…?*

● nicht zählbar:
  Stoffe: *bread, butter, coffee, earth, steel*
  Eigenschaften: *humour, intelligence, pride*
  abstrakte Begriffe: *fun, health, politics, weather*
  Nicht zählbare Nomen haben keine Mehrzahl und können
  nicht mit *a(n)* verwendet werden.
  Merke: *how much bread, butter…?*

- Manche Wörter können je nach Bedeutung zählbar oder nicht zählbar sein:
  rubber = Gummi/*a rubber* = ein Radiergummi
  iron = Eisen/*an iron* = ein Bügeleisen
  coffee = Kaffee/*a coffee* = eine Tasse Kaffee
- Abweichend vom Deutschen sind einige Wörter im Englischen nicht zählbar, z. B.: *advice, furniture, information, news*
  Merke: **eine** Information/Nachricht = *a(n) bit/item/piece of information/news*

40 's-genitive   *'s*-Genitiv

- Diese Form wird bei Menschen und Tieren verwendet, um Besitz oder Zugehörigkeit auszudrücken:

  Caroline**'s** bike/St. Mary**'s** church/the children**'s** room/my uncle**'s** car
  Merke: at the butcher's (= at the butcher's shop)/at the doctor's/at Pat's (= bei Pat)

- In der Mehrzahl bei schon vorhandenem *s*:

  rabbits**'** noses (Einzahl: a rabbit**'s** nose)
  spiders**'** webs (Einzahl: a spider**'s** web)

- Statt *'s*-Genitiv wird meist *of* benutzt

– wenn es nicht um Menschen/Tiere geht
– bei Mengenangaben

the roof of the house/the taste of coffee/a kilo of tomatoes

41 Use of the article in English and German
Gebrauch des Artikels im Englischen und Deutschen

- unbestimmter Artikel: *an* vor *a/e/i/o/u* (an electrician, an orange) und vor stummem *h* (an hour)
  a vor allen anderen Buchstaben (a book, a man)

- bestimmter Artikel: the (the electrician/the hour [ðɪ]
  the book/the man [ðə])

● Der Gebrauch des Artikels ist in beiden Sprachen weitgehend ähnlich. Folgende Unterschiede sollte man sich aber merken:

She's **a** doctor/**an** engineer.	Sie ist Ärztin/Ingenieurin.
twice **a** week/once **a** year	zweimal **die** Woche/einmal **im** Jahr
It costs 60 p **a** pound.	Es kostet 60 p **das** Pfund.
play **the** piano/**the** flute	Klavier/Flöte spielen
I live in London Road.	Ich wohne in **der** London Road.
by bike/by bus	mit **dem** Rad/mit **dem** Bus

42 Personal, possessive and reflexive pronouns
Personal-, Possessiv- und Reflexivpronomen

Personalpronomen		Possessivpronomen		Reflexivpronomen
(1)	(2)	(3)	(4)	(5)
I	me	my	mine	myself
she	her	her	hers	herself
he	him	his	his	himself
it	it	its		itself
we	us	our	ours	ourselves
you	you	your	yours	yourself*/yourselves**
they	them	their	theirs	themselves

* Einzahl ** Mehrzahl

She[1] saw **me**[2] coming.	Sie sah mich kommen.
I[1] wanted to give **him**[2] **his**[3] book back.	Ich wollte ihm sein Buch zurückgeben.
He[1] thought **it**[1] was **mine**[4] but actually **it**[1] belongs to a friend of **ours**[4], so I'm afraid **you**[1] can't have **it**[2].	Er hat gedacht, es sei meins, aber in Wirklichkeit gehört es einem Freund von uns, deshalb kannst du es leider nicht haben.
Their[3] son had an accident and cut **himself**[5] badly.	Ihr Sohn hatte einen Unfall und hat sich eine ziemlich große Schnittverletzung zugezogen.

43 *this – that/these – those*
Demonstrativpronomen

● *this/these:* nahe aus der Sicht des Sprechers
that/those: nicht so nahe aus der Sicht des Sprechers

– Have you got a pullover like this but in blue?	– Haben Sie so einen Pullover in Blau?
– Have a look at those over there, madam.	– Schauen Sie sich die da drüben an.

These apples are very nice. I think I'll have another one.	Diese Äpfel schmecken sehr gut. Ich glaube, ich nehme noch einen.
Those apples we had last week were very nice.	Die Äpfel letzte Woche haben sehr gut geschmeckt.
This is Bruce Pye speaking.	Hier spricht Bruce Pye.
Who was that on the phone just now?	Wer war das gerade am Telefon?

44 *who, which, that*
Relativpronomen

● *who* bezieht sich auf Personen, *which* auf Sachen.
that kann sich auf beides beziehen.

Something for **the man who/ that** has everything.	Etwas für den Mann, der alles hat.
There are a lot of **things which/that** annoy me.	Es gibt viele Dinge, die mich ärgern.

● *who/which/that* als Objekt des Relativsatzes fallen oft weg.

What's the name of that American (who/that) you used to work with?	Wie heißt der Amerikaner, mit dem du früher zusammen-gearbeitet hast?
What's the name of the company (which/that) you used to work for?	Wie heißt die Firma, bei der Sie früher gearbeitet haben?

45 *one(s)*

one(s) wird verwendet, um eine Wiederholung eines vorher
genannten oder bekannten Nomens zu vermeiden.

– Would you like **a cup of coffee?**	– Möchten Sie eine Tasse Kaffee?
– Thanks, I'd love **one**.	– Ja, gerne.

These **jeans** are too tight. Have you got any larger **ones**?	Diese Jeans sind zu eng. Haben Sie größere?

46 *some, any*

● Bei *some* hat der Sprecher einen Teil aus einer größeren
Menge im Auge.
Das gleiche gilt für *somebody, someone, something, some-where*.

● Bei *any* hat der Sprecher die Vorstellung ‚alles oder nichts‘.
Das gleiche gilt für *anybody, anyone, anything, anywhere*.

We need some sugar.	Wir brauchen (etwas) Zucker.
We haven't got any tea.	Wir haben keinen Tee.
There must be someone who can help us.	Es muß doch jemanden geben, der uns helfen kann.
Anyone can do that – it's easy!	Das kann doch jeder, so einfach ist das!
There's something I'd like to discuss with you.	Ich möchte da gern etwas mit Ihnen diskutieren.
I'll do anything to help her.	Ich tue alles, um ihr zu helfen.

47 Comparison of adjectives
Adjektive: Steigerung und Vergleich

● Für die Steigerung gilt im allgemeinen diese Regel:

einsilbig	long	long**er**	long**est**
einsilbig mit *-y*	happ**y**	happ**ier**	happ**iest**
2 oder mehr Silben	charming expensive	**more** charming **more** expensive	**most** charming **most** expensive

● Unregel-
mäßig:

good	better	best
bad	worse	worst

● Vergleiche mit *than:*

| The Rhine is **longer than** the Thames. | Der Rhein ist länger als die Themse. |
| The train is **more expensive than** the bus. | Die Bahn ist teurer als der Bus. |

● Vergleiche mit *as ... as:*

| The Rhine is not **as long as** the Mississippi. | Der Rhein ist nicht so lang wie der Mississippi. |
| Charter flights are not **as expensive as** ordinary flights. | Charterflüge sind nicht so teuer wie Linienflüge. |

48 Formation of adverbs
Adverbien: Bildung

	adjective	adverb
regelmäßig	bad careful slow	bad**ly** carful**ly** slow**ly**
unregelmäßig	good better early fast hard	well better early fast hard

I got **bad marks** in the exam.	Ich habe eine schlechte Note in der Prüfung bekommen.
I **did badly** in the exam.	Ich habe bei der Prüfung schlecht abgeschnitten.
Her French is very **good**. She **speaks** French **well**.	Ihr Französisch ist sehr gut. Sie spricht gut französisch.

49 Comparison of adverbs
Adverbien: Vergleiche

● Vergleiche mit *than:*

He walks even more **slowly than** me.	Er läuft noch langsamer als ich.
The driver was **less badly** hurt **than** the passengers.	Der Fahrer wurde weniger schwer verletzt als die Mitfahrer.

● Vergleiche mit *as ... as:*

He did not do **as well as** he expected in the exam.	Er schnitt bei der Prüfung nicht so gut ab, wie er erwartet hatte.
Men do not drive **as carefully as** women.	Männer fahren nicht so vorsichtig wie Frauen.

50 Spelling notes
Anmerkungen zur Rechtschreibung

● Mitlaut + *-y* → *i*

hap**py**	→ happier/happiest/happily/happiness
t**ry**	→ trial/tried

● Mitlaut + *-y* + *-s* → *ie*

ba**by**	→ babies
myste**ry**	→ mysteries
t**ry**	→ tries

● Mitlaut + *-y* + *-ing:* keine Änderung

c**ry**	→ crying
t**ry**	→ trying

● *-ie* + *-ing* → *-y*

d**ie**	→ dying
l**ie**	→ lying

● Mitlaut + stummes *-e* + Selbstlaut → *-e* entfällt (z. B. bei *-ed, -ing*)

decide	→ decided, deciding
love	→ loved, lover, loving
smile	→ smiled, smiling

● Bei Ableitungen mit den folgenden Endungen wird der Mitlaut verdoppelt, wenn der vorangehende Selbstlaut mit einem Buchstaben geschrieben wird.
Zu diesen Endungen gehören: *-ed, -en, -er, -est, -ing, -ish, -y.*

fit	→ fitter/fittest/fitted/fitting
hot	→ hotter/hottest/hottish
rot	→ rotted/rotten/rotting
run	→ runner/running/runny
shop	→ shopped/shopper/shopping
begin	→ beginner/beginning
travel	→ travelled/travelling

Merke: keine Verdoppelung im amerikanischen Englisch!
travel → traveler, traveled, traveling

51 Word formation   Wortbildung

verb → noun

-ment	→	advertisement, agreement, employment
-ion	→	connection, abolition, recognition, invitation, occupation, decision, discussion
-ence/-ance	→	difference, disappearance, tolerance
-ing	→	camping, singing, washing
-er	→	driver, employer, manager
-or/-ress	→	actor, actress, waitor, waitress
-ee	→	employee, payee
-dom	→	boredom, freedom

noun → noun

-ian	→	musician, politician
-ist	→	guitarist, soloist
-man/-woman	→	businessman, businesswoman

adjective → noun

-ness	→	cleverness, darkness, illness
-ence/-ance	→	confidence, independence, importance
-y/-ity	→	difficulty, equality, simplicity

noun → adjective

-y	→	dirty, rainy, sunny
-al	→	industrial, national, official
-ous	→	dangerous, furious, mysterious
-ish	→	English, Irish, Scottish
-ese	→	Chinese, Japanese, Siamese
-less	→	careless, joyless, speechless
-ful	→	careful, skilful, thoughtful
-able/-ible	→	drinkable, washable, edible

verb → adjective

-ive	→	attractive, creative, inventive
-ed	→	(un)employed, loved, wanted
-en	→	broken, hidden, rotten
-ing	→	boring, loving, developing

adjective → adverb

-ly	→	badly, carfully, lovingly

Prefixes

de-	→	depopulate, derail
dis-	→	disabled, disbelieve, dissatisfied
ex-	→	expatriate, ex-wife
im-/in-	→	impossible, insensitive, invariable
mis-	→	misspell, mistake
pre-	→	prefabricated, prefix, premature
re-	→	redecorate, redo, regain
semi-	→	semicircle, semidetached, semifinal
un-	→	unemployed, unknown, unseen

Unregelmäßige englische Verben

present	pt	pp	present	pt	pp
arise (arising)	arose	arisen	cut (cutting)	cut	cut
awake (awaking)	awoke	awaked	deal	dealt	dealt
			dig (digging)	dug	dug
be (am, is are; being)	was, were	been	do (does)	did	done
			draw	drew	drawn
bear	bore	born[e]	dream	dreamed *o* dreamt	dreamed *o* dreamt
beat	beat	beaten			
become (becoming)	became	become	drink	drank	drunk
			drive (driving)	drove	driven
begin (beginning)	began	begun	dwell	dwelt	dwelt
			eat	ate	eaten
bend	bent	bent	fall	fell	fallen
beseech	besought	besought	feed	fed	fed
bet (betting)	bet (*also* betted)	bet (*also* betted)	feel	felt	felt
			fight	fought	fought
bid (bidding)	bid	bid	find	found	found
bind	bound	bound	flee	fled	fled
bite (biting)	bit	bitten	fling	flung	flung
bleed	bled	bled	fly (flies)	flew	flown
blow	blew	blown	forbid (forbidding)	forbade	forbidden
break	broke	broken			
breed	bred	bred	forecast	forecast	forecast
bring	brought	brought	foresee	foresaw	foreseen
build	built	built	foretell	foretold	foretold
burn	burnt *o* burned	burnt (*also* burned)	forget (forgetting)	forgot	forgotten
burst	burst	burst	forgive (forgiving)	forgave	forgiven
buy	bought	bought			
can	could	(been able)	forsake (forsaking)	forsook	forsaken
cast	cast	cast			
catch	caught	caught	freeze (freezing)	froze	frozen
choose (choosing)	chose	chosen			
			get (getting)	got	got, (US) gott‚en
cling	clung	clung			
come (coming)	came	come	give (giving)	gave	given
			go (goes)	went	gone
cost	cost	cost	grind	ground	ground
creep	crept	crept	grow	grew	grown

present	pt	pp	present	pt	pp
hang	hung (*also* hanged)	hung (*also* hanged)	must	(had to)	(had to)
			pay	paid	paid
			put (putting)	put	put
have (has; having)	had	had	quit (quitting)	quit (*also* quitted)	quit (*also* quitted)
hear	heard	heard	read	read	read
hide (hiding)	hid	hidden	rend	rent	rent
hit (hitting)	hit	hit	rid (ridding)	rid	rid
hold	held	held	ride (riding)	rode	ridden
hurt	hurt	hurt	ring	rang	rung
keep	kept	kept	rise (rising)	rose	risen
kneel	knelt (*also* kneeled)	knelt (*also* kneeled)	run (running)	ran	run
			saw	sawed	sawn
			say	said	said
know	knew	known	see	saw	seen
lay	laid	laid	seek	sought	sought
lead	led	led	sell	sold	sold
lean	leant (*also* leaned)	leant (*also* leaned)	send	sent	sent
			set (setting)	set	set
			shake (shaking)	shook	shaken
leap	leapt (*also* leaped)	leapt (*also* leaped)	shall	should	– –
			shear	sheared	shorn (*also* sheared)
learn	learnt (*also* learned)	learnt (*also* learned)			
			shed (shedding)	shed	shed
leave (leaving)	left	left	shine (shining)	shone	shone
lend	lent	lent	shoot	shot	shot
let (letting)	let	let	show	showed	shown
lie (lying)	lay	lain	shrink	shrank	shrunk
light	lit (*also* lighted)	lit (*also* lighted)	shut (shutting)	shut	shut
			sing	sang	sung
lose (losing)	lost	lost	sink	sank	sunk
make (making)	made	made	sit (sitting)	sat	sat
			slay	slew	slain
may	might	– –	sleep	slept	slept
mean	meant	meant	slide (sliding)	slid	slid
meet	met	met			
mistake (mistaking)	mistook	mistaken	sling	slung	slung
mow	mowed	mown (*also* mowed)	slit (slitting)	slit	slit

present	pt	pp	present	pt	pp
smell	smelt (*also* smelled)	smelt (*also* smelled)	strive (striving)	strove	striven
sow	sowed	sown (*also* sowed)	swear	swore	sworn
			sweep	swept	swept
speak	spoke	spoken	swell	swelled	swollen (*also* swelled)
speed	sped (*also* speeded)	sped (*also* speeded)	swim (swimming)	swam	swum
spell	spelt (*also* spelled)	spelt (*also* spelled)	swing	swung	swung
			take (taking)	took	taken
spend	spent	spent	teach	taught	taught
spill	spilt (*also* spilled)	spilt (*also* spilled)	tear	tore	torn
			tell	told	told
			think	thought	thought
spin (spinning)	spun	spun	throw	threw	thrown
spit (spitting)	spat	spat	thrust	thrust	thrust
			tread	trod	trodden
split (splitting)	split	split	wake (waking)	woke (*also* waked)	woken (*also* waked)
spoil	spoiled (*also* spoilt)	spoiled (*also* spoilt)	wear	wore	worn
			weave (weaving)	wove (*also* weaved)	woven (*also* weaved)
spread	spread	spread	weep	wept	wept
spring	sprang	sprung	win (winning)	won	won
stand	stood	stood			
steal	stole	stolen	wind	wound	wound
stick	stuck	stuck	withdraw	withdrew	withdrawn
sting	stung	stung	withhold	withheld	withheld
stink	stank	stunk	withstand	withstood	withstood
stride (striding)	strode	stridden	wring	wrung	wrung
strike (striking)	struck	struck (*also* stricken)	write (writing)	wrote	written

Zahlwörter – Numerals

1. Grundzahlen – Cardinal numbers

0 nought, cipher, zero	33 thirty-three
1 one	40 forty
2 zwo	41 forty-one
3 three	50 fifty
4 four	51 fifty-one
5 five	60 sixty
6 six	61 sixty-one
7 seven	70 seventy
8 eight	71 seventy-one
9 nine	80 eighty
10 ten	81 eighty-one
11 eleven	90 ninety
12 twelve	91 ninety-one
13 thirteen	100 one hundred
14 fourteen	101 hundred and one
15 fifteen	102 hundred and two
16 sixteen	110 hundred and ten
17 seventeen	200 two hundred
18 eighteen	300 three hundred
19 nineteen	451 four hundred and fifty-one
20 twenty	1000 a (*o* one) thousand
21 twenty-one	2000 two thousand
22 twenty-two	10 000 ten thousand
23 twenty-three	1 000 000 a (*o* one) million
30 thirty	2 000 000 two million
31 thirty-one	1 000 000 000 a (*o* one) billion
32 thirty-two	1 000 000 000 000 a (*o* one) trillion

2. Ordnungszahlen – Ordinal numbers

1st first	31st thirty-first
2nd second	40th fortieth
3rd third	41st forty-first
4th fourth	50th fiftieth
5th fifth	51st fifty-first
6th sixth	60th sixtieth
7th seventh	61st sixty-first
8th eighth	70th seventieth
9th ninth	71st seventy-first
10th tenth	80th eightieth
11th eleventh	81st eighty-first
12th twelfth	90th ninetieth
13th thirteenth	100th (one) hundredth
14th fourteenth	101st hundred and first
15th fifteenth	200th two hundredth
16th sixteenth	300th three hundredth
17th seventeenth	451st four hundred and fifty-first
18th eighteenth	1000th (one) thousandth
19th nineteenth	1100th (one thousand and
20th twentieth	(one) hundredth
21st twenty-first	2000th two thousandth
22nd twenty-second	1 000 000th (one) hundred thousandth
23rd twenty-third	1 000 000th (one) millionth
30th thirtieth	10 000 000th ten millionth

3. Bruchzahlen – Fractions

$^1/_2$ one (*o* a) half	$^2/_3$ two thirds
$^1/_3$ one (*o* a) third	$^3/_4$ three fourths, three quarters
$^1/_4$ one (*o* a) fourth (*o* a quarter)	$^2/_5$ two fifths
$^1/_5$ one (*o* a) fifth	$^3/_{10}$ three tenths
$^1/_{10}$ one (*o* a) tenth	$1^1/_2$ one and a half
$^1/_{100}$ one hundredth	$2^1/_2$ two and a half
$^1/_{1000}$ one thousandth	$5^3/_8$ five and three eighths
$^1/_{1000000}$ one millionth	1,1 one point one (1.1)

4. Vervielfältigungszahlen – Multiples

single *einfach*	fourfold, quadruple *vierfach*
double *zweifach*	fivefold *fünffach*
threefold, treble, triple *dreifach*	(one) hundredfold *hundertfach*

Uhrzeit – Time

Wieviel Uhr ist es?, wie spät ist es? Es ist …	*What time is it? It is …*
Mitternacht, zwölf Uhr nachts	midnight, twelve p.m.
ein Uhr (morgens *o* früh)	one o'clock (in the morning), one (a.m.)
fünf nach eins, ein Uhr fünf	five past one
Viertel nach eins,	a quarter past one,
ein Uhr fünfzehn	one fifteen
fünf vor halb zwei,	twenty-five past one,
ein Uhr fünfundzwanzig	one twenty-five
halb zwei,	half past one,
ein Uhr dreißig	one thirty
fünf nach halb zwei,	twenty-five to two,
ein Uhr fünfundzwanzig	one twenty-five
halb zwei,	half past one,
ein Uhr dreißig	one thirty
fünf nach halb zwei,	twenty-five to two,
ein Uhr fünfundvierzig	one forty-five
zehn vor zwei,	ten to two,
ein Uhr fünfzig	one fifty
zwölf Uhr (mittags),	twelve o'clock (a.m.),
Mittag	Midday, noon
halb eins (mittags *o* nachmittags), zwölf Uhr dreißig	half past twelve, twelve thirty (p.m.)
zwei Uhr (nachmittags), vierzehn Uhr	two o'clock (in the afternoon), two (p.m.)
halb acht (abends), neunzehn Uhr dreißig	half past seven (in the evening), seven thirty (p.m.)
Um wieviel Uhr?	*At what time?*
um Mitternacht	at midnight
um sieben Uhr	at seven o'clock
in zwanzig Minuten	in twenty minutes
vor fünfzehn Minuten	fifteen minutes ago

Maße und Gewichte – Weights and Measures

Längenmaße – Linear measures

1 inch (in) 1″		= 2,54 cm
1 foot (ft) 1′	= 12 inches	= 30,48 cm
1 yard (yd)	= 3 feet	= 91,44 cm
1 furlong (fur)	= 220 yards	= 201,17 m
1 mile (m)	= 1760 yards	= 1,609 km
1 league	= 3 miles	= 4,828 km

Nautische Maße – Nautical measures

1 fathom	= 6 feet	= 1,829 m
1 cable	= 608 feet	= 185,31 m
1 nautical, sea mile	= 10 cables	= 1,852 km
1 sea league	= 3 nautical miles	= 5,550 km

Feldmaße – Surveyors' measures

1 link	= 7,92 inches	= 20,12 cm
1 rod, perch, pole	= 25 links	= 5,029 m
1 chain	= 4 rods	= 20,12 m

Flächenmaße – Square measures

1 square inch		= 6,452 cm^2
1 square foot	= 144 sq inches	= 929,029 cm^2
1 square yard	= 9 sq feet	= 0,836 m^2
1 square rod	= 30,25 sq yards	= 25,29 m^2
1 acre	= 4840 sq yards	= 40,47 Ar
1 square mile	= 640 acres	= 2,59 km^2

Raummaße – Cubic measures

1 cubic inch		= 16,387 cm³
1 cubic foot	= 1728 cu inches	= 0,028 m³
1 cubic yard	= 27 cu feet	= 0,765 m³
1 register ton	= 100 cu feet	= 2,832 m³

Britische Hohlmaße – Measures of capacity
Flüssigkeitsmaße – Liquid measures of capacity

1 gill		= 0,142 l
1 pint (pt)	= 4 gills	= 0,568 l
1 quart (qt)	= 2 pints	= 1,136 l
1 gallon (gal)	= 4 quarts	= 4,546 l
1 barrel	= *(für Öl)* 35 gallons	= 159,106 l
	(Bierbrauerei) 36 gallons	= 163,656 l

Trockenmaße – Dry measures of capacity

1 peck	= 2 gallons	= 9,092 l
1 bushel	= 4 pecks	= 36,348 l
1 quarter	= 8 bushels	= 290,781 l

Amerikanische Hohlmaße – Measures of capacity
Flüssigkeitsmaße – Liquid measures of capacity

1 gill		= 0,118 l
1 pint	= 4 gills	= 0,473 l
1 quart	= 2 pints	= 0,946 l
1 gallon	= 4 quarts	= 3,785 l
1 barrel	= *(für Öl)* 42 gallons	= 159,106 l

Handelsgewichte – Avoirdupois weights

1 grain (gr)		= 0,0648 g
1 dram (dr)	= 27,3438 grains	= 1,772 g
1 ounce (oz)	= 16 drams	= 28,35 g
1 pound (lb)	= 16 ounces	= 453,59 g

1 stone	= 14 pounds	= 6,348 kg
1 quarter	= 28 pounds	= 12,701 kg
1 hundredweight	= *(Brit long cwt)* 112 pounds	= 50,8 kg
(cwt)	*(US short cwt)* 100 pounds	= 45,36 kg
1 ton	= *(Brit long ton)* 20 cwt	= 1016 kg
	(US short ton) 2000 pounds	= 907,185 kg

Temperaturumrechnung – Temperature conversion

Fahrenheit – Celsius		Celsius – Fahrenheit	
°F	°C	°C	°F
0	–17,8	–10	14
32	0	0	32
50	10	10	50
70	21,1	20	68
90	32,2	30	86
98,4	37	37	98,4
212	100	100	212

Zur Umrechnung 32 abziehen und mit ⁵⁄₉ multiplizieren

zur Umrechnung mit ⁹⁄₅ multiplizieren und 32 addieren

Notizen

Notizen

Notizen

Notizen

Notizen

Notizen

Notizen

Notizen

Notizen

Notizen

Notizen

Notizen

Meine Experten

1. PONS Standardwörterbücher

jetzt auch als CD-ROM erhältlic

CD-ROM Englisch	517253-5
CD-ROM Französisch	517263-2
CD-ROM Italienisch	517283-7
CD-ROM Spanisch	517273-X

2. PONS Kompaktwörterbücher

Englisch	517101-6

auch in zwei Bänden erhältlich

Französisch	517201-2
Italienisch	517300-0
Spanisch	517401-5

3. PONS Reisewörterbücher

erhältlich in 17 Sprachen, auch als Reiseboxen mit MC oder CD.

4. PONS Bildwörterbücher

Deutsch-Englisch-Französisch-Spanisch	517830-4
neu Bildwörterbuch-Kompakt Deutsch-Englisch	517832-0

Inhalt und Aufbau
Deutsch—Englisch

Satellit *m* ⟨-en, -en⟩ satellite; **Satelliten-aufnahme** *f* satellite picture; **Satelliten-schüssel** *f* (*umg*) satellite dish.

Alle deutschen **Stichwörter** sind durch Fettdruck hervorgehoben.

passen *vi* fit; (*Farbe*) go (*zu* with); (*auf Frage*) pass; **das paßt mir nicht** that doesn't suit me; **er paßt nicht zu dir** he's not right for you; **passend** *adj* suitable; (*zusammen*~) matching; (*angebracht*) fitting; (*Zeit*) convenient.

Wendungen sind halbfett.

andere(r, s) *adj* other; (*verschieden*) different; **am ~n Tage** the next day; **ein ~s Mal** another time; **kein ~r** nobody else; **von etwas ~m sprechen** talk about something else; **anderenteils, andererseits** *adv* on the other hand.

Die **Tilde** ~ ersetzt in den Wendungen das unveränderte Stichwort; bei Stichwörtern mit Buchstaben in runden Klammern steht die Tilde für die Form außerhalb der runden Klammer.

essen ⟨aß, gegessen⟩ *vt, vi* eat; **gegessen sein** (*fig umg*) be history; **Essen** *nt* ⟨-s, -⟩ meal; food; **Essenszeit** *f* mealtime; dinner time.

In **Spitzklammern** ⟨ ⟩ stehen bei unregelmäßigen Verben die Imperfekt- und Partizip-Perfekt-Form; bei Substantiven Angaben zum Genitiv und Plural.

Haft *f* ⟨-⟩ custody; **haftbar** *adj* liable, responsible; **Haftbefehl** *m* warrant [of arrest]; **haften** *vi* stick, cling; ~ **für** be liable [o responsible] for; **haftenbleiben** *irr vi* stick (*an* +*dat* to); **Häftling** *m* prisoner; **Haftnotiz** *f* [removable] self-stick note; **Haftpflicht** *f* liability; **Haftpflichtversicherung** *f* third party insurance; **Haftung** *f* liability.

In **eckigen Klammern** [ ] stehen Teile eines Wortes oder Satzes, die beliebig weggelassen werden können. In Verbindung mit *o* geben sie eine alternative Möglichkeit an.

aufsetzen 1. *vt* put on; (*Flugzeug*) put down; (*Dokument*) draw up; **2.** *vr:* **sich** ~ sit upright; **3.** *vi* (*Flugzeug*) touch down.

Bank 1. *f* ⟨-, Bänke⟩ (*Sitz*~) bench; (*Sand*~) [sand]bank, sandbar; **2.** *f* ⟨-, -en⟩ (*Geld*~) bank.

Arabische Ziffern differenzieren verschiedene Wortarten und Substantive, die verschiedene Genitiv- und Pluralformen haben.